le Livre des Livres

par un groupe d'enseignants et de critiques littéraires,
en collaboration avec l'équipe de rédaction des Editions PRAT/EUROPA
sous la direction de Vincent Wackenheim et Christine Chaufour-Verheyen

Préface de Jean-Jacques Brochier
Rédacteur en chef du Magazine Littéraire

EDITIONS PRAT/EUROPA
34, rue Truffaut – 75017 PARIS

ISBN 2-85890-110-4

PRÉFACE

LE LIVRE, PREUVE DE L'HUMANITÉ

La véritable différence entre le règne animal et l'ordre humain ne tient pas, comme on pourrait le croire, à la station debout, ni à l'opposition du pouce et des autres doigts, mais bien à l'invention et à l'extraordinaire développement de cette technique curieuse, l'écriture, et de l'usage qui en a été fait, l'art du livre.

Pourquoi les hommes les plus anciens ont-ils dessiné sur les murs des cavernes des signes d'abord figuratifs, puis abstraits ? Pourquoi, de cette capacité d'abstraction, ont-ils tiré des systèmes de communication, puis de transmission, d'une génération à l'autre, de renseignements précis, d'événements mythiques, et, même si le mot n'existait pas, de systèmes métaphysiques?

Comment, dans le bassin méditerranéen mais aussi en Extrême-Orient, à un ou deux millénaires de distance, et quelques milliers de kilomètres, l'écriture servit-elle à la fois aux livres sacrés de l'Inde et aux inventaires des biens des rois mycéniens ? Et pourquoi trouve-t-on, aux mêmes époques, des civilisations orales totalement disparues et des civilisations écrites qui se maintiennent ? Les communications n'étaient pas à ce point impossibles que nous n'ayons aucune trace, par exemple, de certaines sociétés africaines d'après Jésus-Christ, alors que nous connaissons sinon tout, du moins énormément, de Sumer ou de la Chine la plus antique ?

Le livre, mémoire du passé, et bilan permanent du présent, répond ainsi à cette double fonction de nous faire traverser le temps et de nous rendre conscients à chaque instant du temps que nous vivons. Même ceux qui ne lisent jamais un livre n'existeraient pas sans lui ; mais ils ne le savent pas. Si, selon la juste formule, un vieillard qui meurt est une bibliothèque qui disparaît, c'est une bibliothèque potentielle, non écrite. Tandis que la disparition de la bibliothèque d'Alexandrie, bien réelle celle-là, nous semble une catastrophe irrémédiable, incommensurable avec l'incendie du temple d'Ephèse, une des sept merveilles du monde.

Le domaine du livre est infini, et la culture encyclopédique n'est malheureusement plus possible. L'époque n'est plus, comme au XVIe siècle encore, où quelques esprits pouvaient, sans forfanterie, se targuer de tout savoir, ou presque. Nous avons besoin de guides, de choix, d'initiateurs dans tous les domaines de la connaissance, de la science à la géographie, de l'histoire des religions à celle des formes de la société, et, pourquoi pas, jusqu'au jardinage, à la mécanique ou à la météorologie. Quitte, pour chacun de nous, à approfondir ensuite le domaine vers lequel nous nous sentons attirés. Ce rôle d'initiation à ce qu'on appelait autrefois être un « honnête homme » passait par le système scolaire, plus précisément par l'enseignement secondaire. Il prend aujourd'hui d'autres voies, audiovisuelles parfois. L'une de ces voies est celle de l'anthologie, qui, à la somme des renseignements qu'elle fournit, et à l'objet de référence qu'elle est, vise également à instruire en intéressant, à attirer son lecteur d'abord vers ce qu'elle lui apprend – et qui est considérable – puis vers ce qu'elle lui fait entrevoir, et qui lui restera à découvrir.

C'est pourquoi, dans le domaine de l'écrit, ce Livre des Livres est important. Dans le domaine de l'écrit, et pas simplement de ce qu'on appelle habituellement la littérature. L'une des richesses du Livre des Livres est de nous faire connaître, sous le nom de textes fondateurs, ces œuvres qu'on aurait tendance à oublier : à savoir les grands livres ésotériques et religieux, du Livre des morts égyptien à la Bible en passant par les Védas, les livres de sages, Confucius ou Lao-Tseu, les livres héroïques, l'épopée sumérienne de Gilgamesh ou le récit homérique de la colère d'Achille. Livres qui sont, en effet, hors de la littérature, souvent parce que les préceptes qu'on en tire ont, croit-on, Dieu comme source, mais livres qui sont à l'origine de notre perception du monde, de notre conduite, et des centaines de milliers d'œuvres qui les ont suivis. Ce sont ces livres fondateurs qui nous ont fait entrer dans l'histoire.

Dans les grands textes anciens, grecs et latins qui suivent les textes fondateurs, en les prolongeant, apparaissent la philosophie telle que nous l'entendons, mais aussi le théâtre, la poésie et même le récit, sinon le roman. Des classiques du monde entier, depuis les Serments de Strasbourg, premier texte en « langue vulgaire », non en latin, fondant la division de l'empire de Charlemagne entre ses trois héritiers, ou des écrits du moine japonais Bashö, inventeur du haikü, poème classique de dix-sept syllabes, assez souple et riche pour suggérer le monde, jusqu'aux modernes, il y a, en effet, une histoire de l'écriture qui coïncide avec l'histoire du monde.

Grands textes politiques et moraux, fables, chansons, romans raffinés ou subversion poétique, La Princesse de Clèves et les Illuminations, le domaine est infini. L'impossibilité est même patente, malgré la commodité du rangement, toujours un peu artificiel, par genres, de tout représenter.

Proust marque, non le point d'orgue, du moins l'arrêt sur image, comme on dit au cinéma, de ce florilège. Parce que sa situation, dans la littérature française du XXe siècle, comme hors de France (qu'on pense à Henry James, par exemple), est exceptionnelle. Il ne met pas fin à la littérature, du moins au roman, il en rassemble tous les acquis et les réussites précédentes (au premier chef Flaubert), et fournit un nouveau tremplin aux écrivains qui lui succèderont, comme Sartre, ou Jean Genet, ou Céline. Il était logique, sauf à entrer dans l'histoire immédiate, ce qui est toujours hasardeux, de clore sur lui. Au hasard d'une suite...

Quant aux manques, inévitables, aux choix, toujours discutables, ils sont la providence du lecteur. A lui d'avoir la joie de compléter, d'approfondir. C'est ce qu'apporte aussi une anthologie, ouverte à tous les horizons.

Ainsi le Livre des Livres offre deux richesses : nous faire connaître – ou nous rappeler – les grands textes qu'il faut avoir lus et qui, aujourd'hui, nous font vivre, et nous ouvrir à d'autres découvertes. Comprendre et imaginer, ce sont là les deux sources du génie humain.

Jean-Jacques BROCHIER
Rédacteur en chef du Magazine Littéraire

PRÉSENTATION

« Si je partais vivre sur une île déserte, quel livre emporterais-je avec moi ? » Peut-être vous êtes-vous déjà posé cette question, sans en trouver la réponse. Est-il possible de désigner un ouvrage unique qui, à lui seul, nous satisferait ? Qui soit tout à la fois, suivant notre humeur, beau et tragique, sacré et drôle, poétique et fantastique ? Gageons que non. L'ouvrage que nous aurions choisi d'emporter sur notre île risque, certains jours, de nous déplaire, ou de nous ennuyer. Tant de textes, en effet, ont été depuis les commencements de notre histoire d'une importance capitale pour l'homme, que ce soit la Bible, ou la Déclaration des droits de l'homme, ou des textes d'imagination et de poésie.

Nous avons voulu, dans le Livre des Livres, réunir tous ces textes, depuis les tables de Sumer jusqu'au début du XXe siècle. Le choix n'a pas toujours été facile : certaines coupures ont été douloureuses. Nous nous sommes pourtant attachés à voir figurer dans ces neuf cents pages les auteurs les plus significatifs du monde entier, les textes les plus marquants. Ils se trouvent ici rassemblés, ils s'éclairent les uns les autres, avec ces héros qui forment une galerie de portraits, Roland à Ronceveaux, Ulysse en voyage, Rastignac à Paris, Gavroche sur les barricades, et tant d'autres encore.

Après avoir dressé la liste des textes, il a fallu les classer. En tête, nous avons placé les grands textes fondateurs, ceux auxquels on se réfère toujours, comme s'ils étaient une sorte de passage obligé : la Bible, Homère, les Veda, Confucius... Ils forment un socle sur lequel s'est bâtie l'histoire des hommes. Viennent ensuite les grands textes anciens, de l'antiquité grecque et latine pour la plupart, puis les grands textes classiques et les grands textes modernes. Au sein de chacune de ces quatre grandes parties, les textes ont été classés par ordre chronologique, en prenant comme référence l'année de naissance de leur auteur, ou lorsqu'il s'agit d'une œuvre anonyme, l'année de parution ou d'apparition, connue ou supposée de l'œuvre.

Et si le Livre des Livres se lit comme un roman, il se consulte également comme un ouvrage de référence. Chaque texte, chaque auteur est accompagné de commentaires qui les situent dans leur contexte chronologique et biographique. Un court résumé permet ensuite, lorsque cela est nécessaire, de replacer le passage dans l'œuvre dont il a été tiré. Nous avons placé en regard des textes, pour les mettre en valeur, des citations célèbres, des paroles fameuses, des vers familiers.

Vous trouverez en annexe une table chronologique de correspondance des textes et des événements historiques (p. 869) ainsi qu'un index (p. 883) qui vous permettra facilement de retrouver un auteur, un titre, un personnage de roman ou de théâtre, un héros de légende, ou encore de vous référer à tous les textes qui, par exemple, traitent du pouvoir, ou de la loi. Un dictionnaire des citations (p. 875) classé par auteur, accompagné d'un index, donne un échantillon des maximes les plus célèbres.

Nous avons voulu faire de cet ouvrage le recueil de tous les textes qu'il faut avoir lus. Nous espérons que vous aurez autant de plaisir à le lire que nous en avons eu à le réaliser.

TABLE DES MATIÈRES

PREMIÈRE PARTIE

LES GRANDS TEXTES FONDATEURS

DEUXIÈME PARTIE

LES GRANDS TEXTES ANCIENS

TROISIÈME PARTIE

LES GRANDS TEXTES CLASSIQUES

QUATRIÈME PARTIE

LES GRANDS TEXTES MODERNES

PREMIÈRE PARTIE

LES GRANDS TEXTES FONDATEURS

♦ *L'épopée de Gilgamesh*

SUMER — 5000 ANS AVANT J.-C.

On a dit que l'histoire commençait à Sumer :

Au début du cinquième millénaire avant notre ère, en basse Mésopotamie, un peuple venu on ne sait d'où s'installe sur les terres récemment libérées par la mer, entre le Tigre et l'Euphrate. Cette nouvelle région particulièrement fertile sédentarise les nomades qui deviennent de très prospères pasteurs et agriculteurs.

Ils bâtissent des temples, des palais, inventent une écriture, édifient une civilisation prodigieuse qui, paradoxalement, après sa chute, disparaîtra peu à peu de la mémoire des hommes.

Cependant, avant de sombrer totalement dans l'oubli, une partie de sa brillante littérature n'avait cessé d'être recopiée et transcrite de siècle en siècle dans tout le Proche-Orient, notamment à Babylone.

C'est ainsi qu'à la suite des grandes fouilles archéologiques du dix-neuvième siècle furent retrouvées les tablettes d'argile assyro-babyloniennes où s'inscrit la plus ancienne épopée de l'humanité, celle de Gilgamesh, roi de Sumer.

Gilgamesh, roi d'Uruk, se comporte en tyran. Enkidu, l'homme sauvage, moitié bête, moitié homme, est envoyé par les dieux pour l'abattre. Les deux êtres deviennent des amis et des compagnons de lutte inséparables. Enkidu meurt au cours d'un combat. Gilgamesh, inconsolable, part à la recherche du secret qui donne l'immortalité. Sa quête n'aboutit pas mais il acquiert la sagesse.

ÉPOPÉE

. Tablette VI.

Ishtar, la grande déesse, tente de séduire Gilgamesh. Le héros la repousse.

Gilgamesh nettoya ses armes, il les fit briller ;
Il rejeta sa chevelure sur son dos
Il déposa ses vêtements salis par la lutte et en revêtit
[de propres :
Il ajusta sa tunique.
Gilgamesh mit sa coiffure
Sur la beauté de Gilgamesh, la grande déesse Ishtar
[jeta les yeux.

« Eh, Gilgamesh, sois mon amant.
Fais-moi présent de ton amour,
Sois mon époux, je veux être ta femme ;
Je ferai atteler pour toi un char orné de lapis-lazuli
[et d'or,
Ses roues seront en or et les cornes de son tablier
Seront d'argent et d'or mélangés :
Tu y attelleras journellement de grands chevaux ;
Entre dans notre demeure embaumée du parfum
[du cèdre ;
Lors de ton entrée dans notre demeure,

Ceux même qui sont assis sur des trônes
[embrasseront tes pieds ;
Ils se courberont devant toi, les rois, les gouverneurs
[et les princes ;
Les gens de la montagne et de la plaine
[t'apporteront leur tribut ;
Tes chèvres seront plantureuses et tes brebis
[porteront des jumeaux ;
Tes mules, tes ânes viendront chargés de tes
[revenus ;
Tes chevaux entraîneront ton char au galop,
Et tes bêtes de somme, sous le joug, n'auront pas
[d'égales. »
Gilgamesh prit la parole et dit
Ces paroles à la divine princesse Ishtar :
« Ouais ! et que devrai-je te donner si je t'épouse ?
Je dois te donner de l'huile pour oindre ton corps
[et des vêtements,
Et aussi du pain et des victuailles ; il faut une
[nourriture
Suffisante pour ta divinité, et de la boisson qui
[convienne à ta royauté ?
Et quel serait mon avantage si je t'épousais ?
Tu n'es qu'une ruine qui ne donne point d'abri à
[l'homme contre le mauvais temps,
Tu n'es qu'une porte battante qui ne résiste pas à la
[tempête,
Tu n'es qu'un palais que les héros ont pillé,
Tu n'es qu'un piège qui dissimule les traîtrises,
Tu n'es que poix enflammée qui brûle celui qui la
[tient,
Tu n'es qu'une outre pleine d'eau qui inonde son
[porteur,
Tu n'es qu'un morceau de pierre à chaux, qui laisse
[les remparts tomber en ruines,
Tu n'es qu'une amulette incapable de protéger en
[pays ennemi,
Tu n'es qu'une sandale qui fait broncher son
[possesseur sur le chemin !
Qui fut pour toi un amant que tu aies aimé pour
[toujours ?
Qui, de ceux à qui tu as été, eut jamais un bon
[devenir ?
Écoute, je déroulerai la liste sans fin de tes amants !
Le dieu Dumuzi, l'amant de ton jeune âge,
Année après année tu en fais un sujet de
[lamentations !
Tu as aimé l'Oiseau « petit-berger » au plumage
[bigarré ; tu l'as frappé « mon aile ! »
Et tu lui as cassé son âile,
Et maintenant il se tient dans la forêt, criant
Tu as aimé le Lion admirablement fort,
Et tu as fait creuser pour lui sept fois sept trappes ;
Tu as aimé l'Étalon que la bataille exalte,
Tu lui as donné en échange la bride, l'aiguillon et le
[fouet,
La destinée de galoper sept double-heures par jour,
D'être épuisé et couvert d'écume !
Pour sa mère, la divine Silili, tu as été une cause de
[pleurs.
Tu as aimé le berger, le berger
Qui sans cesse répandait pour toi l'encens,
Et chaque jour t'offrait en sacrifice des chevreaux ;
Tu l'as frappé et tu l'as transformé en chacal ;
Maintenant ses propres pâtres lui donnent la chasse,
Et ses chiens déchirent sa peau.
Tu as aimé Ishullanu le jardinier de ton père,
Qui sans cesse t'apportait des fruits rares
Et chaque jour ornait ta table !
Tu l'as convoité et tu es allée à lui :
« Mon Ishullanu, fais-moi tâter de ta vigueur.
Avance ta main et caresse-moi ! »
Ishullanu t'a répondu :
« Que me veux-tu donc à moi ?
Ma mère n'a pas cuit les aliments que tu m'offres,
[et je ne veux pas les manger ;
Ton festin est de me rassasier d'approches et de
[malédiction :
Contre le froid, les roseaux me sont un abri
[suffisant. »
Lorsque tu as entendu tout cela,
Tu l'as frappé et tu l'as transformé en araignée
Tu l'as fait demeurer à jamais au milieu des ruines
Où il ne peut ni monter ni descendre.
Et quand tu m'auras aimé, tu feras de moi comme
[de ceux-là !
La divine Ishtar ayant entendu ces paroles,
La divine Ishtar devint furieuse et monta vers le ciel.
Elle s'en alla, la divine Ishtar, trouver le dieu Anu,
[son père ;
Devant la déesse Antu sa mère, elle alla :
« Mon père, Gilgamesh m'a maudite,
Gilgamesh a énuméré mes turpitudes,
Mes turpitudes et mes ensorcellements ! »
Le dieu Anu prit la parole et parla
Ainsi à la divine princesse Ishtar :
« Eh quoi, voici donc
Que tu lui as demandé son amour,
Et que Gilgamesh a énuméré tes turpitudes
Tes turpitudes et tes ensorcellements ! »
La déesse Ishtar prit la parole et parla
Ainsi au dieu Anu son père :
« Ô mon père, crée un taureau céleste et Gilgamesh,
Gilgamesh sera plein de terreur.
Si tu ne crées pas ce taureau,
Je remplirai le monde de carnage,
Et le nombre des morts l'emportera sur celui des
[vivants ! »

Je veux aller bien loin par la plaine !
Je ne sais comment me taire ; je ne sais comment
[crier !
Mon ami que j'aimais n'est plus que fange :
Ne vais-je pas comme lui me coucher pour ne me
[relever jamais ? »
Gilgamesh dit en outre à Ur-Shanabi, le batelier,
« Et maintenant Ur-Shanabi, quel est le chemin
[pour aller vers Outa-Napistim ?
Quel signe me le fera reconnaître ? dis-le moi,
[enseigne-moi ce signe.
Si la chose est faisable, je traverserai la mer ;
Si la chose ne peut se faire, j'irai par voie de terre. »
Ur-Shanabi répondit à Gilgamesh, il lui parla ainsi :
« Brandis, ô Gilgamesh, la hache pendue à ton côté
Va vers la forêt et coupe des perches de soixante
[coudées chacune,
Goudronne-les et taille-les en pointe, puis tu les
[apporteras. »
Lorsque Gilgamesh eut entendu ces paroles,
Il brandit la hache pendue à son côté, il tira le
[poignard passé dans sa ceinture,
Il s'en alla vers la forêt et coupa des perches de
[soixante coudées ;
Il les goudronna et les tailla en pointe ; puis il les
[apporta à Ur-Shanabi.
Gilgamesh et Ur-Shanabi s'embarquèrent ;
La barque fut poussée à l'eau, et ils naviguèrent
Pendant un mois et quinze jours. Au bout de trois
[jours de plus, Ur-Shanabi observa,
Et voici qu'il avait atteint les eaux de la mort.
Ur-Shanabi s'adressa à Gilgamesh, lui parlant ainsi :
« Approche-toi, Gilgamesh, (prends une perche),
Et que les eaux de la mort n'effleurent pas tes
[mains ;
Prends une deuxième, une troisième et une
[quatrième perche, ô Gilgamesh ;
Prends une cinquième, une sixième et une septième
[perche, ô Gilgamesh ;
Prends une huitième, une neuvième et une dixième
[perche, ô Gilgamesh ;
Prends une onzième et une douzième perche,
[ô Gilgamesh ;
Au bout de cent vingt, Gilgamesh eut épuisé les
[perches ;
Alors il enleva son vêtement et le fixa au mât qu'il
[éleva de ses mains.
Um-napishti regardait l'horizon ;
Il se parla à lui-même en ces termes ;
S'interrogeant à part lui :
« Pourquoi le vaisseau est-il désemparé,
Et pourquoi quelqu'un qui n'est pas du bateau est-il
[sur ce vaisseau ?
Celui qui arrive n'est pas un homme !
Je l'observe ; non, ce n'est pas un homme !
Je l'observe ; non, ce n'est pas un homme !

(Lacune de vingt-deux lignes qui devaient décrire le débarquement de Gilgamesh.)

Enkidu est mort.

Gilgamesh va quérir, par-delà le royaume des Morts, la recette d'immortalité auprès d'Outa-Napistim, son ancêtre.

Alors Um-napishti s'adressa à Gilgamesh lui parlant
[ainsi :
« Pourquoi ta force est-elle anéantie et ta face
[tournée vers la terre ?
Pourquoi ton cœur est-il malade et tes traits sont-ils
[défaits ?
Pourquoi la douleur ronge-t-elle tes entrailles ?
Ton visage est pareil à celui qui revient de lointains
[voyages,
La désolation se lit sur ta figure,
Et tu erres à travers la plaine ! »
Gilgamesh répondit :
« Comment ma force ne serait-elle pas anéantie et
[ma face tournée vers la terre ?
Comment mon cœur ne serait-il pas malade et
[comment mes traits ne seraient-ils pas défaits ?
Comment la douleur ne rongerait-elle pas mes
[entrailles ?
Comment mon visage ne serait-il pas pareil à celui
[qui revient de lointains voyages ?
Comment la désolation ne serait-elle pas sur ma
[figure ?
Et comment ne pas errer à travers la plaine ?
Mon ami, mon cher ami,
Avec qui j'ai cheminé par monts et par vaux,
Avec qui j'ai capturé le taureau céleste,
Avec qui j'ai mis à mort Humbaba qui résidait dans
[la forêt des cèdres,
Mon ami qui, avec moi, exterminait les lions,
Mon ami qui m'a accompagné dans tous mes périls,
Enkidu, mon ami, qui avec moi exterminait les lions,
Le terme de son destin l'a atteint !
Six jours et six nuits je l'ai pleuré,
Puis je l'ai mené à son tombeau !
Alors j'ai pris peur ; j'ai craint la mort et je me suis
[enfui à travers la campagne.
Les dernières paroles de mon ami sont comme un
[poids qui m'accable ;
Je veux aller bien loin, par la plaine ;
Je veux aller bien loin par la campagne !
Je ne sais comment me taire ; je ne sais comment
[crier !
Mon ami que j'aimais n'est plus que fange :
Ne vais-je pas comme lui me coucher pour ne me
[relever jamais ? »
(...)
J'ai parcouru tous les pays,
J'ai franchi des monts escarpés, j'ai traversé toutes
[les mers,
Et je n'ai rien rencontré d'heureux.
Je me suis condamné à la misère et j'ai rempli ma
[chair de douleurs.
Outa-Napistim répondit à Gilgamesh, lui parlant
[ainsi :

(Lacune)

« Est-ce pour toujours que nous bâtissons nos
[maisons, pour toujours que nous marquons de
[notre sceau ce qui nous appartient ?
Est-ce pour toujours que les frères partagent ?
Est-ce pour toujours que la haine divise ?
Est-ce pour toujours que le fleuve entre en crue et
[amène les hautes eaux ?
Est-ce pour toujours que l'oiseau *kulilu* et l'oiseau
[*kirippu*
Montent vers le soleil en le regardant ?
Ceux qui dorment sont semblables aux morts ; il n'y
[a plus de différence
Entre le serviteur et le maître quand ils ont atteint le
[terme qui leur est désigné.
De toute éternité les Anunnaki, les dieux grands se
[sont rassemblés,
Et la déesse Mammitu qui crée la destinée, avec eux
[a fixé les destinées.
Les dieux ont décidé de notre mort et de notre vie,
Mais ils n'ont pas fait connaître le jour de notre
[mort ! »

. *Tablette XI.*

Outa-Napistim décrit le cataclysme qui a dévasté la terre dont il fut l'un des rares survivants : le déluge de la Bible.

Homme de Sourippak, fils d'Oubara-Toutou,
Détruis la maison, construis un vaisseau,
Laisse les richesses, cherche la vie,
Déteste la richesse et conserve la vie,
Fais monter la semence de vie de toute sorte à
[l'intérieur du vaisseau
Qu'elles soient mesurées ses dimensions !
Le vaisseau que tu construiras, toi,
Qu'elles se correspondent sa largeur et sa longueur !
Sur l'océan, place-le !
Moi je compris et je dis à Éa, mon maître :
Mon Seigneur, ce que tu as dit ainsi
J'en fais grand cas, moi je le ferai.
Mais que répondrai-je à la ville, à la foule et aux
[anciens ?
Éa ouvrit sa bouche et il parla,
Il dit à moi, son serviteur :
Toi tu leur parleras ainsi...
Je ne demeurerai plus dans votre ville,
Je descends vers l'Océan, j'habiterai avec Éa, mon
[Seigneur.
Sur vous il vous fera pleuvoir d'abondance.
(...)
Avant le coucher du soleil était achevé le vaisseau.
Tout ce que j'avais, je le chargeai,
Tout ce que j'avais d'argent, je le chargeai,
Tout ce que j'avais d'or, je le chargeai,
Tout ce que j'avais, je le chargeai ; toute semence de
[vie
Je fis monter à l'intérieur du vaisseau ; toute ma
[famille et ma parenté,
Le bétail de la campagne, les animaux de la
[campagne, les artisans, eux tous, je les fis monter.
Šamaš avait fixé le moment :
« Le chef des ténèbres, au soir, fera pleuvoir une
[pluie de saleté.
« Entre à l'intérieur du vaisseau et ferme ta porte. »
Cet instant arriva :
Le chef des ténèbres, au soir, fait pleuvoir une
[pluie de saleté ;
Du jour je regardai l'aspect,
A considérer le temps j'eus peur,
J'entrai dans le vaisseau et je fermai ma porte ;
Pour la direction du vaisseau à Pouzour-bêl, le
[batelier,
Je confiai le bâtiment avec ses objets.

Lorsque brilla le petit jour,
Du fondement des cieux monta une nuée noire,
(...)
Tout ce qui est brillant se transforme en ténèbres,
Le frère ne voit plus son frère,
Ils ne se reconnaissent plus les gens dans les cieux.
Les dieux craignirent le déluge,
Ils s'enfuirent, ils montèrent au ciel d'Anou.
(...)
Marche le vent et le déluge, l'ouragan domine le
[pays.
A l'arrivée du septième jour, est abattu l'ouragan, le
[déluge,
Qui avait combattu le combat comme une armée ;
La mer se reposa, le mauvais vent s'apaisa, le déluge
[cessa.
Je regarde la mer : la voix s'était tue,
Et toute l'humanité était changée en boue !
Jusqu'aux toits atteignait le marais !
J'ouvris la fenêtre et le jour tomba sur ma joue,
Je m'affalai et restai assis, je pleurais :
Sur ma joue coulaient mes larmes.
Je regardai le monde, l'horizon de la mer ;
A 12 x émergeait une île.
Vers le mont Nisir arrive le vaisseau,
Le mont Nisir retint le vaisseau et ne le laissa plus
[bouger,
Un jour, un deuxième jour, le mont Nisir, etc.
Un troisième jour, un quatrième jour, le mont Nisir,
[etc.
Un cinquième, un sixième, le mont Nisir, etc.
A l'arrivée du septième jour,

Je fis sortir une colombe, je la lâchai ;
Elle alla, la colombe, elle revint :
Comme il n'y avait pas d'endroit, elle revint.

Je fis sortir une hirondelle, je le lâchai ;
Elle alla l'hirondelle, elle revint :
Comme il n'y avait pas d'endroit, elle revint.
Je fis sortir un corbeau, je le lâchai ;
Il alla, le corbeau, et vit la disparition des eaux :
Il mange, il patauge, il croasse, il ne revient pas.
J'en fis sortir aux quatre vents, je répandis une
[libation,
Je plaçai une offrande sur le sommet de la
[montagne.
Je plaçai 14 récipients rituels,
En bas de ceux-ci je répandis du roseau, du cèdre et
[du myrte.
Les dieux flairèrent l'odeur,
Les dieux flairèrent la bonne odeur,
Les dieux comme des mouches se rassemblèrent
[au-dessus du sacrificateur.

Aussitôt que la souveraine des dieux arriva,
Elle éleva les grandes pierreries qu'avait faites Anou,
[selon son désir :

« Ô dieux ici présents, aussi vrai que je n'oublierai
[pas mon collier de lapis-lazuli,
Aussi vrai je me souviendrai de ces jours-ci et
[jamais je ne les oublierai !
Que les dieux viennent vers l'offrande !
Mais que Bêl ne vienne pas vers l'offrande !
Car il n'a pas réfléchi et il a fait le déluge ;
Et mes gens il leur a fait subir la destruction. »

Lorsque arriva le dieu Bêl,
Il vit le vaisseau et il s'irrita, le dieu Bêl,
De fureur il fut rempli contre les Igigi :

« Quelque être vivant a-t-il échappé ?
Il ne doit plus vivre un homme dans la destruction ! »

Ninib ouvrit sa bouche et parla,
Il dit au héros Bêl :
« Qui donc, sinon Éa, est l'auteur de la chose ?
Et Éa a connu toute l'affaire. »
Éa ouvrit sa bouche et parla,
Il dit au héros Bêl :
« Ô toi, le sage parmi les dieux, le héros !
Comment, comment n'as-tu pas réfléchi et as-tu
[fait le déluge ?
Pourquoi as-tu fait le déluge ?
Qu'un lion soit venu et qu'il ait décimé les gens !
Pourquoi as-tu fait le déluge ?
Qu'un léopard soit venu et qu'il ait décimé les gens !
Pourquoi as-tu fait le déluge ?
Qu'une famine ait eu lieu et qu'elle ait *ravagé* le
[pays !
Pourquoi as-tu fait le déluge ?
Que la peste soit venue et qu'elle ait ravagé le pays !
Moi, je n'ai pas révélé le secret des grands dieux !
« Le très sage, je lui ai fait voir des songes et il a
[entendu le secret des dieux ! »
Alors ils consultent son avis ;
Bêl monta dans le vaisseau,
Il prit ma main et m'éleva en haut ;
Il éleva ma femme, il la fit s'agenouiller à mon côté ;
Il toucha notre face et se tint au milieu de nous, il
[nous bénit :
« Auparavant Outa-napištim était un humain,
Maintenant Outa-napištim et sa femme seront
[semblables à nous, les dieux :
Qu'il habite, Outa-napištim, au loin, à
[l'embouchure des fleuves ! »
Ils me prirent et, au loin, à l'embouchure des fleuves
[ils me firent demeurer.

Textes égyptiens

3200 – 320 AVANT J.-C.

Avant de tomber sous la domination d'Alexandre, en 332 av. J.-C., et de s'engloutir dans la mouvance hellenistique où elle perdra graduellement son identité, l'Égypte ancienne aura connu trois mille ans d'histoire sous le règne de trente dynasties différentes !

La richesse et la diversité de cette civilisation dont la durée reste unique dans les annales de l'humanité ne cessent de nous étonner depuis que Champollion, au début du dix-neuvième siècle, a retrouvé le secret de son écriture ; et c'est ainsi que les textes gravés sur la pierre et les papyri merveilleusement conservés nous livrent peu à peu une littérature immense qui est la mémoire d'un grand peuple disparu.

.Le naufrage.

2000 avant J.-C.

Ce conte populaire retrouvé intact à quelques mots près est un exemple-type de la langue claire et élégante de la littérature de la XIIe dynastie.

Un capitaine égyptien, ayant fait naufrage, est mis en accusation lors de son retour au pays, pour avoir perdu son navire. Il présente sa défense.

Le Serviteur habile dit : « Sain soit ton cœur, mon chef, car voici, nous sommes arrivés au pays : on a pris le maillet, on a enfoncé le pieu, la poupe du navire a été mise contre terre, on a poussé l'acclamation, on a adoré et tous les gens s'embrassent les uns les autres. Nos matelots à nous sont revenus en bon état, sans qu'il nous manque un seul de nos soldats. Nous avons atteint les extrémités du pays d'Ouaouaît, nous avons traversé Sanmouît, et nous maintenant nous revenons en paix, et notre pays nous y arrivons ! Écoute-moi, mon chef, car je suis sans ressource. Lave-toi, verse l'eau sur les doigts, puis présente ta prière et dis ton cœur au roi, et quand tu parleras ne te démonte pas, car si la bouche de l'homme le sauve, sa parole lui fait voiler le visage. Agis selon les mouvements de ton cœur, et que ce soit un apaisement ce que tu diras.

Or, je te ferai le conte exact de ce qui m'est arrivé à moi-même. J'allais aux mines du Souverain, et j'étais descendu en mer sur un navire de cent cinquante coudées de long sur quarante coudées de large qui portait cent cinquante matelots de l'élite du pays d'Égypte, qui avaient vu le ciel, qui avaient vu la terre, et qui étaient plus hardis de cœur que des lions. Ils avaient prédit que la bourrasque ne viendrait pas, que le désastre ne se produirait pas, mais la bourrasque éclata tandis que nous étions au large, et, avant même que nous eussions joint la terre, la brise força et elle souleva une vague de huit coudées. Une planche, je l'arrachai ; quant au navire, ceux qui le montaient périrent sans qu'il en restât un seul. Moi donc, j'abordai à une île et ce fut grâce à un flot de la mer. Je passai trois jours seul, sans autre compagnon que mon cœur, et la nuit je me couchai sous une voûte de buissons où l'ombre m'enveloppait, puis j'allongeai les jambes à la recherche de quelque chose pour ma bouche. Je trouvai là des figues et du raisin, des poireaux magnifiques, des baies et des graines, des melons de toute espèce, des poissons, des oiseaux ; il n'y avait chose qui ne s'y trouvât. Donc, je me rassasiai, je posai à terre une partie de ce dont mes mains étaient chargées : je creusai une fosse, j'allumai un feu, et je dressai un bûcher de sacrifice aux dieux.

« Voici que j'entendis une voix tonnante, et je pensai : C'est une vague de mer ! » Les arbres frissonnèrent, la terre trembla, je dévoilai ma face et je connus que c'était un serpent qui venait, long de trente coudées, et dont la barbe dépassait deux coudées ; son corps était incrusté d'or, sa couleur comme celle du lapis vrai, et il s'arrêta en avant de moi. Il ouvrit la bouche contre moi, tandis que je restais sur le ventre devant lui, il me dit : « Qui t'a amené, qui t'a amené, vassal, qui t'a amené ? Si tu tardes à me dire qui t'a amené dans cette île, je te ferai connaître ce que tu es : ou, dans la flamme, tu deviendras invisible, ou tu me diras ce que je n'ai pas entendu et que j'ignorais avant toi ». Puis il me prit dans sa bouche, il me transporta à son gîte et il m'y déposa sans que j'eusse du mal ; j'étais sain et sauf et rien ne m'avait été enlevé.

Lors donc qu'il eut ouvert la bouche, tandis que je restais sur le ventre devant lui, et lorsqu'il m'eut dit : « Qui t'a amené, qui t'a amené, vassal, en cette île de la mer et dont les deux rives sont des flots ? » je lui répondis ceci, les mains pendantes devant lui, et je lui dis : « Moi, je descendais aux mines, en mission du Souverain, sur un navire de cent cinquante coudées de long sur quarante de large, et qui portait cent cinquante matelots de l'élite du pays d'Égypte, qui avaient vu le ciel, qui avaient vu la terre, et qui étaient plus hardis de cœur que des lions. Ils avaient prédit que la bourrasque ne viendrait pas, que le désastre ne se produirait pas ; chacun d'eux était hardi de cœur et fort de bras plus que ses compagnons et il n'y avait point de lâches parmi eux. Or la bourrasque éclata tandis que nous étions au large, et avant que nous eussions joint la terre, la brise força et elle souleva une vague de huit coudées. Une planche, je l'arrachai ; quant au navire, ceux qui le montaient périrent, sans qu'il en restât un seul durant mes trois jours, et maintenant me voici près de toi. Moi donc j'abordai dans cette île et ce fut grâce à un flot de la mer ».

Il me dit : « Ne crains pas, ne crains pas, vassal, et n'attriste pas ton visage ! Si tu arrives à moi, c'est que Dieu a permis que tu vécusses, et il t'a amené à cette *Ile de Double* où il n'y a chose qui ne s'y trouve, et qui est remplie de toutes les bonnes choses. Voici, tu passeras mois sur mois jusqu'à ce que tu aies séjourné quatre mois dans cette île, puis un navire viendra du pays avec des matelots ; tu pourras aller avec eux au pays et tu mourras dans ta ville. C'est joie de raconter pour qui a goûté le passage des tristesses : je te ferai le conte exact de ce qu'il y a dans cette île. J'y suis avec mes frères et mes enfants, au milieu d'eux : nous sommes au nombre de soixante-quinze serpents, mes enfants et mes frères, et encore je ne mentionne pas une jeune fille qui m'a été amenée par art magique. Car une étoile étant tombée, ceux qui étaient dans le feu avec elle en sortirent, et la jeune fille parut, sans que je fusse avec les êtres de la flamme, sans que je fusse au milieu d'eux, sans quoi je serais mort de leur fait, mais je la trouvai ensuite parmi les cadavres, seule. Si tu es brave et que ton cœur soit fort, tu serreras tes enfants sur ton sein, tu embrasseras ta femme, tu verras ta maison, ce qui vaut mieux que tout, tu atteindras le pays et tu y seras au milieu de tes frères ! » Alors je m'allongeai sur mon ventre et je touchai le sol devant lui. « Voici ce que j'ai à te dire : Je décrirai tes âmes au Souverain, je lui ferai savoir ta grandeur, et je te ferai porter du fard, du parfum d'acclamation, de la pommade, de la casse, de l'encens des temples dont on se gagne la faveur de tout dieu. Je conterai ensuite ce qu'il m'est arrivé de voir, et on t'adorera dans ta ville en présence des notables de la Terre-Entière : j'égorgerai pour toi des taureaux pour les passer au feu, j'étranglerai pour toi des oiseaux, et je te ferai amener des navires chargés de toutes les richesses de l'Égypte, comme on fait à un dieu, ami des hommes dans un pays éloigné que les hommes ne connaissent point ». Il rit de moi et de ce que je disais, à cause de ce qu'il avait en son cœur, il me dit : « Tu n'es pas riche en myrrhe, tout ce qui existe chez toi, c'est de l'encens. Mais moi, je suis le souverain du pays de Pouanît, et j'ai de la myrrhe ; seul, ce parfum d'acclamation que tu parles de m'envoyer, il n'est pas abondant en cette île. Mais il adviendra que, sitôt éloigné de cette place, plus jamais tu ne reverras cette île, qui se transformera en flots ».

Et voilà, quand le navire vint ainsi qu'il avait prédit d'avance, je me juchai sur un arbre élevé et j'observai ceux qui y étaient. J'allai ensuite lui communiquer cette nouvelle, mais je trouvai qu'il la connaissait. Il me dit : « Bonne chance, bonne chance, vassal, vers ta demeure, vois tes enfants et que ton nom soit bon dans ta ville ; voilà mes souhaits pour toi ! » Lors je m'allongeai sur le ventre, les mains pendantes devant lui, et lui, il me donna des cadeaux de myrrhe, de parfum d'acclamation, de pommade, de casse, de poivre, de fard, de poudre d'antimoine, de cyprès, une quantité d'encens, de queues d'hippopotames, de dents d'éléphants, de lévriers, de cynocéphales, de singes verts, de toutes les richesses excellentes. Je chargeai le tout sur ce navire, puis je m'étendis sur le ventre et j'adorai le serpent. Il me dit : « Voici que tu arriveras au pays, en deux mois, tu presseras tes enfants sur ton sein et, par la suite, tu iras te rajeunir dans ton tombeau ». Et après cela, je descendis au rivage vers ce navire et j'appelai les soldats qui se trouvaient dans ce navire. Je rendis des actions de grâces sur le rivage au maître de cette île, ainsi qu'à ceux qui y demeuraient.

Lorsque nous fûmes de retour à la résidence du Souverain, nous arrivâmes au palais le deuxième mois, conformément à tout ce que le serpent avait dit. J'entrai devant le Souverain et je lui présentai ces cadeaux que j'avais apportés de cette île, et il m'adora en présence des notables de la Terre-Entière. Voici qu'on fit de moi un serviteur et que j'eus accès auprès des premiers autour du roi. Abaisse ton regard sur moi, maintenant que j'ai rejoint la terre d'Égypte, après que j'ai vu et que j'ai goûté ces épreuves. Écoute-moi, car voici, il est bon d'écouter les gens. Pharaon m'avait dit : « Deviens un habile, mon ami ! Qui donc donne de l'eau à un oiseau le matin du jour où on doit l'immoler ? » C'est fini, du commencement jusqu'à la fin, ainsi qu'il a été trouvé en écrit. Qui l'a écrit, c'est le scribe aux doigts habiles Amoni-Amanâou.

.*Le Livre des Morts*.

1600 avant J.-C.

Dans l'Égypte ancienne, le défunt était considéré comme capable d'une résurrection.

Les formules incantatoires du texte sacré déposé dans sa tombe devaient le soutenir dans les épreuves qui l'attendaient après la mort : la confession négative, la pesée du cœur et le jugement final.

Entrée dans la salle de la Vérité. Séparation de l'homme et de ses péchés afin qu'il voie la face des Dieux.

Hommage à vous, maîtres de la vérité, hommage à toi, dieu grand, maître de la vérité. Je suis venu vers toi, mon seigneur, je me présente pour contempler ta splendeur.

Je te connais, je connais ton nom, je connais le nom de ces quarante-deux dieux qui sont avec toi dans la Salle de la Vérité, vivant de la garde des pécheurs, se nourrissant de leur sang au jour du compte des paroles devant Ounofré.

Or *âme-double maîtresse de-la-vérité* est ton nom, or vous savez, maîtres de la vérité, que je vous apporte la vérité et que j'écarte de vous le mal.

Je n'ai fait perfidement de mal à aucun homme. Je n'ai pas rendu malheureux mes proches. Je n'ai pas fait de vilenies dans la demeure de la vérité. Je n'ai pas eu d'accointance avec le mal. Je n'ai pas fait le mal.

Je n'ai pas fait, comme chef d'hommes, jamais travailler au-delà de la tâche. Mon nom est parvenu à la barque de suprématie, mon nom est parvenu aux dignités de suprématie, à l'abondance et aux commandements.

Il n'y a eu par mon fait ni craintif, ni pauvre, ni souffrance, ni malheureux. Je n'ai point fait ce que détestent les dieux. Je n'ai point fait maltraiter l'esclave par son maître. Je n'ai point fait avoir faim. Je n'ai point fait pleurer.

Je n'ai point tué. Je n'ai point ordonné de tuer traîtreusement. Je n'ai fait de mensonge à aucun homme. Je n'ai point pillé les provisions des temples. Je n'ai point diminué les substances consacrées aux dieux. Je n'ai enlevé ni les pains ni les bandelettes des momies. Je n'ai point forniqué, je n'ai point commis d'acte honteux avec un prêtre de mon district religieux.

Je n'ai ni surfait ni diminué les approvisionnements. Je n'ai point exercé de pression sur le poids de la balance. Je n'ai point fraudé quant au poids lui-même de la balance.

Je n'ai point éloigné le lait de la bouche d'un nourrisson. Je n'ai pas fait main basse sur les bestiaux dans leur pâturage, je n'ai pas pris au filet les oiseaux des dieux. Je n'ai pas pêché de poissons à l'état de cadavres. Je n'ai point repoussé l'eau à son époque (de crue) ; je n'ai pas détourné le cours d'un canal. Je n'ai pas éteint la flamme à son heure.

Je n'ai pas fraudé les dieux de leurs offrandes de choix. Je n'ai pas repoussé les bestiaux de propriété divine. Je n'ai pas fait obstacle à un dieu dans son exode. Je suis pur, pur, pur. Je suis pur de la pureté du grand Bennou qui est à Héracléopolis, car je suis le nez du maître des souffles qui fait vivre les intelligents le jour du compte de *l'oudja* dans An, le 30 du deuxième mois de la saison des semailles devant le maître de la terre.

Je vois que j'ai accompli *l'oudja* dans An. Il ne se produira pas de mal contre moi en cette terre de vérité, puisque je connais les noms de ces dieux qui sont avec toi dans la Salle de la Vérité. Donc, délivre-moi d'eux.

“Hommage à vous, dieux habitant la salle de la Vérité”

INVOCATION
AUX 42 ASSESSEURS D'OSIRIS

O enjambeur sorti d'An ! Je n'ai pas fait le mal.

O celui qui ouvre la bouche, sorti de Keraou ! Je n'ai pas commis de violence.

O narine sortie d'Hermopolis ! Je n'ai pas causé de tourment de cœur.

O mangeur d'ombres, sorti des cataractes ! Je n'ai pas volé.

O... sorti de Ro-sta ! Je n'ai pas fait tuer d'homme traîtreusement.

O double lion, sorti du ciel ! Je n'ai pas diminué les offrandes.

O les yeux de flamme, sorti de Sekhem ! Je n'ai pas causé de dommage.

O visage de flamme, apparaissant à reculons et sorti d'Héliopolis ! Je n'ai pas ravi les choses divines.

O celui qui s'empare des os, sorti d'Héracléopolis ! Je n'ai pas dit de mensonge.

O souffle de flamme, sorti de Memphis ! Je n'ai pas enlevé ce qui appartient (à autrui).

O enceinte de Bubastis, sortie de la demeure mystérieuse ! je n'ai pas fait pleurer.

O celui dont la tête est par derrière, sorti du couloir de passage ! Je n'ai pas fait acte de masturbation.

O Kerti sorti de l'Amenti ! Je n'ai pas forniqué.

O jambes de flamme, sorti de la nuit ! Je n'ai pas eu de colère concentrée.

O dents blanches, sorti de sa frontière ! Je n'ai pas transgressé.

O mangeur de sang, sorti du lieu d'immolation ! Je n'ai pas tué les animaux sacrés.

O mangeur d'entrailles, sorti de la demeure des trente ! Je n'ai pas commis de perfidies.

O maître de la vérité, sorti de la région de la vérité ! Je n'ai pas endommagé de terres cultivées.

O reculeur, sorti de Bubastis ! Je n'ai pas été accusateur.

O... sorti d'Héliopolis ! Je n'ai pas fait marcher ma bouche.

O doublement méchant, sorti de... ! Je ne me suis irrité que lorsqu'il y avait matière.

Hommage à vous, dieux habitant la Salle de la Vérité. Le mal n'est pas dans votre sein, vous vivez de la vérité dans An, vos cœurs se nourrissent de la vérité devant Horus en son disque. Délivrez-moi du dieu du mal qui vit des entrailles des grands, le jour du grand jugement parmi vous.

L'Osiris N vient à vous : il n'y a ni mal, ni péché, ni souillure, ni impureté en lui ; il n'y a ni accusation, ni opposition contre lui. Il vit de la vérité, se nourrit de la vérité. Le cœur est charmé de ce qu'il a fait. Ce qu'il a fait, les hommes le proclament, les dieux s'en réjouissent. Il s'est concilié Dieu par son amour. Il a donné du pain à celui qui avait faim, de l'eau à celui qui avait soif, des vêtements à celui qui était nu. Il a donné une barque à celui qui en manquait. Il a fait des offrandes aux dieux, des consécrations funéraires aux mânes. Sauvez-le, protégez-le en ne l'accusant pas devant le seigneur des momies, car sa bouche est pure, ses mains sont pures.

CHAPITRE CXXV

Les Véda

INDE, 2000 AVANT J.-C.

On date l'ensemble des Véda, écrits sacrés de l'Inde, du deuxième millénaire avant notre ère, lors de l'installation des Aryens dans les plaines situés entre l'Indus et le Gange.

Transmis oralement par des moyens techniques rigoureux, rédigés plus tard en sanskrit archaïque, ils constituent un volume considérable de textes qui représentent l'équivalent d'une centaine de Bibles.

TEXTES SACRÉS

.Le Rig-Veda.

L'ORIGINE DU MONDE

A l'origine, enveloppé dans la nuit, cet univers n'était qu'une grande eau indistincte.

L'Un formidable, du sein du vide, surgit alors par la puissance de son désir.

Oui, l'Amour, voilà le premier-né des êtres, l'Amour, qui plus tard produisit la Pensée, et en qui les sages, s'ils interrogent leur cœur, découvrent le lien du non-être et de l'être.

A L'AURORE

Fille du ciel, tu nous apparais jeune, et sous un voile étincelant, reine des trésors terrestres, Aurore, brille aujourd'hui, brille fortunée pour nous.

Suivant les pas des Aurores passées, tu es l'aînée des Aurores futures, des Aurores éternelles. Viens ranimer tout ce qui vit, viens revivifier ce qui est mort !

Aurore, tu rallumes les feux des sacrifices ; tu rends au monde le soleil ; pour l'œuvre sainte tu viens réveiller tous les hommes...

Le Rig-Veda, le plus important des recueils védiques, comporte un millier d'hymnes supposés avoir été révélés à des « rishis », des sages voyants, se présentant sous une forme lyrique et d'une écriture très savante. Les traductions en sont très difficiles, le passage du sanskrit à une langue occidentale apportant une réduction stérilisante.

Depuis combien de temps l'Aurore vient-elle ainsi nous visiter ? Celle d'aujourd'hui imite les anciennes qui ont lui déjà comme elle sera imitée de celle qui luiront dans l'Avenir. Elle vient, à la suite des autres, briller pour le bonheur des êtres.

Ils sont morts, ceux qui voyaient l'éclat des Aurores passées ; nous aurons leur sort, nous qui la voyons aujourd'hui ; et ils mourront aussi, ceux qui les verront, les Aurores futures...

Dans les temps passés elle brillait splendide ; avec la même magnificence, aujourd'hui elle éclaire le monde ; et dans l'avenir elle resplendira aussi belle. Elle ne connaît pas la vieillesse ; immortelle, elle s'avance, toujours rayonnante de nouvelles beautés...

Elle nous appelle, pareille aux Aurores qui l'ont toujours précédée, aux Aurores qui la suivront toujours.

"A l'origine, enveloppé dans la nuit, cet univers n'était qu'une grande eau indistincte"

Levez-vous ; l'esprit vital est venu ! L'obscurité s'éloigne, la lumière s'avance ! elle prépare au soleil la grande voie qu'il doit suivre. Nous allons reprendre nos travaux, ces travaux qui créent la vie.

Le ministre du sacrifice élève la voix, il chante les clartés de l'Aurore. Loin de lui, Aurore, repousse l'obscurité. En les éclairant de tes rayons, bénis le père et ses enfants. L'homme qui t'honore verra les Aurores futures multiplier ses vaches, et ses enfants robustes. (...)

L'Aurore ouvre ses voiles, comme une femme couverte de parures...

Elle semble, quand elle se lève, une jeune femme sortant du bain.

Comme une femme qui veut plaire, l'heureuse fille du ciel déploie sa beauté devant nous.

AU SOLEIL

"Soleil éblouissant ; ta belle chevelure est couronnée de rayons"

Il se lève du ciel, le Soleil brillant ; il va à sa tâche lointaine, éclatant de lumière ; — allons ! que les hommes aussi, réveillés et ranimés par lui, aillent à leur place et à leur tâche.

De sa splendeur il remplit l'air, et il se lève devant le peuple des Dieux, devant les hommes, devant le ciel entier, pour que tous le voient et l'admirent... De cette même clarté, Dieu purifiant et protecteur, tu couvres la terre qui porte les hommes, tu inondes le ciel, l'air immense, faisant les jours et les nuits et contemplant tout ce qui existe. Sept cavales, au poil fauve, traînent le char qui te porte – Soleil éblouissant ; ta belle chevelure est couronnée de rayons.

Dieu qui voit tout.

En te levant aujourd'hui, Dieu bienfaisant, en montant au sommet des cieux, guéris, Soleil, le chagrin de mon cœur et la pâleur de mon visage.

A VARUNA

Elle est sage avec grandeur, la nature de celui qui a étayé en les séparant ces deux mondes si vastes. Il a écarté le ciel haut et grand ; oui, il a écarté l'astre, — et étendu la terre.

Et je me dis à moi-même : Quand trouverai-je un refuge en Varuna ? Quelle offrande de moi goûtera-t-il, apaisant sa colère ? Quand pourrai-je, ayant le cœur pur, voir les effets de sa pitié ?

Je m'informe de mon péché, ô Varuna, pour le connaître. je vais interroger ceux qui savent. Tous les sages même ne m'ont fait ensemble qu'une réponse : c'est Varuna qui est irrité contre toi.

Quel était-il, ô Varuna, ce grand péché, pour que tu veuilles frapper le chantre ton ami ? Dis-le-moi, ô infaillible, qui garde ta nature propre. Puissé-je, devenant sans péché, ô Dieu prompt, t'échapper grâce à cet hommage !

Délie pour nous les fautes de nos pères, délie celles que nous avons commises nous-mêmes. Détache, ô roi, Vasistha, comme un voleur qui s'était nourri de bétail volé, comme un veau, — de la corde qui le lie.

Ce n'était pas mon intelligence, ô Varuna. C'était une tromperie ; c'était la boisson enivrante, la colère, le dé, l'inadvertance. Le sommeil même est le plus fort dans la transgression du plus faible, le sommeil qui rend inadvertant à l'injustice.

Puissé-je servir le .... comme un esclave, étant sans péché devant le Dieu qui ne sommeille pas ! Le Dieu *arya* a donné l'intelligence à ceux qui en manquent. L'habile même est conduit à la richesse par ce Dieu plus sage que lui.

Que cet hymne de louange, ô Varuna, qui gardes ta nature propre, aille jusqu'à ton cœur. Que le bonheur soit à nous dans le repos et dans l'action. — O vous, protégez-nous toujours en nous donnant le bien-être !

.Les Upanishads.

1200 — 300 AVANT J.-C.

*Les Upanishads représentées par deux cent cinquante textes de longueur très différente, rédigés en vers ou en prose, constituent la dernière partie du **Veda**. Sous forme de récits symboliques ou d'interprétations philosophiques, ce sont des commentaires de la doctrine hindoue.*

Les Upanishads furent les premiers écrits découverts par les Occidentaux, aux XVIIIe siècle. Au XIXe siècle, les romantiques s'en imprégnèrent et les philosophes reconnurent le poids et la richesse de cette pensée étrangère aux catégories d'Aristote.

*S'appuyant sur les mythes anciens, elles posent les questions primordiales, essentielles, comme la destinée de l'homme après la mort **(la katha upanishad)** ou la possibilité de connaître la cause ultime de tout ce qui existe **(la kena upanishad)**.*

LA KATHA UPANISHAD

Un jeune brahmane héroïque et pur, Natchikétas, arrive au royaume des morts chez Yama, le Pluton hindou, et le questionne au sujet du sort de l'homme après son séjour sur terre. Que devient-il après sa mort physique ? Yama tente de détourner l'attention de son interlocuteur en lui proposant toutes sortes de biens terrestres qui sont refusés énergiquement. Devant tant de détermination, il donne sa réponse.

NATCHIKÉTAS.

Quand un homme a cessé de vivre, il y a doute ; les uns disent qu'il existe encore, d'autres qu'il n'est plus.

YAMA.

Les Dieux sur ce sujet, les Dieux même ont autrefois douté. Demande moi toute autre chose... De belles Apsaras sur leurs chars avec leurs instruments de musique... je te les donnerai, tu vivras avec elles, mais ne m'interroge pas sur la mort !

NATCHIKÉTAS.

Garde ces chars, ces danseuses et leurs chants : choses d'un jour, ô Yama, et qui usent la vigueur des sens. Les conservons-nous ces richesses, quand tu nous apparais ? Non, révèle-moi ce que recèle l'avenir. Je ne te demande que de me faire pénétrer au fond du monde mystérieux.

YAMA.

Le sage qui méditant sur son âme (son atman) reconnaît pour Dieu l'Être antique inaccessible à tous les sens, l'Être enfoncé dans l'inconnu, l'Être enveloppé d'ombres, habitant de l'abîme, celui-là ne ressent plus désormais ni le plaisir ni la douleur... Comme le feu diffère, bien qu'il soit un en son essence, selon les objets qu'il consume, ainsi l'atman est un au cœur de toutes choses, et il change cependant, d'après le milieu qu'il pénètre. Comme le soleil, l'œil du monde, n'est pas souillé par ces impuretés extérieures que peut percevoir l'œil humain, l'Atman aussi, un au cœur de toutes choses, n'est pas atteint par la souffrance du monde, car, bien qu'en elles, il en demeure distinct. Il existe un Penseur éternel, mais les pensées qu'il pense ne sont pas éternelles : il est un et remplit les désirs de beaucoup. Aux sages qui le perçoivent en leur propre atman, à eux seuls appartient l'éternel repos... Le monde entier, tout ce qui est, sort de Brahma et tremble dans son souffle : le Brahma est la grande terreur, comme une épée tirée.

« Mais celui-là qui le connaît, celui-là ne peut plus mourir. Brahma, ni la parole, ni l'esprit, ni les yeux ne le peuvent atteindre. Il n'est saisi que par celui qui prononce ce seul mot : il est.

» Quand se taisent tous les désirs qui tourmentent le cœur, alors le mortel devient immortel, et il obtient Brahma.

« Quand sont brisées toutes les chaînes qui lient le cœur à la terre, alors le mortel devient immortel. »

"Quand un homme a cessé de vivre, il y a doute ; les uns disent qu'il existe encore, d'autres qu'il n'est plus"

LA KENA UPANISHAD

Les dieux règnent sur l'univers depuis qu'ils ont remporté la victoire sur les démons. Mais ***celle-ci n'a été possible que par l'existence d'un*** *Principe supérieur (Brahma), véritable soutien des mondes, devant lequel doivent s'incliner les trois plus grands dieux du Véda : Vayou, Agni et Indra.*

La traduction est de Victor Hugo.

• SUPRÉMATIE •

Lorsque les trois grands dieux eurent dans un [cachot
Mis les démons, chassé les monstres de là-haut,
Oté sa griffe à l'hydre, au noir dragon son aile,
Et sur ce tas hurlant fermé l'ombre éternelle,
Laissant grincer l'enfer, ce sépulcre vivant,
Ils vinrent tous les trois, Vâyou le dieu du Vent,
Agni, dieu de la Flamme, Indra, dieu de l'Espace,
S'asseoir sur le zénith, qu'aucun mont ne dépasse,
Et se dirent, ayant dans le ciel radieux
Chacun un astre au front : « nous sommes les seuls [dieux ! »
Tout à coup devant eux surgit dans l'ombre obscure
Une lumière ayant les yeux d'une figure.

Ce que cette lumière était, rien ne saurait
Le dire, et, comme brille au fond d'une forêt
Un long rayon de lune en une route étroite,
Elle resplendissait, se tenant toute droite.
Ainsi se dresse un phare au sommet d'un récif.
C'était un flamboiement immobile, pensif,
Debout.

Et les trois dieux s'étonnèrent.

Ils dirent :

« Qu'est ceci ? »

Tout se tut et les cieux attendirent.

« Dieu Vâyou, dit Agni, dieu Vâyou, dit Indra,
Parle à cette lumière. Elle te répondra.
Crois-tu que tu pourrais savoir ce qu'elle est ?

— Certes,

Dit Vâyou. Je le puis. »

Les profondeurs désertes
Songeaient ; tout fuyait, l'aigle ainsi que l'alcyon.
Alors Vâyou marcha droit à la vision.
« Qu'es-tu ? » cria Vâyou, le dieu fort et suprême.
Et l'apparition lui dit : « Qu'es-tu toi-même ? »
Et Vâyou dit : « Je suis Vâyou, le dieu du Vent.

— Et qu'est-ce que tu peux ?

— Je peux, en me levant,
Tout déplacer, chasser les flots, courber les chênes,
Arracher tous les gonds, rompre toutes les chaînes,
Et si je voulais, d'un souffle, moi Vâyou,
Plus aisément qu'au fleuve on ne jette un caillou
Ou que d'une araignée on ne crève les toiles,
J'emporterais la terre à travers les étoiles. »

L'apparition prit un brin de paille et dit :
« Emporte ceci. »

Puis, avant qu'il répondit,
Elle posa devant le dieu le brin de paille.

Alors, avec des yeux d'orage et de bataille,
Le dieu Vâyou se mit à grandir jusqu'au ciel,
Il troua l'effrayant plafond torrentiel,
Il ne fut plus qu'un monstre ayant partout des [bouches,
Pâle, il démusela les ouragans farouches
Et mit en liberté l'âpre meute des airs ;
On entendit mugir le simoun des déserts
Et l'aquilon qui peut, par-dessus les épaules
Des montagnes, pousser l'océan jusqu'aux pôles ;
Vâyou, géant des vents, immense, au-dessus d'eux
Plana, gronda, frémit et rugit, et, hideux,
Remua les profonds tonnerres de l'abîme ;
Tout l'univers trembla de la base à la cime
Comme un toit où quelqu'un d'affreux marche à [grands pas.

Le brin de paille aux pieds du dieu ne bougea pas.

Le dieu s'en retourna.

« Dieu du vent, notre frère,
Parle, as-tu pu savoir ce qu'est cette lumière ? »

Et Vâyou répondit aux deux autres dieux : « Non !

— Agni, dit Indra ; frère Agni, mon compagnon,
Dit Vâyou, pourrais-tu le savoir toi ?

— Sans doute »,

Dit Agni.

Le dieu rouge, Agni, que l'eau redoute,
Et devant qui médite à genoux le Bouddha,
Alla vers la clarté sereine et demanda :
« Qu'es-tu clarté ?

— Qu'es-tu toi-même ? lui dit-elle.

— Le dieu du Feu.

— Quelle est ta puissance ?

— Elle est telle
Que, si je veux, je puis brûler le ciel noirci,
Les mondes, les soleils, et tout.

— Brûle ceci »,
Dit la clarté, montrant au dieu le brin de paille.

Alors, comme un bélier défonce une muraille,
Agni, frappant du pied, fit jaillir de partout
La flamme formidable, et, fauve, ardent, debout,
Crachant des jets de lave entre ses dents de braise,
Fit sur l'humble fétu crouler une fournaise ;
Un soufflement de forge emplit le firmament ;
Et le jour s'éclipsa dans un vomissement
D'étincelles, mêlé de tant de nuit et d'ombre
Qu'une moitié du ciel en resta longtemps sombre ;

Ainsi bout le Vésuve, ainsi flambe l'Hékla ;
Lorsqu'enfin la vapeur énorme s'envola,
Quand le dieu rouge Agni, dont l'incendie est l'âme,
Eut éteint ce tumulte effroyable de flamme
Où grondait on ne sait quel monstrueux soufflet,
Il vit le brin de paille à ses pieds, qui semblait
N'avoir pas même été touché par la fumée.

Le dieu s'en revint.

« Dieu du feu, force enflammée,
Quelle est cette lumière enfin ? Sais-tu son nom ? »

Dirent les autres dieux.

Agni répondit : « Non.

— Indra, dit Vâyou ; frère Indra, dit Agni, sage !
Roi ! dieu ! qui, sans passer, de tout vois le passage,
Peux-tu savoir, ô toi dont rien ne se perdra,
Ce qu'est cette clarté qui nous regarde ? »

Indra

Répondit : « Oui. »

Toujours droite, la clarté pure
Brillait, et le dieu vint lui parler.
« O figure,
Qu'es-tu ? » dit Indra, d'ombre et d'étoiles vêtu.
Et l'apparition dit : « Toi-même, qu'es-tu ? »
Indra lui dit : « Je suis Indra, dieu de l'Espace.
— Et quel est ton pouvoir, dieu ?

— Sur sa carapace
La divine tortue, aux yeux toujours ouverts,
Porte l'éléphant blanc qui porte l'univers.
Autour de l'univers est l'infini. Ce gouffre
Contient tout ce qui vit, naît, meurt, existe, souffre,
Règne, passe ou demeure, au sommet, au milieu,
En haut, en bas, et c'est l'espace, et j'en suis dieu.
Sous moi la vie obscure ouvre tous ses registres ;
Je suis le grand voyant des profondeurs sinistres ;

Ni dans les bleus édens, ni dans l'enfer hagard,
Rien ne m'échappe, et rien n'est hors de mon
[regard ;
Si quelque être pour moi cessait d'être visible,
C'est lui qui serait dieu, pas nous ; c'est impossible.
Étant l'énormité, je vois l'immensité ;
Je vois toute la nuit et toute la clarté ;
Je vois le dernier lieu, je vois le dernier nombre,
Et ma prunelle atteint l'extrémité de l'ombre ;
Je suis le regardeur infini. Dans ma main
J'ai tout, le temps, l'esprit, hier, aujourd'hui, demain.
Je vois les trous de taupe et les gouffres d'aurore,
Tout ! et, là même où rien n'est plus, je vois encore.
Depuis l'azur sans borne où les cieux sur les cieux
Tournent comme un rouage aux flamboyants
[essieux,
Jusqu'au néant des morts auquel le ver travaille,
Je sais tout ! Je vois tout !

— Vois-tu ce brin de paille ? »
Dit l'étrange clarté d'où sortait une voix.
Indra baissa la tête et cria : « Je le vois.
Lumière, je te dis que j'embrasse tout l'être ;
Toi-même, entends-tu bien, tu ne peux disparaître
De mon regard, jamais éclipsé ni décru ! »

A peine eut-il parlé qu'elle avait disparu.

Le Mahabharata

INDE, 2000 AVANT J.-C.

Le Mahabharata est une immense épopée qui remonte, d'après la tradition, à l'époque védique, c'est-à-dire au deuxième millénaire avant notre ère.

Ce récit mythique de 2 000 000 vers ou s'insèrent des réflexions philosophiques et religieuses sert toujours de soubassement à la culture de l'Inde moderne.

L'histoire, racontée par Vyasa, retrace la lutte des Kaurava contre les Pandava. Les personnages principaux sont Krishna, réincarnation du dieu Vishnou, Arjuna, son disciple, lui-même réincarnation de Indra, et sa nombreuse famille.

ÉPOPÉE

La Bhagavad-Gîta

La partie la plus vénérée par les Hindous de ce long poème, la Bhagavad-Gîta, est très bien connue des Européens. C'est le texte le plus célèbre de l'hindouisme. Arjuna, à la veille d'une bataille qui l'oppose aux siens, sent son courage vaciller : les guerriers de l'armée adverse, en effet, sont ses parents.

Pourquoi verser tant de sang ? Pourquoi mourir ?

Le dieu Krishna qui l'accompagne dans le combat — il est ici appelé le Bienheureux — lui répond en lui révélant le véritable sens des actions humaines.

Arjuna vit alors devant lui pères, aïeux, précepteurs, oncles, frères, fils, petit-fils, amis,

Gendres, compagnons, partagés entre les deux armées. Quand il vit tous ces parents prêts à se battre, le fils de Kuntî,

Ému d'une extrême pitié, prononça solennellement ces mots :

ARJUNA.

O Krishna, quand je vois ces parents désireux de combattre et rangés en bataille,

Mes membres s'affaissent et mon visage se flétrit ; mon corps tremble et mes cheveux se dressent ;

Mon arc s'échappe de ma main, ma peau devient brûlante, je ne puis me tenir debout et ma pensée est comme chancelante.

Je vois de mauvais présages, ô guerrier chevelu, je ne vois rien de bon dans ce massacre de parents.

O Krishna, je ne désire ni la victoire, ni la royauté, ni les voluptés ; quel bien nous revient-il de la royauté ? Quel bien, des voluptés ou même de la vie ?

Les hommes pour qui seuls nous souhaiterions la royauté, les plaisirs, les richesses, sont ici rangés en bataille, méprisant leur vie et leurs biens :

Précepteurs, pères, fils aïeux, gendres, petits-fils, beaux-frères, alliés enfin.

Dussent-ils me tuer, je ne veux point leur mort, au prix même de l'empire des trois mondes ; qu'est-ce à dire, de la terre ?

Quand nous aurons tué les fils de Dhritarâshtra, quelle joie en aurons-nous, ô guerrier ? Mais une faute s'attachera à nous si nous les tuons, tout criminels qu'ils sont.

... Est-ce que nous-mêmes ne devons-nous pas nous résoudre à nous détourner de ce péché, quand nous voyons le mal qui naît de la ruine des familles ?

La ruine d'une famille cause la ruine des religions éternelles de la famille ; les religions détruites, la famille entière est envahie par l'irreligion ;

Par l'irreligion, ô Krishna, les femmes de la famille se corrompent ; de la corruption des femmes, ô Pasteur, naît la confusion des castes ;

Et par cette confusion, tombent aux enfers les pères des meurtriers et de la famille même, privés de l'offrande des gâteaux et de l'eau.

Ainsi, par ces fautes des meurtriers des familles, qui confondent les castes, sont détruites les lois religieuses éternelles des races et des familles ;

Et quant aux hommes dont les sacrifices de famille sont détruits, l'enfer est nécessairement leur demeure. C'est ce que l'Écriture nous enseigne.

Oh ! nous avons résolu de commettre un grand péché, si par l'attrait des délices de la royauté nous sommes décidés à tuer 'nos proches.

"Invisible, ineffable, immuable, voilà ses attributs"

Si les fils de Dhritarâshtra, tout armés, me tuaient au combat, désarmé et sans résistance, ce serait plus heureux pour moi.

Ayant ainsi parlé au milieu des armées, Arjuna s'assit sur son char, laissant échapper son arc avec la flèche, et l'âme troublée par la douleur.

LE BIENHEUREUX.

Tu pleures sur des hommes qu'il ne faut pas pleurer, quoique tes paroles soient celles de la sagesse. Les sages ne pleurent ni les vivants ni les morts ;

Car jamais ne m'a manqué l'existence, ni à toi non plus, ni à ces princes ; et jamais nous ne cesserons d'être, nous tous, dans l'avenir.

Comme dans ce corps mortel sont tour à tour l'enfance, la jeunesse et la vieillesse ; de même après, l'âme acquiert un autre corps ; et le sage ici ne se trouble pas.

Les rencontres des éléments qui causent le froid et le chaud, le plaisir et la douleur, ont des retours et ne sont point éternelles. Supporte-les, fils de Kuntî.

L'homme qu'elles ne troublent pas, l'homme ferme dans les plaisirs et dans les douleurs, devient, ô Bhârata, *(nom patronyme de Arjuna)* participant de l'immortalité.

Celui qui n'est pas ne peut être, et celui qui est ne peut cesser d'être ; ces deux choses, les sages qui voient la vérité en connaissent la limite.

Sache-le, il est indestructible, Celui par qui a été développé cet univers : la destruction de ce Impérissable, nul ne peut l'accomplir :

Et ces corps qui finissent procèdent d'une Ame éternelle indestructible, immuable. Combats donc, ô Bhârata.

Celui qui croit qu'elle tue ou qu'on la tue, se trompe : elle ne tue pas, elle n'est pas tuée,

Elle ne naît, elle ne meurt jamais ; elle n'est pas née jadis, elle ne doit pas renaître ; sans naissance, sans fin, éternelle, antique, elle n'est pas tuée quand on tue le corps.

Comment celui qui la sait impérissable, éternelle, sans naissance et sans fin, pourrait-il tuer quelqu'un ou le faire tuer ?

Comme l'on quitte des vêtements usés pour en prendre de nouveaux, ainsi l'Ame quitte les corps usés pour revêtir de nouveaux corps.

Ni les flèches ne la percent, ni la flamme ne la brûle, ni les eaux ne l'humectent, ni les vents ne la dessèchent.

Inaccessible aux coups et aux brûlures, à l'humidité et à la sécheresse, éternelle, répandue en tous lieux, immobile, inébranlable.

Invisible, ineffable, immuable, voilà ses attributs puisque tu la sais telle, ne la pleure donc pas.

Quand tu la croiras éternellement soumise à la naissance et à la mort, tu ne devrais pas même alors pleurer sur elle :

Car ce qui est né doit sûrement mourir, et ce qui est mort doit renaître ; ainsi donc ne pleure pas sur une chose qu'on ne peut empêcher.

Le commencement des êtres vivants est insaisissable ; on saisit le milieu ; mais leur destruction aussi est insaisissable : y a-t-il là un sujet de pleurs ?

Celui-ci contemple la vie comme une merveille ; celui-là en parle comme d'une merveille ; un autre en écouter parler comme d'une merveille : et quand on a bien entendu, nul encore ne la comprend.

L'Ame habite inattaquable dans tous les corps vivants, Bhârata ; tu ne peux cependant pleurer sur tous ces êtres.

Considère aussi ton devoir et ne tremble pas : car rien de meilleur n'arrive au Xatriya qu'une juste guerre ;

Par un tel combat qui s'offre ainsi de lui-même, la porte du ciel, fils de Prithâ, s'ouvre aux heureux Xatriyas.

Et toi, si tu ne livres ce combat légitime, traître à ton devoir et à ta renommée, tu contracteras le péché ;

Et les hommes rediront ta honte à jamais ; or, pour un homme de sens, la honte est pire que la mort.

Les princes croiront que par peur tu as fui le combat : ceux qui t'ont cru magnanime te mépriseront ;

Tes ennemis tiendront sur toi mille propos outrageants où ils blâmeront ton incapacité. Qu'y a-t-il de plus fâcheux ? Tué, tu gagneras le ciel ; vainqueur, tu posséderas la terre. Lève-toi donc, fils de Kuntî, pour combattre bien résolu. Tiens pour égaux plaisir et peine, gain et perte, victoire et défaite, et sois tout entier à la bataille : ainsi tu éviteras le péché.

ARJUNA.

Si à tes yeux, guerrier redoutable, la pensée est meilleure que l'action, pourquoi donc m'engager à une action affreuse ?

Mon esprit est comme troublé par tes discours ambigus. Enonce une règle unique et précise par laquelle je puisse arriver à ce qui vaut le mieux.

LE BIENHEUREUX.

En ce monde, il y a deux manières de vivre ; je te l'ai déjà dit, prince sans péché : les rationalistes contemplateurs s'appliquent à la connaissance ; ceux qui pratiquent l'Union s'appliquent aux œuvres.

Mais en n'accomplissant aucune œuvre l'homme n'est pas oisif pour cela ; et ce n'est pas par l'abdication que l'on parvient au but de la vie ;

Car personne, pas même un instant, n'est réellement inactif ; tout homme malgré lui-même est mis en action par les fonctions naturelles de son être.

Celui qui, après avoir enchaîné l'activité de ses organes, se tient inerte, l'esprit occupé des objets sensibles et la pensée errante, on l'appelle faux dévot ;

Mais celui qui, par l'esprit a dompté les sens et qui met en œuvre l'activité de ses organes pour accomplir une action, tout en restant détaché, on l'estime, Arjuna.

Fais donc une œuvre nécessaire : l'œuvre vaut mieux que l'inaction ; sans agir tu ne pourrais pas même nourrir ton corps.

Hormis l'œuvre sainte, ce monde nous enchaîne par les œuvres. Cette œuvre donc, fils de Kuntî, exempt de désirs, accomplis-la.

Lorsque jadis le Souverain du monde créa les êtres avec le sacrifice, il leur dit : « Par lui multipliez ; qu'il soit pour vous la vache d'abondance » ;

Nourrissez-en les dieux, et que les dieux soutiennent votre vie. Par ces mutuels secours, vous obtiendrez le souverain bien ;

Car, nourris du Sacrifice, les dieux vous donneront les aliments désirés. Celui qui, sans leur en offrir d'abord, mange la nourriture qu'il a reçue d'eux, est un voleur.

Ceux qui mangent les restes du sacrifice sont déliés de toutes leurs fautes ; mais les criminels qui préparent des aliments pour eux seuls, se nourrissent de péchés.

En effet, les animaux vivent des fruits de la terre ; les fruits de la terre sont engendrés par la pluie ; la pluie, par le sacrifice ; le sacrifice s'accomplit par l'Acte.

Or, sache que l'Acte procède de Brahma, et que Brahma procède de l'Éternel. C'est pourquoi ce Dieu qui pénètre toutes choses est toujours présent dans le Sacrifice.

Celui qui ne coopère point ici-bas à ce mouvement circulaire de la vie et qui goûte dans le péché, les plaisirs des sens, celui-là, fils de Prithâ, vit inutilement.

Mais celui qui, heureux dans son cœur et content de lui-même trouve en lui-même sa joie, celui-là ne dédaigne aucune œuvre ;

Car il ne lui importe en rien qu'une œuvre soit faite ou ne le soit pas, et il n'attend son secours d'aucun des êtres.

C'est pourquoi, toujours détaché, accomplis l'œuvre que tu dois faire ; car en la faisant avec abnégation, l'homme atteint le but suprême.

C'est par les œuvres que Janaka et les autres ont acquis la perfection. Si tu considères aussi l'ensemble des choses humaines, tu dois agir.

Selon qu'agit un grand personnage, ainsi agit le reste des hommes ; l'exemple qu'il donne, le peuple le suit.

Moi-même, fils de Prithâ, je n'ai rien à faire dans les trois mondes, je n'ai là aucun bien nouveau à acquérir ; et pourtant je suis à l'œuvre.

Car si je ne montrais une activité infatigable, tous ces hommes qui suivent ma voie, toutes ces générations périraient ;

Si je ne faisais mon œuvre, je ferais un chaos, et je détruirais ces générations.

De même que les ignorants sont liés par leur œuvre, qu'ainsi le sage agisse en restant détaché, pour procurer l'ordre du monde.

Qu'il ne fasse pas naître le partage des opinions parmi les ignorants attachés à leurs œuvres ; mais que s'y livrant avec eux, il leur fasse aimer leur travail.

Toutes les œuvres possibles, procèdent des attributs naturels (des êtres vivants), celui qui trouble l'orgueil s'en fait honneur à lui-même et dit : « J'en suis l'auteur » ;

Mais celui qui connaît la vérité, sachant faire la part de l'attribut et de l'acte, se dit : « Les attributs *de l'âme* se rapportent aux attributs *de la matière* » et il reste détaché.

Ceux qui troublent les attributs naturels des choses, s'attachent aux actes qui en découlent. Ce sont des esprits lourds qui ne connaissent pas le général. Que celui qui le connaît ne les fasse pas trébucher.

Rapporte à moi toutes les œuvres, pense à l'Ame suprême ; et sans espérance, sans souci de toi-même, combats et n'aie point de tristesse.

Les hommes qui suivent mes commandements avec foi, sans murmurer, sont, eux aussi, dégagés du lien des œuvres ;

Mais ceux qui murmurent et ne les observent pas, sachent que, déchus de toute science, ils périssent privés de raison.

Le sage aussi tend à ce qui est conforme à sa nature ; les animaux suivent la leur. A quoi bon lutter contre cette loi ?

Il faut bien que les objets des sens fassent naître le désir et l'aversion. Seulement, que le sage ne se mette pas sous leur empire, puisque ce sont ses ennemis.

Il vaut mieux suivre sa propre loi, même imparfaite, que la loi d'autrui, même meilleure ; il vaut mieux mourir en pratiquant sa loi : la loi d'autrui a des dangers.

ARJUNA.

Mais, ô Pasteur, par quoi l'homme est-il induit dans le péché, sans qu'il le veuille, et comme poussé par une force étrangère ?

LE BIENHEUREUX.

C'est l'amour, c'est la passion, née des Ténèbres ; elle est dévorante, pleine de péché ; sache qu'elle est une ennemie ici-bas.

Comme la fumée couvre la flamme, et la rouille le miroir, comme la matrice enveloppe le fœtus, ainsi cette fureur couvre le monde.

Éternelle ennemie du sage, elle obscurcit la science. Telle qu'une flamme insatiable, elle change de forme à son gré.

Les sens, l'esprit, la raison, sont appelés son domaine. Par les sens, elle obscurcit la connaissance et trouble la raison de l'homme.

C'est pourquoi, excellent fils de Bhârata, enchaîne tes sens dès le principe, et détruis cette pécheresse qui ôte la connaissance et le jugement.

Les sens, dit-on, sont puissants ; l'esprit est plus fort que les sens ; la raison est plus forte que l'esprit. Mais ce qui est plus fort que la raison, c'est elle.

Sachant donc qu'elle est la plus forte, affermis-toi en toi-même, et tue un ennemi aux formes changeantes, à l'abord difficile. (...)

De tant de milliers d'hommes, quelques-uns seulement s'efforcent vers le perfection ; et parmi ces sages excellents un seul à peine me connaît selon mon essence.

La terre, l'eau, le feu, le vent, l'air, l'esprit, la raison et le moi, telle est ma nature divisée en huit éléments :

C'est l'inférieure. Connais-en maintenant une autre qui est ma nature supérieure, principe de vie qui soutient le monde.

C'est dans mon sein que résident tous les êtres vivants ; comprends-le ; car la production et la dissolution de l'Univers, c'est moi-même ;

Au-dessus de moi il n'y a rien ; à moi est suspendu l'Univers comme une rangée de perles à un fil.

Je suis dans les eaux la saveur, fils de Kuntî ; je suis la lumière dans la Lune et le Soleil ; la louange dans tous les Vêdas ; le son dans l'air ; la force masculine dans les hommes ;

Le parfum pur dans la terre ; dans le feu la splendeur ; la vie dans tous les êtres ; la continence dans les ascètes.

Sache, fils de Prithâ, que je suis la semence inépuisable de tous les vivants, la science des sages ; le courage des vaillants ;

La vertu des forts exempte de passion et de désir : je suis dans les êtres animés l'attrait que la justice autorise.

Je suis la source des propriétés qui naissent de la vérité, de la passion et de l'obscurité : mais je ne suis pas en elles, elles sont en moi.

Troublé par les modes de ces trois qualités, ce monde entier méconnaît que je leur suis supérieur et que je suis indestructible.

Cette magie que je développe dans les modes des choses est difficile à franchir ; on y échappe en me suivant ;

Mais ne sauraient me suivre, ni les méchants, ni les âmes troublées, ni ces hommes infimes dont l'intelligence est en proie aux illusions des sens et qui sont de la nature des démons. Quatres classes d'hommes de bien m'adorent, Arjuna : l'affligé, l'homme désireux de savoir, celui qui veut s'enrichir, et le sage.

Ce dernier, toujours en contemplation, attaché à un culte unique, surpasse tous les autres. Car le sage m'aime par-dessus toutes choses, et je l'aime de même.

Tous ces serviteurs sont bons ; mais le sage, c'est moi-même ; car dans l'Union mentale il me suit comme sa voie dernière ;

Et après plusieurs renaissances, le sage vient à moi. — L'Univers, c'est Vâsudêva ; celui qui parle ainsi ne peut comprendre la Grande Ame de l'Univers.

Ceux dont l'intelligence est en proie aux désirs se tournent vers d'autres divinités ; ils suivent chacun son culte, enchaînés qu'ils sont par leur propre nature.

Quelle que soit la personne divine à laquelle un homme offre son culte, j'affermis sa foi en ce dieu ;

Tout plein de sa croyance, il s'efforce de le servir ; et il obtient de lui les biens qu'il désire et dont je suis le distributeur.

Mais bornée est la récompense de ces hommes de peu d'intelligence : ceux qui sacrifient aux dieux vont aux dieux ; ceux qui m'adorent viennent à moi.

Les ignorants me croient visible, moi qui

suis invisible : c'est qu'ils ne connaissent pas ma nature supérieure, inaltérable et suprême ;

Car je ne me manifeste pas à tous, enveloppé que je suis dans la magie que l'Union spirituelle dissipe. Le monde plein de trouble ne me connaît pas, moi qui suis exempt de naissance et de destruction.

Je connais les êtres passés et présents, Arjuna, et ceux qui seront : mais nul d'entre eux ne me connaît.

Par le trouble d'esprit qu'engendrent les désirs et les aversions, ô Bhârata, tous les vivants en ce monde courent à l'erreur ;

Mais ceux qui, par la pureté, des œuvres ont effacé leurs péchés, échappent au trouble de l'erreur et m'adorent dans la persévérance.

Ceux qui se réfugient en moi et cherchent en moi la délivrance de la vieillesse et de la mort, connaissent Dieu, l'Ame suprême, et l'Acte dans sa plénitude ;

Et ceux qui savent que je suis le Premier Vivant, la Divinité Première, et le Premier Sacrifice, ceux-là, au jour même du départ, unis à moi par la pensée, me connaissent encore.

L'homme qui, ne pensant à nulle autre chose, se souvient de moi sans cesse, est un Yôgî perpétuellement uni et auquel je donne accès jusqu'à moi.

Parvenues jusqu'à moi, ces grandes âmes qui ont atteint la perfection suprême, ne rentrent plus dans cette vie périssable, séjour de maux.

Les mondes retournent à Brahmâ, ô Arjuna ; mais celui qui m'a atteint ne doit plus renaître.

Ceux qui savent que le jour de Brahmâ finit après mille âges et que sa nuit comprend aussi mille âges, connaissent le jour et la nuit.

Toutes ces choses visibles sortent de l'Invisible à l'approche du jour ; et quand la nuit approche, elles se résolvent dans ce même Invisible.

Ainsi tout cet ensemble d'êtres vit et revit tour à tour, se dissipe à l'approche de la nuit, et renaît à l'arrivée du jour.

Mais outre cette nature visible, il en existe une autre, invisible, éternelle : quand tous les êtres périssent, elle ne périt pas ; on l'appelle l'Invisible et l'Indivisible ;

C'est elle qui est la voie suprême : quand on l'a atteinte, on ne revient plus ; c'est là ma demeure suprême.

On peut, fils de Prithâ, par une adoration exclusive, atteindre à ce Premier Principe masculin, en qui reposent tous les êtres, par qui a été développé cet Univers.

En quel moment ceux qui pratiquent l'Union partent-ils pour ne plus revenir ou pour revenir encore, c'est aussi ce que je vais t'apprendre, fils de Bhârata.

Le feu, la lumière, le jour, la Lune croissante, les six mois où le Soleil est au nord, voilà le temps où les hommes qui connaissent Dieu se rendent à Dieu.

La fumée, la nuit, le déclin de la Lune, les six mois du sud, sont le temps où un Yôgî se rend dans l'orbe de la Lune pour en revenir plus tard.

Voilà l'éternelle double route, claire ou ténébreuse, objet de foi ici-bas, conduisant, d'une part, là d'où l'on ne revient plus, et, de l'autre, là d'où l'on doit revenir. (...)

Il y a deux natures parmi les vivants, celle qui est divine, et celle des Asuras. Je t'ai expliqué longuement la première : écoute aussi ce qu'est l'autre.

Les hommes d'une nature infernale ne connaissent pas l'émanation et le retour ; on ne trouve en eux ni pureté, ni règle, ni vérité.

Ils disent qu'il n'existe dans le monde ni vérité, ni ordre, ni providence ; que le monde est composé de phénomènes se poussant l'un l'autre, et n'est rien qu'un jeu de hasard.

Ils s'arrêtent dans cette manière de voir ; et se perdant eux-mêmes, rapetissant leur intelligence, ils se livrent à des actions violentes et sont les ennemis du genre humain.

Livrés à des désirs insatiables, enclins à la fraude, à la vanité, à la folie, l'erreur les entraîne à d'injustes prises et leur inspire des vœux impurs.

Leurs pensées sont errantes : ils croient que tout finit avec la mort ; attentifs à satisfaire leurs désirs, persuadés que tout est là ;

Enchaînés par les nœuds de mille espérances, tout entiers à leurs souhaits et à leurs colères ; pour jouir de leurs vœux, ils s'efforcent, par des voies injustes, d'amasser toujours :

« Voilà, disent-ils, ce que j'ai gagné aujourd'hui : je me procurerai cet agrément ; j'ai ceci, j'aurai ensuite cet autre bénéfice.

» J'ai tué cet ennemi, je tuerai aussi les autres. Je suis un prince, je suis riche, je suis heureux, je suis fort, je suis joyeux ;

» Je suis opulent ; je suis un grand seigneur. Qui donc est semblable à moi ? Je ferai des sacrifices, des largesses ; je me donnerai du plaisir. » Voilà comme ils parlent, égarés par l'ignorance.

Agités de nombreuses pensées, enveloppés dans les filets de l'erreur, occupés à satisfaire leurs désirs, ils tombent dans un enfer impur.

"Ceux qui se réfugient en moi et cherchent en moi la délivrance de la vieillesse et de la mort, connaissent Dieu, l'Ame suprême, et l'Acte dans sa plénitude"

Pleins d'eux-mêmes, obstinés, remplis de l'orgueil et de la folie des richesses, ils offrent des sacrifices hypocrites, où la règle n'est pas suivie et qui n'ont du sacrifice que le nom.

Égoïstes, violents, vaniteux, licencieux, coléreux, détracteurs d'autrui, ils me détestent dans les autres et en eux-mêmes.

Mais moi, je prends ces hommes haineux et cruels, ces hommes du dernier degré, et à jamais je les jette aux vicissitudes de la mort, pour renaître misérables dans des matrices de démons.

Tombés dans une telle matrice, s'égarant de génération en génération, sans jamais m'atteindre, ils entrent enfin, fils de Kuntî, dans la voie infernale.

L'enfer a trois portes pour où ils se perdent : la volupté, la colère et l'avarice. Il faut donc les éviter.

L'homme qui a su échapper à ces trois portes des Ténèbres, est sur le chemin du salut et marche dans la voie supérieure.

Mais l'homme qui s'est soustrait aux commandements de la Loi pour ne suivre que ses désirs, n'atteint pas la perfection, ni le bonheur, ni la voie d'en haut.

Que la Loi soit ton autorité et t'apprenne ce qu'il faut faire ou ne pas faire. Connaissant donc ce qu'ordonnent les préceptes de la Loi, veuille ici les suivre. (...)

Je t'ai exposé la science dans ses mystères les plus secrets. Examine-la tout entière, et puis agis selon ta volonté.

Toutefois écoute encore mes dernières paroles où se résument tous les mystères ; car tu es mon bien-aimé ; mes paroles te seront profitables.

Pense à moi ; sers-moi, offre-moi le sacrifice et l'adoration : par là, tu viendras à moi ; ma promesse est véridique, et tu m'es cher.

Renonce à tout autre culte ; que je sois ton unique refuge ; je te délivrerai de tous les péchés : ne pleure pas.

Ne répète mes paroles ni à l'homme sans continence, ni à l'homme sans religion, ni à qui ne veut pas entendre, ni à qui me renie.

Mais celui qui transmettra ce mystère suprême à mes serviteurs, me servant lui-même avec ferveur, viendra à moi sans aucun doute ;

Car nul homme ne peut rien faire qui me soit plus agréable ; et nul autre sur terre ne me sera plus cher que lui.

Celui qui lira le saint entretien que nous venons d'avoir, m'offrira par là même un sacrifice de science : telle est ma pensée.

Et l'homme de foi, qui, sans résistance, l'aura seulement écouté, obtiendra aussi la délivrance et ira dans le séjour des bienheureux dont les œuvres ont été pures.

Fils de Prithâ, as-tu écouté ma parole en fixant ta pensée sur l'Unité ? Le trouble de l'ignorance a-t-il disparu pour toi, prince généreux ?

ARJUNA.

Le trouble a disparu ; Dieu auguste, j'ai reçu par ta grâce la tradition sainte, Je suis affermi ; le doute est dissipé ; Je suivrai ta parole.

La Bible

TEXTE SACRÉ

La Bible est l'ensemble des livres sacrés des religions juives et chrétiennes.

La Bible juive comprend trente-neuf livres écrits en hébreu (sauf exception) par des auteurs différents, à des époques différentes, s'échelonnant entre le XIe siècle et le Ier siècle avant J.-C. La transmission orale remonte au XIIIe siècle avec l'histoire de Moïse.

*Les Chrétiens pour cette période retiennent quarante-cinq livres qu'ils englobent du titre de « **Ancien Testament** » (testament a ici le sens d'alliance). Ils y ajoutent les vingt-sept livres du « **Nouveau Testament** », recueil des écrits grecs datant des premiers siècles de notre ère traitant de la nouvelle Alliance établie par Jésus-Christ.*

Depuis l'origine du christianisme, la Bible fut toujours une source majeure d'inspiration pour les artistes.

.L'Ancien Testament.

Les livres de l'Ancien Testament sont répartis en quatre séries :

- ***La Torah ou Pentateuque** comprend cinq récits (**la Genèse, l'Exode, le Lévitique, les Nombres** et **le Deutéronome**) qui couvrent l'histoire du peuple juif depuis la création du monde jusqu'à l'arrivée des Hébreux en Israël, vers le XIIIe siècle avant notre ère. Définitivement rédigés sous la forme actuelle du IXe au IVe siècle avant Jésus-Christ, ils représentent la loi écrite du judaïsme.*
- ***Les Livres historiques** (au nombre de sept ; huit pour les chrétiens) continuent l'histoire d'Israël jusqu'au Ve siècle avant Jésus-Christ.*
- ***Les Livres prophétiques** rassemblent les écrits inspirés des prophètes qui interviennent pour rappeler au peuple élu son alliance avec Dieu. Les plus connus sont **Élie, Élisée, Isaïe, Jérémie, Ézéchiel.***
- ***Les Livres poétiques et sapientiaux,** recueils de poèmes et de réflexions philosophiques, sont universellement célèbres pour la beauté de leur inspiration. On peut citer, entre autres, **les Psaumes, le Cantique des Cantiques, le Livre de Job, l'Ecclésiaste.***

GENÈSE

. LA CRÉATION ET LA CHUTE .

Création du monde.

Au commencement, Dieu créa les cieux et la terre.

La terre était informe et vide ; il y avait des ténèbres à la surface de l'abîme, et l'esprit de Dieu se mouvait au-dessus des eaux.

Dieu dit : Que la lumière soit ! Et la lumière fut. Dieu vit que la lumière était bonne ; et Dieu sépara la lumière d'avec les ténèbres. Dieu appela la lumière jour, et il appela les ténèbres nuit. Ainsi, il y eut un soir, et il y eut un matin : ce fut le premier jour.

Dieu dit : Qu'il y ait une étendue entre les eaux, et qu'elle sépare les eaux d'avec les eaux. Et Dieu fit l'étendue, et il sépara les eaux qui sont au-dessous de l'étendue d'avec les eaux qui sont au-dessus de l'étendue. Et cela fut ainsi. Dieu appela l'étendue ciel. Ainsi, il y eut un soir, et il y eut un matin ; ce fut le second jour.

Dieu dit : Que les eaux qui sont au-dessous du ciel se rassemblent en un seul lieu, et que le sec paraisse. Et cela fut ainsi.

Dieu appela le sec terre, et il appela l'amas des eaux mers. Dieu vit que cela était bon. Puis Dieu dit : Que la terre produise de la verdure, de l'herbe portant de la semence, des arbres fruitiers donnant du fruit selon leur espèce et ayant en eux leur semence sur la terre. Et cela fut ainsi. La terre produisit de la verdure, de l'herbe portant de la semence selon son espèce, et des arbres donnant du fruit et ayant en eux leur semence selon leur espèce. Dieu vit que cela était bon. Ainsi, il y eut un soir, et il y eut un matin : ce fut le troisième jour.

"Au commencement, Dieu créa les cieux et la terre"

Dieu dit : Qu'il y ait des luminaires dans l'étendue du ciel, pour séparer le jour d'avec la nuit; que ce soient des signes pour marquer les époques, les jours et les années ; et qu'ils servent de luminaires dans l'étendue du ciel, pour éclairer la terre. Et cela fut ainsi. Dieu fit les deux grands luminaires, le plus grand luminaire pour présider au jour, et le plus petit luminaire pour présider à la nuit; il fit aussi les étoiles. Dieu les plaça dans l'étendue du ciel pour éclairer la terre, pour présider au jour et à la nuit, et pour séparer la lumière d'avec les ténèbres. Dieu vit que cela était bon. Ainsi, il y eut un soir, et il y eut un matin : ce fut le quatrième jour.

"Dieu dit : Que la lumière soit ! Et la lumière fut"

Dieu dit : Que les eaux produisent en abondance des animaux vivants, et que des oiseaux volent sur la terre vers l'étendue du ciel. Dieu créa les grands poissons et tous les animaux vivants qui se meuvent, et que les eaux produisirent en abondance selon leur espèce; il créa aussi tout oiseau ailé selon son espèce. Dieu vit que cela était bon. Dieu les bénit, en disant : Soyez féconds, multipliez, et remplissez les eaux des mers; et que les oiseaux multiplient sur la terre. Ainsi il y eut un soir, et il y eut un matin : ce fut le cinquième jour.

Dieu dit : Que la terre produise des animaux vivants selon leur espèce, du bétail, des reptiles et des animaux terrestres, selon leur espèce. Et cela fut ainsi. Dieu fit les animaux de la terre selon leur espèce, le bétail selon son espèce, et tous les reptiles de la terre selon leur espèce. Dieu vit que cela était bon. Puis Dieu dit : Faisons l'homme à notre image, selon notre ressemblance, et qu'il domine sur les poissons de la mer, sur les oiseaux du ciel, sur le bétail, sur toute la terre, et sur tous les reptiles qui rampent sur la terre. Dieu créa l'homme à son image, il le créa à l'image de Dieu, il créa l'homme et la femme. Dieu les bénit, et Dieu leur dit : Soyez féconds, multipliez, remplissez la terre, et l'assujettissez ; et dominez sur les poissons de la mer, sur les oiseaux du ciel, et sur tout animal qui se meut sur la terre. Et Dieu dit : Voici, je vous donne toute herbe portant de la semence et qui est à la surface de toute la terre, et tout arbre ayant en lui du fruit d'arbre et portant de la semence : ce sera votre nourriture. Et à tout animal de la terre, à tout oiseau du ciel, et à tout ce qui se meut sur la terre, ayant en soi un souffle de vie, je donne toute herbe verte pour nourriture. Et cela fut ainsi. Dieu vit tout ce qu'il avait fait; et voici, cela était très bon. Ainsi, il y eut un soir, et il y eut un matin : ce fut le sixième jour.

Ainsi furent achevés les cieux et la terre, et toute leur armée. Dieu acheva au septième jour son œuvre, qu'il avait faite; et il se reposa au septième jour de toute son œuvre, qu'il avait faite. Dieu bénit le septième jour, et il le sanctifia, parce qu'en ce jour il se reposa de toute son œuvre qu'il avait créée en la faisant.

Formation de l'homme
et de la femme.

Voici les origines des cieux et de la terre, quand ils furent créés.

Lorsque l'Éternel Dieu fit une terre et des cieux, aucun arbuste des champs n'était encore sur la terre, et aucune herbe des champs ne germait encore : car l'Éternel Dieu n'avait pas fait pleuvoir sur la terre, et il n'y avait point d'homme pour cultiver le sol. Mais une vapeur s'éleva de la terre, et arrosa toute la surface du sol.

L'Éternel Dieu forma l'homme de la poussière de la terre, il souffla dans ses narines un souffle de vie et l'homme devint un être vivant.

Puis l'Éternel Dieu planta un jardin en Éden, du côté de l'orient, et il y mit l'homme qu'il avait formé. L'Éternel Dieu fit pousser du sol des arbres de toute espèce, agréables à voir et bons à manger, et l'arbre de la vie au milieu du jardin, et l'arbre de la connaissance du bien et du mal. Un fleuve sortait d'Éden pour arroser le jardin, et de là il se divisait en quatre bras. Le nom du premier est Pischon; c'est lui qui entoure tout le pays de Havila, où se trouve l'or. L'or de ce pays est pur; on y trouve aussi le bdellium et la pierre d'onyx. Le nom du second fleuve est Guihon : c'est celui qui entoure tout le pays de Cusch. Le nom du troisième est Hiddékel; c'est celui qui coule à l'orient de l'Assyrie. Le quatrième fleuve, c'est l'Euphrate.

L'Éternel Dieu prit l'homme, et le plaça dans le jardin d'Éden pour le cultiver et pour le garder. L'Éternel Dieu donna cet ordre à l'homme : Tu pourras manger de tous les arbres du jardin; mais tu ne mangeras pas de l'arbre de la connaissance du bien et du mal, car le jour où tu en mangeras, tu mourras.

L'Éternel Dieu dit : Il n'est pas bon que l'homme soit seul ; je lui ferai une aide semblable à lui. L'Éternel Dieu forma de la terre tous les animaux des champs et tous les oiseaux du ciel et il les fit venir vers l'homme, pour voir comment il les appellerait, et afin que tout être vivant portât le nom que lui donnerait l'homme. Et l'homme donna des noms à tout le bétail, aux oiseaux du ciel et à tous les animaux des champs ; mais, pour l'homme, il ne trouva point d'aide semblable à lui. Alors l'Éternel Dieu fit tomber un profond sommeil sur l'homme, qui s'endormit ; il prit une de ses côtes, et referma la chair à sa place. L'Éternel Dieu forma une femme de la côte qu'il avait prise de l'homme, et il l'amena vers l'homme. Et l'homme dit : Voici cette fois celle qui est os de mes os et chair de ma chair ! on l'appellera femme, parce qu'elle a été prise de l'homme. C'est pourquoi l'homme quittera son père et sa mère, et s'attachera à sa femme, et ils deviendront une seule chair.

Le jardin d'Éden,
et le péché d'Adam.

L'homme et sa femme étaient tous deux nus, et ils n'en avaient point honte.

Le serpent était le plus rusé de tous les animaux des champs, que l'Éternel Dieu avait faits. Il dit à la femme : Dieu a-t-il réellement dit : Vous ne mangerez pas de tous les arbres du jardin ? La femme répondit au serpent : Nous mangeons du fruit des arbres du jardin. Mais quant au fruit de l'arbre qui est au milieu du jardin, Dieu a dit : Vous n'en mangerez point et vous n'y toucherez point, de peur que vous ne mouriez. Alors le serpent dit à la femme : Vous ne mourrez point ; mais Dieu sait que, le jour où vous en mangerez, vos yeux s'ouvriront, et que vous serez comme des dieux, connaissant le bien et le mal.

La femme vit que l'arbre était bon à manger et agréable à la vue, et qu'il était précieux pour ouvrir l'intelligence ; elle prit de son fruit, et en mangea ; elle en donna aussi à son mari, qui était auprès d'elle, et il en mangea.

Les yeux de l'un et de l'autre s'ouvrirent, ils connurent qu'ils étaient nus, et ayant cousu des feuilles de figuiers, ils s'en firent des ceintures. Alors ils entendirent la voix de l'Éternel Dieu, qui parcourait le jardin vers le soir, et l'homme et sa femme se cachèrent loin de la face de l'Éternel Dieu, au milieu des arbres du jardin.

Mais l'Éternel Dieu appela l'homme, et lui dit : Où es-tu ? Il répondit : J'ai entendu ta voix dans le jardin, et j'ai eu peur, parce que je suis nu, et je me suis caché. Et l'Éternel Dieu dit : Qui t'a appris que tu es nu ? Est-ce que tu as mangé de l'arbre dont je t'avais défendu de manger ? L'homme répondit : La femme que tu as mise auprès de moi m'a donné de l'arbre, et j'en ai mangé. Et l'Éternel Dieu dit à la femme : Pourquoi as-tu fait cela ? La femme répondit : Le serpent m'a séduite, et j'en ai mangé.

L'Éternel Dieu dit au serpent : Puisque tu as fait cela, tu seras maudit entre tout le bétail et entre tous les animaux des champs, tu marcheras sur ton ventre, et tu mangeras de la poussière tous les jours de ta vie. Je mettrai inimitié entre toi et la femme, entre ta postérité et sa postérité : celle-ci t'écrasera la tête, et tu lui blesseras le talon. Il dit à la femme : J'augmenterai la souffrance de tes grossesses, tu enfanteras avec douleur, et tes désirs se porteront vers ton mari, mais il dominera sur toi. Il dit à l'homme : Puisque tu as écouté la voix de ta femme, et que tu as mangé de l'arbre au sujet duquel je t'avais donné cet ordre : Tu n'en mangeras point ! le sol sera maudit à cause de toi. C'est à force de peine que tu en tireras ta nourriture tous les jours de ta vie, il te produira des épines et des ronces, et tu mangeras de l'herbe des champs. C'est à la sueur de ton visage que tu mangeras du pain, jusqu'à ce que tu retournes dans la terre, d'où tu as été pris ; car tu es poussière, et tu retourneras dans la poussière.

Adam donna à sa femme le nom d'Ève : car elle a été la mère de tous les vivants.

L'Éternel Dieu fit à Adam et à sa femme des habits de peau, et il les en revêtit.

L'Éternel Dieu dit : Voici, l'homme est devenu comme l'un de nous, pour la connaissance du bien et du mal. Empêchons-le maintenant d'avancer sa main, de prendre de l'arbre de vie, d'en manger, et de vivre éternellement. Et l'Éternel Dieu le chassa du jardin d'Éden, pour qu'il cultivât la terre, d'où il avait été pris. C'est ainsi qu'il chassa Adam ; et il mit à l'orient du jardin d'Éden les chérubins qui agitent une épée flamboyante, pour garder le chemin de l'arbre de vie.

"Voici cette fois celle qui est os de mes os et chair de ma chair !"

"Tu enfanteras avec douleur"

Caïn et Abel.

Adam connut Ève, sa femme ; elle conçut, et enfanta Caïn, et elle dit : J'ai formé un homme avec l'aide de l'Éternel. Elle enfanta encore son frère Abel. Abel fut berger, et Caïn fut laboureur.

Au bout de quelques temps, Caïn fit à l'Éternel une offrande des fruits de la terre ;

> **“Toutes les nations de la terre seront bénies en ta postérité, parce que tu as obéi à ma voix”**

et Abel, de son côté, en fit une des premiers-nés de son troupeau et de leur graisse. L'Éternel porta un regard favorable sur Abel et sur son offrande ; mais il ne porta pas un regard favorable sur Caïn et sur son offrande. Caïn fut très irrité, et son visage fut abattu. Et l'Éternel dit à Caïn : Pourquoi es-tu irrité, et pourquoi ton visage est-il abattu ? Certainement, si tu agis bien, tu relèveras ton visage, et si tu agis mal, le péché se couche à la porte, et ses désirs se portent vers toi : mais toi, domine sur lui.

Cependant, Caïn adressa la parole à son frère Abel ; mais, comme ils étaient dans les champs, Caïn se jeta sur son frère Abel, et le tua.

L'Éternel dit à Caïn : Où est ton frère Abel ? Il répondit : Je ne sais pas ; suis-je le gardien de mon frère ? Et Dieu dit : Qu'as-tu fait ? La voix du sang de ton frère crie de la terre jusqu'à moi. Maintenant, tu seras maudit de la terre qui a ouvert sa bouche pour recevoir de ta main le sang de ton frère. Quand tu cultiveras le sol, il ne te donnera plus sa richesse. Tu seras errant et vagabond sur la terre. Caïn dit à l'Éternel : Mon châtiment est trop grand pour être supporté. Voici, tu me chasses aujourd'hui de cette terre ; je serai caché loin de ta face, je serai errant et vagabond sur la terre, et quiconque me trouvera me tuera. L'Éternel lui dit : Si quelqu'un tuait Caïn, Caïn serait vengé sept fois. Et l'Éternel mit un signe sur Caïn pour que quiconque le trouverait ne le tuât point.

1, 2, 3, 4

. LE SACRIFICE D'ABRAHAM .

Abraham mis à l'épreuve par l'Éternel, qui lui ordonne d'offrir en holocauste son fils Isaac.

Après ces choses, Dieu mit Abraham à l'épreuve, et lui dit : Abraham ! Et il répondit : Me voici ! Dieu dit : Prends ton fils, ton unique, celui que tu aimes, Isaac ; va-t-en au pays de Morija, et là offre-le en holocauste sur l'une des montagnes que je te dirai.

Abraham se leva de bon matin, sella son âne, et prit avec lui deux serviteurs et son fils Isaac. Il fendit du bois pour l'holocauste, et partit pour aller au lieu que Dieu lui avait dit.

Le troisième jour, Abraham, levant les yeux, vit le lieu de loin. Et Abraham dit à ses serviteurs : Restez ici avec l'âne ; moi et le jeune homme, nous irons jusque-là pour adorer, et nous reviendrons auprès de vous. Abraham prit le bois pour l'holocauste, le chargea sur son fils Isaac, et porta dans sa main le feu et le couteau. Et ils marchèrent tous deux ensemble. Alors Isaac, parlant à Abraham, son père, dit : Mon père ! Et il répondit : Me voici, mon fils ! Isaac reprit : Voici le feu et le bois ; mais où est l'agneau pour l'holocauste ? Abraham répondit : Mon fils, Dieu se pourvoira lui-même de l'agneau pour l'holocauste. Et ils marchèrent tous deux ensemble.

Lorsqu'ils furent arrivés au lieu que Dieu lui avait dit, Abraham y éleva un autel, et rangea le bois. Il lia son fils Isaac, et le mit sur l'autel, par-dessus le bois. Puis Abraham étendit la main, et prit le couteau, pour égorger son fils. Alors l'ange de l'Éternel l'appela des cieux, et dit : Abraham ! Abraham ! Et il répondit : Me voici ! L'ange dit : N'avance pas ta main sur l'enfant, et ne lui fais rien ; car je sais maintenant que tu crains Dieu, et que tu ne m'as pas refusé ton fils, ton unique. Abraham leva les yeux, et vit derrière lui un bélier retenu dans un buisson par les cornes ; et Abraham alla prendre le bélier, et l'offrit en holocauste à la place de son fils. Abraham donna à ce lieu le nom de Jehova-Jiré. C'est pourquoi l'on dit aujourd'hui : A la montagne de l'Éternel il sera pourvu.

L'ange de l'Éternel appela une seconde fois Abraham des cieux, et dit : Je le jure par moi-même, parole de l'Éternel ! parce que tu as fait cela, et que tu n'as pas refusé ton fils, ton unique, je te bénirai et je multiplierai ta postérité, comme les étoiles du ciel et comme le sable qui est sur le bord de la mer ; et ta postérité possédera la porte de ses ennemis. Toutes les nations de la terre seront bénies en ta postérité, parce que tu as obéi à ma voix.

22, 1-18

Ésaü vend à Jacob son droit d'aînesse.

Voici la postérité d'Isaac, fils d'Abraham. Abraham engendra Isaac. Isaac était âgé de quarante ans, quand il prit pour femme Rebecca, fille de Bethuel, l'Araméen, de Paddan-Aram, et sœur de Laban, l'Araméen. Isaac implora l'Éternel pour sa femme, car elle était stérile, et l'Éternel l'exauça : Rebecca, sa femme, devint enceinte. Les enfants se heurtaient dans son sein ; et elle dit : S'il en est ainsi, pourquoi suis-je enceinte ? Elle alla consulter l'Éternel. Et l'Éternel lui dit : Deux nations sont dans ton ventre, et deux peuples se sépareront au sortir de tes entrailles ; un de ces peuples sera plus fort que l'autre, et le plus grand sera assujetti au plus petit. Les jours où elle devait accoucher s'accomplirent ; et voici, il y avait deux jumeaux dans son ventre. Le premier sortit entièrement roux, comme un manteau de poil ; et on lui donna le nom d'Ésaü. Ensuite sortit son frère, dont la main tenait le talon d'Ésaü ; et on lui donna le nom de Jacob. Isaac était âgé de soixante ans, lorsqu'ils naquirent.

Ces enfants grandirent. Ésaü devint un habile chasseur, un homme des champs ; mais Jacob fut un homme tranquille, qui restait sous les tentes. Isaac aimait Ésaü, parce qu'il mangeait du gibier ; et Rebecca aimait Jacob.

Comme Jacob faisait cuire un potage, Ésaü revint des champs, accablé de fatigue. Et Ésaü dit à Jacob : Laisse-moi, je te prie, manger de ce roux, de ce roux-là, car je suis fatigué. C'est pour cela qu'on a donné à Ésaü le nom d'Édom. Jacob dit : Vends-moi aujourd'hui ton droit d'aînesse. Ésaü répondit : Voici, je m'en vais mourir ; à quoi me sert ce droit d'aînesse ? Et Jacob dit : Jure-le moi d'abord. Il le lui jura, et il vendit son droit d'aînesse à Jacob. Alors Jacob donna à Ésaü du pain et du potage de lentilles. Il mangea et but, puis se leva et s'en alla. C'est ainsi qu'Ésaü méprisa le droit d'aînesse.

25, 20-27

. JOSEPH EN ÉGYPTE .

Joseph est le préféré de Jacob dont il est le dernier fils. Ses frères, jaloux, décident de s'en débarrasser. Ils le vendent comme esclave à des marchands de passage.

On fit descendre Joseph en Égypte ; et Potiphar, officier de Pharaon, chef des gardes, Égyptien, l'acheta des Ismaélites qui l'y avaient fait descendre. L'Éternel fut avec lui, et la prospérité l'accompagna ; il habitait dans la maison de son maître, l'Égyptien. Son maître vit que l'Éternel était avec lui, et que l'Éternel faisait prospérer entre ses mains tout ce qu'il entreprenait. Joseph trouva grâce aux yeux de son maître, qui l'employa à son service, l'établit sur sa maison et lui confia tout ce qu'il possédait. Dès que Potiphar l'eut établi sur sa maison et sur tout ce qu'il possédait, l'Éternel bénit la maison de l'Égyptien, à cause de Joseph ; et la bénédiction de l'Éternel fut sur tout ce qui lui appartenait, soit à la maison, soit aux champs. Il abandonna aux mains de Joseph tout ce qui lui appartenait, et il n'avait avec lui d'autre soin que celui de prendre sa nourriture. Or, Joseph était beau de taille et beau de figure.

Après ces choses, il arriva que la femme de son maître porta les yeux sur Joseph, et dit : Couche avec moi ! Il refusa, et dit à la femme de son maître : Voici, mon maître ne prend avec moi connaissance de rien dans la maison, et il a remis entre mes mains tout ce qui lui appartient. Il n'est pas plus grand que moi dans cette maison, et il ne m'a rien interdit, excepté toi, parce que tu es sa femme. Comment ferais-je un aussi grand mal et pécherais-je contre Dieu ? Quoiqu'elle parlât tous les jours à Joseph, il refusa de coucher auprès d'elle, d'être avec elle. Un jour qu'il était entré dans la maison pour faire son ouvrage, et qu'il n'y avait là aucun des gens de la maison, elle le saisit par son vêtement, en disant : Couche avec moi ! Il lui laissa son vêtement dans la main, et s'enfuit au dehors. Lorsqu'elle vit qu'il lui avait laissé son vêtement dans la main, et qu'il s'était enfui dehors, elle appela les gens de sa maison, et leur dit : Voyez, il nous a amené un Hébreu pour se jouer de nous. Cet homme est venu vers moi pour coucher avec moi ; mais j'ai crié à haute voix. Et quand il a entendu que j'élevais la voix et que je criais, il a laissé son vêtement à côté de moi et s'est enfui dehors. Et elle posa le vêtement de Joseph à côté d'elle, jusqu'à ce que son maître rentrât à la maison. Alors elle lui parla ainsi : L'esclave hébreu que tu nous a amené est venu vers moi pour se jouer de moi. Et comme j'ai élevé la voix et que j'ai crié, il a laissé son vêtement à côté de moi et s'est enfui dehors. Après avoir entendu les paroles de sa femme, qui lui disait : Voilà ce que m'a fait ton esclave ! le maître de Joseph fut enflammé de colère. Il prit Joseph, et le mit dans la prison, dans le lieu où les prisonniers du roi étaient enfermés ; il fut là, en prison.

39, 1-21

Joseph a reçu le don de savoir interpréter les songes. Sa célébrité parvient aux oreilles de Pharaon.

Pharaon fit appeler Joseph. On le fit sortir en hâte de prison. Il se rasa, changea de vêtements, et se rendit vers Pharaon. Pharaon dit à Joseph : J'ai eu un songe. Personne ne peut l'expliquer ; et j'ai appris que tu expliques un songe, après l'avoir entendu. Joseph répondit à Pharaon, en disant : Ce n'est pas moi ! c'est Dieu qui donnera une réponse favorable à Pharaon.

Pharaon dit alors à Joseph : Dans mon songe, voici, je me tenais sur le bord du fleuve. Et voici, sept vaches grasses de chair et belles d'apparence montèrent hors du fleuve, et se mirent à paître dans la prairie. Sept autres vaches montèrent derrière elles, maigres, fort laides d'apparence, et décharnées : je n'en ai point vu d'aussi laides dans tout le pays d'Égypte. Les vaches décharnées et laides mangèrent les sept premières vaches qui étaient grasses. Elles les engloutirent dans leur ventre, sans qu'on s'aperçût qu'elles y fussent entrées ; et leur apparence était laide comme auparavant. Et je m'éveillai. Je vis encore en songe sept épis pleins et beaux, qui montèrent sur une même tige. Et sept épis vides, maigres, brûlées par le vent d'orient, poussèrent après eux. Les épis maigres engloutirent les sept beaux épis. Je l'ai dit aux magiciens, mais personne ne m'a donné l'explication.

Joseph dit à Pharaon : Ce qu'a songé Pharaon est une seule chose ; Dieu a fait connaître à Pharaon ce qu'il va faire. Les sept vaches belles sont sept années ; et les sept épis beaux sont sept années : c'est un seul songe. Les sept vaches décharnées et laides, qui montaient derrière les premières, sont sept années ; et les sept épis vides, brûlés par le vent d'orient, seront sept années de famine. Ainsi, comme je viens de le dire à Pharaon, Dieu a fait connaître à Pharaon ce qu'il va faire. Voici, il y aura sept années de grande abondance dans tout le pays d'Égypte. Sept années de famine viendront après elles ; et l'on oubliera toute cette abondance au pays d'Égypte, et la famine consumera le pays. Cette famine qui suivra sera si forte qu'on ne s'apercevra plus de l'abondance dans le pays. Si Pharaon a vu le songe se répéter une seconde fois, c'est que la chose est arrêtée de la part de Dieu, et que Dieu se hâtera de l'exécuter. Maintenant, que Pharaon choisisse un homme intelligent et sage, et qu'il le mette à la tête du pays d'Égypte. Que Pharaon établisse des commissaires sur le pays, pour lever un cinquième des récoltes de l'Égypte pendant les sept années d'abondance. Qu'ils rassemblent tous les produits de ces bonnes années qui vont venir ; qu'ils fassent, sous l'autorité de Pharaon, des amas de blé, des approvisionnements, dans les villes, et qu'ils en aient la garde. Ces provisions seront en réserve pour le pays, pour les sept années de famine qui arriveront dans le pays d'Égypte, afin que le pays ne soit pas consumé par la famine.

Ces paroles plurent à Pharaon et à tous ses serviteurs. Et Pharaon dit à ses serviteurs : Trouverions-nous un homme comme celui-ci, ayant en lui l'esprit de Dieu ? Et Pharaon dit à Joseph : Puisque Dieu t'a fait connaître toutes ces choses, il n'y a personne qui soit aussi intelligent et aussi sage que toi. Je t'établis sur ma maison, et tout mon peuple obéira à tes ordres. Le trône seul m'élèvera au-dessus de toi. Pharaon dit à Joseph : Vois, je te donne le commandement de tout le pays d'Égypte. Pharaon ôta son anneau de la main, et le mit à la main de Joseph ; il le revêtit d'habits de fin lin, et lui mit un collier d'or au cou. Il le fit monter sur le char qui suivait le sien ; et l'on criait devant lui : A genoux ! C'est ainsi que Pharaon lui donna le commandement de tout le pays d'Égypte.

41, 17-37

EXODE

. MOÏSE .

Souffrances des Israélites en Égypte.

Voici les noms des fils d'Israël, venus en Égypte avec Jacob et la famille de chacun d'eux : Ruben, Siméon, Lévi, Juda, Issacar, Zabulon, Benjamin, Dan, Nephthali, Gad et Aser. Les personnes issues de Jacob étaient au nombre de soixante-dix en tout. Joseph était alors en Égypte. Joseph mourut, ainsi que tous ses frères et toute cette génération-là. Les enfants d'Israël furent féconds et multiplièrent, ils s'accrurent et devinrent de plus en plus puissants. Et le pays en fut rempli.

Il s'éleva sur l'Égypte un nouveau roi, qui n'avait point connu Joseph. Il dit à son peuple : Voilà les enfants d'Israël qui forment un peuple plus nombreux et plus puissant que nous. Allons ! montrons-nous habiles à son égard ; empêchons qu'il ne s'accroisse, et que, s'il survient une guerre, il ne se joigne à nos ennemis, pour nous combattre et sortir ensuite du pays. Et l'on établit sur lui des chefs de corvées, afin de l'accabler de travaux pénibles. C'est ainsi qu'il bâtit les villes de Pithom et de Ramsès, pour servir de magasins à Pharaon. Mais plus on l'accablait, plus il multipliait et s'accroissait ; et l'on prit en aversion les enfants d'Israël. Alors les Égyptiens réduisirent les enfants d'Israël à une dure servitude. Ils leur rendirent la vie amère par de rudes travaux en argile et en briques, et par tous les ouvrages des champs ; et c'était avec cruauté qu'ils leur imposaient toutes ces charges.

Le roi d'Égypte parla aussi aux sages-femmes des Hébreux, nommées l'une Schiphra, et l'autre Pua. Il leut dit : Quand vous accoucherez les femmes des Hébreux et que vous les verrez sur les sièges, si c'est un garçon, faites-le mourir ; si c'est une fille, laissez-la vivre. Mais les sages-femmes craignirent Dieu, et ne firent point ce que leur avait dit le roi d'Égypte ; elles laissèrent vivre les enfants. Le roi d'Égypte appela les sages-femmes, et leur dit : Pourquoi avez-vous agi ainsi, et avez-vous laissé vivre les enfants ? Les sages-femmes répondirent à Pharaon : C'est que les femmes des Hébreux ne sont pas comme les Égyptiennes ; elles sont vigoureuses et elles accouchent avant l'arrivée de la sage-femmes. Dieu fit du bien aux sages-femmes ; et le peuple multiplia et devint très nombreux. Parce que les sages-femmes avaient eu la crainte de Dieu, Dieu fit prospérer leurs maisons.

Alors Pharaon donna cet ordre à tout son peuple : Vous jetterez dans le fleuve tout garçon qui naîtra, et vous laisserez vivre toutes les filles. 1, 1-22

Naissance de Moïse.
Sa fuite au pays de Madian.

Un homme de la maison de Lévi avait pris pour femme une fille de Lévi. Cette femme devint enceinte et enfanta un fils. Elle vit qu'il était beau, et elle le cacha pendant trois mois. Ne pouvant plus le cacher, elle prit une caisse de jonc, qu'elle enduisit de bitume et de poix ; elle y mit l'enfant, et le déposa parmi les roseaux, sur le bord du fleuve. La sœur de l'enfant se tint à quelque distance, pour savoir ce qui lui arriverait.

La fille de Pharaon descendit au fleuve pour se baigner, et ses compagnes se promenèrent le long du fleuve. Elle aperçut la caisse au milieu des roseaux, et elle envoya sa servante pour la prendre. Elle l'ouvrit, et vit l'enfant : c'était un petit garçon qui pleurait. Elle en eut pitié, et elle dit : C'est un enfant des Hébreux ! Alors la sœur de l'enfant dit à la fille de Pharaon : Veux-tu que j'aille te chercher une nourrice parmi les femmes des Hébreux, pour allaiter cet enfant ? Va, lui répondit la fille de Pharaon. Et la jeune fille alla chercher la mère de l'enfant. La fille de Pharaon lui dit : Emporte cet enfant et allaite-le moi ; je te donnerai ton salaire. La femme prit l'enfant, et l'allaita. Quand il eut grandi, elle l'amena à la fille de Pharaon, et il fut pour elle comme un fils. Elle lui donna le nom de Moïse, car, dit-elle, je l'ai retiré des eaux.

2, 1-10

On annonça au roi d'Égypte que le peuple avait pris la fuite. Alors le cœur de Pharaon et celui de ses serviteurs furent changés à l'égard du peuple. Ils dirent : Qu'avons-nous fait, en laissant aller Israël, dont nous n'aurons plus les services ? Et Pharaon attela son char, et il prit son peuple avec lui. Il prit six cents chars d'élite, et tous les chars de l'Égypte ; il y avait sur tous des combattants. L'Éternel endurcit le cœur de Pharaon, roi d'Égypte, et Pharaon poursuivit les enfants d'Israël. Les enfants d'Israël étaient sortis la main levée. Les Égyptiens les poursuivirent ; et tous les chevaux, les chars de Pharaon, ses cavaliers et son armée, les atteignirent campés près de la mer, vers Pi-Hahiroth, vis-à-vis de Baal-Tsephon.

Pharaon approchait. Les enfants d'Israël levèrent les yeux, et voici, les Égyptiens étaient en marche derrière eux. Et les enfants d'Israël eurent une grande frayeur, et crièrent à l'Éternel. Ils dirent à Moïse : N'y avait-il pas des sépulcres en Égypte, sans qu'il fût besoin de nous mener mourir au désert ? Que nous as-tu fait en nous faisant sortir d'Égypte ? N'est-ce pas là ce que nous te disions en Égypte : Laisse-nous servir les Égyptiens, car nous aimons mieux servir les Égyptiens que de mourir au désert ? Moïse répondit au peuple : Ne craignez rien, restez en place, et regardez la délivrance que l'Éternel va nous accorder en ce jour ; car les Égyptiens que vous voyez aujourd'hui, vous ne les verrez plus jamais. L'Éternel combattra pour vous ; et vous, gardez le silence.

L'Éternel dit à Moïse : Pourquoi ces cris ? Parle aux enfants d'Israël ; et qu'ils marchent. Toi, lève ta verge, étends ta main sur la mer, et fends-la ; et les enfants d'Israël entreront au milieu de la mer à sec. Et moi, je vais endurcir le cœur des Égyptiens, pour qu'ils y entrent après eux ; et Pharaon et toute son armée, ses chars et ses cavaliers, feront éclater ma gloire. Et les Égyptiens sauront que je suis l'Éternel, quand Pharaon, ses chars et ses cavaliers, auront fait éclater ma gloire.

Conduits par Moïse, les Juifs s'enfuient d'Égypte. Grâce au miracle de la mer Rouge, ils échappent définitivement à la colère du Pharaon.

L'ange de Dieu, qui allait devant le camp d'Israël, partit et alla derrière eux ; et la colonne de nuée qui les précédait, partit et se tint derrière eux. Elle se plaça entre le camp des Égyptiens et le camp d'Israël. Cette nuée était ténébreuse d'un côté, et de l'autre elle éclairait la nuit. Et les deux champs n'approchèrent point l'un de l'autre pendant toute la nuit.

Moïse étendit sa main sur la mer. Et l'Éternel refoula la mer par un vent d'orient, qui souffla avec impétuosité toute la nuit ; il mit la mer à sec, et les eaux se fendirent. Les enfants d'Israël entrèrent au milieu de la mer à sec, et les eaux formaient comme une muraille à leur droite et à leur gauche. Les Égyptiens les poursuivirent ; et tous les chevaux de Pharaon, ses chars et ses cavaliers entrèrent après eux au milieu de la mer. A la veille du matin, l'Éternel de la colonne de feu et de nuée, regarda le camp des Égyptiens, et mit en désordre le camp des Égyptiens. Il ôta les roues de leurs chars et en rendit la marche difficile. Les Égyptiens dirent alors : Fuyons devant Israël, car l'Éternel combat pour lui contre les Égyptiens.

L'Éternel dit à Moïse : Étends ta main sur la mer ; et les eaux reviendront sur les Égyptiens, sur leurs chars et sur leurs cavaliers. Moïse étendit sa main sur la mer. Et vers le matin, la mer reprit son impétuosité, et les Égyptiens s'enfuirent à son approche ; mais l'Éternel précipita les Égyptiens au milieu de la mer. Les eaux revinrent, et couvrirent les chars, les cavaliers et toute l'armée de Pharaon, qui étaient entrés dans la mer après les enfants d'Israël ; il n'en échappa pas un seul. Mais les enfants d'Israël marchèrent à sec au milieu de la mer, et les eaux formaient comme une muraille à leur droite et à leur gauche.

En ce jour, l'Éternel délivra Israël de la main des Égyptiens ; et Israël vit sur le rivage de la mer les Égyptiens qui étaient morts.

14, 5-30

Les Juifs commencent leur longue traversée du désert (elle durera quarante ans). Moïse reçoit la révélation de la Loi sur le mon Sinaï.

. LES DIX COMMANDEMENTS .

Alors Dieu prononça toutes ces paroles en disant :

Je suis l'Éternel, ton Dieu, qui t'ai fait sortir du pays d'Égypte, de la maison de servitude.

Tu n'auras pas d'autres dieux devant ma face.

Tu ne te feras point d'image taillée, ni de représentation quelconque des choses qui sont en haut dans les cieux, qui sont en bas sur la terre, et qui sont dans les eaux plus bas que la terre. Tu ne te prosterneras point devant elles, et tu ne les serviras point ; car moi, l'Éternel, ton Dieu, je suis un Dieu jaloux, qui punis l'iniquité des pères sur les enfants jusqu'à la troisième et à la quatrième génération de ceux qui me haïssent, et qui fait miséricorde jusqu'en mille générations à ceux qui m'aiment et qui gardent mes commandements.

Tu ne prendras point le nom de l'Éternel, ton Dieu, en vain ; car l'Éternel ne laissera point impuni celui qui prendra son nom en vain.

Souviens-toi du jour du repos, pour le sanctifier. Tu travailleras six jours, et tu feras tout ton ouvrage. Mais le septième jour est le jour du repos de l'Éternel, ton Dieu : tu ne feras aucun ouvrage, ni toi, ni ton fils, ni ta fille, ni ton serviteur, ni ta servante, ni ton bétail, ni l'étranger qui est dans tes portes. Car en six jours l'Éternel a fait les cieux, la terre et la mer, et tout ce qui y est contenu, et il s'est reposé le septième jour ; c'est pourquoi l'Éternel a béni le jour du repos et l'a sanctifié.

Honore ton père et ta mère, afin que tes jours se prolongent dans le pays que l'Éternel, ton Dieu, te donne.

Tu ne tueras point.

Tu ne commettras point d'adultère.

Tu ne déroberas point.

Tu ne porteras point de faux témoignage contre ton prochain.

Tu ne convoiteras point la maison de ton prochain ; tu ne convoiteras point la femme de ton prochain, ni son serviteur, ni sa servante, ni son bœuf, ni son âne, ni aucune chose qui appartienne à ton prochain.

Tout le peuple entendait les tonnerres et le son de la trompette ; il voyait les flammes de la montagne fumante. A ce spectacle, le peuple tremblait, et se tenait dans l'éloignement. Ils dirent à Moïse : Parle-nous toi-même, et nous écouterons ; mais que Dieu ne nous parle point, de peur que nous ne mourions. Moïse dit au peuple : Ne vous effrayez pas ; car c'est pour vous mettre à l'épreuve que Dieu est venu, et c'est pour que vous ayez sa crainte devant les yeux, afin que vous ne péchiez point. Le peuple restait dans l'éloignement ; mais Moïse s'approcha de la nuée où était Dieu.

20, 1-21

ECCLESIASTE

L'Ecclésiaste (le prédicateur) est le pseudonyme du sage qui écrivit au IIIe siècle avant notre ère ces réflexions sur la vanité des choses humaines.

Paroles de l'Ecclésiaste, fils de David, roi de Jérusalem.

Vanité des vanités, dit l'Ecclésiaste, vanité des vanités, tout est vanité.

Quel avantage revient-il à l'homme de toute la peine qu'il se donne sous le soleil ? Une génération s'en va, une autre vient, et la terre subsiste toujours. Le soleil se lève, le soleil se couche ; il soupire après le lieu d'où il se lève de nouveau. Le vent se dirige vers le midi, tourne vers le nord ; puis il tourne encore, et reprend les mêmes circuits. Tous les fleuves vont à la mer, et la mer n'est point remplie ; ils continuent à aller vers le lieu où ils se dirigent. Toutes choses sont en travail au-delà de ce qu'on peut dire ; l'œil ne se rassasie pas de voir, et l'oreille ne se lasse pas d'entendre. Ce qui a été, c'est ce qui sera, et ce qui s'est fait, c'est ce qui se fera, il n'y a rien de nouveau sous le soleil. S'il est une chose dont on dise : Vois ceci, c'est nouveau ! cette chose existait déjà dans les siècles qui nous ont précédés. On ne se souvient pas de ce qui est ancien ; et ce qui arrivera dans la suite ne laissera pas de souvenir chez ceux qui vivront plus tard.

Moi, l'Ecclésiaste, j'ai été roi d'Israël à Jérusalem. J'ai appliqué mon cœur à rechercher et à sonder par la sagesse tout ce qui se fait sous les cieux : c'est là une occupation pénible, à laquelle Dieu soumet les fils de l'homme. J'ai vu tout ce qui se fait sous le soleil ; et voici, tout est vanité et poursuite du vent. Ce qui est courbé ne peut se redresser, et ce qui manque ne peut être compté. J'ai dit en mon cœur : Voici, j'ai grandi et surpassé en sagesse tous ceux qui ont dominé avant moi sur Jérusalen, et mon cœur a vu beaucoup de sagesse et de science. J'ai appliqué mon cœur à connaître la sagesse, et à connaître la sottise et la folie ; j'ai compris que cela aussi c'est la poursuite du vent. Car avec beaucoup de sagesse on a beaucoup de chagrin, et celui qui augmente sa science augmente sa douleur.

1, 1-18

"Vanité des vanités, tout est vanité"

LE CANTIQUE DES CANTIQUES

Recueil de chants nuptiaux rédigé au Ve siècle avant notre ère. L'amour du bien-aimé et de la bien-aimée est le symbole de l'amour entre Dieu et l'homme religieux.

C'est la voix de mon bien-aimé !
Le voici, il vient,
Sautant sur les montagnes,
Bondissant sur les collines.
Mon bien-aimé est semblable à la gazelle
Ou au faon des biches.
Le voici, il est derrière notre mur,
Il regarde par la fenêtre,
Il regarde par le treillis.
Mon bien-aimé parle et me dit :
Lève-toi, mon amie, ma belle, et viens !
Car voici, l'hiver est passé ;
La pluie a cessé, elle s'en est allée.
Les fleurs paraissent sur la terre,
Le temps de chanter est arrivé,
Et la voix de la tourterelle se fait entendre [dans nos campagnes.
Le figuier embaume ses fruits,
Et les vignes en fleur exhalent leur parfum.
Lève-toi, mon amie, ma belle, et viens !
Ma colombe, qui te tiens dans les fentes du [rocher,
Qui te caches dans les parois escarpées,
Fais-moi voir ta figure,
Fais-moi entendre ta voix ;
Car ta voix est douce, et ta figure est [agréable.
(...)

2, 8-14

Que tu es belle, mon amie, que tu es belle !
Tes yeux sont des colombes,
Derrière ton voile.
Tes cheveux sont comme un troupeau de [chèvres,
Suspendues au flancs de la montagne de [Galaad.
Tes dents sont comme un troupeau de [brebis tondues,
Qui remontent de l'abreuvoir ;
Toutes portent des jumeaux,
Aucune d'elles n'est stérile.
Tes lèvres sont comme un fil cramoisi,
Et ta bouche est charmante ;
Ta joue est comme une moitié de grenade,
Derrière ton voile.
Ton cou est comme la tour de David,
Bâtie pour être un arsenal ;
Mille boucliers y sont suspendus,
Tous les boucliers des héros.
Tes deux seins sont comme deux faons,
Comme les jumeaux d'une gazelle,
Qui poussent au milieu des lis

4, 1-5

"Mon bien-aimé est semblable à la gazelle Ou au faon des biches"

.Le Nouveau Testament.

ÉVANGILE SELON ST LUC

On entend par Nouveau Testament un ensemble de vingt-sept livres qui sont le témoignage des deux premières générations chrétiennes :
*— **Les quatre Évangiles** canoniques attribués à St Mathieu, St Marc, St Luc et St Jean, recueils des récits transmis par la tradition orale, relatent la vie et l'enseignement de Jésus.*
*— **Les Actes des Apôtres** racontent l'histoire de la naissance de l'Église jusqu'à la captivité de St Paul à Rome.*
*— **Les Épîtres de St Paul, St Jacques, St Pierre, St Jean et St Jude** rassemblent vingt et une lettres adressées par les apôtres aux premiers chrétiens.*
*— **L'Apocalypse de St Jean** se donne pour objet de révéler symboliquement l'avenir de l'humanité jusqu'au Jugement final.*

.ANNONCIATION NAISSANCE DE JÉSUS-CHRIST.

"Je te salue, toi à qui une grâce a été faite ; le Seigneur est avec toi"

"Tu es bénie entre les femmes, et le fruit de ton sein est béni"

Au sixième mois, l'ange Gabriel fut envoyé par Dieu dans une ville de Galilée, appelée Nazareth, auprès d'une vierge fiancée à un homme de la maison de David, nommé Joseph. Le nom de la vierge était Marie. L'ange entra chez elle, et dit : Je te salue, toi à qui une grâce a été faite ; le Seigneur est avec toi. Troublée par cette parole, Marie se demandait ce que pouvait signifier une telle salutation. L'ange lui dit : Ne crains point, Marie ; car tu as trouvé grâce devant Dieu. Et voici, tu deviendras enceinte, et tu enfanteras un fils, et tu lui donneras le nom de Jésus. Il sera grand et sera appelé Fils du Très-Haut, et le Seigneur Dieu lui donnera le trône de David, son père. Il règnera sur la maison de Jacob éternellement, et son règne n'aura point de fin. Marie dit à l'ange : Comment cela se fera-t-il, puisque je ne connais point d'homme ? L'ange lui répondit : Le Saint-Esprit viendra en toi, et la puissance du Très-Haut te couvrira de son ombre. C'est pourquoi le saint enfant qui naîtra de toi sera appelé Fils de Dieu. Voici, Élisabeth, ta parente, a conçu, elle aussi, un fils en sa vieillesse, et celle qui était appelée stérile est dans son sixième mois. Car rien n'est impossible à Dieu. Marie dit : Je suis la servante du Seigneur ; qu'il me soit fait selon ta parole ! Et l'ange la quitta.

Dans ce même temps, Marie se leva, et s'en alla en hâte vers les montagnes, dans une ville de Juda. Elle entra dans la maison de Zacharie, et salua Élisabeth. Dès qu'Élisabeth entendit la salutation de Marie, son enfant tressaillit dans son sein, et elle fut remplie du Saint-Esprit. Elle s'écria d'une voix forte : Tu es bénie entre les femmes, et le fruit de ton sein est béni. Comment m'est-il accordé que la mère de mon Seigneur vienne auprès de moi ? Car voici, aussitôt que la voix de ta salutation a frappé mon oreille, l'enfant a tressailli d'allégresse dans mon sein. Heureuse celle qui a cru, parce que les choses qui lui ont été dites de la part du Seigneur auront leur accomplissement.

Et Marie dit :

Mon âme exalte le Seigneur,
Et mon esprit se réjouit en Dieu, mon Sauveur,
Parce qu'il a jeté les yeux sur la bassesse de sa servante.
Car voici, désormais toutes les générations me diront bienheureuse,
Parce que le Tout-Puissant a fait pour moi de grandes choses.
Son nom est saint,
Et sa miséricorde s'étend d'âge en âge
Sur ceux qui le craignent.
Il a déployé la force de son bras ;
Il a dispersé ceux qui avaient dans le cœur des pensées orgueilleuses.
Il a renversé les puissants de leurs trônes,
Et il a élevé les humbles.
Il a rassasié de biens les affamés,
Et il a renvoyé les riches à vide.
Il a secouru Israël, son serviteur,
Et il s'est souvenu de sa miséricorde,
— Comme il l'avait dit à nos pères, —
Envers Abraham et sa postérité pour toujours.

1, 26-55

Naissance de Jésus-Christ.
Les bergers de Bethléhem.

En ce temps-là parut un édit de César Auguste, ordonnant un recensement de toute la terre. Ce premier recensement eut lieu pendant que Quirinius était gouverneur de Syrie. Tous allaient se faire inscrire, chacun dans sa ville.

Joseph aussi monta de la Galilée, de la ville de Nazareth, pour se rendre en Judée, dans la ville de David, appelée Bethléhem, parce qu'il était de la maison et de la famille de David, afin de se faire inscrire avec Marie, sa fiancée, qui était enceinte.

Pendant qu'ils étaient là, le temps où Marie devait accoucher arriva, et elle enfanta son fils premier-né. Elle l'emmaillotta, et le coucha dans une crèche, parce qu'il n'y avait pas de place pour eux dans l'hôtellerie.

Il y avait, dans cette même contrée, des bergers qui passaient dans les champs les veilles de la nuit pour garder leurs troupeaux. Et voici, un ange du Seigneur leur apparut, et la gloire du Seigneur resplendit autour d'eux. Ils furent saisis d'une grande frayeur. Mais l'ange leur dit : Ne craignez point ; car je vous annonce une bonne nouvelle, qui sera pour tout le peuple le sujet d'une grande joie : c'est qu'aujourd'hui, dans la ville de David, il vous est né un Sauveur, qui est le Christ, le Seigneur. Et voici à quel signe vous le reconnaîtrez : vous trouverez un enfant emmailloté et couché dans une crèche.

Et soudain il se joignit à l'ange une multitude de l'armée céleste, louant Dieu et disant :
Gloire à Dieu au plus haut des cieux,
Et paix sur la terre aux hommes de bonne volonté.

2, 1-14

"Je vous annonce une bonne nouvelle"

**"Gloire à Dieu au plus haut des cieux,
Et paix sur la terre aux hommes de bonne volonté"**

ÉVANGILE SELON ST MATHIEU

. LE SERMON SUR LA MONTAGNE .

Les béatitudes.

Voyant la foule, Jésus monta sur la montagne ; et, après qu'il se fut assis, ses disciples s'approchèrent de lui. Puis, ayant ouvert la bouche, il les enseigna, et dit :

Heureux les pauvres en esprit, car le royaume des cieux est à eux !

Heureux les affligés, car ils seront consolés !

Heureux les débonnaires, car ils hériteront la terre !

Heureux ceux qui ont faim et soif de la justice, car ils seront rassasiés !

Heureux les miséricordieux, car ils obtiendront miséricorde !

Heureux ceux qui ont le cœur pur, car ils verront Dieu !

Heureux ceux qui procurent la paix, car ils seront appelés fils de Dieu !

Heureux ceux qui sont persécutés pour la justice, car le royaume des cieux est à eux !

Heureux serez-vous, lorsqu'on vous outragera, qu'on vous persécutera et qu'on dira faussement de vous toute sorte de mal, à cause de moi. Réjouissez-vous et soyez dans l'allégresse, parce que votre récompense sera grande dans les cieux ; car c'est ainsi qu'on a persécuté les prophètes qui ont été avant vous.

Les disciples, sel de la terre
et lumière du monde.
L'accomplissement
de la loi et des prophètes.

Vous êtes le sel de la terre. Mais si le sel perd sa saveur, avec quoi la lui rendra-t-on ? Il ne sert plus qu'à être jeté dehors, et foulé aux pieds par les hommes. Vous êtes la lumière du monde. Une ville située sur une montagne ne peut être cachée ; et on n'allume pas une lampe pour la mettre sous le boisseau, mais on la met sur le chandelier, et elle éclaire tous ceux qui sont dans la maison. Que votre lumière luise ainsi devant les hommes, afin qu'ils voient vos bonnes œuvres, et qu'ils glorifient votre Père qui est dans les cieux.

Ne croyez pas que je sois venu pour abolir la loi ou les prophètes ; je suis venu non pour abolir mais pour accomplir. Car, je vous le dis en vérité, tant que le ciel et la terre ne passeront point, il ne disparaîtra pas de la loi un seul iota ou un seul trait de lettre, jusqu'à ce que tout soit arrivé. Celui donc qui supprimera l'un de ces plus petits commandements, et qui enseignera aux hommes à faire de même, sera appelé le plus petit dans le royaume des cieux ; mais celui qui les observera, et qui enseignera à les observer, celui-là sera appelé grand dans le royaume des cieux. Car, je vous le dis, si votre justice ne surpasse celle des scribes et des pharisiens, vous n'entrerez point dans le royaume des cieux.

"Heureux les pauvres en esprit, car le royaume des cieux est à eux !"

"Vous êtes le sel de la terre"

Vous avez entendu qu'il a été dit aux anciens : Tu ne tueras point ; celui qui tuera mérite d'être puni par les juges. Mais moi, je vous dis que quiconque se met en colère contre son frère mérite d'être puni par les juges ; que celui qui dira à son frère : Raca ! mérite d'être puni par le sanhédrin ; et que celui qui lui dira : Insensé ! mérite d'être puni par le feu de la géhenne. Si donc tu présentes ton offrande à l'autel, et que là tu te souviennes que ton frère a quelque chose contre toi, laisse là ton offrande devant l'autel, et va d'abord te réconcilier avec ton frère ; puis, viens présenter ton offrande. Accorde-toi promptement avec ton adversaire, pendant que tu es en chemin avec lui, de peur qu'il ne te livre au juge, que le juge ne te livre à l'officier de justice, et que tu ne sois mis en prison. Je te le dis en vérité, tu ne sortiras pas de là que tu n'aies payé le dernier quadrant.

"Si quelqu'un te frappe sur la joue droite, présente-lui aussi l'autre"

Vous avez appris qu'il a été dit : Tu ne commettras point l'adultère. Mais moi, je vous dis que quiconque regarde une femme pour la convoiter a déjà commis un adultère avec elle dans son cœur. Si ton œil droit est pour toi une occasion de chute, arrache-le et jette-le loin de toi ; car il est avantageux pour toi qu'un seul de tes membres périsse, et que ton corps entier ne soit pas jeté dans la géhenne. Et si ta main droite est pour toi une occasion de chute, coupe-la et jette-la loin de toi ; car il est avantageux pour toi qu'un seul de tes membres périsse, et que ton corps entier n'aille pas dans la géhenne.

Il a été dit : Que celui qui répudie sa femme lui donne une lettre de divorce. Mais moi, je vous dis que celui qui répudie sa femme, sauf pour cause d'infidélité, l'expose à devenir adultère, et que celui qui épouse une femme répudiée commet un adultère.

"Quand tu fais l'aumône, que ta main gauche ne sache pas ce que fait ta droite"

Vous avez encore appris qu'il a été dit aux anciens : Tu ne te parjureras point, mais tu t'acquitteras envers le Seigneur de ce que tu as déclaré par serment. Mais moi, je vous dis de ne jurer aucunement, ni par le ciel, parce que c'est le trône de Dieu ; ni par la terre, parce que c'est son marchepied ; ni par Jérusalem, parce que c'est la ville du grand roi. Ne jure pas non plus par ta tête, car tu ne peux rendre blanc ou noir un seul cheveu. Que votre parole soit oui, oui, non, non ; ce qu'on y ajoute vient du malin.

Vous avez appris qu'il a été dit : Œil pour œil, et dent pour dent. Mais moi je vous dis de ne pas résister au méchant. Si quelqu'un te frappe sur la joue droite, présente-lui aussi l'autre. Si quelqu'un veut plaider contre toi, et prendre ta tunique, laisse-lui encore ton manteau. Si quelqu'un te force à faire un mille, fais-en deux avec lui. Donne à celui qui te demande, et ne te détourne pas de celui qui veut emprunter de toi.

Vous avez appris qu'il a été dit : Tu aimeras ton prochain, et tu haïras ton ennemi. Mais moi, je vous dis : Aimez vos ennemis, bénissez ceux qui vous maudissent, faites du bien à ceux qui vous haïssent, et priez pour ceux qui vous maltraitent et qui vous persécutent, afin que vous soyez fils de votre Père qui est dans les cieux ; car il fait lever son soleil sur les méchants et sur les bons, et il fait pleuvoir sur les justes et sur les injustes. Si vous aimez ceux qui vous aiment, quelle récompense méritez-vous ? Les publicains aussi n'agissent-ils pas de même ! Et si vous saluez seulement vos frères, que faites-vous d'extraordinaire ? Les païens aussi n'agissent-ils pas de même ? Soyez donc parfaits, comme votre Père céleste est parfait.

Préceptes sur : l'aumône,
la prière, le pardon des offenses,
le jeûne,
les trésors sur la terre et dans le ciel,
l'impossibilité de servir deux maîtres,
les soucis et les inquiétudes.

Gardez-vous de pratiquer votre justice devant les hommes, pour en être vus ; autrement, vous n'aurez point de récompense auprès de votre Père qui est dans les cieux.

Lors donc que tu fais l'aumône, ne sonne pas de la trompette devant toi, comme font les hypocrites dans les synagogues et dans les rues, afin d'être glorifiés par les hommes. Je vous le dis en vérité, ils reçoivent leur récompense. Mais quand tu fais l'aumône, que ta main gauche ne sache pas ce que fait ta droite, afin que ton aumône se fasse en secret ; et ton Père, qui voit dans le secret, te le rendra.

Lorsque vous priez, ne soyez pas comme les hypocrites, qui aiment à prier debout dans les synagogues et aux coins des rues, pour être vus des hommes. Je vous le dis en vérité, ils reçoivent leur récompense. Mais quand tu pries, entre dans ta chambre, ferme ta porte, et prie ton Père qui est là dans le lieu secret ; et ton Père, qui voit dans le secret, te le rendra.

En priant, ne multipliez pas de vaines paroles, comme les païens, qui s'imaginent qu'à force de paroles ils seront exaucés. Ne leur ressemblez pas ; car votre Père sait de quoi vous avez besoin, avant que vous le lui demandiez. Voici donc comment vous devez prier :

Notre Père qui es aux cieux ! Que ton nom soit sanctifié ; que ton règne vienne ; que ta volonté soit faite sur la terre comme au ciel. Donne-nous aujourd'hui notre pain quotidien ; pardonne-nous nos offenses, comme nous aussi nous pardonnons à ceux qui nous ont offensés ; ne nous induis pas en tentation, mais délivre-nous du malin. Car c'est à toi qu'appartiennent, dans tous les siècles, le règne, la puissance et la gloire. Amen !

Si vous pardonnez aux hommes leurs offenses, votre Père céleste vous pardonnera aussi ; mais si vous ne pardonnez pas aux hommes, votre Père ne vous pardonnera pas non plus vos offenses.

Lorsque vous jeûnez, ne prenez pas un air triste, comme les hypocrites, qui se rendent le visage tout défait, pour montrer aux hommes qu'ils jeûnent. Je vous le dis en vérité, ils reçoivent leur récompense. Mais quand tu jeûnes, parfume ta tête et lave ton visage, afin de ne pas montrer aux hommes que tu jeûnes, mais à ton Père qui est là dans le lieu secret ; et ton Père, qui voit dans le secret, te le rendra.

Ne vous amassez pas des trésors sur la terre, où la teigne et la rouille détruisent, et où les voleurs percent et dérobent ; mais amassez-vous des trésors dans le ciel, où la teigne et la rouille ne détruisent point, et où les voleurs ne percent ni ne dérobent. Car là est ton trésor, là aussi sera ton cœur.

L'œil est la lampe du corps. Si ton œil est en bon état, tout ton corps sera éclairé ; mais si ton œil est en mauvais état, tout ton corps sera dans les ténèbres. Si donc la lumière qui est en toi est ténèbres, combien seront grandes ces ténèbres !

Nul ne peut servir deux maîtres. Car, ou il haïra l'un, et aimera l'autre ; ou il s'attachera à l'un, et méprisera l'autre. Vous ne pouvez servir Dieu et Mammon.

C'est pourquoi je vous dis : Ne vous inquiétez pas pour votre vie de ce que vous mangerez, ni pour votre corps de quoi vous serez vêtus. La vie n'est-elle pas plus que la nourriture, et le corps plus que le vêtement ? Regardez les oiseaux dans le ciel : ils ne sèment ni ne moissonnent, et ils n'amassent rien dans des greniers ; et votre Père céleste les nourrit. Ne valez-vous pas beaucoup plus qu'eux ? Qui de vous, par ses inquiétudes, peut ajouter une coudée à la durée de sa vie ? Et pourquoi vous inquiéter au sujet du vêtement ? Considérez comment croissent les lis des champs : ils ne travaillent ni ne filent ; cependant je vous dis que Salomon même, dans toute sa gloire, n'a pas été vêtu comme l'un d'eux. Si Dieu revêt ainsi l'herbe des champs, qui existe aujourd'hui et qui demain sera jetée au four, ne vous vêtira-t-il pas à plus forte raison, gens de peu de foi ? Ne vous inquiétez donc point, et ne dites pas : Que mangerons-nous ? que boirons-nous ? de quoi serons-nous vêtus ? Car toutes ces choses, ce sont les païens qui les recherchent. Votre Père céleste sait que vous en avez besoin. Cherchez premièrement le royaume et la justice de Dieu ; et toutes ces choses vous seront données par-dessus. Ne vous inquiétez donc pas du lendemain ; car le lendemain aura soin de lui-même. A chaque jour suffit sa peine.

5, 6

"Notre Père qui es aux cieux ! Que ton nom soit sanctifié ; que ton règne vienne ; que ta volonté soit faite sur la terre comme au ciel. Donne-nous aujourd'hui notre pain quotidien ; pardonne-nous nos offenses, comme nous aussi nous pardonnons à ceux qui nous ont offensés ; ne nous induis pas en tentation, mais délivre-nous du malin"

ÉVANGILE SELON SAINT JEAN

. LA PASSION ; LA CRUCIFIXION ; LA RÉSURRECTION .

Arrestation de Jésus.

Lorsqu'il eut dit ces choses, Jésus alla avec ses disciples de l'autre côté du torrent de Cédron, où se trouvait un jardin, dans lequel il entra, lui et ses disciples.

Judas, qui le livrait, connaissait ce lieu, parce que Jésus et ses disciples s'y étaient réunis. Judas donc, ayant pris la cohorte, et des huissiers qu'envoyèrent les principaux sacrificateurs et les pharisiens, vint là avec des lanternes et des flambeaux et des armes.

Jésus, sachant tout ce qui devait lui arriver, s'avança, et leur dit : Qui cherchez-vous ? Ils lui répondirent : Jésus de Nazareth. Jésus leur dit : C'est moi. Et Judas, qui le livrait, était avec eux. Lorsque Jésus leur eut dit : C'est moi, ils reculèrent et tombèrent par terre.

Il leur demande de nouveau : Qui cherchez-vous ? Et ils dirent : Jésus de Nazareth. Jésus répondit : Je vous ai dit que c'est moi. Si donc c'est moi que vous cherchez, laisser aller ceux-ci. Il dit cela, afin que s'accomplît la parole qu'il avait dite : Je n'ai perdu aucun de ceux que tu m'as donnés.

Simon Pierre, qui avait une épée, la tira, frappa le serviteur du souverain sacrificateur, et lui coupa l'oreille droite. Ce serviteur s'appelait Malchus. Jésus dit à Pierre : Remets ton épée dans le fourreau. Ne boirai-je pas la coupe que le Père m'a donnée à boire ?

"Ne vous inquiétez donc pas du lendemain ; car le lendemain aura soin de lui-même. A chaque jour suffit sa peine"

Jésus devant Anne et Caïphe.
Reniement de Pierre.

La cohorte, le tribun, et les huissiers des Juifs, se saisirent alors de Jésus, et le lièrent. Ils l'emmenèrent d'abord chez Anne ; car il était le beau-père de Caïphe, qui était souverain sacrificateur cette année-là. Et Caïphe était celui qui avait donné ce conseil aux Juifs : Il est avantageux qu'un seul homme meure pour le peuple.

"Mon royaume n'est pas de ce monde"

Simon Pierre, avec un autre disciple, suivait Jésus. Ce disciple était connu du souverain sacrificateur, et il entra avec Jésus dans la cour du souverain sacrificateur ; mais Pierre resta dehors près de la porte. L'autre disciple, qui était connu du souverain sacrificateur, sortit, parla à la portière, et fit entrer Pierre. Alors la servante, la portière, dit à Pierre : Toi aussi, n'es-tu pas des disciples de cet homme ? Il dit : je n'en suis point. Les serviteurs et les huissiers, qui étaient là, avaient allumé un brasier, car il faisait froid, et ils se chauffaient. Pierre se tenait avec eux, et se chauffait.

Le souverain sacrificateur interrogea Jésus sur ses disciples et sur sa doctrine. Jésus lui répondit : J'ai parlé ouvertement au monde ; j'ai toujours enseigné dans la synagogue et dans le temple, où tous les Juifs s'assemblent, et je n'ai rien dit en secret. Pourquoi m'interroges-tu ? Interroge sur ce que je leur ai dit ceux qui m'ont entendu ; voici, ceux-là savent ce que j'ai dit. A ces mots, un des huissiers, qui se trouvait là, donna un soufflet à Jésus, en disant : Est-ce ainsi que tu réponds au souverain sacrificateur ? Jésus lui dit : Si j'ai mal parlé, fais voir ce que j'ai dit de mal ; et si j'ai bien parlé, pourquoi me frappes-tu ?

Anne l'envoya lié à Caïphe, le souverain sacrificateur.

Simon Pierre était là et se chauffait. On lui dit : Toi aussi, n'es-tu pas de ses disciples ? Il le nia, et dit : Je n'en suis point. Un des serviteurs du souverain sacrificateur, parent de celui à qui Pierre avait coupé l'oreille, dit : Ne t'ai-je pas vu avec lui dans le jardin ? Pierre le nia de nouveau. Et aussitôt le coq chanta.

Jésus devant Pilate, gouverneur romain.
Outrages des soldats.
Jésus livré aux Juifs par Pilate.

Ils conduisirent Jésus de chez Caïphe au prétoire : c'était le matin. Ils n'entrèrent point eux-mêmes dans le prétoire, afin de ne pas se souiller, et de pouvoir manger la Pâque. Pilate sortit donc pour aller à ceux, et il dit : Quelle accusation portez-vous contre cet homme ? Ils lui répondirent : Si ce n'était pas un malfaiteur, nous ne te l'aurions pas livré. Sur quoi Pilate leur dit : Prenez-le vous-mêmes, et jugez-le selon votre loi. Les Juifs lui dirent : Il ne nous est pas permis de mettre personne à mort. C'était afin que s'accomplît la parole que Jésus avait dite, lorsqu'il indiqua de quelle mort il devait mourir.

Pilate rentra dans le prétoire, appela Jésus, et lui dit : Es-tu le roi des Juifs ? Jésus répondit : Est-ce de toi-même que tu dis cela, ou d'autres te l'ont-ils dit de moi ? Pilate répondit : Moi, suis-je Juif ? Ta nation et les principaux sacrificateurs t'ont livré à moi : qu'as-tu fait ? Mon royaume n'est pas de ce monde, répondit Jésus. Si mon royaume était de ce monde, mes serviteurs auraient combattu pour moi afin que je ne fusse pas livré aux Juifs ; mais maintenant mon royaume n'est point d'ici-bas. Pilate lui dit : Tu es donc roi ? Jésus répondit : Tu le dis, je suis roi. Je suis né et je suis venu dans le monde pour rendre témoignage à la vérité. Quiconque est de la vérité écoute ma voix. Pilate lui dit : Qu'est-ce que la vérité ?

Après avoir dit cela, il sortit de nouveau pour aller vers les Juifs, et il leur dit : Je ne trouve aucun crime en lui. Mais, comme c'est parmi vous une coutume que je vous relâche quelqu'un à la fête de Pâque, voulez-vous que je vous relâche le roi des Juifs ? Alors de nouveau tous s'écrièrent : Non pas lui, mais Barabbas. Or, Barabbas était un brigand.

Alors Pilate prit Jésus, et le fit battre de verges.

Les soldats tressèrent une couronne d'épines, qu'ils posèrent sur sa tête, et ils le revêtirent d'un manteau de pourpre ; puis, s'approchant de lui, ils disaient : Salut, roi des Juifs ! Et ils lui donnaient des soufflets.

Pilate sortit de nouveau, et dit aux Juifs : Voici, je vous l'amène dehors, afin que vous sachiez que je ne trouve en lui aucun crime. Jésus sortit donc, portant la couronne d'épines et le manteau de pourpre. Et Pilate leur dit : Voici l'homme.

Lorsque les principaux sacrificateurs et les huissiers le virent, ils s'écrièrent : Crucifie ! crucifie ! Pilate leur dit : Prenez-le vous-mêmes, et crucifiez-le ; car moi, je ne trouve point de crime en lui. Les Juifs lui répondirent : Nous avons une loi ; et, selon notre loi, il doit mourir, parce qu'il s'est fait Fils de Dieu.

Quand Pilate entendit cette parole, sa frayeur augmenta. Il rentra dans le prétoire, et il dit à Jésus : D'où es-tu ? Mais Jésus ne lui donna point de réponse. Pilate lui dit : Est-ce à moi que tu ne parles pas ? Ne sais-tu pas que j'ai le pouvoir de te crucifier, et que j'ai le pouvoir de te relâcher ? Jésus répondit : Tu n'aurais sur moi aucun pouvoir, s'il ne t'avait été donné d'en haut. C'est pourquoi celui qui me livre à toi commet un plus grand péché.

Dès ce moment, Pilate cherchait à le relâcher. Mais les Juifs criaient : Si tu le relâches, tu n'es pas ami de César. Quiconque se fait roi se déclare contre César. Pilate, ayant entendu ces paroles, amena Jésus dehors ; et il s'assit sur le tribunal, au lieu appelé le Pavé, et en hébreu Gabbatha. — C'était la préparation de la Pâque, et environ la sixième heure. — Pilate dit aux Juifs : Voici votre roi. Mais ils s'écrièrent : Ôte, ôte, crucifie-le ! Pilate leur dit : Crucifierai-je votre roi ? Les principaux sacrificateurs répondirent : Nous n'avons de roi que César. Alors il le leur livra pour être crucifié. Ils prirent donc Jésus, et l'emmenèrent.

Jésus crucifié.

Jésus, portant sa croix, arriva au lieu du crâne, qui se nomme en hébreu Golgotha. C'est là qu'il fut crucifié, et deux autres avec lui, un de chaque côté, et Jésus au milieu.

Pilate fit une inscription, qu'il plaça sur la croix, et qui était ainsi conçue : Jésus de Nazareth, roi des Juifs. Beaucoup de Juifs lurent cette inscription, parce que le lieu où Jésus fut crucifié était près de la ville : elle était en hébreu, en grec et en latin. Les principaux sacrificateurs des Juifs dirent à Pilate : N'écris pas : Roi des Juifs. Mais écris qu'il dit : Je suis le roi des Juifs. Pilate répondit : Ce que j'ai écrit, je l'ai écrit.

Les soldats, après avoir crucifié Jésus, prirent ses vêtements, et ils en firent quatre parts, une part pour chaque soldat. Ils prirent aussi sa tunique, qui était sans couture, d'un seul tissu depuis le haut jusqu'en bas. Et ils dirent entre eux : Ne la déchirons pas, mais tirons au sort à qui elle sera. Cela arriva afin que s'accomplît cette parole de l'Écriture :

Ils se sont partagé mes vêtements,
Et ils ont tiré au sort ma tunique.

Voilà ce que firent les soldats.

Près de la croix de Jésus se tenaient sa mère et la sœur de sa mère, Marie, femme de Clopas, et Marie de Magdala. Jésus, voyant sa mère, et auprès d'elle le disciple qu'il aimait, dit à sa mère : Femme, voilà ton fils. Puis il dit au disciple : Voilà ta mère. Et, dès ce moment, le disciple la prit chez lui.

Après cela, Jésus, qui savait que tout était déjà consommé, dit, afin que l'Écriture fût accomplie : J'ai soif. Il y avait là un vase plein de vinaigre. Les soldats en remplirent une éponge, et, l'ayant fixée à une branche d'hysope, ils l'approchèrent de sa bouche. Quand Jésus eut pris le vinaigre, il dit : Tout est accompli. Et, baissant la tête, il rendit l'esprit.

La mort de Jésus constatée.
Son corps mis dans un sépulcre.

Dans la crainte que les corps ne restassent sur la croix pendant le sabbat, — car c'était la préparation, et ce jour de sabbat était un grand jour, — les Juifs demandèrent à Pilate qu'on rompît les jambes aux crucifiés, et qu'on les enlevât. Les soldats vinrent donc, et ils rompirent les jambes au premier, puis à l'autre qui avait été crucifié avec lui. S'étant approchés de Jésus, et le voyant déjà mort, ils ne lui rompirent pas les jambes ; mais un des soldats lui perça le côté avec une lance, et aussitôt il sortit du sang et de l'eau. Celui qui l'a vu en a rendu témoignage, et son témoignage est vrai ; et il sait qu'il dit vrai, afin que vous croyiez aussi. Ces choses sont arrivées, afin que l'Écriture fût accomplie :

Aucun de ses os ne sera brisé.

Et ailleurs l'Écriture dit encore :

Ils verront celui qu'ils ont percé.

Après cela, Joseph d'Arimathée, qui était disciple de Jésus, mais en secret par crainte des Juifs, demanda à Pilate la permission de prendre le corps de Jésus. Et Pilate le permit. Il vint donc, et prit le corps de Jésus. Nicodème, qui auparavant était allé de nuit vers Jésus, vint aussi, apportant un mélange d'environ cent livres de myrrhe et d'aloès. Ils prirent donc le corps de Jésus, et l'enveloppèrent de bandes, avec les aromates, comme c'est la coutume d'ensevelir chez les Juifs. Or, il y avait un jardin dans le lieu où Jésus avait été crucifié, et dans le jardin un sépulcre neuf, où personne encore n'avait été mis. Ce fut là qu'ils déposèrent Jésus, à cause de la préparation des Juifs, parce que le sépulcre était proche.

Résurrection de Jésus-Christ.

Le premier jour de la semaine, Marie de Magdala se rendit au sépulcre dès le matin, comme il faisait encore obscur ; et elle vit que la pierre était ôtée du sépulcre. Elle courut vers Simon Pierre et vers l'autre disciple que Jésus aimait, et leur dit : ils ont enlevé du sépulcre le Seigneur, et nous ne savons où ils l'ont mis.

Pierre et l'autre disciple sortirent, et allèrent au sépulcre. Ils couraient tous deux ensemble. Mais l'autre disciple courut plus vite que Pierre, et arriva le premier au sépulcre ; s'étant baissé, il vit les bandes qui étaient à terre, cependant il n'entra pas. Simon Pierre, qui le suivait, arriva et entra dans le sépulcre ; il vit les bandes qui étaient à terre, et le linge qu'on avait mis sur la tête de Jésus, non pas avec les bandes, mais plié dans un lieu à part. Alors l'autre disciple, qui était arrivé le premier au sépulcre, entra aussi ; et il vit, et il crut. Car ils ne comprenaient pas encore que, selon l'Écriture, Jésus devait ressusciter des morts. Et les disciples s'en retournèrent chez eux.

Cependant Marie se tenait dehors près du sépulcre, et pleurait. Comme elle pleurait, elle se baissa pour regarder dans le sépulcre ; et elle vit deux anges vêtus de blanc, assis à la place où avait été couché le corps de Jésus, l'un à la tête, l'autre aux pieds. Ils lui dirent : Femme, pourquoi pleures-tu ? Elle leur répondit : Parce qu'ils ont enlevé mon Seigneur, et je ne sais où ils l'ont mis. En disant cela, elle se retourna, et elle vit Jésus debout ; mais elle ne savait pas que c'était Jésus. Jésus lui dit : Femme, pourquoi pleures-tu ? Qui cherches-tu ? Elle, pensant que c'était le jardinier, lui dit : Seigneur, si c'est toi qui l'as emporté, dis-moi où tu l'as mis, et je le prendrai. Jésus lui dit : Marie ! Elle se retourna, et lui dit en hébreu : Rabbouni ! c'est-à-dire, Maître ! Jésus lui dit : Ne me touche pas ; car je ne suis pas encore monté vers mon Père. Mais va trouver mes frères, et dis-leur que je monte vers mon Père et votre Père, vers mon Dieu et votre Dieu. Marie de Magdala alla annoncer aux disciples qu'elle avait vu le Seigneur, et qu'il lui avait dit ces choses.

Le soir de ce jour, qui était le premier de la semaine, les portes du lieu où se trouvaient les disciples étant fermées, à cause de la crainte qu'ils avaient des Juifs, Jésus vint, se présenta au milieu d'eux, et leur dit : La paix soit avec vous ! Et quand il eut dit cela, il leur montra ses mains et son côté. Les disciples furent dans la joie en voyant le Seigneur. Jésus leur dit de nouveau : La paix soit avec vous ! Comme le Père m'a envoyé, moi aussi je vous envoie. Après ces paroles, il souffla sur eux, et leur dit : Recevez le Saint-Esprit. Ceux à qui vous pardonnerez les péchés, ils leur seront pardonnés ; et ceux à qui vous les retiendrez, ils leur seront retenus.

"Recevez le Saint-Esprit. Ceux à qui vous pardonnerez les péchés, ils leur seront pardonnés"

Thomas, appelé Didyme, l'un des douze, n'était pas avec eux lorsque Jésus vint. Les autres disciples lui dirent donc : Nous avons vu le Seigneur. Mais il leur dit : Si je ne vois dans ses mains la marque des clous, et si je ne mets mon doigt dans la marque des clous, et si je ne mets ma main dans son côté, je ne croirai point.

Huit jours après, les disciples de Jésus étaient de nouveau dans la maison, et Thomas se trouvait avec eux. Jésus vint, les portes étant fermées, se présenta au milieu d'eux et dit : La paix soit avec vous ! Puis il dit à Thomas : Avance ici ton doigt, et regarde mes mains ; avance aussi ta main, et mets-la dans mon côté ; et ne sois pas incrédule, mais crois. Thomas lui répondit : Mon Seigneur et mon Dieu ! Jésus lui dit : Parce que tu m'as vu, tu as cru. Heureux ceux qui n'ont pas vu, et qui ont cru !

"Heureux ceux qui n'ont pas vu, et qui ont cru !"

Conclusion.

Jésus a fait encore, en présence de ses disciples, beaucoup d'autres miracles, qui ne sont pas écrits dans ce livre. Mais ces choses ont été écrites afin que vous croyiez que Jésus est le Christ, le Fils de Dieu, et qu'en croyant vous ayez la vie en son nom.

18, 19, 20

Homère

IXe SIÈCLE AVANT J.-C.

Au commencement de la culture occidentale il y a Homère. C'est sous son nom, celui d'un poète aveugle ayant vécu au IXe siècle avant J.-C. la vie errante d'un aède (poète-chanteur de l'époque) récitant ses chants de ville en ville en retour de l'hospitalité accordée, que nous furent transmises ***l'Iliade*** *et* ***l'Odyssée****.*

Les derniers travaux d'érudition semblent s'accorder pour voir dans les deux épopées des styles trop différents pour qu'elles puissent être l'œuvre d'un seul auteur ; si l'existence d'Homère n'est plus mise en doute (elle le fut à une certaine époque) il est plutôt considéré actuellement comme celui qui aurait donné une forme magnifique et définitive à une tradition orale remontant à plusieurs centaines d'années.

L'œuvre d'Homère jouit, dès l'Antiquité, d'une immense popularité ; elle fut et elle reste, pour notre civilisation gréco-latine, un répertoire inépuisable de mythes et de légendes.

POÈME ÉPIQUE

.L'Iliade.

Le sujet du poème de 1 500 vers est la colère d'Achille et ses conséquences : la guerre de Troie dure depuis dix ans. Elle a commencé après que Pâris, le fils du roi de Troie Priam a enlevé Hélène, l'épouse du roi grec Ménélas : pour le venger, les chefs grecs, achéens, éoliens se sont embarqués pour la Troade sous le commandement d'Agamemnon.

Devant la ville ennemie, une violente dispute oppose Agamemnon, roi des Grecs à Achille, roi des Myrmidons, fils de la déesse Thétis. Ce dernier, humilié, refuse de prendre part aux combats et se retire sous sa tente. A partir de ce moment, les Grecs jusqu'alors victorieux sont repoussés de partout. En vain supplie-t-on Achille de revenir parmi les siens. Ce n'est que la mort de son ami Patrocle qui le décidera à reprendre les armes.

Les principaux personnages sont du côté des Grecs : Achille, Agamemnon, Ménélas, Ulysse, Ajax, Diomède ; du côté des Troyens : Hector, Priam, Hécube, Andromaque, Hélène.

LA COLÈRE D'ACHILLE

L'épopée commence par la description des ravages que cause la peste dans le camp des Grecs. Le fléau est envoyé par Apollon après qu'une de ses prêtresses, Chryséis, est devenue l'esclave d'Agamemnon lors du pillage de Thèbes. Pour apaiser le dieu, Agamemnon accepte de rendre la jeune fille mais il s'empare, en échange, de l'esclave d'Achille, Briséis.

"Chante, déesse, la colère d'Achille"

Chante, déesse, la colère d'Achille, fils de Pélée, colère fatale qui répandit mille maux sur les Grecs, précipita chez Pluton les âmes pleines de force d'une foule de héros, et les livra eux-mêmes en proie aux oiseaux et aux chiens. Ainsi s'accomplit la volonté de Jupiter, du jour que, pour la première fois, une querelle désunit Agamemnon, roi des guerriers, et le divin Achille.

Quelle divinité fit naître entre eux cette discorde ? le fils de Latone et de Jupiter. Irrité contre le roi, il frappe le camp d'une contagion cruelle, et les guerriers périssent. Car le fils d'Atrée a méprisé son prêtre Chrysès, lorsque, pour racheter sa fille, celui-ci est venu vers les légers vaisseaux des Achéens.

Le vieillard porte des présents infinis ; il tient en ses mains, autour d'un sceptre d'or, les bandelettes du dieu qui lance au loin les traits ; il implore tous les Grecs, et surtout les deux Atrides, chefs des guerriers.

« Fils d'Atrée, et vous, Achéens aux belles cnémides, puissent les dieux qui habitent le palais de l'Olympe vous accorder la ruine de la ville de Priam, et un heureux retour au sein de vos demeures ! Mais rendez-moi ma fille chérie ; et, pleins de respect pour le fils de Jupiter, pour Apollon qui lance au loin les traits, acceptez la rançon de Chryséis. »

Alors, tous les autres Grecs parlent en sa faveur ; ils veulent honorer le prêtre et accepter les riches présents. Mais cela ne plaît pas au fils d'Atrée, Agamemnon ; il chasse rudement Chrysès, et lui adresse ces paroles menaçantes :

« Prends garde, ô vieillard, que je ne te rencontre près de nos vaisseaux, soit que tu y restes maintenant, soit que tu y reviennes encore ; ni le sceptre ni les bandelettes du dieu ne te sauveraient de ma colère. Je ne te rendrai point ta fille, qu'elle n'ait vieilli loin de sa patrie, dans mon palais en Argos, où elle tissera ma toile et partagera ma couche. Fuis donc, et cesse de m'irriter, si tu veux partir sans péril. »

Il dit : le vieillard tremblant obéit et s'en va en silence le long de la mer aux bruits tumultueux. Lorsqu'il s'est éloigné de la flotte, il adresse sa prière au dieux Phébus, qu'enfanta la blonde Latone :

« Exauce mes vœux, ô toi qui protèges Chryse et la divine Cilla, toi qui règnes puissamment sur Ténédos, dieu de Sminthe. Si jamais j'ai couvert le temple que tu aimes, si jamais j'ai brûlé pour toi les cuisses succulentes des chèvres et des taureaux, accomplis mes désirs : que tes traits fassent expier mes larmes aux fils de Danaüs. »

Ainsi parle le vieillard ; Apollon entend sa prière, et il s'élance des cimes de l'Olympe ; courroucé en son cœur, ayant aux épaules son arc et son carquois fermé ; à chaque pas du dieu en colère, sur lui ses traits retentissent ; et il s'avance redoutable comme la nuit. Bientôt, il s'arrête loin des navires, et lance une première flèche ; l'arc d'argent rend un son terrible. Les mulets d'abord, et les chiens agiles sont frappés ; mais le dieu dirige ensuite contre les guerriers un trait amer qui les atteint, et dès lors de nombreux bûchers ne cessent plus de consumer les morts. Pendant neuf jours, les traits d'Apollon volent sur le camp. Dans la dixième journée, Achille convoque tout le peuple à l'agora ; car Junon, déesse aux bras blancs, inquiète pour les Argiens qu'elle voit succomber, lui a mis en l'esprit ce dessein. Lorsqu'ils sont tous réunis à l'assemblée, Achille aux pieds légers se lève, et leur adresse ce discours :

« Atride, je le vois, bientôt nous seront

contraints d'errer encore sur les flots et de regagner nos demeures ; si toutefois nous échappons à la mort, car la guerre à la fois et la peste moissonnent les Argiens. Mais, crois-moi, consultons un devin, un prêtre, un interprète des songes (les songes aussi viennent de Jupiter) ; qu'il nous dise pourquoi Phébus est si fort irrité. Sachons s'il se plaint pour des vœux ou pour des hécatombes ; et s'il a dessein de détourner de nous la contagion, lorsque nous lui aurons donné sa part du fumet de nos agneaux et de nos chèvres les plus belles. »

A ces mots, Achille reprend sa place. Alors, Calchas, fils de Thestor, le plus infaillible des augures, se lève devant l'assemblée ; il sait le présent, le passé, l'avenir ; c'est lui qui a conduit la flotte jusqu'aux rivages d'Ilion, par la science divinatoire dont l'a doué Phébus. L'esprit plein de bienveillance, il harangue les Grecs, et dit :

« Achille, tu m'ordonnes d'interpréter le courroux d'Apollon, qui lance au loin les traits. Je le ferai ; mais fais attention, jure-moi de me défendre, résolument, par ton bras et tes discours. Car, je le prévois, je vais courroucer un homme qui commande ici puissamment, et à qui tous les Achéens obéissent. Or, un roi s'emporte quand il s'irrite contre le faible ; si d'abord il dissimule sa colère, il la nourrit en son sein jusqu'à ce qu'il l'assouvisse. Vois donc si tu me sauveras. »

Achille, reprenant s'écrie : « Rassure-toi et explique-nous le signe divin comme tu l'as compris. Non, par Apollon cher à Jupiter, par le dieu que tu implores, ô Calchas, et grâce à qui tu nous dévoiles les augures, tant que je respirerai, tant que je verrai la lumière, nul des Grecs, près de nos vaisseaux, n'appesantira sur toi les mains ; pas même si tes paroles désignent Agamemnon, qui maintenant se glorifie d'être le plus puissant de tous. »

Ainsi, le devin irréprochable est rassuré, et il dit : « Le dieu qui lance au loin les traits ne se plaint ni pour des vœux ni pour des hécatombes, mais à cause de son prêtre Chrysès qu'Atride a méprisé en refusant de lui rendre sa fille et d'accepter une juste rançon, et il vous envoie ces maux, et il vous en réserve encore. Il ne détournera pas les atteintes funestes de la contagion, que nous n'ayons renvoyé à un père chéri la jeune fille aux yeux vifs, sans présents, sans rançon, et conduit à Chryse une hécatombe sacrée ; alors, après nous l'être rendu propice, nous fléchirons le dieu. »

A ces mots, Calchas reprend sa place. Aussitôt le héros, fils d'Atrée, le puissant Agamemnon se lève devant l'assemblée. Il gémit ; une violente colère remplit son sein ; ses yeux semblent des flammes étincelantes : il lance à Calchas un regard menaçant, et s'écrie :

« Devin des méchants, jamais tu ne m'as dit une bonne parole ; sans cesse ton esprit se plaît à augurer des malheurs ; tu ne dis rien, tu ne fais rien d'utile : maintenant encore, expliquant aux Grecs les augures, tu leur annonces que le dieu qui lance au loin les traits les frappe parce que j'ai refusé d'accepter la juste rançon de la jeune Chryséis. J'aime bien mieux en effet la garder chez moi ; je la préfère à Clytemnestre, ma légitime épouse : elle ne lui est inférieure ni en beauté, ni en grâces, ni en esprit, ni en adresse dans ses travaux. Mais enfin, je consens à la rendre, si ce parti est le meilleur. Je désire, moi, que l'armée soit sauvée et non qu'elle périsse. Apprêtez-moi donc à l'instant une récompense, afin que, de tous les Grecs, je n'en sois point seul privé. Ce ne serait pas convenable, et vous êtes tous témoins que la mienne m'est ravie. »

L'impétueux et divin Achille lui répond en ces termes : « Glorieux Atride, le plus avide des hommes, comment les magnanimes Argiens te donneraient-il une récompense ? Ils n'ont point, que nous sachions, en commun, un amas de richesses ; celles des villes que nous avons détruites, nous les avons partagées, et il ne convient pas de les redemander à l'armée pour les réunir de nouveau. Envoie donc au dieu cette jeune fille ; nous te donnerons des présents triples et quadruples, si jamais Jupiter nous accorde de renverser les remparts superbes d'Ilion.

– Achille, s'écrie le puissant Agamemnon, héros semblable aux dieux, renonce à de tels artifices, vaillant comme tu l'es ; n'espère ni me surprendre, ni me persuader. Veux-tu par hasard posséder une récompense, quand je me tiendrai tranquille, privé de la mienne ? Est-ce pour cela que tu m'ordonnes de rendre ma captive ? Eh bien, j'y consens, si les Grecs magnanimes m'accordent des présents qui charment également mon âme. S'ils me les refusent, moi-même je ravirai ta récompense, ou celle d'Ajax, ou celle d'Ulysse. Je l'entraînerai sous ma tente, et celui chez qui j'irai s'en irritera. Mais, nous délibérerons sur ce sujet une autre fois. Maintenant, lançons à la mer divine un noir vaisseau ; confions-le à de hardis rameurs, qui conduiront une hécatombe et la belle Chryséis, sous les ordres de l'un des chefs, d'Ajax, d'Idoménée, du divin Ulysse ou de toi-même, fils de Pélée, le plus redoutable des héros, de toi qui nous rendras le dieu propice, après lui avoir sacrifié des victimes.

– Ah ! s'écrie Achille en lui jetant un regard courroucé, cœur artificieux, front impudent, comment se trouve-t-il un seul Grec qui consente à t'obéir pour entreprendre des marches ou pour livrer des batailles ! Je ne suis pas venu combattre ici par haine pour les vaillants Troyens ; ils ne m'ont jamais offensé. Ils n'ont ravi ni mes coursiers ni mes taureaux ; jamais, dans la Phthie, féconde nourricière des guerriers, ils n'ont ravagé mes moissons : car il y a entre nous trop de montagnes ombragées de forêts, trop de flots retentissants. C'est donc toi que nous avons suivi devant Ilion pour te combler de joie, pour venger l'honneur de Ménélas et le tien, roi sans pudeur. Mais, tu nous dédaignes, tu nous méprises ; tu me menaces d'enlever toi-même ma captive, conquise par de si rudes travaux, et que m'ont décernée les fils de l'Achaïe. Cependant, jamais ma récompense n'est égale à la tienne, lorsque les Grecs ont détruit quelque superbe ville des Troyens. Oui, mes bras soutiennent le fardeau de la cruelle guerre, et lorsque vient le partage des dépouilles, ton lot est toujours le plus précieux, et le mien le moindre ; mais il m'est agréable, et je l'emporte vers mes navires, accablé de la fatigue des batailles. Eh bien, je pars, je retourne dans la Phthie ; il vaut mieux pour moi rentrer aux demeures paternelles, avec mes navires. Je le sens, tu ne trouveras sur ces rives ni trésors ni richesses, après m'avoir outragé.

– Fuis ! s'écrie Agamemnon, fuis, puisque ton cœur brûle de ce désir. Je ne te prierai point de rester ici à cause de moi ; assez d'autres m'honoreront, et surtout le prévoyant fils de Saturne. Tu m'es le plus odieux des rois élèves de Jupiter ; sans cesse tu te plais aux discordes, aux combats, aux querelles ; tu t'enorgueillis de ta valeur, mais c'est un dieu qui te l'a donnée. Retourne aux demeures paternelles avec tes compagnons et tes vaisseaux ; va régner sur les Myrmidons, je n'ai de toi aucun souci, et je dédaigne ton courroux. Voici ma menace ; puisque Apollon m'enlève Chryséis, je vais la faire conduire à son père, sur un de mes navires par mes compagnons ; puis aussitôt je vole à ta tente, et moi-même je ravis la belle Briséis, ta récompense ; tu sauras enfin que ma puissance l'emporte sur la tienne, et les autres Grecs craindront de s'égaler ou de se comparer à moi. »

Il dit, et une vive douleur vient au fils de Pélée ; dans sa mâle poitrine son cœur agite, si, tirant le glaive acéré qui s'appuie sur sa forte cuisse, il écartera les Grecs et tuera le fils d'Atrée, ou s'il réprimera sa colère et calmera son âme. Pendant qu'en son esprit, il roule ce double dessein, il tire du fourreau sa grande épée ; alors, Minerve descend du ciel. C'est Junon qui l'envoie ; car elle a pour les deux héros le même amour, la même sollicitude. La déesse s'arrête derrière Achille, et, visible pour lui seul, elle saisit sa blonde chevelure ; personne dans l'assemblée ne l'aperçoit. Achille, frappé de stupeur, se retourne, ses yeux brillent d'un éclat terrible, et il reconnaît Minerve ; aussitôt, il lui adresse ces paroles rapides :

« Pourquoi venir auprès de moi, fille de Jupiter ? Est-ce pour être témoin des outrages d'Agamemnon, fils d'Atrée ? mais, je te le prédis, et je pense que cela s'accomplira : bientôt, son orgueil lui fera perdre la vie. »

La déesse aux yeux d'azur répond en ces termes : « Je descends des cieux pour apaiser ta colère : puissé-je te fléchir ! C'est Junon qui m'envoie, car elle a pour vous deux le même amour, la même sollicitude. Mais, allons, mets fin à cette querelle ; que ta forte main laisse reposer ton glaive. Outrage Atride en parole comme elles te viendront à l'esprit ; car, je te le prédis, et ma promesse s'accomplira : un jour viendra où, en expiation de cette offense, tu recevras trois fois autant de présents précieux. Modère-toi donc et obéis-nous. »

Le fougueux Achille répond à Minerve en ces termes : « O déesse, il faut que je cède à de telles paroles, quoiqu'en mon âme je sois violemment courroucé : c'est le parti le plus sage ; et les dieux exaucent qui leur obéit. »

A ces mots, docile à la voix de Minerve, il appuie sa main pesante sur la poignée d'argent, et repousse dans le fourreau son redoutable glaive.

CHANT I, v. 1 à 245

ACHILLE ET SA MÈRE THÉTIS

Achille, privé de Briséis, se plaint à sa mère la déesse Thétis.

Patrocle obéit à son compagnon bien-aimé ; il fait sortir de la tente la belle Briséis, et la livre pour qu'on l'emmène ; les hérauts retournent près des vaisseaux du roi de Mycènes, et la captive les suit à regret. Alors Achille, pleurant, loin de ses compagnons, s'assied à l'écart près des flots blanchissants du rivage, regardant au large les vagues sombres. Il implore à haute voix, les bras étendus, sa mère chérie :

« O Thétis, puisque tu m'as enfanté et que j'ai peu à vivre, Jupiter devrait au moins m'honorer ; et maintenant il ne m'accorde pas la moindre gloire. Le puissant fils d'Atrée, Agamemnon, m'a méprisé, et m'a lui-même enlevé ma récompense que maintenant il possède. »

Ainsi parle Achille en pleurant ; son auguste mère l'entend, assise au fond de l'abime, auprès de Nérée. Soudain, comme une vapeur, elle sort des flots blanchissants du rivage, et s'assied auprès du héros, qui verse des larmes ; de sa main elle le caresse et lui adresse ces paroles :

« Mon enfant, d'où viennent tes pleurs ? pourquoi cette affliction qui te vient à l'âme ? parle, dévoile-moi ta pensée, afin que nous la connaissions tous les deux.

– Tu le sais, répond en poussant de profonds soupirs l'impétueux Achille. A quoi bon te redire ce que tu n'ignores pas ? Nous fondons sur Thèbes, ville sacrée d'Éétion, nous la dévastons, nous enlevons toutes ses richesses. Les fils de la Grèce entre eux se les partagent avec équité, et choisissent pour Atride la belle Chryséis. Bientôt Chrysès, prêtre du dieu qui lance au loin les traits, vient près de nos vaisseaux pour racheter sa fille. Le vieillard porte des présents infinis ; il tient en ses mains, autour d'un sceptre d'or, les bandelettes d'Apollon ; il implore les Grecs et surtout les deux Atrides, chefs des guerriers. Alors tous les autres Grecs parlent en sa faveur ; ils veulent honorer le prêtre, ils veulent accepter les riches présents. Mais cela ne plaît pas au fils d'Atrée ; il chasse rudement le vieillard, et lui adresse des paroles violentes. Le vieillard, courroucé, se retire, et Apollon exauce ses vœux, car son prêtre lui est cher. Il fait voler sur les Grecs un trait fatal ; et dès lors les guerriers périssent en foule ; les traits du dieu frappent de toutes parts le vaste camp des Argiens. Alors, un devin qui a tout compris nous explique l'augure d'Apollon, et aussitôt, le premier, je demande qu'on apaise le dieu. Mais la colère transporte Atride ; il se lève, il fait des menaces qui déjà sont accomplies. Les Grecs aux yeux vifs renvoient à son père, sur un vaisseau léger, la belle Chryséis, et vont offrir au dieu des présents. Et maintenant, voici que de ma tente sortent les hérauts qui conduisent au fils d'Atrée la jeune Briséis que m'ont donnée les fils de la Grèce. O ma mère, si tu le peux, viens au secours de ton fils ; monte au sommet de l'Olympe, implore Jupiter, s'il est vrai qu'un jour tu aies réjoui son cœur par tes discours et tes actions. Souvent je t'ai entendue, dans le palais de mon père, te glorifier et dire que, seule parmi les immortels, tu avais sauvé d'une honteuse défaite le dieu qui noircit les nuées, lorsque les autres divinités de l'Olympe, Junon, Neptune et Pallas, tentèrent de l'enchaîner. Mais, ô déesse ! tu accours, tu détaches ses liens ; tu appelles soudain, dans le vaste Olympe, le Titan aux cents bras que les dieux nomment Briarée, et les hommes Égéon. Plus puissant que son père, il se place, fier de sa gloire, devant le fils de Saturne ; alors les bienheureux immortels tremblent devant lui, et renoncent à leur dessein. Aborde Jupiter, rappelle-lui ces souvenirs ; embrasse ses genoux, obtiens qu'il consente à seconder les Troyens, à resserrer les Grecs près des poupes de leurs vaisseaux, sur les grèves de la mer, afin qu'ils jouissent de leur roi, et que le fils d'Atrée, le puissant Agamemnon, reconnaisse sa faute, quand il n'a point honoré le plus vaillant des Achéens.

– Hélas ! reprend Théthis fondant en larmes, mon enfant, pourquoi t'ai-je élevé après t'avoir donné le jour pour ton malheur et le mien ? Du moins, en repos près de la flotte, tu devais être exempt de chagrin et de pleurs puisque ta part de la vie est courte et touche presque à sa fin : tu es maintenant, plus que tous les hommes, infortuné et près du trépas. Ah ! oui, dans mon palais je t'ai enfanté pour une destinée funeste. Mais je monterai sur les sommets neigeux de l'Olympe ; je dirai ce que tu désires au dieu qui se plaît à lancer la foudre, si toutefois il m'écoute. Toi, cependant, reste oisif près de tes rapides navires, nourris ta colère contre les Grecs, éloigne-toi désormais des batailles. Hier, Jupiter, suivi de tous les autres dieux, est allé jusqu'à l'Océan chez les irréprochables Ethiopiens, à un festin splendide. Le douzième jour il retournera dans l'Olympe, et soudain je franchirai le seuil de son palais d'airain, j'embrasserai ses genoux et j'espère le persuader. »

A ces mots, la déesse disparaît, laissant son fils courroucé en son cœur, à cause de la belle captive qu'on lui a enlevée violemment, malgré lui.

CHANT I

LES CHEFS GRECS

Du haut des remparts de Troie, Hélène, l'épouse de Ménélas enlevée – de son plein gré – par Pâris, désigne aux Troyens les chefs de la coalition grecque.

Aux portes de Scées, avec Priam, Panthos, Thymète, Lampos, Clytos et Hicétaon, rameau de Mars, sont assis Ucalégon et Anténor, tous les deux, hommes d'une prudence consommée. Ces chefs du peuple, au haut des portes de Scées, restent en repos. La vieillesse les éloigne des batailles ; mais ils brillent par la sagesse de leurs discours. Telles les cigales au fond de la forêt, cachées dans le feuillage d'un grand arbre, font entendre leur voix délicate : tels les anciens de Troie se tiennent au haut de la tour. A l'approche d'Hélène, ils échangent entre eux, à voix basse, ces paroles rapides :

« Il n'y a point à s'indigner si, pour une telle femme, les Troyens et les Grecs endurent avec constance des maux affreux. Par ses traits et sa démarche, elle ressemble aux déesses immortelles. Cependant, quelle que soit sa beauté, qu'elle s'en retourne sur les vaisseaux des Grecs, pour ne point causer notre perte et celle de nos enfants ! »

C'est ainsi qu'ils parlent ; cependant Priam appelle, à haute voix, la belle Argienne et lui dit : « Puisque tu viens devant nous, chère fille, assieds-toi près de moi ; tu apercevras ton premier époux, tes parents, tes amis. A mes yeux tu n'es point coupable, mais les dieux, qui ont fait fondre sur moi les Grecs et les fléaux de la guerre. Nomme-moi ce superbe guerrier, noble et de taille élevée ; quel est-il parmi les Argiens ? D'autres, sans doute, peuvent l'emporter par la taille ; mais je n'ai jamais vu tant de beauté, ni de maintien si majestueux ; il a bien l'air d'un roi. »

Hélène, la plus noble des femmes, lui répond en ces termes :

« O père chéri, combien je te révère et suis tremblante devant toi ! Pourquoi n'ai-je pas plutôt choisi la cruelle mort, lorsque, abandonnant ma chambre nuptiale, mes frères, ma fille bien-aimée et mes riantes compagnes, je suis venue ici avec ton fils ? Mais cela n'est point arrivé, et je vis pour me consumer dans les larmes. Je te dirai tout ce que tu me demandes, tout ce qui t'intéresse. Ce héros est le puissant Agamemnon, fils d'Atrée ; à la fois roi excellent et combattant redoutable ; misérable que je suis, il était mon beau-frère, si le passé n'est pas un songe. »

Elle dit ; et le vieillard, admirant le roi, s'écrie : « Heureux Atride, favori de la Fortune et de la Destinée, combien de fils de la Grèce t'obéissent ! J'allai jadis dans la Phrygie aux vignobles fertiles. Là, je vis une multitude de combattants phrygiens, sous les ordres d'Otrée et de Mygdon, semblable aux dieux. Ils campaient aux bords du Sangaris ; et moi, comme auxiliaire, je me mêlai parmi ces héros, lorsque les farouches Amazones vinrent les combattre. Mais ils n'étaient point si nombreux que les Achéens aux vifs regards. »

Le vieillard aperçoit ensuite Ulysse et continue ses questions :

« Dis-moi, chère fille, quel est ce héros ; il est sans doute de taille moindre qu'Agamemnon, fils d'Atrée, mais il semble plus large des épaules et de la poitrine ; ses armes reposent sur les sillons fertiles ; et lui, comme un chef, parcourt les rangs des guerriers ; je le compare à un bélier à toison touffue qui marche au milieu d'un grand troupeau de brebis blanches.

Hélène, petite-fille de Jupiter, lui répond en ces termes : « Celui-ci est le fils de Laërte, l'astucieux Ulysse, nourri parmi le peuple de l'âpre Ithaque ; il n'ignore aucune sorte de stratagèmes, et il brille par la sagesse de ses conseils. »

A ces mots, le prudent Anténor prend part à l'entretien : « O femme, s'écrie-t-il, oui, tu parles selon la vérité. Déjà le noble Ulysse est venu dans Ilion, à cause de toi, député par les Grecs avec Ménélas. Je les reçus comme hôtes ; je les fêtai dans mes demeures ; et je reconnus l'esprit, la sagesse profonde des deux héros. Lorsqu'ils se mêlaient aux Troyens assemblés, debout, Ménélas surpassait le roi d'Ithaque par la largeur des épaules ; assis, Ulysse avait plus de majesté. S'ils prenaient la parole et soutenaient leur avis, Ménélas s'exprimait brièvement et d'une voix sonore ; jamais il n'était prodigue de mots ; et quoique le plus jeune, il ne s'écartait point du sujet. Mais lorsque le prudent Ulysse s'était levé, il se tenait les yeux baissés, fixés à terre, n'inclinant son sceptre ni en avant ni en arrière, demeurant immobile comme un adolescent inexpérimenté ; on eût dit un homme troublé par la colère, et même hors de sens ; puis bientôt sa grande voix s'échappait de son sein, et ses paroles sortaient pressées comme un ouragan de neige. Alors aucun mortel n'eût osé disputer avec lui, et nous n'étions plus surpris de lui voir tant de beauté.

Le roi aperçoit ensuite Ajax, et continue ses questions : « Quel est cet autre Achéen, grand et beau ? il est le plus grand de tous, et a les plus larges épaules. » Hélène répond : « C'est le grand Ajax, rempart des Grecs. De cet autre côté, debout parmi les Crétois, est Idoménée, semblable à un dieu ; autour de lui se pressent les chefs de ses guerriers. Souvent, dans nos demeures, il a reçu de Ménélas l'hospitalité, lorsqu'il venait de la Crète. J'aperçois maintenant tous les autres Grecs aux yeux vifs, que je reconnaîtrais aisément, et dont il me serait facile de te dire les noms. Mais je ne puis voir deux héros : Castor, habile à dompter les coursiers, et Pollux, invincible au pugilat ; mes frères, nés de la même mère que moi. Est-ce qu'ils n'ont point quitté la riante Lacédémone ? ou bien, est-ce que maintenant ils restent sur les vaisseaux et ne veulent point se mêler aux combats, retenus par la crainte des outrages et par mon déshonneur ? »

Elle dit : mais déjà la terre, productrice des vivants, renfermait les deux héros dans Lacédémone même, au sein de leur patrie.

CHANT III, v. 146 à 244

LES ADIEUX D'HECTOR

La mort de Patrocle tué par Hector, le héros troyen, a décidé Achille à reprendre les armes. C'est l'ultime bataille de l'Iliade qui s'engage.

Hector fait ses adieux à son épouse Andromaque et à son fils.

Hector aussitôt sort de son palais, et, parcourant de nouveau les rues bien bâties, arrive à travers la grande ville aux portes de Scées, par où il doit sortir dans la plaine. Alors, accourt à sa rencontre son épouse richement dotée, Andromaque, fille du magnanime Éétion, qui habitait dans l'Hypoplacie la ville de Thèbes, et régnait sur les Ciliciens. La fille de ce roi était unie au vaillant Hector. C'est elle qui maintenant rencontre le héros ; sa suivante l'accompagne, portant sur son sein le tendre enfant qui ne parle point encore, leur rejeton bien-aimé, beau comme la plus brillante étoile. Son père lui a donné le nom de Scamandrios ; mais le peuple l'appelle Astyanax, car c'est Hector seul qui protège Ilion. En voyant son fils, le héros sourit en silence, tandis qu'Andromaque, fondant en larmes, s'approche, lui prend la main et s'écrie :

« Cruel, ta valeur te perdra : tu es sans pitié pour ton enfant au berceau, et pour moi infortunée qui bientôt serai veuve ; car les Grecs ne tarderont pas à te tuer en t'attaquant tous ensemble. Il vaudrait mieux pour moi, t'ayant perdu, descendre sous la terre ! Il ne me restera aucune joie quand tu auras subi le destin, mais les afflictions ; je n'ai plus ni mon père, ni mon auguste mère. Le divin Achille, après avoir dévasté la célèbre ville des Ciliciens, Thèbes aux superbes portes, tua mon père Éétion. Mais une crainte religieuse lui défendit d'enlever ses dépouilles. Il brûla, dans ses armes merveilleuses, le corps du roi ; et, sur lui, il éleva une tombe que les nymphes Orestiades, filles de Jupiter, entourèrent d'ormeaux. Dans nos demeures j'avais sept frères ; tous, en un seul jour, furent précipités chez Pluton. L'impétueux Achille les immola comme ils gardaient nos taureaux et nos blanches brebis. Et ma mère qui régnait sur l'Hypoplacie ombragée de forêts ! il la conduisit ici, avec tout le butin. Depuis il la délivra au prix de présents infinis ; mais Diane, dans le palais paternel, la frappa de ses flèches. Hector, tu es pour moi mon père, ma vénérable mère, mon frère et mon jeune époux. Prends pitié d'Andromaque, défends-toi du haut de nos tours, ne rends pas orphelin ton enfant et veuve ton épouse. Range l'armée près du figuier sauvage. De ce côté surtout on peut monter à la ville ; le mur s'affaisse, et trois fois les plus vaillants des Grecs, les deux Ajax, le célèbre Idoménée, les Atrides et l'intrépide Diomède, en ont tenté l'assaut ; soit qu'un devin habile les ait instruits, soit que leur propre ardeur les ait entraînés. »

Le magnanime Hector lui répond en ces termes : « Femme, tes soucis sont les miens ; mais je rougirais devant les Troyens et les Troyennes au long voile, si, comme un lâche, j'évitais les batailles. Mon âme d'ailleurs s'y refuse. N'ai-je point appris à me conduire en brave, à combattre au premier rang, pour conserver la gloire de mon père et la mienne ? Cependant mon cœur, ma raison, me le disent, le jour viendra où succomberont la sainte Ilion, et Priam, et le peuple du belliqueux Priam. Mais la douleur qu'auront, alors les Troyens, celle d'Hécube elle-même et du roi mon père, celle de mes frères, qui, si braves et si nombreux, tomberont dans la poussière sous des mains ennemies, ne me sont pas à cœur autant que la tienne, lorsque l'un des Grecs t'emmènera baignée de larmes, après t'avoir ravi la liberté. Alors, dans Argos, tu tisseras de la toile pour autrui ; le cœur plein d'amertume, tu puiseras de l'eau à la fontaine Messéis ou d'Hypérie, et une dure nécessité pèsera sur toi. Alors le passant, voyant tes pleurs, s'écriera : « Voici l'épouse « d'Hector, qui parmi les Troyens excellait à « combattre, lorsque autour d'Ilion on livrait « ces grandes batailles. » Telles seront ses paroles, et elles renouvelleront ta douleur, car tu n'auras plus d'époux pour te préserver de la servitude. Ah ! puissé-je être mort et enseveli sous la tombe, plutôt que d'entendre tes cris lorsque tu sera entraînée. »

"Cruel, ta valeur te perdra"

A ces mots, l'illustre Hector étend les bras pour prendre son fils ; mais l'enfant se détourne et se cache, en criant, dans le sein de sa nourrice à la belle ceinture : troublé par l'aspect de son père, il a crainte de l'airain et de la crinière qu'il a vue flotter terriblement au sommet du casque ; son père et son auguste mère sourient et soudain le héros enlève de sa tête le casque, qu'il pose resplendissant à terre ; il donne un baiser à son enfant chéri, le berce dans ses bras, et adresse cette prière à Jupiter et aux autres immortels :

"Jupiter, et vous divinités, accordez-moi que cet enfant, que mon fils, se signale comme moi parmi les Troyens"

« Jupiter, et vous divinités, accordez-moi que cet enfant, que mon fils, se signale comme moi parmi les Troyens, qu'il soit comme moi fort, et qu'il règne puissamment sur Ilion ; que l'on dise un jour, à son retour des combats : « Il est bien plus brave que son « père ; qu'il rapporte les dépouilles san- « glantes de l'ennemi par lui terrassé, et qu'en « son âme, sa mère se réjouisse. »

Après cette prière, il remet l'enfant entre les mains de son épouse chérie, qui l'attire sur son sein parfumé et sourit en pleurant. Le héros, ému de pitié, la caresse de la main, et lui dit :

« Amie, ne t'afflige pas tant à cause de moi ; nul, avant le terme fatal, ne me précipitera chez Pluton. Je pense que personne, parmi les humains, lâche ou vaillant, dès qu'il a vu le jour, ne peut échapper au destin. Retourne donc dans mon palais ; prends soin de tes travaux, du fuseau, de la toile ; distribue à tes femmes leur tâche. Aux hommes nés dans Ilion, et surtout à moi, sont réservés les périls de la guerre. » CHANT VI, v. 405 à 496

PRIAM AUX PIEDS D'ACHILLE

Le roi Priam se jette aux pieds d'Achille pour obtenir qu'il lui rende le corps de son fils Hector.

"Souviens-toi de ton père, Achille semblable aux dieux"

Priam saute à terre, laissant en dehors Idéos pour contenir les mules et les coursiers, et il va droit à la demeure où se tient Achille, favori de Jupiter ; il l'y trouve ; ses compagnons sont ailleurs ; les seuls Automédon et Alcime, rejetons de Mars, s'empressent autour de lui ; il vient de manger et de boire ; il a fini, et la table est encore dressée. Le grand Priam entre inaperçu, s'approche du héros, embrasse ses genoux et baise les mains terribles, homicides, qui ont immolé tant de ses fils. Lorsque la puissante Até s'est emparée d'un homme ; que celui-ci, après avoir commis un meurtre en sa patrie, se réfugie au sein d'une ville étrangère, dans le palais d'un citoyen opulent, ceux qui le voient sont saisis de surprise : ainsi Achille et ses compagnons, stupéfaits, s'étonnent à l'aspect du divin Priam ; ils échangent tous trois un rapide regard. Cependant Priam suppliant s'écrie :

« Souviens-toi de ton père, Achille semblable aux dieux : il est de mon âge et comme moi sur le triste seuil de la vieillesse. Peut-être aussi ses voisins l'accablent-ils, et nul n'est là pour le préserver du mal et de la ruine. Mais lui ! il te sait vivant et se réjouit en son âme ; et tous les jours il espère voir son fils chéri revenant de Troie. Pour moi, mes malheurs ont comblé la mesure ; j'ai engendré dans la grande Ilion de vaillants fils, et je crois qu'aucun ne m'est resté. Ils étaient cinquante lorsque vinrent les fils de la Grèce, dix-neuf nés des mêmes entrailles, et les autres des femmes qui sont en mon palais. La farouche Mars leur a fait à presque tous fléchir les genoux. Mais celui que seul j'avais encore, qui défendait la ville et nous-mêmes, tu l'as tué récemment, lorsqu'il combattait pour la patrie : Hector... C'est à cause de lui que je viens maintenant près des vaisseaux des Grecs, et pour le racheter, je t'apporte des présents infinis. Crains les dieux, ô Achille ! prends pitié de moi, au souvenir de ton père ; je suis plus que lui digne de compassion : j'ai fait ce que sur la terre nul des hommes n'eût osé. J'ai attiré jusqu'à mes lèvres la main qui m'a ravi mes fils. »

Il dit, et fait naître chez le héros le regret de son père et le désir des pleurs. Achille prend la main du vieillard et l'éloigne doucement ; puis tous les deux se souviennent. Priam, prosterné aux pieds d'Achille, pleure amèrement le vaillant Hector ; Achille verse des larmes sur son père et aussi sur Patrocle. Leurs sanglots retentissent dans la demeure du guerrier. Enfin le divin Achille a charmé son âme de pleurs ; les regrets se sont effacés de ses sens et de son esprit ; il se lève soudain de son siège ; de sa main il relève le vieillard, ayant pitié de ses cheveux blancs, de sa barbe blanche. Alors il lui adresse ces paroles rapides :

« Infortuné ! oui, tu as souffert bien des maux en ton âme. Comment as-tu osé venir seul près des vaisseaux des Grecs, devant un homme qui a tué tant de tes vaillants fils ? Sans doute tu as un cœur de fer. Mais, crois-moi, assieds-toi sur ce siège. Quelles que soient nos afflictions, renformons-les en notre âme ; car de quelle utilité sont les pleurs ? vivre dans la douleur, tel est le sort que les dieux ont fait aux misérables mortels ; eux seuls sont exempts de soucis. Deux tonneaux sont placés devant le seuil de Jupiter, et contiennent les dons qu'il répand : l'un le mal, l'autre le bien. Celui à qui le dieu que charme la foudre en distribue, après les avoir mélangés, rencontre tantôt le mal, tantôt le bien ; celui pour qui il puise seulement à la source des douleurs est voué aux outrages ; la faim dévorante le chasse par toute la terre, il erre en tous lieux, et n'est honoré ni par les dieux ni par les mortels. Ainsi les dieux ont fait à Pélée de beaux présents dès sa naissance ; il a excellé parmi les autres humains par ses trésors et ses domaines ; il règne encore sur les Myrmidons, et, simple mortel, les dieux lui ont donné pour épouse une déesse. Mais à lui aussi Jupiter a imposé sa part de malheur ; il ne lui est point né, dans son palais, de nombreux enfants qui doivent être rois ; il a un seul fils dont les jours sont comptés ; et je ne suis point l'appui de sa vieillesse ; et loin de ma patrie, je reste aux champs troyens pour ta ruine et celle de ta famille. Toi aussi, vieillard, nous avons ouï dire que jadis tu étais opulent ; tous ceux qui au-dessus de nous habitent Lesbos, séjour de Macaris, et plus loin encore, la Phrygie et l'immense Hellespont, rapportent que tu brillais par tes trésors et tes fils. Mais, depuis que les divinités célestes ont fait fondre sur toi le fléau de la guerre, les combats et le carnage sans cesse enveloppent Ilion. Supporte ces maux, ne nourris point en ton âme un deuil éternel. C'est vainement que tu t'affliges sur ton fils ; tu ne le rappelleras pas à la lumière ; tu seras plutôt encore atteint de quelque autre malheur.

– Ah ! répond le divin vieillard, ne me fais point asseoir, élève de Jupiter, tandis qu'Hector est étendu sans sépulture dans l'enceinte de tes tentes. Rends-moi mon fils ; que je le voie de mes yeux ; accepte les nombreux trésors que je t'apporte ; puisses-tu en jouir, puisses-tu retourner dans ta patrie, toi qui maintenant m'as permis de vivre et de goûter la douce lumière du soleil ! »

Achille lance à Priam un regard courroucé, en s'écriant : « Ne m'irrite pas, ô vieillard ! j'ai résolu de te rendre Hector ; ma mère, la néréide à qui je dois le jour, me l'a prescrit au nom de Jupiter.

CHANT 24, v. 471 à 512

.L'Odyssée.

Les 1200 vers de l'Odyssée sont consacrés aux aventures d'un des chefs grecs de l'Iliade, Ulysse le rusé, depuis la fin du siège de Troie jusqu'au retour en son royaume d'Ithaque. On peut trouver le résumé de cette pérégrination longue de dix ans où alternent épisodes terrifiants et merveilleux dans le récit fait par le voyageur à son épouse Pénélope au moment de leurs retrouvailles (voir le dernier extrait cité).

L'Odyssée diffère beaucoup de l'Iliade, épopée guerrière. C'est une histoire à l'échelle humaine qui se présente comme un voyage initiatique où le caractère du héros aventureux, habile, patient, se trempe et se forge au milieu des épreuves et de l'adversité pour atteindre enfin bonheur et sagesse.

ULYSSE ET NAUSICAA

Retenu sept ans par les charmes de Calypso, Ulysse se décide à reprendre la mer. Une terrible tempête envoyée par Neptune le jette, nu et sans connaissance, sur la côte des Phéaciens ; non loin de là, la jeune reine Nausicaa joue avec ses servantes.

La reine lance la balle à l'une de ses suivantes, manque son but et fait tomber la balle dans le rapide courant du fleuve. Les jeunes femmes jettent un grand cri ; le divin Ulysse s'éveille, se met sur son séant et délibère en son cœur :

« Hélas ! où suis-je ? Quels mortels habitent cette terre ? sont-ils superbes, sauvages et injustes ? Sont-ils hospitaliers, et en leur esprit craignent-ils les dieux ? Des voix de jeunes femmes sont venues jusqu'à moi, comme si c'étaient des voix de nymphes qui habitent les cimes des monts, les sources des fleuves et les prés verdoyants. Peut-être suis-je près d'êtres humains qui parlent ? Allons, je veux moi-même examiner et voir. »

A ces mots, le divin Ulysse abandonne sa couche, et, de sa forte main, arrache d'un arbre un rameau touffu pour voiler sa nudité. Il s'élance comme un lion nourri dans les montagnes, qui, fier de sa force, brave la pluie et les vents, et saute, les yeux enflammés, sur les bœufs, sur les brebis, sur les cerfs agiles ; ou, pressé par la faim, tente de pénétrer dans la solide demeure des troupeaux. Ainsi Ulysse, malgré sa nudité, va se mêler parmi les blondes jeunes filles : car la nécessité le contraint. Il leur paraît horrible, tant l'eau de la mer l'a défiguré ! Elles fuient toutes tremblantes vers les rochers du rivage. La seule fille d'Alcinoos reste immobile ; Minerve lui a donné de la hardiesse, et l'a délivrée de la crainte ; elle s'arrête et regarde le héros. Cependant, celui-ci délibère s'il implorera la belle vierge en embrassant ses genoux, ou si de loin il la suppliera doucement de lui montrer la ville et de lui donner des vêtements. Enfin il lui semble mieux de la prier de loin par de douces paroles, de peur qu'en saisissant ses genoux il n'irrite l'esprit de la jeune vierge. Aussitôt il lui tient ce discours plein d'adresse :

« Déesse ou mortelle, ô reine ! je m'agenouille devant toi. Si tu es l'une des divinités qui habitent le vaste ciel, à ta beauté, à ta grâce, à ta grandeur, je reconnais Diane, fille du grand Jupiter. Si tu es l'une des mortelles qui vivent sur la terre, trois fois heureux ton père et ton auguste mère ; trois fois heureux tes frères chéris. Sans doute leur âme est toujours épanouie à cause de toi, quand ils voient un tel rejeton entrer dans le chœur des danses. Mais combien sera plus heureux encore celui qui t'emmènera, chargée de présents, dans sa riche demeure ! Non, jamais, parmi les mortels, mes yeux ne contemplèrent tant de beauté chez homme ni femme ; à ton aspect l'admiration me transporte. Un jour, à Délos, près de l'autel d'Apollon, je vis, élancée comme toi, une jeune tige de palmier (j'ai visité ces lieux ; une suite nom-

"Déesse ou mortelle, ô reine ! je m'agenouille devant toi"

breuse m'accompagnait dans ce voyage qui devait m'être si funeste). Quand je la vis, mon âme fut longtemps surprise, car la terre n'avait pas encore produit un si bel arbre. Ainsi, ô jeune femme, je m'étonne à ta vue, je t'admire, et je n'ose embrasser tes genoux. De terribles malheurs m'accablent ; hier, après vingt jours, j'ai échappé à la sombre mer, où depuis l'île d'Ogygie m'ont entraîné les vagues et les rapides tempêtes ; maintenant une divinité me jette sur ce rivage, et sans doute l'infortune va m'atteindre encore. Je n'espère pas qu'elle s'arrête, et auparavant les dieux accompliront nombre de choses. Mais , ô reine, prends pitié de moi ; c'est à toi la première que je m'adresse après avoir bien souffert. Je ne sais rien des autres habitants de cette terre ; montre-moi leur ville, et donne-moi pour me couvrir quelque haillon ou une enveloppe de vêtements, si, en venant ici, tu en as apporté. Que les dieux t'accordent ce que ton âme désire : un époux, une maison et la douce concorde. Non, rien n'est meilleur et plus heureux qu'une famille gouvernée par l'esprit uni de l'homme et de la femme ; c'est le désespoir des envieux et la joie des cœurs bienveillants, mais eux-mêmes surtout jouissent de leur félicité.

– O mon hôte ! répond la blanche Nausicaa, je te donne ce nom, car tu ne parais ni bas ni insensé : Jupiter lui-même distribue le bonheur aux mortels, bons ou méchants, à chacun comme il lui plaît. La part qu'il t'a faite, il faut que tu l'acceptes d'un cœur patient. Maintenant, puisque tu as atteint notre île et notre cité, tu ne manqueras ni de vêtements, ni de ce qui convient à un suppliant éprouvé par l'infortune. Je te conduirai jusqu'à la ville, et je vais te dire le nom du peuple qui l'habite. Ce sont les Phéaciens, et moi je suis la fille du magnanime Alcinoos, qui tient des citoyens sa force et sa puissance. »

Elle dit, et s'adressant à ses femmes, elle leur donne ses ordres : « Venez près de moi, chères compagnes, où fuyez-vous à la vue de cet homme ? Le prenez-vous pour un ennemi ? Nous n'en avons point maintenant parmi les mortels, et nous n'en verrons point naître pour porter la guerre chez les Phéaciens. Nous sommes chers aux immortels : nous habitons loin des autres contrées, aux extrémités de la mer tumultueuse, et nous ne communiquons pas avec les peuples étrangers. Mais ce malheureux, errant, arrive ici il faut dès ce moment le recevoir amicalement. Les hôtes et les mendiants nous sont envoyés par Jupiter, et les modestes dons qu'on leur fait lui sont agréables. Donnez donc à notre hôte, ô mes suivantes, des mets et du vin ; baignez-le dans le fleuve, à l'abri du souffle des vents. »

A ces mots, les jeunes filles s'arrêtent et s'encouragent mutuellement ; puis, dociles aux ordres de Nausicaa, elles conduisent Ulysse dans un lieu abrité ; placent auprès de lui des vêtements : une tunique et un manteau ; lui donnent la fiole d'or contenant l'huile liquide et l'engagent à se plonger dans l'eau courante du fleuve. Alors le divin Ulysse leur adresse ces mots :

« Éloignez-vous, ô suivantes ! laissez-moi seul enlever l'écume qui souille mes épaules ; laissez-moi me parfumer, il y a longtemps que l'huile n'a coulé sur mon corps. je ne me baignerai point devant vous ; le respect me défend de me tenir nu au milieu de jeunes filles. »

Il dit : elles s'éloignent et vont rapporter ce discours à Nausicaa. Cependant le divin Ulysse lave dans le fleuve son dos et ses larges épaules ; il purge sa tête des souillures de la mer écumeuse. Après le bain, il se parfume d'huile, puis il se couvre des vêtements que lui a donnés la jeune vierge.

CHANT VI, v. 127 à 322

LE CYCLOPE

Le roi Alcinoos, père de Nausicaa donne un banquet en l'honneur d'Ulysse qui est prié de narrer ses aventures depuis son départ de Troie :

Après deux haltes malheureuses chez les Ciconiens et chez les Lotophages, les Grecs pensent trouver un havre de paix dans l'île des Cyclopes...

« Nous sillonnons de nouveau la mer, le cœur contristé, et nous arrivons à la terre des Cyclopes, hommes superbes et sans lois, qui, confiants dans les dieux immortels, ne labourent point leurs champs, et ne sèment de leurs mains aucune plante ; car pour eux, sans semences, sans culture, croissent le froment, l'orge et des vignes chargées d'énormes grappes que nourrissent les pluies de Jupiter. Ils n'ont ni agora, ni conseil, ni coutumes. Mais sur le sommet des hautes montagnes, ils habitent des cavernes profondes, et chacun règle sa famille sans s'occuper de ses voisins.

« Devant la port de la terre des Cyclopes s'étend, à peu de distance, une petite île couverte de forêts ; les chèvres sauvages y pullulent à l'infini. Jamais les pas des humains ne les troublent ; jamais elles ne sont poursuivies par des chasseurs accoutumés à braver la fatigue et les souffrances dans les bois et sur la cime des monts. Contrée inculte et agreste, elle n'est foulée ni par le pâtre, ni par le laboureur. Vide d'hommes, elle ne nourrit que ses chèvres bêlantes. Les Cyclopes n'ont point de vaisseaux aux flancs coloriés ; ils n'ont point d'artisans habiles pour en construire à leur usage, afin que, comme ceux qui, en passant la mer, vont les uns chez les autres, ils visitent les cités des humains et puissent peupler cette île inhabitée. Elle est loin d'être stérile ; elle produirait les fruits de toutes les saisons. Sur le bord de mer écumeuse, il y a une molle prairie bien arrosée. La vigne y serait impérissable ; ce sol uni et fertile donnerait chaque été de riches moissons. Son port est si tranquille, qu'il n'est besoin ni de cordages, ni d'ancres pour assujettir les vaisseaux. On peut rester dans ces ondes jusqu'à ce que l'âme des nautoniers les excite à en sortir, et que le vent souffle. Au fond du port coule, du sein d'une grotte, l'eau limpide d'une fontaine qu'entourent des peupliers. C'est là que la mer nous pousse et qu'un dieu nous conduit, pendant une nuit obscure qui ne laisse aucun objet visible. Un brouillard épais enveloppe les navires ; la lune, voilée par des nuées profondes, ne brille plus au ciel. Personne parmi nous n'aperçoit la côte. Nous ne voyons point les grandes vagues qui roulent jusqu'au rivage avant que nos vaisseaux y aient abordé. Lorsqu'ils s'arrêtent, nous plions les voiles, nous descendons sur la grève, et, plongés dans le sommeil, nous attendons le jour.

« Aux premières lueurs de la fille du matin, de l'Aurore aux doigts de rose, émerveillés à la vue de l'île, nous en faisons le tour. Les nymphes, filles de Jupiter, poussent devant nous pour notre repas les chèvres des montagnes. Aussitôt, nous retirons de chaque vaisseau des piques à longues pointes et des arcs recourbés ; nous nous divisons en trois corps ; nos traits volent, et bientôt un dieu nous accorde une chasse abondante. Douze vaisseaux m'accompagnent, à chacun le sort donne neuf chèvres : le mien seul en obtient une de plus.

« Durant tout le jour, jusqu'à ce que le soleil disparaisse, nous mangeons en repos des chairs abondantes, et nous buvons un vin délectable : car nous n'avons pas encore épuisé les nombreuses amphores que nous avons remplies quand nous avons pillé la ville sacrée des Ciconiens. Cependant, nous apercevons, au-dessus de la terre prochaine des Cyclopes, des tourbillons de fumée ; les éclats de leur voix, le bêlement de leurs chèvres et de leur agneaux arrivent jusqu'à nous.

« Le soleil se couche et fait place aux ténèbres ; nous dormons étendus sur le rivage. Aux premières lueurs de la fille du matin, de l'Aurore aux doigts de rose, je convoque l'assemblée et je parle en ces termes :

« O mes compagnons chéris ! restez tous « ici, tandis que seul avec mon navire et mes « rameurs, j'irai reconnaître quels mortels « habitent cette contrée : s'ils sont superbes, « sauvages, injustes, ou s'ils sont hospitaliers « et craignant les dieux. »

"L'Aurore aux doigts de rose"

« A ces mots, je monte sur mon navire, j'ordonne à mes compagnons de me suivre et de délier les amarres. Bientôt ils sont embarqués, ils remplissent les bancs, s'asseyent en ordre et frappent de leurs rames la mer blanchissante. Nous ne tardons pas à atteindre la rive prochaine ; et, près de la mer, à l'extrémité de la contrée, nous voyons une immense caverne ombragée de lauriers touffus, où sont les parcs d'un nombreux troupeau de brebis et de chèvres ; alentour est une basse-cour fermée d'un mur construit avec de grands sapins et des chênes à hautes cimes, sur des fondations en pierre. C'est la demeure d'un homme monstrueux qui, seul à l'écart, prend soin de son troupeau, il ne fréquente point les autres mortels ; mais dans sa solitude il pratique l'iniquité. Rien n'est prodigieux comme ce monstre : il ne ressemble pas aux autres humains qui se nourrissent de froment, mais au pic chevelu d'une haute montagne qui s'élève et domine les autres sommités.

« J'ordonne à mes compagnons chéris de rester près des ancres et de garder le navire ; puis, choisissant les douze plus vaillants, je pars avec eux et j'emporte une outre remplie d'un délectable vin noir, que m'a donné Maron, fils d'Évanthée, prêtre d'Apollon à Ismare. Par respect pour les dieux, nous avons épargné, dans le bois sacré qu'ils habitent, Maron et sa famille, et il m'a fait de beaux présents : sept talents d'or admirablement travaillé, une urne d'argent massif et douze amphores remplies d'un vin délectable, breuvage pur et divin. Personne, dans sa demeure, parmi ses suivantes ou ses captifs, ne sait qu'il le possède ; lui seul, sa femme, ses enfants et l'économe connaissent son secret. Lorsqu'on buvait ce vin pourpré, doux comme le miel, on en versait une coupe pleine dans vingt mesures d'eau ; alors encore il exhalait un parfum délicieux, et l'on se félicitait de ne s'en être point abstenu. J'emporte de ce breuvage une grande outre, et dans un coffret des provisions ; car mon cœur audacieux pressent que je vais voir quelque homme farouche, doué d'une force extrême, ignorant la justice et les lois.

« Nous arrivons promptement à son antre sans l'y trouver ; déjà il a conduit au pâturage ses riches troupeaux ; nous entrons, et nous admirons tout ce qui frappe nos regards : des claies s'affaissant sous le poids des fromages ; des parcs où sont renfermés, en ordre et séparément, les chevreaux, les agneaux ; d'un côté les nouveaux-nés, d'un autre les plus anciens, et à part ceux qui sont nés entre les deux : enfin des terrines qui regorgent de petit-lait et des vases préparés pour traire. Mes compagnons me conjurent d'enlever les fromages, de quitter ce séjour, de pousser à grands pas hors de l'étable jusqu'à notre rapide navire les agneaux et les chevreaux, puis de fendre l'onde amère. Je ne me laisse point persuader, quoique cela eût beaucoup mieux valu. Je veux voir le Cyclope ; j'espère obtenir de lui les présents de l'hospitalité. Hélàs ! son aspect ne devait point apporter de joie à mes compagnons.

« Nous ranimons le foyer, nous sacrifions aux dieux et nous nous rassasions de fromages que nous prenons dans la grotte, où nous restons en repos à attendre que le Cyclope revienne du pâturage. Il arrive portant un énorme monceau de bois desséché pour préparer son repas. A l'entrée de la caverne, le monstre se débarrasse de son fardeau, qui tombe avec un fracas terrible. Saisis de crainte, nous nous jetons dans un coin obscur ; de son côté, il pousse dans la vaste grotte toutes les têtes de son riche troupeau qu'il doit traire, ne laissant hors de cette profonde étable que les mâles, boucs ou béliers. Lorsque les femelles y sont toutes, il soulève et place à l'entrée une roche d'un poids énorme que vingt-deux forts chariots à quatre roues ne pourraient ébranler : telle est la plus haute pierre dont il ferme la porte. Il s'assied, trait en ordre les brebis et les chèvres bêlantes, et près de chacune d'elles place ses petits. Ensuite il fait cailler la moitié du lait éblouissant de blancheur, et le recueille dans des corbeilles tressées. L'autre moitié reste dans les vases ; il la réserve pour la prendre et la boire à souper ; ces travaux terminés, il allume un grand feu, nous aperçoit et s'écrie :

« Étrangers, qui êtes-vous ? d'où venez-
« vous, en sillonnant les humides chemins ?
« naviguez-vous pour quelque négoce ? ou
« bien à l'aventure comme des pirates qui,
« en exposant leur vie, vont porter le mal-
« heur chez les peuples lointains ? »

« Il dit, et notre cœur se brise à cette voix terrible, à l'aspect affreux du monstre ; je trouve cependant des paroles pour lui répondre.

« Nous sommes des Grecs errant, depuis
« Troie, au gré de tous les vents et des
« grandes vagues de la mer ; nous brûlons
« de revoir nos demeures, et nous sommes
« poussés sur d'autres routes ; telle devait
« être sans doute la volonté de Jupiter. Nous
« nous glorifions d'être de l'armée d'Aga-
« memnon, fils d'Atrée, dont la renommée
« sous les cieux est maintenant la plus
« grande ; car il a détruit une cité puissante,
« et vaincu des peuples nombreux. Nous
« venons embrasser tes genoux, espérant
« de toi l'hospitalité, ou les présents que
« l'on offre à des hôtes. Respecte les dieux,
« homme excellent, nous sommes tes sup-
« pliants, et Jupiter est le protecteur des
« suppliants et des hôtes dignes de véné-
« ration. »

« Telles sont mes paroles ; mais il me répond d'un cœur impitoyable : « Étranger,
« tu es un insensé, ou tu viens de contrées
« lointaines, toi qui m'exhortes à craindre
« les dieux, à me garder de leur colère. Les
« Cyclopes n'ont aucun souci de Jupiter, ni
« des bienheureux immortels, car nous
« sommes de beaucoup les plus forts. Ne
« crois donc pas que, pour éviter la haine
« de Jupiter, je consente, à moins que mon
« âme ne me l'ordonne, à épargner tes
« compagnons ni toi-même. Mais dis-moi
« où tu as laissé ton beau navire ; est-ce loin,
« est-ce près de ma demeure ? ne me laisse
« rien ignorer. »

« Il dit, et me tend un piège ; mais j'en sais long ; il ne m'échappe pas, et je le trompe à mon tour par une réponse artificieuse :

« Les vents ont poussé mon navire hors
« des flots, et Neptune l'a brisé sur les
« écueils d'un promontoire aux confins de
« votre terre ; mes compagnons et moi nous
« avons évité l'instant suprême. »

« Je dis : et son âme impitoyable ne lui inspire point de réponse ; mais il se lève, jette les mains sur mes compagnons, en saisit deux, et comme de jeunes chiens, les brise contre le sol. Leurs cervelles s'écoulent et arrosent la terre. Le monstre les coupe par morceaux, prépare son repas, et les dévore aussi avide qu'un lion nourri dans les montagnes, sans rien laisser de leurs entrailles, de leurs chairs, de leurs os à moelle. Cependant, à ce cruel spectacle, nous élevons en pleurant nos mains vers Jupiter ; le désespoir s'empare de notre âme. Lorsque le Cyclope a gorgé son vaste sein de chairs humaines et de grands traits de lait pur, il s'étend au milieu de l'antre parmi ses troupeaux. Alors, en mon cœur magnanime, je projette de fondre sur lui, de tirer mon glaive acéré, et après l'avoir palpé, de le frapper à la poitrine, au lieu où le foie se joint au diaphragme. Mais une autre pensée me retient : nous eussions péri d'une mort affreuse ; jamais nos mains n'eussent pu mouvoir l'énorme rocher dont il avait fermé l'entrée de la caverne.

« Nous sommes donc contraints d'attendre en gémissant le retour de la divine lumière. Aux premières lueurs de la fille du matin, de l'Aurore aux doigts de rose, le monstre allume un grand feu, trait en ordre son riche troupeau, et remet les petits auprès de leurs mères. Ces travaux activement terminés, il saisit encore deux de mes compagnons, et prépare son repas du matin. Lorsqu'il est rassasié, il pousse hors de l'antre son florissant troupeau, après avoir enlevé facilement la grande pierre de la porte ; puis, il la remet comme on place le couvercle d'un carquois, et en sifflant, il conduit le troupeau sur la montagne. Je reste dans la grotte, roulant au plus profond de mon âme de terribles desseins. Quelle sera ma vengeance ? Comment Minerve me donnera-t-elle la gloire ? Enfin ce projet me paraît le meilleur : le long des parcs gisait l'énorme massue du Cyclope ; c'était un olivier vert qu'il avait coupé pour le porter lorsqu'il serait sec. Au premier coup d'œil, nous l'eussions pris pour le mât d'un large vaisseau de transport à vingt rameurs, faisant des voyages en pleine mer ; telles étaient, à le voir, sa grosseur et sa longueur. J'en tranche un épieu de la longueur d'une brasse ; je l'apporte à mes compagnons, et leur ordonne de l'équarrir. Ils m'obéissent ; puis, je l'aiguise et le durcis en le passant dans l'ardent foyer ; enfin je le cache bien, sous un amas du fumier qui est abondamment répandu dans toute la caverne. Cependant, j'exhorte mes compagnons à agiter les sorts pour savoir ceux qui oseront soulever avec moi l'épieu pour le plonger dans l'œil du monstre, lorsque le doux sommeil sera venu à lui ; les quatre que j'aurais voulu choisir sont désignés par le sort ; je dois être le cinquième, eux-mêmes m'y convient. Au soir, le Cyclope revient du pâturage ; aussitôt, il pousse au fond de l'antre son troupeau tout entier ; il ne laisse pas les mâles hors de cette profonde étable, soit qu'il ait conçu des soupçons, soit qu'un dieu en ait ainsi ordonné. A peine a-t-il soulevé et posé sur le seuil l'énorme rocher, qu'il s'assied et trait en ordre les brebis et les chèvres bêlantes ; puis il remet les petits auprès de leurs mères. Ces travaux activement terminés, il saisit encore deux de mes compagnons et prépare son repas du soir. A ce moment, je m'approche de lui, tenant à la main une coupe pleine de vin pourpré, et je dis :

« Cyclope, prends et bois ce vin mainte-
« nant que tu es rassasié de chair humaine,
« afin que tu apprennes quel breuvage re-
« célait notre vaisseau. Je l'ai apporté et t'en
« verserais encore, si, ému de pitié, tu me
« renvoyais dans ma demeure. Mais ta fu-
« reur ne connaît pas de bornes. Insensé !
« comment veux-tu qu'à l'avenir personne,
« parmi les nombreux humains, aborde à
« ce rivage, si tu nous traites avec ini-
« quité ! »

« A ces mots, il prend la coupe, la vide, se délecte en buvant ce doux breuvage, et m'en demande encore :

« Donne-m'en encore de bon cœur, et
« fais-moi soudain connaître ton nom, afin
« que je te fasse un présent hospitalier dont
« tu seras réjoui. La terre féconde des Cy-
« clopes produit aussi du vin que nous ti-
« rons de raisins abondants, nourris des
« pluies de Jupiter ; mais celui-ci est une
« émanation du nectar et de l'ambroisie. »

« Il dit : et de nouveau je lui présente une coupe pleine de ce vin brûlant. Trois fois je la remplis, trois fois il la vide comme un insensé. Lorsque le vin a enveloppé les sens du Cyclope, je lui adresse ces paroles flatteuses :

« Cyclope, tu me demandes mon illustre
« nom, je vais te le dire, et tu me feras le
« présent d'hospitalité que tu m'as promis.
« Mon nom est Personne ; ma mère, mon
« père m'ont appelé Personne, et c'est ainsi
« que me nomment tous mes compa-
« gnons. »

« Je dis : et il me répond d'un cœur impitoyable : « Je mangerai Personne le der-
« nier, après ses compagnons ; les autres
« d'abord ; ce sera mon présent. »

« A ces mots, il tombe à la renverse, et s'étend le cou penché, pris par le sommeil qui dompte tous les êtres. Cependant, l'ivresse l'appesantit, et sa bouche vomit, avec le vin, des lambeaux de chair humaine. Soudain, pour échauffer l'épieu, je le glisse sous la cendre du foyer, et par mes paroles j'encourage mes compagnons, pour que la peur ne les fasse pas reculer. Déjà l'épieu d'olivier, quoique vert encore, rougit et est près de prendre flamme, lorsque je le retire. Alors, entouré de mes compagnons, je m'approche du monstre ; une divinité leur inspire une grande audace ; ils plongent au milieu de l'œil du Cyclope la pointe de l'épieu, et le maintiennent avec force, tandis que, pesant sur son autre extrémité, je le tourne vivement. Tel un artisant troue de sa tarière le bois dont il construit un navire, ses aides des deux côtés la maintiennent avec des courroies, et elle tourne sans s'arrêter : ainsi nous faisons tourner dans l'œil du Cyclope l'épieu brûlant sur lequel le sang coule et bouillonne ; la vapeur de sa pupille embrasée consume ses sourcils et ses paupières ; et les racines de l'œil, atteintes par le feu, frémissent. Ainsi, lorqu'un forgeron trempe dans l'eau froide une grande hache ou une doloire, elle fait entendre un bruit strident (c'est ce qui donne au fer sa force) : ainsi l'œil frémit autour de l'épieu d'olivier. Le monstre jette un cri épouvantable ; les rochers alentour le répètent ; saisis de crainte, nous fuyons ; il retire de son œil l'épieux souillé de sang, puis hors de soi, il le rejette au loin, et à grands cris il appelle les Cyclopes qui, dans son voisinage, habitent les cavernes des cimes battues par les vents. A sa voix, ils accourent de toutes parts, et, de l'entrée de sa grotte, ils lui demandent quel est le sujet de ses plaintes.

« Polyphème, quelles souffrances peu-
« vent t'arracher de si hautes clameurs pen-
« dant la nuit divine ? Pourquoi donc
« interrompre notre sommeil ? Est-ce de
« peur que l'on ne t'enlève tes troupeaux ?
« est-ce de peur que l'on ne te tue par force
« ou par ruse ?
« – Amis, reprend du fond de son antre
« le robuste Polyphème, on me tue par ruse
« et non par force : c'est Personne. »
« A ces mots, les Cyclopes lui répondent
« ces paroles rapides : Personne, dis-tu ? tu
« es donc seul ? Il ne nous est point donné
« d'éviter le mal que nous envoie le grand
« Jupiter ; implore le secours du roi Nep-
« tune, ton père. »
« Ils disent : ils s'éloignent, et mon cœur
« se réjouit de ce que mon nom et mon
« irréprochable ruse les ont trompés. Le
« monstre cependant souffre de cruelles
« douleurs ; il soupire, et de ses mains
« tremblantes, il soulève à tâtons le rocher
« qui ferme la grotte ; il s'assied à l'entrée
« et étend les bras, espérant que nous al-
« lons chercher à nous échapper pêle-mêle
« avec les brebis, et qu'il va nous saisir. Ain-
« si, il me prend encore pour un insensé.
« Mais je médite par quel moyen prompt et
« sûr je sauverai de la mort mes compa-
« gnons et moi. Mon esprit trame de nom-
« breux stratagèmes, car il y va de la vie, et
« un grand fléau est proche. Or, voici ce qui
« en mon âme me paraît le meilleur. Il y a
« là de grands et superbes béliers, dont la
« toison touffue est de couleur sombre. Sans
« bruit, je les réunis trois à trois avec de
« l'osier tendre sur lequel dormait le mons-
« treux et cruel Cyclope. Celui du milieu
« porte un homme : les deux autres, en
« marchant à ses côtés, doivent sauver mes
« compagnons. Trois béliers portent un
« homme. Je réserve pour moi le bélier le
« plus fort de tout le troupeau ; je le prends
« par le dos, je me roule dans la toison touf-
« fue de son ventre, et de mes mains je
« m'entortille solidement avec sa longue
« laine ; j'arme mon cœur de patience. C'est
« ainsi qu'en soupirant nous attendons le
« jour divin.

« Aux premières lueurs de la fille du matin, de l'Aurore aux doigts de rose, le Cyclope pousse au pâturage les mâles de son troupeau ; les femelles, qu'il n'a pu traire, les mamelles gonflées de lait, bêlent dans leurs parcs. Leur maître, accablé de cruelles souffrances, effleure de ses mains au passage le dos de tous les béliers, et l'insensé ne s'aperçoit pas que, sous leurs poitrines touffues, mes compagnons sont attachés. Le bélier qui me porte sort le dernier : car il est appesanti par sa toison et par moi qui pense si sagement. Polyphème le retient et lui dit :

« Cher bélier, pourquoi donc aujour-
« d'hui sors-tu si tard de mon antre ? Tu
« n'es point accoutumé à rester en arrière,
« mais à la tête du troupeau tu marches d'un
« pas superbe, pour paître les tendres fleurs
« des prairies. Le premier tu arrives au bord
« des fleuves ; le premier, le soir, tu reviens
« avec ardeur à la bergerie, et te voici main-
« tenant le plus lent de tous. Regrettes-tu
« l'œil de ton maître, qu'un misérable mor-
« tel lui a crevé, aidé de ses tristes compa-
« gnons, après avoir dompté mes sens avec
« le vin ? Ce Personne, je ne le crois nulle-
« ment sauvé de la mort ; et toi, si tu sentais
« comme ton maître, si tu pouvais me par-
« ler, tu me dirais où il se cache pour éviter
« ma colère. Soudain je le briserais ; sa cer-
« velle jaillirait de toutes parts sur le sol de
« ma caverne, et mon cœur serait soulagé
« des maux que m'a causés ce chétif Per-
« sonne. »

« A ces mots, il laisse passer le bélier. A peu de distance de la grotte et de la cour, je me détache le premier de dessous le bélier, puis je détache mes compagnons. Aussitôt, nous détournons à grands pas le riche troupeau et nous le poussons devant nous jusqu'à notre navire. Ceux de nous qui viennent d'échapper à la mort sont bienvenus en se montrant à nos compagnons chéris, mais ceux-ci pleurent nos morts, et gémissent. Je les arrête d'un signe de mes sourcils, je réprime ces larmes ; j'ordonne de jeter promptement le troupeau dans le navire, et de fendre l'onde amère ; ils s'embarquent soudain, remplissent les bancs, s'asseyent en ordre, et frappent de leurs rames la mer blanchissante.

« Lorsque nous nous sommes éloignés à la portée de la voix, j'adresse au Cyclope ces paroles mordantes :

« Polyphème, tu n'as point dévoré dans
« ton antre, avec une violence atroce, les
« compagnons d'un homme sans valeur, et
« tu devais expier ton iniquité, ô mortel té-
« méraire qui n'as point craint de te re-
« paître d'hôtes assis à ton foyer ! Jupiter et
« les dieux immortels t'ont puni. »

« Je dis, et ces mots l'ont transporté d'une plus terrible colère ; il arrache la cime escarpée d'une grande montagne, il la lance, elle tombe devant notre navire, peu s'en faut qu'elle n'atteigne l'extrémité de la proue. La mer reflue sous le choc de l'immense rocher, le flot nous pousse de nouveau vers le rivage, et nous force de toucher terre ; mais saisissant une longue pique de combat naval, je l'appuie sur la côte et j'en éloigne le navire. J'exhorte mes compagnons ; je leur ordonne, d'un signe de tête, de se courber sur leurs bancs pour éviter notre ruine ; ils se penchent en avant et font force de rames. Lorsque enfin nous sommes à une distance double, je veux parler encore au Cyclope ; mes compagnons, par leur prières, cherchent à me retenir.

« Malheureux ! disent-ils à l'envi, pour-
« quoi, veux-tu irriter ce mortel farouche,
« qui en nous jetant maintenant une roche
« a entraîné le navire vers son île, où nous
« avons pensé périr ? S'il vient encore à en-
« tendre tes cris, il brisera nos têtes et le
« bois qui nous porte, en nous accablant
« avec un âpre rocher, car il peut l'envoyer
« jusqu'à nous. » Ils disent, mais il ne fléchissent pas mon cœur magnanime, et, emporté par la colère, j'interpelle encore le monstre.

« Cyclope, si parmi les humains on t'in-
« terroge sur la perte ignominieuse de ta
« vue, tu diras qui te l'a ravie. C'est Ulysse
« destructeur des cités, fils de Laërte, dont
« la demeure est dans Ithaque. »

« Ainsi je parle ; il répond, en gémissant :
« Grands dieux, voilà sans doute l'accom-
« plissement des anciens augures. Jadis vé-
« cut parmi nous un noble et grand devin,
« Télémos, fils d'Eurymès, qui excellait dans
« la science divinatoire, et qui, en expli-
« quant aux Cyclopes les signes divins, at-
« teignit une extrême vieillesse. Il me prédit
« tout ce que je devais éprouver ; que je
« serais privé de la vue par les mains
« d'Ulysse. Et moi, j'étais toujours dans l'at-
« tente d'un homme grand et beau, doué
« d'une force redoutable. Et c'est toi,
« homme petit, chétif, sans valeur, qui m'as
« ôté la vue, après m'avoir dompté par le
« vin. Mais, approche, ô Ulysse ! afin que je
« te fasse les présents d'hospitalité, et que
« je prie l'illustre Neptune de te servir de
« guide : je suis son fils, il se glorifie de
« m'avoir donné le jour. Lui seul, et nul autre
« parmi les bienheureux immortels, ou
« parmi les humains, lui seul me guérira, si
« tel est son désir. »

« Il dit, et je lui réponds : « Puisse le coup
« dont je t'ai frappé te précipiter aux de-
« meures de Pluton, sans âme et sans vie,
« aussi sûrement que Neptune ne te rendra
« jamais la vue ! » A ces mots, les mains étendues vers le ciel étoilé, il implore le roi Neptune.

« Exauce-moi, s'écrie-t-il, dieu qui
« ébranle la terre ! s'il est vrai que je sois né
« de toi, et que tu t'en glorifies, fais que
« jamais Ulysse, destructeur des cités, fils de
« Laërte, dont la demeure est dans Ithaque,
« ne rentre en son palais. Toutefois, si sa
« destinée est de revoir les siens, d'aborder
« à ses champs paternels, de s'abriter sous
« son toit superbe, qu'il y arrive tard et mi-
« sérablement, sur un vaisseau étranger,
« après avoir perdu tous ses compagnons,
« enfin que, chez lui encore, il trouve des
« afflictions. »

« Telle fut sa prière, et Neptune l'écouta. Il soulève ensuite une roche plus grande que la première et la lance en tourbillonnant avec une force terrible. Cette fois elle tombe à l'arrière de notre vaisseau ; peu s'en faut qu'elle n'atteigne l'extrémité de la poupe. La mer se gonfle sous le choc du rocher, mais la vague nous emporte en avant et nous force de toucher terre. Alors, nous arrivons à l'île, où le reste de la flotte nous attend. Autour des navires mes compagnons désolés sont assis et désirent ardemment notre retour. Nous poussons notre vaisseau sur la grève ; nous débarquons, nous tirons de ses flancs le troupeau du Cyclope. Nous le partageons, et personne ne s'éloigne sans une part égale de butin. Mes braves compagnons seulement me donnent, outre mon lot, le bélier qui m'a porté, et soudain, l'ayant sacrifié sur le rivage, je brûle ses cuisses pour Jupiter, fils de Saturne, qui règne sur tous les êtres. Mais ce dieu n'agrée point mon offrande, et il ne cesse de méditer comment il détruira mes navires et mes chers compagnons. Durant tout le jour, jusqu'au coucher du soleil, nous mangeons en repos les chairs abondantes et nous buvons le vin délectable. Le soleil disparaît et fait place aux ténèbres ; nous dormons étendus sur les bords de la mer.

« Aux premières lueurs de la fille du matin, de l'Aurore aux doigts de rose, j'excite mes compagnons ; je leur ordonne de s'embarquer, de détacher les amarres. Ils remplissent les bancs, s'asseyent en ordre et frappent de leurs rames la mer blanchissante. Nous fendons de nouveau les ondes, le cœur contristé ; la joie de notre salut est troublée par le regret de nos compagnons chéris.

CHANT IX, v. 345 à 473.

LES SIRÈNES, LES MONSTRES CHARYBDE ET SCYLLA

Alors qu'il lui fait ses adieux, Circé la magicienne révèle à Ulysse les moyens d'échapper aux ruses des Sirènes, de Charybde et de Scylla.

« Sois maintenant attentif à ce que je vais « dire ; un dieu d'ailleurs te le rappellera. Tu « rencontreras d'abord les Sirènes. Elles « charment tous les hommes qui s'appro- « chent d'elles ; malheur à qui, par ignoran- « ce, les aborde et les écoute ; jamais sa « femme, ni ses tendres enfants, ne se réjoui- « ront de son retour, ni ne se tiendront auprès « de lui. Mais les Sirènes le charmeront par « leur chant harmonieux, assises dans une « prairie, entourées d'un monceau d'osse- « ments humains et de chairs que la corrup- « tion consume. Éloigne-toi donc rapi- « dement ; bouche les oreilles de tes compa- « gnons avec de la cire amollie ; prends garde « qu'aucun d'eux ne les entende. Ecoute-les, « toi, si tel est ton désir ; mais fais-toi forte- « ment attacher au mât, debout, pieds et mains « liés, afin que tu les entendes avec délices. « Si ensuite tu implores tes compagnons, si « tu leur ordonnes de te délivrer, qu'ils te « chargent de plus de liens.

« Aussitôt que les rameurs t'auront poussé « au-delà, tu verras deux routes ; mais je ne « puis te dire exactement laquelle tu dois « suivre ; ce sera à toi d'en décider ; je vais te « parler de l'une et de l'autre. D'une part, « sont des roches escarpées, sur lesquelles « se brisent avec fracas les grandes vagues « d'Amphitrite. Les dieux bienheureux les « appellent errantes. Jamais les oiseaux ne « peuvent les franchir, pas même les tendres « colombes qui portent l'ambroisie au puis- « sant Jupiter. La roche lisse en ravit toujours « quelqu'une, mais le père en envoie aussitôt « une autre, pour que leur nombre soit tou- « jours le même. Nul vaisseau, après s'en être « approché, ne peut fuir ; soudain les flots « amers, les tempêtes mêlées d'une flamme « dévorante emportent ses débris et les ca- « davres des matelots. Un seul les a traver- « sées : Argo, cher aux dieux et aux hommes, « voguant des royaumes d'Éétès, fut près « d'être jeté sur ces immenses rochers, mais « par amour pour le héros Jason, Junon elle- « même le sauva.

« Il y a là, d'autre part, deux écueils ; l'un « porte jusqu'au ciel sa cime aiguë, toujours « enveloppée d'un nuage azuré que rien ne « dissipe, et que jamais l'éther ne remplace, « même aux jours sereins de l'été et de l'au- « tomne. Jamais mortel, eût-il vingt bras et « vingt pieds, ne pourrait gravir ni descendre « cette roche, lisse comme si on l'eût polie « de tous les côtés. Au milieu du récif, s'ouvre, « du côté des ténèbres, une sombre caverne « tournée vers l'Érèbe ; noble Ulysse, dirige « sur elle ton navire. Un homme dans la fleur « de la jeunesse, placé sur les bancs des ra- « meurs, ne pourrait atteindre d'une flèche « cet antre profond, où réside Scylla, monstre « farouche dont la voix terrible retentit « comme les rugissements d'un jeune lion. « Son lugubre aspect afflige même les dieux : « douze pieds difformes soutiennent son « corps d'où sortent six cous allongés et six « têtes horribles. De triples rangées de dents « fortes et serrées remplissent ses gueules, « séjour de la sombre Mort. Cachée jusqu'à « la ceinture au fond du formidable gouffre, « elle n'en fait sortir que ses têtes, et plon- « geant autour de l'écueil, elle pêche des « dauphins, des chiens de mer, et ceux enfin « qu'elle peut saisir des monstres nombreux, « nourris par la bruyante Amphitrite. Quels « nautoniers pourraient se glorifier d'avoir « passé à sa portée sains et saufs avec un na- « vire ? Chaque tête enlève, des bancs, un ra- « meur !

« Voisin du premier, l'autre récif, ô Ulysse, « te paraîtra moins élevé ; tes flèches en at- « teindraient la cime ; un immense figuier « sauvage étend à sa base un verdoyant feuil- « lage, et au-dessous, la divine Charybde en- « gloutit l'onde amère. Trois fois dans le cours « de la journée elle rejette le flot qu'elle a « engouffré, trois fois elle l'absorbe encore « avec une rapidité terrible. Si à ce moment « tu arrivais, tu serais entraîné dans l'abîme, « et Neptune lui-même ne pourrait empê- « cher ta perte : il faut donc serrer Scylla et « pousser rapidement ton navire, car il vaut « mieux avoir à regretter six de tes compa- « gnons que de les perdre tous à la fois.

« – O Circé ! m'écriai-je, réponds-moi sans « détour : après avoir évité la dévorante Cha- « rybde, pourrai-je attaquer le monstre lors- « qu'il s'élancera sur mes compagnons ?

« – Ah ! reprend la noble déesse, insensé, « peux-tu songer encore aux combats ? Ne « céderas-tu pas, même aux immortels ? Scyl- « la n'est point sujette à la mort. Divinité fa- « rouche, terrible, et inattaquable, rien ne « peut préserver de ses atteintes ; il vaut mieux « la fuir rapidement. Si tu tardes, si tu saisis « tes armes près du rocher, je tremble que, « se précipitant de nouveau, elle n'atteigne « un pareil nombre de têtes, et qu'elle ne « saisisse encore six rameurs. Vogue donc « avec effort, et invoque Crataïs, mère de « Scylla, qui l'a enfantée pour le malheur des « humains. Elle seule peut la calmer et l'em- « pêcher de vous assaillir deux fois.

CHANT XII

LES RETROUVAILLES D'ULYSSE ET PÉNÉLOPE

Ulysse et Pénélope enfin réunis se racontent leurs mutuelles épreuves.

Les deux époux cependant, lorsqu'ils se sont abandonnés aux délices de l'amour, se charment encore par leurs mutuels récits. La plus noble des femmes dit ce qu'elle a souffert dans le palais en voyant l'odieuse foule des prétendants, réunis pour l'amour d'elle, dévorer ses bœufs, ses succulentes brebis, et tirer beaucoup de vin des tonneaux. Ensuite, le divin Ulysse raconte les maux qu'il a infligés aux mortels et ceux que lui-même a éprouvés. Pénélope l'écoute transportée de plaisir, et le sommeil n'approche point de ses paupières avant qu'Ulysse ait achevé son récit.

Il dit d'abord comment il détruisit la ville des Ciconiens, comment il fut jeté sur la terre fertile des Lotophages ; puis la cruauté du Cyclope et comment il s'en vengea, lorsqu'il eut sans pitié dévoré ses braves compagnons ; puis la généreuse hospitalité d'Éole, le présent qu'il en reçut à son départ ; la destinée funeste qui ne lui permit pas de revoir dès lors sa patrie, et la furieuse tempête qui l'emporta gémissant sur les flots poissonneux.

Il raconte ensuite comment il parvint à Télépyle en Lestrygonie, et comment périt toute sa flotte, hormis le seul vaisseau sur lequel il échappa ; puis les artifices de Circé, puis son voyage pour interroger l'âme du Thébain Tirésias, aux vastes demeures de Pluton, où il a vu tous ses compagnons et la mère qui l'a enfanté et nourri dès sa naissance.

Il dit encore comment il entendit les voix des Sirènes, comment il côtoya les roches errantes, l'affreuse Charybde et Scylla que les mortels ne peuvent éviter sans lui laisser des victimes. Il dit le meurtre des bœufs du Soleil, les terribles coups de foudre enflammée dont Jupiter frappa son rapide navire, et la mort de ses braves compagnons, qui tous périrent sans qu'un seul pût échapper à la Parque. Il dit comment il aborda sur l'île d'Ogygie, où la nymphe Calypso, dans sa grotte profonde, le désirant pour époux, le combla de tendresse et lui promit, sans pouvoir fléchir son âme, de le mettre à l'abri des atteintes de la vieillesse et de la mort ; comment, après d'affreuses souffrances, il aborda sur l'île des Phéaciens, qui l'honorèrent à l'égal d'une divinité, le firent conduire sur un vaisseau dans sa douce patrie, et lui donnèrent des tissus précieux, de l'airain et de l'or en abondance. Ainsi se termine son récit ; alors le bienfaisant sommeil s'empare de ses sens, et efface les soucis de son âme.

CHANT XIII

Confucius

CHINE, 551 — 479 AVANT J.-C.

Si la vie de Confucius, descendant des anciens rois de la dynastie Yin, fut remarquable, elle ne comporte néanmoins aucun événement sensationnel. Soucieux d'enseigner une morale nouvelle faisant appel à la sincérité et à l'effort personnels, il fonde une école et forme un petit groupe de disciples. Son influence sur la pensée chinoise a duré plus de vingt cinq siècles.

Confucius n'a rien écrit personnellement. Il se défendait de toute originalité voulant seulement transmettre l'enseignement des anciens Sages en s'appuyant sur des ouvrages qui sont devenus la base de la doctrine confucianiste, ***les Classiques.***

Les Classiques *bien qu'ils ne prétendent pas être sacrés, c'est-à-dire révélés, comme* ***le Veda, la Bible*** *ou* ***le Coran*** *ont toujours été entourés d'un respect quasi religieux par les Chinois. Ils ont servi jusqu'à une époque récente de référence dont la connaissance s'avérait indispensable pour toute personne prétendant à une carrière officielle ou importante.*

On compte en général neuf classiques : les cinq King (« canoniques ») et les quatre Livres.

Les cinq King sont : ***Le Cheu-King*** *ou Recueil de poésies,* ***Le Chou-King*** *ou Anciennes Annales de l'Empire,* ***le Li Ki*** *ou Mémorial des Devoirs et des Cérémonies et le* ***Tch'ouenn Ts'iou*** *ou Annales particulières de la principauté de Lou. Les quatres Livres sont : le* ***Ta hio*** *ou la Grande étude,* ***le Tchong yong*** *ou l'Invariable Milieu, le* ***Louen yu*** *ou les Entretiens de Confucius et* ***le Mong Tseu*** *ou les œuvres de Mencius.*

PHILOSOPHIE

.L'invariable milieu.

Le Tchong Yong *(l'Invariable Milieu) est présenté ici dans la version la plus couramment adoptée depuis le XIIe siècle, c'est-à-dire avec les commentaires de Tchou Hi (1130-1200).*

La loi que le Ciel a mise dans le cœur de l'homme, s'appelle la loi naturelle. L'observation de la loi naturelle s'appelle la voie (ou la règle de nos actions). Réparer la voie (ou remettre en lumière dans le cœur des hommes la règle des actions que les passions ont obscurcie), cela s'appelle enseigner. Il n'est jamais permis de s'écarter de la règle de nos actions, même un instant ; s'il était permis de s'en écarter, elle ne serait plus règle. Pour cette raison, le sage prend garde et fait attention, même quand il ne voit rien qui réclame sa vigilance ; il craint et tremble, même quand il n'entend rien qui doive l'effrayer. Pour lui, rien n'apparaît plus à découvert que les secrets replis de son cœur ; et rien n'est plus manifeste que les plus petits indices. Aussi veille-t-il avec soin sur ce que lui seul connaît (sur ses pensées et ses sentiments les plus intimes).

Quand il ne s'élève dans l'âme aucun sentiment de joie, de colère, de tristesse ou de plaisir, on dit qu'elle est en équilibre, (parce qu'elle n'incline d'aucun côté). Quand ces sentiments naissent dans l'âme sans dépasser la juste mesure, on dit qu'ils sont en harmonie. L'équilibre est le point de départ de toutes les transformations et de tous les changements qui s'opèrent dans l'univers. L'harmonie est la loi générale de tout ce qui se fait dans l'univers. Quand l'équilibre et l'harmonie atteignent leur plus haut degré, chaque chose est à sa place dans le ciel et sur la terre ; tous les êtres se propagent et se développent heureusement.

"L'harmonie est la loi générale de tout ce qui se fait dans l'univers"

Dans ce permier article, Tzeu seu exprime les idées qu'il a reçues (des disciples de Confucius), et qui feront la base de son livre. Il montre d'abord que la loi naturelle a son fondement dans le ciel et est immuable ; qu'elle est tout entière en chacun de nous, et qu'il n'est jamais permis de s'en écarter. Il enseigne ensuite la nécessité d'en conserver et d'en entretenir la connaissance, et de nous examiner nous-mêmes. Enfin il parle de cette influence méritoire et toute-puissante de l'homme qui, doué de la plus haute sagesse, transforme tout l'univers. Il désire que le disciple de la sagesse cherche en lui-même et trouve par lui-même ces vérités, afin qu'il repousse les mauvaises impressions faites sur lui par les objets extérieurs, et rende parfaites ses vertus naturelles. Ce premier article est ce que Iang tzeu appelle la substance et le résumé de tout l'ouvrage. Dans les dix articles qui vont suivre, Tzeu seu cite les paroles du Maître, pour compléter la doctrince du premier article. (Tchou Hi).

Confucius dit : « L'homme vertueux reste dans l'invariable milieu ; celui qui n'est pas vertueux, s'en écarte. (*Tchôung*, qui n'est ni oblique ni incliné, et atteint la limite sans la dépasser. *Jôung*, ordinaire et constant). Pour ce qui concerne l'invariable milieu, l'homme vertueux ne s'en écarte jamais, parce qu'il est vertueux ; celui qui n'est pas vertueux, n'évite et ne craint rien, parce qu'il est vicieux. »

"Se tenir dans l'invariable milieu, oh ! c'est la plus haute perfection !"

Confucius dit : « Se tenir dans l'invariable milieu, oh ! c'est la plus haute perfection ! Peu d'hommes sont capables de le garder longtemps. »

Confucius dit : « La voie de la vertu n'est pas suivie ; je le sais. Les hommes intelligents et éclairés vont au-delà, et les ignorants restent en-deçà (du juste milieu). La voie de la vertu n'est pas bien connue ; je le sais. Les sages veulent trop faire, et les hommes vicieux, pas assez. C'est ainsi que tout homme boit et mange, et peu savent juger des saveurs ? »

Confucius dit : « Un homme peut être assez sage pour gouverner l'empire et des principautés, assez désintéressé pour refuser des dignités avec leurs revenus, assez courageux pour marcher sur des épées nues, et n'être pas capable de se tenir dans l'invariable milieu. »

Tzeu lou (ou Tchoung Iou, disciple de Confucius), ayant demandé à Confucius en quoi consiste la force d'âme, le Philosophe répondit : « Parlez-vous de celle des habitants du midi ou des habitants du nord, ou bien de celle que vous devez acquérir, (vous disciple de la sagesse) ? Enseigner avec indulgence et douceur, ne pas se venger des injustices, c'est la force d'âme des habitants du midi. Le sage la pratique constamment. Prendre son repos tout armé, donner sa vie sans regret, c'est la force d'âme des habitants du nord. Les braves (des soldats et autres) la pratiquent. Le sage est accommodant ; mais il ne s'abandonne pas au courant (des passions humaines). Que sa fermeté est courageuse ! Il se tient dans le juste milieu, sans incliner d'aucun côté. Que sa fermeté est courageuse ! Si le gouvernement est bien réglé, (il accepte une charge, mais) dans la vie publique il est le même que dans la vie privée. Que sa fermeté est courageuse ! Si le gouvernement est mal réglé, il reste toujours le même jusqu'à la mort. Que sa fermeté est courageuse ! »

Confucius dit : « Scruter les secrets les plus impénétrables, faire des choses extraordinaires, pour être loué dans les siècles à venir, c'est ce que je ne veux pas. (La lettre *sou*, d'après les annales des Han, doit être remplacée par *souo*). Le sage marche dans la voie de la vertu. Rester à moitié chemin, c'est ce que je ne puis faire. Le sage s'attache à l'invariable milieu. Si, fuyant le monde, il demeure inconnu, il n'en éprouve aucun regret. Le sage est seul capable d'arriver à cette perfection. »

La règle des actions du sage est d'un usage très étendu, (elle s'applique à tout), et cependant elle reste en partie cachée. Les personnes les plus ignorantes, hommes ou femmes, peuvent arriver à la connaître ; mais les plus grands sages eux-mêmes ne la connaissent pas dans toute son étendue. Les personnes les moins courageuses, hommes ou femmes, peuvent entreprendre de la suivre ; mais les plus grands sages eux-mêmes ne peuvent y conformer entièrement leur conduite. C'est ainsi que le ciel et la terre, malgré leur immensité, ne peuvent satisfaire pleinement les désirs des hommes, (qui se plaignent du froid, du chaud...). Quand le sage expose les grands principes de la loi naturelle, rien dans l'univers ne peut les contenir. Quand il en explique les principes particuliers, il n'est rien de plus subtil sous le ciel. ARTICLES 1 à 12

Confucius fut l'héritier et le successeur de Iao et de Chouenn, l'imitateur et l'image resplendissante de Wenn Wang et de Ou wang. Il imita les saisons de l'année, et fut semblable à l'eau et à la terre. Il fut comparable au ciel qui couvre et abrite tous les êtres, à la terre qui les porte et les soutient, aux quatres saisons qui reviennent successivement, au soleil et à la lune qui brillent tour à tour.

Tous les êtres se nourrissent sans se nuire mutuellement. Les saisons, le soleil et la lune suivent leur cours sans confusion. L'action particulière du ciel et de la terre se partage comme en ruisseaux qui atteignent chaque être séparément. Leur action générale atteint à la fois et produit tout l'ensemble des êtres. C'est ce qui fait la grandeur du ciel et de la terre.

Celui qui possède la parfaite sagesse, a seul assez de perspicacité, d'intelligence, de sagacité et de prudence pour gouverner des sujets ; assez de générosité, de grandeur d'âme, d'affabilité et de bonté pour aimer tous les hommes ; assez d'activité, de courage, de fermeté et de constance pour remplir fidèlement tous ses devoirs ; assez d'intégrité, de gravité, de modération et de droiture pour se garder de toute négligence ; assez d'ordre et de suite dans ses actions, assez de soin et de vigilance dans les affaires, pour savoir discerner.

La vertu parfaite embrasse toutes choses dans son immensité ; elle est profonde, et sort comme d'une source inépuisable. Le sage la fait paraître selon les circonstances. Elle est immense et partout, comme le ciel ; profonde et inépuisable, comme la mer. Le sage se montre, et chacun le respecte ; il parle, et chacun le croit ; il agit, et chacun est content.

Sa renommée grandit et se répand par tout l'empire ; elle s'étend au nord et au midi jusqu'aux contrées les plus barbares. Partout où les navires et les voitures peuvent atteindre, partout où les forces de l'homme parviennent, partout où la voûte du ciel s'étend, partout où la terre porte des êtres, partout où le soleil et la lune répandent leur lumière, partout où le givre et la rosée se forment, tout ce qui a esprit et vie, vénère et aime l'homme sage. Aussi le compare-t-on au ciel.

Seul l'homme vraiment parfait est capable de fixer les grandes lois des cinq relations sociales, détablir le fondement de la société humaine (les vertus d'humanité, de justice, d'urbanité, de prudence et de sincérité), et de connaître comment le ciel et la terre produisent et conservent toutes choses. Et quel secours trouve-t-il hors de lui-même ? (Il fait tout cela par lui-même, sans aucun secours étranger).

Sa vertu est très diligente, sa science très profonde, son action immense comme celle du ciel. Celui qui n'est pas lui-même très perspicace, très prudent, très versé dans la connaissance des vertus naturelles, peut-il connaître l'homme parfaitement sage ?

On lit dans le Cheu king : « Sur un vêtement de soie à fleurs, elle porte une robe simple. » Elle ne veut pas laisser paraître un vêtement si brillant. De même, la vertu du sage aime à rester cachée, et son éclat augmente de jour en jour. Au contraire, la vertu de l'homme vulgaire aime à se montrer, et elle disparait peu à peu. La vertu du sage n'a pas de saveur particulière, et elle n'excite jamais le dégoût ; elle est simple, mais non dépourvue d'ornement ; sans apprêt, mais non sans ordre.

Celui qui connaît les moyens rapprochés qui mènent très loin ; celui qui sait qu'on arrive à réformer les mœurs en se corrigeant soi-même ; celui qui sait que la vertu intérieure se manifeste au dehors ; celui-là peut être admis dans l'école de la sagesse.

Il est dit dans le Cheu king : « Quand même le poisson se cacherait au fond de l'eau, il serait vu parfaitement. » Quand le sage s'examine et ne trouve en lui-même aucun défaut, son cœur est satisfait. Le lieu où le sage exerce sa vigilance plus que personne, c'est celui où il n'est vu de personne, (à savoir, son propre cœur).

Il est dit dans le Cheu king : « Dans votre maison, il importe que vous n'ayez rien dont vous deviez rougir, même dans les appartements qui (sont situés au nord-ouest, et) ne reçoivent la lumière que par les ouvertures du toit, (et où vous êtes toujours vu, sinon des hommes, au moins des esprits). » Le sage se tient sur ses gardes, même quand il n'agit pas ; il est sincère, même quand il ne parle pas.

Il est dit dans le Cheu king : « Quand il offre le ragoût et invite les Mânes, il ne parle pas ; alors il ne surgit aucune discussion (tous les assistants imitent son silence respectueux). » Le sage, sans donner de récompenses, encourage le peuple ; sans s'irriter, il se fait craindre plus que le glaive ou la hache du bourreau.

On lit dans le Cheu king : « Leur vertu, sans briller d'un vif éclat, est imitée par tous les princes feudataires. » Le sage veille attentivement sur lui-même, et tout l'empire est en paix.

Dans le Cheu king, (le Souverain Roi) dit : « J'aime la vertu parfaite (de Wenn wang), dont la voix, le visage n'ont rien d'impérieux. » Confucius dit : « En celui qui instruit le peuple, le ton de la voix, l'air du visage sont des choses secondaires. » Le Cheu king dit plus encore. « La vertu, dit-il, est légère comme une plume ». Une plume a encore un certain poids. (Le Cheu king décrit) le plus haut degré (de la perfection,) en disant : « L'action du Ciel n'est perçue ni par l'ouïe ni par l'odorat. »

Dans ce trente-troisième article, Tzeu seu, après avoir, dans les précédents, parlé de la vertu parfaite, remonte à la source, (qui est le Ciel). Il rappelle que le premier soin du disciple de la sagesse doit être de veiller attentivement sur ses pensées et ses actions les plus secrètes, et peu à peu il arrive à parler de la toute-puissante influence du sage, qui, en veillant attentivement sur lui-même, fait régner l'ordre et la paix dans l'univers. Enfin il exalte les merveilleux effets de la vertu, en disant que son action échappe à l'ouïe et à l'odorat. Il récapitule ainsi le contenu de tout l'ouvrage. Il répète et inculque ses enseignements avec un vif désir de persuader. Le disciple de la sagesse ne doit-il pas les étudier de tout cœur ? (Tchou Hi).

ARTICLES 30 à 33

Le taoïsme

CHINE,
VI—IVe SIÈCLE AVANT J.-C.

PHILOSOPHIE RELIGIEUSE

Les livres fondateurs du Taoïsme sont : ***le Tao-Te-King*** *de Lao-Tseu,* ***le Tchouan-Tseu*** *de Maître Tchouang et* ***le Lie-Tseu*** *de Lie Yu-k'eou. Ils sont l'œuvre de personnages mystérieux, dont la vie retirée du monde a facilement donné lieu à toutes sortes de légendes. Les Taoïstes se distinguent par leurs mépris non seulement des honneurs mais aussi de tout devoir social. Le principe du « non-agir » (wou-wei) auquel ils sont fidèles et qui les différencie nettement des disciples de Confucius leur permet d'importantes économies d'une énergie employée à des exercices spirituels qui doivent conduire à la libération.*
D'une traduction difficile quand les sujets abordés touchent à la métaphysique, les écrits taoïstes sont d'un grand intérêt littéraire et ont toujours stimulé les artistes qui s'en sont inspirés.

.Le Tao-Te-King.

Depuis la découverte par l'Occident au XVIIIe siècle du Tao-Te-King (le livre de la Voie et de la Vertu) écrit par Lao Tseu, on discute toujours sur le sens à donner au mot Tao : la Grande Image, le Grand Prototype, la Grande Idée, le Grand Symbole, le Principe (comme dans l'extrait suivant), la Voie. Une traduction récente le traduit par ... Tao.

Si le ciel et la terre durent toujours, c'est qu'ils ne vivent pas pour eux-mêmes.

Suivant cet exemple, le Sage, en reculant, s'avance ; en se négligeant, il se conserve. Comme il ne cherche pas son avantage, tout tourne à son avantage.

La bonté transcendante est comme l'eau.

L'eau aime faire du bien à tous les êtres ; elle ne lutte pour aucune forme ou position définie, mais se met dans les lieux bas dont personne ne veut.

A son exemple, ceux qui imitent le Principe, s'abaissent, se creusent, sont bienfaisants, sincères, réglés, efficaces, et se conforment aux temps. Ils ne luttent pas pour leur intérêt propre, mais cèdent. Aussi n'éprouvent-ils aucune contradiction.

Tenir un vase plein, sans que rien découle, est impossible ; mieux eût valu ne pas le remplir. Conserver une lame affilée à l'extrême, sans que son tranchant ne s'émousse, est impossible ; mieux eût valu ne pas l'aiguiser à ce point. Garder une salle pleine d'or et de pierres précieuses, sans que rien en soit détourné, est impossible ; mieux eût valu ne pas amasser ce trésor.

Aucun extrême ne peut être maintenu longtemps. A tout apogée succède nécessairement une décadence. Ainsi de l'homme...

Quiconque, étant devenu riche et puissant, s'enorgueillit, prépare lui-même sa ruine.

Se retirer, à l'apogée de son mérite et de sa renommée, voilà la voie du ciel.

Faire que le corps, et l'âme spermatique, étroitement unis, ne se séparent pas.

S'appliquer à ce que l'air inspiré, converti en âme aérienne, anime ce composé, et le conserve intact comme l'enfant qui vient de naître.

"La bonté transcendante est comme l'eau"

S'abstenir des considérations trop profondes, pour ne pas s'user.

En fait d'amour du peuple et de sollicitude pour l'état, se borner à ne pas agir.

Laisser les portes du ciel s'ouvrir et se fermer, sans vouloir produire soi-même, sans s'ingérer.

Tout savoir, être informé de tout, et pourtant rester indifférent comme si on ne savait rien.

Produire, élever, sans faire sien ce qu'on a produit, sans exiger de retour pour son action, sans s'imposer à ceux qu'on gouverne.

Voilà la formule de l'action transcendante.

"Une roue est faite de trente rais sensibles, mais c'est grâce au vide central non-sensible du moyeu, qu'elle tourne"

Une roue est faite de trente rais sensibles, mais c'est grâce au vide central non-sensible du moyeu, qu'elle tourne.

Les vaisselles sont faites en argile sensible, mais c'est leur creux non-sensible qui sert.

Les trous non-sensibles que sont la porte et les fenêtres, sont l'essentiel d'une maison.

Comme on le voit par ces exemples, c'est du non-sensible que vient l'efficace, le résultat.

La vue des couleurs aveugle les yeux de l'homme. L'audition des sons lui fait perdre l'ouïe. La gustation des saveurs use son goût. La course et la chasse, en déchaînant en lui de sauvages passions, affolent son cœur. L'amour des objets rares et d'obtention difficile, le pousse à des efforts qui lui nuisent.

Aussi le Sage a-t-il cure de son ventre, et non de ses sens.

Il renonce à ceci, pour embrasser cela. (Il renonce à ce qui use, pour embrasser ce qui le conserve.)

La faveur pouvant être perdue, est une source d'inquiétudes. La grandeur pouvant être ruinée, est une source d'embarras.

Que signifient ces deux sentences ?

La première signifie que, et le soin de conserver la faveur, et la crainte de la perdre, remplissent l'esprit d'inquiétude.

La seconde avertit que la ruine vient ordinairement du trop grand souci pour son agrandissement personnel. Qui n'a pas d'ambition personnelle, n'a pas de ruine à craindre.

A celui qui est uniquement soucieux de la grandeur de l'empire (et non de la sienne), à celui qui ne désire que le bien de l'empire (et non le sien propre), qu'à celui-là on confie l'empire (et il sera en bonnes mains).

En regardant, on ne le voit pas, car il est non visible. En écoutant, on ne l'entend pas, car il est non sonore. En touchant, on ne le sent pas, car il est non palpable. Ces trois attributs ne doivent pas être distingués, car ils désignent un même être.

Cet être, le Principe, n'est pas lumineux en dessus et obscur en dessous, comme les corps matériels opaques, tant il est ténu. Il se dévide (existence et action continues). Il n'a pas de nom propre. Il remonte jusqu'au temps où il n'y eut pas d'êtres autres que lui. Superlativement dépourvu de forme et de figure, il est indéterminé. Il n'a pas de parties ; par-devant on ne lui voit pas de tête, par-derrière pas d'arrière-train.

C'est ce Principe primordial, qui régit tous les êtres, jusqu'aux actuels. Tout ce qui est, depuis l'antique origine, c'est le dévidage du Principe.

Les Sages de l'antiquité étaient subtils, abstraits, profonds, à un degré que les paroles ne peuvent exprimer. Aussi vais-je me servir de comparaisons imagées, pour me faire comprendre vaille que vaille.

Ils étaient circonspects comme celui qui traverse un cours d'eau sur la glace ; prudents comme celui qui sait que ses voisins ont les yeux sur lui ; réservés comme un convive devant son hôte. Ils étaient indifférents comme la glace fondante (qui est glace ou eau, qui n'est ni glace ni eau). Ils étaient rustiques comme le tronc (dont la rude écorce cache le cœur excellent). Ils étaient vides comme la vallée (par rapport aux montagnes qui la forment). Ils étaient accommodants comme l'eau limoneuse (eux, l'eau claire, ne repoussant pas la boue, ne refusant pas de vivre en contact avec le vulgaire, ne faisant pas bande à part).

(Chercher la pureté et la paix dans la séparation d'avec le monde, c'est exagération. Elles peuvent s'obtenir dans le monde.) La pureté s'obtient dans le trouble (de ce monde), par le calme (intérieur), à condition qu'on ne se chagrine pas de l'impureté du monde. La paix s'obtient dans le mouvement (de ce monde), par celui qui sait prendre son parti de ce mouvement, et qui ne s'énerve pas à désirer qu'il s'arrête.

Celui qui garde cette règle de ne pas se consumer en désirs stériles d'un état chimérique, celui-là vivra volontiers dans l'obscurité, et ne prétendra pas à renouveler le monde.

Celui qui est arrivé au maximum du vide (de l'indifférence), celui-là sera fixé solidement dans le repos.

Les êtres innombrables sortent (du non-être), et je les y vois retourner. Ils pullulent, puis retournent tous à leur racine.

Retourner à sa racine, c'est entrer dans l'état de repos. De ce repos ils sortent, pour une nouvelle destinée. Et ainsi de suite, continuellement, sans fin.

Reconnaître la loi de cette continuité immuable (des deux états de vie et de mort), c'est la sagesse. L'ignorer, c'est causer follement des malheurs (par ses ingérences intempestives).

Celui qui sait que cette loi pèse sur les êtres, est juste (traite tous les êtres d'après leur nature, avec équité), comme doit faire un roi, comme fait le ciel, comme fait le Principe. Et par suite il dure, et vit jusqu'au terme de ses jours, ne s'étant pas fait d'ennemis.

Dans les premiers temps (quand, dans les choses humaines, tout était encore conforme à l'action du Principe), les sujets savaient à peine qu'ils avaient un prince (tant l'action de celui-ci était discrète).

Plus tard le peuple aima et flatta le prince (à cause de ses bienfaits). Plus tard il le craignit (à cause de ses lois), et le méprisa (à cause de ses injustices). Il devint déloyal, pour avoir été traité déloyalement, et perdit confiance, ne recevant que de bonnes paroles non suivies d'effet.

Combien délicate fut la touche des anciens souverains. Alors que tout prospérait grâce à leur administration, leur peuple s'imaginait avoir fait en tout sa propre volonté.

CH. 7 A 17

Connaître les autres, c'est sagesse ; mais se connaître soi-même, c'est sagesse supérieure (la nature propre étant ce qu'il y a de plus profond et de plus caché). — Imposer sa volonté aux autres, c'est force ; mais se l'imposer à soi-même, c'est force supérieure (les passions propres étant ce qu'il y a de plus difficile à dompter). — Se suffire (être content de ce que le destin a donné) est la vraie richesse ; se maîtriser (se plier à ce que le destin a disposé) est le vrai caractère.

Rester à sa place (naturelle, celle que le destin a donnée), fait durer longtemps. Après la mort, ne pas cesser d'être, est la vraie longévité (laquelle est le partage de ceux qui ont vécu en conformité avec la nature et le destin).

CH. 33

Accompli, sous des dehors imparfaits, et donnant sans s'user. Rempli, sans le paraître, et déversant sans s'épuiser. Très droit, sous un air courbé ; très habile, sous des apparences maladroites ; très perspicace, avec l'extérieur d'un homme embarrassé : voilà le Sage.

Le mouvement triomphe du froid (réchauffe), le repos abat la chaleur (rafraîchit). La vie retirée du Sage, rectifie tout l'Empire (vient à bout de sa dépravation).

Quand le Principe règne (la paix étant parfaite), les chevaux de guerre travaillent aux champs. Quand le Principe est oublié (la guerre étant à l'ordre du jour), on élève des chevaux de bataille jusque dans les faubourgs des villes.

Céder à ses convoitises (et la manie de guerroyer en est une), c'est le pire des crimes. Ne pas savoir se borner, c'est la pire des choses néfastes. La pire des fautes, c'est vouloir toujours acquérir davantage. Ceux qui savent dire « c'est assez », sont toujours contents.

Sans sortir par la porte, on peut connaître tout le monde ; sans regarder par la fenêtre, on peut se rendre compte des voies du ciel (principes qui régissent toutes choses). — Plus on va loin, moins on apprend.

"Plus on va loin, moins on apprend"

Le Sage arrive au but, sans avoir fait un pas pour l'atteindre. Il connaît, avant d'avoir vu, par les principes supérieurs. Il achève, sans avoir agi, par son influence transcendante.

Par l'étude, on multiplie chaque jour dans sa mémoire les notions particulières inutiles et nuisibles ; par la concentration sur le Principe, on les diminue chaque jour. Poussée jusqu'au bout, cette diminution aboutit au non-agir (suite de l'absence de notions particulières).

Or il n'est rien dont le non-agir (le laisser-aller) ne vienne à bout. C'est en n'agissant pas qu'on gagne l'empire. Agir pour le gagner fait qu'on ne l'obtient pas.

Le Sage n'a pas de volonté déterminée ; il s'accommode à la volonté du peuple. Il traite également bien les bons et les mauvais, ce qui est la vraie bonté pratique. Il a également confiance dans les sincères et les non-sincères, ce qui est la vraie confiance pratique.

Dans ce monde mélangé, le Sage est sans émotion aucune, et a les mêmes sentiments pour tous. Tous les hommes fixent sur lui leurs yeux et leurs oreilles. Il les traite tous comme des enfants (bienveillance taoïste, quelque peu méprisante).

Rien de plus dans les commentaires.

Les hommes sortent dans la vie, et rentrent dans la mort.

Sur dix hommes, trois prolongent leur vie (par l'hygiène), trois hâtent leur mort (par leurs excès), trois compromettent leur vie par l'attache qu'ils y ont (un seul sur dix conserve sa vie jusqu'au terme, parce qu'il en est détaché).

Celui qui est détaché de sa vie, ne se détourne pas pour éviter la rencontre d'un rhinocéros ou d'un tigre ; il se jette dans la mêlée sans cuirasse et sans armes ; et cela sans éprouver aucun mal ; car il est à l'épreuve de la corne du rhinocéros, des griffes du tigre, des armes des combattants.

Pourquoi cela ?... Parce que, extériorisé par son influence, il ne donne pas prise à la mort.

CH. 45 A 50

Celui qui contient en lui la Vertu parfaite (sans luxure et sans colère), est comme le tout petit enfant, que le scorpion ne pique pas, que le tigre ne dévore pas, que le vautour n'enlève pas, que tout respecte.

Les os de l'enfant sont faibles, ses tendons sont débiles, mais il saisit fortement les objets (comme son âme et son corps se tiennent avec force). Il n'a encore aucune idée de l'acte de la génération, et conserve par suite sa vertu séminale complète. Il vagit doucement tout le long du jour, sans que sa gorge s'enroue, tant sa paix est parfaite.

"Celui qui parle (beaucoup, montre par là qu'il) ne connaît pas (le Principe) Celui qui connaît (le Principe), ne parle pas"

La paix fait durer ; qui comprend cela, est éclairé tandis que tout orgasme, surtout la luxure et la colère, usent. De là vient que, à la virilité (dont l'homme abuse) succède la décrépitude. La vie intense est contraire au Principe, et par suite mortelle prématurément.

Celui qui parle (beaucoup, montre par là qu'il) ne connaît pas (le Principe).

Celui qui connaît (le Principe), ne parle pas. Il tient sa bouche close, il retient sa respiration, il émousse son activité, il se délivre de toute complication, il tempère sa lumière, il se confond avec le vulgaire. Voilà la mystérieuse union (au Principe).

Un pareil homme, personne ne peut se l'attacher (par des faveurs), ni le rebuter (par de mauvais traitements). Il est insensible au gain et à la perte, à l'exaltation comme à l'humiliation. Étant tel, il est ce qu'il y a de plus noble au monde.

Avec de la rectitude on peut gouverner, avec de l'habileté on peut guerroyer, mais c'est le non-agir qui gagne et conserve l'empire.

D'où sais-je qu'il en est ainsi ? De ce que je vais dire : Plus il y a de règlements, moins le peuple s'enrichit. Plus il y a de sources de revenus, moins il y a d'ordre. Plus il y a d'inventions ingénieuses, moins il y a d'objets sérieux et utiles. Plus le code est détaillé, plus les voleurs pullulent. La multiplication ruine tout.

Aussi le programme du Sage est-il tout contraire. Ne pas agir, et le peuple s'amende. Rester tranquille, et le peuple se rectifie. Ne rien faire, et le peuple s'enrichit. Ne rien vouloir, et le peuple revient à la spontanéité naturelle.

Quand le gouvernement est simple, le peuple abonde en vertu. Quand le gouvernement est politique, le peuple manque de vertu.

Le mal et le bien, se succédant, alternent. Qui discernera les apogées (de ce mouvement circulaire, le mal et le bien. C'est très délicat, un excès ou un défaut changeant l'entité morale). A beaucoup la juste mesure manque. Chez les uns la droiture exagérée dégénère en manie, chez les autres la bonté exagérée devient de l'extravagance. (Les vues varient en conséquence.) Il y a beau temps que les hommes sont ainsi fous.

(Le Sage les prend comme ils sont.) Morigéné, il n'est pas tranchant. Droit, il n'est pas rude. Éclairé, il n'humilie pas.

CH. 55 A 58

(J'ai fini. Vous trouverez peut-être mon discours assez fruste, peu subtil, guère savant.) C'est que la franchise native ne s'attife pas, la droiture naturelle n'ergote pas, le sens commun se passe de l'érudition artificielle.

Le Sage ne thésaurise pas, mais donne. Plus il agit pour les hommes, plus il peut ; plus il leur donne, plus il a. Le ciel fait du bien à tous, ne fait de mal à personne. Le Sage l'imite, agissant pour le bien de tous, et ne s'opposant à personne.

CH. 81

.Le Tchouang-Tseu.

Le Tchouang-Tseu de Maître Tchouang passe pour la plus belle œuvre en prose de la littérature chinoise. La pensée très personnelle et très forte de l'auteur s'y exprime avec une verve mordante qui va parfois jusqu'à la polémique, au travers d'anecdotes amusantes et pleines de vie.

VERS L'IDÉAL

S'il faut en croire d'anciennes légendes, dans l'océan septentrional vit un poisson immense, qui peut prendre la forme d'un oiseau. Quand cet oiseau s'enlève, ses ailes s'étendent dans le ciel comme des nuages. Rasant les flots, dans la direction du Sud, il prend son élan sur une longueur de trois mille stades, puis s'élève sur le vent à la hauteur de quatre-vingt-dix mille stades, dans l'espace de six mois. — Ce qu'on voit là-haut, dans l'azur, sont-ce des troupes de chevaux sauvages qui courent ? est-ce de la matière pulvérulente qui voltige ? sont-ce les souffles qui donnent naissance aux êtres ?... Et l'azur est-il le Ciel lui-même ? Ou n'est-ce que la couleur du lointain infini, dans lequel le Ciel, l'être personnel des Annales et des Odes, se cache ?... Et, de là-haut, voit-on cette terre ? et sous quel aspect ?... Mystères ! — Quoi qu'il en soit, s'élevant du vaste océan, et porté par la grande masse de l'air, seuls supports capables de soutenir som immensité, le grand oiseau plane à une altitude prodigieuse. — — Une cigale à peine éclose, et un tout jeune pigeon, l'ayant vu, rirent du grand oiseau et dirent : A quoi bon s'élever si haut ? Pourquoi s'exposer ainsi ? Nous qui nous contentons de voler de branche en branche sans sortir de la banlieue ; quand nous tombons par terre, nous ne nous faisons pas de mal ; chaque jour, sans fatigue, nous trouvons notre nécessaire. Pourquoi aller si loin ? Pourquoi monter si haut ? Les soucis n'augmentent-ils pas, en proportion de la distance et de l'élévation ? — — Propos de deux petites bêtes, sur un sujet dépassant leur compétence. Un petit esprit ne comprend pas ce qu'un grand esprit embrasse. Une courte expérience ne s'étend pas aux faits éloignés. Le champignon qui ne dure qu'un matin, ne sait pas ce que c'est qu'une funaison. L'insecte qui ne vit qu'un été, n'entend rien à la succession des saisons. Ne demandez pas, à des êtres éphémères, des renseignements sur la grande tortue dont la période est de cinq siècles, sur le grand arbre dont le cycle est de huit mille années. Même le vieux P'eng-tsou ne vous dira rien, de ce qui dépasse les huit siècles que la tradition lui prête. A chaque être, sa formule de développement propre.

Il est des hommes presque aussi bornés que les deux petites bêtes susdites. Ne comprenant que la routine de la vie vulgaire, ceux-là ne sont bons qu'à être mandarins d'un district, ou seigneur d'un fief, tout au plus. — Maître Joung de Song fut supérieur à cette espèce, et plus semblable au grand oiseau. Il vécut, également indifférent à la louange et au blâme. S'en tenant à son propre jugement, il ne se laissa pas influencer par l'opinion des autres. Il ne distingua jamais entre la gloire et la défaveur. Il fut libre des liens des préjugés humains. — Maître Lie de Tcheng fut supérieur à Maître Joung, et encore plus semblable au grand oiseau. Son âme s'envolait, sur l'aile de la contemplation, parfois pour quinze jours, laissant son corps inerte et insensible. Il fut presque libre des liens terrestres. Pas tout à fait, pourtant ; car il lui fallait attendre le rapt extatique ; un reste de dépendance. — Supposons maintenant un homme entièrement absorbé par l'immense giration cosmique, et se mouvant en elle dans l'infini. Celui-là ne dépendra plus de rien. Il sera parfaitement libre, dans ce sens que sa personne et son action seront unies à la personne et à l'action du grand Tout. Aussi dit-on très justement : le sur-homme n'a plus de soi propre ; l'homme transcendant n'a plus d'action propre ; le Sage n'a plus même un nom propre. Car il est un avec le Tout.

Jadis l'empereur Yao voulut céder l'empire à son ministre Hu-you. Il lui dit : quand le soleil ou la lune rayonnent, on éteint le flambeau. Quand la pluie tombe, on met de côté l'arrosoir. C'est grâce à vous que l'empire prospère. Pourquoi resterais-je sur le trône ? Veuillez y monter !... Merci, dit Hu-you ; veuillez y rester ! C'est, vous régnant, que l'empire a prospéré. Que m'importe, à moi, mon renom personnel ? Une branche, dans la forêt, suffit à l'oiseau pour se loger. Un petit peu d'eau, bu à la rivière, désaltère le rat. Je n'ai pas plus de besoins que ces petites bêtes. Restons à nos places respectives, vous et moi. — Ces deux hommes atteignirent à peu près le niveau de Maître Joung de Song. L'idéal taoïste est plus élevé que cela. — Un jour Kien-ou dit à Lien-chou : J'ai ouï dire à Tsie-u des choses exagérées, extravagantes... Qu'a-t-il dit ? demanda Lien-chou... Il a dit que, dans la lointaine île Kou-chee, habitent des hommes transcendants, blancs comme la neige, frais comme des enfants, lesquels ne prennent aucune sorte d'aliments, mais aspirent le vent et boivent la rosée. Ils se promènent dans l'espace, les nuages leur servant de chars et les dragons de montures. Par l'influx de leur transcendance, ils préservent les hommes des maladies, et procurent la maturation des moissons. Ce sont là évidemment des folies. Aussi n'en ai-je rien cru... Lien-chou répondit : L'aveugle ne voit pas, parce qu'il n'a pas d'yeux. Le sourd n'entend pas, parce qu'il n'a pas d'oreilles. Vous n'avez pas compris Tsie-u, parce que vous n'avez pas d'esprit. Les sur-hommes dont il a parlé, existent. Ils possèdent même des vertus bien plus merveilleuses que celles que vous venez d'énumérer. Mais, pour ce qui est des maladies et des moissons, ils s'en occupent si peu, que, l'empire tombât-il en ruines et tout le monde leur demandât-il secours, ils ne s'en mettraient pas en peine, tant ils sont indifférents à tout... Le sur-homme n'est atteint par rien. Un déluge universel ne le submergerait pas. Une conflagration universelle ne le consumerait pas. Tant il est élevé au-dessus de tout. De ses rognures et de ses déchets, on ferait des Yao et des Chounn. Et cet homme-là s'occuperait de choses menues, comme sont les moissons, le gouvernement d'un état ? Allons donc ! — Chacun se figure l'idéal à sa manière. Pour le peuple de Song, l'idéal, c'est d'être bien vêtu et bien coiffé ; pour le peuple de Ue, l'idéal, c'est d'être tondu ras et habillé d'un tatouage. L'empereur Yao se donna beaucoup de peine, et s'imagina avoir régné idéalement bien. Après qu'il eut visité les quatre Maîtres, dans la lointaine île de Kou-chee, il reconnut qu'il avait tout gâté. L'idéal, c'est l'indifférence du sur-homme, qui laisse tourner la roue cosmique.

Les princes vulgaires ne savent pas employer les hommes de cette envergure, qui ne donnent rien dans les petites charges, leur génie y étant à l'étroit. — Maître Hoei ayant obtenu, dans son jardin, des gourdes énormes, les coupa en deux moitiés qu'il employa comme bassins. Trouvant ces bassins trop grands, il les coupa, chacun en deux quarts. Ces quarts ne se tinrent plus debout, et ne purent plus rien contenir. Il les brisa... Vous n'êtes qu'un sot, lui dit Tchoang-tzeu. Vous n'avez pas su tirer parti de ces gourdes rares. Il fallait en faire des bouées, sur lesquelles vous auriez pu franchir les fleuves et les lacs. En voulant les rapetisser, vous les avez mises hors d'usage. — Il en est des hommes comme des choses ; tout dépend de l'usage qu'on en fait. — Une famille de magnaniers de Song possédait la recette d'une pommade, grâce à laquelle les mains de ceux qui dévidaient les cocons dans l'eau chaude, ne se gerçaient jamais. Ils vendirent leur recette à un étranger pour cent taëls, et jugèrent que c'était là en avoir tiré un beau profit. Or l'étranger, devenu amiral du roi de Ou, commanda une expédition navale contre ceux de Ue. C'était en hiver. Ayant, grâce à sa pommade, préservé les mains de ces matelots de toute engelure, il remporta une grande victoire, qui lui procura un vaste fief. Ainsi deux emplois d'une même pommade, produisirent une petite somme et une immense fortune. — Qui sait employer le surhomme, en tire beaucoup. Qui ne sait pas, n'en tire rien.

Vos théories, dit maître Hoei à maître Tchouang, ont de l'ampleur, mais n'ont aucune valeur pratique ; aussi personne n'en veut. Tel un grand ailante, dont le bois fibreux ne peut se débiter en planches, dont les branches noueuses ne sont propres à rien. — Tant mieux pour moi, dit maître Tchouang. Car tout ce qui a un usage pratique, périt pour ce motif. La martre a beau user de mille stratagèmes, elle finit par périr, sa fourrure étant recherchée. Le yak, pourtant si puissant, finit par être tué, sa queue servant à faire des étendards. Tandis que l'ailante auquel vous me faites l'honneur de me comparer, poussé dans un terrain stérile, grandira tant qu'il voudra, ombragera le voyageur et le dormeur, sans crainte aucune de la hache et de la doloire, précisément parce que, comme vous dites, il n'est propre à aucun usage. N'être bon à rien, n'est-ce pas un état dont il faudrait plutôt se réjouir ?

CH. 1

HARMONIE UNIVERSELLE

Maître K'i était assis sur un escabeau, les yeux levés au ciel, respirant faiblement. Son âme devait être absente. — Étonné, le disciple You qui le servait, se dit : Qu'est ceci ? Se peut-il que, sans être mort, un être vivant devienne ainsi, insensible comme un arbre desséché, inerte comme la cendre éteinte ? Ce n'est plus mon maître. — Si, dit K'i, revenant de son extase, c'est encore lui. J'avais seulement, pour un temps, perdu mon moi. Mais que peux-tu comprendre à cela, toi qui ne connais que les accords humains, pas même les terrestres, encore moins les célestes ? — Veuillez essayer de me faire comprendre par quelque comparaison, dit You. — Soit, dit maître K'i. Le grand souffle indéterminé de la nature, s'appelle vent. Par lui-même, le vent n'a pas de son. Mais, quand il les émeut, tous les êtres deviennent pour lui comme un jeu d'anches. Les monts, les bois, les rochers, les arbres, toutes les aspérités, toutes les anfractuosités, résonnent comme autant de bouches, doucement quand le vent est doux, fortement quand le vent est fort. Ce sont des mugissements, des grondements, des sifflements, des commandements, des plaintes, des éclats, des cris, des pleurs. L'appel répond à l'appel. C'est un ensemble, une harmonie. Puis, quand le vent cesse, tous ces accents se taisent. N'as-tu pas observé cela, en un jour de tempête ? — Je comprends, dit You. Les accords humains sont ceux des instruments à musique fait par les hommes.

Les accords terrestres sont ceux des voix de la nature. Mais les accords célestes, maître, qu'est-ce ? — C'est, dit maître K'i, l'harmonie de tous les êtres, dans leur commune nature, dans leur commun devenir. Là, pas de contraste, parce que pas de distinction. Embrasser, voilà la grande science, la grande parole. Distinguer; c'est science et parler d'ordre inférieur. — Tout est un. Durant le sommeil, l'âme non distraite s'absorbe dans cette unité ; durant la veille, distraite, elle distingue des êtres divers. — Et quelle est l'occasion de ces distinctions ?... Ce qui les occasionne, ce sont l'activité, les relations, les conflits de la vie. De là les théories, les erreurs. Du tir à l'arbalète, fut dérivée la notion du bien et du mal. Des contrats fut tirée la notion du droit et du tort. On ajouta foi à ces notions imaginaires ; on a été jusqu'à les attribuer au Ciel. Impossible désormais d'en faire revenir les humains. Et cependant, oui, complaisance et ressentiment, peine ct joie, projets et regrets, passion et raison, indolence et fermeté, action et paresse, tous les contrastes, autant de sons sortis d'un même instrument, autant de champignons nés d'une même humidité, modalités fugaces de l'être universel. Dans le cours du temps, tout cela se présente. D'où est-ce venu ? C'est devenu ! C'est né, entre un matin et un soir, de soi-même, non comme un être réel, mais comme une apparence. Il n'y a pas d'êtres réels distincts. Il n'y a un moi, que par contraste avec un lui. Lui et moi n'étant que des êtres de raison, il n'y a pas non plus, en réalité, ce quelque chose de plus rapproché qu'on appelle le mien, et ce quelque chose de plus éloigné qu'on appelle le tien. — Mais, qui est l'agent de cet état de choses, le moteur du grand Tout ?... Tout se passe comme s'il y avait un vrai gouverneur, mais dont la personnalité ne peut être constatée. L'hypothèse expliquant les phénomènes, est acceptable, à condition qu'on ne fasse pas, de ce gouverneur universel, un être matériel distinct. Il est une tendance sans forme palpable, la norme inhérente à l'univers, sa formule évolutive immanente. Les normes de toute sorte, comme celle qui fait un corps de plusieurs organes, une famille de plusieurs personnes, un état de nombreux sujets, sont autant de participations du recteur universel ainsi entendu. Ces participations ne l'augmentent ni ne le diminuent, car elles sont communiquées pàr lui, non détachées de lui. Prolongememnt de la norme universelle, la norme de tel être, qui est son être, ne cesse pas d'être quand il finit. Elle fut avant lui, elle est après lui, inaltérable, indestructible. Le reste de lui ne fut qu'apparence. — C'est de l'ignorance de ce principe, que dérivent toutes les peines et tous les chagrins des hommes, lutte pour l'existence, crainte de la mort, appréhension du mystérieux au-delà. L'aveuglement est presque général, pas universel toutefois. Il est encore des hommes, peu nombreux, que le traditionalisme conventionnel n'a pas séduits, qui ne reconnaissent de maître que leur raison, et qui, par l'effort de cette raison, ont déduit la doctrine exposée ci-dessus, de leurs méditations sur l'univers. Ceux-là savent qu'il n'y a de réel que la norme universelle. Le vulgaire irréfléchi croit à l'existence réelle de tout. L'erreur moderne a noyé la vérité antique. Elle est si ancrée, si invétérée, que les plus grands sages au sens du monde, U le Grand y compris, en ont été les dupes. Pour soutenir la vérité, je me trouve presque seul. De mon point de vue, je vois ainsi ; d'un autre point de vue, je verrais autrement. Moi et autrui sont deux positions différentes, qui font juger et parler différemment de ce qui est un. Ainsi parle-t-on de vie et de mort, de possible et d'impossible, de licite et d'illicite. On discute, les uns disant oui, et les autres non. Erreurs d'appréhension subjectives, dues au point de vue. Le Sage, au contraire, commence par éclairer l'objet de la lumière de sa raison. Il constate d'abord, que ceci est cela, que cela est ceci, que tout est un. Il constate ensuite qu'il y a pourtant oui et non, opposition, contraste. Il conclut à la réalité de l'unité, à la non-réalité de la diversité. Son point de vue à lui c'est un point, d'où ceci et cela, oui et non, paraissent encore non distingués. Ce point est le pivot de la norme. C'est le centre immobile d'une circonférence, sur le contour de laquelle roulent toutes les contingences, les distinctions et les individualités ; d'où l'on ne voit qu'un infini, qui n'est ni ceci ni cela, ni oui ni non. Tout voir, dans l'unité primordiale non encore différenciée, ou d'une distance telle que tout se fond en un, voilà la vraie intelligence. — Les sophistes se trompent, en cherchant à y arriver, par des arguments positifs et négatifs, par voie d'analyse ou de synthèse. Ils n'aboutissent qu'à des manières de voir subjectives, lesquelles, additionnées, forment l'opinion, passent pour des principes. Comme un sentier est formé par les pas multipliés des passants, ainsi les choses finissent par être qualifiées d'après ce que beaucoup en ont dit. C'est ainsi, dit-on, parce que c'est ainsi ; c'est un principe. Ce n'est pas ainsi, dit-on, parce que ce n'est pas ainsi ; c'est un principe. En est-il vraiment ainsi, dans la réalité ? Pas du tout. Envisagées dans la norme, une paille et une poutre, un laideron et une

"Reste tranquille au centre de la roue universelle, indifférent au sens dans lequel elle tourne"

beauté, tous les contraires sont un. La prospérité et la ruine, les états successifs, ne sont que des phrases ; tout est un. Mais ceci, les grands esprits seuls sont aptes à le comprendre. Ne nous occupons pas de distinguer, mais voyons tout dans l'unité de la norme. Ne discutons pas pour l'emporter, mais employons, avec autrui, le procédé de l'éleveur de singes. Cet homme dit aux singes qu'il élevait : Je vous donnerai trois taros le matin, et quatre le soir. Les singes furent tous mécontents. Alors, dit-il, je vous donnerai quatre taros le matin, et trois le soir. Les singes furent tous contents. Avec l'avantage de les avoir contentés, cet homme ne leur donna en définitive, par jour, que les sept taros qu'il leur avait primitivement destinés. Ainsi fait le Sage. Il dit oui ou non, pour le bien de la paix, et reste tranquille au centre de la roue universelle, indifférent au sens dans lequel elle tourne.

CH 2

LE LIE-TSEU

*Le Lie-Tseu de Lie Yu-k'eou reçut au huitième siècle après J.-C. le titre de « **Vrai classique du Vide parfait** » et fut classé parmi les livres fondateurs du taoïsme. Il est écrit dans le même esprit que le Tchouang-Tseu sans en avoir ni la force ni la véhémence.*

Lie-tzeu dit : Pris isolément, le ciel et la terre n'ont pas toutes les capacités, un Sage n'a pas tous les talents, un être n'a pas toutes les propriétés. Le ciel donne la vie et couvre, la terre fournit la matière et porte, le Sage enseigne et amende, les êtres ont chacun ses qualités propres limitées. Le ciel et la terre ont leurs déficits respectifs qu'ils compensent réciproquement, le Sage a ses défauts qui l'obligent à recourir à autrui, tous les êtres doivent s'entr'aider. Le ciel ne peut pas suppléer la terre, la terre ne peut pas remplacer le Sage, le Sage ne peut pas changer la nature des êtres, les êtres spécifiques ne peuvent pas sortir de leur degré. L'action du ciel et de la terre consiste dans l'alternance du yinn et du yang, l'influence du Sage consiste à inculquer la bonté et l'équité, la nature des êtres est active ou passive ; tout cela est naturel et immuable. — Parce qu'il y a des produits, il y a un producteur de ces produits. Il y a un auteur, des formes corporelles, des sons, des couleurs, des saveurs. Les produits sont mortels, leur producteur ne l'est pas. L'auteur des formes corporelles n'est pas corporel, celui des sons n'est pas perceptible à l'ouïe, celui des couleurs n'est pas visible à l'œil, celui des saveurs n'est pas perçu par le goût. Sauf son infinité et son immortalité, le producteur, l'auteur (le Principe), est indéterminé, capable de devenir, dans les êtres, yinn ou yang, actif ou passif ; contracté ou étendu, rond ou carré, agent de vie ou de mort, chaud ou froid, léger ou lourd, noble ou vil, visible ou invisible, noir ou jaune, doux ou amer, puant ou parfumé. Dépourvu de toute connaissance intellectuelle et de toute puissance intentionnelle, il sait tout et peut tout (car il est immanent dans tout ce qui sait et peut, ce qui est, dit la Glose, la connaissance et la puissance suprême).

Comme Lie-tzeu, qui se rendait dans la principauté de Wei, prenait son repas au bord du chemin, quelqu'un de ceux qui l'accompagnaient ayant vu un crâne séculaire qui gisait là, le ramassa et le lui montra. Lie-tzeu le regarda, puis dit à son disciple Pai-fong : Lui et moi savons que la distinction entre la vie et la mort n'est qu'imaginaire, lui par expérience, moi par raisonnement. Lui et moi savons que tenir à la vie et craindre la mort, est déraisonnable, la vie et la mort n'étant que deux phases fatalement successives. Tout passe, selon les temps ou les milieux, par des états successifs, sans changer essentiellement. Ainsi les grenouilles deviennent cailles, et les cailles deviennent grenouilles, selon que le milieu est humide ou sec. Un même germe deviendra nappe de lentilles d'eau sur un étang, ou tapis de mousse sur une colline. Engraissée, la mousse devient le végétal ou-tsu, dont la racine se convertit en vers, les feuilles se changeant en papillons. Ces papillons produisent une sorte de larve, qui se loge sous les âtres, et qu'on appelle k'iu-touo. Après mille jours, ce K'iu-touo devient l'oiseau k'ien-u-kou, dont la salive donne naissance à l'insecte seu-mi. Celui-ci se change en cheu-hi, en meou-joei, en fou-k'uan (toutes formes successives d'un même être, dit la Glose). Le foie du mouton se transforme en ti-kao. Le sang de cheval se transforme en feux follets. Le sang humain se transforme en farfadets. La crécerelle devient faucon, puis redevient hirondelle. Le campagnol devient caille, puis redevient campagnol. Les courges, en pourrissant, produisent des poissons. Les vieux poireaux deviennent lièvres. Les vieux boucs deviennent singes. Du frai de poisson sortent des sauterelles, en temps de sécheresse. La quadrupède lei des monts Tan-yuan, est fécond par lui-même. L'oiseau i se féconde en regardant dans l'eau. Les insectes ta-yao sont tous femelles et se reproduisent sans intervention de mâle ; les guêpes tcheu-fong sont toutes mâles et se reproduisent sans intervention de femelle. Heou-tsi naquit de l'empreinte d'un grand pied, I-yinn d'un mûrier creux. L'insecte k'ue-tchao naît de l'eau, et le ki-ki du vin. Les végétaux yang-hi et pou-sunn, sont deux formes alternantes. Des vieux bambous sort l'insecte ts'ing-ning, qui devient léopard, puis cheval, puis homme. L'homme rentre dans le métier à tisser (c'est-à-dire que pour lui, le va-et-vient de la navette, la série des transformations recommence). Tous les êtres sortent du grand métier cosmique, pour y rentrer ensuite.

Dans les écrits de Hoang-ti, il est dit : la substance qui se projette, ne produit pas une substance nouvelle, mais une ombre ; le son qui résonne, ne produit pas un son nouveau, mais un écho ; quand le néant de forme se meut, il ne produit pas un néant nouveau, mais l'être sensible. Toute substance aura une fin. Le ciel et la terre étant des substances, finiront comme moi, si toutefois l'on peut appeler fin ce qui n'est qu'un changement d'état. Car le Principe, de qui tout émane, n'aura pas de fin, puisqu'il n'a pas eu de commencement et n'est pas soumis aux lois de la durée. Les êtres passent successivement par les états d'être vivant et d'être non-vivant, d'être matériel et d'être non-matériel. L'état de non-vie n'est pas produit par la non-vie, mais fait suite à l'état de vie (comme son ombre, ci-dessus). L'état de non-matérialité n'est pas produit par l'immatérialité, mais fait suite à l'état de matérialité (comme son écho, ci-dessus). Cette alternance successive, est fatale, inévitable. Tout vivant cessera nécessairement de vivre, et cessera ensuite nécessairement d'être non-vivant, reviendra nécessairement à la vie. Donc vouloir faire durer sa vie et échapper à la mort, c'est vouloir l'impossible. — Dans le composé humain, l'esprit vital est l'apport du ciel, le corps est la contribution de la terre. L'homme commence par l'agrégation de son esprit vital avec les grossiers éléments terrestres, et finit par l'union du même esprit avec les purs éléments célestes. Quand l'esprit vital quitte la matière, chacun des deux composants retourne à son origine. De là vient qu'on appelle les morts, les retournés. Ils sont retournés en effet à leur demeure propre (le cosmos). Hoang-ti a dit : l'esprit vital rentre par sa porte (dans le Principe), le corps retourne à son origine (la matière), et c'en est fait de la personnalité.

La vie d'un homme, de sa naissance à sa mort, comprend quatre grandes périodes, le temps de l'enfance, la jeunesse robuste, les années de la vieillesse, la mort. Durant l'enfance, toutes les énergies étant concentrées, l'harmonie du complexe est parfaite, rien ne peut lui nuire tant son fonctionnement est précis. Durant la jeunesse robuste, le sang et les esprits bouillonnant à déborder, les imaginations et les convoitises foisonnent, l'harmonie du complexe n'est plus parfaite, les influences extérieures rendent son fonctionnement défectueux. Durant les années de la vieillesse, les imaginations et les convoitises se calment, le corps s'apaise, les êtres extérieurs cessent d'avoir prise sur lui ; quoiqu'il ne revienne pas à la perfection de l'enfance, il y a cependant progrès sur la période de la jeunesse. Enfin, par la fin de l'existence, par la mort, l'homme arrive au repos, retourne à son apogée (à sa perfection intégrale, l'union avec le cosmos).

Confucius allant visiter le mont T'ai-chan, rencontra, dans la plaine de Tch'eng, un certain Joung-k'i, vêtu d'une peau de cerf, ceint d'une corde, jouant de la cithare et chantant. Maître, lui demanda-t-il, de quoi pouvez-vous vous réjouir ainsi ? — J'ai, dit Joung-k'i, bien des sujets de joie. De tous les êtres, l'homme est le plus noble ; or j'ai eu pour mon lot un corps d'homme ; c'est là mon premier sujet de joie. Le sexe masculin est plus noble que le sexe féminin ; or j'ai eu pour mon lot un corps masculin ; c'est là mon second sujet de joie. Que d'hommes, après leur conception, meurent avant d'avoir vu la lumière, ou meurent dans les langes avant l'éveil de leur raison ; or il ne m'est arrivé rien de pareil ; j'ai vécu quatre-vingt-dix ans ; voilà mon troisième sujet de joie... Et de quoi m'attristerais-je ? De ma pauvreté ? c'est là le lot ordinaire des Sages. De la mort qui approche ? c'est là le terme de toute vie. — Confucius dit à ses disciples : Celui-là sait se consoler.

CH. 3 A 6

Le Coran

VIIe SIÈCLE.

TEXTE SACRÉ

Le Coran (al-Qr'an en arabe signifie « le récit psalmodié ») est le livre sacré des Musulmans qui le considèrent comme l'ensemble des révélations divines faites à Mahomet au cours d'extases mystiques, entre les années 612 et 632.

Ces révélations retenues de mémoire par les disciples — Mahomet ne savait ni lire ni écrire — ne furent rédigées que cinquante ans après la mort du prophète.

Le Coran est formé de 114 chapitres ou ***sourates****, eux-même divisés en* ***versets****.*

Le premier chapitre, très court, ***la Fatihat****, est le* ***Notre Père*** *des Musulmans.*

INTRODUCTION

Louange à Dieu, souverain de tous les mondes !

La miséricorde est son partage.

Il est le roi du jour du jugement.

Nous t'adorons, Seigneur, et nous implorons ton assistance.

Dirige-nous dans le sentier du salut ;

Dans le sentier de ceux que tu as comblés de tes bienfaits ;

De ceux qui n'ont point mérité ta colère et se sont préservés de l'erreur.

CHAP. 1, VERS. 1 A 7

LA VACHE

A. L. M. *(ces lettres sont des caractères mystérieux dont le nom n'est connu que du Prophète).* Il n'y a point de doute sur ce livre, il est la règle de ceux qui craignent le Seigneur ;

De ceux qui croient aux vérités sublimes, qui font la prière, et versent dans le sein des pauvres une portion des biens que nous leur avons donnés ;

De ceux qui croient à la doctrine que nous t'avons envoyée du ciel, et aux Écritures, et qui sont fermement attachés à la croyance de la vie future.

Le Seigneur sera leur guide, et la félicité leur partage.

Pour les infidèles, soit que tu leur prêches ou non l'islamisme, ils persisteront dans leur aveuglement.

Dieu a imprimé son sceau sur leurs cœurs et leurs oreilles, leurs yeux sont couverts d'un voile, et ils sont destinés à la rigueur des supplices.

Il est des hommes qui disent : Nous croyons en Dieu et au jour dernier ; et ils n'ont point la foi.

Ils en imposent à Dieu et aux croyants ; mais ils ne trompent qu'eux-mêmes, et ils ne le comprennent pas.

Leur cœur est gangrené. Dieu en a augmenté la plaie : une peine déchirante sera le prix de leur mensonge.

Lorsqu'on leur dit : Ne vous corrompez pas sur la terre ; il répondent : Notre vie est exemplaire.

Ils sont des corrupteurs, et ils ne le sentent pas.

Lorsqu'on leur dit : Croyez ce que les hommes croient ; ils répondent : Suivronsnous la croyance des insensés ? N'est-ce pas eux qui sont les insensés ? Et ils l'ignorent.

S'ils rencontrent des fidèles, ils disent : Nous professons la même religion que vous. Avec les fauteurs de leurs hérésies ils tiennent un autre langage ; ils se déclarent de leur parti, et se jouent des croyants.

Dieu se moquera d'eux : il épaissira leurs erreurs, ils persisteront dans leur égarement.

Ils ont acheté l'erreur pour la vérité. Quel avantage en ont-ils retiré ? Ils n'ont point suivi la lumière.

Semblables à ceux qui ont allumé du feu, si Dieu éteint la flamme qui éclaire les objets d'alentour, ils restent dans les ténèbres, et ils ne sauraient voir.

Sourds, muets et aveugles, ils ne se convertiront point.

Ils ressemblent à ceux qui, lorsque la tempête se précipite des cieux avec les ténèbres, les éclairs et la foudre, effrayés par l'image de la mort, se bouchent les oreilles de leurs doigts pour ne pas entendre le bruit du tonnerre ; mais le Tout-Puissant environne les infidèles.

Peu s'en faut que la foudre ne les prive de la vue. Lorsque l'éclair brille, ils marchent à sa lumière ; lorsqu'il disparaît, ils s'arrêtent au milieu des ténèbres. Si l'Éternel voulait, il leur ôterait l'ouïe et la vue, parce que rien ne borne sa puissance. O mortels ! adorez le Seigneur qui vous a créés, vous et vos pères, afin que vous le craigniez.

C'est Dieu qui vous a donné la terre pour lit, et le ciel pour toit ; qui a fait descendre la pluie des cieux pour produire tous les fruits dont vous vous nourrissez. Ne donnez point d'égal au Très-Haut : vous le savez.

Si vous doutez du livre que nous avons envoyé à notre serviteur, apportez un chapitre semblable à ceux qu'il renferme ; et si vous êtes sincères, osez appeler d'autres témoins que Dieu.

Si vous ne l'avez pu faire, vous ne le pourrez jamais. Craignez donc un feu qui aura pour aliment les hommes et les pierres, feu préparé aux infidèles.

Annonce à ceux qui croient et qui font le bien, qu'ils habiteront des jardins où coulent des fleuves. Lorsqu'ils goûteront des fruits qui y croissent, ils diront : Voilà les fruits dont nous nous sommes nourris sur la terre. Mais ils n'en auront que l'apparence. Là ils trouveront des femmes purifiées. Ce séjour sera leur demeure éternelle.

Dieu ne rougit pas plus d'offrir en parabole un moucheron, que des images relevées. Les croyants savent que sa parole est la vérité ; mais les infidèles disent : Pourquoi le Seigneur propose-t-il de semblables paraboles ? C'est ainsi qu'il égare les uns et dirige les autres. Mais il n'égare que les impies.

Ceux qui rompent le pacte du Seigneur, qui violent ses lois et s'abandonnent à la corruption, seront au nombre des réprouvés.

Pourquoi ne croyez-vous pas en Dieu ? Vous étiez morts, il vous a donné la vie ; il éteindra vos jours et il en rallumera le flambeau. Vous retournerez à lui.

Il créa pour votre usage tout ce qui est sur la terre. Portant ensuite ses regards vers le firmament, il forma les sept cieux. C'est lui dont la science embrasse tout l'univers.

Ton Dieu dit aux anges : J'enverrai mon vicaire *(Adam)* sur la terre. Enverrez-vous, répondirent les esprits célestes, un homme qui se livrera à l'iniquité et versera le sang, tandis que nous célébrons vos louanges et que nous vous glorifions ? Je sais, reprit le Seigneur, ce que vous ne savez pas.

Dieu apprit à Adam le nom de toutes les créatures et dit aux anges, aux yeux desquels il les exposa : Nommez-les moi, si vous êtes sincères.

Loué soit ton nom, répondirent les esprits célestes. Nous n'avons de connaissances que celles qui nous viennent de toi. La science et la sagesse sont tes attributs.

Il dit à Adam : Nomme-leur tous les êtres créés ; et lorsqu'il les eut nommés, le Seigneur reprit : Ne vous ai-je pas dit que je connais les secrets des cieux et de la terre ? Vos actions publiques et secrètes sont dévoilées à mes yeux.

Nous commandâmes aux anges d'adorer Adam, et ils l'adorèrent. L'orgueilleux Eblis *(Père des génies)* refusa d'obéir et il fut au nombre des infidèles.

Nous dîmes à Adam : Habite le Paradis avec ton épouse ; nourris-toi des fruits qui y croissent ; étends tes désirs de toutes parts ; mais ne t'approche pas de cet arbre, de peur que tu ne deviennes coupable.

Le diable les rendit prévaricateurs et leur fit perdre l'état où ils vivaient. Nous leur dîmes : Descendez. Vous avez été vos ennemis réciproques. La terre sera votre habitation et votre domaine jusqu'au temps.

Le Seigneur apprit à Adam la manière d'implorer son pardon. Il écouta la voix de son repentir, parce qu'il est indulgent et miséricordieux.

Nous leur dîmes : Sortez tous du paradis, je vous enseignerai la voie du salut : celui qui la suivra sera à l'abri de la crainte et de la douleur.

Les incrédules et ceux qui traitent notre doctrine de mensonge seront dévoués aux flammes éternelles.

O enfants d'Israël ! souvenez-vous des bienfaits dont je vous ai comblés ; conservez mon alliance et je garderai la vôtre, révérez-moi, croyez au livre que j'ai envoyé ; il confirme vos écritures ; ne soyez pas les premiers à lui refuser votre croyance ; ne corrompez pas ma doctrine pour un vil intérêt ; craignez-moi.

Ne couvrez pas la vérité du mensonge ; ne dérobez pas son éclat quand vous la connaissez.

Faites la prière ; donnez l'aumône ; courbez-vous avec mes adorateurs.

En commandant la justice, oublierez-vous votre âme ? Vous lisez les Écritures ; ne les comprenez-vous donc pas ?

Demandez du secours par la persévérance et la prière. Elles ne sont point à charge à ceux qui sont humbles ;

A ceux qui pensent qu'un jour ils paraîtront devant le tribunal de Dieu.

Enfants d'Israël, souvenez-vous des bienfaits dont je vous ai comblés ! Souvenez-vous que je vous ai élevés au-dessus de toutes les nations !

Craignez le jour où une âme ne satisfera point pour une autre, où il n'y aura ni intercession, ni compensation, ni secours à attendre.

Nous vous délivrâmes de la famille de Pharaon et des maux qui vous accablaient. On massacrait vos enfants mâles, on n'épargnait que vos filles. C'était une rude épreuve de la part de votre Seigneur.

Nous ouvrîmes pour vous les eaux de la mer ; nous vous sauvâmes de ses abîmes et vous y vîtes la famille de Pharaon engloutie.

Tandis que nous formions notre alliance avec Moïse, pendant quarante nuits, vous adoriez un veau et vous fûtes prévaricateurs.

Nous vous pardonnâmes, afin que vous nous rendiez des actions de grâce ;

Et nous donnâmes à Moïse un livre, avec des commandements, pour être la règle de vos actions.

Moïse dit aux Israélites : O mon peuple ! pourquoi vous livrez-vous à l'iniquité, en adorant un veau ? Revenez à votre créateur ; immolez-vous mutuellement : ce sacrifice lui sera plus agréable ; il vous pardonnera, parce qu'il est indulgent et miséricordieux.

Vous répondîtes à Moïse : Nous ne croirons point jusqu'à ce que nous voyions Dieu manifestement. La foudre vous environna et éclaira votre malheur.

Nous vous ressuscitâmes, afin que vous fussiez reconnaissants.

Nous fîmes descendre les nuages, pour vous servir d'ombrage ; nous vous envoyâmes la manne et les cailles, et nous dîmes : Nourrissez-vous des biens que nous vous offrons. Vos murmures n'ont nui qu'à vous-mêmes.

Nous dîmes au peuple d'Israël : Entrez dans cette ville ; jouissez des biens que vous y trouverez en abondance ; adorez le Seigneur en y entrant. Dites : Le pardon soit sur nous. Vos péchés vous seront remis, et les justes seront comblés de nos faveurs.

Les méchants changèrent ces paroles, et nous fîmes descendre sur eux la vengeance du ciel, parce qu'ils étaient criminels.

Moïse demanda de l'eau pour désaltérer son peuple et nous lui ordonnâmes de frapper le rocher de sa baguette. Il en jaillit douze sources. Chacun connut le lieu où il devait se désaltérer. Nous dîmes aux Israélites : Mangez et buvez de ce que vous offre la libéralité de Dieu ; ne soyez point prévaricateurs et ne souillez point la terre de vos crimes.

Le peuple s'écria : O Moïse ! une seule nourriture ne nous suffit pas. Invoque le Seigneur, afin qu'il fasse produire à la terre des olives, des concombres, de l'ail, des lentilles et des oignons. Moïse répondit : Voulez-vous jouir d'un sort plus avantageux ? Retournez en Égypte, vous y trouverez ce que vous demandez. L'avilissement et la pauvreté furent leur partage. Le courroux du ciel s'appesantit sur eux, parce qu'ils ne crurent point à ses prodiges et qu'ils tuèrent injustement les prophètes : ils furent rebelles et prévaricateurs.

Certainement les Musulmans, les Juifs, les Chrétiens et les Sabbéens, qui croiront en Dieu et au jour dernier, et qui feront le bien, en recevront la récompense de ses mains : ils seront exempts de la crainte et des supplices.

Lorsque nous acceptâmes votre alliance et que nous élevâmes au-dessus de vos têtes le mont Sinaï, nous dîmes : Recevez nos lois avec reconnaissance ; conservez-en le souvenir, afin que vous marchiez dans la crainte.

Bientôt vous retournâtes à l'erreur, et, si la miséricorde divine n'eût veillé sur vous, votre perte était certaine. Vous connaissez ceux d'entre vous qui transgressèrent le jour du sabbat ; nous les transformâmes en vils singes.

Ils ont servi d'exemple à leurs contemporains, à la postérité, et à ceux qui craignent. (...)

CHAP. 2, VERS. 1 A 62

Prétendez-vous, ô Musulmans ! que les Juifs aient votre croyance ? Tandis qu'ils écoutaient la parole de Dieu, une partie d'entre eux en corrompait le sens après l'avoir comprise. Et ils le savaient !

Avec les fidèles, ils se parent de leur religion. Retirés dans leurs assemblées, ils disent : Raconterons-nous aux Musulmans ce que Dieu nous a découvert, afin qu'ils disputent avec nous devant lui ? N'en voyons-nous pas les conséquences ?

Ignorent-ils donc que le Très-Haut sait ce qu'ils cachent comme ce qu'ils manifestent ?

Parmi eux, le vulgaire ne connaît le Pentateuque que par la tradition. Il n'a qu'une aveugle croyance. Mais malheur à ceux qui, l'écrivant de leur main corruptrice, disent, pour en retirer un faible salaire : Voilà le livre de Dieu ! Malheur à eux parce qu'ils l'on écrit, et qu'ils en ont reçu le prix !

Ils ont dit : Nous ne serons livrés aux flammes qu'un nombre de jours déterminé. Réponds-leur : Dieu vous en a-t-il fait la promesse ? Ne la révoquera-t-il jamais ? ou plutôt, n'avancez-vous point ce que vous ignorez ?

Certainement ceux qui n'ont pour tout gain que leurs mauvaises actions, ceux que leurs péchés enveloppent de tous côtés, ceux-là seront voués au feu et ils y demeureront éternellement.

Au contraire les croyants qui auront fait le bien habiteront éternellement le paradis.

Quand nous reçûmes l'alliance des enfants d'Israël, nous leur dîmes : N'adorez qu'un Dieu ; soyez bienfaisants envers vos pères, vos proches, les orphelins et les pauvres ; ayez de l'humanité pour tous les hommes ; faites la prière, donnez l'aumône ; et, excepté un petit nombre d'entre vous vous avez refusé de suivre ces commandements et vous avez marché dans l'erreur.

Quand nous formâmes avec vous le pacte de ne point verser le sang de vos frères et de ne point les dépouiller de leurs héritages, vous le ratifiâtes et vous en fûtes témoins.

Vous avez ensuite massacré vos frères ; vous les avez chassés de leurs possessions, vous avez porté dans le sein de leurs asiles la guerre et l'injustice. Lorsqu'il se présente à vous des captifs, vous les rachetez, et il vous était défendu de les traiter hostilement. Croyez-vous donc à une partie de la loi, tandis que vous rejetez l'autre ? Quelle sera la récompense de cette conduite ? L'ignominie dans ce monde, et au jour du jugement l'horreur des supplices, car Dieu ne voit pont vos actions d'un œil d'indifférence.

Tels sont ceux qui ont sacrifié la vie future à la vie du monde. Mais la peine qui les attend ne sera point adoucie et ils n'auront plus d'espoir.

Nous avons donné le Pentateuque à Moïse ; nous l'avons fait suivre par les envoyés du Seigneur. Nous avons accordé à Jésus, fils de Marie, la puissance des miracles. Nous l'avons fortifié par l'esprit de sainteté *(Gabriel)*. Toutes les fois que les envoyés du Très-Haut vous apporteront une doctrine que rejettent vos cœurs corrompus, leur résisterez-vous orgueilleusement ? En accuserez-vous une partie de mensonge ? Massacrerez-vous les autres ?

Ils ont dit : Nos cœurs sont incirconcis. Dieu les a maudits à cause de leur perfidie. Oh ! combien le nombre des croyants est petit !

Après que Dieu leur a envoyé le Coran pour confirmer leurs Écritures (auparavant ils imploraient le secours du ciel contre les incrédules), après qu'ils ont reçu ce livre qui leur avait été prédit, ils ont refusé d'y ajouter foi ; mais le Seigneur a frappé de malédiction les infidèles.

Ils ont malheureusement vendu leur âme pour un vil prix ; ils ne croient point à ce qui est envoyé d'en haut, par jalousie, parce que Dieu a, par l'effet de sa grâce, envoyé un livre à celui d'entre ses serviteurs qu'il lui a plu de choisir. Ils s'attirent de la part de Dieu colère sur colère ; mais un supplice ignominieux est préparé aux impies.

Lorsqu'on leur demande : Croyez-vous à ce que Dieu a envoyé du ciel ? Ils répondent : Nous croyons aux Écritures que nous avons reçues ; et il rejettent le livre véritable venu depuis, pour mettre le sceau à leurs livres sacrés. Dis-leur : Pourquoi avez-vous tué les prophètes du Seigneur, si vous aviez la foi ?

Moïse parut au milieu de vous environné de prodiges et, devenus sacrilèges, vous adorâtes un veau.

Lorsque nous eûmes formé avec vous une alliance, et que nous eûmes élevé le mont Sinaï, nous fîmes entendre ces mots : Recevez nos lois avec ferveur ; écoutez-les. Le peuple répondit : Nous t'avons entendu, et nous n'obéirons pas. Les impies abreuvaient encore, dans leurs cœurs, le veau qu'ils avaient formé. Dis-leur : Viles suggestions que celles que vous inspire votre croyance, si vous en avez une.

Dis-leur : S'il est vrai que vous ayez dans le paradis un séjour séparé du reste des mortels, osez désirer la mort.

Ils ne formeront point ce vœu. Leurs crimes les épouvantent, et Dieu connaît les pervers.

Tu les trouveras plus attachés à la vie que le reste des hommes, plus que les idolâtres mêmes. Quelques-uns d'eux voudraient vivre mille ans ; mais ce long âge ne les arracherait pas au supplice qui les attend, parce que l'Éternel voit leurs actions.

Dis : Qui se déclarera l'ennemi de Gabriel ? C'est lui qui, par la permission de Dieu, a déposé le Coran sur ton cœur, pour confirmer les livres sacrés venus avant lui, pour être la règle de la foi et remplir de joie les fidèles.

CHAP. 2, VERS. 76 A 91

Les idolâtres, les Chrétiens et les Juifs incrédules voudraient que Dieu ne répandît sur vous aucune de ses grâces ; mais il fait éclater sa miséricorde à son gré, et sa bienfaisance est sans bornes.

Si nous omettions un verset du Coran ou si nous en effacions le souvenir de ton cœur, nous t'en apporterions un autre meilleur, ou semblable. Ignores-tu que la puissance du Très-Haut embrasse l'univers ?

Ignores-tu que Dieu est le roi des cieux et de la terre, et que vous n'avez de secours à attendre que de lui ?

Demanderez-vous à votre apôtre ce que les Juifs demandèrent à Moïse ? Celui qui change la foi pour l'incrédulité est dans l'aveuglement.

Beaucoup de Juifs et de Chrétiens, excités par l'envie, ont voulu vous ravir votre foi et vous rendre infidèles, lorsqu'ils ont vu briller la vérité. Fuyez-les et leur pardonnez, jusqu'à ce que vous receviez l'ordre du Très-Haut, dont la puissance est infinie.

Faites la prière ; donnez l'aumône : le bien que vous ferez vous le trouverez auprès de Dieu, parce qu'il voit vos actions.

Les Juifs et les Chrétiens se flattent qu'eux seuls auront l'entrée du paradis. Tels sont leurs désirs. Dis-leur : Apportez des preuves si vous êtes sincères.

Bien plus, quiconque se sera livré entièrement au Seigneur, et exercera la bienfaisance, aura sa récompense auprès de lui, et sera exempt de la crainte et des tourments.

Les Juifs assurent que la croyance des Chrétiens n'est appuyée sur aucun fondement ; les Chrétiens leur font la même objection : cependant les uns et les autres ont lu les livres sacrés. Les gentils, qui ignorent leurs débats, tiennent à leur égard le même langage. L'Éternel, au jour dernier, jugera leurs différends.

Quoi de plus coupable que de vouloir interdire l'entrée du temple du Seigneur, pour en effacer le souvenir de son nom ? Quoi de plus impie que de travailler à sa ruine ? Ils ne doivent y entrer qu'en tremblant. L'ignominie sera leur partage dans ce monde, et ils seront livrés dans l'autre à la rigueur des tourments.

L'Orient et l'Occident appartiennent à Dieu. Vers quelque lieu que se tournent vos regards, vous rencontrerez sa face. Il remplit l'univers de son immensité et de sa science.

Dieu a un fils, disent les Chrétiens. Loin de lui ce blasphème : tout ce qui est dans les cieux et sur la terre lui appartient ; tous les êtres obéisent à sa voix.

Il a formé les cieux et la terre. Veut-il produire quelque ouvrage, il dit : Sois fait, et il est fait.

Les ignorants disent : Si Dieu ne nous parle, ou si tu ne nous fais voir un miracle, nous ne croirons point. Ainsi parlaient leurs pères : leurs cœurs sont semblables. Nous avons assez fait éclater de prodiges pour ceux qui ont la foi.

Nous t'avons envoyé, avec la vérité, pour être l'organe de nos promesses et de nos menaces, et l'on ne t'interrogera point sur ceux qui seront précipités dans l'enfer.

Les Juifs et les Chrétiens ne t'approuveront que quand tu auras embrassé leur croyance. Dis-leur que la doctrine de Dieu est la véritable. Si tu descendais à leurs désirs, après la science que tu as reçue, quel protecteur trouverais-tu auprès du Tout-Puissant ?

Ceux à qui nous avons donné le Coran, et qui lisent sa doctrine véritable, ont la foi ; ceux qui n'y croiront pas seront au nombre des réprouvés.

O enfants d'Israël ! souvenez-vous des bienfaits dont je vous ai comblés ; souvenez-vous que je vous ai élevés au-dessus de toutes les nations.

"Faites la prière, donnez l'aumône : le bien que vous ferez vous le trouverez auprès de Dieu, parce qu'il voit vos actions"

Craignez le jour où une âme ne satisfera point pour une autre, où il n'y aura ni compensation, ni intercession, ni secours à attendre.

Dieu tenta Abraham et Abraham fut juste. Je t'établirai le chef des peuples, dit le Seigneur. Accordez encore cet avantage à mes descendants, répondit Abraham. Mon alliance, reprit le Seigneur, ne comprendra point les méchants.

Nous avons établi la maison sainte pour être l'asile où se réuniront les peuples. La demeure d'Abraham sera un lieu de prière. Nous avons fait un pacte avec Abraham et Ismaël. Purifiez mon temple des idoles qui l'environnent, de celles qui sont renfermées dans son enceinte, et de leurs adorateurs.

Abraham adressa cette prière à Dieu : Seigneur, établis, dans ce pays, une foi durable ; comble de tes faveurs le peuple qui croira à ton unité, et au jour dernier. J'étendrai, répondit le Seigneur, mes dons jusque sur les infidèles ; mais ils en jouiront peu. Ils seront condamnés aux flammes et leur fin sera déplorable.

Lorsqu'Abraham et Ismaël jetèrent les fondements de ce temple, les yeux élevés au ciel, ils s'écrièrent : O Dieu ! intelligence suprême, daigne recevoir cette sainte demeure.

Fais que nous soyons de vrais Musulmans ; fais que notre postérité soit attachée à ton culte ; enseigne-nous nos devoirs sacrés ; daigne tourner tes regards vers nous ; tu es clément et miséricordieux.

Envoie un apôtre de leur nation, pour leur annoncer tes merveilles, pour leur enseigner le Coran et la sagesse, et pour les rendre purs. Tu es puissant et sage.

Qui rejettera la religion d'Abraham, si ce n'est l'insensé ? Nous l'avons élu dans ce monde, et il sera dans l'autre au moment des justes.

Quand Dieu lui dit : Embrasse l'islamisme ; Abraham répondit : Je l'ai embrassé ce culte du souverain des mondes.

Abraham et Jacob recommandèrent leur croyance à leur postérité. O mes enfants ! dirent-ils, Dieu vous a choisi une religion, soyez-y dévoués jusqu'à la mort.

Étiez-vous témoins, lorsque la mort vint visiter Jacob ? Il dit à ses fils : Qui adorerez-vous après ma mort ? Nous adorerons, répondirent-ils, ton Dieu, le Dieu de tes pères Abraham, Ismaël et Isaac, Dieu unique ; nous serons fidèles Musulmans.

Ils ne sont plus ; mais leurs œuvres ne passeront point. Vous retrouverez, comme eux, ce que vous aurez acquis, et on ne vous demandera point compte de ce qu'ils ont fait.

Les Juifs et les Chrétiens disent : Embrassez notre croyance, si vous voulez être dans le chemin du salut. Répondez-leur : Nous suivons la foi d'Abraham, qui refusa de l'encens aux idoles, et n'adora qu'un Dieu.

Dites : Nous croyons en Dieu, au livre qui nous a été envoyé, à ce qui a été révélé à Abraham, Ismaël, Isaac, Jacob, et aux douze tribus ; nous croyons à la doctrine de Moïse, de Jésus et des prophètes ; nous ne mettons aucune différence entre eux, et nous sommes musulmans.

Si les Chrétiens et les Juifs ont la même croyance, ils sont dans la même voie ; s'ils s'en écartent, ils feront un schisme avec toi ; mais Dieu te donnera la force pour les combattre, parce qu'il entend et comprend tout.

Notre religion vient du ciel et nous y sommes fidèles. Qui, plus que Dieu, a le droit de donner un culte aux hommes ?

Dis-leur : Disputerez-vous avec nous de Dieu ? Il est notre Seigneur et le vôtre ; nous avons nos actions, vous avez les vôtres ; mais notre foi est pure.

Direz-vous qu'Abraham, Ismaël, Isaac, Jacob, et les tribus d'Israël, étaient juifs ou chrétiens ? Réponds : Êtes-vous plus savants que Dieu ? Quoi de plus criminel que de cacher le témoignage du Seigneur ! Croit-on qu'il voit avec indifférence les actions des hommes ?

CHAP. 2, VERS. 99 A 134

LA GRANDE NOUVELLE

De quoi s'entretiennent-ils ?

Est-ce la grande nouvelle

Qui fait le sujet de leurs disputes ?

Ils sauront la vérité.

Ils la sauront infailliblement.

N'avons-nous pas étendu la terre comme un tapis ?

N'avons-nous pas élevé les montagnes pour lui servir d'appui ?

Nous avons tiré l'homme et la femme du néant.

Nous vous avons donné le sommeil pour délassement.

Nous avons abaissé sur vous le voile de la nuit.

Nous avons créé le jour pour le travail.

Nous avons élevé sur vos têtes sept cieux solides.

Nous y avons suspendu un flambeau lumineux.

Nous versons du sein des nuages comprimés une pluie abondante.

Elle fait éclore le grain et les plantes.

Elle fait croître les arbres de vos jardins.

Le jour de la séparation est le terme marqué.

Dans ce jour, la trompette retentira, et vous vous hâterez de paraître devant l'Éternel.

Les montagnes seront balancées dans les airs comme des nuages.

L'enfer tendra ses filets.

Les méchants y seront pris.

Ils y demeureront des siècles.

Ils n'y goûteront point les douceurs du sommeil ; ils n'auront rien pour se désaltérer.

De l'eau bouillante et corrompue sera leur unique breuvage.

Digne récompense !

Ils ne voulaient pas croire qu'ils auraient rendu compte.

Ils blasphémaient contre la religion sainte ;

Mais nous écrivons toutes les actions.

Subissez des tourments dont la rigueur ne fera qu'accroître.

Le séjour de la félicité sera le partage des hommes vertueux.

Il sera planté d'arbres et de vignes.

Des filles célestes au sein arrondi et palpitant en feront l'ornement.

On boira des coupes remplies.

Les discours frivoles et le mensonge seront bannis de ces lieux.

Telle est la récompense de Dieu ; elle suffit au bonheur.

Il est le souverain du ciel, de la terre, et de l'immensité de l'espace. La miséricorde est son partage.

Il ne conversera point avec ses créatures.

Dans ce jour, Gabriel se tiendra debout ; les anges garderont leur ordre. Ils ne parleront à personne sans la permission du Tout-Puissant, et ils ne diront que ce qui est convenable.

Ce jour viendra ; c'est une vérité indubitable. Que celui qui veut se convertir tourne son cœur vers le Seigneur.

Nous vous avons menacés d'un châtiment prochain.

Dans ce jour, l'homme verra le tableau de ses actions, et l'infidèle s'écriera : Plût à Dieu que je fusse réduit en poussière !

CHAP. 78, VERS. 1 A 41

"Dans ce jour, l'homme verra le tableau de ses actions, et l'infidèle s'écriera : Plût à Dieu que je fusse réduit en poussière !"

DEUXIÈME PARTIE

LES GRANDS TEXTES ANCIENS

Pythagore

SAMOS 570 – 480 AVANT J.-C.

*Fondateur d'une école de philosophie qui eut une influence considérable, Pythagore doit quitter la Grèce où il gêne le tyran Polycrate pour s'installer avec sa communauté de disciples en Italie du Sud. Son enseignement est essentiellement oral et demande de la part de celui qui la reçoit une certaine ascèse. La règle de vie des Pythagoriciens a été concentrée dans une suite de préceptes fameux « **Les Vers dorés** » qui furent commentés dans toute l'antiquité.*

PHILOSOPHIE

.Les vers dorés.

.I.

Révère les dieux immortels, c'est ton premier devoir. Honore-les comme il est ordonné par la loi.

.II.

Respecte le serment. Vénère aussi les héros, dignes de tant d'admiration, et les démons terrestres.

.III.

Respecte ton père et ta mère et tes proches parents.

.IV.

Choisis pour ton ami l'homme que tu connais pour le plus vertueux. Ne résiste pas à la douceur de ses conseils et suis ses utiles exemples.

.V.

Crains de te brouiller avec ton ami pour une faute légère.

.VI.

Si tu peux faire le bien tu le dois ; la puissance est ici voisine de la nécessité. Tels sont les préceptes que tu dois suivre.

.VII.

Prends l'habitude de commander à la gourmandise, au sommeil, à la luxure, à la colère.

“Que la raison te conduise jusque dans les moindres détails”

.VIII.

Ne fais rien de honteux en présence des autres ni dans le secret. Que ta première loi soit de te respecter toi-même.

.IX.

Que l'équité préside à toutes tes actions, qu'elle accompagne toutes tes paroles.

.X.

Que la raison te conduise jusque dans les moindres détails.

.XI.

Souviens-toi bien que tous les hommes sont destinés à la mort.

.XII.

La fortune se plaît à changer, elle se laisse posséder, elle s'échappe. Éprouves-tu quelques-uns de ces revers que les destins font éprouver aux mortels ? Sache les supporter avec patience, ne t'indigne pas contre le sort. Il est permis de chercher à réparer nos malheurs ; mais sois bien persuadé que la fortune n'envoie pas aux mortels vertueux des maux au-dessus de leurs forces.

.XIII.

Il se tient parmi les hommes de bons discours et de mauvais propos. Ne te laisse pas effrayer par de vaines paroles : qu'elles ne te détournent pas de projets honnêtes que tu as formés.

.XIV.

Tu te vois attaqué par le mensonge ? Prends patience, supporte ce mal avec douceur.

.XV.

Observe bien ce qui me reste à te prescrire : que personne par ses actions, par ses discours, ne puisse t'engager à rien dire, rien faire qui doive te nuire un jour.

.XVI.

Consulte-toi bien avant d'agir : crains par trop de précipitation, d'avoir à rougir de ta folie. Dire et faire des sottises est le partage d'un sot.

.XVII.

Ne commence rien dont tu puisses te repentir dans la suite. Garde-toi d'entreprendre ce que tu ne sais pas faire, et commence par t'instruire de ce que tu dois savoir. C'est ainsi que tu mèneras une vie délicieuse.

.XVIII.

Ne néglige pas ta santé : donne à ton corps, mais avec modération, le boire, le manger, l'exercice. La mesure que je te prescris est celle que tu ne saurais passer sans te nuire.

.XIX.

Que ta table soit saine, que le luxe en soit banni.

.XX.

Évite de rien faire qui puisse t'attirer l'envie.

.XXI.

Ne cherche pas à briller par des dépenses déplacées, comme si tu ignorais ce qui est convenable et beau. Ne te pique pas non plus d'une épargne excessive. Rien n'est préférable à la juste mesure qu'il faut observer en toutes choses.

.XXII.

N'entame pas un projet qui doive tourner contre toi-même : réfléchis avant d'entreprendre.

.XXIII.

N'abandonne pas tes yeux aux douceurs du sommeil avant d'avoir examiné par trois fois les actions de ta journée. Quelle faute ai-je commise ? Qu'ai-je fait ? A quel devoir ai-je manqué ? Commence par la première de tes actions et parcours ainsi toutes les autres. Reproche-toi ce que tu as fait de mal ; jouis de ce que tu as fait de bien.

.XXVI.

Tu connaîtras que les hommes sont eux-mêmes les artisans de leurs malheurs. Infortunés ! Ils ne savent pas voir les biens qui sont sous leurs yeux ; leur oreilles se ferment à la vérité qui leur parle. Combien peu connaissent les vrais remèdes de leurs maux ! C'est donc ainsi que la destinée blesse l'entendement des humains ! Semblables à des cylindres fragiles, ils roulent çà et là, se heurtant sans cesse, et se brisant les uns contre les autres.

.XXVII.

La triste discorde née avec eux les accompagne toujours, et les blesse, sans se laisser apercevoir. Il ne faut pas lutter contre elle, mais la fuir en cédant.

.XXVIII.

O Jupiter, père de tous les dieux, vous pourriez les délivrer des maux qui les accablent, et leur faire connaître quel est le génie funeste auquel ils s'abandonnent.

.XXIX.

Mortel, prends une juste confiance. C'est des dieux mêmes, que les humains tirent leur origine : la sainte nature leur découvre tous ses secrets les plus cachés. Si elle daigne les communiquer, il ne sera pas difficile de remplir mes préceptes. Cherche des remèdes aux maux que tu endures ; ton âme recouvrera bientôt la santé.

525-456 avant J.-C.

Véritable créateur de la tragédie grecque, Eschyle personnifie la génération qui a consacré la gloire d'Athènes en participant aux glorieux combats de Marathon (490) et de Salamine (480). Le souvenir de la guerre marque son œuvre, donne à ses drames un souffle puissant et grandiose et hisse ses personnages à la hauteur des héros de Homère.

L'action de la tragédie eschylienne se caractérise par sa simplicité. Toujours conduite par des forces supérieures, elle évolue inéluctablement en ligne droite vers la catastrophe finale, catastrophe pressentie, puis prévue et annoncée de plus en plus clairement : pas de surprise, ni de coup de théâtre, mais une émotion d'autant plus profonde qu'elle est longuement préparée.

Il nous reste sept tragédies d'Eschyle, sans doute les plus connues parmi les quatre-ving-dix qu'il aurait composées : ***les Suppliantes, les Perses, les sept contre Thèbes, Prométhée enchaîné*** *et* ***la trilogie de l'Orestie*** *(Agamemnon, les Choéphores, les Euménides).*

"Fils de la Grèce, allez,
voici l'instant suprême !
Délivrez vos enfants,
vos femmes
et vous-même ;
Délivrez la patrie
et les autels des dieux"

THÉÂTRE, TRAGÉDIE

•Les Perses•

V. 350 à 432 avant J.-C.

Représentés en 472, huit ans après la victoire des Grecs à Salamine, ***les Perses*** *sont un magnifique drame lyrique où, malgré le peu d'action, l'attention ne faiblit pas un seul instant.*

Atossa, veuve de Darius et mère de Xerxès, roi des Perses, attend devant son palais de Suze des nouvelles de l'expédition en Grèce. Le poète vient de peindre les pressentiments du chœur et l'inquiétude de la Reine. Arrive un messager qui raconte aux assistants l'anéantissement de la flotte perse ; il sera suivi de Xerxès, vaincu et désespéré, subissant le châtiment de son orgueil.

LA REINE.

Et de quelle façon s'engagea la bataille ?
Qui commença ? Sont-ce les Grecs ? ou bien Xerxès.
Trop confiant au nombre et trop sûr du succès ?

LE MESSAGER.

Le véritable auteur de notre ignominie

Fut quelque dieu vengeur, quelque mauvais génie.
Par un vil imposteur ton fils fut averti
Que les Grecs effrayés avaient pris le parti
De s'enfuir dans la nuit de toute leur vitesse,
Et de se disperser sur les côtes de Grèce.
Xerxès ne soupçonnait ni la haine des dieux,
Ni la déloyauté du Grec astucieux ;
A tous les commandants il donna la consigne
De barrer les détroits par une triple ligne,
Aussitôt que la nuit tomberait sur les eaux,
Pour fermer toute issue aux Grecs ; d'autres vaisseaux
Devaient en même temps cerner tous les rivages ;
Si les Grecs parvenaient à forcer les passages,
Tous les chefs des vaisseaux seraient décapités.
Les ordres de ton fils furent exécutés ;
Et toutefois la nuit se passa tout entière,
Et la flotte des Grecs demeurait prisonnière,
Sans chercher seulement à s'ouvrir un chemin.
Enfin, lorsque le jour paraît, le lendemain,
On entend tout à coup comme un chant qui s'élève,
Répété par l'écho des rochers de la grève,
Et qui bientôt se change en immense clameur.
Tous les Grecs déçus sont frappés de stupeur,
Car, bien loin d'annoncer la fuite ou la retraite,
Cet hymne était un chant de guerre, et la trompette
Enflammait tous les cœurs de ses rudes accents.
Or les rameurs battaient les flots retentissants,
Et la flotte bientôt se montra tout entière.
L'aile droite en bon ordre arrivait la première ;
Le reste la suivait, et de tous les côtés
On entendait ces cris mille fois répétés :
« Fils de la Grèce, allez, voici l'instant suprême !
Délivrez vos enfants, vos femmes et vous-même ;
Délivrez la patrie et les autels des dieux.
Et les tombeaux sacrés où dorment vos aïeux »
Nous répondons alors par notre cri de guerre ;
La bataille, en effet, ne tardera plus guère.
Bientôt les vaisseaux noirs se heurtent de leur bec ;
Le premier qui commence est un navire grec.
Il écrase l'avant d'un vaisseau de Syrie.
Chaque nef aussitôt s'élance avec furie ;
Nos vaisseaux sous le choc tiennent bon tout d'abord ;
Hélas ! loin de pouvoir se prêter du renfort,
Entassés comme ils sont dans un étroit espace,
Chacun d'eux aux voisins se heurte et se fracasse ;
C'est un écrasement de rames et d'agrès,
Pendant ce temps les Grecs nous serrent de plus près :
Chacun frappe à coup sur du haut de sa trirème,
Tandis que nos vaisseaux chavirent ; la mer même
Disparaît sous l'amas des débris et des corps ;
La plage et les récifs sont tout couverts de morts.
Dans cette extrémité toute la flotte perse,
Virant de bord, s'enfuit sans ordre et se disperse ;
Mais les Grecs, comme s'ils assommaient des poissons
A coup d'épaves, de débris et de tronçons,
Frappaient, cassaient les reins des soldats sans défense
Un grand gémissement couvrait la mer immense.
Seule la nuit enfin nous dérobe au vainqueur.
Ah ! que de maux j'ai vus, qui déchirent le cœur
Dix jours seraient trop peu pour en faire le compte ;
Jamais dans toutes les batailles qu'on raconte,
Il n'est mort tant de gens en un seul jour.

LE DÉSESPOIR DE XERXÈS

**"Hélas ! ô désespoir !
ô fortune infidèle !
O mon peuple, jouet
du céleste courroux !"**

LE CHŒUR *seul.*

Que la Perse, grands Dieux ! était forte et prospère,
Alors que le plus grand des rois,
Un roi semblable aux Dieux, plus craint que le tonnerre,
Darius nous donnait des lois !
La gloire suivait nos armées,
La justice régnait au sein de nos remparts ;
Nos soldats, respectant les villes alarmées,
N'inspiraient la terreur que dans les champs de Mars.
Que l'heureux Darius prit de villes altières,
Sans s'égarer sous d'autres cieux,
Sans franchir de l'Halys les humides barrières,
Et souvent sans quitter le toit de ses aïeux !
Ce prince, dédaignant le glaive et la menace,
Sur les bords glacés du Strymon,
Voisins des plaines de la Thrace,
Soumettait les cités par le bruit de son nom.
Tous ces peuples altiers qui fuyant le rivage,
S'enfoncèrent en vain jusqu'au fond des déserts,
Pour échapper à l'esclavage,
Tombèrent aussi dans ses fers.
On vit fléchir sous sa puissance,
Les murs baignés par l'Hellespont,
La Propontide au cours immense,
Les côtes de l'Asie et les bouches du Pont ;
Et Lesbos, et Samos à la riante olive,
Chio, Mycone avec Paros ;
Et celles dont le sort a presque uni la rive,
Ténos et la fertile Andros ;
Les îles dans les mers encore plus avancées,
Lemnos, l'île d'Icare aux sinueux marais,
Rhodes, Gnide, Paphos aux forêts balancées,
Cypre et ses bosquets toujours frais ;
Salamine qui n'offre, à nos tristes pensées,
Que honte et stériles regrets.
Aux riches cités d'Ionie,
A force de sagesse, il impose des lois ;
Et ces fiers descendants de la fière Hellénie
Obéirent au Roi des Rois.
Ses troupes, ses alliés sans nombre
Étaient des remparts tout-puissants.
Aujourd'hui le sort change, et le ciel devient sombre,
Et la terre et les flots sont contre les Persans.

LE CHŒUR, XERXÈS.

XERXÈS.

Hélas ! ô désespoir ! ô fortune infidèle !
O mon peuple, jouet du céleste courroux !

Où cacher ma honte éternelle ?
Vieillards, à votre aspect, je frémis, je chancelle,
Et je sens fléchir mes genoux.
Jupiter, ta pitié sévère
M'a refusé la mort dans le champ des combats.
Que ne m'as-tu permis de cacher ma misère
Dans le tombeau de mes soldats !

LE CHŒUR.

Je gémis sur le sort de cette armée immense,
Sur notre gloire qui n'est plus,
Tant de guerriers ! tant de vaillance !
Et tous sous le fer abattus !
Xerxès nous les ravit et ne peut nous les rendre,
Xerxès en gorgea les enfers ;
De tant d'archers si prompts et de guerriers si fiers,
Plus nombreux, plus pressés que les sables des mers,
Nous n'aurons pas même la cendre !

XERXÈS.

Quelle armée !

LE CHŒUR.

Et quels coups, ô roi !
L'Asie entière, hélas ! en tressaille d'effroi.

XERXÈS.

Et c'est moi, fatales colères !
C'est moi qu'a désigné le Sort
Pour être le fléau du pays de mes pères,
Et le ministre de la mort !

LE CHŒUR.

Voilà donc, ô roi, quelle fête
Signale ton retour au sein de tes États !
De longs cris de douleur qu'un triste écho répète,
Et les gémissements qui suivent le trépas !

XERXÈS.

Ah ! laissez échapper ces sanglots et ces larmes.
Deux fois le sort fut contre nous,
Deux fois il a trahi nos armes,
Et nous a fait sentir le poids de son courroux !

LE CHŒUR.

J'entonne un hymne funéraire,
Entrecoupé par mes sanglots :
Suze pleure ses fils : ceux qu'épargna la terre,
Ont péri dans le sein des flots.
Mars passa dans le camp des fils de l'Ionie,
Mars guidait leurs vaisseaux sacrés.
Le cruel à nos maux mêlant l'ignominie,
Parsemait les écueils de nos corps déchirés.

XERXÈS.

Versez, versez des pleurs ; c'est le temps d'en répandre,
Mais interrogez-moi, je veux tout vous apprendre.

LE CHŒUR.

Où sont tes fidèles amis,
Pharandace, Suzas, Pélagon, Agdatandre,
Et Susicanès et Psammis ?

XERXÈS.

Sur les rives de Salamine,
D'un vaisseau tyrien ils tombèrent mourants ;
J'ai vu, du haut d'une colline,
Les vagues emporter leurs cadavres errants.

LE CHŒUR.

Que devint le brave Pharnaze,
Sevalcès et Lilée, issu de tant de rois,
Memphis, Masistris, Artembaze,
Tharybis, Hystechmas, si fiers de leurs exploits ?

XERXÈS.

Sur la rive opposée à l'odieuse Athène,
Jetés, ô spectacle d'horreur !
Jetés sur la sanglante arène,
Ils ont des ennemis assouvi la fureur.

LE CHŒUR.

Et ce Perse, ton œil fidèle,
Qui de tous tes guerriers comptait les longs essaims,
Alpiste a-t-il péri sous la Parque cruelle ?
Abare est-il rayé du nombre des humains ?

XERXÈS.

O fortune ennemie !

LE CHŒUR.

O Perses généreux, quels maux accumulés !

XERXÈS.

Quels souvenirs affreux ta voix m'a rappelés !
Dans mon cœur déchiré la pitié se récrie,
Et d'un remords vengeur réveille la furie :
Je revois ces héros ravis à la patrie !
Ces amis sous mes yeux sans défense immolés !

LE CHŒUR.

Et tant d'autres encor que la Perse vénère :
Xanthès qui commandait à dix mille soldats,
Arsace et Diexis, cher au Dieu de la guerre,
Cyathès aguerri dès l'enfance aux combats ?

XERXÈS.

J'ai vu, j'ai vu leur sépulture :
Ils n'étaient pas portés sur des chars somptueux,
Couverts de pavillons, chargés de leur armure,
Suivis de leurs amis nombreux :
Mais les flots ou la fange impure
Ont englouti ces malheureux !

LE CHŒUR.

Hélas, ô Dieux impitoyables !
Quelle horrible calamité !
Quels désastres épouvantables !
Quel spectacle digne d'Até.
Du Destin colère terrible !
Inutiles efforts contre de tels soldats !
Persans, quelle défaite horrible
Nous gardait le Dieu des combats !

XERXÈS.

Malheureux ! j'ai perdu cette armée innombrable,
Et j'hésite encore à mourir !

LE CHŒUR.

Non, non, cette puissance immense et formidable

N'a pu, dans un seul jour, tout entière périr.

XERXÈS.

D'un immense appareil voyez ce qui me reste...

LE CHŒUR.

Nous voyons !

XERXÈS.

Ce carquois à la fureur céleste
Échappa seul !

LE CHŒUR.

Grands Dieux ! de ces vastes apprêts,
Tu n'as sauvé que lui !

XERXÈS.

Lui seul... avec mes traits.
Mon trône est sans appui, la Perse sans défense.

LE CHŒUR.

Le peuple Ionien sait donc tenir la lance ?

XERXÈS.

S'il le sait, Dieux puissants ! quel naufrage honteux !

LE CHŒUR.

Et nos vaisseaux brisés ont donc fui devant eux !

XERXÈS *montrant ses habits déchirés*.

Contemplez ces lambeaux, monument de ma rage.

LE CHŒUR.

Hélas ! hélas ! hélas !

XERXÈS.

Cet effroyable orage
Demande d'autres cris encor plus furieux.

LE CHŒUR.

Non, jamais un tel deuil ne se vit sous les cieux.

XERXÈS.

De nos ateliers vainqueurs nous sommes la risée.

LE CHŒUR.

La force de la Perse est désormais brisée.

XERXÈS.

Je rentre en fugitif au sein de mes États.

LE CHŒUR.

Les mers ont englouti tes amis, tes soldats.

XERXÈS.

A vos tristes foyers, déplorez ma misère !

LE CHŒUR.

O Dieux ! ô sort terrible ! ô céleste colère !

XERXÈS.

Répondez par vos cris aux cris de ma douleur.

LE CHŒUR.

O funeste tribut, digne d'un tel malheur !

XERXÈS.

Consolez par vos pleurs un prince misérable.

LE CHŒUR.

Le Sort du même coup nous frappe et nous accable !

XERXÈS.

O revers accablant !

LE CHŒUR.

O déluge de maux,
Qui nous brisent le cœur.

XERXÈS.

Redoublez de sanglots.

LE CHŒUR.

Nous gémissons.

XERXÈS.

Soyez un écho de mes peines.

LE CHŒUR.

Roi, nous t'obéissons.

XERXÈS.

Jusqu'aux célestes plaines
Élevez vos clameurs, ô malheureux Persans !

LE CHŒUR.

Le Ciel retentira de nos sombres accents,
Et notre sein frémit sous notre main sanglante.

XERXÈS.

Frappez, et gémissez sur la Perse tremblante ;
Et que le désespoir signale votre accueil.

LE CHŒUR.

Roi, les airs sont troublés des sons de notre deuil.

XERXÈS.

Déchirez vos habits ! pleurez sur la patrie !
Arrachez vos cheveux !

LE CHŒUR.

Roi, nos mains en furie
En ont couvert le sol.

XERXÈS.

Fondez en pleurs.

LE CHŒUR.

Nos yeux
En sont tout inondés.

XERXÈS.

Fuyez l'éclat des cieux,
Et portez sous vos toits votre douleur profonde.

LE CHŒUR.

O Perse, ta splendeur a disparu du monde.

XERXÈS.

De vos cris douloureux remplissez la cité.

LE CHŒUR.

O prince, ils rempliront l'Empire épouvanté.

XERXÈS.
Avancez lentement dans le deuil et les larmes.

LE CHŒUR.
O revers inouïs ! ô sort affreux des armes !

XERXÈS.
O puissance, ô trésors engloutis dans les flots !

LE CHŒUR.
Je te forme cortège en poussant des sanglots.

"Ton cœur s'est ennivré de sang et de carnage"

.Agamemnon.

V. 1372-1447 avant J.-C.

Agamemnon, roi de Mycènes, chef de l'expédition grecque dans la guerre de Troie, revient après dix ans d'absence dans son royaume où l'attend Clytemnestre, son épouse, qui ne pense qu'à se venger : la reine n'a pas pardonné le sacrifice de leur fille Iphigénie, immolée aux Dieux, ni les nombreuses captives qui ont partagé la couche royale.

Dans l'extrait suivant, Clytemnestre vient de massacrer Agamemnon et Cassandre, la dernière en date de ses captives.

Elle tente de se justifier devant le Chœur (le chœur de la tragédie antique représente en règle générale l'opinion publique) qui la maudit.

(Clytemnestre paraît, la robe toute sanglante ; on apporte sur la scène les cadavres d'Agamemnon et de Cassandre.)

CLYTEMNESTRE.
J'ai maintenant, vieillard, à vous dire autre chose
Que de temps j'ai rêvé de triompher ainsi !
Mon rêve s'accomplit enfin, et me voici.
Debout, le pied sur ma victime. Ah ! je l'avoue,
J'avais bien préparé la chose, et je m'en loue ;
Pour fuir ou se défendre il fit un vain effort ;
Je l'avais enfermé dans un voile de mort,
Comme un pêcheur qui prend un poisson dans sa nasse.
Deux fois je l'ai frappé, deux fois il cria grâce ;
Mais au troisième coup il meurt en s'affaissant.
De ses lèvres sur moi jaillit un flot de sang ;
Ah ! la pluie est moins douce à la terre épuisée
Que ne fut pour mon cœur la sanglante rosée !

PREMIER VIEILLARD.
Ton langage impudent nous fait horreur à tous.
Elle ose se vanter du meurtre d'un époux !

CLYTEMNESTRE.
Quoi ! traiter son enfant comme un enfant qui bêle !
Il avait des brebis par milliers, et c'est elle,
Elle, la plus chérie entre tous mes enfants,
C'est elle qu'il saigna pour obtenir des vents !
Mais que m'importe à moi ta louange ou ton blâme ?
(elle découvre les cadavres)
Oui, c'est Agamemnon ; c'est lui, je le proclame,
C'est mon époux ; voici la main qui l'a frappé,
Et c'est justice.

PREMIER VIEILLARD.
O monstre, à l'enfer échappé !
Quel philtre, quel poison peut causer tant de rage ?
Ton cœur s'est ennivré de sang et de carnage ;
Mais le trépas peut seul expier le trépas ;
Tu mourras, et les tiens ne te sauveront pas.

CLYTEMNESTRE.
Et moi, j'en fais serment par mon Iphigénie,
Que j'ai vengée, et par l'inflexible Erinnye,
A qui mon bras vient d'immoler cet homme-ci :
Non, je n'aurai jamais ni crainte ni souci,
Tant que dans mon foyer Egisthe aura sa place,
Car il est le rempart qui soutient mon audace ;
Puisse-t-il me chérir toujours !
(se retournant du côté d'Agamemnon et de Cassandre)
Oui, le voilà,
Lui, cet époux qui si longtemps me désola,
Charme des Chryseis devant les murs de Troie ;
Et cette esclave aussi, dont il faisait sa joie,
Qui partageait son lit et disait l'avenir,
Avec qui dans Argos il osa revenir !
Ah ! que tous deux d'un tel salaire étaient bien dignes !
Il est mort le premier : elle, pareille aux cygnes,
Elle a chanté son chant de mort lugubrement ;
Maintenant, elle gît auprès de son amant,
Spectacle exquis par qui se double mon ivresse !

PREMIER VIEILLARD.
Ah ! Génie implacable ! Erynnis vengeresse !

Sur cette race, hélas ! que de maux ont fondu !
Que de forfaits, grands dieux ! que de sang répandu !
Oh ! quand donc finira l'enchaînement des crimes !

CLYTEMNESTRE.

Rassure-toi : voici les dernières victimes ;
J'ai satisfait les dieux si longtemps outragés,
Et les meurtres anciens désormais sont vengés.

PREMIER VIEILLARD.

Non, tout n'est pas fini ; c'est le plus fort qui reste :
Ton époux va trouver un vengeur dans Oreste ;
Tu mourras à ton tour, misérable, et ton fils
Passera d'un seul coup les horreurs de jadis.

CLYTEMNESTRE.

Te tairas-tu, vieillard ? C'est assez d'insolence !
Sortez : je saurai bien vous réduire au silence.

Sophocle

496 – 406 AVANT J.-C.

Fils d'un riche propriétaire athénien, Sophocle eut une longue vie qui couvre tout le Ve siècle, celui de la grandeur attique. Ami de Périclès, son œuvre immense ne l'a pas empêché d'occuper les fonctions importantes dans la vie publique de la cité.
Le personnage de tragédie de Sophocle paraît plus libre que celui d'Eschyle dans la lutte qu'il mène contre un destin qui l'accable. La volonté humaine intervient et sous-tend, jusqu'à l'intransigeance, un caractère extrême qui va toujours jusqu'au bout de sa passion. Si le sentiment qui en résulte pour le spectateur est toujours ambigu – coupable ? innocent ? – la beauté du texte et la grandeur de l'action suscite toujours autant d'admiration.
*Sept tragédies nous demeurent des cent vingt-trois composées : **Ajax, les Trachiniennes, Antigone, Œdipe-Roi, Electre, Philoctète, Œdipe à Colone.***

THÉÂTRE-TRAGÉDIE

.Antigone.

Créon, roi de Thèbes après le bannissement d'Œdipe, a décrété que son neveu Polynice (fils d'Œdipe) qui a trouvé la mort en se révolant contre sa patrie, serait laissé sans sépulture. Antigone, sa sœur, n'accepte pas la raison d'état qui va ici contre sa conscience de l'amour fraternel. Condamnée à être enterrée vive, elle préférera se pendre ; Créon, lui, aura la douleur de perdre son épouse et son fils Hémon, fiancé d'Antigone.

CRÉON FACE À ANTIGONE

Après un très beau chant du chœur déclamant la complexité humaine, les gardes amènent au palais la jeune Antigone. La vaillante fille d'Œdipe à qui elle a servi de guide après qu'il fut devenu aveugle, brave ici, par amour pour son frère, le roi Créon.

LE CHŒUR.

Strophe première.

Le monde entier n'a rien que l'homme ne surpasse :
Sur la mer orageuse il traverse l'espace,
Dans le bruit des flots écumants ;
Sur la terre immortelle en tous sens parcourue,
Il creuse les sillons du soc de sa charrue,
Que traînent les taureaux fumants.

Antistrophe première.

Devant lui l'animal fuit ; mais rien ne le sauve :
Le poisson et l'oiseau, comme la bête fauve,
Tout tombe enfermé dans ses rets ;

Son art industrieux réduit en esclavage
Le cheval aux longs crins et le taureau sauvage,
Hôtes farouches des forêts.

Strophe deuxième.

Il inventa les mots et les hautes pensées ;
Il apprit à fonder les cités policées,
Et se mit à l'abri de la pluie et des froids ;
Contre tout accident il a quelque ressource ;
De toute maladie il sait tarir la source :
Contre lui la mort seule a su garder ses droits.

Antistrophe deuxième.

Hélas ! l'habileté subtile qu'il déploie
Du mal comme du bien lui fait suivre la voie :
Il outrage parfois la patrie et les dieux.
Honnis soient ceux qu'au crime entraîne leur audace !
Puissent-ils sous mon toit n'avoir jamais de place !
Je ne veux rien avoir de commun avec eux.

CRÉON, *à Antigone.*

Toi,
Réponds en peu de mots, connaissais-tu ma loi ?

ANTIGONE.

Certe ! on l'avait partout proclamée.

CRÉON.

Et sans crainte,
Sans nul respect pour mon pouvoir, tu l'as enfreinte ?

ANTIGONE.

Ni Zeus, ni la Justice éternelle des morts.
Jamais n'ont prononcé de tels arrêts.
Dès lors
Je ne pouvais aux tiens prêter de tels mérites
Qu'ils dussent prévaloir sur les lois non écrites,
Lois divines, et qui s'imposent au plus fier,
Lois qui ne datent pas d'aujourd'hui ni d'hier,
Mais de toujours, et que nul terme n'a bornées,
Car nul ne sait depuis quel temps elles sont nées.
Devais-je donc, par peur d'un mortel orgueilleux,
M'exposer à subir la colère des dieux ?
Tu me feras mourir sans doute ; mais qu'importe ?
Même sans ton arrêt, ne serais-je pas morte ?
Je meurs plus tôt ? Tant mieux ! Se plaint-il de mourir,
Celui qui, comme moi, ne vit que pour souffrir ?
Non, une telle mort pour moi n'est pas amère.
Si j'avais accepté que le fils de ma mère
Périt sans recevoir les suprêmes honneurs,
Alors j'aurais pleuré, mais non pas quand je meurs.
Et si tu prétendais que ma raison s'envole,
Je dis qu'il est bien fou celui qui me croit folle.

LE CORYPHÉE.

On retrouve son père en elle tout entier :
Les malheurs ne sauraient fléchir ce cœur altier.

CRÉON.

Sachez bien que le cœur le plus opiniâtre
Est encore celui qu'on peut le mieux abattre.
Un tel orgueil sied mal à qui dépend d'autrui.
Lorsqu'elle violait mon décret d'aujourd'hui,
Elle savait fort bien qu'elle outrageait son maître ;
Et maintenant, pour comble, elle ose se permettre
De s'applaudir ici d'un forfait qui lui plaît.
Ou je ne suis plus homme, et c'est elle qui l'est,
Ou je saurai lui faire expier son injure.
Qu'elle soit de mon sang, n'importe ; je le jure :
Serait-elle ma fille, elle et sa sœur bientôt
Expieront par la mort un sinistre complot.

Créon et son fils, Hémon, fiancé d'Antigone, s'affrontent :

CRÉON, HÉMON, LE CHŒUR.

CRÉON.

Mon fils, de mon arrêt tu connais la rigueur :
Viens-tu faire éclater contre moi ta fureur,
Ou te suis-je encor cher, mon fils, quoi que je fasse

HÉMON.

Je t'appartiens, mon père, et pour moi rien n'efface
Le souvenir vivant de tes sages avis.
Je veux les suivre encor comme je les suivis,
Et plutôt que de perdre un tel guide, ô mon père,
Mieux vaudrait renoncer à l'hymen que j'espère.

CRÉON.

Oui, c'est ainsi, mon fils, que tu devais penser.
La volonté d'un père avant tout doit passer ;
Car si dans sa maison l'homme tient à voir naître
Des fils respectueux dont il reste le maître,
C'est afin qu'à leur tour ils aiment ses amis,
Et luttent vaillamment contre ses ennemis ;
Autrement, si sa cause est par eux méprisée,
De tous ses ennemis il sera la risée,
Et ses fils ne seront que des tourments pour lui.
Ne te laisse donc pas égarer aujourd'hui
Par l'attrait du plaisir et l'amour d'une infâme :
Sache bien qu'épouser une méchante femme
C'est s'exposer soi-même à de cruels revers,
Car le plus grand des maux, c'est un ami pervers.
Rejette avec mépris cette fille infidèle :
Qu'elle cherche aux enfers un époux digne d'elle !
Puisque seule dans Thèbe elle enfreignit ma loi,
Qu'elle périsse donc ! car je ne veux pas, moi,
Me démentir aux yeux de tous pour cette fille.
Qu'elle invoque à son gré les lois de la famille !
Si chez moi l'on résiste à mon autorité,
Comment l'imposerai-je à toute la cité ?
Il faut être d'abord juste à l'égard des nôtres,
Pour acquérir le droit de l'être avec les autres.

HÉMON.

Mon père, la raison est le plus précieux
De tous les biens qu'à l'homme ont octroyé les dieux ;
Or la raison sans doute a parlé par ta bouche,
J'en conviens ; et pourtant, sur le point qui me touche,
Une autre opinion peut être juste aussi.
Je sais bien avant toi ce que l'on dit ici,
Je vois ce que l'on fait, je connais les critiques
Que suggèrent parfois tes actes politiques ;
Car on craint ta présence et l'on parle tout bas,
Lorsqu'on tient des discours qui ne te plairaient pas ;

Mais moi, je puis savoir ce que l'on dit dans l'ombre,
Or le sort d'Antigone émeut le plus grand nombre.
Quoi ! dit-on, pour avoir agi si noblement,
Faut-il qu'elle subisse un pareil châtiment ?
La femme dont le frère était sans sépulture,
Et qui n'a pas souffert qu'il devînt la pâture
Des oiseaux et des chiens carnassiers, celle-là
Méritait les honneurs les plus rares. Voilà
Les propos que l'on tient tout bas. Pour moi, mon père,
Ton bonheur est ici le bien que je préfère :
Si le père se plaît aux succès de l'enfant,
Le fils n'aime pas moins le père triomphant ;
Mais ne t'obstine pas dans cette fausse idée
Que ta seule raison par les dieux soit guidée.
Mon père, tu sais bien que ceux-là sont des fous,
Qui croient toujours mieux dire et mieux faire que tous :
Des sentiments d'autrui l'homme sage tient compte,
Et cède sans orgueil comme il s'instruit sans honte.

CRÉON.

Ce serait une chose étrange à concevoir
Qu'à mon âge un enfant m'enseignât mon devoir.

HÉMON.

N'accepte aucun avis qui ne soit juste et sage :
Considère les faits, sans regarder mon âge.

CRÉON.

Je dois donc honorer les méchants ? Beau conseil !

HÉMON.

Mon père, je n'ai rien conseillé de pareil.

CRÉON.

Antigone est coupable et doit être punie.

HÉMON.

Dans Thèbes cependant tout le peuple le nie.

CRÉON.

Est-ce le peuple ici qui commande et défend ?

HÉMON.

Mon père, ce sont là des réponses d'enfant.

CRÉON.

Pourtant, si je suis roi, c'est pour moi seul peut-être ?

HÉMON.

Il n'est pas de cité dont un seul soit le maître.

CRÉON.

Comment donc ? La cité n'appartient pas au roi ?

HÉMON.

On ne peut qu'au désert faire tout seul la loi.

CRÉON.

Pour une femme, agir ainsi ! Quelle faiblesse !

HÉMON.

Non pas : c'est à toi seul qu'ici je m'intéresse.

CRÉON.

Tu sers mes intérêts, traître, en me résistant !

HÉMON.

Pourquoi veux-tu commettre un acte révoltant ?

CRÉON.

Maintenir mon pouvoir serait donc chose injuste ?

HÉMON.

Tu méconnais les dieux et leur puissance auguste.

CRÉON.

Cœur abject et souillé, qu'une femme a perdu !

HÉMON.

Jusqu'au crime du moins je n'ai pas descendu.

CRÉON.

Jamais, comptes-y bien, tu ne l'auras en vie.

HÉMON.

Eh bien ! d'une autre mort sa mort sera suivie.

CRÉON, *se méprenant sur la pensée d'Hémon.*

Quoi ! par son propre fils être ainsi menacé !

HÉMON.

Je ne fais que combattre un projet insensé.

CRÉON.

Insensé ? C'est sur toi que la folie opère,
Toi qui prétends donner des leçons à ton père ;
Mais j'en prends à témoin l'Olympe que voici :
Tu te repentiras de m'outrager ainsi.
Amenez cette infâme ici même, et sur l'heure :
Aux yeux de son amant je prétends qu'elle meure.

HÉMON.

Eh bien ! non ; ta fureur se trompe sur ce point :
Aux yeux de son amant elle ne mourra point.
Et toi, tu ne verras plus jamais mon visage :

Montrant les vieillards

Qu'eux seuls restent témoins des accès de ta rage.

Il sort.

LE CORYPHÉE.

O prince, il est parti, transporté de fureur :
Je crains le désespoir dans un si jeune cœur.

CRÉON.

Qu'il trouble ciel et terre : il ne peut, quoi qu'il fasse,
Arracher les deux sœurs au sort qui les menace.

LE CORYPHÉE.

Tu veux donc les punir toutes les deux ?

CRÉON.

C'est vrai,
L'une n'est pas coupable et je l'épargnerai.

LE CORYPHÉE.

Et quel supplice as-tu choisi pour Antigone ?

CRÉON.

En des lieux où jamais ne pénètre personne,
Au milieu des rochers, est un souterrain noir :
Je veux l'enfermer là vivante, dès ce soir ;

A moins qu'Hadès, le seul des dieux qu'elle révère,
Ne conserve ses jours, touché par sa prière,
Elle apprendra sous peu combien sont superflus
Les honneurs que l'on rend à ceux qui ne sont plus.

Il sort.

Lamentations d'Antigone (traduction en prose de Leconte de Lisle)

LE CHŒUR.

Strophe I.

Éros ! invincible Éros, qui t'abats sur les puissants, qui te reposes sur les joues délicates de la jeune fille, qui te transportes par delà les mers et dans les étables agrestes, aucun des Immortels ne peut te fuir, ni aucun des hommes qui vivent peu de jours ; mais qui te possède est plein de fureur !

Antistrophe I.

Tu entraînes à l'iniquité les pensées des justes, et tu pousses à la dissension les hommes du même sang. Le charme désirable qui resplendit dans les yeux d'une jeune femme est victorieux et l'emporte sur les grandes lois. La Déesse Aphrodite est invincible et se rit de tout. Et moi-même, devant ceci, j'enfreins ce qui est permis et je ne puis retenir les sources de mes larmes, lorsque je vois Antigone s'avancer vers le lit où tous vont dormir.

ANTIGONE.

Strophe II.

Voyez-moi, ô citoyens de la terre de ma patrie, faisant mon dernier chemin et regardant le dernier éclat du jour pour ne plus jamais le regarder ! Hadès, qui ensevelit tout, m'emmène vivante vers l'Akhérôn, sans que j'aie connu les noces, sans que l'hymne nuptial m'ait chantée, car j'épouserai l'Akhérôn.

LE CHOEUR.

Ainsi, illustre et louée, tu vas dans les retraites des Morts, non consumée par les flétrissures des maladies, non livrée comme un butin de guerre ; mais, seule entre les mortels, libre et vivante, tu descends chez Hadès.

ANTIGONE.

Antistrophe II.

Certes, j'ai entendu dire que la Phrygienne étrangère, fille de Tantalos, est morte très-malheureuse au sommet du Sipylos où l'accroissement de la pierre l'enveloppa, l'ayant étreinte rigidement comme un lierre. Ni les pluies, ni jamais les neiges ne l'abandonnent tandis qu'elle se fond, et toujours elle trempe son cou des larmes de ses yeux. Un Daimôn va m'endormir comme elle.

LE CHŒUR.

Mais celle-ci était Déesse et issue d'une race divine, et nous sommes mortels et issus d'une race mortelle ; mais il est glorieux, pour qui va mourir, de subir une destinée semblable à celle des Dieux.

ANTIGONE.

Strophe III.

Hélas ! on se rit de moi. Par les Dieux de la patrie ! pourquoi m'accabler d'outrages, n'étant point morte encore et sous vos yeux ? O Ville, ô très-riches citoyens de la Ville, ô sources Dirkaiennes, ô bois sacrés de Thèbes aux beaux chars, je vous atteste tous à la fois. Telle, non pleurée par mes amis, frappée par une loi inique, je vais vers cette prison sépulcrale qui sera mon tombeau. Hélas ! malheureuse ! je n'habiterai ni parmi les vivants, ni parmi les morts !

LE CHŒUR.

En ton extrême audace, tu as heurté le siège élevé de Dikè, (*la justice*) ô ma fille ! Tu expies quelque crime paternel.

ANTIGONE.

Antistrophe III.

Tu as touché à mes plus amères douleurs, à la destinée bien connue de mon père, aux désastres de toute la race des illustres Labdakides. O calamité des noces maternelles ! O embrassement de ma mère malheureuse et de mon père, elle qui m'a conçue, et lui, malheureux, qui m'a engendrée ! Je vais à eux, chargée d'imprécations et non mariée. O frère, tu as joui d'un hymen funeste et, mort, tu m'as tuée !

LE CHŒUR.

C'est une piété que d'honorer les morts ; mais il n'est jamais permis de ne point obéir à qui tient la puissance. C'est ton esprit inflexible qui t'a perdue.

ANTIGONE.

Non pleurée, sans amis et vierge, je fais mon dernier chemin. Je ne regarderai plus l'œil sacré du Soleil, ô malheureuse ! Aucun ami ne gémira, ne pleurera sur ma destinée.

CRÉON.

Ne savez-vous pas que, si les chants et les plaintes pouvaient servir à ceux qui vont mourir, personne n'en finirait ? Ne l'emmènerez-vous point promptement ? Enfermez-la, comme je l'ai ordonné, et laissez-la seule, abandonnée, dans le sépulcre couvert, afin qu'elle y meure, si elle veut, ou qu'elle y vive ensevelie. Nous serons ainsi purs de toute souillure venant d'elle, et elle ne pourra plus habiter sur la terre.

ANTIGONE.

O sépulcre ! ô lit nuptial ! ô demeure creusée que je ne quitterai plus, où je rejoins les miens, que Perséphassa a reçus, innombrables, parmi les morts ! La dernière d'entre eux, et, certes, par une fin bien plus misérable, je m'en vais avant d'avoir vécu ma part légitime de la vie. Mais, en partant, je garde la très-grande espérance d'être la bien venue pour mon père, et pour toi, Mère, et pour toi, tête fraternelle ! Car, morts, je vous ai lavés de mes mains, et ornés, et je vous ai porté les libations funéraires. Et maintenant, Polynice, parce que j'ai enseveli ton cadavre, je reçois cette récompense. Mais je t'ai honoré, approuvée par les sages. Jamais, si j'eusse enfanté des fils, jamais, si mon époux eût pourri mort, je n'eusse fait ceci contre la loi de la cité. Et pourquoi parlé-je ainsi ? C'est que, mon époux étant mort, j'en aurais eu un autre ; ayant perdu un enfant, j'en aurais conçu d'un autre homme ; mais de mon père et de ma mère enfermés chez Hadès jamais aucun autre frère ne peut me naître. Et, cependant, c'est pour cela, c'est parce que je t'ai honorée au-dessus de tout, ô tête fraternelle, que j'ai mal fait selon Kréôn, et que je lui semble très-coupable. Et il me fait saisir et emmener violemment, vierge, sans hyménée, n'ayant eu ma part ni du mariage, ni de l'enfantement. Sans amis et misérable, je suis descendue, vivante, dans l'ensevelissement des morts. Quelle justice des Dieux ai-je violée ? Mais à quoi me sert, malheureuse, de regarder encore vers les Dieux ? Lequel appeler à l'aide, si je suis nommée, impie pour avoir agi avec piété ? Si les Dieux approuvent ceci, j'avouerai l'équité de mon châtiment ; mais, si ces hommes sont iniques, je souhaite qu'ils ne souffrent pas plus de maux que ceux qu'ils m'infligent injustement.

LE CHŒUR.

Les agitations de son âme sont toujours les mêmes.

CRÉON.

C'est pourquoi ceux qui l'emmènent si lentement s'en repentiront.

ANTIGONE.

Hélas ! ma mort est très-proche de cette parole.

LE CHŒUR.

Je ne te recommanderai pas de te rassurer, comme si cette parole devait être vaine.

ANTIGONE.

O Ville paternelle de la terre Thèbaienne ! O Dieux de mes aïeux ! Je suis emmenée sans plus de retard. Voyez, ô chefs de Thèbes, de quels maux m'accablent les hommes, parce que j'ai honoré la piété !

Récit de la mort d'Hémon (traduction en prose de Leconte de Lisle)

LE MESSAGER.

Certes, chère Maîtresse, je dirai ce dont j'ai été témoin et je ne cacherai rien de la vérité. Pourquoi, en effet, te flatterais-je par mes paroles, si je dois être convaincu d'avoir menti ? La meilleure chose est la vérité. J'ai suivi ton époux jusqu'à la hauteur où gisait encore le misérable cadavre de Polynice déchiré par les chiens. Là, ayant prié la Déesse des carrefours et Pluton de ne point s'irriter, nous l'avons lavé d'ablutions pieuses, et nous avons brûlé ses restes à l'aide d'un amas de rameaux récemment coupés ; et nous lui avons élevé un tertre funèbre avec la terre natale. Puis, de là nous sommes allés vers l'antre creux de la jeune vierge, cette chambre nuptiale d'Hadès. Un de nous entend de loin un cri perçant sortir de cette tombe privée d'honneurs funèbres, et, accourant, il l'annonce au maître Kréôn. Tandis que celui-ci approche, le bruit du gémissement se répand confusément autour de lui, et, en soupirant, il dit d'une voix lamentable : – O malheureux que je suis ! l'ai-je donc pressenti ? Ce chemin ne me mène-t-il pas au plus grand malheur que j'aie encore subi ? La voix de mon fils a effleuré mon oreille. Allez promptement, serviteurs, et, parvenus au tombeau, ayant arraché la pierre qui le ferme, pénétrez dans l'antre, afin que je sache si j'ai entendu la voix d'Hémon, ou si je suis trompé par les Dieux. – Nous faisons ce que le maître effrayé a ordonné et nous voyons la jeune fille pendue, ayant noué à son cou une corde faite de son linceul. Et lui tenait la vierge embrassée par le milieu du corps, pleurant la mort de sa fiancée envoyée dans l'Hadès, et l'action de son père, et ses noces lamentables. Dès que Kréôn l'aperçoit, avec un profond soupir, il va jusqu'à lui, et, plein de sanglots, il l'appelle : – O malheureux ! Qu'as-tu fait ? Quelle a été ta pensée ? Comment t'es-tu perdu ? Je t'en supplie, sors, mon fils ! – Mais l'enfant, le regardant avec des yeux sombres, et comme ayant horreur de le voir, ne répond rien et tire l'épée à deux tranchants ; mais la fuite dérobe le père au coup. Alors le malheureux, furieux contre lui-même, se jette sur l'épée et se perce de la pointe au milieu des côtes. Et de ses bras languissants, encore maître de sa pensée, il embrasse la vierge, et, haletant, il expire en faisant jaillir un sang pourpre sur les pâles joues de la jeune fille. Ainsi il est couché mort auprès de sa fiancée morte, ayant accompli, le malheureux, ses noces fatales dans la demeure d'Hadès, enseignant aux hommes par son exemple que l'imprudence est le plus grand des maux.

Euripide

480–405 AVANT J.-C.

Né le jour même de la bataille de Salamine (Eschyle y avait participé à l'âge de 45 ans) le dernier des trois grands Tragiques appartient à une nouvelle époque. Cet homme inquiet, sensible, solitaire, qui fut l'ami des philosophes sophistes n'a ni l'esprit religieux de Sophocle, ni le sens de la cité d'Eschyle. Son théâtre est nouveau par l'importance accordée à l'analyse psychologique de l'amour-passion – il fut un maître, en la matière, pour notre Racine – le rôle important des femmes, l'emploi du pathétique, les péripéties et renversements de l'intrigue dans l'action. Dix-neuf de ses quatre-ving-douze pièces nous sont parvenues entières. Parmi elles, on peut citer : ***Oreste, Ion, Alceste, Hippolyte, Médée, Hécube, les Troyennes, Iphigénie à Aulis, Iphigénie en Tauride.***

THÉÂTRE-TRAGÉDIE

Iphigénie à Aulis.

Pour obtenir des vents favorables, les Dieux exigent le sacrifice d'Iphigénie, fille du roi Agamemnon.

Le passage célèbre choisi ici : « la prière d'Iphigénie à son père » illustre le nouveau ton de la tragédie grecque.

IPHIGÉNIE.

Mon père,
Si j'avais la touchante éloquence et la voix
Du chanteur qui charmait les rochers et les bois,
Je saurais te convaincre, et tu rendrais les armes ;
Mais je n'ai pas d'autre science que mes larmes :
Je te les offre. Vois, le rameau suppliant
Que je mets à tes pieds, c'est ce corps défaillant
Que ma mère pour toi mit au monde, et je pleure.
Ne me fais pas mourir, je t'en prie, avant l'heure ;
Non, ne m'exile pas dans l'infernal séjour :
Il est si doux de voir la lumière du jour !
Rappelle-toi : je suis, tu le sais, la première
Qui jadis t'a donné le nom chéri de père.
Rappelle-toi : tu me prenais sur tes genoux,
Et là nous échangions des baisers entre nous.
Alors tu me disais : « Te verrai-je, ma fille,
Au foyer d'un époux, chez une autre famille,
Vivre heureuse et briller dans un illustre rang ? »
Et moi, je répondais, dans mes bras te serrant,
Caressant ce menton que ma main touche encore :
« Lorsque tu vieilliras, ô père que j'adore,
Je veux chez moi te recevoir et te fêter,
Pour te payer des soins que j'ai dû te coûter. »
Je me souviens toujours de ces douces paroles :
Toi, tu les oublias, mon père, et tu m'immoles.
Ah ! pitié, par Pélops, par cette mère en pleurs,
Qui de nouveau pour moi souffre ici des douleurs
Telles qu'elle en souffrit le jour où je suis née !
Mon père, je ne suis pour rien dans l'hyménée
D'Hélène avec Pâris ; parce qu'il vint ici,
Est-ce donc un motif pour que je meure aussi ?
Tourne vers moi tes yeux, embrasse-moi, mon père,
Et si tu ne veux pas te rendre à ma prière,
S'il n'est rien qui pour moi puisse encor te fléchir,
Que j'emporte du moins ce dernier souvenir.

v. 1211-1252

.Médée.

La magicienne Médée, après avoir aidé Jason à conquérir la Toison d'or, lors de l'expédition des Argonautes, est devenue son épouse. Ce dernier l'abandonne pour la fille du roi de Corinthe, Créüse. La vengeance de Médée est terrible : elle fait périr sa rivale dans une mort affreuse et égorge les enfants qu'elle a eus de Jason.

Les reproches de Médée à Jason

MÉDÉE.

Être sans foi ni loi !
Infâme ! oses-tu bien te présenter à moi,
En te sachant haï comme tu l'es ? O rage !
Et sans doute tu crois qu'il faut un grand courage,
Pour regarder les gens en face en les perdant !
Du courage ? Non pas ! tu n'es qu'un impudent,
Et je ne connais pas de plus ignoble vice.
Mais n'importe : en venant, tu m'as rendu service,
Car tu vas maintenant m'entendre jusqu'au bout,
Et je soulagerai mon âme d'un seul coup.
Le jour où la Toison fameuse fut ravie,
Tout le monde le sait, je t'ai sauvé la vie.
Le Dragon que jamais la fatigue n'endort.
Tandis que ses replis couvraient la Toison d'or,
Je l'ai tué moi-même. Et qu'ai-je fait ensuite ?
Pour te suivre dans Iôlcos j'ai pris la fuite :
Plus docile à l'amour qu'à la saine raison,
J'ai tout quitté pour toi, mon père et ma maison.
Puis, comme Pélias te causait quelque crainte,
Je l'ai fait immoler par une horrible feinte,
Et de la propre main des filles du vieux roi.
Misérable ! Voilà ce que j'ai fait pour toi !
Et toi, pour me payer, tu prends une autre femme,
Lorsque déjà je t'ai donné des fils. Infâme !
Ah ! si tu n'avais pas ces deux enfants de moi,
Peut-être on comprendrait que tu manques de foi.
Mais les serments que fait Jason, Jason s'en moque.
Les dieux sont-ils changés, dis, depuis cette époque,
Ou sont-ce les serments qui ne sont plus sacrés ?
O mes genoux, par lui tant de fois implorés !
O main, que tant de fois dans ses mains il a prise !
Comme il nous a trompés, et comme il nous méprise !
Et maintenant, réponds : où vais-je aller, dis-moi ?
Au foyer paternel, que j'ai trahi pour toi ?
Ou mieux chez les enfants de Pelias ? J'espère
Qu'elles me sauront gré du meurtre de leur père.
Car c'est là que j'en suis : en guerre avec les miens.
Quand je pouvais trouver chez d'autres des soutiens,
Je n'en ai fait que des ennemis, pour te plaire.
Ingrat ! Le voilà donc, ce bonheur exemplaire,
Ce bonheur envié que tu m'avais promis.
Oui, tu fus un époux admirable, soumis,
Fidèle, ah ! dieux ! Et moi, l'épouse infortunée,
A l'exil désormais je me vois condamnée,
Sans parents, sans amis, seule avec mes enfants.
Tu compteras parmi tes exploits triomphants
D'avoir fait mendier ta femme et tes fils, traître.
O Zeus, pourquoi faut-il qu'on sache reconnaître
L'or faux du véritable, et cela sur le champ,
Et qu'on ne puisse pas distinguer un méchant
D'un honnête homme par un signe manifeste.

Récit de la mort de Créon et de Créüse.

L'ESCLAVE.

Tu veux ?... Soit ! Tes enfants n'étaient pas encor loin,
Que du tissu léger se parant avec soin,
Et sur ses cheveux blonds disposant la couronne,
La vierge en son miroir se regarde et rayonne,
Souriant à ses traits. Puis dans l'appartement
Elle marche, posant ses pieds coquettement,
Radieuse, et dressant parfois son talon rose,
Pour voir comment le fin tissu tombe et s'y pose.
Tout à coup un spectacle horrible s'offre à nous :
Elle pâlit, recule et tremble, et ses genoux
Fléchissent : sur le point de tomber en faiblesse,
A grand peine elle arrive à son siège, et s'affaisse.
Bientôt sa bouche écume et, les yeux convulsés,
Elle s'évanouit. Mille cris sont poussés
De tous côtés par les esclaves ; l'on s'agite,
On va chercher le père et l'époux au plus vite,
Pour les rendre témoins du fatal accident ;
Partout le bruit des pas résonne. Cependant
Elle ne peut rester longtemps en défaillance ;
Un grand gémissement lui rend sa conscience,
Car un double fléau l'atteint, cruel et prompt.
Du diadème d'or qui lui ceignait le front
Il s'échappe en ruisseaux un feu qui la dévore ;
D'autre part le tissu subtil qui la décore
Ronge sa pauvre chair. Elle court toute en feux,
Secouant rudement sa tête et ses cheveux,
Pour en faire tomber la couronne maudite ;
Mais hélas ! vains efforts, car plus elle s'agite,
Et plus le feu s'avive ; et dans un dernier cri,
Par la douleur vaincue, elle tombe et périt :
Spectacle plein d'horreur pour tout autre qu'un père,
Car dans ce corps sanglant étendu sur la terre,
On ne distingue plus ni la place des yeux,
Ni le front, ni les traits naguère si joyeux.
Au feu mêlé, le sang sur la tête ruisselle,
Et l'invisible dent de tes poisons morcelle
Sa pauvre chair, qui coule ainsi que de la poix.
Nous n'osions y toucher même du bout des doigts,
Car nous avions grand peur de périr avec elle.
Mais voici que Créon, apprenant la nouvelle,
Arrive tout à coup, et, poussant un grand cri,
Ramasse dans ses bras ce cadavre chéri,
Le couvre de baisers, lui parle : « Infortunée !
A cette horrible mort quel dieu t'a condamnée ?
Voici que te perds, moi que la tombe attend !
Que ne puis-je te suivre et mourir à l'instant !
Quand il a bien pleuré, bien gémi, le vieux père

Voudrait se relever ; mais il retombe à terre :
Comme on voit se fixer le lierre au tronc moussu,
Tel à son corps est attaché le fin tissu ;
Et c'est entre les deux une lutte effroyable.
Chaque fois le vieillard retombe, pitoyable.
Et chaque fois aussi, pour prix de ses efforts,
Des morceaux de sa chair s'arrachent de son corps.
L'infortuné succombe à la fin ; il expire,
Ne pouvant résister au mal qui le déchire.
Et les voilà tous deux étendus dans la mort.

.Hippolyte.

"Non, pures sont les mains : l'âme, l'âme est souillée"

Hippolyte, fils du roi Thésée, est aimé passionnément par Phèdre, la seconde épouse de son père. Épris d'absolu, le jeune homme reste insensible. Folle de douleur, la reine amoureuse le calomnie auprès de Thésée qui envoie son fils à la mort.

L'amour humain vécu comme une maladie, dans toute son irrationalité, est ici le ressort de la pièce ; véritable châtiment divin, il cause non seulement le malheur de celui qui en est la proie, mais aussi celui de son entourage.

Phèdre révèle à sa nourrice son amour coupable. Racine s'est beaucoup inspiré de ces vers.

LA NOURRICE.

Ah ! quels maux douloureux persécutent les hommes !
Et qu'y pouvons-nous faire, ignorants que nous sommes ?
Regarde-le, ce jour, regarde ce ciel bleu :
Ton seul désir était de les voir, et dans peu
Tu voudras sur le champ rentrer dans ta demeure.
Tu ne te plais à rien et changes à toute heure ;
Toute chose présente est pour toi sans appas,
Et tu ne sais aimer que ce que tu n'as pas.

PHÈDRE.

Femmes, soulevez-moi : ma force est épuisée ;
Je ne puis faire un mouvement, je suis brisée.
(On la redresse et on l'assied sur la chaise longue.)
Que ces voiles épais sont lourds à supporter !
Dénouez mes cheveux et laissez-les flotter.

LA NOURRICE.

Ma fille, calme-toi ; tous ces efforts pénibles
Loin d'alléger tes maux, les rendent plus sensibles.
Tu ne peux résister à la nécessité :
Mieux vaut donc s'y soumettre avec plus de fierté.

PHÈDRE, *les yeux fixes, comme devant une vision.*

Oh ! m'abreuver à l'eau vivante des fontaines !
Sous l'ombrage des peupliers et des troènes,
M'étendre et reposer sur un épais gazon !

LA NOURRICE.

Mon enfant, quel délire égare ta raison ?
Sans t'en aller bien loin, les collines prochaines
T'abreuveront des eaux de leurs fraîches fontaines.

PHÈDRE, *même jeu.*

Oh ! m'en aller sur les montagnes, dans les bois,
Parmi les pins, et voir les biches aux abois,
Que traque sans répit une meute altérée !
Tenir la javeline à la pointe acérée,
Et la dresser, vibrante, à la hauteur des yeux,
En excitant les chiens avec des cris !

LA NOURRICE.

Grands dieux !
Quel langage tient-elle ? Elle est folle sans doute !
Au moins ne parle pas ainsi lorsqu'on t'écoute.

PHÈDRE, *même jeu.*

Oh ! m'exercer dans les gymnases d'Artémis,
Et courir, et dompter le cheval insoumis,
Qui piaffe et qui s'ébroue aux vastes hippodromes !

LA NOURRICE.

Encore ! Ton esprit est peuplé de fantômes.
Sur les monts à l'instant tu désirais chasser,
Et voici maintenant que tu veux t'exercer
A dompter les chevaux. Ah ! qui pourras nous dire
Quel dieu trouble tes sens et cause ton délire ?

PHÈDRE, *comme revenant à elle.*

Ah ! malheureuse ! Hélas ! qu'ai-je fait ? qu'ai-je dit ?
Où donc ai-je laissé s'égarer mon esprit ?
J'ai perdu la raison ! Les dieux, dans leur caprice,
Les dieux m'ont affolée. Ah ! nourrice, nourrice,
Couvre-moi de nouveau, cache ce jour maudit :
Je rougis maintenant de tout ce que j'ai dit ;
Dérobe à tous les yeux mes larmes et ma honte.
(La nourrice ramène le voile de Phèdre sur son visage, et la reine reste silencieuse et comme absente pendant le dialogue suivant.)

UNE SUIVANTE.

Quel est-il donc, ce mal étrange qui la dompte ?
Nourrice, tu le sais : dis-le moi, dis-le nous.

LA NOURRICE.

Hélas ! je ne suis pas plus instruite que vous.

LA SUIVANTE.

Sais-tu quelle est la cause au moins de son délire ?

LA NOURRICE.

En vain je l'interroge : elle ne veut rien dire.

LA SUIVANTE.

Comme son mal la rend faible !

LA NOURRICE.

Je le crois bien :
Voici trois jours bientôt qu'elle ne mange rien.

LA SUIVANTE.

Et le roi ne voit pas le mal qui la dévore ?

LA NOURRICE.

En ce moment Thésée est absent, et l'ignore.

LA SUIVANTE.

Tâche de triompher de cette sombre humeur,
Et sache enfin le mal secret dont elle meurt.

LA NOURRICE.

J'ai tout fait sans que rien la convainque ou l'émeuve.
Cependant je veux bien tenter une autre épreuve,
Afin que vous puissiez témoigner tout au moins
De mon empressement fidèle et de mes soins.
(Elle relève doucement le voile de Phèdre, qui la laisse faire sans bouger.)
Allons, ma chère enfant, que cette langueur cesse ;
De ce front douloureux éclaircis la tristesse ;
Si tes maux sont de ceux qu'il faut tenir secrets,
Nous sommes là pour te donner des soins discrets ;
S'ils sont de ceux qu'on peut révéler à des hommes,
Des médecins, plus éclairés que nous ne sommes,
Te guériront. Eh bien ! tu ne dis rien ? pourquoi ?
Reprends-moi, si j'ai tort ; si j'ai raison, crois-moi.
(aux femmes)
Non, pas un mot, pas un regard ! quelle tristesse !
Vous le voyez, c'est bien en vain que je la presse :
Toute peine est perdue, elle n'écoute rien.
(à Phèdre)
Pourtant, un mot encor : femme, sache-le bien,
Tu trahis tes enfants par ta mort volontaire.
Oui, j'en atteste ici l'Amazone guerrière,
Et son fils, qui bientôt va régner sur les tiens,
Et les frustrer de leur couronne et de leurs biens.
Tu connais ce bâtard au cœur libre et farouche,
Cet Hippolyte...

PHÈDRE.

Ah ! dieux !

LA NOURRICE.

Ce reproche te touche !

PHÈDRE.

Ah ! tu me fais mourir, nourrice ; épargne-moi !
Pas un mot sur cet homme ! au nom des dieux, tais-toi.

LA NOURRICE.

Regarde : ta maison est entière, et toi-même
Tu veux perdre tes fils par ta mort !

PHÈDRE.

Je les aime
Et voudrais les sauver ; mais un remords cuisant
Me consume.

LA NOURRICE.

Ta main n'a pas versé le sang !

PHÈDRE.

Non, pures sont les mains : l'âme, l'âme est souillée.

LA NOURRICE.

Par quel remords terrible es-tu donc tenaillée,
Que tu veuilles ainsi mourir ?

(Elle se jette aux genoux de Phèdre)

PHÈDRE.

Ah ! lève-toi,
Et ne me contrains pas à parler malgré moi.

LA NOURRICE.

Si ; je veux t'obliger à rompre ton silence.

PHÈDRE.

Non, tu regretterais, trop tard, ta violence.

LA NOURRICE.

Des regrets ! quand ta vie était mon seul bonheur !

PHÈDRE.

Oui, mais par cette mort je sauve mon honneur.

LA NOURRICE.

Pourquoi donc refuser un aveu qui t'honore ?

PHÈDRE.

Au nom des dieux, va-t-en ; laisse-moi.

LA NOURRICE.

Pas encore ;
Parle, je t'en supplie, il le faut, je le veux.

PHÈDRE.

Hé bien ! soit ; je ne puis résister à tes vœux :
Je parlerai.

LA NOURRICE.

J'écoute.

PHÈDRE, *avec hésitation et les yeux fixes.*

O mère infortunée,
A quel horrible amour tu t'es abandonnée !

LA NOURRICE.

Ah ! mon enfant, tais-toi.

PHÈDRE.

Ariane, ma sœur,
De quel amour fatal un dieu blessa ton cœur !

LA NOURRICE.

Pourquoi rappelles-tu ce passé qu'on déplore ?

PHÈDRE.

C'est d'elles qu'est venu le mal qui me dévore :
Des trois je suis la plus malheureuse, et je meurs !

LA NOURRICE.

Tes étranges discours redoublent mes terreurs,
Mais sans m'apprendre rien de ce que je désire.

PHÈDRE.

Ne peux-tu deviner ce qu'on n'ose te dire ?

LA NOURRICE.

Je ne puis.

PHÈDRE.

Connais-tu ce qu'on appelle aimer ?

LA NOURRICE.

Quoi ! par l'amour aussi tu t'es laissé charmer ?
Et qui donc aimes-tu ?

PHÈDRE.

Qui j'aime ?... je frissonne !...
Qui j'aime ?.. Tu connais ce fils de l'Amazone... ?

LA NOURRICE.

Hippolyte ?

PHÈDRE.

C'est toi qui l'as nommé ?

LA NOURRICE.

Grands dieux !
Ma fille, qu'as-tu dit ? Ah ! quel crime odieux !
Je succombe, je hais le jour et la lumière,
J'aime mieux rendre l'âme et mourir la première.
Faut-il que les meilleurs, que les plus vertueux
Commettent, eux aussi, des crimes monstrueux !
O cruelle Cypris : que t'a donc fait la reine,
Que tu la rends ainsi victime de ta haine ?
Car c'est bien elle ; oui, je reconnais ses coups ;
Seule elle peut ainsi s'acharner contre nous.

Récit de la mort d'Hippolyte.

LE MESSAGER.

Près du rivage où se brisent les flots,
Nous étions occupés à peigner ses chevaux,
Et nous pleurions, car nous avions entendu dire
Que par son propre père il s'était vu maudire,
Et qu'un exil cruel l'éloignait sans retour.
Bientôt sur le rivage il arrive à son tour ;
Ses amis le suivaient, nombreux, et sur la grève
Il pleurait avec nous. A la fin, faisant trêve
A sa douleur : « Pourquoi pleurer en vain ? dit-il :
Il me faut obéir et partir pour l'exil ;
Attelez ces chevaux à mon char, car Trézène
N'existe plus pour moi. » Il achevait à peine,
Et déja devant lui l'on amène le char.
Il s'élance ; il saisit les rênes sans retard ;
Mais avant de partir il fait cette prière :
« Dieux du ciel, si je fus coupable envers mon père,
Je consens à périr ; sinon, ô Zeus puissant,
Fais qu'il apprenne un jour que je suis innocent :
Vivant ou mort, que justice me soit rendue ! »
Il parle ainsi, la main vers le ciel étendue.
Bientôt il a saisi l'aiguillon dans sa main ;
Il pique les chevaux ; et nous, sur le chemin,
Nous marchions près du char, tristes, pleurant encore.
Et nous suivions ainsi la route d'Épidaure,
Quand, pareil au tonnerre, on entend brusquement
Gronder un formidable et sourd mugissement.
L'oreille des chevaux et leur tête se dresse ;
Nous-mêmes, à ce bruit, la terreur nous oppresse :
D'où vient-il ? on ne sait. Tout à coup sur la mer
Nous voyons se gonfler et se dresser dans l'air
Une vague effroyable, et qui, touchant la nue,
Des roches de Scyron nous dérobe la vue.
Terrible, elle s'avance et va droit sur le char,
Crachant l'écume avec fureur de toute part,
Puis dans un grand fracas s'abat sur le rivage,
Et vomit un taureau géant, monstre sauvage,
Dont le mugissement, par l'écho répété,
Fait chanceler d'horreur le sol épouvanté,
Ah ! ce fut pour nous tous un effrayant prodige.
Une peur folle emporte aussitôt le quadrige.
Hippolyte, en coureur habile et de sang-froid,
Prend les rênes à pleines mains et tire à soi,
Et, pareil au rameur qui se couche en arrière,
Pèse de tout son poids sur la double lanière.
L'attelage effaré mord le frein écumant,
Sans plus s'inquiéter, dans son emportement,
Des rênes, ni du char, ni du bras qui les guide.
Si du côté des champs sa main tourne la bride,
Le monstre devant eux se dresse, haletant,
Et les fait tourner court en les épouvantant ;
Puis, lorsque leur fureur les rejette au rivage,
Il les suit, les maintient sur le bord de la plage,
Jusqu'à ce qu'une roue, ayant frappé le roc,
Fais éclater le char en morceaux sous le choc.
Tout se brise à la fois dans ce moment suprême,
Les moyeux et l'essieu ; l'infortuné lui-même,
Qu'une bride serrait d'inextricables nœuds,
Est traîné tout sanglant sur les sables rocheux,
Où sa tête se brise, où son corps se déchire ;
Et l'on entend sa voix qui crie et qui soupire :
« Ah ! ne me tuez pas, ô vous que j'ai nourris !
Arrêtez !... Si du moins on entendait mes cris !
O malédiction trop aveugle d'un père ! »
Et nous, nous ne pouvions l'atteindre : comment faire ?
A la fin ses liens se rompent brusquement ;
Il tombe, n'ayant plus qu'un souffle. A ce moment
Le monstre disparaît ainsi que l'attelage,
Évanoui parmi les roches de la plage.

Aristophane

ATHÈNES 445 – 386 AVANT J.-C.

On ne sait sur Aristophane rien de plus que ce que nous apprennent ses œuvres. Il donne ses premières comédies avant d'avoir l'âge légal (30 ans). Ennemi de l'esprit nouveau, il est attaché au parti aristocratique et mène une rude guerre au démocrate Cléon qu'il ne craint pas de mettre sur la scène. Il s'attaque également à Socrate qu'il confond avec les sophistes et surtout à Euripide, le dernier des grands tragiques grecs. Entre ses mains, la comédie devint une puissance qu'on a comparée à la presse politique moderne.

Du point de vue strictement littéraire, l'œuvre d'Aristophane est une merveille de verve et de fantaisie ; il est considéré comme le maître de la comédie ancienne.

Sur la quarantaine de pièces qu'il aurait écrites, onze nous sont restées. Parmi les plus connues, on peut citer : ***les Acharniens, les Cavaliers, les Nuées, les Guêpes, Lysistrata, les Grenouilles.***

THÉÂTRE-COMÉDIE

.Les Acharniens.

Dicéopolis, brave paysan partisan de la paix avec Sparte, essaie de rallier ses compatriotes (représentés par le chœur) à son point de vue. Pour les émouvoir, il vient chez Euripide chercher des recettes de pathétique et tout un attirail de guenilles emprunté à la mise en scène de ses tragédies.

C'est pour Aristophane une manière de reprocher à Euripide d'avoir représenté ses héros comme des gueux. Il y a aussi dans cette scène des pastiches des vers du poète tragique et des traits de satire contre l'abus (selon lui) des subtilités de mots et de pensées.

DICÉOPOLIS.

Esclave, esclave !

CÉPHISOPHON.

Qui est là ?

DICÉOPOLIS.

Euripide est-il chez lui ?

CÉPHISOPHON.

Il y est, et il n'y est pas ; comprends-tu ?

DICÉOPOLIS.

Comment peut-il y être et n'y être pas ?

CÉPHISOPHON.

Rien de plus naturel, vieillard. Il n'y est pas à l'égard de son esprit, qui court la campagne, pour recueillir des pensées subtiles ; quant à son corps, il est ici, juché là-haut, occupé à construire une tragédie.

DICÉOPOLIS.

O trois fois heureux Euripide, d'avoir un esclave qui répond si bien ! *(A Céphisophon.)* Appelle ton maître.

CÉPHISOPHON.

C'est impossible.

DICÉOPOLIS.

Mais cependant... Je ne veux pas m'en aller ; je vais frapper à sa porte. Euripide, mon petit Euripide, écoute-moi un peu, si jamais tu as écouté personne. C'est moi, Dicéopolis de Chollide, qui te le demande.

EURIPIDE *(sans se montrer).*

Je n'ai pas le temps.

DICÉOPOLIS.

Tourne-toi au moins de mon côté, sur ta machine :

EURIPIDE.

C'est impossible.

DICÉOPOLIS.

Mais cependant...

EURIPIDE.

Eh bien, je vais me tourner : mais je n'ai pas le temps de descendre.

DICÉOPOLIS.

Euripide...

EURIPIDE.

Quelle voix a frappé mes oreilles ?

DICÉOPOLIS.

Faut-il donc que tu t'élèves de la sorte audessus de la terre pour composer tes tragédies ? Je ne m'étonne plus si tes héros sont boiteux. Mais, comme te voilà pitoyablement vêtu ! Tu es en guenilles comme tes personnages tragiques ? Je ne suis plus surpris si tu en fais des mendiants. Mais je me jette à tes pieds, je t'en supplie, mon cher Euripide, prête-moi quelque lambeau provenant d'un ancien drame. Car il me faut faire à ce peuple un long discours : si je parle mal, je suis mort.

EURIPIDE.

Lesquels veux-tu ? Serait-ce ceux avec lesquels Œnée, cet infortuné vieillard, se présenta dans la lice ?

DICÉOPOLIS.

Non, pas ceux d'Œnée ; mais ceux d'un héros encore plus misérable.

EURIPIDE.

Veux-tu ceux de l'aveugle Phénix ?

DICÉOPOLIS.

Non, non, te dis-je. Celui dont je veux parler était encore plus malheureux que Phénix.

EURIPIDE.

De qui veut-il donc parler ? Serait-ce de l'infortuné Philoctète ?

DICÉOPOLIS.

Pas du tout. Celui-là était beaucoup, beaucoup plus gueux que Philoctète.

EURIPIDE.

Serait-ce du boiteux Bellérophon, avec ses vêtements crasseux ?

DICÉOPOLIS.

Non, pas Bellérophon ! Mon homme était boiteux, gueux, bavard et terrible discoureur.

EURIPIDE.

Ah ! Je sais qui. C'est Téléphe le Mysien.

DICÉOPOLIS.

Justement : ce sont ses haillons que je demande.

EURIPIDE.

Esclave, apporte-moi les loques de Télèphe ; tu les trouveras au-dessus de celles de Thyeste, au-dessous de celles d'Ino.

CÉPHISOPHON.

Les voici.

DICÉOPOLIS.

O Jupiter, qui vois tout et à travers tout ! Permets que je prenne ce costume de la misère la plus affreuse. Puisque tu es si généreux à mon égard. Euripide, donne-moi le reste de l'accoutrement qui va avec ces haillons, je veux parler du petit bonnet mysien.
Car en ce jour il me faut faire le gueux, être sinon tel que je suis, du moins tel que je veux paraître ; être riche aux yeux des spectateurs, et pauvre en apparence aux yeux de ces sots Acharniens, que je veux amuser par de vaines paroles.

“Car en ce jour il me faut faire le gueux, être sinon tel que je suis, du moins tel que je veux paraître”

EURIPIDE.

Soit : on ne peut se refuser à tes projets ingénieux.

DICÉOPOLIS.

Que les dieux reconnaissent tes bienfaits et comblent mes vœux à l'égard de Télèphe. Courage ! Oh ! comme le babil me vient ! Mais j'aurais besoin aussi d'un bâton de mendiant.

EURIPIDE.

Tiens, en voilà un, et retire-toi du seuil de cette demeure.

DICÉOPOLIS.

Qu'est-ce ? Voilà qu'il me repousse de chez lui, quand j'ai encore besoin de beaucoup d'accessoires. Revenons à la charge : demandons, quêtons, importunons. – Euripide, donne-moi un petit panier à demi brûlé par la lampe.

EURIPIDE.

Qu'as-tu besoin, malheureux, de ce panier ?

DICÉOPOLIS.

Je n'en ai aucun besoin ; mais il me le faut.

EURIPIDE.

Tu n'es qu'un fâcheux, sache-le bien. Retire-toi de ma demeure.

DICÉOPOLIS.

Hélas ! Que les dieux te soient propices comme autrefois à ta mère.

EURIPIDE.

Allons, pars d'ici.

DICÉOPOLIS.

Pas encore, s'il te plaît ; je ne te demande plus qu'une seule chose, un petit gobelet ébréché.

EURIPIDE.

Prends celui-ci et retire-toi. Décidément, tu n'es qu'un importun.

DICÉOPOLIS.

Tu ne te doutes pas du tort que tu me fais. O mon bon Euripide, encore une seule chose, une petite marmite tamponnée dans le fond avec une éponge.

EURIPIDE.

Allons, tu vas m'enlever toute une tragédie : emporte cette marmite, et adieu !

DICÉOPOLIS.

Je m'en vais. Mais que faire ? Une chose me manque encore, et si je ne la trouve, je suis perdu. O cher petit Euripide ! Quand tu m'auras octroyé cette dernière demande, je ne t'importunerai plus : je voudrais quelques pauvres feuilles de légumes dans mon panier.

EURIPIDE.

Tu veux donc ma mort ? Les voilà. Tu as saccagé toutes mes pièces.

DICÉOPOLIS.

C'est fini, je m'en vais. C'est vrai, je suis par trop incommode, et je ne réfléchis pas que je deviens à charge aux grands. Ah ! malheureux ! Je suis perdu ! J'ai oublié la chose d'où dépend tout mon succès. O mon bon, mon cher Euripide, que je périsse de la mort la plus affreuse, si je te demande encore quoi que ce soit, excepté ceci, rien que ceci. Donne-moi un paquet du cerfeuil que vendait ta mère.

EURIPIDE.

Impertinent ! Qu'on ferme la porte de ma demeure.

DICÉOPOLIS.

O mon cœur ! Il me faut partir sans cerfeuil !

Les Grenouilles

Dans cette pièce qui eut un grand succès – elle obtint le premier prix – Aristophane s'en prend de nouveau à Euripide à qui il reproche d'avoir affadi le grand théâtre et contribué à sa décadence.

Euripide vient de mourir... Arrivé aux Enfers, il veut disputer à Eschyle le trône de la Tragédie ; Sophocle intervient ; Bacchus est l'arbitre de cette joute.

EURIPIDE.

Non, je ne céderai pas le trône de la tragédie ; ne m'y engagez pas. Je soutiens que je suis plus fort que lui dans mon art.

BACCHUS.

Eschyle, tu ne dis mot ? Tu l'as cependant entendu.

EURIPIDE.

Il fera d'abord le majestueux : c'était là souvent sa ressource dans ses tragédies.

BACCHUS.

Mon cher ami, sois un peu moins arrogant.

EURIPIDE.

Oh ! je le connais, et il y a longtemps que je l'ai observé : c'est un homme aux manières farouches, dont la bouche est toujours ouverte pour des propos hautains, sans frein, sans mesure, sans borne, et de cette bouche les expressions ampoulées sortent en foule.

ESCHYLE.

Vraiment, ô fils d'une déesse champêtre ? C'est de moi que tu parles ainsi, toi, artisan de vaines paroles et fabricateur de gueux et de personnages déguenillés ? Ah ! je te ferai repentir de tes propos.

BACCHUS.

Du calme, Eschyle, ne te laisse pas échauffer par la colère.

ESCHYLE.

Je n'écouterai rien, avant d'avoir fait connaître ce faiseur de boiteux, qui est si arrogant aujourd'hui.

BACCHUS.

Çà, qu'on m'apporte une brebis noire, car la tempête va éclater.

ESCHYLE.

O toi, qui fais collection de monologues lugubres à la mode de Crète, et qui introduis sur la scène de criminelles amours.

BACCHUS.

Très respectable Eschyle, modère-toi. Quant à toi, mon pauvre Euripide, fuis bien vite pour éviter la grêle, de peur que dans sa colère ton concurrent ne te brises le crâne avec quelques vers écrasants et n'en fasse sortir tout Télèphe. Et toi, Eschyle, fais et accepte les critiques avec modération et sans colère. Il ne convient pas que des hommes comme il faut, des poètes, se querellent comme des boulangères. Mais toi, tu éclates d'abord, comme l'yeuse saisie par les flammes.

EURIPIDE.

Pour moi, je n'esquiverai pas la lutte ; je suis tout prêt à mordre le premier ou à être mordu, comme il lui plaira, sur les vers, sur la mesure et sur le ton tragique, soit de *Pélée,* soit d'*Éole,* soit de *Méléagre,* soit de mon *Télèphe* enfin.

BACCHUS.

Et toi, quel parti prends-tu ? Parle, Eschyle.

ESCHYLE.

J'aurais désiré ne pas me mesurer ici, car la partie n'est pas égale.

BACCHUS.

Et pourquoi ?

ESCHYLE.

C'est que mes tragédies ne m'ont pas suivi au tombeau. Il a enterré au contraire avec lui toutes ses productions et il a de quoi parler ; néanmoins, puisque vous le souhaitez, il faut vous contenter.

BACCHUS.

Allons, qu'on apporte de l'encens et du feu, pour qu'avant le combat je fasse ma prière et que je décide, le plus équitablement possible, entre les deux concurrents. Vous, chantez quelque hymne en l'honneur des Muses.

LE CHŒUR.

O filles de Jupiter, chantez, Muses, qui présidez aux combats des beaux esprits, toutes les fois que, guidés par le désir de se contredire à l'envi, ils se présentent dans l'arène avec leurs pensées ingénieuses et avec la souplesse propre à l'art de disputer. Le grand assaut d'habileté va commencer.

BACCHUS.

Faites aussi, vous deux, quelque prière aux dieux avant de réciter vos vers.

ESCHYLE.

O Cérès, toi qui as formé mon cœur, rends-moi digne de tes mystères.

BACCHUS.

Toi aussi, prends de l'encens et jette-le dans le feu.

EURIPIDE.

Merci ! J'ai d'autres dieux à qui je m'adresse.

BACCHUS.

Oui, tu en as de particuliers, marqués d'un coin nouveau.

EURIPIDE.

Certainement.

BACCHUS.

Soit. Invoque donc tes dieux particuliers.

EURIPIDE.

O Éther, mon soutien, ô Babil infatigable, ô Intelligence, ô Nez d'une grande finesse, donnez-moi de bien réfuter mon adversaire.

LE CHŒUR.

Il nous tarde d'entendre de la bouche de ces habiles gens des discours harmonieux et d'assister à un combat d'esprit. Ils ont tous les deux la langue bien affilée ; ils ne manquent pas de cœur et n'ont pas l'intelligence engourdie. Nous devons nous attendre à voir, d'un côté, l'élégance et la politesse, et, de l'autre, une avalanche de mots splendides et magnifiques, fondant avec impétuosité sur les petits riens de son antagoniste et les dispersant.

BACCHUS.

Allons ! il faut commencer au plus vite l'assaut. Surtout ayez soin de faire entendre des choses spirituelles, laissez-là les fictions et ce que pourrait dire n'importe qui.

EURIPIDE.

Je ne parlerai de mes titres comme poète qu'en second lieu. Je vais d'abord démontrer que cet homme n'est qu'un fanfaron, un charlatan, et je dévoilerai comment il a su faire illusion aux sots spectateurs, qui n'avaient jamais pratiqué que Phrynichus. Et d'abord, un de ses grands moyens est de mettre en scène des personnages, tels qu'Achille et Niobé, assis, enveloppés dans leurs vêtements, ne se découvrant pas, ne disant mot, enfin de vrais comparses de tragédies.

BACCHUS.

C'est, ma foi, vrai !

EURIPIDE.

Le chœur, cependant, chantait jusqu'à quatre tirades de suite sans qu'ils ouvrissent la bouche.

BACCHUS.

Eh bien, j'aimais ce silence et je le trouvais plus beau que les discours de nos poètes d'aujourd'hui.

EURIPIDE.

C'est que tu n'avais pas le sens commun. C'est moi qui te le dis.

BACCHUS.

Tu as raison. Mais pourquoi en usait-il ainsi ?

EURIPIDE.

Pure charlatanisme ! C'était pour tenir le spectateur dans l'attente du moment où Niobé parlerait à son tour ; pendant ce temps-là, la pièce tirait à sa fin.

BACCHUS.

Oh ! le misérable ! Que j'ai sottement été sa dupe ! Mais d'où vient que toi, tu as l'air de souffrir et pourquoi bâilles-tu ainsi ?

EURIPIDE.

Parce qu'il se voit confondu par moi. Ensuite, quand la moitié de la pièce s'était passée en tirades de cette nature, on entendait une douzaine de grands mots, pleins d'enflure, des mots à aigrette, de véritables épouvantails, tout à fait inconnus aux spectateurs.

ESCHYLE.

Ah ! que je suis malheureux !

BACCHUS.

Paix !

EURIPIDE.

Il ne disait pas un mot qui fût intelligible.

BACCHUS.

Ne grince pas des dents.

EURIPIDE.

C'étaient des *scamandres,* des *précipices,* des *aigles en airain sculptés sur des boucliers,* et autres mots à panache, dont il n'était pas donné d'atteindre le sens.

BACCHUS.

C'est parbleu vrai ! Moi-même, une fois, j'ai passé une bonne partie de la nuit à me demander ce que c'était que son *jaune cheval ailé.*

ESCHYLE.

Ignorant ! c'est une figure dont on décore la poupe des vaisseaux.

EURIPIDE.

Il te fallait donc de ces ornements dans tes tragédies ?

ESCHYLE.

Et toi, ennemi des dieux, dis-nous ce que tu as fait ?

EURIPIDE.

Par ma foi, je n'ai représenté ni chevaux ailés, ni capricerfs, à ton exemple, ni autres figures qu'on voit sur les tapis de Perse. Mais quand j'ai eu reçu de tes mains la tragédie, gonflée d'un vain attirail et chargée de mots des plus pesants, j'ai aussitôt élagué cette enflure et diminué ce poids ; j'y ai appliqué de petits vers, une marche légère, de blanches feuilles de poirée, auxquelles j'ai ajouté une quintessence épurée de bagatelles, extraite de mes lectures. Enfin je l'ai nourrie de monologues, avec un mélange de Céphisophon. Dans ces dispositions, je ne disais rien sans y avoir réfléchi, et je ne faisais pas indistinctement usage de tout ce qui me venait à l'esprit. Mais le premier personnage que je mettais en scène exposait, avant tout, les origines de la pièce.

BACCHUS.

Il valait mieux pour toi qu'on parlât de celles-là que de la tienne.

EURIPIDE.

De plus, je ne souffrais pas, dès les premiers vers, qu'aucun personnage restât dans l'inaction ; tous prenaient la parole, la femme, l'esclave, le maître, la jeune fille et la vieille femme.

ESCHYLE.

Une pareille audace ne méritait-elle pas la mort ?

EURIPIDE.

Non, par Apollon ! C'était un procédé démocratique.

BACCHUS.

Voyons, camarade, passons sur cet article. Le débat ne tournerait pas à ton avantage.

EURIPIDE.

Je leur ai, de plus, appris à bien parler *(il parle aux spectateurs).*

ESCHYLE.

C'est vrai. Aussi, que n'es-tu mort auparavant !

EURIPIDE.

Je leur ai montré l'usage des règles les plus raffinées, les labyrinthes de la diction, l'art d'observer, de voir, de comprendre, de subtiliser, d'aimer, de raffiner, de supposer le mal, d'examiner toute chose.

ESCHYLE.

C'est vrai !

EURIPIDE.

Comme je mettais dans la bouche de mes interlocuteurs tout ce qui tient à la vie privée, à nos usages et à nos habitudes, je pouvais m'attirer bien des critiques, parce que j'étais à la portée de mes auditeurs, qui se seraient aisément aperçus de mes fautes. Je ne me suis point attaché à un pompeux clinquant propre à embrouiller les idées des spectateurs ; je ne cherchais pas à les effrayer en leur représentant des Cycnus et des Memnons poussant vivement des chevaux dont les colliers étaient chargés de clochettes. Compare un peu mes disciples à ceux de mon rival. Les siens sont un Phormisius, un Mégénète de Magnésie, hérissés de trompettes, de haches et de barbes, et toujours armés d'un rire sarcastique. Les miens sont un Clitophon et l'élégant Théramène.

"C'est ainsi que j'ai fait l'éducation de mes spectateurs. Je leur ai appris, par mes tragédies, à raisonner, à réfléchir"

BACCHUS.

Théramène ? Cet homme retors et propre à tout, qui, s'il se trouve engagé ou près de l'être, dans quelque méchante affaire, a coutume de s'en tirer, en se disant non de Chio, mais de Céos ?

EURIPIDE.

C'est ainsi que j'ai fait l'éducation de mes spectateurs. Je leur ai appris, par mes tragédies, à raisonner, à réfléchir ; aussi ont-ils plus d'intelligence et de clairvoyance, et plus d'aptitude pour mieux tenir, entre autres choses, leur ménage et se rendre compte de tout, en se disant : « Comment est ceci ? Qui a pris cela ? »

BACCHUS.

C'est, ma foi, vrai ! En effet, à peine un Athénien est-il rentré chez lui, qu'on appelle ses esclaves et qu'il leur demande : « Où est la marmite ? Qui a mangé cette tête d'anchois ? Le plat que j'achetai l'an dernier est donc perdu ? Où est l'ail d'hier ? Qui a mangé l'olive ? » Auparavant ils restaient tous sots, la bouche béante, comme des Mammacythes et des Mélitides.

LE CHŒUR.

Tu l'entends, ô vaillant Achille. Eh bien, voyons, que répliques-tu à cette terrible accusation ? Prends garde seulement, noble lutteur, de te laisser maîtriser par la colère, replie les voiles ; n'en livre au vent que les extrémités ; dirige de plus en plus ton vaisseau, et observe le moment où tu sentiras un vent frais et doux.

BACCHUS.

O toi, qui, le premier des Grecs, as porté la pompe des expressions à son comble et as donné un air noble aux bagatelles de la tragédie, ouvre les écluses avec confiance.

ESCHYLE.

Je suis furieux d'un tel conflit. Je sens la bile bouillonner dans mon sein, à la pensée qu'il me faut lutter avec un tel adversaire. Qu'il ne se vante cependant pas de m'avoir embarrassé. Ainsi ! réponds-moi, que doit-on le plus admirer dans un poète ?

EURIPIDE.

Sa prudence et son art de rendre les hommes meilleurs.

ESCHYLE.

Or, si tu n'as point atteint ce but, et si, d'honnêtes et loyaux qu'ils étaient, tu les as rendus lâches, quel supplice conviendras-tu que tu mérites ?

BACCHUS.

La mort. Je réponds pour lui.

ESCHYLE.

Vois donc quels hommes il a reçus, formés par mes mains. C'étaient des gens vigoureux et de quatre coudées, ne refusant aucune des charges publiques ; ce n'étaient pas, comme aujourd'hui, des piliers de place publique, des imposteurs, des hommes à tout faire ; ils ne soupiraient qu'après la hache, les lances, les casques empanachés, les cuirasses, les cuissards, et après un courage digne des sept peaux de taureaux.

BACCHUS.

Gare à moi ! Il va m'écraser avec ses casques amoncelés.

EURIPIDE.

Et comment as-tu fait des héros de tes concitoyens ?

BACCHUS.

Parle, Eschyle, et que ton orgueil ne te rende pas si farouche.

ESCHYLE.

Par une tragédie pleine de Mars.

BACCHUS.

Laquelle ?

ESCHYLE.

Les Sept Chefs devant Thèbes. Nul spectateur n'en sortait qu'avec la fureur de la guerre dans le sein.

BACCHUS.

C'était rendre un mauvais service à la patrie ; car les Thébains en sont devenus eux-mêmes plus guerriers, et pour cela tu mérites des coups.

ESCHYLE.

Il ne tenait qu'à vous de vous livrer à la guerre ; mais ce n'est pas de ce côté que vous vous êtes tournés. Depuis, dans mes *Perses*, j'ai inspiré à mes compatriotes la passion de remporter de continuelles victoires sur les ennemis ; c'est là mon chef-d'œuvre.

BACCHUS.

Ce fut en effet pour moi une grande joie d'entendre raconter la mort de Darius et de voir les battements de mains du chœur qui s'écriait : « Victoire ! ».

ESCHYLE.

Voilà ce que doivent faire des poètes dignes de ce nom. Rappelez-vous les services qu'on rendus les grands poètes, dès les premiers temps. Orphée, par ses leçons, nous a enseigné les rites des initiations et l'horreur du meurtre : Musée, les remèdes des maladies et les oracles ; Hésiode, l'agriculture, le temps des semailles et des récoltes. Et le divin Homère, d'où lui est venu tant d'honneur et de gloire ? N'est-ce pas de l'utilité de ses préceptes, qui forment aux vertus militaires, aux manœuvres et à l'art de disposer une armée ? C'est d'après Homère que j'ai rendu et représenté les nombreux exploits des Patrocle, des Teucer au cœur de lion. Je voulais, par ces modèles, exciter chaque citoyen à rivaliser avec ces héros au premier son de la trompette. Mais, certes, je ne représentais ni Phèdres adultères, ni Sthénobées impudiques, et je ne sais si j'ai jamais fait parler une femme amoureuse.

EURIPIDE.

Non, parbleu, car tu ne tenais rien de Vénus.

ESCHYLE.

Et je n'en veux rien tenir. Garde-la toute pour toi et pour les tiens, puisqu'elle t'a perdu toi-même.

EURIPIDE.

Mais est-ce que ma peinture de Phèdre n'est pas exacte ?

ESCHYLE.

Si, elle est exacte, mais un poète doit jeter un voile sur tout ce qui est mauvais et ne pas le mettre au jour, encore moins en scène. Les poètes doivent avoir le même respect pour les adultes que les maîtres d'école pour les petits enfants. Nous ne devons rien dire que de bon et d'utile.

EURIPIDE.

Eh bien ! Est-ce dire des choses utiles que de prononcer des mots grands comme les monts Lycabète et Parnès, quand on devrait parler humainement ?

ESCHYLE.

Mais, malheureux, il est nécessaire de créer des expressions en rapport avec l'élévation des idées et des pensées. D'ailleurs les demi-dieux doivent avoir un langage plus sublime ; leurs vêtements ne sont-ils pas supérieurs aux nôtres en éclat ? J'avais donné à tout cela un ton noble, et tu l'as dégradé.

EURIPIDE.

Comment ?

ESCHYLE.

D'abord, en revêtant les rois de haillons pour leur faire inspirer la pitié.

EURIPIDE.

J'ai donc mal fait en cela ? Comment ?

ESCHYLE.

Il en résulte que pas un riche aujourd'hui ne veut équiper de trirème à ses frais. Chacun se met en haillons, et crie misère. Je te reproche encore d'avoir enseigné aux hommes l'art de parler avec finesse et de raisonner éternellement ; c'est ce qui a fait déserter les palestres, ce qui a donné aux matelots un esprit d'insubordination. De mon temps, au contraire, ils ne savaient autre chose que demander leur galette et crier : Ryp-papaï.

"Mettez en jeu le vieux comme le neuf et employez hardiment la souplesse, l'art et l'artifice"

LE CHŒUR.

Voici une affaire grave, un vif débat, une lutte serrée. Il sera difficile de décider entre l'un, qui aura attaqué avec force, et l'autre, qui se sera défendu et qui aura riposté avec adresse. Ne répétez pas toujours la même chose, il y a plusieurs moyens de disputer. Rappelez-vous donc et dites tout ce qui est bon pour votre querelle ; mettez en jeu le vieux comme le neuf et employez hardiment la souplesse, l'art et l'artifice.

♦

Xénophon

ATTIQUE 445—355 AVANT J.-C.

Élève de Socrate à l'âge de 15 ans, Xénophon est à la fois un homme d'action et un philosophe. En 401, il prend part à l'expédition de Cyrus le jeune en Asie — il en fera le récit dans ***l'Anabase*** *— puis se met au service de Sparte ce qui lui vaut d'être banni d'Athènes, les deux anciennes alliées étant devenues des rivales ennemies. Durant son exil qui dure trente ans il compose une œuvre abondante et très diverse : témoin de son époque, il évoque son maître Socrate (****Les Mémorables, le Banquet, Apologie de Socrate****), ou ses expériences historiques vécues (****l'Anabase****) ; il est romancier lorsqu'il imagine l'enfance du grand Cyrus (****la Cyropédie****) et technicien quand il écrit ses traités pratiques (****L'Équitation, l'Économique****).*

HISTOIRE

.L'Anabase.

L'Anabase (le mot signifie « expédition à l'intérieur ») est le récit de la guerre entreprise en Asie par Cyrus le jeune contre son frère Artaxerxès, le roi des Perses. Des mercenaires grecs — les Dix-Mille — ont été enrôlés par Cyrus. Après la défaite et la mort de ce dernier, ils décident de regagner leur pays. Sous la conduite de Xénophon, à travers les montagnes d'Arménie, dans la neige et au milieu de difficultés de toute sorte, s'effectue l'héroïque retraite.

L'armée plia bagage, et, à travers une neige épaisse, marcha sous la conduite de plusieurs guides. Le même jour on franchit les montagnes où Tiribaze avait dû attaquer les Grecs, et l'on y campa. De là on fit, en trois étapes, quinze parasanges, dans le désert, en prenant la direction de l'Euphrate, et, quand on passa le fleuve, on avait de l'eau jusqu'à la ceinture. On disait que la source n'était pas loin. Ensuite on fit, en trois étapes, dix parasanges en plaine, à travers une neige épaisse. La troisième étape fut rude : le vent du nord soufflait en face, brûlant et glaçant les hommes. Alors un devin dit qu'il fallait sacrifier au Vent : le sacrifice eut lieu et tout le monde reconnut jusqu'à l'évidence que la violence du vent avait diminué. La neige avait une brasse d'épaisseur, de sorte qu'il périt un grand nombre de bêtes de somme, d'esclaves, et une trentaine de soldats. On passa la nuit à faire des feux : il y avait beaucoup de bois à cette étape, mais ceux qui arrivèrent tard n'eurent plus de bois. Les premiers arrivés, qui avaient allumé leurs feux depuis longtemps, n'en laissaient pas approcher ceux qui arrivaient tard, à moins que ceux-ci ne leur donnassent en échange du blé ou quelque autre chose, s'ils avaient des provisions de bouche ; alors on échangeait entre soi ce que chacun avait. Dans les endroits où l'on avait allumé du feu, la neige fondait et il se faisait jusqu'au sol de grands trous qui permirent de mesurer la hauteur de la neige. On marcha tout le jour suivant à travers la neige ; un grand nombre d'hommes furent atteints de la boulimie. Xénophon, qui était à l'arrière-garde, rencontra des soldats qui gisaient à terre ; il ne savait pas ce que c'était que cette maladie. Mais ayant appris de quelqu'un, qui connaissait le mal, que c'étaient évidemment les symptômes de la boulimie, et que, si les malades avaient à manger, ils seraient bientôt debout, il courut aux équipages, et tout ce qu'il vit de comestibles, il le distribua aux malades : on envoya pour le distribuer ceux qui pouvaient courir. Dès que les malades eurent pris un peu de nourriture, ils se levèrent et marchèrent.

Pendant la marche de l'armée, Chirisophe, à la nuit tombante, arriva dans un village où il rencontra près d'une fontaine, en face du fort, des femmes et des filles qui portaient de l'eau. Elles demandèrent aux Grecs qui ils étaient. L'interprète leur dit en langue perse que le roi les envoyait au satrape. Elles répondirent que le satrape n'était pas là, mais à une parasange environ. Comme il était tard, ils se rendirent auprès du comarque dans le fort avec les porteuses d'eau. Chirisophe et les soldats de l'avant-garde qui le purent, logèrent en cet endroit ; les autres soldats, qui ne pouvaient pas faire la route, passèrent la nuit sans nourriture et sans feu ; il y en eut qui périrent. Quelques ennemis, qui s'étaient réunis, prirent ceux des bagages qui n'avaient pu suivre et se battirent entre eux pour le partage. On laissa aussi en arrière des soldats que la neige avait aveuglés ou qui avaient les doigts des pieds gelés. On se garantissait la vue contre l'effet de la neige en se mettant quelque chose de noir devant les yeux pendant la marche, en remuant les pieds, en ne restant jamais en repos et en se déchaussant pendant la nuit. Si l'on se couchait sans se déchausser, les courroies entraient dans le pieds et les sandales se gelaient en s'attachant à la peau. Lorsque les premières chaussures vinrent à manquer, on en avait fait d'autres plus grossières en cuir de bœuf nouvellement écorché. Ces nécessités avaient donc forcé de laisser quelques traînards. Ceux-ci, voyant un endroit noir parce qu'il n'y avait plus de neige, s'imaginèrent que la neige s'y était fondue ; et de fait la neige s'était fondue par la vapeur d'une source qui coulait auprès, dans un vallon. Ils se dirigèrent donc de ce côté s'y arrêtèrent et refusèrent d'avancer.

Aussitôt que Xénophon, qui était à l'arrière-garde, s'en aperçut, il les supplia avec tout l'art et tous les moyens possibles de ne pas rester en arrière, leur disant qu'on était suivi d'un fort détachement d'ennemis, et il finit par se fâcher. Ceux-ci demandèrent qu'on les égorgeât : ils ne pouvaient, disaient-ils, faire un pas. Alors on jugea que le meilleur parti à prendre était de faire une telle frayeur aux ennemis, si on le pouvait, qu'ils ne tombassent pas sur des malheureux épuisés de fatigue. Il était déjà nuit noire : les ennemis s'avançaient à grand bruit et se disputaient le butin. Les soldats de l'arrière-garde, pleins de santé et bien disposés, se levèrent et coururent sur l'ennemi ; les malades poussèrent des cris de toutes leurs forces, et frappèrent leurs boucliers de leurs piques. L'ennemi effrayé s'élança à travers la neige dans la plaine, et on n'entendit plus personne souffler. Xénophon et ceux qui étaient avec lui promirent aux malades de revenir le lendemain et continuèrent leur marche. Ils n'avaient pas fait quatre stades, qu'ils rencontrèrent sur leur chemin d'autres soldats couchés dans la neige et couverts de leur manteau, sans aucune espèce de garde pour les défendre. On les fit lever ; ils dirent que ceux qui précédaient faisaient halte. Xénophon s'avança lui-même et envoya en avant les plus vigoureux peltastes avec ordre d'examiner ce qui faisait obstacle. Ils rapportèrent que l'armée tout entière faisait halte également. Xénophon bivouaqua donc en cet endroit sans feu, sans souper, et posa des sentinelles aussi bien qu'il put. Au point du jour, il envoya aux malades les plus jeunes soldats pour les faire lever et les forcer à partir. Au même moment, Chirisophe dépêcha du village quelques-uns des siens pour examiner où en étaient les derniers. Ceux-ci les virent arriver avec joie, leur remirent les malades pour les porter au camp et l'on partit.

Les Dix-Mille (en réalité, la moitié d'entre eux a péri) arrivent enfin sur les bords du Pont-Euxin.

Après avoir parcouru vingt parasanges en quatre étapes, on arrive à une ville grande, florissante et bien peuplée, qui s'appelait Gymnias. Le chef du pays envoie un guide aux Grecs pour les conduire à travers le territoire ennemi. Celui-ci arrive et leur dit qu'il les conduira en cinq jours à un lieu fortifié d'où ils verront la mer ; s'il ment, il déclare qu'il consent à être mis à mort. Il conduit donc l'armée et, dès qu'il l'eut fait entrer sur le territoire de ses ennemis, il l'engage à tout brûler, à tout ravager ; ce qui prouva bien qu'il n'était venu que pour cela, et non par bienveillance pour les Grecs. On arrive le cinquième jour à la montagne : elle porte le nom de Théchès. Quand les premiers furent arrivés au sommet de la montagne, ce furent de grands cris. En les entendant, Xénophon et l'arrière-garde pensent qu'en avant il y a d'autres ennemis qui attaquent : car l'armée était suivie de gens dont le pays avait été incendié. L'arrière-garde en tue quelques-uns et en fait d'autres prisonniers dans une embuscade. On leur prend une vingtaine de boucliers d'osier, recouverts d'un cuir de bœuf non tanné qui avait encore ses poils. Cependant les cris deviennent plus forts et plus proches ; de nouveaux soldats se joignent incessamment à ceux qui crient et les cris augmentent avec le nombre d'hommes. Xénophon pense qu'il se passe là quelque chose d'extraordinaire ; il monte à cheval, prend avec lui Lycius et les cavaliers, et vole au secours. Bientôt on entend les soldats crier : « La mer, la mer ! » et s'encourager les uns les autres. Alors tout le monde accourt, arrière-garde, équipages, cavalerie ; quand on est arrivé au sommet de la montagne, on s'embrasse les uns les autres, généraux, officiers, soldats, tous en pleurant. Et tout à coup, sans qu'on sache par quel ordre, les soldats apportent des pierres et élèvent un grand tertre. Ils y placent une quantité de boucliers en cuir de bœuf non tanné, des bâtons et des boucliers d'osier qui avaient été pris à la guerre ; le guide lui-même met les boucliers en pièces et engage les autres à faire de même. Ensuite les Grecs renvoient le guide en lui donnant à frais communs un cheval, une coupe d'argent, un habillement perse et dix dariques ; il demandait surtout des anneaux, et il en reçut beaucoup des soldats. Il leur indique alors un village pour aller chez les Macrons ; ensuite, le soir venu, il part à un moment de la nuit et disparaît.

IV, 7

"La mer, la mer !"

"On s'embrasse les uns les autres, généraux, officiers, soldats, tous en pleurant"

HISTOIRE

.Mémoires sur Socrate.

En rentrant à Athènes en 399 après son expédition en Asie, Xénophon n'y trouve plus Socrate condamné l'année précédente à boire le ciguë. Il veut prendre la défense de son maître contre d'injustes accusations et écrit « les Mémorables ».

Socrate ayant remarqué un jour que Lamproclès, l'aîné de ses fils, était irrité contre sa mère : « Dis-moi, mon fils, lui demanda-t-il, sais-tu qu'il y a certains hommes qu'on appelle ingrats ? — Je le sais, répondit le jeune homme. — T'es-tu rendu compte de ce qu'ils ont fait pour être ainsi appelés ? — Oui, répondit-il ; on appelle ingrats ceux qui, ayant reçu des bienfaits, ne s'en montrent pas reconnaissants, lorsqu'ils le pourraient. — Ne te semble-t-il pas qu'on range les ingrats parmi les hommes injustes ? — Oui, il me semble, répondit-il. — Ne vois-tu pas que, s'il est injuste d'asservir ses amis et juste d'asservir ses ennemis, il est de même injuste d'être ingrat envers ses amis et juste de l'être envers ses ennemis ? — Assurément, dit-il, et de plus je crois que celui qui ne s'efforce pas de témoigner sa reconnaissance à un bienfaiteur, soit ami, soit ennemi, est un homme injuste. — Eh bien ! s'il en est ainsi, l'ingratitude est donc une pure injustice. » Lamproclès en convient : « Ainsi donc, plus les bienfaits reçus sans aucun retour de gratitude sont grands, plus on est injuste. » Il en convint encore. « Où donc trouverons-nous des êtres qui aient reçu de plus grands bienfaits que les enfants, qui en sont comblés par leurs parents ? Ce sont les parents qui les ont fait passer du néant à l'existence ; c'est à eux qu'ils doivent de voir toutes les merveilles et de partager tous les biens que les dieux ont donnés à l'homme, et ces avantages ont toujours un si grand prix pour nous, que tous, tant que nous sommes, nous n'avons pas de plus grande crainte que celle de les perdre. L'époux nourrit avec lui celle qui lui donne des enfants, il amasse d'avance pour eux avant leur naissance tout ce qu'il croit pouvoir leur être utile pour la vie, et cela le plus abondamment qu'il peut. La femme enfante au péril de ses jours ; elle donne à son enfant une part de sa propre nourriture ; elle nourrit et soigne cet enfant, qui ne sait pas de qui il reçoit tant de bien et qui ne peut pas faire connaître ce dont il a besoin, tandis que la mère, cherchant à deviner ce qui lui convient, ce qui lui est agréable, tâche de le satisfaire, le nourrit longtemps et supporte toutes les fatigues la nuit comme le jour, sans savoir quelle reconnaissance la payera de ses peines. C'est peu de nourrir des enfants : dès qu'on les croit en âge d'apprendre quelque chose, les parents leur enseignent toutes les choses utiles qu'ils connaissent eux-mêmes, et,

“Tu prendras garde que les hommes, en apprenant ton manque de respect pour tes parents, ne t’accablent tous de leur mépris et ne te laissent, à la face du ciel, seul et sans amis”

quand ils croient qu’un autre est plus capable de les instruire, ils les envoient auprès de lui, sans épargner la dépense, et ils ont soin de tout faire pour que leurs enfants deviennent pour eux les meilleurs qu’il est possible. » Le jeune homme répondit : « Que ma mère ait fait tout cela et mille fois plus encore, cela est possible, mais personne cependant ne pourrait supporter sa mauvaise humeur. »

Alors Socrate lui dit : « Crois-tu que l’humeur sauvage d’une bête soit plus difficile à supporter que celle d’une mère ? — Non vraiment, du moins d’une mère telle que la mienne. — Est-ce que par hasard elle t’aurait fait quelque morsure ou lancé quelque ruade, comme tant de gens en reçoivent des bêtes ? — Mais, par Jupiter, elle dit des choses que personne ne voudrait entendre même au prix de la vie entière. — Et toi, dit Socrate, depuis ton enfance, combien ne lui as-tu pas causé de désagréments insupportables et en paroles et en actions, et le jour et la nuit ? Combien ne lui as-tu pas donné de soucis dans tes maladies ? — Mais du moins, je ne lui ai jamais rien dit, je ne lui ai jamais rien fait qui pût la faire rougir. — Quoi donc ? crois-tu qu’il soit plus pénible pour toi d’entendre ce qu’elle dit, qu’il ne l’est pour les comédiens d’entendre dans les tragédies les dernières injures qu’ils se prodiguent les uns aux autres ? — Mais, à mon avis, comme ils ne pensent pas que celui qui les injurie les injurie pour leur faire du tort, ni que celui qui les menace les menace pour leur faire du mal, ils le supportent facilement. — Et toi, qui sais bien que tout ce que dit ta mère, elle le dit non seulement sans songer à mal, mais encore en faisant des vœux pour toi plus que pour personne, tu t’irrites contre elle ! Crois-tu donc que ta mère te veuille du mal ? — Non, certes ; du moins je ne le pense pas. » Alors Socrate poursuit ainsi : « Eh bien, cette mère qui te veut du bien, qui prend tous les soins possibles quand tu es malade, pour te rendre la santé et pour ne te laisser manquer de rien, qui, en outre, prie les dieux pour toi et s’acquitte des vœux qu’elle leur a faits, tu te plains de son humeur ? Pour moi, je pense que si tu ne peux supporter une telle mère, tu ne peux pas davantage supporter ce qui est bon. Mais dis-moi, continua-t-il, crois-tu qu’on ne doive pas des égards à certaines personnes, ou es-tu disposé à ne chercher à plaire à personne, à n’obéir à personne, ni à un stratège, ni à tout autre magistrat ? — Par Jupiter, je suis disposé à obéir. — Eh bien, dit Socrate, ne veux-tu pas aussi plaire à ton voisin, pour qu’il allume ton feu lorsque tu en as besoin, pour qu’il te rende de bons services, et, dans le cas d’un accident, pour qu’il te porte des secours prompts et dévoués ? — Sans doute, je le veux. — Quoi donc ? Tu es disposé à des prévenances pour ces étrangers, et ta mère, qui te chérit plus que personne ne peut t’aimer, tu ne crois pas lui devoir des égards ? Ne sais-tu pas que l’État ne prend pas souci des autres ingratitudes, qu’il ne les poursuit pas et qu’il laisse en paix les obligés qui ne témoignent pas de reconnaissance, tandis que ceux qui n’honorent pas leurs parents, il les met en accusation, il les dégrade et les exclut des magistratures, dans la pensée que les sacrifices publics ne sauraient pas être saintement offerts par de tels sacrificateurs, et qu’il n’y a pas d’action belle et honnête qui puisse être faite par de tels hommes ? Par Jupiter, tous ceux qui n’honorent pas la tombe de leurs parents, l’État leur en demande compte dans les enquêtes ouvertes pour l’élection des magistrats. Toi donc, mon fils, si tu es sage, tu prieras les dieux de te pardonner tes offenses envers ta mère, dans la crainte qu’ils ne te regardent comme un ingrat et ne te privent de leur bienfaits, en même temps tu prendras garde que les hommes, en apprenant ton manque de respect pour tes parents, ne t’accablent tous de leur mépris et ne te laissent, à la face du ciel, seul et sans amis. Car s’ils pouvaient soupçonner que tu fusses ingrat envers tes parents, aucun d’eux ne te croirait capable de reconnaissance. »

II, 2

Platon

EGINE 429–347 AVANT J.-C.

D'origine aristocratique, Platon étudie de bonne heure tous les arts de son époque. Il est initié aux grands systèmes philosophiques répandus alors (Pythagore, Héraclite, les Sophistes) lorsqu'il devient l'ami et le disciple du philosophe Socrate (470-399) auquel il est profondément attaché. A la mort de son maître, en 399, il doit quitter Athènes : passant par Mégare où séjourne Euclide il entreprend une série de voyages qui durent une dizaine d'années en Égypte, en Italie et en Sicile où il aurait voulu voir le tyran de Syracuse mettre en pratique ses théories politiques. De retour dans sa patrie, il commence, dans les jardins d'Académus cet enseignement philosophique d'où est venu le nom d'Académie. Après une dernière et vaine expédition en Sicile, il meurt à Athènes à l'âge de quatre-vingt-deux ans.

Soigneusement conservée par l'école philosophique qu'il avait créée, l'Académie, l'œuvre de Platon nous a été intégralement transmise sous la forme de vingt-huit dialogues que l'on a pu grouper suivant l'époque de leur élaboration.

Les dialogues « socratiques » mettent surtout en scène la vie et l'enseignement si vivant de son maître (Socrate n'a laissé aucun écrit) qui n'a de cesse de faire « accoucher » (méthode de la maïeutique) son interlocuteur de la vérité qu'il possède en lui, masquée par la couche de ses illusions : ***Apologie de Socrate, Criton, Hippias mineur, Gorgias.***

Les dialogues de la maturité, plus représentatifs de la philosophie platonicienne, sont des chefs-d'œuvres de la littérature mondiale : ***le Banquet, Phédon, la République, Phèdre.***

Les dialogues de la vieillesse, plus techniques, tentent de résoudre intellectuellement les questions universelles par le procédé de la « dialectique » (méthode qui met en relief le pour et le contre de toute analyse, les contradictions, pour essayer de les dépasser) : ***Théèthète, Parménide, Philèbe.***

PHILOSOPHIE

.Apologie de Socrate.

CONSIDÉRATIONS SUR LA MORT

Socrate ayant été dénoncé comme irréligieux et corrupteur de la jeunesse comparaît devant un tribunal. Refusant de se défendre, il est reconnu coupable (par 281 voix contre 275) et condamné à mort.

Le philosophe adresse alors à ses juges un discours qui se termine ainsi :

"O mes juges ! soyez donc vous-mêmes pleins d'espérance en la mort, et ne pensez qu'à cette vérité, qu'il n'y a point de mal pour l'homme de bien, ni pendant sa vie ni après sa mort, et que les dieux ne l'abandonnent jamais"

Voici de nouvelles considérations qui doivent nous donner un grand espoir que la mort est un bien. De deux choses l'une : ou la mort est une extinction absolue de l'être et du sentiment, ou, comme on le dit, c'est un changement et un passage d'ici-bas dans un autre lieu.

Si elle est une extinction du sentiment, et qu'elle ressemble à un sommeil sans aucun songe, la mort est alors un merveilleux avantage. Car, si quelqu'un choisissait une nuit pendant laquelle il aurait dormi sans voir même un songe, s'il comparaît à cette nuit toutes les autres nuits et tous les autres jours de sa vie, et qu'il fût obligé de dire en conscience combien il aurait passé de jours et de nuits dans toute sa vie plus heureusement et plus agréablement que cette nuit-là, je suis persuadé que je ne dis pas un simple particulier, mais le grand roi lui-même n'en trouverait comparativement qu'un petit nombre bien facile à compter. Si donc la mort est quelque chose de semblable, je dis qu'elle est un avantage ; car toute l'éternité n'est plus qu'une seule nuit.

Mais, si la mort est un passage de ce séjour dans un autre, si ce qu'on dit est vrai, à savoir que c'est là le rendez-vous de tous ceux qui sont morts, quel plus grand bien peut-on imaginer, ô mes juges ? Car enfin, si en arrivant aux enfers, délivré à jamais de ceux qui ont ici la prétention d'être des juges, on trouve dans ce nouveau séjour les véritables juges, qui, dit-on, y rendent la justice, Minos, Rhadamanthe, Éaque, Triptolème et tous ces autres demi-dieux qui ont été justes pendant leur vie, ce voyage serait-il donc à dédaigner ? Combien ne donnerait-on pas pour s'entretenir avec Orphée, Musée, Hésiode, Homère ! Ah ! je veux mourir mille fois, si tout cela est vrai. Quel admirable passe-temps pour moi que de me rencontrer avec Palamède, avec Ajax, fils de Télamon, avec tous ceux des temps anciens, qui sont morts victimes de condamnations injustes ! Il ne me serait pas désagréable, je crois, de comparer mon sort à celui de ces héros. Mais mon plus grand plaisir serait d'employer mon temps à examiner et à sonder, là comme ici, ces différents personnages, pour distinguer ceux qui sont sages, et ceux qui croient l'être et ne le sont point. A quel prix ne voudrait-on pas, ô juges ! examiner celui qui conduisit devant Troie une si grande armée, ou bien Ulysse, Sisyphe, et tant d'autres, hommes et femmes, avec lesquels ce serait vraiment une félicité inexprimable de converser et de vivre en les examinant ? Là, du moins, on n'est pas mis à mort pour cet examen ; car les habitants de ce séjour, entre mille autres avantages qui les rendent plus heureux que les habitants de la terre, jouissent d'une vie immortelle, si du moins ce qu'on en dit est véritable.

O mes juges ! soyez donc vous-mêmes pleins d'espérance en la mort, et ne pensez qu'à cette vérité, qu'il n'y a point de mal pour l'homme de bien, ni pendant sa vie ni après sa mort, et que les dieux ne l'abandonnent jamais. Ce qui m'arrive maintenant n'est pas l'effet du hasard ; je suis bien convaincu qu'il m'était plus avantageux de mourir dès à présent et d'être délivré des soucis de la vie. Je n'ai pas le moindre ressentiment contre ceux qui m'ont condamné, ni contre mes accusateurs.

Cependant leur intention n'a pas été bienveillante quand ils m'ont condamné et accusé, mais ils ont cru me faire du mal, et sous ce rapport je pourrais me plaindre. Mais voici une grâce que je leur demande : Athéniens, quand mes fils seront grands, tourmentez-les, comme je vous ai tourmentés vous-mêmes, si vous les voyez préférer les richesses ou toute autre chose à la vertu ; et s'ils se croient quelque chose, quoiqu'ils ne soient rien, reprochez-leur, comme je vous l'ai reproché, de négliger ce qui mérite tous leurs soins et de se croire quelque chose quand ils ne sont rien. Si vous le faites, moi et mes fils, nous n'aurons pas à nous plaindre de votre justice.

Mais il est temps déjà de nous quitter, moi pour mourir, et vous pour vivre. Qui de nous a le meilleur partage ? Personne ne le sait, excepté Dieu.

CH. 32 ET 33

Criton propose à Socrate de le faire évader.

Dans une prosopopée célèbre (figure de rhétorique qui consiste à faire parler un absent ou une entité), « la prosopopée des Lois », Socrate fait comprendre à son disciple qu'il préfère mourir plutôt que d'enfreindre la Loi.

Au moment de nous évader ou de sortir d'ici, quel que soit le mot qu'il te plaira de choisir, si les Lois et la République venaient se présenter devant nous, et nous disaient : « Réponds-moi, Socrate, que vas-tu faire ? L'action que tu entreprends a-t-elle un autre but que de nous détruire, nous qui sommes les Lois, et avec nous la République tout entière, autant qu'il dépend de toi ? Ou te semble-t-il possible que l'État subsiste et ne soit pas renversé, lorsque les arrêts rendus restent sans force et que de simples particuliers leur enlèvent l'effet et la sanction qu'ils doivent avoir ? » Que répondrons-nous, Criton ; à ce reproche et à d'autres semblables ? Car on aurait beaucoup à dire, surtout un orateur, sur cette infraction à la loi qui ordonne que les jugements rendus aient tout leur effet.

Ou bien dirons-nous aux Lois que la République a été injuste envers nous et qu'elle n'a pas bien jugé ?

« Eh quoi ! Socrate, répondraient les Lois, est-ce là ce dont nous étions convenues avec toi ? Ou plutôt n'étions-nous pas convenues avec toi que les jugements rendus par la République seraient exécutés ? » Et si nous paraissions surpris de les entendre parler ainsi, elles nous diraient peut-être : « Socrate, ne t'étonne pas de ce langage, mais réponds-nous, puisque tu as coutume de procéder par questions et par réponses. Voyons : quel sujet de plainte as-tu contre nous et contre la République, pour entreprendre ainsi de nous renverser ? Et d'abord, n'est-ce pas nous qui avons présidé à l'union de ton père et de ta mère, ainsi qu'à ta naissance ? Déclare-le hautement : as-tu à te plaindre de celles d'entre nous qui règlent les mariages et les trouves-tu mauvaises ? – Je ne m'en plains pas, dirais-je.

« Est-ce de celles qui déterminent la nourriture de l'enfant et l'éducation selon laquelle tu as été élevé toi-même ? Celles qui ont été instituées pour cet objet n'ont-elles pas bien fait d'ordonner à ton père de t'élever dans les exercices de la musique et de la gymnastique ? » – CRITON. Très bien, répondrais-je. – SOCRATE. « A la bonne heure. Mais, puisque c'est à nous que tu dois ta naissance, ta nourriture et ton éducation, peux-tu nier que tu sois notre enfant, notre esclave même, toi et tes ancêtres ? Et s'il en est ainsi, crois-tu que tu aies contre nous les mêmes droits que nous nous avons contre toi, et que tout ce que nous pourrions entreprendre contre toi, tu puisses à ton tour l'entreprendre justement contre nous ?

Eh quoi ! tandis qu'à l'égard d'un père ou d'un maître, si tu en avais un, tu n'aurais pas des droits égaux, comme de leur rendre injures pour injures, coups pour coups, ni rien de semblable, tu aurais tous ces droits envers les Lois de la Patrie, en sorte que, si nous avons prononcé ta mort, croyant qu'elle est juste, tu entreprendras à ton tour de nous détruire, nous qui sommes les Lois, et la Patrie avec nous, autant qu'il est en toi, et tu diras que tu es en droit d'agir ainsi, toi qui te consacres en réalité au culte de la vertu ? Ta sagesse va-t-elle jusqu'à ignorer que la Patrie est, aux yeux des dieux et des hommes sensés, quelque chose de plus cher, de plus respectable, de plus auguste et de plus saint qu'une mère, un père et tous les aïeux ? qu'il faut avoir pour la Patrie, même irritée, plus de respect, de soumission et d'égards que pour un père ? qu'il faut l'adoucir par la persuasion ou faire tout ce qu'elle ordonne, et souffrir sans murmure ce qu'elle commande, soit qu'elle nous condamne aux verges ou aux fers, soit qu'elle nous envoie à la guerre pour être blessés et tués ? que notre devoir est de lui obéir, que la justice le veut ainsi, qu'il ne faut jamais ni reculer, ni lâcher pied, ni quitter son poste ? que dans les combats, devant les tribunaux et partout, il faut faire ce qu'ordonnent l'État et la Patrie, ou employer les moyens de persuasion que la justice avoue ? qu'enfin, si c'est une impiété de faire violence à son père ou à sa mère, c'est une impiété bien plus grande encore de faire violence à sa patrie ? » – Que répondrons-nous à cela, Criton ? Reconnaîtrons-nous que les Lois disent la vérité, ou non ?

« Considère donc, Socrate, ajouteraient les Lois, que, si nous disons la vérité, ce que tu entreprends contre nous n'est pas juste. En effet, ce n'a pas été assez pour nous de t'avoir donné la vie, de t'avoir nourri et élevé, de t'avoir admis au partage de tous les biens qui étaient en notre pouvoir, toi et tous les autres citoyens ; nous avons déclaré (et c'est un droit que nous reconnaissons à tout Athénien qui veut en user), qu'aussitôt qu'il a été reçu dans la classe des éphèbes, qu'il a vu ce qui se passe dans la République, et qu'il nous a vues aussi, nous qui sommes les Lois, il est libre, si nous ne lui plaisons pas, d'emporter ce qu'il possède et de se retirer où il voudra. Et si quelqu'un d'entre vous veut aller dans une colonie, parce que nous lui déplaisons, nous et la République, si même il veut aller s'établir quelque part à l'étranger, aucune de nous ne s'y oppose et ne le défend : il peut aller partout où il voudra avec tous ses biens. Mais quant à celui de vous qui persiste à demeurer ici, en voyant de quelle manière nous rendons la justice et nous administrons toutes les affaires de la République, nous déclarons dès lors que par le fait il s'est engagé envers nous à faire tout ce que nous lui ordonnerions ; et, s'il n'obéit pas, nous le déclarons trois fois coupable : d'abord, parce qu'il nous désobéit, à nous qui lui avons donné la vie ; ensuite parce que c'est nous qui l'avons élevé, enfin parce que, ayant pris l'engagement d'être soumis, il ne veut ni obéir ni employer la persuasion à notre égard, si nous faisons quelque chose qui ne soit pas bien ; car, tandis que nous lui proposons à titre de simple proposition, et non comme un ordre tyrannique, de faire ce que nous lui commandons, lui laissant même le choix d'en appeler à la persuasion ou d'obéir, il ne fait ni l'un ni l'autre.

« Voilà, Socrate, les accusations que tu vas encourir, si tu accomplis ton projet, et tu les encourras plus que tout autre Athénien. » – Si je leur demandais pour quelle raison elles me traiteraient comme je le mérite, en me rappelant que je me suis engagé avec elles plus formellement que tout autre Athénien ; elles me diraient : « Socrate, tu nous as donné de grandes preuves que nous te plaisions, nous et la République. Tu n'aurais pas habité Athènes avec plus de constance que tout autre, si elle n'avait pas eu pour toi un attrait particulier. Jamais aucune des solennités de la Grèce n'a pu te faire quitter cette ville, si ce n'est une seule fois, lorsque tu es allé à l'Isthme de Corinthe ; tu n'es sorti d'ici que pour aller à la guerre ; jamais tu n'as entrepris aucun de ces voyages que font tous les hommes ; jamais tu n'as eu le désir de connaître une autre ville ni d'autres lois ; mais toujours nous t'avons suffi, nous et notre ville ; telle était ta prédilection pour nous, tu consentais si bien à vivre sous notre gouvernement, que c'est dans notre ville que tu as voulu entre autres choses devenir père de famille, témoignage assuré qu'elle te plaisait. Enfin, pendant ton procès, tu aurais pu te condamner à l'exil, si tu l'avais voulu, et faire avec notre consentement ce que tu entreprends aujourd'hui malgré nous. Alors tu affectais de ne pas craindre la nécessité de mourir, mais, comme tu disais, tu préférais la mort à l'exil. Et maintenant, sans égard pour ces belles paroles, sans respect pour nous, qui sommes les Lois, tu médites notre ruine, tu fais ce que ferait l'esclave le plus vil, tu vas t'évader au mépris des traités et des engagements que tu as pris de te laisser gouverner par nous. D'abord réponds-nous sur cette question : avons-nous raison de dire que tu as pris l'engagement, de fait, et non de parole, de te soumettre à notre empire ? Est-ce vrai, ou non ? » – Que dirons-nous à cela, Criton ? Y a-t-il autre chose à faire que d'en convenir ?

« Eh bien, diraient-elles encore, ne violes-tu pas les conventions et les engagements qui te lient à nous ? Et pourtant tu ne les as contractés ni par force, ni par surprise, ni sans avoir le temps de prendre un parti ; mais tu as eu, pour y penser, soixante-dix années, pendant lesquelles tu avais la faculté de te retirer, si tu n'étais pas satisfait de nous, et si nos conventions ne te paraissaient pas justes. Or, tu n'as préféré le séjour ni de Lacédémone, ni de la Crète, dont tu vantes sans cesse le gouvernement, ni d'aucune ville grecque ou barbare ; mais tu es sorti d'Athènes moins souvent que les boiteux, les aveugles et les autres infirmes : preuve évidente que tu avais plus d'amour que les autres Athéniens pour cette ville et pour nous-mêmes, qui sommes les Lois de cette ville : car peut-on aimer une cité sans en aimer les lois ? Et maintenant seras-tu infidèle à tes engagements ?

« Considère, si tu viens à y manquer, à en violer un seul, quel bien tu te feras à toi-même et à tes amis. Il est à peu près certain que tes amis seront bannis et privés de leur patrie, ou dépouillés de leurs biens ; et toi, si tu vas te retirer dans quelque ville voisine, à Thèbes ou à Mégare, qui sont régies par de bonnes lois, tu y seras reçu, Socrate, comme un ennemi de leur constitution ; tous ceux qui sont attachés à leur pays verront en toi un homme suspect, un corrupteur des lois, et tu confirmeras toi-même l'opinion que tes juges t'ont justement condamné ; car tout corrupteur des lois passera aussi pour corrupteur des jeunes gens et des hommes faibles. Fuirais-tu les villes les plus policées et la société des hommes les plus honnêtes ? Mais, à cette condition, sera-ce la peine de vivre ? Ou bien, si tu les approches, quels discours leur tiendras-tu, Socrate ? Auras-tu le front de leur répéter ce que tu disais ici, que l'homme doit préférer à tout la vertu, la justice, les lois et l'obéissance aux lois ? Ne penses-tu pas qu'ils trouveront bien honteuse la conduite de Socrate ? Il faut bien que tu le penses. Tu t'éloigneras donc de ces villes bien policées, et tu iras en Thessalie chez les amis de Criton ; car le désordre et la licence règnent dans ce pays, et peut-être prendrait-on plaisir à t'entendre raconter la manière plaisante dont tu te serais échappé de prison, enveloppé d'un manteau, affublé d'une peau de bête ou de tout autre déguisement, comme font tous les fugitifs, et tout à fait méconnaissable. N'y aura-t-il personne pour s'étonner que dans un âge avancé, lorsque tu n'avais plus, selon toutes les apparences, que peu de jours à vivre, tu aies eu le courage de transgresser les lois les plus sacrées pour conserver une existence si misérable ? On se taira peut-être, si tu n'offenses personne : autrement, Socrate, tu entendras bien des propos humiliants et indignes de toi. Tu passeras ta vie à t'insinuer auprès de tout le monde par des flatteries et des bassesses serviles ; et que feras-tu en Thessalie que de guetter des festins, comme si tu n'étais aller en Thessalie pour que bien dîner ? Et tous ces discours sur la justice et les autres parties de la justice, que deviendront-ils ?

« Mais c'est pour tes enfants que tu veux vivre, afin de les nourrir et de les élever ? Quoi donc ! Faut-il les emmener en Thessalie pour les nourrir et les élever ? Faut-il en faire des étrangers, afin qu'ils aient encore cette obligation à leur père ? Supposons que tu ne le fasses pas : s'ils restent ici loin de toi, seront-ils mieux nourris et mieux élevés, quand tu ne seras pas avec eux ? Tes amis sans doute en prendront soin pour toi. Mais est-il nécessaire que tu t'exiles en Thessalie, pour qu'ils en prennent soin ? Et si tu vas chez Pluton, les abandonneront-ils ? Non, Socrate, ils ne les abandonneront pas, si du moins ceux qui se disent tes amis valent quelque chose ; et il faut le croire.

« Rends-toi donc, Socrate, aux conseils de celles qui t'ont nourri : ne mets ni tes enfants, ni ta vie, ni quoi que ce soit, au-dessus de la justice, afin qu'en arrivant chez Pluton, tu puisses alléguer toutes ces raisons pour ta défense devant ceux qui y commandent ; car ici-bas, si tu fais ce qu'on te propose, tu ne rends pas ta cause meilleure, plus juste, plus sainte, ni pour toi, ni pour aucun des tiens ; et, quand tu seras arrivé dans l'autre monde, tu ne pourras pas non plus la rendre meilleure. Maintenant, au contraire, si tu meurs, tu meurs victime de l'injustice, non des lois, mais des hommes ; au lieu que, si tu sors de la ville, après avoir si honteusement commis l'injustice à ton tour, rendu le mal pour le mal, violé toutes les conventions, tous les engagements que tu as contractés envers nous, mal agi envers ceux que tu devrais le plus ménager, envers toi-même, tes amis, ta patrie et nous, alors nous te poursuivrons de notre inimitié pendant ta vie ; et après ta mort nos sœurs, les Lois des Enfers, ne te feront pas un accueil favorable, sachant que tu as fait tous les efforts qui dépendaient de toi pour nous renverser. Ne suis donc pas les conseils de Criton, mais suis les nôtres. »

"Ne mets ni tes enfants, ni ta vie, ni quoi que ce soit, au-dessus de la justice"

Voilà, sache-le bien, mon cher Criton, les discours que je crois entendre, comme les initiés aux mystères des Corybantes croient entendre les flûtes sacrées ; le son de ces paroles retentit dans mon âme et me rend insensible à tout autre langage. Sois donc certain, telle est du moins ma conviction présente, que tout ce que tu dirais pour les combattre, serait inutile. Laisse donc là cette discussion, Criton, et suivons la route où Dieu nous conduit.

CH. 11-17.

.Phédon.

LA MORT DE SOCRATE

Commes les cygnes qui ne chantent jamais si bien que lorsqu'ils pressentent leur mort, Socrate se réjouit d'aller retrouver les dieux. Entouré de ses disciples, il boit la ciguë avec sérénité.

.LE CHANT DU CYGNE.

Mon cher Simmias, reprit Socrate en souriant doucement, j'aurais eu bien de la peine à persuader aux autres hommes que je ne regarde pas comme un malheur l'état où je me trouve, puisque je ne saurais vous le persuader à vous, mes disciples, puisque vous craignez que maintenant je ne sois d'une humeur plus difficile que par le passé. Vous me croyez donc, à ce qu'il paraît, bien inférieur aux cygnes pour le pressentiment et la divination ? Les cygnes, quand ils sentent qu'ils vont mourir, chantent encore plus et mieux que jamais, dans la joie qu'ils ont d'aller trouver le dieu qu'ils servent. Mais les hommes, qui craignent eux-mêmes de mourir, calomnient les cygnes en disant qu'ils pleurent leur mort et qu'ils chantent de tristesse, et ils ne font pas cette réflexion qu'il n'y a point d'oiseau qui chante quand il a faim ou froid, ou quand il souffre de quelque autre manière, pas même le rossignol, l'hirondelle ou la huppe, dont le chant, dit-on, est une plainte. Mais ni ces oiseaux, ni les cygnes ne me semblent chanter sous une impression de tristesse. Je crois plutôt que les cygnes, étant consacrés à Apollon, sont devins, et que, pré-

> **"Les cygnes, quand ils sentent qu'ils vont mourir, chantent encore plus et mieux que jamais, dans la joie qu'ils ont d'aller trouver le dieu qu'ils servent"**

voyant le bonheur réservé à l'autre vie, ils chantent et se réjouissent ce jour-là plus qu'ils n'ont jamais fait. Moi aussi, je pense que je sers Apollon aussi bien que les cygnes, que je suis comme eux consacré à ce dieu, que je n'ai pas moins reçu de notre commun maître l'art de la divination, et que je ne suis pas plus fâché qu'ils ne le sont eux-mêmes de sortir de la vie. C'est pourquoi, à cet égard, vous pouvez parler et m'interroger tant qu'il vous plaira, aussi longtemps que le permettront les Onze *(magistrats chargés de la police et de l'exécution des peines).* CH. 35.

.RÉCIT DE LA MORT DE SOCRATE.

Après avoir ainsi parlé, il se leva et passa dans une chambre voisine pour prendre le bain. Criton le suivit, et Socrate nous pria de l'attendre. Nous l'attendîmes tous, tantôt nous entretenant de ses paroles et les rappelant à notre mémoire, tantôt songeant au malheur qui allait nous enlever un père et nous rendre orphelins pour toujours. Quand il fut sorti du bain, on lui amena ses enfants. Il en avait trois, deux en bas âge, un qui était déjà grand. Ensuite les femmes de sa famille entrèrent. Il s'entretint quelque temps avec elles en présence de Criton, et leur exprima ses dernières volontés. Puis il fit retirer les femmes avec les enfants, et il revint nous trouver.

Déjà le coucher du soleil approchait ; car Socrate était resté longtemps dans la chambre où il avait pris le bain. En rentrant du bain, il s'assit sur son lit et n'eut pas le temps de nous dire grand'chose, car le serviteur des Onze entra presque en même temps, et s'approchant de lui : « Socrate, dit-il, je n'aurai pas à te faire le même reproche qu'aux autres. Dès que je viens les avertir, par l'ordre des magistrats, qu'il faut boire le poison, ils s'emportent contre moi et me maudissent. Mais pour toi, depuis que tu es ici, j'ai toujours vu en toi le plus courageux, le plus doux et le meilleur de tous ceux qui y soient jamais entrés ; et dans ce moment encore je sais bien que tu n'es pas fâché contre moi, car tu connais les vrais coupables, et ils sont les seuls que tu accuses. Maintenant donc, car tu sais ce que je viens t'annoncer, adieu ! tâche de supporter avec courage ce qui est inévitable. » Et, en même temps, il se détourna en pleurant et se retira. Socrate, le regardant, lui dit : « Et toi aussi, adieu ! Nous ferons tout ce que tu dis. » Et en même temps Socrate, s'adressant à nous : – Voyez, nous dit-il, quelle honnêteté il y a dans cet homme ! Pendant tout le temps que j'ai été ici, il est venu me voir souvent pour causer avec moi. Il a été pour moi le meilleur des hommes ! Et maintenant, voyez son bon cœur ; comme il me pleure sincèrement ! Allons, mon cher Criton, obéissons-lui, et qu'on m'apporte le poison, s'il est broyé ; sinon, que l'homme le broie. – Mais, répondit Criton, il me semble, Socrate, que le soleil est encore sur les montagnes et qu'il n'est pas encore couché. Je sais d'ailleurs que d'autres n'ont pris le poison que longtemps après qu'ils en avaient reçu l'ordre, et qu'ils se sont livrés aux plaisirs de la bonne chère et de la boisson. Ne te presse donc pas, tu as encore du temps. – Ceux qui font ce que tu dis, Criton, répondit Socrate, ont leurs raisons, ils croient que c'est autant de gagné ; et moi aussi, j'ai mes raisons pour ne pas le faire ; car, en buvant un peu plus tard la ciguë, je crois que la seule chose que j'y gagnerais serait de me rendre ridicule à moi-même, en me montrant assez attaché à la vie pour vouloir la ménager lorsqu'il n'en reste plus. Va donc, mon cher Criton, ne résiste pas et fait ce que je demande.

> **"Telle fut, Échécrate, la fin de notre ami, l'homme, sans contredit, le meilleur, le plus sage et le plus juste que nous ayons jamais connu"**

Là-dessus, Criton fit signe à l'esclave qui se tenait à peu de distance. L'esclave sortit, et, quelque temps après, il revint avec l'homme qui devait donner le poison, qu'il portait tout broyé dans une coupe. Aussitôt que Socrate le vit entrer : « Fort bien, mon ami, lui dit-il ; toi qui as l'expérience, dis-moi ce que je dois faire. – Pas autre chose, répondit-il, que ceci : quand tu auras bu, promène-toi jusqu'à ce que tu sentes tes yeux s'appesantir, et alors couche-toi sur ton lit ; le poison agira de lui-même. » En même temps il lui présenta la coupe.

Socrate la prit avec la plus grande sérénité, sans trembler, sans changer de couleur ni de visage, mais regardant cet homme d'un œil ferme et assuré comme à son ordinaire : « Dis-moi, est-il permis de répandre un peu de ce breuvage pour faire une libation ? – Socrate, lui répondit cet homme, nous n'en broyons qu'autant qu'il en faut pour une seule fois. – Je comprends, dit Socrate, mais du moins il est permis de prier les dieux, et il faut leur demander un voyage heureux de la terre au ciel. C'est ce que je leur demande ; puissent-ils m'exaucer ! » Après avoir dit ces mots, il s'arrêta un moment ; puis il but le breuvage avec une tranquillité et une douceur admirables. Jusque-là, nous avions eu presque tous la force de retenir nos larmes, mais en le voyant boire, et après qu'il eut bu, nous n'en fûmes plus les maîtres ; malgré moi, malgré tous mes efforts, mes larmes coulèrent avec tant d'abondance que je me couvris de mon manteau pour pleurer sur moi-même ; car ce n'était pas sur Socrate que je pleurais, mais sur mon malheur, en songeant à l'ami que j'allais perdre. Criton avant moi encore, n'ayant pu retenir ses larmes, était sorti. Et Apollodore, qui auparavant n'avait pas cessé de pleurer, se mit alors à jeter de grands cris et à pousser des gémissements si lamentables qu'il n'y eut personne à qui il ne brisât le cœur ; Socrate seul n'en fut point ému. « Que faites-vous, dit-il, chers amis ? je ne vous comprends pas. N'ai-je pas fait sortir les femmes pour empêcher ces excès ? car j'ai entendu dire qu'il faut mourir au milieu d'un silence religieux. Un peu de calme et de résignation ! » Ces mots nous couvrirent de confusion et nous retînmes nos pleurs. Cependant Socrate, qui se promenait de long en large, nous dit qu'il sentait ses jambes s'appesantir, et il se coucha sur le dos comme le lui avait recommandé l'homme qui lui avait donné le poison. Alors cet homme s'approcha, et, après avoir examiné par intervalles les pieds et les jambes de Socrate, il lui serra le pied avec force et lui demanda s'il le sentait ; Socrate répondit que non. L'homme lui serra ensuite les jambes, et, portant ses mains plus haut, il nous fit voir que le corps se refroidissait et se raidissait ; puis, le touchant de nouveau, il nous dit que, dès que le froid gagnerait le cœur, Socrate nous quitterait. Déjà tout le bas-ventre était froid ; Socrate alors se découvrant, car il était couvert de son manteau : « Criton, dit-il, et ce furent là ses dernières paroles, nous devons un coq à Esculape, donnez-le et ne l'oubliez pas. » – Cela sera fait, répondit Criton ; mais vois si tu n'as pas quelque autre chose à nous dire. » Il ne répondit rien, et, un instant après, il fit un mouvement. L'homme alors le découvrit tout à fait : les regards de Socrate étaient fixes. Alors Criton lui ferma la bouche et les yeux.

Telle fut, Échécrate, la fin de notre ami, l'homme sans contredit, le meilleur, le plus sage et le plus juste que nous ayons jamais connu.

CH. 65-66.

"Il but le breuvage avec une tranquillité et une douceur admirables"

.Phèdre.

LES ÂMES ET LEURS DESTINÉES

Platon, par l'intermédiaire de Socrate, expose dans ce dialogue pourquoi certains hommes ont l'amour du Beau : leur âme qui garde le souvenir de son origine divine en perçoit le reflet ici-bas dans les beautés terrestres et est irrémédiablement attirée par elles.

Disons que l'âme ressemble aux forces réunies d'un attelage ailé et d'un cocher. Les coursiers et les cochers des dieux sont tous bons et d'une bonne origine, mais la nature des autres est mélangée. Chez nous autres hommes, le conducteur dirige l'attelage ; mais l'un des coursiers est excellent et d'une race excellente, l'autre est bien différent et d'une race bien différente ; il en résulte que la conduite de notre attelage est nécessairement pénible et difficile. Comment donc un être animé a-t-il pu être appelé mortel et immortel ? C'est ce qu'il faut tâcher d'expliquer. L'âme universelle prend soin de la matière et fait le tour du ciel entier sous différentes formes. Tant qu'elle est parfaite et portée sur des ailes rapides, elle voyage dans les régions éthérées et gouverne tout l'univers ; mais, lorsqu'elle a perdu ses ailes, elle est emportée çà et là jusqu'à ce qu'elle rencontre quelque chose de solide où elle puisse séjourner : alors, se revêtant d'un corps terrestre, qui, grâce à la force de l'âme, semble se mouvoir lui-même, elle forme un tout qu'on appelle animal, composé d'un corps et d'une âme, et d'une nature mortelle. Mais quelle est la raison pour laquelle l'âme perd ses ailes ? Essayons de l'expliquer.

La propriété des ailes, c'est de porter ce qui est pesant vers les régions supérieures où habite la race des dieux ; et elles participent plus que toutes les choses corporelles à ce qui est divin. Or ce qui est divin, c'est le beau, le vrai, le bon et tout ce qui leur ressemble ; voilà tout ce qui nourrit et fortifie les ailes de l'âme ; mais ce qui est contraire à ces essences, comme la laideur et le mal, gâte et détruit les ailes. Le monarque puissant qui règne dans le ciel, c'est Jupiter, qui s'avance le premier sur un char ailé ; il arrange et gouverne toutes choses ; il est suivi de l'armée des dieux et des démons, partagée en onze sections : car Vesta reste seule dans le palais céleste. Les douze grands dieux qui commandent aux autres divinités conduisent chacun leur section dans l'ordre prescrit. Que de spectacles ravissants se présentent dans le ciel ! que de révolutions accomplissent les bienheureux ! Chacun remplit ses fonctions ; et, dans ceux qui suivent, le pouvoir et la volonté se trouvent réunis, car l'envie est bannie du chœur céleste. Lorsque les dieux se rendent au banquet qui les attend, ils montent au sommet le plus élevé de la voûte des cieux ; sur leurs coursiers dociles au frein, sur leurs chars toujours équilibrés, les immortels s'avancent légèrement ; tandis que les autres gravissent avec peine : car le mauvais coursier s'appesantit, penche et se précipite

"L'âme ressemble aux forces réunies d'un attelage ailé et d'un cocher"

vers la terre, lorsqu'il n'a pas été bien élevé par son cocher. C'est ici que l'âme subit sa dernière épreuve et sa dernière lutte. Les âmes que l'on nomme immortelles, lorsqu'elles sont arrivées au faîte, sortent du ciel et s'arrêtent sur sa voûte convexe : dans cette position le mouvement circulaire les emporte, et elles contemplent ce qui est hors de l'univers.

Le lieu qui est au-dessus du ciel n'a encore été célébré par aucun de nos poètes, et il ne le sera jamais dignement. En voici le tableau : car il faut oser dire la vérité, surtout lorsqu'on parle sur la vérité. L'essence sans couleur, sans forme, et qui est impalpable, ne peut être contemplée que par l'intelligence qui est le guide de l'âme. Cette essence est l'objet de la science véritable, qui habite ce lieu. Comme donc la pensée divine se nourrit d'intelligence et de science pure, la pensée de toute âme destinée à recevoir ce qui convient à sa nature, ayant vu autrefois l'essence vraie, aime à la retrouver, est heureuse de la contempler et de s'en nourrir jusqu'au moment où le mouvement circulaire la ramène à son lieu de départ. Pendant cette révolution, elle contemple la justice absolue, la sagesse absolue, la science absolue, et non pas cette science qui a un commencement, qui est sujette au changement et variable suivant les différents objets que nous appelons des êtres, mais celle qui se trouve dans l'être véritable : après avoir ainsi vu toutes les essences et s'en être nourrie, elle se replonge dans l'intérieur du ciel et rentre dans sa demeure. Dès qu'elle est arrivée, le cocher conduit les coursiers à la crèche, y répand l'ambroisie et y verse le nectar.

Telle est la vie des dieux. Parmi les autres âmes, celle qui suit de plus près un dieu et qui cherche à lui ressembler, celle-là élève la tête de son cocher vers la région extérieure ; elle est emportée par le mouvement circulaire, et, troublée par les coursiers, peut à peine voir les essences ; une autre tantôt s'élève, tantôt s'abaisse ; mais, ne pouvant contenir la fougue des coursiers, elle ne voit qu'une partie des choses. Enfin les autres âmes suivent, désirant elles aussi s'élever à la région supérieure. Mais, ne pouvant l'atteindre, elles sont emportées dans l'espace inférieur avec fracas, et, cherchant à se devancer, elles se précipitent les unes sur les autres et se foulent aux pieds. Alors s'élève un tumulte effroyable, la lutte et les efforts deviennent extrêmes ; plusieurs âmes sont estropiées par la maladresse de leurs cochers, plusieurs perdent une partie de leurs plumes ; toutes, après bien des fatigues, se retirent sans avoir pu voir la vérité, et désormais se repaissent de conjectures.

Or voici la loi d'Adrastée : toute âme qui accompagne une âme divine et parvient à voir une partie de la vérité, est exempte de toute souffrance jusqu'à une nouvelle révolution *(il s'agit d'une nouvelle existence sur terre : théorie de la métempsychose)* ; et, si elle peut toujours faire de même, elle n'éprouve jamais aucun mal. Mais lorsqu'elle ne peut plus suivre les dieux et contempler les essences, lorsqu'elle a le malheur de s'appesantir en se nourrissant d'oubli et de vice, de perdre ses ailes et de tomber sur la terre. Adrastée veut que cette âme n'entre dans le corps d'aucun animal à la première génération, mais que, ayant contemplé la plupart des essences, elle aille former un homme qui se consacrera au culte de la sagesse, de la beauté ou des Muses ; que l'âme qui vient au second rang forme un roi juste, belliqueux et capable de commander ; que celle du troisième rang anime un politique, un homme qui s'occupe d'économie domestique ou de négoce ; celle du quatrième, un homme qui s'adonne à la gymnastique ou à la médecine ; celle du cinquième, un devin ou un initié ; celle du sixième, un poète ou quelque autre artiste ; celle du septième, un ouvrier ou un laboureur ; celle du huitième, un sophiste ou un démagogue ; celle du neuvième, un tyran. Dans tous ces états, celui qui a vécu avec justice obtient après la mort une condition meilleure ; ceux qui ont mené une vie injuste tombent dans une condition plus malheureuse.

L'âme en effet ne revient jamais au lieu d'où elle est partie avant dix mille ans : elle ne reprend pas ses ailes avant ce temps, excepté celle du philosophe sincère : ces âmes, à la troisième révolution de mille ans, si elles choisissent trois fois de suite ce genre de vie, recouvrent leurs ailes et prennent leur vol à la dernière des trois mille années. Quant aux autres âmes, après avoir terminé leur première vie, elles sont jugées : après leur jugement, les unes se rendent sous la terre dans des lieux consacrés aux douleurs pour y subir leurs châtiments ; les autres, qui ont été acquittées, prennent leur essor vers un certain endroit du ciel, où elles jouissent d'un sort digne de la vie qu'elles ont menée sur la terre. Après mille ans, les unes et les autres sont appelées à un nouveau partage des conditions, et chaque âme peut, dans le choix d'une nouvelle vie, choisir la condition qu'elle préfère. C'est ainsi que l'âme d'un homme peut passer dans le corps d'une bête, ou de celui d'une bête, une âme qui a été âme d'homme peut revenir à l'humanité : mais celle qui n'a jamais contemplé la vérité ne peut revêtir la forme humaine ; car il faut que l'homme comprennent l'idée, et que sa raison rassemble ce qu'il y a de commun dans plusieurs sensations pour en faire une unité.

C'est là le ressouvenir des essences que l'âme a vues autrefois, lorsque, accompagnant la divinité, et lorsque, dédaignant ce que nous appelons aujourd'hui des êtres, elle s'élevait à l'être véritable. Aussi est-il juste que la pensée du philosophe ait seule des ailes : car sa mémoire est toujours autant que possible dirigée vers ces idées, avec lesquelles vit Dieu et qui composent sa divinité

CH. 25.29.

.Le Banquet.

LA BEAUTÉ IDÉALE ET L'AMOUR PLATONIQUE

Au cours d'un savoureux repas, un banquet, Socrate et ses disciples essaient ensemble de définir ce qu'est l'amour. Socrate évoque ici les propos tenus par Diotime de Mantinée, la prêtresse savante consultée autrefois par lui : celle-ci vient de parler de l'éducation qui doit développer chez l'enfant le goût des belles choses.

Celui que l'éducation aura élevé jusqu'au point où nous sommes, après avoir contemplé tour à tour et avec ordre tous les degrés du beau, parvenu enfin au terme de l'initiation aux mystères de l'amour, apercevra tout à coup une beauté merveilleuse, celle qui était jusque-là le but de toutes ses poursuites ; beauté éternelle, incréée et impérissable, exempte d'accroissement et de diminution ; beauté qui n'est point belle en telle partie et laide en telle autre, belle sous un rapport et non sous tel autre, belle en tel lieu et laide en tel autre, belle pour ceux-ci et laide pour ceux-là. Et cette beauté n'a rien de sensible comme un visage, ou des mains, ni rien de corporel ; ce n'est pas non plus un discours ou une science ; elle ne réside pas dans un être différent d'elle-même, dans un animal par exemple, ou dans la terre, ou dans le ciel, ou dans quelque autre chose ; mais elle existe éternellement et absolument par elle-même et en elle-même ; c'est d'elle que participent toutes les autres beautés, sans que leur naissance ou leur destruction lui apporte la moindre diminution ou le moindre accroissement, ou la modifie en quoi que ce soit.

Lors donc que des beautés inférieures on s'est élevé avec ordre jusqu'à cette beauté parfaite, et qu'on commence à l'entrevoir, on touche presque au but : car le droit chemin de l'amour, qu'on le suive de soi-même ou qu'on y soit guidé par un autre, c'est de commencer par les beautés d'ici-bas et de s'élever toujours jusqu'à la beauté suprême en passant, pour ainsi dire, par tous les degrés de l'échelle d'un seul beau corps à deux, de deux à tous les autres, des beaux corps aux belles occupations, des belles occupations aux belles sciences, jusqu'à ce que de science en science on parvienne à la science par excellence, qui n'est autre que celle du beau lui-même, et qu'on finisse par le connaître tel qu'il est réellement.

Si jamais la vie a son prix, c'est en ce moment, alors que l'on contemple le beauté absolue. Que penseriez-vous d'un mortel à qui il serait donné de contempler ainsi la beauté pure, simple, sans mélange, non revêtue de chair et de couleur humaine, on embarrassée de toutes les autres vanités périssables, la beauté divine et immuable ? Croyez-vous que ce serait une vie dénuée de prix que celle d'un homme qui aurait les regards tournés de ce côté et qui jouirait de la contemplation et du commerce d'un pareil objet ? Ne pensez-vous pas, au contraire, que cet homme, étant le seul ici-bas qui perçoive le beau par le sens qui est propre à cette perception, pourra seul engendrer non pas des images de vertu, puisqu'il ne s'attache pas à des images, mais des vertus véritables, puisque c'est à la vérité qu'il s'attache ? Or c'est à celui qui enfante et qui nourrit la véritable vertu qu'il appartient d'être chéri des dieux ; et si quelque homme doit être immortel, n'est-ce pas surtout celui-là ?

CH. 29.

"Car le droit chemin de l'amour, qu'on le suive de soi-même ou qu'on y soit guidé par un autre, c'est de commencer par les beautés d'ici-bas et de s'élever toujours jusqu'à la beauté suprême"

.La République.

LE MYTHE DE LA CAVERNE

Accéder à la Réalité (le monde des Idées) demande une conversion de l'être tout entier prisonnier du monde sensible, c'est-à-dire des illusions. Le célèbre « mythe de la caverne » est une illustration de la marche ascendante que tout chercheur de vérité se doit d'entreprendre.

"L'antre souterrain, c'est ce monde visible ; le feu qui l'éclaire, c'est la lumière du soleil ; ce captif qui monte à la région supérieure et la contemple, c'est l'âme qui s'élève jusqu'au monde intelligible"

SOCRATE.

Représente-toi maintenant l'état de la nature humaine par rapport à la science et à l'ignorance d'après le tableau que je vais faire. Imagine-toi des hommes renfermés dans une demeure souterraine, caverneuse, qui donne une entrée libre à la lumière dans toute la longueur de la caverne. Là, dès leur enfance, ils ont les jambes et le cou enchaînés de telle sorte qu'ils restent immobiles et qu'ils ne voient que les objets qu'ils ont en face. Leurs chaînes les empêchent de tourner la tête. Derrière eux, à une certaine distance et à une certaine hauteur, est un feu dont la lumière les éclaire ; entre ce feu et les captifs s'élève un chemin escarpé ; le long de ce chemin imagine un petit mur, semblable aux cloisons que les charlatans mettent entre eux et les spectateurs pour leur cacher les ressorts des figures merveilleuses qu'ils montrent. Figure-toi des hommes qui passent le long de ce mur, portant des objets de toute sorte qui s'élèvent au-dessus du mur, des figures d'hommes et d'animaux en pierre ou en bois, et de mille formes différentes. Parmi ceux qui les portent, les uns s'entretiennent ensemble, les autres passent sans rien dire.

GLAUCON.

Voilà un étrange tableau et d'étranges captifs.

SOCRATE.

Ils nous ressemblent pourtant de point en point. Et d'abord crois-tu que, dans cette situation, ils verront autre chose d'eux-mêmes et de ceux qui sont à leurs côtés que les ombres qui vont se retracer, à la lueur du feu, sur le côté de la caverne exposé à leurs regards ?

GLAUCON.

Non, puisqu'ils sont forcés de tenir la tête immobile pendant toute leur vie.

SOCRATE.

Et de même pour les objets qui passent derrière eux, en verront-ils autre chose que l'ombre ?

GLAUCON.

Non.

SOCRATE.

Or, s'ils pouvaient converser ensemble, ne penses-tu pas qu'ils conviendraient entre eux de donner aux ombres qu'ils voient les noms des choses mêmes ?

GLAUCON.

Sans contredit.

SOCRATE.

Et s'il y avait au fond de l'antre un écho qui répétât les paroles des passants, croiraient-ils entendre autre chose que la voix des ombres qui passent devant leurs yeux ?

GLAUCON.

Non, certes.

SOCRATE.

Enfin ils ne voudraient pas croire qu'il puisse exister autre chose de réel que les ombres de ces objets de toute espèce.

GLAUCON.

C'est de toute nécessité.

SOCRATE.

Vois maintenant ce qui devra naturellement leur arriver, si on les délivre de leurs chaînes et qu'en même temps on les guérisse de leur erreur. Si un captif est délivré de ses chaînes et forcé de se lever sur-le-champ, de tourner la tête, de marcher et de regarder du côté de la lumière ; si, en faisant tous ces mouvements, il éprouve de grandes douleurs et que des éblouissements l'empêchent de distinguer les objets dont il voyait auparavant les ombres, que penses-tu qu'il répondrait dans le cas où on lui dirait que jusqu'alors il n'a vu que des fantômes, qu'à présent plus près de la réalité et tourné vers des objets plus réels, il voit plus juste ? Supposons enfin que, en lui montrant chacun des objets qui passent, on l'oblige à force de questions à répondre ce que c'est, ne penses-tu pas qu'il serait dans l'embarras et que ce qu'il voyait auparavant lui paraîtra plus vrai que ce qu'on lui montre ?

GLAUCON.

Sans comparaison.

SOCRATE.

Et si on le contraint de regarder le feu lui-même, ses yeux n'en seront-ils pas blessés ? N'en détournera-t-il pas les regards pour les reporter sur ces ombres qu'il peut voir sans douleur ? Ne jugera-t-il pas qu'elles sont réellement plus visibles que les objets qu'on lui montre ?

GLAUCON.

Oui.

SOCRATE.

Si maintenant on l'arrache de sa caverne malgré lui, qu'on le traîne par le sentier rude et escarpé, et qu'on ne le lâche pas avant de l'avoir traîné jusqu'à la lumière du soleil, ne poussera-t-il pas des plaintes et des cris de colère ? Et lorsqu'il sera parvenu au grand jour, ses yeux tout éblouis pourront-ils distinguer même un seul des objets que nous appelons des êtres réels ?

GLAUCON.

Ils ne le pourront pas d'abord.

SOCRATE.

Ce n'est que peu à peu, si je ne me trompe, qu'ils pourront s'habituer à l'éclat de la région supérieure. Ce qu'il aura le plus de facilité à distinguer, ce sont d'abord les ombres, ensuite les images des hommes et des autres objets qui se réflètent dans les eaux, enfin les objets eux-mêmes. De là il portera ses regards vers les corps qui sont dans le ciel, et il supportera plus facilement la vue du ciel lui-même, s'il contemple pendant la nuit les astres et la lune, que pendant le jour, s'il veut fixer le soleil et sa lumière.

GLAUCON.

Sans contredit.

SOCRATE.

A la fin, il pourra, je pense, non seulement voir le soleil dans les eaux et partout où son image se réfléchit, mais encore le contempler lui-même à sa véritable place, tel qu'il est.

GLAUCON.

Nécessairement.

SOCRATE.

Après cela, se mettant à raisonner, il en viendra à conclure que c'est le soleil qui fait les saisons et les années, qui gouverne tout le monde visible, et qui est en quelque sorte la cause de tout ce qu'il voyait dans la caverne avec ses compagnons de captivité.

GLAUCON.

Il est évident que, de degrés en degrés, il arrivera à toutes ces conclusions.

SOCRATE.

S'il vient alors à se rappeler sa première demeure, l'idée qu'on y a de la sagesse, et ses compagnons d'esclavage, ne se trouvera-t-il pas heureux de son changement et ne plaindra-t-il pas les autres ?

GLAUCON.

Assurément.

SOCRATE.

S'il y avait là-bas des honneurs, des éloges et des récompenses établis entre les hommes pour celui qui saisissait le plus promptement le passage des ombres, qui se rappelait le plus sûrement celles qui précédaient, suivaient ou marchaient ensemble, par conséquent qui était le plus habile à prédire leur apparition, penses-tu que l'homme dont nous parlons fût encore bien jaloux de distinctions, et qu'il portât envie à ceux qui sont honorés et puissants dans ce souterrain ? Ou bien n'aimerait-il pas mieux, comme le héros d'Homère, passer sa vie au service d'un pauvre laboureur et souffrir tout au monde plutôt que de reprendre ses premières illusions et de vivre comme il vivait ?

GLAUCON.

Je ne doute pas qu'il ne fût disposé à tout souffrir plutôt que de vivre de la sorte.

SOCRATE.

Suppose encore que cet homme redescende dans la caverne et qu'il aille s'asseoir à son ancienne place ; dans ce passage subit du grand jour à l'obscurité, ses yeux ne seront-ils pas comme aveuglés ?

GLAUCON.

Oui certainement.

SOCRATE.

Et si, tandis que sa vue est encore confuse, avant que ses yeux se soient remis, ce qui demande un temps assez long pour s'accoutumer de nouveau à l'obscurité, il lui faut donner son avis sur ces ombres et entrer en dispute à ce sujet avec ses compagnons qui n'ont pas encore quitté leurs chaînes, ne prêtera-t-il pas à rire à ses dépens ? Ne diront-ils pas que, pour être monté là-haut, il a perdu la vue, que ce n'est pas la peine d'essayer même d'y monter, et que celui qui s'aviserait de vouloir leur donner la liberté et les conduire en haut, s'ils pouvaient le saisir et le tuer, ils ne manqueraient pas de le faire ?

GLAUCON.

Sans contredit.

SOCRATE.

Voilà précisément, cher Glaucon, l'image fidèle et complète à laquelle il faut rattacher par comparaison ce que nous avons dit précédemment. L'antre souterrain, c'est ce monde visible ; le feu qui l'éclaire, c'est la lumière du soleil ; ce captif qui monte à la région supérieure et la contemple, c'est l'âme qui s'élève jusqu'au monde intelligible. Voilà

"Aux dernières limites du monde intelligible est l'idée du bien ; on l'aperçoit avec peine, mais on ne peut l'apercevoir sans conclure qu'elle est la cause universelle de tout ce qu'il y a de beau et de bon"

du moins quelle est ma pensée, puisque tu veux la savoir : Dieu sait si elle est vraie. Quant à moi, la chose me paraît telle que je vais dire. Aux dernières limites du monde intelligible est l'idée du bien ; on l'aperçoit avec peine, mais on ne peut l'apercevoir sans conclure qu'elle est la cause universelle de tout ce qu'il y a de beau et de bon ; que dans le monde visible elle crée la lumière et l'astre qui la donne directement ; que dans le monde invisible, c'est elle qui produit directement la vérité et l'intelligence, et que par conséquent il faut avoir les yeux fixés sur elle pour agir avec sagesse dans les affaires privées et publiques.

GLAUCON.

Je ne puis que partager ton opinion.

LIVRE VII, CH. 1-3.

.Timée.

L'ATLANTIDE

Les Égyptiens apprennent à Solon qu'aurait existé autrefois un pays puissant, l'Atlantide, doté d'une civilisation brillante, qu'une catastrophe planétaire aurait fait brusquement disparaître de la surface de la terre.

Il y a en Égypte, dans le Delta, au sommet duquel le Nil divise son cours, un nome appelé Saïtique ; la plus grande ville de ce nome est Saïs, où naquit le roi Amasis. Les habitants de cette ville ont pour protectrice une déesse qu'on appelle en égyptien Neith, et en grec, à ce qu'ils disent, Pallas Athéné : ils aiment beaucoup les Athéniens, et prétendent avoir avec eux quelque communauté d'origine. Solon raconte que, arrivé chez eux, il avait été en grande considération ; et que, comme il interrogeait sur les temps anciens les prêtres les plus instruits, il avait reconnu que ni lui ni aucun Grec n'avait, pour ainsi dire, aucune connaissance des antiquités.

Un jour que, voulant les amener à s'expliquer sur les temps anciens, il s'était mis à les entretenir de ce que nous prenons pour des antiquités, par exemple, de Phoronée et de Niobé, à leur raconter la fable de Deucalion et Pyrrha, leur conversation après le déluge, et l'histoire de leur race, à supputer les temps et à calculer le nombre d'années qui s'étaient écoulées, un des prêtres les plus vieux l'interrompit et lui dit :

« O Solon, Solon ! Vous autres Grecs, vous êtes tous des enfants ; il n'y a pas de vieillards parmi vous. » – « Que veux-tu dire par là ? » demanda Solon, en entendant ces paroles. – « Vous êtes tous, répondit le prêtre, jeunes d'esprit : aucune vieille tradition n'a mis dans vos âmes ni opinion ancienne, ni connaissance vieillie par les années. En voici la raison : les hommes ont éprouvé et éprouveront plusieurs genres de destructions, de très considérables par l'eau et par le feu, de moindres par une foule d'autres causes. Voyez, par exemple, votre récit sur Phaéton : selon vous, Phaéton, fils du soleil, attela le char de son père, et, n'ayant pas su le conduire dans la même route que lui, il mit le feu à la terre et périt lui-même frappé de la foudre. Ce récit a tout l'air d'une fable : ce qu'il y a de vrai, c'est qu'il peut survenir des changements à la suite des révolutions qui se font autour de la terre et dans le ciel, et que, à de grands intervalles, ce qui est sur la terre est détruit par un immense incendie. Alors ceux qui habitent sur les montagnes ou dans des lieux élevés et arides périssent plus tôt que ceux qui habitent près des fleuves et de la mer : pour nous, le Nil, qui est toujours notre sauveur, nous préserve alors d'une pareille catastrophe par ses débordements. Lorsqu'au contraire les dieux, pour purifier la terre, la submergent par un déluge, les bouviers et les bergers sont en sûreté sur les montagnes ; chez vous, les habitants des villes sont entraînés par les fleuves dans la mer ; mais dans ce pays-ci, ni dans cette circonstance ni dans d'autres, les eaux ne descendent d'en haut pour inonder les plaines ; la nature les fait jaillir d'en bas.

« Voilà comment et par quelles causes se conservent chez nous les anciennes traditions. En réalité, dans tous les pays où ne règnent point des froids excessifs ou des chaleurs torrides, la race des hommes subsiste toujours plus ou moins nombreuse. Tous les faits glorieux, importants ou remarquables sous quelque rapport que nous avons recueillis chez vous, ici ou ailleurs, ont été écrits autrefois, et sont conservés dans nos temples. Mais chez vous et chez les autres peuples, à peine les faits se trouvent-ils consignés dans des écrits ou conservés par tous les moyens indispensables aux États, que les eaux du ciel viennent périodiquement fondre sur vous, comme un fléau, et ne laissent subsister que les hommes étrangers aux lettres et aux arts ; de manière que vous retournez à l'enfance, ne sachant rien de ce qui s'est passé anciennement dans ce pays-ci et dans le vôtre. Quant à ces traditions généalogiques que tu viens de me rappeler, Solon, elles diffèrent peu des contes d'enfants : d'abord vous n'avez conservé le souvenir que d'un seul déluge, tandis qu'il y en a eu plusieurs auparavant ; ensuite vous ignorez qu'il a existé dans votre pays une race d'hommes très belle et très vaillante, dont vous descendez, toi et tous tes concitoyens ; vous n'en savez rien, parce que plusieurs générations s'éteignirent parmi les survivants sans laisser aucun monument historique. Autrefois, Solon, avant que les eaux eussent opéré cette immense destruction, cette même cité, qui est aujourd'hui Athènes, excellait dans la guerre et était arrivée à un très haut degré de civilisation : on lui attribue les plus belles actions et les plus belles institutions politiques dont le souvenir se soit conservé sous la voûte du ciel. »

Solon nous dit qu'il fut très étonné de ce discours, et que, rempli de la plus vive curiosité, il pria les prêtres de lui faire le récit exact et détaillé de ce qui concernait ses anciens concitoyens. Le prêtre reprit : « Je ne m'y refuse pas, Solon, et je te ferai ce récit par amour pour toi et pour ta patrie, et surtout en considération de la déesse qui est la protectrice d'Athènes et de notre Saïs, qui les a élevées et instruites, la première mille ans avant la seconde, en la faisant naître de la Terre et de Vulcain.

« La fondation de notre ville remonte à huit mille ans, et ce nombre est écrit dans nos livres sacrés. je vais te parler de tes concitoyens, qui vivaient il y a neuf mille ans, et te faire connaître en peu de mots leurs lois et les plus belles de leurs actions. Quant au récit exact et détaillé, nous te le ferons une autre fois à loisir, à l'aide de nos livres mêmes.

« Compare vos lois avec les nôtres : tu verras que plusieurs de vos anciennes institutions ont servi de modèles à celles qui existent encore ici : d'abord la classe des prêtres séparée des autres ; puis celle des artisans, où chaque profession s'exerce à part, sans se mêler à aucune autre ; celle encore des pâtres, des chasseurs et des laboureurs. Tu as sans doute aussi remarqué la classe des guerriers, qui est entièrement distincte de toutes les autres, et à qui la loi n'a assigné d'autre fonction que celle de faire la guerre. En outre, ils ont du rapport avec les vôtres pour leur manière de combattre avec la lance et le bouclier, dont nous nous sommes armés les premiers parmi les peuples de l'Asie, instruits par la déesse qui vous en avait d'abord montré l'usage. Quant à la science, tu vois quels soins particuliers les lois donnent à cet objet dès le principe, puisqu'elle comprend la nature entière jusqu'à la divination et à la médecine, qui se rapporte à la santé, allant des choses divines aux choses humaines, et embrassant dans son domaine toutes les connaissances qui dépendent de celles-là. Telle est, dans son ensemble, la constitution que la déesse a réglée d'abord pour vous ; et elle a choisi le lieu où vous êtes nés, parce qu'elle savait que son climat tempéré produirait des hommes de la plus heureuse intelligence. Comme elle aime la guerre et la science, c'est le lieu où devaient naître les hommes qui lui ressembleraient le plus que la déesse a choisi le premier pour y fonder un État. Vous viviez ainsi sous l'empire de telles lois et d'autres meilleures encore, et vous surpassiez tous les peuples en vertus, comme il convenait à des hommes qui avaient été engendrés et élevés par des dieux.

« Il y a donc un grand nombre de belles actions de votre république qui se trouvent consignées dans nos livres et qui excitent notre admiration ; mais il y en a une qui l'emporte sur toutes les autres par la grandeur et par le courage que vous y avez déployés. Nos livres nous apprennent quelle puissante armée Athènes a arrêtée dans sa marche insolente, lorsqu'elle menaçait à la fois l'Europe et l'Asie entière, étant partie du milieu de la mer Atlantique : car on pouvait alors traverser cette mer. Il y avait une île devant cette ouverture que vous appelez les Colonnes d'Hercule : cette île était plus grande que l'Asie et la Libye ensemble : elle facilitait aux navigateurs d'alors le passage vers d'autres îles, et de ces îles vers tout le continent situé en face, qui borde cette mer véritable : car celle qui se trouve en deçà du détroit dont nous parlons ressemble à un port avec une étroite entrée ; tandis que cette mer et la terre qui l'entoure peuvent être appelées véritablement et à très juste titre, l'une une mer, l'autre un continent.

« Un jour cette île, réunissant toutes ses forces, entreprit d'asservir votre pays, le nôtre et toutes les contrées situées en deçà du détroit. C'est alors, Solon, que votre république montra à tout l'univers sa puissance et sa valeur : supérieure à tous par son courage et par sa connaissance de l'art militaire, d'abord à la tête des Hellènes, puis à elle seule, réduite à ses propres ressources par l'abandon des alliés, après avoir affronté les plus grands périls, elle triompha de tous ses ennemis, éleva des trophées, préserva de la servitude ceux qui n'étaient pas encore asservis, et délivra généreusement tous ceux qui, comme nous, habitaient en deçà des Colonnes d'Hercule. Plus tard, il survint des tremblements de terre et des inondations extraordinaires ; dans un seul jour et dans une nuit désastreuse toute la masse de vos guerriers fut engloutie sous la terre, et l'île Atlantide disparut submergée. Aussi, de nos jours, est-il impossible de traverser et d'explorer la mer en cet endroit, à cause de la vase profonde qui y a formée l'île, en s'abîmant sous les flots.

“De manière que vous retournez à l'enfance, ne sachant rien de ce qui s'est passé anciennement dans ce pays-ci et dans le vôtre”

Aristote

STAGIRE 384
CHALCIS 322 AVANT J.-C.

Fils d'un médecin du roi de Macédoine, Aristote vient à Athènes à dix-sept ans suivre l'enseignement de Platon. Il y reste vingt ans. N'ayant pas obtenu la direction de l'Académie, il part à quarante ans fonder son propre centre de recherche en Asie Mineure sous la protection de son ami, le gouverneur Hermias. Ce dernier est assassiné ; le Stagirite (c'est le surnom d'Aristote) est appelé alors par Philippe à la cour de Macédoine pour être le précepteur du jeune Alexandre auquel il sait inspirer l'amour des lettres et des sciences. La destinée d'Aristote suit désormais celle de son royal élève. Pendant les années de triomphe, il peut fonder à Athènes son école de philosophie, le Lycée, site aux abords d'Athènes, où les leçons sont données au cours de promenades, d'où l'appellation d' « école péripatéticienne » (peripatein en grec signifie se promener). Après la mort du conquérant, en 323, il doit se réfugier en Eubée où il meurt peu après.

L'œuvre d'Aristote connut une destinée très différente de celle de Platon, laquelle fut soigneusement préservée par ses disciples. Ses manuscrits, disparus, ne furent redécouverts et édités à Rome qu'à l'époque de Cicéron. Le Moyen-Age qui l'honora (il est le père de la scolastique) le connut par le truchement des Arabes. Écarté à la Renaissance, il a été réhabilité au XIXe siècle qui apprécia son esprit positif et observateur, et une intelligence remarquable ayant réussi à rassembler, augmenter et classer toute la science de son époque.

Savant universel, Aristote essaya de résoudre les grands problèmes de fond : la structure de la matière, le principe de la vie, le pouvoir et les limites de l'homme, le mystère de la transcendance ***(la Physique, la Métaphysique).*** *C'est également un moraliste* ***(l'Éthique)*** *qui s'intéresse à la politique* ***(la Politique).*** *Créateur de la logique, il s'est beaucoup intéressé au langage* ***(les Catégories, la Rhétorique, la Poétique).*** *Il nous a laissé, d'autre part, de nombreux ouvrages de sciences naturelles remarquablement documentés grâce aux milliers d'hommes chargés par Alexandre d'envoyer animaux et plantes des pays lointains visités par le grand conquérant.*

PHILOSOPHIE-MORALE

.L'Éthique à Nicomaque.

L'Éthique à Nicomaque est l'un des trois ouvrages consacrés à la morale et groupés sous le titre d'Éthique. Le livre IX est consacré à l'amitié, sa nature, ses différentes espèces : dans le passage suivant, Aristote constate que l'on aime plus son obligé que son bienfaiteur, évidence reprise mille cinq cents ans plus tard par Labiche dans « Le voyage de M. Perrichon ».

"Les bienfaiteurs paraissent mieux aimer leurs obligés, que les obligés leurs bienfaiteurs"

Les bienfaiteurs paraissent mieux aimer leurs obligés, que les obligés leurs bienfaiteurs ; cela est contraire à ce qui devrait être, et l'on en demande la cause. La plupart des moralistes expliquent ainsi ce fait : les uns sont des créanciers, les autres des débiteurs. De même donc que, dans les questions d'argent, les débiteurs souhaitent de voir disparaître leurs créanciers, tandis que les créanciers veillent à la sûreté de leurs débiteurs, de même les bienfaiteurs s'intéressent vivement à leurs obligés, sur la reconnaissance desquels ils comptent ; tandis que les obligés ne s'inquiètent guère d'acquitter leur dette de reconnaissance.

Épicharme dirait peut-être que l'on parle ainsi parce qu'on envisage les choses du mauvais côté. Mais le cœur humain est ainsi fait : la plupart des hommes sont ingrats, et sont plus soucieux de recevoir que de rendre des services. Du reste, la cause de ce fait paraît être plus naturelle, et n'avoir pas de rapport à ce qui concerne les créanciers : en effet, les créanciers n'aiment pas leurs débiteurs, ils désirent seulement leur conservation, dans l'espoir d'être remboursés : au contraire, les bienfaiteurs aiment, chérissent même leurs obligés, quand ils n'en attendraient aucun service ni pour le présent ni dans l'avenir. C'est ce qui arrive pour les artistes : tout artiste aime son œuvre plus que son œuvre ne l'aimerait, si elle prenait vie. C'est ce qu'on voit surtout chez les poètes : ils sont passionnés pour leurs poèmes et ont pour eux l'affection de pères pour leurs enfants. Il en est de même aussi des bienfaiteurs : leur obligé est leur œuvre ; ils l'aiment plus que l'œuvre n'aime son auteur. La raison en est qu'être est cher à tout le monde ; or on est par l'énergie de l'action et de la vie.

Il se joint à l'acte du bienfaiteur une idée de beau, qui est de nature à lui plaire ; le bienfaiteur ne rappelle nullement à l'obligé l'idée du beau, mais tout au plus celle d'utile, ce qui est moins agréable et moins propre à être aimé. Ce qui est agréable, c'est l'action pour le présent, l'espoir pour l'avenir, le souvenir pour le passé. Au bienfaiteur reste son acte (car le beau est chose durable) ; pour l'obligé, l'utile disparaît. On aime à se souvenir de ce qui est beau ; on n'aime pas, ou l'on aime moins à se souvenir de ce qui est utile ; il n'en est pas comme de l'attente.

De plus on s'attache davantage à ce qui a coûté de la peine ; ainsi les richesses sont plus chères à ceux qui les ont amassées qu'à ceux à qui elles ont été transmises : le bien que l'on reçoit ne coûte pas de peine, le bien que l'on fait exige des efforts. C'est pour cela que les mères aiment plus leurs enfants que les pères : l'enfantement est plus pénible et elles savent mieux que leurs enfants leur appartiennent. Il semble que ce soit aussi un sentiment propre aux bienfaiteurs.

CH. IX, 7

PHILOSOPHIE POLITIQUE

.La Politique.

De l'analyse d'une soixantaine de constitutions, Aristote tire des lois car il considère la politique comme une science. Ce traité dont il nous reste huit chapitres se termine par une réflexion sur l'éducation.

Il est incontestable qu'il y a une éducation qu'il faut donner aux jeunes gens, non point comme utile ou nécessaire, mais parce qu'elle est libérale et honorable. Mais n'existe-t-il qu'une science de ce genre ? En existe-t-il plusieurs ? Quelles sont-elles ? Comment faut-il les enseigner ? C'est ce que nous aurons à dire plus tard. Tout ce que nous avons dit jusqu'ici comme préliminaire, c'est que les anciens nous ont fourni leur témoignage sur les parties essentielles de l'éducation ; la musique nous en fournit une preuve manifeste. On voit encore qu'il faut enseigner aux enfants certaines choses utiles, non seulement parce qu'elles sont utiles, comme l'écriture, mais encore parce qu'elles donnent le moyen d'acquérir beaucoup d'autres connaissances. On peut en dire autant du dessin. On ne l'apprend pas pour se garantir de toute méprise dans les acquisitions particulières, et pour ne pas se laisser tromper dans les achats et dans les ventes de meubles, mais pour arriver à un sentiment plus délicat de la beauté des corps. D'ailleurs ne chercher en tout genre que l'utile est ce qui convient le moins à des hommes libres qui ont l'âme élevée. Nous avons démontré qu'on doit former les habitudes des enfants avant de former leur raison, et le corps avant l'esprit. Il suit de là qu'on leur fera suivre les leçons du maître de gymnastique et du pédotribe ; les unes, pour donner au corps la grâce et la vigueur ; les autres, pour le former aux exercices.

De nos jours, cependant, parmi les États qui passent pour donner les soins les plus attentifs à l'éducation des enfants, les uns s'appliquent à leur faire une constitution athlétique, dégradant ainsi les formes et le développement du corps. Les Lacédémoniens n'ont point commis cette faute ; d'un autre côté, à force d'endurcir les jeunes gens aux fatigues, parce que c'est le moyen de leur donner un courage indomptable, ils les rendent féroces. Mais, comme nous l'avons dit souvent, ce n'est pas à un seul objet qu'il faut s'attacher, et surtout ce n'est pas celui-là qu'il faut avoir le plus en vue ; et même, quand le courage militaire serait le principal but, on ne l'atteint pas pour cela ; car dans les autres animaux, pas plus que dans l'homme, on ne voit pas que le courage suivre les naturels les plus féroces, mais plutôt les naturels les plus doux et ceux qui ressemblent le plus au lion. Un grand nombre de peuples ont l'habitude du meurtre et sont anthropophages, comme les Achéens et les Hénioques qui habitent les bords du Pont-Euxin, et plusieurs nations de l'intérieur des terres qui leur ressemblent et sont encore plus féroces ; mais ce ne sont que des brigands, qui ne connaissent pas le véritable courage. Il faut donc mettre au premier rang l'honneur, et non la férocité. Les loups et les animaux sauvages ne braveraient pas un danger pour l'honneur ; l'homme de cœur en est seul capable. Ceux qui poussent trop les enfants sur cette partie de l'éducation, et les laissent tout à fait dans l'ignorance des choses qu'il faut savoir, ne font de leurs fils que de véritables manœuvres, parce qu'ils ont voulu les rendre utiles à la société pour un seul genre de travail ; et encore leurs enfants le font-ils moins bien que d'autres, comme le prouve le raisonnement.

"Il faut donc mettre au premier rang l'honneur, et non la férocité"

LIVRE VIII, CH. 3

PHILOSOPHIE

.La Rhétorique.

La rhétorique (art oratoire) est l'ensemble des procédés du bien-parler. L'ouvrage d'Aristote est un traité complet, en trois livres, sur la question. L'auteur y analyse, entre autres, les différentes méthodes pour envoûter l'auditoire en flattant ses passions ; dans ce passage précis, il s'agit de l'envie et de l'émulation.

L'envie est un chagrin que l'on a de voir des égaux jouir d'avantages que nous avons remarqués, et cela non qu'on y soit intéressé, mais parce qu'on souffre de les voir en cet état. Seront envieux ceux qui auront des égaux ou croiront en avoir : j'appelle égaux les personnes ou de pareille naissance, ou de même famille, ou de même âge, ou de même nature ou de même réputation, ou de même fortune. Et aussi ceux qui auront tout ou à peu près tout ce qu'on peut avoir : de là vient que les personnes qui font de grandes entreprises et qui y réussissent sont ordinairement envieuses : elles s'imaginent que les autres prennent ce qui leur appartient. Il faut encore mettre au nombre des envieux ceux qui sont estimés particulièrement pour quelque avantage, surtout pour la science ou pour le bonheur. Les ambitieux sont encore plus portés à l'envie que ceux qui n'ont pas d'ambition. Sont encore envieux ceux qui ont la prétention d'être des savants. En général, quiconque veut se faire valoir pour une chose est ambitieux au sujet de cette chose. Il faut en dire autant de ceux qui ont l'âme petite ; tout ce qu'ils voient leur parait grand.

Aussi l'émulation est chose convenable et qui sied aux bonnes natures ; envier est chose basse et dénonce une nature mauvaise. Celui qui est poussé par l'émulation se met en état d'acquérir certains biens : l'envieux cherche à empêcher les autres d'y atteindre. Nécessairement l'émulation anime ceux qui se jugent dignes des avantages qu'ils n'ont pas : personne en effet ne considère ce qu'il voit comme impossible. Tels sont les jeunes gens et ceux qui ont de nobles sentiments, tels sont les hommes qui sont en possession des biens qui ne devraient appartenir qu'au mérite, la richesse, les nombreux amis, les dignités et choses semblables ; car, comme ils se croient alors obligés de devenir honnêtes gens, parce que en effet ces biens-là ne devraient pas appartenir à d'autres, ils se piquent d'émulation pour les obtenir. Il faut en dire autant de ceux que les autres jugent dignes de ces avantages ; et tous ceux dont les ancêtres, les parents ou les proches, ou la nation, ou la ville même sont en estime pour quelque chose, ont aussi de l'émulation sur ce point : ils considèrent cet avantage comme un bien qui leur est propre et dont ils sont dignes.

CH. II, 10-11

Plaute

254-184 AVANT J.-C.

Né d'une famille très modeste, Plaute passe toute sa vie au milieu du peuple. Venu très jeune à Rome, il y apprend le grec. Passionné de théâtre, il se fait entrepreneur de spectacles et comme Molière finit par écrire ses propres pièces, s'étant essayé entre temps au commerce, en vain.

Il nous reste de Plaute vingt comédies. Les plus connues sont : ***La Marmite, le Charançon, les Ménechmes, le Soldat fanfaron, le Revenant****. L'intrigue et les caractères principaux sont empruntés à la comédie nouvelle grecque : amoureux aux prises avec un père dont il est souvent le rival et qu'il escroque, esclave gredin et complice, jeune fille enlevée par des pirates, etc. Rien de romain dans ces épisodes romanesques qui ne reflètent absolument pas les mœurs encore sévères du troisième siècle. Romains par contre la morale et le talent de Plaute, tout populaire, sa verve souvent grossière mais toujours amusante.*

THÉÂTRE-COMÉDIE

.La marmite (L'aululaire).

L'intrigue de la pièce est celle, reprise par Molière, de l'Avare : un vieil harpagon, Euclion, qui possède une cassette (la fameuse marmite) pleine d'or ; un riche et vieux prétendant pour la fille sans dot d'Euclion qui aime un jeune homme pauvre ; le vol de la marmite, etc.

Le riche prétendant, Mégadore, se réjouit d'épouser une femme sans dot.

MEGADORE *(sans apercevoir Euclion).*

J'ai fait part à plusieurs amis de mon projet de mariage. Ils disent tous du bien de la fille d'Euclion ; ils m'approuvent fort : C'est, disent-ils, une idée très sage. En effet, si tous les riches en usaient comme moi, et prenaient sans dot les filles des citoyens pauvres, il y aurait dans l'état plus d'accord, nous exciterions moins de haine, et les femmes seraient plus contenues par la crainte du châtiment, et nous mettraient moins en dépense. Il en résulterait un grand bien pour la majeure partie du peuple. Il n'y aurait qu'un petit nombre d'opposants : ce seraient les avares, dont l'insatiable cupidité brave toutes les puissances, et ne connaît ni loi ni mesure. Je les entends déjà : A qui mariera-t-on les filles dotées, si l'on établit un tel usage en faveur des pauvres ? Qu'elles épousent qui elles voudront, pourvu qu'elles n'apportent point de dot avec elles. S'il en était ainsi, elles s'efforceraient de remplacer la dot par de bonnes qualités ; elles vaudraient mieux. On verrait les mulets, qui coûtent plus cher aujourd'hui que les chevaux, tomber à plus bas prix que les bidets gaulois.

“Si tous les riches en usaient comme moi, et prenaient sans dot les filles des citoyens pauvres, il y aurait dans l’état plus d’accord”

EUCLION, *à part.*

Par tous les dieux ! c’est plaisir de l’entendre. Voilà ce qui s’appelle parler. Qu’il entend bien l’économie !

MEGADORE.

Une femme ne viendrait pas vous dire : « Ma dot a plus que doublé tes biens ; il faut que tu me donnes de la pourpre et des bijoux, des femmes, des mulets, des cochers, des laquais pour me suivre, des valets pour mes commissions, des chars pour mes courses. »

EUCLION, *à part.*

Comme il connaît bien les habitudes de nos fières matrones ! Si l’on m’en croyait, on le nommerait préfet des mœurs pour les femmes.

MEGADORE.

A présent il n’y a pas de maison de ville où l’on ne voie plus de chariots, qu’il n’y en a dans celles des champs. Mais ce train est fort modeste encore, en comparaison des autres dépenses. Vous avez le foulon le brodeur, le bijoutier, le lainier, toutes sortes de marchands, le fabricant de bordures pailletées, le faiseur de tuniques intérieures, les teinturiers en couleur de feu, en violet, en jaune de cire, les tailleurs de robes à manches, les parfumeurs de chaussures, les revendeurs, les lingers, les cordonniers de toute espèce pour les souliers de ville, pour les souliers de table, pour les souliers fleur de mauve. Il faut donner aux dégraisseurs, il faut donner aux raccommodeurs, il faut donner aux faiseurs de gorgerettes, aux couturiers. Vous croyez en être quitte ; d’autres leur succèdent. Nouvelle légion de demandeurs assiégeant votre porte ; ce sont des tisserands, des bordeurs de robes, des tabletiers. Vous les payez. Pour le coup vous êtes délivrés. Viennent les teinturiers en safran, ou quelque autre engeance maudite, qui ne cesse de demander.

EUCLION, *à part.*

J’irais l’embrasser, si je ne craignais d’interrompre cette excellente censure des femmes. Il vaut mieux l’écouter.

MEGADORE.

Quand on a satisfait tous ces fournisseurs de colifichets, arrive le terme de la contribution pour la guerre. Il faut payer. On va chez son banquier, on compte avec lui. Le soldat se morfond à vous attendre, dans l’espoir de toucher son argent. Mais, tout compte fait, il se trouve que vous êtes débiteur de votre banquier. On renvoie le soldat à un autre jour, avec des promesses. Et je ne dis pas encore tous les ennuis, toutes les folles dépenses qui accompagnent les grandes dots. Une femme qui n’apporte rien, est soumise à son mari ; mais une épouse richement dotée, c’est un fléau, une désolation. Eh ! voici le beau-père à sa porte. Bonjour, Euclion.

ACTE III, SCÈNE 5

Euclion réclame à Strobile, l’amant de sa fille, la marmite que ce dernier n’a pas (encore) dérobée.

EUCLION, STROBILE

EUCLION.

Hors d’ici, animal rampant, qui viens de sortir de dessous terre. On ne te voyait pas tout-à-l’heure ; tu te montres, et l’on t’écrase. Par Pollux ! je vais t’arranger de la bonne manière, subtil coquin.

STROBILE.

Quel démon te tourmente ? qu’avons-nous à démêler ensemble, vieillard ? Pourquoi me pousser à me jeter par terre ? pourquoi me tirer de la sorte ? pourquoi me frapper ?

EUCLION.

Grenier à coups de fouet ! tu le demandes ? Voleur ; que dis-je ? triple voleur.

STROBILE.

Que t’ai-je pris ?

EUCLION.

Rends-le-moi, et vite.

STROBILE.

Que veux-tu que je te rende ?

EUCLION, *ironiquement.*

Tu ne le sais pas ?

STROBILE.

Je n’ai rien pris qui t’appartienne.

EUCLION.

Mais ce qui t’appartient maintenant par le vol, rends-le. Eh bien ?

STROBILE.

Eh bien ?

EUCLION.

Ton vol ne te réussira pas.

STROBILE.

Qu’est-ce que tu as donc ?

EUCLION.

Remets-le-moi.

STROBILE.

Ah ! vraiment, vieillard, tu es accoutumé à ce qu'on te le remette.

EUCLION.

Remets-moi cela, te dis-je. Pas de plaisanterie. Je ne badine pas, moi.

EUCLION.

Qu'exiges-tu que je te remette ? Nomme la chose par son nom. Je jure que je n'ai rien pris, rien touché.

EUCLION.

Voyons tes mains.

STROBILE, *montrant une main.*

Tiens.

EUCLION.

Montre donc.

STROBILE.

Les voici.

EUCLION.

Je vois. Maintenant, la troisième.

STROBILE.

Ce vieillard est fou. Les fantômes et les vapeurs de l'enfer lui troublent le cerveau. Tu ne diras pas que tu ne me fais pas injure ?

EUCLION.

Ouis, très grande ; car tu devrais déjà être fustigé. Et cela t'arrivera certainement, si tu n'avoues.

STROBILE.

Que dois-je avouer ?

EUCLION.

Qu'as-tu emporté d'ici ?

STROBILE.

Que le ciel me foudroie, si je t'ai pris quelque chose !

EUCLION, *à part.*

Comme je l'aurais voulu ! Allons ! Secoue ton manteau.

STROBILE.

Tant que tu voudras.

EUCLION.

Ne l'aurais-tu pas sous ta tunique ?

STROBILE.

Tâte partout.

EUCLION.

Ah ! le scélérat ; comme il fait le bon, pour qu'on ne le soupçonne pas. Nous connaissons vos finesses. Or çà, montre-moi encore une fois ta main droite.

STROBILE.

Regarde.

EUCLION.

Et la gauche.

STROBILE.

Les voici toutes deux.

EUCLION.

Je ne veux pas chercher davantage. Rends-le-moi.

STROBILE.

Mais quoi ?

EUCLION.

Tous ces détours sont inutiles. Tu l'as certainement.

STROBILE.

Je l'ai ? moi ! Qu'est-ce que j'ai ?

EUCLION.

Je ne le dirai pas. Tu voudais me le faire dire. Quoi que ce soit, rends-moi mon bien.

STROBILE.

Tu extravagues. N'as-tu pas fouillé à ton aise, sans rien trouver sur moi qui t'appartienne ?

EUCLION.

Demeure, demeure. Quel autre était ici avec toi ? Je suis perdu ! grands dieux ! il y a là dedans quelqu'un qui fait des siennes. *(A part)* Si je lâche celui-ci, il s'en ira. Après tout, je l'ai fouillé ; il n'a rien. Va-t'en, si tu veux. Et que Jupiter et tous les dieux t'exterminent !

STROBILE.

Beau remerciement !

EUCLION.

Je vais rentrer, et j'étranglerai ton complice. Fuis de ma présence. T'en iras-tu ?

STROBILE.

Je pars.

EUCLION.

Que je ne te revoie plus ; tu m'entends ?
(Il entre dans le temple.)

STROBILE, *seul.*

J'aimerais mieux mourir par le supplice, que de ne pas jouer un tour à ce vieillard. Il n'osera plus cacher son or ici. Il va l'emporter avec lui et le changer de place. Oh ! oh ! j'entends du bruit. Le vieillard emporte son or. Retirons-nous un peu ici contre la porte.

ACTE IV, SCÈNE 4

Euclion découvre le vol de la marmite.

EUCLION, *seul.*

“Je suis mort ! je suis égorgé ! je suis assassiné !”

Je suis mort ! je suis égorgé ! je suis assasiné ! Où courir ? où ne pas courir ? Arrêtez ! arrêtez ! Qui ? lequel ? je ne sais ; je ne vois plus, je marche dans les ténèbres. Où vais-je ? où suis-je ? Qui suis-je ? je ne sais ; je n'ai plus ma tête. Ah ! je vous prie, je vous conjure, secourez-moi. Montrez-moi celui qui me l'a ravie... *(S'adressant au public)* Vous autres, cachés sous vos robes blanchies, et assis comme des honnêtes gens... Parle, toi, je veux t'en croire ; ta figure annonce un homme de bien... Qu'est-ce ? pourquoi riez-vous ? On vous connaît tous. Certainement, il y a ici plus d'un voleur... Eh bien ! dis ; aucun d'eux ne l'a prise ?... Tu me donnes le coup de la mort. Dis-moi donc, qui est-ce qui l'a ? Tu l'ignores ! Ah ! malheureux, malheureux ! C'est fait de moi ; plus de ressource, je suis dépouillé de tout ! Jour déplorable, jour funeste, qui m'apporte la misère et la faim ! Il n'y a pas de mortel sur la terre qui ait éprouvé un pareil désastre. Et qu'ai-je à faire de la vie, à présent que j'ai perdu un si beau trésor, que je gardais avec tant de soin ? Pour lui je me dérobais le nécessaire, je me refusais toute satisfaction, tout plaisir. Et il fait la joie d'un autre qui me ruine et qui me tue ! Non, je n'y survivrai pas.

ACTE IV, SCÈNE 9

.Les Menechmes.

Les Ménechmes sont deux frères jumeaux : l'un est enlevé dès l'enfance. Il vit en Sicile. Son frère parti à sa recherche débarque un jour, créant une série de quiproquos où chacun, maîtresse, épouse, esclave, se laissera prendre.

La comédie s'ouvre par le savoureux monologue du parasite Labrosse suivi de la scène de ménage entre Ménechme et son épouse acariâtre.

LABROSSE.

Les jeunes gens m'ont nommé Labrosse ; pourquoi ? la table, dès que je mange, est aussitôt nettoyée. On tient les captifs à la chaîne ; on met des entraves aux pieds des esclaves fugitifs ; très mauvaises précautions selon moi ; car si le malheureux voit ajouter à ses maux un surcroît de misère, il n'en a que plus d'envie de fuir et de jouer de méchants tours. D'une manière ou d'une autre il se délivrera des fers. Echaînez-lui les pieds, il lime un anneau, il fait sauter les clous avec une pierre ; c'est comme si l'on ne faisait rien. Voulez-vous garder sûrement un homme et l'empêcher de fuir ? vous n'avez qu'à l'enchaîner avec la bonne chère et le bon vin. Attachez-le par le museau à une table bien servie. Pourvu que vous lui fournissiez à manger et à boire amplement, tant qu'il en veut, tous les jours, jamais il ne prendra la fuite, eût-il encouru la peine capitale : pour le garder facilement, voilà de quels liens il faut le lier. Admirable élasticité de ces liens alimentaires ! plus on les élargit, plus étroite et plus forte est leur étreinte. Moi, par exemple, qui suis livré par sentence à Ménechme, je vais chez lui au-devant de la captivité. Chez lui on ne mange pas seulement pour vivre ; il vous rend gros et gras, on y prospère. Je goûte sa médecine par-dessus toute autre ; car il est lui-même grand mangeur : ce sont banquets des fêtes de Cérès, tant sa table est chargée, tant il y dresse de succulents édifices ; il faut monter debout sur le lit pour atteindre au faîte. Mais il y a eu lacune pour moi durant tous ces jours derniers. Force m'a été de me claquemurer entre mes quatre murs avec ce qui m'était cher ; car ce qu'il y a de plus cher est ce que j'achète pour ma nourriture ; mais tout ce qui m'est cher, et qui s'apprêtait pour moi, commence à me manquer. Je reviens chez Ménechme. On ouvre, c'est lui-même en personne que je vois ; il sort.

“Voulez-vous garder sûrement un homme et l'empêcher de fuir ? vous n'avez qu'à l'enchaîner avec la bonne chère et le bon vin”

ACTE I, SCÈNE I

MÉNECHME, LABROSSE

MÉNECHME, *parlant à sa femme dans la maison.*

Si tu n'étais pas une méchante épouse, une extravagante, une furieuse, ce qui déplaît à ton mari te déplairait aussi. Dorénavant, si tu me causes un pareil ennui, tu t'en iras répudiée chez ton père. Je ne peux pas sortir que tu ne m'arrêtes et ne veuilles me retenir ; et ce sont des questions : « Où vas-tu ? que fais-tu ? quelle affaire as-tu ? quel soin t'occupe ? qu'est-ce que tu emportes ? qu'as-tu fait pendant que tu étais sorti ? J'ai épousé un préfet de la douane, qui me force à déclarer et ce que je fais et ce que je viens de faire. Je t'ai traitée avec trop de douceur ; j'agirai désormais d'autre sorte. Car enfin, je ne lésine pas avec toi : tu as tout ce qu'il te faut, servantes, provisions de bouche, laine, bijoux, pourpre, vêtements. Ainsi donc, prends garde à la correction, je te le conseille. Et d'abord, pour que tu n'aies pas perdu ta peine à m'espionner, je me donne tout exprès une courtisane, et je l'invite à souper quelque part en ville.

LABROSSE, *à part.*

Il semble menacer sa femme, et c'est moi qu'il menace ; car s'il ne mange pas chez lui, il me punit plus qu'elle. *(La femme se retire).*

MÉNECHME.

Vivat ! Enfin ma gronderie l'a mise en fuite et l'a forcée de rentrer. A moi les maris à bonnes fortunes ! qu'ils viennent me faire compliment et m'apporter le prix de la vaillance. La victoire est à moi. *(Il fait voir une mante dont il est affublé sous son pallium).* Voici une mante que j'ai dérobée à ma femme, et que je porte à ma maîtresse. C'est ainsi qu'il faut en donner à garder à ces surveillantes alertes. O le glorieux exploit, la belle conduite, le coup de maître impayable ! J'enlève à la maligne, non sans me donner du mal, ce don que je porte chez ma ruine. Je pars chargé des dépouilles de l'ennemi, et nos alliés sont en sûreté.

LABROSSE, *qui s'est tenu du côté opposé à la maison de Ménechme.*

Hé ! l'ami, n'ai-je pas ma part de revenant-bon dans ce butin ?

MÉNECHME, *entendant Labrosse sans le voir.*

Funeste accident ! je rencontre une embuscade.

LABROSSE.

Point, mais un renfort. Bannis la crainte.

MÉNECHME.

Qui est là ?

LABROSSE.

C'est moi.

MÉNECHME.

O mon bonheur ! ma bonne fortune ! Salut. *(Il lui tend la main.)*

LABROSSE.

Salut.

MÉNECHME.

Hé bien ! qu'est-ce ?

LABROSSE.

Je tiens par la main droite mon bon génie.

MÉNECHME.

Tu ne pouvais pas arriver plus à propos que tu n'arrives.

LABROSSE.

C'est à faire à moi. Je suis maître en la science de choisir les bons moments.

MÉNECHME.

Veux-tu examiner un chef-d'œuvre excellent ?

LABROSSE.

Quel est le cuisinier qui l'a fait ? je te dirai s'il a manqué son affaire, quand j'aurai vu les restes.

MÉNECHME.

Dis-moi, as-tu jamais vu en peinture sur une muraille Ganymède enlevé par un aigle, ou Adonis par Vénus ?

LABROSSE.

Je n'ai vu que cela. Mais que me font ces figures ?

MÉNECHME,
montrant la mante sur lui.

Eh bien ! regarde-moi ; ne leur ressemblé-je pas ?

LABROSSE.

Que signifie cet accoutrement ?

MÉNECHME.

Avoue que je suis un charmant homme.

LABROSSE.

Où mangerons-nous ?

ACTE I, SCÈNE 2

Cicéron

LATIUM 106-43 AVANT J.-C.

La vie de Cicéron est intimement mêlée aux luttes politiques de son époque. Son père, issu d'une famille honorable mais nullement illustre, ne néglige rien pour l'éducation de ce fils qui passe pour un prodige et pour lequel il nourrit une grande ambition. Devenu un brillant avocat, sa première plaidoirie le met malgré lui du côté du parti populaire. Il se rapproche peu à peu de l'aristocratie surtout à partir de son consulat (63) marqué par la conjuration de Catilina. Le rôle prépondérant tenu par lui à cette occasion lui vaut l'exil quand le vent a tourné. A son retour, il est accueilli par la population avec enthousiasme. Durant la guerre civile, il choisit le camp de Pompée. Il doit fuir de nouveau ; l'assassinat de César lui permet de revenir sur la scène. Son triomphe sera de courte durée puisqu'il sera lui-même exécuté, un an après, par les sbires de Marc-Antoine.

*L'œuvre de Cicéron est immense : plaidoyers (**Pro Murena, Pro Milone, les Catilinaires**) ouvrages de rhétorique (**De Oratore, Brutus**) traités philosophiques (**De l'Amitié, de la Vieillesse, de la République**) et une immense correspondance.*

Philosophe et disciple des Grecs, il n'en a pas la subtilité d'argumentation dans ses discours, mais se distingue par son ironie mordante et son sens du pathétique. Il est un grand moraliste. Sa langue classique et superbe, d'un ton vibrant, sensible ou violent explique le succès considérable qu'il eut, sans éclipse, à toutes les époques.

PLAIDOIRIE

.Contre Verrès.

DE SIGNIS

En 69, Verrès est accusé par les Siciliens d'avoir commis toutes sortes d'exactions, notamment des pillages, durant ses quatre ans de préture dans leur île (de 74 à 70). Ils choisissent Cicéron comme avocat, ayant pu apprécier sa valeur morale lors de sa questure (en 75) dans la même île.

Les discours rédigés à cette occasion, « les Verrines » — seul, le premier sera prononcé et suffira à envoyer Verrès en exil — marquent le début des grands procès politiques de Cicéron.

Je vais parler de ce que Verrès appelle son goût ; ses amis disent sa maladie, sa manie ; les Siciliens, son brigandage : moi, je ne sais de quelle expression me servir. Je vous exposerai la chose ; c'est à vous de juger par

"Je vais parler de ce que Verrès appelle son goût ; ses amis disent sa maladie, sa manie ; les Siciliens, son brigandage"

ce qu'elle est, sans vous arrêter au nom qu'on lui donne. Prenez-en d'abord une idée générale, et peut-être n'aurez-vous pas beaucoup de peine à trouver le mot propre.

Je nie que dans la Sicile entière, cette province si riche, si ancienne, peuplée de tant de cités et de familles si opulentes, il ait existé un seul vase, soit d'argent, soit de métal de Corinthe ou de Délos, une seule pierrerie, une seule perle, un seul ouvrage en or ou en ivoire, un seul marbre, un seul bronze, enfin un seul tableau, un seul tapis, qu'il n'ait recherché, qu'il n'ait examiné, et, si l'objet lui a plu, qu'il n'ait enlevé.

Juges, cette proposition vous étonne. Cependant je vous supplie encore de peser tous les termes. Il n'y a point ici d'hyperbole ; je ne cherche point à exagérer les torts de Verrès. Quand je dis que dans toute la province il n'a rien laissé de tous ces objets précieux, je ne parle pas en accusateur, j'énonce simplement un fait. Je vais plus loin ; j'affirme qu'il n'a rien laissé dans les maisons, ni même dans les villes ; dans les édifices publics, ni même dans les temples ; rien chez les Siciliens, rien chez les citoyens romains ; en un mot, que dans la Sicile entière, tout ce qui a frappé ses regards ou excité ses désirs, décorations privées et publiques, ornements profanes et sacrés, tout est devenu sa proie.

Juges, redoublez d'attention : ce que je vais dire n'est point nouveau pour vous ; le peuple romain ne l'entendra point ici pour la première fois ; le bruit en est parvenu chez les nations étrangères, jusqu'aux extrémités du monde. Les princes dont je parle avaient apporté un candélabre enrichi des pierres les plus brillantes et d'un travail admirable. Leur dessein était de le placer dans le Capitole ; mais l'édifice n'étant pas achevé, ils ne purent y déposer leur offrande. D'un autre côté, ils ne voulaient pas livrer ce chef-d'œuvre à l'avidité des regards publics : ils étaient bien aises de lui ménager le mérite de la nouveauté ? pour le moment où il serait placé dans le sanctuaire du maître des dieux, afin que le plaisir de la surprise ajoutât encore au sentiment de l'admiration. Ils prirent le parti de le remporter avec eux en Syrie, et d'attendre la dédicace du temple pour envoyer cette rare et magnifique offrande par les ambassadeurs chargés des autres présents. Verrès eut connaissance de ce candélabre, je ne sais par quelle voie, car le roi en faisait un secret ; non pas qu'il eût des craintes et des soupçons, mais il ne voulait pas que beaucoup de personnes fussent admises à le voir avant le peuple romain. Le préteur demande au roi et le prie avec instance de le lui envoyer ; il a le plus grand désir de le voir ; cette faveur sera pour lui seul.

Antiochus était jeune, il était roi ; il ne soupçonna rien de sa perversité. Il ordonne à ses officiers d'envelopper le candélabre et de le porter au palais du préteur le plus secrètement possible. On l'apporte, on le découvre, on le place devant Verrès. Il s'écrie que c'est un présent digne du royaume de Syrie, digne du roi, digne du Capitole. En effet, ce candélabre étincelait du feu des pierres les plus éclatantes. La variété et la délicatesse du travail semblaient le disputer à la richesse de la matière ; et sa grandeur annonçait qu'on l'avait destiné, non à parer le palais d'un mortel, mais à décorer le temple le plus auguste de l'univers. Quand les officiers crurent que Verrès avait eu le temps de l'examiner, ils se mirent en devoir de le remporter. Il leur dit qu'il ne l'a pas assez vu, qu'il veut le voir encore ; il leur ordonne de se retirer et de laisser le candélabre ; ils retournent vers Antiochus, sans rien rapporter.

D'abord le roi est sans inquiétude et sans défiance. Un jour, deux jours, plusieurs jours se passent, et le candélabre ne revient pas. Il envoie le redemander. Verrès remet au lendemain. Antiochus est étonné. Il envoie une seconde fois ; le candélabre n'est pas rendu. Il va lui-même trouver le préteur, et le prie de vouloir bien le rendre. Ici connaissez l'effronterie et l'impudence insigne du personnage. Il savait que ce chef-d'œuvre devait être placé dans le Capitole, qu'il était réservé pour Jupiter et pour le peuple romain. Il le savait, il l'avait appris du roi lui-même ; et il demande qu'il lui en fasse un don, et il insiste de la manière la plus pressante. Le prince s'en défend : le vœu qu'il a fait à Jupiter, le soin de son honneur, ne lui laissent pas la liberté d'en disposer. Plusieurs nations ont vu travailler à ce magnifique ouvrage : elles en connaissent la destination. Le préteur ne répond que par des menaces ; mais, voyant qu'elles ne réussissent pas mieux que les prières, il lui enjoint brusquement de sortir de la province avant la nuit. On l'a informé, dit-il, que des pirates sortis de son royaume doivent faire une descente en Sicile. Le roi, en présence d'une foule de Romains, dans le forum de Syracuse (car ne croyez pas que je parle ici d'un crime commis dans l'ombre, et que je l'accuse sur de simples soupçons) ; oui, le roi, les larmes aux yeux, attestant et les dieux et les hommes, déclare à haute voix que Verrès lui enlève un candélabre tout en pierreries, qu'il destinait au Capitole, et qu'il voulait y placer comme un monument de son amitié et de son alliance avec le peuple romain ; qu'il fait le sacrifice des autres ouvrages en or et en pierreries que Verrès lui retient ; mais qu'il est cruel, qu'il est odieux que le candélabre aussi lui soit enlevé ; qu'il renouvelle la consécration que son frère et lui ont déjà prononcée dans leur cœur, et qu'en présence des Romains qui l'entendent, il le donne, il le dédie, il le consacre à Jupiter Capitolin, et qu'il atteste, sur la sincérité de son hommage, le dieu même qui reçoit son serment.

Quelle voix, quels poumons, quelles forces peuvent suffire à l'indignation, qu'excite ce seul attentat ? Un roi qui, pendant près de deux années entières, s'est montré dans Rome avec le cortège et l'appareil imposant de la royauté ; un roi, l'ami, l'allié du peuple romain, dont le père, l'aïeul et les ancêtres, tous illustres et par l'ancienneté de leur origine, et par leur grandeur personnelle, ont été constamment attachés à notre république, le souverain d'un empire aussi vaste que florissant, Antiochus est chassé honteusement d'une province romaine ! Répondez, Verrès, quelle sensation cette nouvelle devait-elle produire chez les nations étrangères ? qu'auront pensé les autres rois et les peuples placés aux extrémités de la terre, lorsqu'ils auront appris qu'un préteur romain a outragé un roi, dépouillé un hôte, chassé de sa province un ami et un allié du peuple romain ? Juges, n'en doutez pas, si un tel attentat demeure impuni, votre nom, le nom de Rome sera voué désormais à l'horreur et à l'exécration des nations ; aujourd'hui surtout qu'elles ne s'entretiennent que de l'avarice et de la cupidité de nos magistrats, elles croiront que ce crime doit être imputé, non pas au seul Verrès, mais à tous ceux qui l'auront approuvé. Beaucoup de rois, beaucoup de républiques, beaucoup de particuliers riches et puissants se proposent, sans doute, d'envoyer au Capitole des offrandes dignes de la majesté et de la grandeur de notre empire. S'ils apprennent que vous avez puni sévèrement le sacrilège qui a détourné l'offrande d'un roi, ils aimeront à penser que leurs dons et leur zèle seront agréables au sénat et au peuple ; mais s'ils entendent dire que l'insulte faite à un roi si respectable, que le vol d'un objet aussi précieux, qu'un outrage aussi atroce, vous ont trouvés froids et indifférents, n'espérez pas qu'ils soient assez insensés pour employer leurs peines, leurs soins, leurs richesses, à vous offrir des dons qu'ils croiront de nul prix à vos yeux. (...)

Ségeste est une ville de la plus haute antiquité : on assure qu'elle fut bâtie par Énée, lorsque ce prince, échappé des ruines de Troie, aborda sur les côtes de la Sicile. Aussi les Ségestains se croient-ils unis avec le peuple romain, autant par les liens du sang que par ceux d'une alliance et d'une amitié qui ne souffrirent jamais d'interruption. Dans une guerre qu'ils soutinrent en leur nom contre les Carthaginois, leur ville fut prise et détruite. Tout ce qui pouvait servir à l'embellissement de Carthage fut emporté par les vainqueurs. Parmi les dépouilles était une Diane en bronze, objet du culte le plus antique et vrai chef-d'œuvre de l'art. Transportée en Afrique, cette Diane n'avait fait que changer d'autel et d'adorateurs. Ses honneurs la suivirent dans ce nouveau séjour, et son incomparable beauté lui fit retrouver chez un peuple ennemi tous les hommages qu'elle recevait à Ségeste. Quelques siècles après, dans la troisième guerre Punique, P. Scipion se rendit maître de Carthage ; le vainqueur (remarquez l'active probité de ce héros : ce grand exemple de vertu dans un de vos citoyens sera pour vos cœurs une jouissance délicieuse, et vous en concevrez encore plus de haine contre l'audace incroyable de Verrès) ; Scipion, dis-je, rassembla tous les Siciliens. Il savait que, pendant longtemps et à diverses reprises, leur pays avait été dévasté par les Carthaginois : il ordonna les perquisitions les plus exactes, et promit de donner tous ses soins pour faire restituer à chaque ville ce qui lui avait appartenu. Alors les statues d'Himère, dont j'ai parlé ailleurs, furent reportées chez les Thermitains. Géla, Agrigente, recouvrèrent ce qu'elles avaient perdu, entre autres chefs-d'œuvre, ce taureau, instrument trop fameux des vengeances de Phalaris. On sait que le plus atroce de tous les tyrans allumait des feux sous les flancs de ce taureau, après y avoir enfermé les hommes que sa haine avait proscrits. En le rendant aux Agrigentins, Scipion leur dit qu'ils devaient sentir lequel était le plus avantageux pour les Siciliens, de vivre sous le joug de leurs compatriotes, ou d'obéir au peuple romain, puisque le présence de ce monument attestait à la fois et la cruauté de leurs tyrans et la douceur de notre république.

A cette même époque, la Diane dont je parle fut rendue aux Ségestains. Elle fut reportée à Ségeste et rétablie dans son premier séjour, au milieu des transports et des acclamations. Elle était posée sur un piédestal fort exhaussé, sur lequel on lisait ces mots en gros caractères : SCIPION L'AFRICAIN L'A RENDUE APRÈS LA PRISE DE CARTHAGE. Les citoyens l'honoraient d'un culte religieux ; les étrangers la visitaient ; c'est la première chose qu'on m'ait montrée à Ségeste, pendant ma questure. Malgré sa grandeur presque colossale, on distinguait les traits et le maintien d'une vierge ; vêtue d'une robe longue, un carquois sur l'épaule, elle tenait son arc de la main gauche, et de la droite elle présentait une torche allumée.

Dès que cet ennemi de tous les dieux, ce spoliateur de tous les autels, l'eut aperçue, aussitôt, comme si la déesse l'eût frappé de son flambeau, il s'enflamma pour elle et brûla du désir de la posséder. Il commande aux magistrats de l'enlever du piédestal, et de lui en faire don : rien au monde ne peut lui être plus agréable. Ceux-ci lui représentent qu'ils ne le peuvent sans crime ; que la religion et les lois le leur défendent. Verrès insiste ; il prie, menace, promet, s'emporte. On lui opposait le nom de Scipion ; on cherchait à lui faire entendre que ce qu'il demandait était un don du peuple romain ; que les Ségestains ne pouvaient rien sur une statue que le célèbre général qui l'avait conquise avait placée chez eux comme un monument de la victoire du peuple romain.

Le préteur n'en était que plus pressant et plus opiniâtre. Sa demande est portée au sénat ; elle est unanimement rejetée. Ainsi, pour cette fois et à son premier voyage, il éprouva un refus positif. De ce moment, lorsqu'il imposait quelque contribution en matelots, en rameurs ou en grains, Ségeste, à chaque fois, était, plus que tout autre ville, taxée au delà de ses moyens. Ce n'est pas tout : il mandait leurs magistrats à sa suite ; il appelait auprès de lui les citoyens les plus considérés. Il affectait de les traîner dans toutes les villes où il tenait ses assises, déclarant à chacun en particulier qu'il le perdrait, et que leur cité serait renversée de fond en comble. Vaincus par tant de persécutions et de menaces, les Ségestains enfin décidèrent qu'il fallait obéir à l'exprès commandement du préteur. Au regret de tous les habitants, au milieu des larmes, des gémissements, des lamentations des hommes et des femmes, on convient un prix pour le transport.

Voyez quelle était leur vénération pour la déesse. Apprenez que, dans toute la ville, on ne trouva pas un seul homme, libre, esclave, citoyen, étranger, qui osât porter la main sur la statue. Apprenez qu'on fit venir de Lilybée quelques ouvriers barbares, qui, n'étant informes ni des faits, ni des sentiments religieux des Ségestains, firent leur marché, et se chargèrent de l'opération. Vous auriez peine à concevoir quel fut, au moment du départ, le concours des femmes, et quels furent les gémissements des vieillards ; plusieurs se rappelaient encore le jour où cette même Diane, ramenée de Carthage à Ségeste, avait annoncé, par son retour, la victoire du peuple romain. Que les temps étaient changés ! Alors, un général romain, modèle de toutes les vertus, rapportait aux Ségestains leurs dieux paternels, arrachés des mains de leurs ennemis ; et maintenant ces mêmes dieux étaient indignement enlevés du sein d'une ville alliée par un préteur romain, le plus vil et le plus infâme des mortels. La Sicile entière attestera que toutes les femmes de Ségeste accompagnèrent la déesse jusqu'aux bornes de leur territoire, et que, pendant toute la marche, elles ne cessèrent de répandre des essences sur son image sacrée, de brûler de l'encens et des parfums autour d'elle, et de la couvrir de fleurs et de guirlandes.

Ah, Verrès ! si l'ivresse du pouvoir, si l'excès de l'audace et la cupidité fermèrent alors votre âme à tous les sentiments religieux, aujourd'hui qu'un si grand danger menace votre tête et celle de vos enfants, ne frissonnez-vous pas à ce terrible souvenir ? Quel homme pourra vous défendre de la colère des dieux ? et quel dieu voudra sauver le spoliateur de tous les autels ?

LIVRE IV, CH. 28 à 35

DE SUPPLICIIS

Cet extrait du cinquième discours « De Suppliciis », c'est-à-dire « Des Supplices », dénonce la cruauté de Verrès qui fit torturer de nombreux Siciliens et même des citoyens romains, tel ce Gavius qui devint le symbole de la Liberté assassinée.

Comment vous peindre le supplice de P. Gavius, de la ville municipale de Cosa ? et comment donner assez de force à ma voix, assez d'énergie à mes expressions, assez d'explosion à ma douleur ? Le sentiment de cette douleur n'est pas affaibli dans mon âme ; mais où trouver des paroles qui retracent dignement l'atrocité de cette action et toute l'horreur qu'elle m'inspire ? Le fait est tel que, lorsqu'il me fut dénoncé pour la première fois, je ne crus pas en pouvoir faire usage. Quoique bien convaincu de sa réalité, je pensais que jamais il ne paraîtrait croyable. Enfin, cédant aux larmes de tous les Romains qui font le commerce en Sicile, entraîné par le témoignage unanime des Valentins, des habitants de Rhége et de plusieurs de nos chevaliers qui se trouvèrent alors dans Messine, j'ai fait entendre, dans la première action, un si grand nombre de témoins qu'il n'est plus resté de doute à qui que ce soit. Que vais-je faire à présent? Bien des heures ont été employées à vous entretenir uniquement de l'horrible cruauté de Verrès; j'ai épuisé, pour ses autres crimes, toutes les expressions qui pourraient seules retracer le plus odieux de tous; et je ne me suis pas réservé les moyens de soutenir votre attention par la variété de mes plaintes. Le seul qui me reste, c'est d'exposer le fait; il est si atroce, qu'il n'est besoin ni de ma faible éloquence, ni du talent d'aucun autre orateur pour pénétrer vos âmes de la plus vive indignation.

Ce Gavius, dont je parle, avait été jeté dans les carrières, comme tant d'autres; il s'en évada, je ne sais par quel moyen, et vint à Messine. A la vue de l'Italie et des murs de Rhége, échappé des ténèbres et des terreurs de la mort, il se sentait renaître en commençant à respirer l'air pur des lois et de la liberté : mais il était encore à Messine; il parla, il se plaignit qu'on l'eût mis aux fers, quoique citoyen romain; il dit qu'il allait droit à Rome, et que Verrès l'y trouverait à son retour.

L'infortuné ne savait pas que tenir ce langage à Messine, c'était comme s'il parlait au préteur lui-même, dans son palais. Je vous l'ai dit; Verrès avait fait de cette ville la complice de ses crimes, la dépositaire de ses vols, l'associée de toutes ses infamies. Aussi Gavius fut-il conduit aussitôt devant le magistrat. Le hasard voulut que ce jour-là Verrès lui-même vînt à Messine. On lui dit qu'un citoyen romain se plaignait d'avoir été enfermé dans les carrières de Syracuse; qu'on l'a saisi au moment où il s'embarquait, proférant d'horribles menaces contre lui, et qu'on l'a gardé pour qu'il décidât lui-même ce qu'il en voulait faire.

Verrès les remercie : il loue leur bienveillance et leur zèle; et aussitôt il se transporte au forum, ne respirant que le crime et la fureur. Ses yeux étincelaient : la cruauté était empreinte sur tout son visage. Chacun attendait à quel excès il se porterait, et ce qu'il oserait faire, lorsque tout à coup il ordonne qu'on amène Gavius, qu'on le dépouille, qu'on l'attache au poteau et qu'on apprête les verges. Ce malheureux s'écriait qu'il était citoyen romain, habitant de la ville municipale de Cosa; qu'il avait servi avec L. Prétius, chevalier romain, actuellement à Palerme, et de qui Verrès pouvait savoir la vérité. Le préteur se dit bien informé que Gavius est un espion envoyé par les chefs des esclaves révoltés : cette imposture était entièrement dénuée de fondement, d'apparence et de prétexte. Ensuite il commande qu'il soit saisi et frappé par tous les licteurs à la fois.

Juges, un citoyen romain était battu de verges au milieu du forum de Messine; aucun gémissement n'échappa de sa bouche, et parmi tant de douleurs et de coups redoublés, on entendait seulement cette parole, JE SUIS CITOYEN ROMAIN. Il croyait par ce seul mot écarter tous les tourments et désarmer ses bourreaux. Mais non; pendant qu'il réclamait sans cesse ce titre saint et auguste, une croix, oui, une croix était préparée pour cet infortuné, qui n'avait jamais vu l'exemple d'un tel abus du pouvoir.

"O doux nom de liberté ! droits sacrés du citoyen !"

O doux nom de liberté ! droits sacrés du citoyen ! loi Porcia ! loi Sempronia ! puissance tribunitienne, si vivement regrettée, et enfin rendue aux vœux du peuple, vous viviez, hélas ! et dans une province du peuple romain, dans une ville de nos alliés, un citoyen de Rome est attaché à l'infâme poteau; il est battu de verges par les ordres d'un homme à qui Rome a confié les faisceaux et les haches ! Eh quoi ! Verrès, lorsque vous mettiez en œuvre les feux, les lames ardentes, et toutes les horreurs de la torture, si votre oreille était fermée à ses cris déchirants, à ses accents douloureux, étiez-vous insensible aux pleurs et aux gémissements des Romains, témoins de son supplice? Oser attacher sur une croix un homme qui se disait citoyen romain !

LIVRE V, CH. 61 à 63

CORRESPONDANCE

. Correspondance.

Presque neuf cents lettres nous sont parvenues adressées à des parents (ad familiares), à son frère Quintus, ou, les plus intéressantes, à son ami Atticus. Présentées depuis 150 ans dans un ordre chronologique, elles nous permettent de suivre jour après jour dans sa vie publique ou privée l'auteur que nous voyons se réjouir ou se lamenter, réfléchir ou plaisanter, s'intéresser aux autres, agir pour eux ou contre eux.

Cicéron, proconsul en Cilicie (Asie mineure) s'ennuie de Rome.

4 avril 50

A CÉLIUS, ÉDILE CURULE

"Je soupire après Rome, après les miens plus qu'on ne saurait croire"

Croiriez-vous que pour vous écrire j'en suis à chercher mes mots ? je ne dis pas les mots de votre langue oratoire, mais ceux de la langue vulgaire que nous parlons ici. C'est l'effet du tourment d'esprit où me jette l'attente d'une décision sur les provinces. Je soupire après Rome, après les miens plus qu'on ne saurait croire, après vous en première ligne ; et j'ai pris ma province en dégoût. Serait-ce qu'au point de gloire où je suis arrivé, il faille moins songer à y ajouter, que craindre un retour de la fortune ? Est-ce dédain de mon esprit pour ces minces détails du gouvernement provincial, quand les plus grandes affaires de l'État sont à sa taille et dans ses habitudes ? N'est-ce pas plutôt qu'il recule d'instinct sous la menace d'une guerre redoutable, et cherche à la conjurer par un rappel au temps marqué par la loi ? — On s'occupe activement de vos panthères. Les ordres sont donnés à des chasseurs de profession ; mais elles sont singulièrement rares, et le peu qu'on rencontre se plaignent amèrement, dit-on, de ce qu'elles sont les seules créatures mal menées de la province. L'on m'assure même qu'elles sont décidées à quitter mon gouvernement, et à se retirer dans la Carie. On ne laisse pas de leur faire bonne chasse. Patiscus y est des premiers. Tout ce qu'on prendra sera pour vous. Je ne sais à quel nombre on en est. Croyez que je me fais une affaire d'honneur de votre édilité, et ce n'est pas aujourd'hui que je vous oublierais ; car ma lettre est datée des fêtes mégaliennes. — Vous me feriez bien plaisir de m'écrire un peu en détail sur l'état présent des affaires. J'ai foi par-dessus toutes choses aux nouvelles qui me viennent de vous.

AD FAMILIARES II, 11

L'année 45 est une année d'épreuves pour Cicéron. Écarté de la vie politique, sa femme s'est séparée de lui et, surtout, sa chère fille Tullia vient de mourir.

Mars 45

CICÉRON A ATTICUS

"Il n'y a pour moi de supportable que la solitude"

Comme je sais que le souvenir renouvelle la douleur, j'évite de vous parler de ce projet. Il faut, quoi que vous en disiez, me passer cette envie ; car quelques uns des auteurs que j'ai à présent entre les mains, me justifient, et approuvent ce dessein dont je vous ai souvent entretenu, et qu'il faut absolument que vous approuviez. Je parle de ce temple *(Cicéron veut faire bâtir un temple en mémoire de sa fille)* : pensez-y, si vous m'aimez. Mon incertitude n'est pas sur le plan, je suis content de celui de Cluatius ; ni sur la chose en elle-même, mon parti est pris ; mais j'hésite quelquefois sur le lieu que je dois choisir ; pensez-y donc, je vous prie. Je veux, dans un siècle aussi poli, faire travailler pour elle tous les plus beaux génies grecs et latins. Sans doute je rouvrirai mes plaies ; mais je regarde la résolution que j'ai prise comme un vœu et un engagement sacré. Je fais plus d'attention à cette suite infinie d'années pendant lesquelles je ne serai plus, qu'au peu de temps qui me reste à vivre, et que je trouve encore trop long. Je me suis tourné de tous côtés ; je n'ai rien trouvé qui pût me consoler. En m'occupant de cet ouvrage dont je vous ai parlé, je me faisais du moins un plaisir de nourrir ma douleur ; à présent tout me dégoûte, et il n'y a pour moi de supportable que la solitude. J'avais eu peur que Philippe ne m'y vint troubler ; mais heureusement il se contenta hier de me donner le bonjour, et partit aussitôt pour Rome. (...)

AD ATTICUM - XII, 18

César

101 — 44 AVANT J.-C.

La vie de César, comme celle d'Alexandre ou de Napoléon, est devenu un mythe universel.
Né d'une illustre famille patricienne, il commence une carrière politique brillante en s'appuyant sur le parti populaire. Triumvir en 60 avec Crassus et Pompée, consul en 59, il est gouverneur en 58 de la Gaule qu'il pacifie. Pompée cherchant à l'évincer de la scène politique, il revient en hâte en Italie, franchit le fameux Rubicon (49) et déclenche la guerre civile. Vainqueur de Pompée à Pharsale (48), il installe Cléopâtre sur le trône d'Égypte. Maître de l'empire, il gouverne à Rome en souverain et y ramène l'ordre.
Une conspiration patricienne se forme contre lui et il meurt poignardé en plein Sénat en mars 44.

*César trouva le temps de mener à bien une œuvre littéraire : une tragédie, des poèmes, un traité de grammaire, de nombreux discours. Il nous a laissé surtout ses **Commentaires sur la Guerre des Gaules** et sur la Guerre civile, précieux ouvrages écrits par un grand général sur les guerres qu'il a menées.*

CHRONIQUE MILITAIRE

.Commentaires sur la guerre des Gaules.

Dans une langue très pure dont Cicéron fait l'éloge, César note l'essentiel avec réalisme, précision et intensité, bien que les faits soient évidemment présentés sous le jour qui lui est le plus favorable avec des discrétions et des omissions opportunes.

MŒURS DES GAULOIS ET DES GERMAINS

Avant d'aller plus loin, il est à propos de décrire les mœurs de la Gaule et de la Germanie, et de remarquer la différence qui existe entre ces deux nations. Dans la Gaule, chaque ville, chaque bourg, chaque canton, et presque chaque famille, est divisée en factions : à la tête de ces factions sont les citoyens qui jouissent du plus grand crédit : la plupart des affaires et des résolutions sont soumises à leur jugement. La raison de cet antique usage paraît être de protéger le peuple contre les grands. Aucun ne souffre que l'on opprime ou que l'on tourmente ses clients ; s'il agissait autrement, son crédit serait bientôt perdu. Ce même principe régit la Gaule tout entière ; car toutes les cités sont divisées en deux partis.

Lors de l'entrée de César dans la Gaule, les chefs étaient les Héduens d'un côté, les Sequanes de l'autre. Ceux-ci étant trop faibles par eux-mêmes, parce que, depuis longtemps, la principale autorité appartenait aux

“Dans la Gaule, chaque ville, chaque bourg, chaque canton, et presque chaque famille, est divisée en factions”

Héduens, qui possédaient les clientèles les plus considérables, s'étaient unis avec Arioviste et les Germains, et se les étaient attachés à force de présents et de promesses. Vainqueurs dans plusieurs batailles où ils détruisirent toute la noblesse des Héduens, ils acquirent tant de puissance, qu'un grand nombre de peuplades, jadis alliées aux Héduens, passèrent dans leur parti. Ils prirent en ôtage les fils des principaux citoyens, imposèrent à cette nation le serment de ne rien entreprendre contre eux, s'attribuèrent la partie du territoire conquise par leurs armes, et obtinrent la prépondérance dans toute la Gaule. Réduit à cette extrémité, Divitiacus était allé à Rome implorer le secours du sénat, et était revenu sans rien obtenir. L'arrivée de César changea la face des choses ; les Héduens reprirent leurs ôtages, recouvrèrent leurs anciens clients, en obtinrent de nouveaux par le crédit de César : on remarquait que leurs amis jouissaient d'une condition plus heureuse et d'un gouvernement plus doux. Le pouvoir et le crédit des Héduens s'accrurent ; la prépondérance échappa aux Sequanes. Les Rèmes prirent leur place, et lorsqu'on vit que leur faveur auprès de César égalait celle des Héduens, les peuples que d'anciennes inimités éloignaient de ces derniers se rallièrent à la clientèle des Rèmes. Ceux-ci les protégeaient avec zèle, pour conserver le nouveau crédit qu'ils venaient d'acquérir. Ainsi les Héduens étaient les plus puissants des Gaulois, et les Rèmes occupaient le second rang.

Dans toute la Gaule, il n'y a que deux classes d'hommes auxquels appartiennent les honneurs et la considération ; car, pour le bas peuple, il n'a guère que le rang d'esclave, ne faisant rien par lui-même, et n'étant admis à aucun conseil. La plupart, accablés de dettes, écrasés d'impôts, ou en butte aux violences des grands, se mettent au service des nobles, qui exercent sur eux les mêmes droits que les maîtres sur leurs esclaves. De ces deux classes, l'une est celle des druides, l'autre celle des chevaliers. Les premiers, ministres des choses divines, président aux sacrifices publics et particuliers, et conservent le dépôt des doctrines religieuses. Le désir de l'instruction attire auprès d'eux une nombreuse jeunesse. Leur nom est environné de respect ; ils connaissent presque toutes les contestations publiques et privées. S'il est commis un crime, s'il s'est fait un meurtre, s'il s'élève quelque débat sur un héritage ou sur des limites, ce sont eux qui en décident : ils dispensent les peines et les récompenses. Si un particulier ou un magistrat ne défère point à leur décision, ils lui interdisent les sacrifices. Cette peine est chez eux la plus sévère de toutes : ceux qui l'encourent sont mis au rang des impies et des criminels ; on les évite, on fuit leur abord et leur entretien, comme si cette approche avait quelque chose de funeste : s'ils demandent justice, elle leur est refusée ; ils n'ont part à aucun bonheur. Le corps entier des druides n'a qu'un seul chef, dont l'autorité est absolue. A sa mort, le premier en dignité lui succède : si plusieurs ont des titres égaux, les suffrages des druides, ou quelquefois les armes, en décident. A une époque marquée de l'année, les druides s'assemblent dans un lieu consacré, sur la frontière du pays des Carnutes, qui passe pour le point central de la Gaule. Là se rendent de toutes parts ceux qui ont des différends, et ils se soumettent aux jugements des druides. On croit que leur doctrine a pris naissance dans la Bretagne, d'où elle fut transportée en Gaule, et, aujourd'hui, ceux qui désirent en avoir une connaissance plus approfondie se rendent encore dans cette île pour s'y instruire.

Les druides ne vont point à la guerre ; ils ne contribuent pas aux impôts comme le reste des citoyens ; ils sont dispensés du service militaire et exempts de toute espèce de charges. De si grands privilèges, et le goût particulier des jeunes gens, leur amènent beaucoup de disciples ; d'autres y sont envoyés par leurs familles. Là ils apprennent, dit-on, un grand nombre de vers, et passent souvent vingt années dans cet apprentissage. Il est défendu de les écrire, quoiqu'ils se servent des lettres grecques pour la plupart des autres affaires publiques et privées. Je crois voir deux raisons de cet usage : l'une est de ne point livrer au vulgaire les mystères de leur science ; l'autre d'empêcher les disciples de se reposer sur l'écriture, et de négliger leur mémoire. Il arrive, en effet, presque toujours, que l'on s'applique moins à retenir par cœur ce que l'on peut trouver dans les livres. Leur dogme principal, c'est que les âmes ne périssent pas, et qu'après la mort elles passent d'un corps dans un autre. Cette croyance leur paraît singulièrement propre à exciter le courage, en inspirant le mépris de la mort. Ils traitent aussi du mouvement des astres, de la grandeur de l'univers, de la nature des choses, du pouvoir et de l'influence des dieux immortels, et transmettent ces doctrines à la jeunesse.

La seconde classe est celle des chevaliers. S'il survient quelque guerre (et, avant l'arrivée de César, il se passait peu d'années sans quelque guerre offensive ou défensive), ils prennent tous les armes. L'éclat de leur naissance et de leur fortune se marque au dehors par le nombre des serviteurs et des clients dont ils s'entourent. C'est chez eux le signe du crédit et de la puissance.

La nation gauloise est, en général, très superstitieuse. Aussi ceux qui sont attaqués de maladies graves, ou qui vivent dans les hasards des combats, immolent des victimes humaines, ou font vœu d'en sacrifier. Les druides sont les ministres de ces sacrifices. Ils pensent que la vie d'un homme ne peut être rachetée, auprès des dieux immortels, que par la vie d'un autre homme : ces sortes de sacrifices sont même d'institution publique. Quelquefois on remplit d'hommes vivants des espèces de mannequins tissés en osier et d'une hauteur colossale ; l'on y met le feu, et les victimes périssent étouffées par la flamme. Ils jugent plus agréable aux dieux le supplice de ceux qui sont convaincus de vol, de brigandage ou de quelque autre crime ; mais, lorsque les coupables manquent, ils y dévouent des innocents.

Mercure est le premier de leurs dieux, et ils lui élèvent un grand nombre de statues. Ils le regardent comme l'inventeur de tous les arts, comme le guide des voyageurs : c'est encore le protecteur du commerce. Après lui, ils adorent Apollon, Mars, Jupiter et Minerve. Ils ont de ces divinités à peu près les mêmes idées que les autres nations. Apollon guérit les maladies, Minerve enseigne les éléments des arts, Jupiter est le maître du ciel, Mars l'arbitre de la guerre. Souvent, quand ils ont résolu de combattre, ils font vœu de consacrer à Mars les dépouilles de l'ennemi ; et, après la victoire, ils immolent le bétail qu'ils ont pris. Le reste est déposé dans des lieux consacrés, et en beaucoup de villes l'on peut voir de ces espèces de trophées. Il n'arrive guère qu'un Gaulois ose, au mépris de la religion, détourner une partie du butin, ou ravir quelque chose de ces dépôts. Les plus cruelles tortures sont réservées à un tel crime.

Les Gaulois se vantent d'être issus de Pluton ; c'est une tradition qu'ils tiennent des druides. C'est pour cette raison qu'ils mesurent le temps par le nombre des nuits, et non par celui des jours. Ils calculent les jours de naissance, ainsi que le commencement des mois et des années, en choisissant la nuit pour point de départ. Dans les autres usages de la vie, ils diffèrent des autres nations par une coutume particulière : c'est de ne pas permettre à leurs enfants de les aborder en public, avant l'âge où ils sont capables du service militaire ; ce serait une honte pour un père de recevoir publiquement auprès de lui son fils en bas âge.

Les hommes mettent en communauté, avec la somme d'argent qu'ils reçoivent de leurs femmes à titre de dot, une somme égale à cette dot. L'estimation en est faite. On dresse de part et d'autre un état de ce capital, et l'on en réserve les intérêts. Celui des deux époux qui survit, a la part de l'un et de l'autre, avec les intérêts accumulés. Les hommes ont droit de vie et de mort sur leurs femmes et sur leurs enfants : lorsqu'un père de famille d'une haute naissance vient à mourir, ses proches s'assemblent : s'ils ont quelque soupçon sur sa mort, ses femmes sont mises à la question comme les esclaves ; si le crime est prouvé, elles sont livrées au feu et aux plus cruels tourments. Les funérailles, relativement à la civilisation des Gaulois, sont magnifiques et somptueuses. Tout ce que le défunt a chéri pendant sa vie, on le brûle après sa mort, même les animaux : il y a peu de temps encore, pour lui rendre des honneurs complets, on brûlait ensemble les esclaves et les clients qu'il avait aimés.

Parmi les cités qui passent pour les plus habiles dans l'art d'administrer leurs affaires, c'est une loi sacrée que celui qui apprend, soit de ses voisins, soit par le bruit public, quelque nouvelle qui intéresse la cité, doit en avertir le magistrat sans en faire part à aucun autre. Ils savent que souvent des hommes imprudents et inhabiles s'effraient de fausses rumeurs, se portent à des excès, et prennent des résolutions extrêmes. Les magistrats cachent ce qu'ils jugent convenable, et ne découvrent à la multitude que ce qu'il est utile de lui dire. Il n'est permis de parler sur les affaires publiques qu'en assemblée générale.

Les mœurs des Germains sont très différentes. Ils n'ont ni druides qui président à la religion, ni sacrifices. Ils ne mettent au nombre des dieux, que ceux qu'ils voient et dont ils ressentent manifestement les bienfaits, le soleil, le feu, la lune ; ils n'ont pas la moindre notion des autres. Toute leur vie se passe à la chasse et dans les exercices de la guerre : ils s'endurcissent dès l'enfance au travail et à la fatigue. Ils estiment fort une puberté tardive, persuadés que le corps en devient plus robuste, et les nerfs plus vigoureux. C'est une honte parmi eux d'avoir connu les femmes avant l'âge de vingt ans : ce qui ne peut demeurer caché ; car ils se baignent pêle-mêle dans les fleuves, et ne se couvrent que de peaux de rennes ou de vêtements fort courts, qui laissent à nu la plus grande partie de leur corps.

Ils s'adonnent peu à l'agriculture, et ne vivent guère que de lait, de fromage et de chair. Nul n'a chez eux de champs limités, ni de terrain qui lui appartienne en propre ; mais tous les ans les magistrats et les principaux chefs assignent partout où il leur plaît, à chaque famille vivant en société commune, une suffisante étendue de terre, et, l'année suivante, ils l'obligent de passer ailleurs. Ils allèguent plusieurs raisons de cet usage. Ils craindraient que la longue habitude des travaux champêtres ne fit négliger les armes; chacun songerait à étendre ses possessions, et les plus forts dépouilleraient les faibles; on se garantirait de la saison par des habitations plus commodes; avec l'amour des richesses naîtraient les factions et les discordes : le sentiment de l'égalité maintient la paix parmi le peuple, qui se voit avec plaisir aussi riche que les plus puissants.

C'est pour ces peuples le plus beau titre de gloire, de n'être environnés que de vastes déserts. Ils regardent comme une marque éclatante de valeur, de chasser au loin leurs voisins, et ne permettent à personne de s'établir auprès d'eux. Ils y trouvent, d'ailleurs, un moyen de se garantir contre des invasions subites. Lorsqu'un état déclare la guerre, il choisit, pour la diriger, des magistrats qui ont droit de vie et de mort. En temps de paix, il n'y a point de magistrature générale : les principaux habitants des cantons ou des bourgs rendent la justice et arrangent les procès. Le brigandage n'a rien de honteux, s'il se commet hors des limites du pays : c'est, disent-ils, un moyen d'exercer la jeunesse et de bannir l'oisiveté. Lorsque, dans une assemblée, un chef propose une entreprise, et demande qui veut le suivre, ceux auxquels plaisent et l'expédition et le chef se lèvent, et lui promettent leur assistance : aussitôt la multitude applaudit. Ceux d'entre eux qui l'abandonnent sont regardés comme déserteurs et comme traîtres; toute confiance leur est désormais refusée. Chez eux le droit d'hospitalité est sacré. Quiconque vient les implorer est garanti de toute insulte, et trouve auprès d'eux un asile inviolable : toutes les maisons lui sont ouvertes; on partage les vivres avec lui.

Il fut un temps où les Gaulois surpassaient les Germains en valeur, portaient la guerre chez eux, et envoyaient au-delà du Rhin des colonies, pour soulager leur territoire d'un excédent de population. C'est ainsi que les Volces Tectosages vinrent se fixer dans les contrées les plus fertiles de la Germanie, près de la forêt Hercynie, qui paraît avoit été connue d'Ératosthène et de quelques autres Grecs, sous le nom d'Orcynie. Cette nation s'y est maintenue jusqu'à ce jour, et jouit d'une grande réputation de justice et de valeur. Aujourd'hui, encore, ses habitants vivent dans la même pauvreté, la même indigence, la même frugalité que les Germains : ils ont adopté leur genre de vie et leur costume. Quant aux Gaulois, le voisinage de la Province, et le commerce maritime, leur ont fait connaître l'abondance et les jouissances du luxe. Accoutumés peu à peu à se laisser battre, vaincus dans un grand nombre de combats, ils n'osent plus eux-mêmes se comparer aux Germains. LIVRE VI, CH. 11 A 20

LE PLAN DE VERCINGÉTORIX

Devant la menace de César qui a investi de nombreuses places gauloises, Vercingétorix réunit les chefs gaulois et propose la politique de la terre brûlée.

Vercingétorix, après avoir essuyé successivement tant de revers à Vellaunodun, à Genabum, à Noviodunum, convoque un conseil. Là il démontre « qu'il s'agit de faire la guerre tout autrement que par le passé. Ils doivent, avant tout, s'appliquer à priver les Romains de vivres et de fourrages; le nombre de leur cavalerie, la saison même, facilitera leurs efforts : l'ennemi ne trouvant pas d'herbe à couper sera contraint de s'écarter pour en chercher dans les maisons, et pourra chaque jour être détruit par la cavalerie. Le salut commun doit faire oublier les intérêts particuliers. Il faut incendier les habitations et les bourgs, depuis le territoire des Boïens, de tous côtés, aussi loin que l'ennemi peut étendre ses fourrages. Pour eux, ils auront tout en abondance, sûrs d'être secourus par les peuples voisins. Les Romains seront pressés par la disette, ou quitteront leur camp avec de grands périls. Qu'on les tue, ou qu'on enlève leurs bagages, peu importe, si cette perte leur rend la guerre impossible. Il faut encore brûler les places que leur position ou la faiblesse des fortifications ne préservent pas de tout péril, de peur qu'elles ne servent de refuges aux traîtres, ou que les Romains n'en tirent des vivres. Si de tels moyens paraissent durs et violents, ne serait-il pas plus dur encore de voir leurs femmes et leurs enfants traînés en esclavage, et d'être eux-mêmes égorgés, sort inévitable des vaincus ? »

Cet avis fut approuvé de tous. En un jour, plus de vingt villes des Bituriges sont livrées aux flammes. Les pays voisins font de même : de toutes parts on ne voit qu'incendies. Chacun se consolait de ce douloureux spectacle, par l'espoir d'une prochaine victoire, qui réparerait promptement toutes les pertes. On délibère dans l'assemblée s'il convient de brûler Avaricum *(Bourges)* ou de la défendre. Mais les Bituriges se jettent aux pieds des autres Gaulois ; ils demandent « qu'on ne les force pas à brûler de leurs mains une des plus belles villes de la Gaule, l'ornement et le soutien de tout le pays ; il leur sera facile de défendre, par sa position même, une place presque entourée de toutes parts d'une rivière et d'un marais, et qui n'a qu'une avenue fort étroite. » On se rend à leurs instances ; Vercingétorix, qui les avait combattues d'abord, cède enfin à leurs prières et à la pitié générale. La défense de la ville est confiée à des hommes d'élite.

LIVRE VII, CH. 14 A 15

ALÉSIA

LA SITUATION D'ALÉSIA.

Vercingétorix, voyant toute sa cavalerie en fuite, fit rentrer les troupes qu'ils avaient rangées à la tête du camp, et prit aussitôt le chemin d'Alésia, ville des Mandubes ; en même temps, il se fait suivre pas ses bagages. César laisse les siens sur un coteau voisin, sous la garde de deux légions, poursuit l'ennemi tout le jour, lui tue environ trois milles hommes de l'arrière-garde, et campe le lendemain devant Alésia. L'ennemi était tout consterné de la défaite de la cavalerie, qui faisait sa principale force ; César reconnut la place, exhorta les soldats au travail, et fit ouvrir les lignes de circonvallation.

Cette place, située au sommet d'une montagne, dans une position très élevée, semblait ne pouvoir être prise que par un siège en règle. De deux côtés deux rivières coulaient au pied de la montagne. Devant la ville s'étendait une plaine d'environ trois milles de longueur : sur tous les autres points, la ville était entourée par des collines peu distantes entre elles et d'une égale hauteur. Au pied des murs, les Gaulois avaient couvert de leurs troupes toute la partie de la montagne qui regardait le levant, et ils avaient ouvert un fossé et élevé une muraille sèche de six pieds. La ligne de circonvallation formée par les Romains avait à peu près onze milles de circuit ; notre camp était dans une position avantageuse ; on y avait élevé vingt trois redoutes. Là des postes étaient placés pendant le jour pour empêcher toute attaque subite : de fortes garnisons et des sentinelles veillaient toute la nuit.

LIVRE VII, CH. 68 et 69

La rencontre décisive entre César et Vercingétorix se produit à Alésia, ville du peuple Mandube, située sur une hauteur au pied de laquelle le chef gaulois a établi son camp. Des travaux gigantesques ont été entrepris par les Romains pour encercler le camp et la citadelle.

LES TRAVAUX DE CÉSAR.

César, instruit de ces dispositions par les prisonniers et les transfuges, règle de la manière suivante son plan de fortifications : il fait creuser un fossé large de vingt pieds, dont les côtés sont à pic et la profondeur égale à la largeur. A quatre cents pieds en arrière de ce fossé, il établit le reste de ses retranchements. Il laissait cette distance, afin que les ennemis ne pussent point pendant la nuit attaquer à l'improviste nos ouvrages, ni lancer tous les jours une grêle de traits sur nos travailleurs : car on avait été obligé d'embrasser une si grande circonférence, que nos troupes n'auraient pu aisément en garnir tous les points. Dans cet espace César fit ouvrir deux fossés de quinze pieds de large sur autant de profondeur. Celui qui était intérieur, creusé dans la plaine dans dans un terrain bas, fut rempli d'eau au moyen de rigoles faites à la rivière. Derrière ces fossés il éleva une terrasse et un rempart de douze pieds de haut ; il y ajouta un parapet et des créneaux ; et, à la jonction du parapet et du rempart, une palissade de grosses pièces de bois fourchues pour en rendre l'abord difficile. Le tout était flanqué de tours placées à quatre vingts pieds l'une de l'autre.

Il fallait à la fois aller chercher du bois, pourvoir aux vivres, travailler aux fortifications, ce qui diminuait nos forces en les éloignant du camp. Souvent encore les Gaulois essayaient d'attaquer nos ouvrages et faisaient de vives sorties par plusieurs portes. César jugea nécessaire d'ajouter quelque chose aux fortifications, pour qu'une force moindre suffit à les défendre. On prit des troncs d'arbres, dont on retrancha les branches ; on les dépouilla de leur écorce, et on les aiguisa par le sommet. On creusa une longue tranchée de cinq pieds de profondeur, où ces pieux furent plantés, les branches en haut ; ils étaient attachés par le pied de manière à ne pouvoir être arrachés. Il y en avait cinq rangs, liés ensemble et entrelacés : quiconque s'y était engagé s'embarrassait dans leurs pointes aiguës. Les soldats leur donnaient le nom de *ceps*. Au devant étaient des puits de trois pieds de profondeur disposés obliquement en quinconce, et qui se rétrécissaient peu à peu. On y faisait entrer des pieux ronds de la grosseur de la cuisse, durcis au feu et aiguisés à l'extrémité ; ils ne sortaient de terre que de quatre doigts ; on les affermissait au pied, en foulant fortement la terre ; le reste était recouvert de ronces et de broussailles, afin de cacher le piège. Il y avait huit rangs de cette espèce, à trois pieds de distance l'un de l'autre : on les nommait des *lis*, à cause de leur ressemblance avec cette fleur. En avant encore étaient fichées en terre des chausse-trapes d'un pied de long, armées de pointes de fer ; on en mit partout et à de faibles distances : on les appelait des *aiguillons*.

Ce travail fini, César fit tirer dans le terrain le plus uni qu'il peut trouver, et dans un circuit de quatorze milles, une contrevallation du même genre, mais du côté opposé, contre les attaques du dehors ; afin que, si la cavalerie envoyée par Vercingétorix ramenait avec elle de nombreux secours, la foule même des ennemis ne pût investir les retranchements : voulant encore épargner à ses soldats le danger de sortir du camp, il ordonna que chacun se pourvût de vivres et de fourrages pour trente jours.

LIVRE VII, CH. 72 A 74

LA REDDITION DE VERCINGÉTORIX.

"Puisqu'il faut céder à la fortune, ajoute-t-il, je m'offre à vous, et vous laisse le choix d'apaiser les Romains par ma mort, ou de me livrer vivant"

Le lendemain, Vercingétorix convoque l'assemblée. Il déclare « qu'il n'a pas entrepris cette guerre pour ses intérêts personnels, mais bien pour la liberté commune. Puisqu'il faut céder à la fortune, ajoute-t-il, je m'offre à vous, et vous laisse le choix d'apaiser les Romains par ma mort, ou de me livrer vivant. » Aussitôt on députe vers César : il ordonne que les armes et les chefs lui soient remis. Il s'assied sur son tribunal, à la tête de son camp : on amène les chefs ennemis ; on lui livre Vercingétorix ; les armes sont jetées à ses pieds. A l'exception des Héduens et des Arvernes, qu'il se réserva pour essayer de regagner ces peuples, le reste des prisonniers fut distribué par tête à chaque soldat, comme butin de guerre.

De là il se dirige vers les Héduens, et reçoit leur soumission. Les Arvernes s'empressent également de se soumettre. César exige d'eux un grand nombre d'otages. Il met ses légions en quartier d'hiver : vingt mille captifs environ sont rendus aux Héduens et aux Arvernes. Il envoie T. Labienus avec deux légions et la cavalerie chez les Séquanes, et lui adjoint M. Sempronius Rutilius. Il place C. Fabius et L. Minucius Basilus avec deux légions chez les Rèmes, pour les garantir contre toute attaque des Bellovaques, leurs voisins. Il envoie C. Antistius Reginus chez les Ambivarètes, B. Sextius chez les Bituriges, C. Caninius Rebilus chez les Rutènes, chacun avec une légion. Il établit Q. Tullius Cicéron et P. Sulpicius dans les postes de Cabillon et de Matiscon, au pays des Héduens, sur la Saône, pour assurer les vivres. Lui-même résolut de passer l'hiver à Bibracte *(Autun)*. Ces événements annoncés à Rome par les lettres de César, on y ordonna des prières publiques pendant vingt jours.

LIVRE VII, CH. 89 ET 90

Lucrèce

98 — 53 AVANT J.-C.

*Lucrèce s'étant tenu à l'écart du monde et des affaires, nous savons peu de choses de sa vie qui fut courte et semble-t-il empreinte de pessimisme. Il est vrai que les cinquante années où il vécut sont peut-être les plus violentes de l'histoire romaine. En réaction à ces événements, plutôt que de se réfugier dans la frivolité alexandrine ou la sombre religion romaine, Lucrèce s'attache passionnément à présenter à ses contemporains une conception de l'univers et de ses lois propre à les exalter et à donner un sens à leur existence terrestre. C'est ainsi qu'il compose son ouvrage « **De la Nature** », poème didactique en six livres publié après sa mort. Très admiré sous Auguste, il tomba dans l'oubli et ne fut redécouvert qu'à la Renaissance.*

POÈMES DIDACTIQUES

.De la nature.

Le maître de Lucrèce est Épicure, philosophe grec, (342—270) partisan de ce qu'on appelle la théorie des atomes.

Le monde est composé de vide et de matière. Celle-ci est faite d'un assemblage d'atomes, éléments primordiaux sans cesse en mouvement, insécables et indestructibles. Tout est matière ; la matière ne périt jamais, seules les formes qui s'élaborent en différentes combinaisons sont appelées à disparaître. Quand l'homme prend conscience des grandes lois universelles, ses terreurs disparaissent, ses passions s'apaisent ; il devient un sage.

ÉLOGE D'ÉPICURE

Ces deux textes présentent un vibrant éloge d'Épicure qui sut expliquer la nature des choses et ainsi débarasser l'homme de ses craintes vaines.

Jadis, quand on voyait les hommes traîner une vie rampante sous le faix honteux de la superstition, et que la tête du monstre, leur apparaissant à la cime des nues, les accablait de son regard épouvantable, un Grec, un simple mortel osa enfin lever les yeux, osa enfin lui résister en face. Rien ne l'arrête, ni la renommée des dieux, ni la foudre, ni les menaces du ciel qui gronde : loin d'ébranler son courage, les obstacles l'irritent, et il n'en est que plus ardent à rompre les barrières étroites de la nature. Aussi en vient-il à bout par son infatigable génie : il s'élance loin des bornes enflammées du monde, il parcourt l'infini sur les ailes de la pensée, il triomphe, et revient nous apprendre ce que peut ou ne peut pas naître, et d'où vient que la puissance des corps est bornée et qu'il y a pour tous un terme infranchissable. La superstition fut donc abattue et foulée aux pieds à son tour, et sa défaite nous égala aux dieux.

LIVRE I, V. 63 à 80

Toi qui, le premier, as su faire jaillir de ténèbres si épaisses une lumière si vive, nous éclairant sur les intérêts de la vie, je te suis, honneur du peuple grec, et déjà sous mon pied je couvre, je presse la trace de tes pas : non que je veuille tenter la lutte ; mais, épris de ta sagesse, je brûle de t'imiter. Vit-on jamais hirondelle le disputer aux cygnes ? Le chevreau, tremblant des membres, peut-il rien faire qui vaille le généreux effort du coursier robuste ? Toi seul inventas ces choses, et tu es un père qui nous laisses tes leçons en héritage : dans tes œuvres, illustre sage, comme dans les bois fleuris que dépouillent les abeilles rongeuses, nous aspirons tout le suc de tes paroles, où l'or, où l'or pur éclate, et qui sont à jamais dignes de la vie éternelle !

Car aussitôt que le cri de ta raison divulgue cette nature des choses échappée de ton intelligence divine, les terreurs des âmes se dissipent, les barrières du monde s'écartent, et je vois tout s'accomplir au milieu du vide. Alors m'apparaissent dans leur sainteté les immortels, et leurs paisibles demeures : elles ne sont exposées, ni à la secousse des vents, ni aux averses des nues, ni aux souillures de la neige condensée par un froid aigu, et qui tombe toute blanche ; car un ciel sans nuages les enveloppe, les inonde toujours de sa riante lumière. La nature des dieux suffit à leurs besoins, et en aucun temps aucun souci ne ronge la paix de leur âme. Mais je ne découvre pas, en face du ciel, les voûtes infernales ; et pourtant la terre ne dérobe point à mes vastes regards tout ce qui se passe, sous nos pieds, au fond du vide. En examinant ces choses, une céleste volupté, un saint effroi me pénètrent, de voir que, sous ta main puissante, la Nature s'illumine et s'ouvre toute entière, dépouillée de ses voiles.

LIVRE III

RIEN NE NAÎT DE RIEN

Premier principe d'Épicure, que Lucrèce va affirmer avec force ; rien ne naît de rien ; et son corollaire, rien ne retourne au néant.

"Ainsi tout ne peut pas naître de tout"

Si le néant les eût enfantés, tous les corps seraient à même de produire toutes les espèces, et aucun n'aurait besoin de germe. Les hommes naîtraient de l'onde, les oiseaux et les poissons de la terre ; les troupeaux s'élanceraient du ciel ; et les bêtes féroces, enfants du hasard, habiteraient sans choix les lieux cultivés ou les déserts. Les mêmes fruits ne naîtraient pas toujours sur les mêmes arbres, mais ils varieraient sans cesse : tous les arbres porteraient tous les fruits. Car si les corps étaient privés de germes, se pourrait-il qu'ils eussent constamment une même source ? Mais, au contraire, comme tous les êtres se forment d'un élément invariable, chacun d'eux ne vient au monde que là où se trouve sa substance propre, son principe générateur ; et ainsi tout ne peut pas naître de tout, puisque chaque corps a la vertu de créer un être distinct.

D'ailleurs, pourquoi la rose s'ouvre-t-elle au printemps, pourquoi le blé mûrit-il aux feux de l'été, et la vigne sous la rosée de l'automne, sinon parce que les germes s'amassent à temps fixe, et que tout se développe dans la bonne saison, et alors que la terre féconde ne craint pas d'exposer au jour ses productions encore tendres ? Si ces productions étaient tirées du néant, elles naîtraient tout à coup, à des époques incertaines et dans les saisons ennemies, puisqu'il n'y aurait pas de germes dont le temps contraire pût empêcher les féconds assemblages.

D'autre part, si le néant engendrait les êtres, une fois leurs éléments réunis, il ne leur faudrait pas un long espace de temps pour croître : les enfants deviendraient aussitôt des hommes, et l'arbuste ne sortirait de terre que pour s'élancer au ciel. Et pourtant rien de tout cela n'arrive ; les êtres grandissent insensiblement (ce qui doit être, puisqu'ils ont un germe déterminé), et en grandissant ils ne changent pas d'espèce ; ce qui prouve que tous les corps s'accroissent et s'alimentent de leur substance première.

J'ajoute que, sans les pluies qui l'arrosent à point fixe, la terre n'enfanterait pas ses productions bienfaisantes, et que les animaux, privés de nourriture, ne pourraient multiplier leur espèce ni soutenir leur vie : de sorte qu'il vaut mieux admettre l'existence de plusieurs éléments qui se combinent pour former plusieurs êtres, comme nous voyons les lettres produire tous les mots, que celle d'un être dépourvu de germe. D'où vient aussi que la nature n'a pu bâtir de ces géants qui traversent les mers à pied, qui déracinent de vastes montagnes, et dont la vie triomphe de mille générations, si ce n'est parce que chaque être a une part déterminée de substance, qui est la mesure de son accroissement ? Il faut donc avouer que rien ne peut se faire de rien, puisque tous les corps ont besoin de semences pour être mis au jour, et jetés dans le souple berceau des airs. Enfin un lieu cultivé a plus de vertu que les terrains incultes, et les fruits s'améliorent sous des mains actives : la terre enferme donc des principes ; et c'est en remuant avec la charrue les glèbes fécondes, en bouleversant la surface du sol, que nous les excitons à se produire. Car, autrement, toutes choses deviendraient meilleures d'elles-mêmes, et sans le travail des hommes.

Ajoutons que la nature brise les corps, et les réduit à leurs simples germes, au lieu de les anéantir.

En effet, si les corps n'avaient rien d'impérissable, tout ce que nous cesserions de voir cesserait d'être, et il n'y aurait besoin d'aucun effort pour entraîner la dissolution des parties et rompre l'assemblage. Mais comme tous les êtres, au contraire, sont formés d'éléments éternels, la nature ne consent à leur ruine que quand une force vient les heurter et les rompre sous le choc, ou pénètre leurs vides, et les dissout.

LIVRE I, V. 147 A 214

LES ATOMES

Lucrèce expose comment le « clinamen », c'est-à-dire la déviation très légère des atomes, explique à lui seul la création des différents objets ou différents corps dont se compose la matière. Les dieux n'y sont pour rien.

Je veux aussi te montrer que les atomes, quand ils se précipitent en droite ligne dans le vide, dévient un peu par leur propre poids, mais si peu que rien, et on ne sait quand, on ne sait où. Si les éléments ne changeaient pas ainsi de route, ils tomberaient épars à travers les abîmes du vide, comme les gouttes de pluie : il n'y aurait jamais eu ni rencontre ni choc, et la nature demeurerait encore stérile.

Si par hasard on croit que les atomes les plus pesants atteignent dans leur course plus rapide les atomes plus légers, et les frappent, et produisent ainsi les mouvements créateurs, on va se perdre bien loin de la vérité. Car il faut bien sans doute que les corps qui tombent dans l'air ou l'eau précipitent leur chute suivant leurs poids, parce que la substance fluide des eaux et la nature déliée des airs ne peuvent opposer à tous des résistances égales, et cèdent plus vite sous un poids plus lourd ; mais le vide ne peut arrêter les corps, il ne le peut jamais, il ne le peut nulle part, et il leur fait toujours place, comme le veut sa nature. Les atomes doivent donc se précipiter avec la même vitesse, quoique leur poids diffère, dans le vide qui ne leur résiste pas ; et il est impossible que les plus pesants tombent sur les plus légers, amènent des chocs, et varient le mouvement pour aider aux créations de la nature.

Je le répète donc, il faut que les atomes dévient un peu, mais ils ne dévient que le moins possible ; car autrement il semblerait que nous leur prêtions un mouvement oblique, ce que la vérité repousse. Les yeux attestent et nous sommes toujours à portée de voir que les corps pesants, qui tombent de haut et suivent leur propre pente, ne se meuvent pas obliquement, ainsi que tu peux le distinguer toi-même : mais est-il un œil capable d'apercevoir si les atomes ne se détournent jamais de la ligne droite ?

Enfin, si tous les mouvements sont enchaînés et se reproduisent toujours dans un ordre toujours invariable ; si les atomes ne leur impriment point par de légers écarts une direction nouvelle qui rompe cet enchaînement fatal, et qui empêche la cause de succéder éternellement à la cause, d'où vient ici-bas cette volonté libre, cette volonté indépendante du sort, qui pousse les êtres où le plaisir les appelle, qui leur fait changer de route, non pas à époque fixe ni en lieu déterminé, mais au gré du caprice qui les emporte ? Car il est incontestable que leur volonté, à tous, est le principe du mouvement, et la source dont il jaillit pour se répandre dans les organes. Ne remarques-tu pas, quand on ouvre tout à coup la barrière, que l'impatient coursier ne peut s'élancer aussi vite que le voudrait son âme ardente ? Il faut d'abord que l'abondante matière du corps entier s'ébranle au fond de chaque membre et s'y ramasse, afin de suivre le penchant du cœur. Ainsi le mouvement se forme dans les âmes, et il part de la volonté, qui le transmet aux membres et au reste du corps.

"Il y a chez les atomes, outre la pesanteur et le choc, un autre principe de mouvement qui leur donne cette puissance"

Il n'en est pas de même lorsque nous avançons poussés par un choc extérieur, et que de grandes forces nous impriment une vaste secousse : car alors il est clair que toute notre substance se meut et s'emporte malgré nous, jusqu'à ce que la volonté saisissant les membres arrête sa course. Tu le vois donc : quoique des forces étrangères nous entraînent, nous précipitent, il y a pourtant au fond de notre cœur une puissance qui lutte, qui fait obstacle, qui ébranle souvent à son caprice la masse du corps en agitant les articulations et les membres, qui la pousse, la retient ensuite, et la rejette dans son inertie.

Ainsi, tu es encore obligé de reconnaître qu'il y a chez les atomes, outre la pesanteur et le choc, un autre principe de mouvement qui leur donne cette puissance, puisque nous avons déjà vu que rien ne peut naître de rien. Car la pesanteur empêche sans doute que tout ne provienne du choc et des impulsions étrangères ; mais pour que les âmes ne soient pas soumises, quand elles agissent, à une nécessité intérieure qui les dompte en quelque sorte et les réduit à une obéissance passive, il faut un léger écart des atomes, et non pas à temps fixe ni dans un espace déterminé.

LIVRE II, V. 215 A 295

LIBERTÉ DE LA NATURE

Lucrèce revient sur cette idée : les dieux ne sont responsables de rien ; par une succession de phénomènes naturels, le monde se forme, croît et meurt, inéluctablement.

Si tu te pénètres bien de ces vérités, aussitôt la Nature te paraît libre : plus de maîtres superbes ; elle seule fait tout, et de son propre fond, sans que les dieux y mettent la main. Car, je vous atteste, divinités saintes, âmes tranquilles, et qui passez dans un calme sans fin une vie sans orage, qui de vous est capable de gouverner le tout immense, de tenir avec mesure les fortes rênes du vaste univers ? Qui peut faire que mille cieux tournent ensemble, que leurs feux échauffent et fécondent mille terres ? Qui peut être sans cesse répandu dans toute la nature, pour étendre le sombre voile des nuages sur la face riante des airs, et les ébranler avec la foudre retentissante ? La foudre jaillit-elle de vos mains quand elle renverse vos temples, quand elle va se perdre dans les solitudes où sa fureur éclate, quand ses traits aveugles passent auprès des coupables, et donnent la mort aux innocents qui ne la méritent pas ?

Après la naissance du monde, dès que se leva le jour où furent engendrés la terre, les ondes, le soleil, de nombreux atomes, ajoutés au dehors, enveloppèrent et enrichirent la masse. Ces germes émanaient du grand Tout qui les amoncela pour accroître les eaux, les terres ; pour élargir les palais du ciel ; pour hausser leurs voûtes, les écarter du sol, et reculer au loin la cime des airs. Car ils jaillissent de toutes parts sous mille chocs qui les distribuent aux corps analogues, et les unissent à leur espèce : l'eau attire l'eau, la terre se nourrit de substance terrestre, le feu engendre le feu, l'air alimente l'air. Achevant enfin son œuvre, la Nature conduit les êtres au terme de leur croissance ; ce qui arrive, quand le suc vital introduit dans les pores égale le fluide qui se perd : alors les progrès de la vie cessent, et la nature puissante met un frein aux envahissements des corps.

Ainsi donc ceux que tu vois atteindre par un développement heureux et insensible le dernier échelon de la maturité engloutissent plus d'atomes qu'ils n'en rejettent. Les aliments y trouvent partout des voies faciles ; les pores ne sont pas assez larges pour que les pertes abondent, et la masse dépense moins que sa nourriture ne lui donne. Sans doute de nombreux atomes découlent et se retirent des êtres, il faut en convenir ; mais un nombre plus grand encore les remplace, tant que les êtres ne sont pas au faîte de leur croissance. Car alors ils dépérissent : les forces de la maturité se brisent peu à peu, et les corps ruinés tournent à la décrépitude. Plus ils ont de volume, plus ils occupent de place, quand ils cessent de croître, plus ils se dissipent de tous côtés, en tous sens, et plus ils jettent de matière. Les aliments circulent avec peine dans les canaux de la vie. Des atomes écumants débordent à larges flots, et ils épuisent la Nature, qui ne suffit pas à nourrir leurs pertes, à réparer leurs ruines. Il est donc juste que la mort vienne : les masses appauvries succombent à des attaques étrangères, parce que leur vieillesse manque de nourriture, parce que les éléments extérieurs ne cessent de battre, de tourmenter, et de rompre les corps dont ils viennent toujours à bout.

Un jour aussi les vastes remparts du monde seront emportés, abattus, et tomberont en poudre. Car il faut que les aliments renouvellent, que les aliments assujettissent, que les aliments soutiennent tout assemblage. Mais en vain nourrissent-ils le monde : ses pores étroits contiennent trop peu de sucs, et la Nature ne peut rassasier sa faim immense.

LIVRE II, V. 1090 A 1142

L'ESPRIT ET L'ÂME

Après avoir démontré que la matière est formée d'atomes, Lucrèce soutient que l'esprit et l'âme sont eux aussi de nature corporelle (matérielle).

Je dis à présent que l'esprit et l'âme sont inséparables, et font une même substance. Mais le jugement, que nous appelons esprit ou intelligence, en est pour ainsi dire la tête, et règne sur le corps entier. Il a sa demeure au milieu de la poitrine. C'est là, en effet, que bondissent la peur, le saisissement, ou la joie caressante : c'est donc là que l'intelligence, que l'esprit habite. Le reste de sa substance, l'âme, disséminée dans la masse, lui obéit et se meut quand il lui fait signe, quand il la pousse. Lui seul a conscience de soi et jouit de son être, sans que rien émeuve ni le corps ni les âmes : et comme les yeux ou la tête souffrent les atteintes du mal sans que tout le corps endure le même supplice, de même le chagrin le blesse, la joie le ranime, tandis que son autre moitié dort au fond des membres, et que nul changement ne la trouble. Mais quand une peur trop forte bouleverse l'esprit, on la voit se communiquer à l'âme dans tous les organes : la sueur inonde les corps qui pâlissent, les mots se brisent sur la langue, la voix expire, les yeux se troublent, les membres défaillent, et souvent même la peur terrasse les hommes. Il est donc facile de voir le lien qui joint l'esprit à l'âme : l'âme que l'esprit a frappée frappe le corps à son tour et le pousse.

La même raison indique que tous deux sont de nature corporelle. Car ils agitent les membres et les arrachent au sommeil ; ils altèrent le visage des hommes, ils maîtrisent et bouleversent tout leur être ; mais ils ne peuvent agir sans toucher, ni toucher sans corps : avouons donc que l'esprit et l'âme sont une substance corporelle.

D'ailleurs ils souffrent avec le corps, ils partagent ses impressions. Ne le vois-tu pas ? un trait cruel fend les os, les nerfs, et pénètre sans attaquer la vie : quel abattement succède ! le sol nous attire, tomber est doux, et la chute plonge nos âmes dans un vertige combattu par une vague résolution de se lever. Il faut donc que les esprits soient de la nature des corps, si un corps, si un dard les atteint et les blesse.

LIVRE III, V. 137 A 177

L'HOMME DEVANT LA MORT

Pourquoi craindre la mort qui va éparpiller nos atomes, puisque nous aurons cessé d'être et de ressentir ?

Qu'est-ce donc que la mort ? a-t-elle rien qui touche les hommes, quand ils savent leur âme de nature périssable ? Jadis, avant de naître, nous ne sentions aucune blessure de voir les Carthaginois inonder et battre nos murailles, alors que tous les êtres, au retentissement des armes qui bouleversaient le monde, frisonnèrent épouvantés sous la haute voûte des cieux, et furent incertains du peuple chez qui allait tomber le souverain empire des hommes sur la terre et sur l'onde ! La même paix accompagne le néant, après le divorce du corps et de l'âme, qui forment le tout harmonieux de la vie. Non, il ne saurait y avoir pour nous, qui aurons cessé d'être, ni événement, ni impression sensible : non, la terre dût-elle se mêler à la mer, et la mer au ciel !

Admettons que les esprits, les âmes demeurent sensibles, bien que leur essence vive soit arrachée du corps : que nous en revient-il, à nous qui ne faisons une masse vivante que par l'ajustement et l'alliance du corps et de l'âme ? Le temps peut ramasser nos atomes que la mort éparpille, rétablir leur assemblage, leur ordre primitif, et nous rendre la douce lumière de la vie, sans que ce bienfait nous atteigne : la chaîne de nos souvenirs une fois rompue, nous ne ressentons ni intérêt pour notre vieil être, ni inquiétude pour ceux que les âges tireront encore de nos ruines. Car lorsque tu envisages le temps immense qui comble les abîmes du passé, et ensuite les agitations si variées de la matière, tu dois te figurer sans peine que les germes ont eu mille fois les mêmes arrangements que de nos jours : et pourtant la mémoire ne peut rattacher le fil de ces existences, qui sont entrecoupées de mille courses aventureuses et étrangères au mouvement vital.

Un homme réservé à un sort amer et misérable doit conserver la vie, pour que le malheur ait prise sur elle. Si donc il y échappe par la mort, et si cet homme, sujet aux infortunes, ne peut redevenir un assemblage tel que nous le sommes, à cause de son existence passée, tu vois que la mort nous affranchit de toute crainte. Le mal atteint-il ceux qui ne sont pas ? Est-on autrement que si on ne fût jamais né, quand on échange sa vie mourante pour une mort immortelle ?

LIVRE III, V. 842 A 882

70—19 AVANT J.-C.

On ne peut dissocier le nom de Virgile, le plus illustre des écrivains latins, de celui d'Octave, le futur Auguste qui se voulait le pacificateur de l'Italie et dont il fut l'ami. Virgile qui n'avait pas le goût de la vie publique — il se plaisait à la campagne et dans la solitude — avait trouvé ainsi un sens à donner à son œuvre poétique : aider l'empereur à redonner aux Romains l'amour des choses de la terre, des antiques traditions et de la religion nationale.

*Au moment de sa mort soudaine, à 51 ans, alors qu'il s'apprête à connaître la Grèce à laquelle il doit tant, son grand poème de l'**Enéide** demeure inachevé. Cette épopée nationale, tant attendue, est néanmoins publiée et accueillie dans l'enthousiasme.*

La très grande sensibilité de Virgile, si facilement épaissie par les traductions, sa connaissance prodonde des mythes grecs dont il a su tirer les significations premières en font, pour ceux qui savent le lire, un poète d'une grande dimension que d'aucuns, comme Dante, ont considéré comme un prophète inspiré.

POÉSIE

.Les Bucoliques.

*Les **Bucoliques** (boukolos en grec signifie berger) ont servi de répertoire à la poésie française jusqu'au dix-neuvième siècle. Ce recueil de dix poèmes, sous le couvert de chanter la nature et les amours champêtres à la manière du poète Théocrite se fait surtout l'écho des réalités cruelles de l'époque.*

Ici, dans la première églogue (extrait), c'est le drame de l'expropriation qui est évoqué en écho à la confiscation de terres qu'Octave avait décrétée pour le bénéfice de ses vétérans.

"Heureux Tityre ! assis à l'abri de ce hêtre aux larges rameaux"

MÉLIBÉE

Heureux Tityre ! assis à l'abri de ce hêtre aux larges rameaux, tu essaies, sur ton léger chalumeau, des accords champêtres ; et nous, nous abandonnons les champs paternels et nos douces campagnes ; nous fuyons la patrie ! Toi, Tityre, à l'ombre étendu, tu apprends aux forêts à redire le nom de la belle Amaryllis.

TITYRE

O Mélibée ! un dieu nous a procuré ce loisir ; oui, toujours il sera un dieu pour moi ; souvent le sang d'un jeune agneau, l'élite de ma bergerie, arrosera son autel. Si tu vois mes génisses errer en liberté, si moi-même je puis jouer sur ma flûte mes airs favoris, c'est lui qui l'a permis.

"Heureux vieillard !"

MÉLIBÉE

Ce bonheur, je n'en suis point jaloux ; mais il m'étonne : tant de troubles agitent nos campagnes ! Moi-même, faible et malade, j'emmène mes chèvres loin de ces lieux ; celle-ci, Tityre, elle a peine à me suivre. Ici, parmi ces épais coudriers, elle vient de mettre bas et de laisser, hélas ! sur une roche nue, deux jumeaux ; c'était tout l'espoir de mon bercail. Ce malheur, si mon esprit n'eût été aveuglé, souvent, je m'en souviens, les chênes, frappés de la foudre, me l'annoncèrent ; souvent, du creux de l'yeuse, la corneille sinistre me l'a prédit. Mais enfin ce dieu, quel est-il, Tityre, dis-le moi ?

TITYRE

La ville qu'on appelle Rome, ô Mélibée ! je la croyais, dans ma simplicité, semblable à la ville voisine, où nous avions accoutumé, nous autres pasteurs, de conduire nos tendres agneaux. Ainsi je voyais les jeunes chiens ressembler à leurs pères, les chevreaux à leurs mères ; ainsi aux petites choses je comparais les grandes. Mais entre les autres villes, Rome élève autant sa tête, qu'entre les viornes flexibles, l'altier cyprès.

MÉLIBÉE

Et quel motif si puissant te conduisait à Rome ?

TITYRE

La liberté : bien tard, il est vrai, elle m'apparut ; déjà brisé par l'âge, ma barbe tombait blanchie sous mes doigts ; elle est enfin venue, après une longue attente, me visiter, depuis que pour Amaryllis j'ai quitté Galatée ; car, je l'avouerai, tant que j'appartins à Galatée, je n'avais ni espoir de liberté, ni soin de mon pécule. En vain de mes étables sortaient de nombreuses victimes ; en vain, pour une ville ingrate, je pressurais mon plus pur laitage, jamais à la maison je ne revenais les mains chargées d'argent.

MÉLIBÉE

Et je m'étonnais si, toujours triste, Amaryllis, tu invoquais les dieux ! si tu laissais pendre à l'arbre les fruits mûrs depuis longtemps ! Tityre était absent. Ces pins, ces fontaines, ces arbrisseaux, c'est toi, Tityre, qu'ils redemandaient.

TITYRE

Que faire ? Pour me tirer d'esclavage, je n'avais pas d'autre moyen, et je ne pouvais espérer ailleurs des dieux aussi favorables. C'est là que je l'ai vu, ô Mélibée ! ce jeune héros pour qui chaque année, douze fois sur nos autels, fume l'encens ; là, qu'à ma prière il a répondu : « Bergers, comme auparavant, faites paître vos génisses ; au joug soumettez vos jeunes taureaux. »

MÉLIBÉE

Heureux vieillard ! ainsi tes champs, tu les conserveras ! ils te suffisent, bien que resserrés d'un côté par un rocher stérile, de l'autre par un marais fangeux et couvert de joncs. Tes brebis pleines ne feront point l'essai dangereux d'un nouveau pâturage, et, devenues mères, elles ne craindront pas d'un troupeau voisin le mal contagieux. Heureux vieillard ! ici, sur la rive du fleuve accoutumé, près des fontaines sacrées, tu respireras la fraîche obscurité. Tantôt, sur cette haie qui borde ton héritage, l'abeille du mont Ida viendra sucer la fleur du saule, et, par son doux murmure, t'inviter au sommeil ; tantôt, du haut de cette roche, la voix du bûcheron montera dans les airs ; tandis que les ramiers, tes amours, ne cesseront de roucouler, et la tourterelle de gémir sur les ormes à la cime aérienne.

TITYRE

Aussi l'on verra dans les plaines de l'air paître les cerfs légers, la mer abandonner les poissons à sec sur le rivage ; et, changeant de pays, le Parthe exilé, boire les eaux de la Saône, et le Germain celles du Tigre, avant que de mon cœur s'efface son image.

MÉLIBÉE

Mais nous, exilés de ces lieux, nous irons les uns chez l'Africain brûlé par le soleil, les autres dans la Scythie, ou en Crète, sur les bords de l'Oaxe rapide, ou chez les Bretons, séparés du reste de l'univers. Oh ! jamais après un long exil, ne reverrai-je les champs paternels, et ma pauvre cabane, et mon toit couvert de chaume, jamais cet humble héritage qui formait mon empire ? Un soldat impie possèdera ces champs cultivés avec tant de soin ? un Barbare, ces moissons ? Voilà, malheureux citoyens, le fruit de vos discordes ! voilà pour qui nous avons ensemencé nos terres ! Va maintenant, Mélibée, greffer tes poiriers, aligner tes ceps. Et vous, troupeau jadis heureux, allez, mes chèvres, allez ! étendu dans un antre verdoyant, je ne vous verrai plus suspendues aux flancs d'une roche buissonneuse. Désormais plus de chants. Non, vous n'irez plus, guidées par ma houlette, brouter le saule amer et le cytise en fleur.

TITYRE

Cependant cette nuit, tu peux encore la passer avec moi sur un vert feuillage. Nous avons des fruits mûrs, des châtaignes par la cendre amollies, et du laitage en abondance. Vois d'ailleurs : déjà, du faîte des chaumières, s'élève au loin la fumée, et, du haut des montagnes, les ombres descendent plus grandes dans la plaine.

1re ÉGLOGUE

Ce poème en quatre chants dont le nom en grec signifie « Les travaux de la terre » composé entre 39 et 29 participait d'un grand dessein : aider Auguste à rétablir le pays sur des bases solides après les sanglantes années de guerre civile, en redonnant goût aux romains pour le noble art de l'agriculture.

Les conseils techniques d'agronomie basés sur son expérience personnelle et sur celle recueillie auprès des Anciens eurent à leur époque une réelle valeur scientifique ; ils alternent avec de brillantes diversions d'inspiration diverse « les épisodes » où Virgile donne libre cours à son génie poétique.

BONHEUR DE LA VIE A LA CAMPAGNE

Trop heureux l'habitant des campagnes, s'il connaissait son bonheur ! Loin des guerres civiles, la terre, justement libérale, lui prodigue d'elle-même une nourriture facile. Sans doute il n'habite pas un palais somptueux dont les superbes portiques sont inondés, le matin, de flots d'adulateurs ; il ne s'extasie point devant des lambris incrustés d'écailles, devant des tapis chamarrés d'or et des vases de Corinthe ; la pourpre de Tyr n'altère pas la blancheur de ses laines, et la cannelle ne dénature point la pureté de son huile. Mais le repos, le calme, une vie exempte de mécomptes et riche en mille biens, du loisir au sein des vastes campagnes, des grottes, des lacs d'eau vive, de fraîches vallées, les mugissements des bœufs et le doux sommeil sous l'ombrage, voilà ses trésors. C'est aux champs qu'on trouve les bocages et les retraites des bêtes fauves, une jeunesse sobre et laborieuse, le culte des dieux et le respect de la vieillesse ; c'est là que la Justice, en quittant la terre, laissa la trace de ses derniers pas.

Ô vous, mes plus chères délices, vous dont je porte les insignes sacrés en témoignage de mon profond amour, Muses, daignez me recevoir, et m'enseigner la marche des corps célestes, les causes des éclipses diverses du soleil et de la lune ; pourquoi la terre tremble ; quel pouvoir soulève les flots, brise leurs barrières et les refoule ensuite sur eux-mêmes ; pourquoi les soleils d'hiver se hâtent de se plonger dans l'Océan, et quel obstacle retarde, en été, le retour de la nuit. Mais si mon sang glacé m'empêche de pénétrer ces mystères de la nature, que du moins je chérisse les campagnes et les ruisseaux coulant dans les vallées ! que j'aime les fleuves et les forêts, sans prétendre à la gloire ! Ah ! où sont les champs qu'arrose le Sperchius, et le Taygète foulé en cadence par les vierges de Sparte ? Qui me transportera dans les frais vallons de l'Hémus, et me couvrira de l'ombre épaisse des bois ?

Heureux celui qui a pu remonter aux principes des choses, et fouler à ses pieds les vaines terreurs, l'inexorable Destin et le bruit de l'avide Achéron ! Heureux aussi celui qui connaît les divinités champêtres, Pan, le vieux Silvain et les nymphes ! Rien ne trouble la paix de son cœur, ni les faisceaux que donne le peuple, ni la pourpre des rois, ni la discorde armant des frères perfides, ni le Dace descendant de l'Ister conjuré, ni les triomphes de Rome, ni la chute des empires. L'indigence ou la richesse ne l'émeut ni de pitié ni d'envie. Content de cueillir les fruits que ses arbres et ses champs ont produits d'eux-mêmes, il ne s'embarrasse ni de la rigueur des lois, ni des clameurs insensées du barreau, ni du dépôt des archives publiques.

LIVRE II

"Trop heureux l'habitant des campagnes, s'il connaissait son bonheur !"

LES ABEILLES

Je vais parler maintenant des instincts merveilleux que Jupiter accorda lui-même aux abeilles pour les soins qu'il en reçut, lorsque, attirées par les sons bruyants que faisaient retentir les cymbales des Corybantes, elles nourrirent le roi du ciel dans l'antre du Dicté.

Seules, elles élèvent leur progéniture en commun, habitent une cité commune, et sont soumises à des lois ; seules elles ont une patrie et une demeure fixe. Prévoyant les besoins de l'hiver, elles travaillent en été, et mettent en commun les trésors qu'elles amassent. Les unes, chargées des subsistances, vont butiner dans la campagne ; les autres, occupées au logis, donnent pour base première aux rayons les pleurs du narcisse et le suc visqueux des arbres, puis y étendent une cire compacte. D'autres nourrissent les jeunes essaims, l'espoir de la nation ; d'autres distillent un miel pur, et tapissent les alvéoles d'un liquide nectar. La fonction de quelques autres est de garder les portes. Elles observent tour à tour les signes précurseurs de la pluie et du vent ; elles dégagent de leurs fardeaux celles qui arrivent, ou se forment en bataillon pour repousser de la ruche les frelons paresseux.

"Heureux celui qui a pu remonter aux principes des choses"

“Si l’on peut comparer les petites choses aux grandes”

Toute la ruche travaille avec ardeur, et le miel exhale les parfums du thym. Ainsi, quand les cyclopes se hâtent de forger la foudre avec des métaux qu’amollit la flamme, les uns, à l’aide de soufflets, pompent et refoulent l’air, d’autres plongent dans l’onde l’airain frémissant : l’Etna gémit du bruit des enclumes. Les bras se lèvent avec effort, et retombent en cadence sur le fer que retourne la pince mordante. Tel est, si l’on peut comparer les petites choses aux grandes, le vif penchant qui porte les abeilles à s’enrichir, chacune dans son emploi. Les plus âgées veillent aux soins de l’intérieur ; elles consolident les rayons et en façonnent l’ingénieux édifice. Les jeunes butinent çà et là sur l’arbousier, le saule vert, le romarin, le safran doré, le tilleul onctueux, la sombre hyacinthe ; et, à la nuit close, elles rentrent, fatiguées de leurs courses, les pattes chargées de thym.

Le temps du travail et du repos est le même pour toutes les abeilles. Le matin, sans nul délai, elles s’élancent hors de la ruche ; et, quand l’étoile du soir les invite à quitter enfin les prairies, elles regagnent leur asile et réparent leurs forces. Un grand bourdonnement se fait alors entendre autour des portes. Puis, dès qu’elles ont pris place dans leurs cellules, le silence règne toute la nuit, et un sommeil bienfaisant délasse leurs membres fatigués.

Quand la pluie menace, elles ne s’éloignent pas de la ruche ; et, quand le vent se lève, elles ne se hasardent point dans l’air. Mais, à l’abri des remparts de leur cité, elles vont puiser de l’eau dans le voisinage, ou ne tentent que de courtes excursions. Souvent elles emportent dans leur vol de petits cailloux qui leur permettent de se balancer dans les airs, comme des nacelles que le lest maintient sur les flots agités.

Ce qui vous paraîtra surtout merveilleux chez les abeilles, c’est qu’elles ne s’accouplent pas, qu’elles ne s’énervent point dans les plaisirs de l’amour, et qu’elles engendrent sans effort. Elles recueillent simplement avec leurs trompes des germes éclos sur les feuilles et les herbes les plus suaves. C’est là qu’elles retrouvent un roi et de nouveaux citoyens pour qui elles réparent leur palais et leurs royaumes de cire.

Souvent, dans leurs courses errantes, elles se brisent les ailes contre des pierres, et succombent volontairement sous un trop lourd fardeau : tant elles aiment les fleurs ! tant elles sont fières de produire le miel ! Aussi, quoique leur vie ait des bornes étroites (elle ne va guère au delà du septième été), leur race est immortelle ; la fortune de leur famille se maintient durant un grand nombre d’années, et se perpétue de génération en génération.

Je dirai plus. Ni l’Égypte, ni la vaste Lydie, ni les Parthes, ni les Mèdes n’ont autant de vénération pour leur souverain. Tant que le roi des abeilles est vivant, un même esprit les anime. Est-il mort, tout pacte est rompu : elles pillent les magasins et brisent les rayons. Le roi préside à leurs travaux ; il est l’objet de leur admiration ; elles l’entourent avec un murmure flatteur, et lui forment une cour nombreuse. Souvent même elles le portent sur leurs ailes, le couvrent de leurs corps dans les combats, et, bravant les blessures, s’exposent pour lui à une mort glorieuse.

Frappés de ce merveilleux dévouement, des philosophes ont pensé que les abeilles avaient reçu quelque parcelle de l’intelligence divine et comme une émanation du ciel. Dieu, disent-ils, remplit l’univers, les abîmes de la mer et l’immensité des cieux. C’est de lui que l’homme et tous les animaux domestiques ou sauvages empruntent en naissant le souffle qui les anime. C’est à lui que retournent tous les êtres, après leur dissolution. Ils ne meurent point ; mais, toujours vivants, ils s’envolent aux cieux pour aller prendre place parmi les étoiles.

LIVRE IV

L'Énéide

Poème épique en douze chants, l'Enéide a pour sujet les aventures du troyen Enée et de ses compagnons, personnages de la légende homérique, depuis la prise de Troie jusqu'à l'établissement définitif de la colonie dans le Latium, en Italie.

La première moitié inspirée de l'Odyssée relate les sept années d'errance d'Enée protégé par Vénus sa mère de la fureur vengeresse de Junon.

La deuxième moitié rappelle surtout l'Iliade : les exploits de Pallas et de Camille, reine des Volsques, précèdent le récit du combat singulier d'Enée et de Turnus, qui couvre tout le chant XII et se termine par la victoire du héros. L'Enéide écrit à la gloire d'Auguste et de la puissance romaine sera considérée comme l'épopée nationale.

ÉNÉE CHEZ DIDON

Énée recueilli par Didon, reine de Carthage, lui fait le récit de la prise de Troie.

Tous se taisent ; tous ont l'oreille et le regard aux paroles d'Énée. Alors le héros, de la couche élevée où il est assis, commence en ces termes :

« Vous m'ordonnez, grande reine, de réveiller le souvenir d'inexprimables douleurs, de vous raconter comment la puissance de Troie est tombée, comment les Grecs ont renversé ce déplorable empire : affreux malheurs que j'ai vus de mes propres yeux, et auxquels je n'ai eu que trop de part. Quels soldats, Myrmidons ou Dolopes, ceux même de l'impitoyable Ulysse, pourraient redire ces calamités sans répandre des larmes ? Mais déjà la nuit humide se précipite des cieux, et les astres, penchant vers leur déclin, nous invitent au sommeil. Cependant si vous avez un si grand désir de connaître nos malheurs, et d'apprendre en peu de mots la catastrophe dernière d'Ilion, quoique mon esprit s'épouvante de ces souvenirs et en recule d'horreur, je vous obéirai.

« Épuisés par la guerre, rebutés par les destins et par dix ans de vains efforts, les chefs des Grecs, à qui la divine Pallas inspire cet artifice, construisent un cheval énorme, haut comme une montagne, et en forment la masse d'ais de sapin adroitement unis. Ils répandent le bruit mensonger que c'est un vœu pour obtenir un heureux retour ; on les croit. Cependant ils cachent dans les flancs ténébreux du monstre l'élite des guerriers que le sort a désignés ; en un moment les cavités immenses de la machine et son vaste sein se remplissent de soldats armés.

« En vue d'Ilion est une île fameuse par son nom et ses richesses, tant que subsista l'empire de Priam : c'est Ténédos ; aujourd'hui ce n'est plus qu'une anse abandonnée, un abri peu sûr pour les vaisseaux. Là les Grecs s'avançant se cachent sur le rivage. Nous de croire qu'ils sont partis, et que le vent les pousse vers Mycènes. Enfin la Troade entière respire de son long deuil. Ilion ouvre ses portes : on se répand à l'envi hors des murs ; on aime à voir le camp des Grecs, les postes abandonnés, le rivage désert. Ici campaient les Dolopes, là le redoutable Achille dressait sa tente ; ici était la flotte, là combattaient les armées. Les nôtres regardent ébahis ce funeste présent offert à Minerve, à la vierge immortelle, et admirent la masse prodigieuse du cheval. Thymète le premier dit qu'il faut le faire entrer dans nos murs et le placer dans la citadelle, soit que Thymète nous trahît, soit que les destins de Troie l'ordonnassent ainsi. Mais Capys, et avec lui les plus sages, veulent que cette machine traîtresse et les dons suspects des Grecs soient précipités dans les ondes ou livrés à la flamme dévorante, ou qu'on perce au moins les flancs du cheval, et qu'on en sonde les cavités profondes. Mille sentiments contraires partagent les esprits agités de la multitude.

"Je crains les Grecs, même porteurs d'offrandes"

« Tout à coup du haut de la citadelle on voit accourir, suivi d'une foule nombreuse, Laocoon qu'enflamme la colère ; et de loin : « Malheureux citoyens, s'écrie-t-il, quelle démence est la vôtre ? Croyez-vous nos ennemis éloignés, ou que les Grecs apportent des offrandes que n'empoisonne pas la ruse ? Est-ce là connaître Ulysse ? Ou les Grecs sont enfermés dans les vastes contours de ce bois, ou cette machine a été fabriquée contre nos murailles pour explorer nos demeures et dominer Pergame, ou quelque piège y est caché. Troyens, ne vous fiez point à ce cheval. Quoi que ce soit, je crains les Grecs, même porteurs d'offrandes. » Il dit, et d'un bras vigoureux lance une longue javeline contre les flancs du cheval, et dans les ais arrondis de son ventre monstrueux : la javeline s'y arrête en tremblant. La masse en est ébranlée, et ses concavités sonores rendent un lon gémissement. Hélas ! si les dieux ne nous avaient pas été contraires, si nos esprits n'avaient pas été aveuglés, il nous aurait poussés à déchirer avec le fer ce ténébreux repaire des perfides Argiens : et toi, Ilion, tu serais encore debout ; haute citadelle de Priam, nous te verrions encore !

« Cependant des bergers troyens, poussant de grands cris, traînaient devant le roi un jeune homme, les mains liées derrière le dos. Inconnu, il s'était jeté lui-même entre leurs mains, pour mieux couvrir sa ruse, et pour livrer aux Grecs les portes de Troie ; le cœur résolu, et prêt à tout, à consommer son stratagème, ou à succomber à une mort certaine. De tous côtés la jeunesse troyenne accourt et l'environne, impatiente de le voir ; c'est à qui insultera le captif. Apprenez maintenant, ô reine, toute la fourberie des Grecs, et que la scélératesse d'un seul vous les fasse connaître tous. Troublé et sans défense, il s'arrête au milieu de la foule qui l'entoure, et promène un moment ses regards sur les Phrygiens assemblés. Tout à coup il s'écrie : « Hélas ! quelle terre aujourd'hui, quelles mers me peuvent recevoir ? Quelle ressource me reste-t-il encore, à moi le plus malheureux des hommes ? Pour moi plus de refuge auprès des Grecs ; et voici que les Troyens irrités demandent et mon supplice et mon sang ! » Ces accents plaintifs changent tout à coup les esprits, et font tomber leurs mouvements impétueux. Nous l'exhortons à parler, à nous dire sa naissance, ce qu'il prétend, et si nous pouvons nous fier à la parole d'un captif. Enfin, revenu de sa frayeur, il s'exprime en ces termes :

« Grand roi, quoiqu'il puisse m'arriver, je vous dirai toute la vérité. Et d'abord je ne nierai pas que la Grèce est ma patrie. Si la cruelle fortune a fait de Sinon un malheureux, au moins elle n'en fera ni un menteur, ni un fourbe. Peut-être avez-vous entendu parler de Palamède, issu du sang de Bélus, et le nom et la gloire de ce guerrier fameux sont-ils venus jusqu'à vos oreilles : faussement accusé de trahison, perdu par un témoignage infâme, les Grecs le firent mourir, parce qu'il s'élevait contre la guerre ; il était innocent ; aujourd'hui qu'il ne voit plus la lumière, ils le regrettent. Mon père, qui était pauvre, et que les liens du sang unissaient à lui, m'envoya dès mes plus jeunes ans chercher ici sous ses ordres la gloire des armes. Tant que Palamède vécut et soutint son rang suprême, tant qu'il fit fleurir par ses conseils la puissance des Grecs, un peu de sa renommée et de son éclat rejaillit sur moi. Mais depuis que par la haine jalouse du perfide Ulysse (la voix publique le redit avec moi) il a disparu du séjour de la lumière, j'ai traîné dans le deuil une vie obscure et misérable, m'indignant au fond de mon cœur du coup qui frappait un ami innocent. Insensé, je n'ai pu me taire : j'ai juré, si le sort me secondait, si jamais je rentrais vainqueur dans Argos ma patrie, de me porter le vengeur de Palamède ; et par mes discours j'ai soulevé contre moi des haines furieuses. De là, tous mes malheurs : dès lors Ulysse de me poursuivre de mille accusations effrayantes, de répandre dans la multitude mille soupçons calomnieux, de chercher des armes et un complice à sa haine ; et en effet il ne respira plus jusqu'au moment où Calchas lui prêtant son ministère... Mais pourquoi ces récits superflus, et qui peut-être vous importunent ? Pourquoi parlerais-je encore, si tous les Grecs sont les mêmes à vos yeux, et si vous êtes fatigués de m'entendre ? Que tardez-vous ? versez le sang d'un malheureux : Ulysse s'en réjouirait tant, et les Atrides payeraient si chèrement mon supplice ! »

« Ces mots enflamment notre curiosité ; nous le pressons de s'expliquer encore, ne soupçonnant par l'art affreux de ses discours et toute la fourberie d'un Grec. Lui, d'un air tremblant et la perfidie dans le cœur, poursuit ainsi :

« Souvent les Grecs, las d'une si longue guerre, ont voulu fuir loin d'Ilion abandonné, et retourner dans leur patrie. Plût au ciel qu'ils l'eussent fait ! Souvent les rudes tempêtes de la mer leur fermèrent le chemin des eaux ; souvent ils mirent à la voile, et l'auster les épouvanta. Surtout depuis que s'est dressé sous nos mains ce cheval, ce monstrueux assemblage d'ais enchâssés, les nuages ont grondé dans les cieux. Incertains que résoudre, nous envoyons Eurypyle consulter l'oracle d'Apollon ; et cette triste réponse nous est rapportée du sanctuaire : — « Grecs, c'est par le sang et en immolant une vierge que vous avez apaisé les vents, lorsque vous êtes venus pour la première fois sur les rivages d'Ilion : c'est encore par du sang que vous achèterez le retour ; sacrifiez un Grec ! » A peine la fatale sentence eut-elle frappé les oreilles de la multitude, que tous les esprits en furent consternés, et que la terreur glaça le sang dans nos veines. Qui les destins ont-ils marqués ? qui sera la victime que demande Apollon ? Soudain Ulysse paraît, traînant à grand bruit Calchas au milieu de l'assemblée des Grecs, et le presse de nommer la victime des dieux. Plusieurs m'annonçaient déjà le cruel artifice de mon ennemi, et pressentaient mon triste sort. Durant cinq jours Calchas se tut, et par une feinte pitié refusa de prononcer le nom du malheureux qu'Apollon dévouait à la mort. Forcé enfin par les clameurs d'Ulysse, et de concert avec lui, il rompt le silence, et c'est moi qu'il destine aux autels. Tous applaudirent ; et le coup qu'il redoutait pour soi, chacun le vit avec plaisir tomber sur la tête misérable d'un seul.

Le jour fatal était arrivé ; déjà se préparaient pour moi le sacrifice et les gâteaux salés ; déjà les bandelettes ceignaient mes tempes. Je vous l'avouerai : je me dérobai à la mort ; je rompis mes liens, et j'allai, protégé par l'ombre de la nuit, me cacher dans les joncs d'un marais fangeux, en attendant que les Grecs missent à la voile, s'ils s'y étaient résolus. Hélas ! plus d'espérance pour moi de revoir le pays de mes aïeux, ni mes chers enfants, ni le plus aimé des pères ! Et peut-être les Grecs vengeront-ils ma fuite sur ces malheureux, et répandront leur sang innocent pour expier ma faute. Au nom des dieux, grand roi, de ces dieux qui savent que je dis vrai, au nom de la justice, si le cœur des mortels en garde encore quelques purs vestiges, ayez pitié de mes maux affreux ; ayez pitié d'un homme qu'un sort inique accable. »

« Touchés de ses larmes, attendris par tant d'infortunes, nous lui accordons la vie. Priam lui-même ordonne le premier qu'on lui ôte ses liens, et qu'on dégage ses mains enchaînées ; et il lui adresse ces paroles amies : « Qui que tu sois, oublie désormais les Grecs, perdus pour toi : tu seras un des nôtres ; mais dis-moi la vérité sur ce que je vais te demander. Pourquoi les Grecs ont-ils construit la masse prodigieuse de ce cheval ? quel en est l'inventeur ? que prétendent-ils ? Est-ce un vœu ? est-ce une machine de guerre ? » Il dit. Alors Sinon, consommé dans la ruse et l'art menteur des Grecs, lève au ciel ses mains délivrées de leurs chaînes, et s'écrie : « Feux éternels des cieux, divinités inviolables, et vous saints autels, funestes couteaux que j'ai fuis, bandelettes saintes qui pariez ma tête sous la hache, qu'il me soit permis de rompre le lien sacré de la patrie grecque, de haïr des concitoyens ennemis, et de révéler tous leurs secrets à la face des cieux : mon pays m'a dégagé de ma foi. Mais vous, grand roi, tenez votre promesse, et que Troie sauvée par moi me garde sa parole si je dis vrai, si je paye vos bienfaits du plus grand des services.

Toutes les espérances des Grecs, tout le succès qu'ils attendaient de la guerre commencée contre Troie, reposèrent toujours sur l'assistance de Minerve. Mais depuis que l'impie Diomède, et qu'Ulysse, l'inventeur de tous les crimes, après avoir égorgé la garde de la citadelle, eurent entrepris d'arracher du sanctuaire de la déesse le fatal Palladium, eurent osé saisir son auguste image, et de leurs mains ensanglantées toucher les bandelettes virginales de Pallas, dès lors s'évanouirent et furent emportées sans retour les espérances des Grecs : leurs forces se brisèrent, l'esprit de la déesse se détourna d'eux. Bientôt son courroux éclata par des signes manifestes. A peine la statue eut-elle été placée dans le camp, qu'on vit dans ses yeux levés sur nous pétiller des flammes brillantes, et dégoutter de tous ses membres une sueur salée : trois fois, ô prodige ! elle bondit sur le sol, secouant son égide et sa lance frémissante. Aussitôt Calchas s'écrie qu'il faut fuir, et repasser les mers ; que Pergame ne peut être détruit par les traits des Grecs, si l'armée ne retourne à Argos pour y prendre de nouveaux auspices, et si elle n'en ramène le Palladium, qu'elle a emporté sur ses vaisseaux creux à travers les mers. Aujourd'hui que les Grecs, poussés par les vents, ont regagné Mycènes, ils y préparent des armes et se rendent les dieux plus propices ; ensuite ils repasseront la mer, et reparaîtront à l'improviste sur ces rivages. C'est ainsi que Calchas a interprété les divins présages. Conseillés par lui, et pour remplacer le Palladium et l'image outragée de la déesse, ils ont fabriqué ce nouveau simulacre en expiation de leur abominable sacrilège. Calchas leur a ordonné d'édifier cette masse immense, et d'en élever jusqu'au ciel les compartiments gigantesques, afin qu'elle ne pût entrer par les portes de votre ville, ni être introduite dans l'enceinte de vos murailles, ni couvrir vos peuples de l'ombre tutélaire d'un culte antique. Car si vous portiez des mains sacrilèges sur ce don offert à Minerve, alors d'épouvantables maux (veuillent les dieux tourner contre les Grecs ces funestes présages !) éclateraient sur l'empire de Priam et sur les Phrygiens. Si au contraire, soulevé par vos mains, le colosse escalade vos murailles, ce sera l'Asie à son tour qui dans une grande guerre fondra sur les murs de Pélops ; et nos neveux doivent s'attendre à ces fatales représailles. »

« Tant de perfidie, et l'art infernal du parjure Sinon, nous persuadent ; et ainsi furent vaincus par la ruse et par des larmes feintes ceux que n'avaient pu dompter ni Diomède, ni Achille de Larisse, ni dix ans de combats, ni mille vaisseaux conjurés.

Pour surcroît de malheur, un prodige nouveau et plus effrayant encore s'offre à nos yeux, et achève de troubler nos esprits aveuglés. Laocoon, que le sort avait fait grand prêtre de Neptune, immolait en ce jour solennel un taureau sur l'autel du dieu. Voilà que deux serpents (j'en tremble encore d'horreur), sortis de Ténédos par un calme profond, s'allongent sur les flots, et, déroulant leurs anneaux immenses, s'avancent ensemble vers le rivage. Le cou dressé, et levant une crête sanglante au-dessus des vagues, ils les dominent de leur tête superbe : le reste de leur corps se traîne sur les eaux, et leur croupe immense se recourbe en replis tortueux. Un bruit perçant se fait entendre sur la mer écumante : déjà ils avaient pris terre ; les yeux ardents et pleins de sang et de flammes, ils agitaient dans leur gueule béante les dards sifflants de leur langue. Pâles de frayeur, nous fuyons çà et là ; mais eux, rampant de front, vont droit au grand prêtre : et d'abord ils se jettent sur ses deux enfants, les enlacent, les étreignent, et de leurs dents rongent leurs faibles membres. Armé d'un trait, leur père vient à leur secours ; il est saisi par les deux serpents, qui le lient dans d'épouvantables nœuds : deux fois ils l'ont embrassé par le milieu, deux fois ils ont roulé leurs dos écaillés autour de son cou ; ils dépassent encore son front de leurs têtes et de leurs crêtes altières. Lui, dégouttant de sang et souillé de noirs poisons, roidit ses mains pour se dégager de ces nœuds invincibles, et pousse vers le ciel des cris affreux. Ainsi mugit un taureau, quand, blessé devant l'autel par un bras mal assuré, il fuit, et a secoué la hache tombée de sa tête. Mais les deux dragons, glissant sur leurs écailles, s'échappent vers le temple de la terrible Pallas, gagnent la citadelle, et là se cachent sous les pieds de la déesse et sous son bouclier.

"La Nuit s'élance du sein de l'Océan"

Alors de nouvelles terreurs se glissent dans nos âmes frissonnantes : chacun se dit que Laocoon a reçu le juste châtiment de son crime, lui qui d'une main injurieuse a profané le cheval sacré, et lancé dans ses flancs un dard impie. Tous de s'écrier qu'il faut conduire au temple le divin simulacre, et implorer la pitié de la déesse. Aussitôt une brèche est faite dans nos murailles, et la ville est ouverte au colosse. Tous se mettent à l'œuvre : on élève les pieds du cheval sur des madriers roulants ; des cordes attachées à son cou se tendent pour le traîner ; la fatale machine escalade nos murs, grosse de soldats armés : des enfants et des vierges chantent alentour des hymnes pieux, et se plaisent à toucher le câble qui la traîne. Elle entre enfin, et glisse menaçante à travers la ville. O ma patrie, ô Ilion, demeure des dieux, murailles des Troyens a jamais illustrées par la guerre ! quatre fois aux portes mêmes de la ville le cheval s'arrêta ; quatre fois on entendit un bruit d'armes dans son sein. Nous poursuivons, insensés que nous sommes, et aveuglés par la démence ; et nous plaçons le monstre fatal dans la citadelle sacrée. C'est alors que Cassandre ouvrit la bouche pour nous prédire nos destins ; Cassandre, que les Troyens (Apollon l'ordonnait ainsi) n'ont jamais crue. Et nous, nous malheureux, dont c'était le dernier jour, nous parions de guirlandes, comme en un jour de fête, les temples de Troie. Cependant le ciel a tourné sur son axe, et la Nuit s'élance du sein de l'Océan, enveloppant de son ombre immense la terre, les espaces éthérés, et les embûches des Grecs. Dispersés dans l'enceinte de leurs murailles, les Troyens reposent silencieux ; le sommeil enchaîne leurs membres fatigués.

LIVRE II, VERS. 1 A 297

Horace

65—8 AVANT J.-C.

De naissance modeste — il est le fils d'un affranchi — Horace est l'ami de Virgile et des grands de son époque. Si, pour garder son indépendance, il refuse toujours toute charge officielle à la cour, il garde cependant l'amitié d'Auguste et contribue par son épucurisme aimable et son éloge de la vie simple à l'effort de restauration morale du pays souhaité par l'empereur au lendemain de la guerre civile.
Le registre de ses talents est très varié : s'il est un poète délicat lorsqu'il chante l'amour et la nature, une vive intelligence, un sens aigu de l'observation, un caractère réaliste et enjoué, font de lui un moraliste sévère pour les mœurs de ses contemporains ; d'autre part, sa réflexion approfondie sur la poésie et sur le métier d'écrivain a longtemps servi de référence à ses successeurs.
Sa production abondante comprend des recueils lyriques, ***les Épodes*** *et les* ***Odes****, un ensemble de causeries familières classées en* ***Satires*** *et* ***Épîtres*** *et une commande d'Auguste,* ***le Chant séculaire****.*

POÉSIE

.Les Odes.

Horace a voulu dans ses ***Odes*** *doter les Romains d'une poésie égale à celle des Grecs. Il y a réussi. Il n'y a pas d'inspiration plus naturelle que celle de ces petits poèmes, chefs d'œuvre de délicatesse, sans autre prétention que celle d'être sincères, qu'il s'agisse d'un élan d'amour* ***(A Chloé)****, de réflexions sur la mort* ***(A Dellius)*** *ou de conseils enjoués de morale épicurienne* ***(A Leuconoë)****.*

A CHLOÉ

Tu me fuis, Chloé, timide comme le faon qui cherche sur les monts escarpés sa mère inquiète ; un arbre, un souffle, tout lui fait peur. Si le mobile feuillage frissonne au premier réveil du printemps, si le vert lézard s'échappe d'un buisson, le cœur lui bat, et ses genoux fléchissent. Suis-je un tigre farouche, un lion qui veuille te dévorer ? Cesse enfin de suivre les pas de ta mère ; l'âge des amours est venu.

LIVRE I, 23

A DELLIUS

Souviens-toi de conserver dans les revers une âme toujours égale, et, dans la prospérité, ne t'enivre pas d'un fol orgueil, ô Dellius ! Tu dois mourir, que ta vie se soit écoulée dans la tristesse, ou que, les jours de fête, couché à l'écart sur le gazon, tu aies trouvé le bonheur au fond d'une coupe de vieux Falerne.

"Cueille la fleur du jour"

Où le pin élancé et le pâle peuplier aiment à marier leur ombre hospitalière ; où l'onde fugitive, pressée dans un lit sinueux, s'échappe avec un doux murmure, fais apporter le vin, les parfums, les roses si tôt flétries, tandis que ta fortune, ton âge et le noir fuseau des trois Sœurs le permettent encore.

Il faudra quitter ces parcs immenses, ce palais, cette maison de campagne que baignent les eaux dorées du Tibre ; il faudra les quitter, et ces richesses accumulées seront la proie d'un héritier. Riche ou pauvre, et sans autre abri que le ciel ; issu de l'antique Inachus, ou du dernier des citoyens, peu importe ! victimes dévouées à l'inexorable Pluton, la Mort nous chasse tous vers le même abîme : le sort de tous est agité dans son urne ; tôt ou tard il doit en sortir, et nous embarquer pour l'éternel exil.

LIVRE II, 3

A LEUCONOÉ

Ne cherche pas à savoir, malgré les dieux, quel terme ils ont fixé à mes jours et aux tiens, Leuconoé ; et ne le demande plus aux calculs des astrologues. Qu'il vaut bien mieux attendre et se soumettre au sort ! Que Jupiter ajoute encore à tes années, ou qu'il borne leur cours à cet hiver orageux qui fatigue les flots contre leurs barrières de rochers ; sois sage, filtre tes vins, et mesure l'espoir à la courte durée de la vie. Tandis que nous parlons, le temps jaloux a fui : cueille la fleur du jour et ne crois pas au lendemain.

LIVRE II, 9

Les satires.

La satire est, à l'origine, une pièce en vers où l'auteur attaque les vices et les ridicules de ses contemporains.

L'ARRIVISTE

Horace narre sa rencontre avec un fâcheux qui voudrait bien s'introduire par son entremise dans le cercle de l'illustre Mécène, riche protecteur du poète.

"Totalement absorbé"

Je suivais un jour la rue Sacrée, selon mon habitude, préoccupé de je ne sais quelle bagatelle, totalement absorbé. Accourt un quidam que je connais seulement de nom qui me saisit la main.

« Comment va la santé, mon très cher ami ? »

« Assez bien pour le moment, lui dis-je, et prêt à vous rendre mes devoirs »

Comme il ne s'en allait pas , je suis le premier à reprendre la parole.

« Souhaitez-vous quelque chose de moi ? »

Et lui :

« Eh ! Vous nous connaissez bien ! Nous sommes un savant aussi ! »

« Je vous estime d'autant plus ! »

Et tâchant de m'en dépêtrer je presse le pas, je m'arrête, je fais semblant de parler à l'oreille de mon valet. La sueur me coulait de la tête aux pieds. Oh ! pensais-je en moi-même, heureux celui qui a son franc parler.

L'autre cependant jasait à tort et à travers.

« Les belles rues ! Quelle belle ville ! »

Je ne répondais mot.

« Vous grillez d'être débarrassé de moi, je l'ai vu de prime abord. Mais non. Je m'accroche à vous, je ne vous lâche point. Où allez-vous de ce pas ? »

« Ce n'est pas la peine de vous faire promener : je vais rendre visite à quelqu'un que vous ne connaissez pas et qui demeure fort loin, de l'autre côté du Tibre, près des jardins de César ».

« Je n'ai rien à faire, et je suis très paresseux. J'irai partout avec vous. »

Ici je baisse les oreilles comme un âne contrarié de se sentir sur le dos une énorme charge.

Mon homme reprend de plus belle :

« Si mon jugement est bon, en ce qui me concerne, vous ne me préférez ni votre ami

Viscus, ni votre ami Varius. En effet, qui peut comme moi composer autant de vers en si peu de temps et danser avec plus de grâce ? Hermogène serait jaloux de mon talent de chanteur... »

Il était plus que temps de l'interrompre.

« Avez-vous encore une mère, des parents intéressés à vous garder en bonne santé ? »

« Personne ! Je les ai tous enterrés ! »

« Qu'ils sont heureux, il ne reste plus que moi ! »

Achève, bourreau, car, je le vois, l'horoscope va s'accomplir, que m'a tiré dans mon enfance une vieille sorcière du pays des Sabins, après avoir consulté son urne magique : cet enfant ne mourra ni par le poison, ni par l'épée des ennemis, ni d'un point de côté, ni d'un catarrhe, ni de la goutte — un bavard sera la cause de sa cruelle agonie — ; quand il sera grand, qu'il évite les bavards, s'il est sage.

Nous étions arrivés au temple de Vesta. Il était déjà plus de neuf heures et, par bonheur, mon fâcheux avait une assignation à comparaître ; s'il y manquait, il perdait son procès.

« Si vous êtes mon ami, dit-il, attendez un peu ici. »

« Que je meurs si je puis m'arrêter, ou si j'entends quelque chose à la chicane ! Et puis, je cours où vous savez. »

« Me voilà bien en peine ! Que dois-je faire ? Abandonner vous ou mon procès ? »

« Ah ! Je vous en prie ! »

« Non, non, je suis décidé... »

Et il repasse le premier. Moi, comme il ne faut pas lutter avec son vainqueur, je le suis.

Il recommence :

« Et Mécène ? Comment êtes-vous ensemble ? »

« Peu de gens lui conviennent ; c'est un homme fin et sensible. »

« Oui, personne n'a mieux tiré parti de son heureux destin. Vous auriez une aide précieuse, très capable du second rôle, si vous vouliez introduire auprès de lui votre serviteur, et vous évinceriez ainsi tous les autres, sur ma vie ! »

« On ne vit pas chez Mécène comme vous l'imaginez ; il n'existe pas de maison plus étrangère à ces sortes d'intrigues. Il y a plus riche que moi, plus savant, cela ne me fait aucun tort ; chacun a sa place marquée. »

« Voilà qui est prodigieux et à peine croyable ! »

« C'est pourtant la vérité »

« Vous enflammez encore mon désir d'être admis ! »

« Vous n'avez qu'à le vouloir. Avec votre mérite, la place est à vous. Mécène sent bien qu'on peut le vaincre, aussi les premiers abords sont difficiles »

« Oh ! Je ne faillirai pas ! Je gagnerai ses domestiques. Repoussé aujourd'hui, je ne quitterai pas la partie. Je guetterai l'instant dans la rue. Je me trouverai sur son passage et me mettrai à sa suite. C'est la condition humaine. On n'a rien sans beaucoup de travail. »

A cet instant nous rencontrons Fuscus Aristius, mon ami, qui connaissait fort bien le personnage. On s'arrête.

« D'où venez-vous ? Où allez-vous ? »

Après la question, la réponse. Je le tire par l'habit, je lui serre la main. Ses bras sont morts ! Je lui fais des yeux à en devenir louche pour qu'il me tire d'affaire. Le mauvais plaisant sourit et ne comprend pas ! Je brûlais de dépit !

« A propos, vous aviez à me communiquer je ne sais quel secret, n'est-ce pas ? »

« Oui, oui, mais un jour plus propice. C'est aujourd'hui le trentième sabbat. Voulez-vous insulter les circoncis ? »

« Oh ! Je n'aurai pas de scrupules ! »

« Et bien moi j'ai des idées un peu étroites comme le peuple. Vous m'excuserez ? Ce sera pour une autre fois. »

Hélas ! Que ce jour s'est mal levé pour moi ! Le traître s'enfuit et me laisse sous le couteau !

Par bonheur, son adversaire vient à passer et lui crie :

« Où vas-tu, canaille !... Voulez-vous être mon témoin ? »

Vite ! Je tends l'oreille. L'autre le traîne en justice. Grand bruit de part et d'autre. La foule s'amasse... et voilà comment Apollon me sauva !

LIVRE I, 9

A MÉCÈNE

Mécène vient d'offrir une maison de campagne à Horace qui le remercie dans ces vers célèbres où il chante son amour de la vie champêtre illustrée par la fameuse fable du rat de ville et du rat des champs.

Lorsque, loin de la ville, je me suis réfugié dans mes montagnes et dans mon fort, que soignerai-je avant tout, sinon mes satires et ma muse pédestre ? Là, je ne redoute ni les soucis ambitieux, ni le siroc de plomb, ni les fièvres d'automne, source des revenus de Libitine.

Père du matin, ou si tu préfères ce nom, Janus, toi qui chaque jour présides aux premiers travaux des hommes (tel est le bon plaisir de Jupiter), permets que ton nom se place également en tête de ce poème. Suis-je à Rome ? Tu me traînes à l'audience, cautionner tel ou tel. — Allons, dépêchons ! que personne ne te devance au tribunal ! — Que l'aquilon gerce la terre, ou que le brouillard rétrécisse le cercle parcouru par un soleil d'hiver, il faut marcher. Et puis, lorsque, à mon dam peut-être, je me suis lié bel et bien, il faut attaquer, percer la masse compacte des retardataires. « Que veut donc ce fou ? que cherche-t-il ? » Ce sont les bénédictions de la mauvaise humeur. « Il renversa tout ce qui lui fait obstacle, pourvu qu'il rejoigne son Mécène, qui ne lui sort pas de la tête ! » — En effet, je l'avoue, c'est là mon plaisir, mon bonheur.

Mais à peine arrivé aux sombres Esquilies, mille affaires m'assaillent et me prennent au collet. « Roscius, pour vous demander un service, vous attend demain au puits de Libon avant sept heures. — Les greffiers sont venus pour une affaire de corps importante et nouvelle. Ils vous prient de ne pas manquer l'assemblée. — Ayez la bonté de faire signer ceci à Mécène. — Répondez seulement : J'essaierai. — Ah ! réplique le solliciteur, si vous le voulez, l'affaire est faite. »

Voilà près de huit ans que Mécène me reçut au nombre de ses amis, uniquement pour m'avoir dans sa voiture quand il voyage et me faire des confidences du genre de celles-ci : « Quelle heure est-il ? Le Thrace Gallina vaut-il Syrus ? Il faut s'envelopper ce matin : le froid commence à piquer ! » et autres secrets qui seraient parfaitement placés dans l'oreille la moins discrète. Depuis ce moment, de jour en jour, d'heure en heure, la jalousie n'a fait que monter. Si l'on m'a vu au spectacle auprès de notre Mécène, si nous avons joué à la paume ensemble, tout le monde aussitôt : *Ah ! c'est le mignon de la fortune !* Une mauvaise nouvelle, partie du Forum, circule dans les rues ; on ne me rencontre plus sans me questionner : « Ah ! mon cher, vous devez être instruit, vous qui approchez les dieux ; savez-vous quelque chose des Daces ? — Mais non, rien ! — Vous raillerez donc toujours ? — Que tous les dieux me punissent si j'en sais un mot ! — Mais ces terres que César a promises aux soldats, les donnera-t-il en Italie, ou en Sicile ? » Je fais serment de mon ignorance, et l'on m'admire comme un mortel unique, mystéreux, impénétrable ! Malheureux que je suis ! Voilà comment je perds ma journée, non sans que je m'écrie souvent : Ô campagne ! quand te reverrai-je ? quand pourrai-je, partagé entre l'étude des anciens, le sommeil et les heures d'oisiveté, oublier doucement les traces de ma vie actuelle ! Oh ! quand paraîtront sur ma table ces fèves, parentes vénérées de Pythagore, et ces menus légumes assaisonnés d'un lard friand ! Ô veillées ! ô festins des dieux ! lorsque troute la maison soupe avec moi devant mon foyer, et que mes joyeux serviteurs se rassasient des mets auxquels j'ai touché à peine ! Affranchi des sottes lois de l'étiquette, chaque convive vide au gré de son envie son verre grand ou petit, selon qu'il porte bien son vin, ou qu'il préfère se réjouir le cœur à petits coups. Alors la conversation s'établit, non pas sur les maisons ou les propriétés d'autrui, ni sur le plus ou moins de mérite du danseur Lépos, mais sur des points qui nous touchent davantage et dont l'ignorance est funeste ; si l'homme est heureux par la richesse ou par la vertu ; quelle est l'origine de nos amitiés : l'habitude ou l'intérêt ? quelle est la nature du bien ? qu'est-ce que le souverain bien ? Au milieu de ces propos, le voisin Cervius ne manque pas l'occasion de placer un conte de bonne femme. Quelqu'un vantera naïvement les grands biens d'Arellius, cette source d'inquiétudes ; aussitôt Cervius commence :

Il y avait une fois un rat des champs qui reçut un rat de ville dans son pauvre trou : vieux hôtes, vieux amis. Le mulot était un vrai cancre, chiche de son avoir, mais pourtant disposé à desserrer un peu sa rigueur en faveur de l'hospitalité. Pour faire court, il ne plaignit ni les pois ni l'avoine de son magasin, et, apportant d'un délicat museau des grains de raisin sec et des rogatons de lard presque tout neufs, il tâchait par la variété de vaincre les dédains du rat de ville, lequel touchait à tout cela d'une dent dégoûtée ; cependant que le patron du logis, sur de la paille nouvelle, grugeait des grains de blé et d'ivraie, laissant à l'étranger les plats distingués. Enfin le citadin : « Mon ami, dit-il à l'autre, quel plaisir trouves-tu à vivre de privations dans ce bois, au penchant de cette colline ? Veux-tu préférer la ville et la société des hommes à tes forêts sauvages ? Crois-moi, mon camarade, mets-toi en route ; car tout ici bas ne vit que pour mourir, et, grand ou petit, nul ne peut fuir le trépas. Ainsi, mon cher, tandis que tu le peux, donne-toi du bon temps, et vis en te souvenant toujours de la brièveté de la vie. »

Ce discours frappe le rat des champs : il déloge d'un bond ; tous deux ensuite s'en vont trottant vers la ville, avec l'intention de se glisser la nuit par-dessous les murs.

Déjà la nocturne courrière était arrivée au milieu du ciel, quand ils s'introduisirent dans une maison opulente. Des tapis d'une pourpre ardente s'étalaient sur les lits, et des corbeilles, placées en pyramide, contenaient les reliefs d'un grand festin donné la veille. Le campagnard installé tout à son aise au milieu du beau tapis, son hôte fait le bon valet, trotte menu, les mets arrivant à la file, et, en bon maître d'hôtel, avant de rien servir, il n'oublie jamais de déguster. L'autre s'étend, jouit de son changement de condition et de toutes ces bonnes choses en joyeux convive. Soudain un affreux bruit de portes les jette à bas du lit ; et de courir éperdus par toute la chambre, demi-morts, tremblant de fièvre. Là-dessus de gros dogues font retentir de leurs aboiements cette vaste maison. « Ah ! dit le rustique, cette vie-là ne me convient pas ! Adieu. La sécurité de mon nid dans la forêt me consolera de mes pauvres pois ! »

LIVRE II, 6

CRITIQUE

Les Épîtres.

L'épître est une forme qui convient au génie d'Horace, celle d'une causerie où le ton de la conversation est conduit avec un très grand art.

L'ÉPÎTRE AUX PISONS

Cette épître adressée aux membres d'une famille célèbre de l'époque reçut très tôt le surnom d'« Art poétique » tant les réflexions de l'auteur sur la poésie et les règles de l'art y parurent importantes. On sait comment Boileau s'en inspira mille six cents ans plus tard. Horace commence en expliquant que le sujet d'une œuvre d'art doit être un et simple :

Qu'un peintre s'avise de poser une tête d'homme sur un cou de cheval, de rassembler de partout des membres divers et de les couvrir de plumes étrangement bigarrées, si bien qu'il fasse se terminer en un poisson hideux le plus charmant buste de femme : pourriez-vous, mes amis, y allant voir, vous retenir de rire ? Eh bien, chers Pisons, ce tableau vous donne au juste l'idée d'un livre où se montreraient pêle-mêle de vaines imaginations, semblables aux rêves creux d'un malade ; où je ne verrais ni pieds, ni tête qui revînt à une seule et belle figure.

Mais les peintres et les poètes ont toujours eu le commun privilège de tout oser : nous le savons ; et cette liberté nous la demandons pour nous, comme sans peine nous vous l'accordons : est-ce à dire que dans nos ouvrages les contraires vont se chercher et s'unir ; que les vipères vont s'accoupler avec les colombes, les agneaux avec les tigres ? Quelquefois, après un début pompeux et qui promet des merveilles, on coud au hasard deux ou trois lambeaux de pourpre, de quoi éblouir les yeux de loin : ou bien c'est un bois religieux et l'autel de Diane ; ou bien c'est une onde qui court en serpentant à travers de riantes campagnes ; ailleurs c'est le Rhin, le grand fleuve, ou l'humide écharpe d'Iris. Tout cela est fort beau : mais ce n'est pas sa place. Oui, vous peignez les cyprès à ravir ; mais à quoi bon ?

L'on vous demande de peindre un navire brisé, un misérable naufragé qui s'échappe à la nage ; n'avez-vous pas fait prix pour cela ? Vous commenciez une amphore, d'où vient que de votre roue qui tourne il sort une cruche ? Faites donc que le sujet, quoi que vous inventiez, soit toujours un et simple !

"Terminer en un poisson"

Écrivains, faites choix d'une matière qui aille à vos forces ; essayez longtemps que vos épaules ne veulent pas, ce qu'elles veulent porter. Tenez-vous bien votre sujet, l'expression ne vous laissera pas en peine, non plus que l'ordre et la clarté. Ceci gagné, le talent et la grâce, si je ne me trompe, c'est de dire sur-le-champ ce qui ne peut attendre, de retenir le reste pour qu'il vienne en

"Mais ce n'est pas sa place"

"Faites donc que le sujet, quoi que vous inventiez, soit toujours un et simple !"

son temps ; c'est de savoir, dans un poème promis au public, que soigner le plus, que toucher en passant.

Quant aux mots et à l'arrangement, n'y a pas qui veut la main fine et délicate. Voulez-vous qu'une expression marque, rendez-moi nouveau, par une heureuse alliance, un terme déjà usé. S'il arrive que de nouveaux signes soient nécessaires pour faire comprendre des idées nouvelles, on vous passera l'expression créée, et quoique étrangère à l'oreille de nos vieux Céthégus : liberté n'est pas licence. Tout mot nouveau et né d'hier fera fortune, si, dérivé du grec, il passe sans grand détour au latin. Quoi donc ! les Romains auront permis à Cécilius, à Plaute, ce qu'ils défendront à Virgile, à Varius ? Et pourquoi m'en voudrait-on d'avoir fait gagner quelque chose de plus à ma langue, quand celle des Catons et des Ennius s'est tant enrichie de leurs inventions, quand ils ont tous deux poussé aux termes nouveaux ? Il a toujours été permis, il le sera toujours, de produire à la lumière un mot marqué au coin de l'usage. Comme on voit les forêts se dépouiller de leur verdure vers le déclin de l'année, et les feuilles les premières venues tomber les premières, ainsi périssent les vieux mots : d'autres viennent à fleurir qui sont tout brillants de force et de jeunesse. Nous sommes destinés à mourir, nous et nos vains travaux. Ces ports où Neptune, enfermé par les rois, retient les flottes loin des fougueux aquilons ; ces marais qui, longtemps stériles et fatigués par la rame, nourrissent aujourd'hui les cités d'alentour et sentent partout le soc de la charrue : ces fleuves, dont les eaux, jadis funestes aux moissons, apprirent à mieux couler ; tous ces ouvrages des mortels périront comme eux. Ne voulez-vous pas que les mots durent, et leur fleur première, et leurs grâces qui n'avaient rien d'immortel ? Telle expression doit renaître, qui depuis longtemps est tombée ; telle autre doit tomber qui est maintenant en honneur. C'est l'usage qui en décidera, l'usage, cet arbitre, ce maître, ce régulateur du langage.

Ovide

43 AVANT J.-C.
17 APRÈS J.-C.

Ovide, plutôt qu'une carrière politique auquel le prédestine son milieu social, préfère mener une existence entièrement consacrée à la vie mondaine et à la poésie. Ses écrits peuvent être divisés en trois groupes : les œuvres érotiques ***(Les Amours, L'Art d'aimer)****, celles d'inspiration religieuse ou nationale* ***(Les Fastes, Les Métamorphoses)****, enfin celles composées lors de l'exil cruel auquel l'empereur Auguste le condamne en 8 après J.-C. On ne sut jamais la raison de cette disgrâce tenace puisque même ses cendres ne purent revenir à Rome. Écrivain très brillant, frivole et spirituel, il eut un grand succès de son vivant et fut jusqu'à la Renaissance le poète latin le plus apprécié.*

POÉSIE ÉROTIQUE

L'art d'aimer

Ce recueil rédigé d'un ton vif et enjoué, parfois assez libre mais jamais vulgaire, pourrait s'intituler aujourd'hui « Petit guide des parfaits amants ».

LES ATTENTIONS AMOUREUSES

Aie soin de tenir sur elle son ombrelle déployée ; de lui frayer un passage, si elle se trouve pressée par la foule ; empresse-toi de lui approcher le marche-pied pour l'aider à monter sur son lit ; ôte ou mets les sandales à son pied délicat. Souvent aussi, quoique transi de froid toi-même, il te faudra réchauffer sur ton cœur les mains glacées de ta maîtresse. Ne rougis point, quelle que soit la honte qu'on y attache, de tenir son miroir d'une main complaisante : cette honte, tu en seras dédommagé par le plaisir. Ce demi-dieu qui, en exterminant les monstres que lui opposait une marâtre dont il lassa la colère, mérita l'Olympe qu'il avait soutenu sur ses épaules, Hercule, confondu par les vierges d'Ionie, tenait, dit-on, leurs corbeilles et filait avec elles des laines grossières. Quoi ! le héros de Tirynthe obéit aux ordres de sa maîtresse ; et toi, tu hésiterais à souffrir ce qu'il a souffert ?

Si ta belle te donne un rendez-vous au forum, tâche de t'y trouver avant l'heure prescrite, et ne te retire que fort tard. Si elle t'ordonne de te trouver en tel endroit, quitte tout pour y courir : la foule même ne doit pas ralentir ta marche. Si le soir, au sortir d'un festin, elle appelle un esclave pour l'éclairer jusqu'à son logis, offre-toi aussitôt. Tu es à la campagne, et elle t'écrit : « Venez sur-le-champ : l'Amour hait les retards. » Si tu n'as pas de voiture, fais la route à pied. Rien ne doit t'arrêter, ni la brume de l'automne, ni l'ardente canicule, ni la neige épaisse qui blanchit les chemins.

L'amour est une espèce de service militaire : retirez-vous, âmes pusillanimes ! l'amant timide n'est point digne de porter nos étendards.

LIVRE II, V. 209 A 234

"L'amour est une espèce de service militaire"

LES COMPLIMENTS

Mais, si tu as à cœur de conserver l'amour de ta maîtresse, fais en sorte qu'elle te croie émerveillé de ses charmes. Est-elle vêtue d'une robe de pourpre ? vante la pourpre tyrienne. Sa robe est-elle d'un tissu de Cos ? dis que cette étoffe soyeuse lui sied à ravir. Est-elle brillante d'or ? dis-lui qu'à tes yeux l'or a moins d'éclat que ses charmes. Si elle endosse les fourrures d'hiver, approuve ce chaud vêtement ; si elle s'offre à tes yeux vêtue d'une légère tunique, en t'écriant que « la vue de tant d'appas enflamme tous tes sens », conjure-la, d'une voix timide, de prendre garde au froid. Si ses cheveux sont séparés avec art sur son front, loue cette coiffure négligée ; s'ils sont frisés avec le fer, dis que tu raffoles des cheveux bouclés. Elle danse, admire ses bras ; elle chante, vante sa voix ; et quand elle cesse, reproche-lui d'abréger tes plaisirs. Enfin, admis à partager sa couche, tu pourras admirer ce qui fait ton bonheur ; et, d'une voix tremblante de plaisir, exprimer ton ravissement. Oui, fût-elle plus farouche que la cruelle Méduse, elle deviendra douce pour son amant ; elle rendra justice à ton mérite. Surtout, dissimule adroitement ; prends garde que tes paroles ne te trahissent, ou que tes yeux ne démentent ta bouche. L'artifice est utile, lorsqu'il se cache : s'il se montre, la honte en est le prix ; et, par un juste châtiment, on perd pour toujours la confiance.

LIVRE II, V. 296 A 314

POÉSIE

.Les Métamorphoses.

Ce vaste répertoire de la religion grecque où les dieux sont « rapetissés » au milieu des élégants et des coquettes de l'époque eut une renommée qui dépassa au Moyen-Age celle de Virgile ; il fut aussi la source principale utilisée par la grande peinture du XVIe et du XVIIe siècle pour la représentation des scènes mythologiques (Le Titien, Rubens, Le Corrège, Poussin, etc.).

LA COURSE DE PHAÉTON

Phaéton, avec toute la fougue de la jeunesse, sur le char léger s'élance et s'y tient fièrement debout ; il se plaît à toucher les rênes confiées à ses mains, et rend grâces à son père qui lui cède à regret.

Cependant les rapides coursiers du Soleil, Pyroéis, Eoüs, Éthon et Phlégon, tous quatre vomissant la flamme, font résonner l'air de leurs hennissements : leurs pieds frappent les barrières. A peine Téthys, ignorant la destinée de son petit-fils, les a-t-elle abattues pour leur ouvrir un champ libre dans l'immensité des cieux, soudain ils prennent leur essor : balancés dans les airs, leurs pieds déchirent les nues qui les arrêtent ; et, portés sur des ailes, ils devancent les vents sortis de la même région. Mais le char était léger, les coursiers ne pouvaient le reconnaître ; le joug n'avait plus son poids ordinaire. Voyez vaciller un vaisseau qui n'a pas le lest convenable : il erre sur les ondes, sans cesse ballotté à cause de sa trop grande légèreté ; tel, privé de son poids accoutumé, le char bondit au haut des airs : à ses profondes secousses, on eût dit un char vide. Les coursiers l'ont bientôt remarqué : ils précipitent leurs pas, abandonnent le sentier battu et ne courent plus dans le même ordre. Phaéthon frémit : de quel côté tourner les rênes à ses soins commises ? il ne sait : il ignore aussi où est sa route ; et quand il le saurait, pourrait-il commander aux coursiers ? Alors, pour la première fois, aux rayons du soleil s'échauffèrent les Trions toujours glacés ; ils voulurent, mais en vain, se plonger dans les flots, qui leur sont interdits. Placé près du pôle glacial, le Serpent, par le froid jusque-là engourdi et jamais redoutable, s'échauffe alors et puise dans la chaleur une rage nouvelle. Toi aussi, troublé, dit-on, tu pris la fuite, ô Bouvier, malgré ta lenteur et quoique occupé de ton chariot. Du haut du ciel, le malheureux Phaéthon a vu la terre au loin s'étendre sans horizon ; il pâlit, ses genoux tremblent d'une terreur soudaine ; et sur ses yeux, dans un océan de lumière, les ténèbres se sont épaissies. Oh ! qu'il voudrait n'avoir jamais guidé les coursiers de son père ! qu'il regrette de connaître son origine et d'avoir triomphé par ses prières ! il aimerait bien mieux être appelé fils de Mérops. Il erre, tel qu'un vaisseau emporté par le souffle furieux de Borée, quand le pilote vaincu laisse le gouvernail, se confiant aux dieux et à la prière. Que fera-t-il ? derrière lui, un grand espace des cieux déjà parcouru ; devant lui, un espace plus grand encore : sa pensée les mesure l'un et l'autre. Tantôt ce couchant que le destin ne lui permet pas d'atteindre appelle son regard ; tantôt il le reporte vers l'orient. Quel parti prendre ? il l'ignore et reste immobile d'effroi : il n'abandonne pas le frein et ne peut le retenir ; il ne sait plus le nom des coursiers. Épars çà et là dans les diverses régions du ciel, mille prodiges frappent sa vue, et des monstres à la taille colossale, le glacent de frayeur...

Le suprême arbitre du monde prend à témoin les dieux et celui-là même dont le char a été confié à Phaéthon, que tout, s'il ne prévient ce désastre, va succomber au plus cruel destin. (...)

Il tonne : par sa main balancée à la hauteur de son front, la foudre va frapper l'imprudent conducteur, lui ravit à la fois le souffle et le char et dans la flamme éteint les ravages de l'incendie. La frayeur égare les coursiers, ils bondissent en sens contraire, dérobent leur tête au joug, brisent les rênes et s'en délivrent : ici gît le frein ; là, l'essieu arraché du timon ; ailleurs, les rayons des roues fracassées ; plus loin, les débris épars du char qui vole en éclats. Phaéthon roule dans un torrent de flammes, elles dévorent sa blonde chevelure : à travers les plaines de l'air, un long sillon de lumière marque sa chute ; ainsi quelquefois, sous un ciel sans nuage, une étoile tombe, ou semble tomber. Loin de sa patrie, dans l'hémisphère opposé, le vaste Éridan le reçoit et lave dans les flots son visage fumant.

Les Naïades de l'Hespérie déposent dans un tombeau son corps noirci par la triple empreinte des feux de la foudre, et gravent ces vers sur la pierre ; « Ci-gît Phaéthon, conducteur du char de son père ; s'il ne put le gouverner, il succomba du moins après une noble tentative. » Son père, plongé dans la douleur, couvrit son front d'un voile de deuil. Si nous devons en croire la renommée, un jour s'écoula sans soleil.

"Ci-gît Phaéthon, conducteur du char de son père"

LIVRE II

ÉCHO ET NARCISSE

Au sein des villes d'Aonie remplies de sa renommée, Tirésias donnait des réponses toujours infaillibles au peuple qui venait le consulter. La première preuve de son talent pour révéler sûrement l'avenir fut recueillie par la blonde Liriope : jadis le Céphise l'enlaça de ses flots sinueux ; et tandis qu'elle était enchaînée dans son onde, il en triompha par la violence. Du sein de cette nymphe, modèle de beauté, naît un enfant dès lors digne d'être aimé de ses compagnes, et qu'elle appelle Narcisse. Elle demande à Tirésias si cet enfant doit voir ses jours arriver à une mûre vieillesse : *Oui, s'il ne se connaît pas*, répond-il. Longtemps la voix de l'oracle parut vaine : elle fut justifiée par l'aventure qui mit fin aux jours de Narcisse, par le genre de sa mort et par son étrange délire. Déjà le fils de Céphise avait vu une année s'ajouter à ses trois lustres ; l'enfance et la jeunesse semblaient l'embellir à la fois. Une foule de jeunes Béotiens et de nymphes brûlaient pour lui ; mais aux grâces les plus tendres il joignit de superbes dédains. Les vœux de tant de jeunes gens et de tant de nymphes ne purent le toucher.

Un jour qu'il poursuivait des cerfs timides, il fut aperçu par une nymphe qui ne peut se taire, quand on lui parle, et qui ne sait point parler la première : Écho, dont la voix redit les sons qui la frappent. Alors c'était une nymphe et non une simple voix : nymphe causeuse, il est vrai ; mais sa voix, comme à présent, lui servait seulement à répéter les dernières paroles qu'elle avait recueillies. Junon la réduisit à cet état, parce qu'au moment où elle aurait pu surprendre les nymphes dans les bras de Jupiter sur la montagne où résidait Écho, celle-ci plus d'une fois l'avait adroitement retenue par de longs entretiens, pour donner aux nymphes le temps de fuir. La fille de Saturne découvrit l'artifice. « Tu ne pourras te servir longtemps de cette langue qui m'a trompée, lui dit-elle : bientôt l'usage de la voix te sera ravi. » L'effet suit la menace : Écho réfléchit les sons de la voix qui finit, et répète les paroles qu'elle a entendues.

A peine Narcisse, errant au fond des bois, a-t-il frappé ses regards, qu'elle s'enflamme et suit furtivement la trace de ses pas : plus elle le suit, plus la flamme descend dans son cœur ; ainsi, répandu au bout d'une torche, le soufre léger s'empare à l'instant du feu qui l'approche. Que de fois elle voulut l'aborder d'une voix carressante et employer de douces prières ! La nature s'y oppose et lui défend de commencer ; mais du moins, puisque la nature le permet, elle veut recueillir les accents de Narcisse et lui répondre à son tour. Par hasard l'enfant séparé de ses fidèles compagnons s'écrie : *Quelqu'un est-il près de moi ? — Moi*, répond Écho. Narcisse reste immobile de surprise ; après avoir porté ses regards de tous côtés, *viens*, dit-il à haute voix ; Écho appelle celui qui l'appelait. Il se tourne, et, ne voyant personne : *Pourquoi me fuis-tu ?* ajoute-t-il ; et son oreille reçoit autant de paroles que sa bouche en a proféré. Trompé par la voix, image de la sienne : *Unissons-nous*, poursuit-il. A ces mots, que la voix d'Écho dut aimer à redire plus que tous les autres, elle répond : *Unissons-nous*; et ses désirs interprètent favorablement ces paroles. Elle sort du bocage et court, ravie d'un tendre espoir, presser dans ses bras Narcisse qui fuit et par la fuite se dérobe à ses embrassements. *Je veux mourir,* dit-il, *si je m'abandonne à tes désirs.* Écho ne redit que ces paroles : *Je m'abandonne à tes désirs.* Méprisée, elle se retire au fond des bois et cache sous le feuillage la rougeur de son front; depuis ce moment elle habite les antres solitaires. Dans son cœur vit l'amour sans cesse irrité par un refus. Les soucis toujours en éveil consument ses membres épuisés, la maigreur dessèche ses attraits, toute la substance humide de son corps se dissipe dans les airs : il ne lui reste que la voix et les os. Sa voix s'est conservée; ses os ont pris, dit-on, la forme d'un rocher. Depuis ce jour, sa demeure est dans les bois : on ne la voit plus sur les montagnes, mais elle s'y fait entendre à tous ceux qui l'appellent : c'est un son qui vit en elle.

Ainsi Écho et d'autres nymphes, nées au sein des ondes ou sur les montagnes, et, avant elles, une foule de jeunes Béotiens furent en butte aux dédains de Narcisse. Une victime de ses mépris, élevant ses bras vers le ciel, s'écria : « Puisse l'amour s'allumer dans son cœur, et puisse-t-il ne jamais posséder l'objet de sa flamme ! » Rhamnusie exauça cette juste prière.

Près de là, une fontaine limpide roulait ses flots argentés : jamais les bergers, ni les chèvres qui aiment à brouter l'herbe des montagnes, ni tout autre troupeau, ne l'avaient altérée; jamais oiseau, ni bête sauvage, ni feuille détachée des arbres n'avait troublé sa pureté. Elle était bordée d'un gazon dont une humidité constante entretenait la fraîcheur, et d'arbres qui ne lui permettaient jamais de s'échauffer aux feux du soleil. Là Narcisse s'arrête, épuisé par les fatigues de la chasse et par la chaleur : charmé de la beauté du site et de la limpidité des eaux, il veut étancher sa soif; mais une autre soif augmente. Tandis qu'il boit, épris de son image qu'il aperçoit dans le miroir des eaux, il aime une ombre vaine et lui prête un corps : il reste en extase devant lui-même, ses traits se fixent; on dirait une statue sortie des marbres de Paros. Étendu sur le gazon, il contemple ses yeux semblables à deux astres, sa chevelure digne de Bacchus et d'Apollon, ses joues qu'un léger duvet ombrage à peine, son cou d'ivoire, sa bouche gracieuse, son teint parsemé de roses et de lis : il admire les charmes qui le font admirer. Imprudent ! c'est à lui-même que ses vœux s'adressent; c'est lui-même qu'il vante, lui-même qu'il recherche; et les feux qu'il allume le consument lui-même ! Que de vains baisers il imprime sur cette onde trompeuse ! Que de fois ses bras s'y plongent pour saisir la tête qu'il a vue, sans pouvoir embrasser son image ! il ne sait ce qu'il voit; mais ce qu'il voit excite en lui mille feux; ses désirs s'accroissent, irrités par l'image trompeuse qui lui fait illusion. Dans ta crédulité, pourquoi vouloir t'emparer d'un objet qui te fuit ? Cet objet, après lequel tu cours, n'existe pas; cet objet que tu aimes, tourne-toi et tu le verras évanoui. L'image que tu vois, c'est ton ombre réfléchie : sans consistance par elle-même, elle vient et subsiste avec toi : elle va s'éloigner avec toi, si tu peux t'éloigner. Mais ni la faim, ni le besoin de repos, ne peuvent l'arracher de ce lieu : couché sur le gazon touffu, il considère d'un œil insatiable l'image fantastique : il périt par ses propres regards; enfin il se soulève, et, tendant les mains vers les arbres autour de lui rangés : « Quel amant, ô forêts, s'écrit-il, fut jamais plus malheureux ! vous le savez, souvent vous avez offert à l'amour un mystérieux abri ! Vous souvient-il, après tant de siècles qui ont passé sur vos têtes, d'avoir vu dans cette longue suite des temps un amant dépérir comme moi ? Une beauté me plaît, je la vois; mais cet objet qui me plaît et que je vois, je ne puis le trouver : un amant peut-il être ainsi le jouet de l'erreur ? Pour comble de chagrin, il n'y a entre nous ni vaste mer, ni longues distances, ni montagnes, ni remparts ni barrière ! L'eau seule nous sépare : l'objet de mon amour brûle d'être dans mes bras ! Ce que je désire est en moi : c'est pour trop posséder que je ne possède rien. Ah ! que ne puis-je m'échapper de mon corps ? Vœu nouveau dans un amant, je voudrais être loin de l'objet de mon amour ! Déjà la douleur épuise mes forces; il ne me reste plus que quelques moments à passer sur la terre, je m'éteins au seuil de la vie; mais la mort ne m'est point à charge; elle va m'affranchir de ma douleur. (...)

Il dépérit consumé d'amour : peu à peu, sa flamme secrète tarit en lui les sources de la vie : déjà son teint n'est plus semé de lis et de roses; ses forces, ses grâces qui le charmaient naguère, il a tout perdu, mêmes les formes séduisantes qu'aima jadis Écho. En le voyant dans cet état, la nymphe gémit, quoique irritée par de pénibles souvenirs. Toutes les fois que le malheureux Narcisse s'était écrié : *Hélas !* la voix d'Écho avait répété : *Hélas !* Lorsque de ses mains il avait frappé sa poitrine, elle avait reproduit le bruit de tous les coups. Les dernières paroles de Narcisse, en jetant selon sa coutume un regard dans l'onde, furent : « Hélas ! enfant que j'ai en vain chéri ! » Écho répéta ces paroles. *Adieu*, dit-il ; *adieu*, répond-elle. Sa tête languissante retombe sur le gazon fleuri ; et la nuit ferme ses yeux encore épris de sa beauté : descendu au ténébreux séjour, il chercha son image dans les flots du Styx. Les Naïades pleurèrent leur frère, et coupèrent leurs cheveux pour les déposer sur sa tombe ; les Dryades le pleurèrent aussi ; Écho redit leurs gémissements. Déjà le bûcher; la torche funèbre, le cercueil, tout est prêt ; mais on ne trouve nulle part les restes de Narcisse. A sa place est une fleur brillante comme la pourpre : des feuilles blanches en forment la ceinture.

LIVRE III, V. 339 A 510

LA CHUTE D'ICARE

Cependant Dédale, dégoûté de la Crète et d'un long exil, brûle de revoir son pays natal ; mais de tous côtés la mer lui oppose une barrière. « Minos peut bien, dit-il, m'interdire la terre et l'onde ; mais le ciel m'est ouvert ; c'est là que je m'ouvrirai une route. S'il tient la terre sous ses lois, l'air, du moins, ne lui appartient pas. » A ces mots, il s'applique à découvrir un art inconnu, et demande à la nature des secours d'une espèce nouvelle : il place plusieurs plumes les unes auprès des autres, en commençant par les plus courtes : viennent ensuite les plus longues, et elles s'élèvent toutes comme par degrés. Ainsi jadis, pour former la flûte champêtre, des chalumeaux d'inégale grandeur furent assortis avec choix. Dédale attache ces plumes, au milieu, avec du lin ; aux extrémités, avec de la cire. Après les avoir liées, il les courbe légèrement : on les eût prises pour les ailes d'un oiseau. Icare était près de son père : ignorant qu'il préparait son malheur, et le front rayonnant de joie, tantôt il touchait le duvet qui s'agitait au gré des vents, et tantôt il pressait sous ses doigts la cire dorée, et retardait par ses jeux l'admirable travail de son père. Enfin, après avoir mis la dernière main à son ouvrage, l'industrieux artiste se balance sur deux ailes, et vogue suspendu dans les airs. Il en donne de semblables à son fils, et lui dit : « Ne sors pas de l'espace placé entre la terre et les cieux ; je te le conseille, Icare : plus bas, ton plumage serait appesanti par l'onde ; plus haut, tu serais dévoré par le feu. Renferme ton vol entre les deux extrêmes : je te recommande aussi de ne regarder ni le Bouvier, ni Hélice, ni Orion armé d'une épée nue. Prends-moi pour guide dans ta marche. » En même temps il lui apprend l'art de voler, et attache à ses épaules un instrument jusque-là inconnu. Tandis que le vieillard lui prodigue ces soins et ces conseils, des larmes baignent ses joues, et ses mains paternelles tremblent. Il le couvre de baisers qui ne doivent jamais se renouveler : il vole devant son compagnon et frémit pour ses jours : tel l'oiseau conduisant hors du nid, placé à la cime d'un arbre, sa jeune famille dans les plaines de l'air, l'exerce à suivre son essor et la forme à un art périlleux. Dédale secoue ses ailes ; il observe celles de son fils avec anxiété. Le pêcheur dont le roseau tremblant présente aux poissons une insidieuse amorce ; le berger et le laboureur, appuyés, l'un sur sa houlette, l'autre sur sa charrue, aperçoivent Dédale et son fils : frappés de surprise, ils prennent pour des dieux deux êtres à qui il est permis de planer dans les régions éthérées. Déjà fuyaient bien loin, à gauche, Samos, chérie de Junon, Délos et Paros ; à droite, Lébynthe et Calymne en miel si fertile. Le jeune Icare, fier de son vol audacieux, abandonne son guide : il brûle de sonder les célestes espaces, et s'élance plus haut. Par la vivacité de ses rayons, le soleil, dont le trône se trouve près de lui, ramollit la cire parfumée qui sert de lien à ses ailes : elle fond. Icare agite ses bras dépouillés ; mais, n'ayant plus son plumage qui le soutenait comme deux rames, il ne saurait voguer dans les airs. Sa bouche répète le nom de son père, et il tombe dans les flots azurés, qui conservent son nom. Cependant, son infortuné père, qui déjà n'est plus père, s'écrie : « Icare, Icare ! où es-tu ? dans quelle contrée irai-je te chercher ? Icare ! » répétait-il encore, quand il aperçut ses ailes sur la surface des eaux. Alors il maudit son art, renferme dans un tombeau les restes de son fils, et ce rivage prend le nom de celui qu'il a reçu dans son sein.

LIVRE VIII, V. 183 A 210

LE PHÉNIX

Il est un oiseau qui se renouvelle lui-même et renaît de ses cendres. Les Assyriens l'appellent phénix : il ne se nourrit ni d'herbes ni de fruits, mais des larmes de l'encens et des sucs de l'amome. Sa vie dure cinq siècles ; quand il les a remplis, sur les branches d'un chêne ou sur la cime d'un palmier tremblant il construit un nid avec ses serres et son bec toujours pur. Là, il étend les tiges aromatiques de la cannelle, du nard, du cinnamome et de la myrrhe dorée : il se couche sur ce bûcher et finit ses jours au sein des parfums. Alors, dit-on, de ses cendres sort un jeune phénix, destiné à vivre le même temps. Dès que l'âge lui a donné la force de soutenir un fardeau, il soulage l'arbre du poids du nid placé à son faîte, et emporte le pieux fardeau qui fut à la fois son berceau et la tombe de son père. Arrivé, à travers les plaines de l'air, dans la ville du soleil, il va le déposer à la porte sacrée du temple.

LIVRE XV, V. 392 A 408

Phèdre

THRACE
30 AVANT J.-C. (?).

On ne sait rien de la vie de Phèdre, de formation grecque, affranchi de l'empereur Auguste.

Sa culture d'origine l'avait familiarisé avec ces petites histoires courtes, morales et satiriques, appelées ***fables****, connues en Grèce et en Orient depuis les temps les plus anciens et rassemblées plus tard sous le nom d'Ésope. Il eut l'idée de les traduire en latin et de les mettre en vers.*

Son recueil de cent vingt-trois fables ne fut découvert par les modernes qu'en 1596. La Fontaine y a puisé avec génie.

FABLES

.Fables.

LE CORBEAU ET LE RENARD

Ceux qui aiment les éloges et la flatterie en sont punis plus tard par un amer repentir.

Un Corbeau avait pris un fromage sur une fenêtre, et allait le manger sur le haut d'un arbre, lorsqu'un Renard l'aperçut et lui tint ce discours : « De quel éclat, sire Corbeau, brille votre plumage ! que de grâces sur votre visage et votre corps ! Si vous chantiez, vous seriez le premier des oiseaux. » Notre sot voulut montrer sa voix ; mais il laissa tomber le fromage, et le rusé Renard s'en saisit aussitôt avec avidité. Le Corbeau honteux gémit alors de sa sottise.

Ceci prouve la puissance de l'esprit : la sagesse l'emporte même sur le courage.

LIVRE I, 12

LE RENARD ET LA CIGOGNE

Il ne faut nuire à personne. Cette fable nous apprend que celui qui offense doit s'attendre à la pareille.

On dit que le Renard, ayant invité le premier la Cigogne à souper, lui servit sur une assiette un mets liquide qu'elle ne put goûter, malgré tout son appétit. La Cigogne, à son tour, invita le Renard, et lui servit une bouteille pleine de viande hachée. Elle se rassasiait à loisir, en y introduisant son long bec, et tenait à la torture son convive affamé. Comme il léchait en vain le col de la bouteille, on rapporte que l'oiseau voyageur lui tint ce langage : « Il vaut souffrir, sans se plaindre, les méchancetés dont on a donné l'exemple. »

LIVRE I, 26

"Si vous chantiez, vous seriez le premier des oiseaux"

LE LOUP ET L'AGNEAU

"Ce fut donc ton père"

"Gardez-vous de porter envie aux biens que vous n'avez pas"

Un Loup et un Agneau, pressés par la soif, étaient venus au même ruisseau. Le Loup se désaltérait dans le courant, bien au dessus de l'Agneau ; mais excité par son insatiable avidité, le brigand lui chercha querelle. « Pourquoi, lui dit-il, viens-tu troubler mon breuvage ? » L'Agneau répondit tout tremblant : « Comment, je vous prie, puis-je faire ce dont vous vous plaignez ? cette eau descend de vous à moi. » Repoussé par la force de la vérité, le Loup reprit : « Tu médis de nous, il y a six mois. — Mais je n'étais pas né » répliqua l'Agneau. « De par Hercule, ce fut donc ton père » ajouta le Loup. Et, dans son injuste fureur, il le saisit et le déchire.

Cette fable a été écrite contre ceux qui, sous de faux prétextes, oppriment les innocents.

LIVRE I, 1

LE PAON A JUNON

Indigné de n'avoir pas eu en partage la voix du rossignol, le Paon vint trouver Junon. « Le chant harmonieux du rossignol, dit-il, plaît à tout le monde, tandis que ma voix ne fait qu'exciter le rire. » La déesse lui répondit pour le consoler : « Mais ne l'emportes-tu point par ta beauté, par ton port majestueux ? ton cou brille des plus vives couleurs de l'émeraude, et tu déploies une queue qui étincelle de l'éclat de mille pierreries. — A quoi me sert une beauté muette, si je suis le dernier par la voix ? — Le Destin, reprit Junon, a jugé quelle devait être la part de chacun : toi, tu as reçu la beauté ; l'aigle, le courage ; le rossignol, le chant ; le corbeau sert aux prédictions ; la corneille porte de sinistres présages ; et cependant chacun est content de son lot. »

Gardez-vous de porter envie aux biens que vous n'avez pas ; si vos espérances étaient trompées, il ne vous resterait que des regrets.

LIVRE III, 18

◆

Sénèque

CORDOUE 4—65.

Philosophe et homme d'état, Sénèque est toute sa vie partagé entre son goût pour le pouvoir et son souci de perfectionnement moral. Jeune avocat brillant, professeur réputé, il est choisi pour être le précepteur de Néron. Il devient ministre en 55, consul en 57, acquiert d'immenses richesses et couvre les forfaits de Néron pour conserver son influence (meurtres de Britannicus et d'Agrippine). Tombé en disgrâce en 62, l'empereur lui ordonne de se tuer. Accompagné dans son suicide par sa femme Pauline, il s'ouvre les veines au cours d'une réception offerte à ses amis et meurt selon les règles de la morale stoïcienne qu'il a toujours défendue sinon respectée.

On ne possède qu'une partie de l'œuvre prolifique de Sénèque. Il rédigea de nombreux traités philosophiques ***(De la Clémence, Des Bienfaits)****, composa des tragédies (neuf nous sont parvenues, dont* ***Médée****) ; mais son chef d'œuvre reste pour nous ses* ***Lettres à Lucilius****.*

CORRESPONDANCE-PHILOSOPHIE

•*Les lettres à Lucilius*•

Dans ces lettres adressées à un ami procurateur en Sicile, Sénèque développe toute sa conception de la morale stoïcienne, c'est-à-dire la nécessité de se réformer intérieurement pour parvenir au « souverain bien ». L'exposé n'a pas le dogmatisme de ses traités philosophiques : le naturel et la variété de l'inspiration, le pittoresque, la vivacité du ton font le prix de cet ouvrage écrit au soir d'une vie particulièrement riche d'expérience.

DE L'AMITIÉ DU SAGE

Dans une de ses lettres, Épicure blâme cette opinion, que le sage, content de lui-même, n'a pas besoin d'amis ; vous me demandez s'il a raison. Il est vrai qu'Épicure fait ce reproche à Stilpon et aux philosophes qui placent le souverain bien dans l'impassibilité de l'âme. (Pour éviter l'équivoque, je n'ai pas voulu rendre exactement ἀπάθεια par un seul mot, par *impatientia* : on pourrait le prendre dans une acception toute différente de la nôtre). Nous voulons parler de l'homme qui repousse tout sentiment de douleur ; on l'entendrait de celui qui ne peut la supporter. Ne vaudrait-il pas mieux dire : une âme invulnérable, une âme supérieure à toute espèce de souffrance ? Nous différons de ces philosophes sur ce point : notre sage triomphe de la douleur, mais il la sent ; le leur y est insensible. Nous pensons avec eux que le sage se suffit ; cependant, il lui faut, selon nous, un ami, un voisin, un commensal. Le sage se suffit ; jugez à quel point : quelquefois il se contente d'une partie de

"Aimez, on vous aimera"

lui-même, si la maladie, si l'ennemi l'a privé d'une main. Le hasard lui ravit-il un œil ? il se paye de ce qui lui reste de sa personne, et, dans un corps mutilé, privé de quelque organe, il porte une âme aussi sereine que dans un corps intact : il ne regrette pas ce qui lui manque, mais il aimerait mieux qu'il ne lui manquât rien. Il se suffit, disons-nous ; ce n'est pas qu'il veuille se passer d'amis, c'est qu'il le peut ; et voici comme je l'entends : il soutient avec calme la perte d'un ami ; mais aussi, jamais il ne sera sans ami : il a les moyens de s'en refaire un sur-le-champ. Phidias perd une statue, il en fait une autre aussitôt : non moins habile dans l'art de faire des amis, le sage donne un successeur à celui qui lui manque. Comment s'y prend-il donc ? Vous le saurez à une condition : cette confidence me tiendra lieu de paiement, et nous serons quittes pour cette lettre. « Voici, dit Hécaton, un charme sans herbe magique, sans maléfice de sorcière : Aimez, on vous aimera. » Elles sont vives les jouissances d'une ancienne et solide amitié ; mais il n'est pas moins doux d'en créer, d'en former une nouvelle. Semer et moissonner sont deux plaisirs pour le laboureur ; acquérir et posséder un ami, sont deux jouissances pour le sage. Le philosophe Attale avait pour maxime : « Il est plus doux de former une liaison que d'en jouir. » Ainsi, le peintre aime mieux composer qu'avoir composé son tableau. Cette inquiétude, ces soins de la création offrent, au fort même du travail, d'inexprimables jouissances. Le plaisir n'est plus aussi vif, quand le tableau est achevé et que le pinceau se repose ; le peintre alors jouit des fruits de son art ; en peignant, il jouissait de l'art même. Dans un fils, l'adolescence porte plus de fruits, l'enfance plus de fleurs.

Mais revenons à notre sujet. Le sage se suffit à lui-même, mais il veut un ami : il le veut, ne fût-ce que pour pratiquer l'amitié : une si belle vertu ne doit pas rester sans culture ; il le veut, non pas comme le dit Épicure, dans cette même lettre, « pour avoir quelqu'un qui veille à son chevet pendant sa maladie, qui le soutienne dans les fers ou dans la pauvreté » ; s'il veut un ami, c'est pour l'assister lui-même, l'arracher des mains des ennemis qui l'entourent de toutes parts. Ne voir que soi, ne se lier que pour soi, est un mauvais calcul : l'amitié s'en ira comme elle est venue. Prenez un ami pour en être secouru dans les fers : au premier bruit des chaînes, il fuira. Ce sont de ces amitiés de circonstance, comme le peuple les appelle. Une liaison formée par l'intérêt dure aussi longtemps que son motif subsiste. De là cette brillante foule d'amis qui assiège l'homme opulent ; cette solitude qui entoure l'homme ruiné : les amis disparaissent au moment de l'épreuve. De là, tant d'exemples odieux d'amis abandonnant leurs amis, les trahissant même par lâcheté. Il est naturel que la fin réponde au commencement. On s'est lié d'abord par intérêt, on trouvera plus tard quelque profit à rompre, comme on en a trouvé un autre que l'amitié elle-même pour s'engager. Quel est mon but en prenant un ami ? C'est d'avoir pour qui mourir, qui suivre en exil, qui sauver aux dépens de mes jours. Cette amitié, dont vous me parlez n'est pas amitié, mais trafic ; l'intérêt en est le mobile ; le profit, le but. Assurément l'amour a quelque analogie avec l'amitié ; on peut même dire qu'il en est la folie. A-t-on jamais, cependant, été amoureux par cupidité, par ambition, par amour de la gloire ? Non ; l'amour est porté à tout oublier ; il est tout à l'ardeur de ses désirs, à l'espérance d'être payé de retour. Et une cause plus noble produirait une affection honteuse ! « La question, dites-vous, n'est pas de savoir si l'amitié doit être désirée pour elle-même, le sage, bien qu'il se suffise, peut la rechercher. » — Mais comment la recherche-t-il ? comme une belle chose, sans espoir de gain, sans nulle crainte de la fortune. C'est ôter à l'amitié toute sa dignité, que de s'en faire une caution de bonheur. Le sage se suffit à lui-même : maxime que la plupart interprètent bien mal, mon cher Lucilius ; partout on éconduit le sage ; on le rejette, pour ainsi dire, en lui-même. Or, apprécions le sens et la portée de cette maxime. Le sage se suffit pour vivre heureux, mais non pour vivre. Pour vivre, il a besoin d'un grand nombre de ressources ; pour vivre heureux, il ne lui faut qu'une âme saine, élevée, supérieure à la fortune. Je veux vous apprendre la distinction de Chrysippe. « Le sage, dit-il, ne manque de rien ; mais il a des besoins ; l'insensé, au contraire, n'a pas de besoins, mais il manque de tout. » Le sage a besoin de mains, d'yeux et d'une foule de choses nécessaires à la vie usuelle ; mais il ne manque de rien. Manquer, suppose une contrainte ; le sage n'en connaît pas. Ainsi, quoiqu'il se suffise à lui-même, il a besoin d'amis ; il en veut le plus grand nombre possible, mais ce n'est pas pour être heureux : il le sera sans amis. Le souverain bien n'emprunte rien du dehors, on le cultive au dedans ; il trouve en lui tous ses éléments ; on l'assujettit à la fortune, dès qu'on en cherche une partie au dehors. Mais, supposons le sage seul, sans amis, précipité dans les fers, délaissé chez une nation inconnue, retenu par une longue navigation, jeté sur un rivage désert ; quelle sera sa vie ? Le monde est dissous, les dieux se confondent en un seul, les lois de la nature sont un moment suspendues ; que fait Jupiter ? il se repose en lui-même, et s'abandonne à ses méditations ; ainsi fait le sage, à quelques égards : il se recueille, et vit avec lui-même. Tant qu'il peut à son gré disposer de son propre sort, il se suffit, et prend une femme ; il se suffit, et donne le jour à des enfants ; il se suffit, et pourtant il ne saurait vivre, s'il lui fallait vivre seul. Ce qui le porte à l'amitié, ce n'est pas l'intérêt, c'est un besoin naturel : l'amitié est un des penchants innés de l'homme ; il fuit la solitude, et trouve des charmes dans la société. La nature est le lien de la société ; ainsi, l'amitié a elle-même un attrait qui nous la fait rechercher. Néanmoins, tout attaché qu'il est à ses amis, tout en les préférant à lui-même, le sage bornera le souverain bien à son âme ; il parlera comme Stilpon, ce Stilpon si maltraité dans la lettre d'Épicure. Sa patrie est prise d'assaut ; il perd ses enfants et sa femme ; la ville est toute en feu ; il part seul, et part content. Alors Démétrius, celui que tant de villes détruites firent surnommer Poliorcètes, Démétrius lui demande s'il n'a rien perdu. « Tous mes biens, dit-il, sont avec moi. » Voilà un homme ferme et courageux ! il a triomphé de la victoire même de l'ennemi. Je n'ai rien perdu, dit-il, et le vainqueur est réduit à douter de sa victoire. Tous mes biens sont avec moi : ma justice, mon courage, ma tempérance, ma prudence, et jusqu'au bon esprit de ne pas voir des biens dans tout ce qu'on peut m'enlever. On admire certains animaux qui passent au travers des flammes sans éprouver de douleur : que dire de l'homme qui, du milieu des armes, des ruines et du feu, s'échappe sans blessures et sans perte ! Vous le voyez : il est bien plus facile de vaincre un peuple entier qu'un seul homme. Le mot de Stilpon lui est commun avec le stoïcien ; le stoïcien aussi porte ses richesses intactes à travers les villes embrasées : il se suffit, et c'est là la mesure de son bonheur. Croyez-moi, nous ne sommes pas les seuls à prêcher de belles maximes : Épicure lui-même, bien qu'il blâme Stilpon, a dit un mot semblable au sien ; ce mot, vous ne refuserez pas de l'entendre, quoique j'aie satisfait à la dette du jour : « Quiconque ne se trouve pas très riche, fût-il maître de l'univers, est pourtant malheureux ; » ou, si vous l'aimez mieux autrement énoncé (car il faut moins tenir à l'expression qu'à la pensée) : « c'est être malheureux, que de ne se pas croire aussi heureux que possible, fût-on souverain du monde. » Cette maxime est d'une application générale, et dictée par la nature ; témoin ce vers d'un auteur comique :

"Tous mes biens, dit-il, sont avec moi"

« On n'est jamais heureux quand on ne croit pas l'être ».

Qu'importe, en effet, le faîte où l'on est placé, si l'on s'y trouve malheureux ! — Eh quoi, me direz-vous, s'il se dit heureux, cet homme riche à force d'infamies, cet homme qui compte encore plus de maîtres que d'esclaves, il faudra donc le croire sur sa parole ! — Ne vous en rapportez pas à ce qu'il dit, mais à ce qu'il sent, et à ce qu'il sent non pas un jour, mais tous les jours de la vie. Ne craignez rien : un bien aussi précieux ne peut tomber entre des mains indignes. Le sage seul est content de son sort ; importune à elle-même, la folie fait son propre supplice.

LETTRE IX

DE LA VIEILLESSE

La vieillesse permet de se préparer à la mort.

Je vous disais dernièrement encore que la vieillesse était devant moi ; je crains bien aujourd'hui de l'avoir dépassée. Ce n'est plus au nombre de mes années, à un corps usé comme le mien, que convient le nom de vieillesse ; il désigne l'affaiblissement de l'être, et non sa dissolution. Rangez-moi, je vous prie, parmi les décrépits et les agonisants. Et pourtant, je m'en félicite auprès de vous, les injures du temps ne se font pas sentir en moi à l'âme comme au corps ; je n'ai de vieilli que les vices et leurs organes. Mon âme est pleine de vigueur, et ravie de n'avoir presque plus rien de commun avec le corps ; elle se sent en partie délivrée de son fardeau ; elle triomphe, elle me donne un démenti sur ma vieillesse ; c'est pour elle la fleur de l'âge. Il faut bien l'en croire : laissons-la jouir de son bonheur.

Je me plais à examiner, à démêler, dans ce calme d'une âme si bien réglée, les effets de l'âge et ceux de la sagesse ; à faire exactement la part de l'impuissance et celle de la modération ; à voir s'il y a des choses que je puisse et ne veuille pas faire ; car, pour celles que mon âge m'interdit, je suis bien loin d'en regretter la privation. Eh ! qu'ai-je à me plaindre ? le grand malheur, que ce qui doit finir s'éteigne par degrés ! — Mais c'est un grand malheur, direz-vous, de se sentir décliner, dépérir, dissoudre pour mieux dire; car nous ne sommes pas terrassés, anéantis d'un seul coup; minés insensiblement, nous voyons nos forces décroître chaque jour. — Eh! Lucilius, quelle mort plus heureuse, que d'être conduit pas à pas vers le terme par une dissolution naturelle? Non que je regarde comme un mal un coup de foudre, une mort soudaine; mais elle est douce, cette voie qui nous mène lentement hors de la vie. Pour moi, qui touche au moment de l'épreuve, au jour qui va décider de tous mes jours, je veille sur soi-même, et me tiens ce langage : « Non, jusqu'à ce jour, mes actions, mes paroles n'ont rien prouvé; interprètes vagues et trompeurs de l'âme, ils la déguisent sous des dehors flatteurs; la mort seule me révélera mes progrès. Je vais donc me préparer sans crainte à ce jour où, laissant de côté le fard et l'artifice, je prononcerai sur moi-même; je dirai si mon courage était dans le cœur ou sur les lèvres; si ces défis généreux portés à la Fortune, n'étaient dans ma bouche que le rôle d'un comédien. Laisse là l'estime des hommes; accordée au vice comme à la vertu, elle ne prouve rien; laisse là ces études de toute ta vie : la mort, la mort seule, voilà ton juge. Oui, ces disputes savantes, ces entretiens philosophiques, ces maximes puisées dans les livres des sages, ces doctes conférences ne prouvent pas le véritable courage : que de gens parlent en héros! Tes œuvres, on ne les verra qu'à ton dernier soupir... Eh bien! j'accepte cette loi; je ne crains pas le tribunal de la mort. » Voilà ce que je me dis, à moi; mais regardez-les, ces paroles, comme adressées à vous-même. Vous êtes plus jeune? eh! qu'importe? la mort ne compte pas les années. Vous ne savez en quel lieu elle vous attend; attendez-la donc en tout lieu.

J'allais finir ici ma lettre, et je me préparais à la cacheter; mais notre pacte est sacré : il ne faut pas la mettre en route sans provision. Je ne vous dirais pas à qui j'emprunte, que vous sauriez à quel trésor je puise. Encore quelque temps, et vous serez payé de mes propres fonds; en attendant, voici ce que me prête Épicure : « Lequel vaut mieux, dit-il, que la mort vienne vers nous, ou nous vers elle? » Voilà qui est clair : il est bon d'apprendre à mourir. Peut-être trouverez-vous inutile d'apprendre ce qui ne doit servir qu'une fois? c'est précisément pourquoi il faut s'y préparer : il faut toujours étudier, quand on n'est jamais sûr de savoir. Pensez à la mort, c'est-à-dire, pensez à la liberté. Apprendre la mort, c'est désapprendre la servitude, c'est se montrer au-dessus ou du moins à l'abri de toute tyrannie. Eh! que me font à moi les cachots, les satellites, les verrous! j'ai toujours une porte ouverte. Une seule chaîne nous retient; c'est l'amour de la vie. Sans la briser entièrement, il faut l'affaiblir de telle sorte, qu'au besoin elle ne soit plus un obstacle, une barrière qui nous empêche de faire à l'instant ce qu'il nous faut faire tôt ou tard.

LETTRE XXVI

DE L'AGITATION

On peut vivre en paix partout — même au Forum — ou malheureux partout. Il faut s'attacher à découvrir son mal et ainsi on pourra le guérir.

"C'est d'âme qu'il faut changer, et non de climat"

Cela n'est arrivé qu'à vous seul, et c'est une chose vraiment étrange, à vous entendre, qu'un voyage si long, que la vue de tant de lieux divers, n'aient pu dissiper votre tristesse et calmer vos ennuis. C'est d'âme qu'il faut changer, et non de climat. En vain auriez-vous traversé la mer; en vain, comme dit Virgile :

« Bientôt à notre vue,
Ainsi que les cités, la terre est disparue » :

partout où vous irez, vos vices vous suivront. Socrate dit à un homme qui se plaignait comme vous : « Vous vous étonnez de ne tirer aucun fruit de vos voyages : c'est toujours vous que vous transportez. » La cause qui vous a mis en route, s'attache à tous vos pas. Que peut la vue de nouveaux pays, le spectacle des villes et des sites? voilà bien du mouvement en pure perte. — Mais pourquoi la fuite ne me guérit-elle pas? — C'est que vous fuyez avec vous. Ôtez à l'âme son fardeau; jusque-là, aucun pays n'aura pour vous de charmes. Votre état, songez-y bien, votre état est celui de la prêtresse de Virgile, quand, inspirée, hors d'elle-même, et pleine d'un souffle étranger,

« Elle s'agite haletante,
S'efforçant de chasser le Dieu qui la tourmente ».

Vous courez çà et là, pour rejeter le poids qui vous accable; mais l'agitation même le rend plus incommode. Ainsi, dans un vaisseau, les fardeaux immobiles exercent moins de poids; roulés inégalement, ils submergent plus vite la partie qui les supporte. Tous vos efforts tournent contre vous; le mouvement que vous prenez vous nuit encore : vous secouez un malade. Mais, une fois délivré de ce mal, tout changement de lieu deviendra pour vous agréable. Jeté aux extrémités de la terre, dans quelque désert sauvage, tout vous sera séjour hospitalier. L'esprit du voyageur fait plus en cela que les lieux où il se trouve; aussi ne faut-il s'attacher particulièrement à aucun endroit. Il faut penser et dire : Non, je ne suis pas né pour tel coin de la terre; ma patrie, c'est le monde entier. Avec cette conviction, vous ne serez plus étonné de l'inutilité des voyages; c'est l'ennui qui vous chasse d'un pays à l'autre; le premier vous eût plu, si vous les regardiez tous comme le vôtre. Vous ne voyagez pas, vous errez çà et là, de contrée en contrée, tandis que le but de vos recherches, le bonheur, se trouve partout. Est-il rien au monde de plus orageux que le Forum ? eh bien ! même au Forum, on peut vivre en paix, si l'on est contraint d'y rester. Mais si je suis libre dans mes actions, j'en fuirai la vue et le voisinage; car, s'il est des lieux malsains pour les corps même les plus robustes, il en est également de nuisibles aux âmes honnêtes, mais faibles encore et chancelantes dans la vertu. Je n'approuve pas ces hommes qui se jettent au milieu des orages, et qui, épris d'une vie tumultueuse, courent au-devant des obstacles, pour les combattre avec intrépidité. Le sage résiste au péril, mais il ne l'affronte pas; il préfère la paix à la guerre. Eh ! que lui sert d'avoir jeté ses vices loin de lui, s'il a encore ceux d'autrui à combattre ? — Trente tyrans, direz-vous, ont environné Socrate, et n'ont pu dompter sa grande âme. — Qu'importe le nombre des maîtres ? La servitude est une; on est libre dès qu'on la brave, quel que soit le nombre des tyrans.

LETTRE XXVIII

DE LA FAUSSE PHILOSOPHIE

La philosophie ne doit pas être une discussion stérile : elle doit aider l'homme à bien conduire sa vie.

La lettre que vous m'avez envoyée en route, lettre aussi longue que la route elle-même, aura plus tard sa réponse. Pour vous conseiller, il me faut de la retraite et une mûre délibération. En effet, vous-même qui me demandez un avis, vous avez longtemps réfléchi avant de le demander; à plus forte raison ai-je le même droit, puisqu'il faut plus de temps pour résoudre une question que pour la proposer; puisque surtout nos intérêts ne sont pas les mêmes. Mais voilà que je parle encore en épicurien; car nos intérêts sont les mêmes; ou je ne suis pas votre ami, ou tout ce qui vous concerne me regarde autant que vous. L'amitié rend tout commun entre nous; plus de chagrins, de plaisirs à part; nous vivons solidaires. Il n'y a point de vie heureuse pour quiconque n'envisage que soi, rapporte tout à ses intérêts; vivez pour autrui afin de vivre pour vous-même. Il le faut garder religieusement ce pacte qui unit l'homme à l'homme, car il établit des droits communs à tout le genre humain, il ne contribue pas moins à cette association plus intime, à cette amitié dont nous parlions. Tout vous sera commun avec votre ami, si presque tout l'est avec votre semblable.

O Lucilius, le meilleur des hommes, j'aime mieux que nos sophistes me disent quels sont mes devoirs envers mes amis, envers les hommes, que de me dire les différentes acceptions des mots d'*homme* et d'*ami*. Ici deux routes opposées, celle de la sagesse et celle de la sottise. Dans laquelle suis-je ? et laquelle prendre ? Pour l'un, tout homme est un ami; pour l'autre, un ami n'est qu'un homme : tel prend un ami pour soi, tel autre se donne à son ami. Mais on torture les mots, on épluche les syllabes. Ainsi, à moins de construire un argument captieux, à moins d'appuyer un mensonge sur un principe vrai, à l'aide d'une fausse conséquence, je saurai distinguer ce qu'il faut choisir de ce qu'il faut éviter. J'en rougis; nous, vieillards, jouer sur des choses aussi graves ! *Un rat est une syllabe; or, un rat ronge du fromage; donc une syllabe ronge du fromage.* Supposez que je ne puisse débrouiller ce sophisme, où serait pour moi le grand péril, le grand inconvénient ? Sans doute il est à craindre qu'un beau jour des syllabes ne se viennent jeter dans mes ratières, ou que, si je n'y prends garde, un de mes livres ne me mange un fromage; mais j'ai, pour me rassurer, ce victorieux syllogisme : *Un rat est une syllabe; or, une syllabe ne ronge pas du fromage; donc un rat ne ronge pas du fromage.* Quelles puérilités ! quelles sottises ! et voilà pourquoi nous fronçons les sourcils, nous laissons croître nos barbes ! Voilà les vérités que nos visages pâles et renfrognés enseignent au genre humain !

"Un rat est une syllabe ; or, un rat ronge du fromage ; donc une syllabe ronge du fromage"

Voulez-vous savoir à quoi s'engage la

philosophie envers l'homme ? à le conseiller. L'un est en face de la mort, l'autre en proie à la misère, un troisième gémit sous le poids de richesses usurpées ou légitimes ; celui-ci a l'adversité en horreur, celui-là veut se dérober à ses prospérités ; ce dernier est persécuté par les hommes, et cet autre par les dieux. Qu'ai-je à faire de vos arguties ? ce n'est pas le moment de plaisanter : des malheureux vous invoquent. Ce naufragé, ce captif, ce malade, ce misérable, ce condamné dont la tête est sous la hache, tous réclament de vous le secours que vous avez promis. A quoi pensez-vous ? que faites-vous ? Vous jouez, et ils meurent d'effroi ! Homme éloquent, qui que tu sois, soulage les angoisses de ces mourants ; tous ces hommes tendent vers toi les bras ; ils implorent ton assistance dans leur malheur, dans leur désespoir. Tu es leur seul espoir, leur seul appui. Retire-les de ce précipice ; ils t'en supplient ; fais briller aux yeux de cette foule errante et dispersée le flambeau de la vérité. Dis-leur ce que la nature a fait de nécessaire et de superflu ; combien sont faciles à suivre les lois qu'elle a posées ; combien la vie est douce et libre à qui les observe, rude et semée d'entraves à qui s'en rapporte plus à l'opinion qu'à la nature. Commence par leur apprendre ce qui peut alléger leurs maux, éteindre leurs passions, ou du moins les amortir. Encore si ces sophismes n'étaient qu'inutiles ! mais ils sont dangereux. Je suis prêt à vous le prouver jusqu'à l'évidence : le plus beau génie s'énerve et se rapetisse, égaré dans de telles subtilités ! Quelles armes nous donnent-elles pour vaincre la fortune ? pour parer ses coups ? j'ai honte de le dire. Et c'est là la route du souverain bien ! non, cette philosophie n'est qu'un dédale de chicanes ténébreuses, indignes et avilissantes même pour ceux qui vivent de procès. Quand, par vos subtilités, vous induisez sciemment en erreur celui que vous interrogez, quel est votre dessein, sinon de le forcer à sortir de la formule ? Mais, comme un préteur équitable, la philosophie le rétablit dans son droit. Pourquoi manquer à vos magnifiques promesses ? A entendre vos pompeux discours, « l'éclat de l'or, pas plus que celui du fer, ne devait éblouir mes yeux ; armé d'un courage surhumain, j'allais fouler aux pieds les objets les plus craints et les plus désirés » ; et voilà que vous me faites descendre aux éléments de la grammaire ! Répondrez-vous : C'est par là qu'on s'élève jusqu'aux cieux ? — Loin de là, ce que me promet la philosophie, c'est de me faire l'égal de Dieu ; c'est sur cette promesse que je suis venu : remplissez vos engagements !

Ainsi donc, mon cher Lucilius, échappez autant que vous le pourrez à ces subtilités d'une philosophie captieuse. La clarté, la simplicité sont les ornements du bon. Nous aurions du temps de reste, qu'il faudrait encore le ménager pour nos besoins ; quelle folie donc de s'occuper du superflu, quand la vie est si courte !

LETTRE XLVIII

TROISIÈME PARTIE

LES GRANDS TEXTES CLASSIQUES

DU IXe SIÈCLE AU XVIIe SIÈCLE

Les Serments de Strasbourg

842.

Le 16 des calendes de mars, le 14 février 842, Louis le Germanique en langue romane et Charles le Chauve en langue tudesque, tous deux petit-fils de Charlemagne et fils de Louis le Pieux, prononcèrent « en la cité qui jadis s'appelait Argentaria » et aujourd'hui Strasbourg, ces serments par lesquels ils s'alliaient contre leur frère Lothaire.
Louis Le Germanique s'exprime ici dans la langue de son frère Charles afin d'être bien compris des fidèles de l'autre envers qui il s'engage. Ce texte est le premier témoignage de la langue romane d'oïl. Deux siècles et demi plus tard, cette langue sera devenue celle de la ***Chanson de Roland****. Ces* ***Serments*** *nous sont transmis par Nithard (800-844), cousin germain des rois, dans son* ***Histoire des fils de Louis le Pieux****.*

PROCLAMATION

Texte roman :

« Pro Deo amur et pro christian poblo et nostro commun salvament, d'ist di in avant, in quant Deus savir et podir me dunat, si salvarai eo cist meon fradre Karlo et in aiudha et in cadhuna cosa, si cum om per dreit son fradra salvar dift, in o quid il mi altresi fazet et ab Ludher nul plaid nunquam prindrai, qui, meon vol, cist meon fradre Karle in damno sit. »

Traduction :

« Pour l'amour de Dieu et pour le peuple chrétien et notre commun sauvement, de ce jour et dorénavant, selon que Dieu savoir et pouvoir me donnera, aussi sauverai ce mien frère Charles et en aide et en aucune cause, ainsi que l'on doit pour le droit sauver son frère, ce en quoi il me fera de même et avec Lothaire nul plaid jamais ne tiendrai, qui, de ma volonté, à ce mien frère Charles dommage soit. »

Sei Shonagon

JAPON, 968 – ?

L'auteur de ce chef-d'œuvre de la littérature japonaise est une femme, comme Mouraçaki Shikibou, et qui plus est sa contemporaine.
Sei Shoganon est introduite assez jeune à la cour impériale en recevant le titre de dame d'honneur dû à son rang. Elle se fait vite remarquer par un esprit vif et mordant qui la fait craindre de tous les courtisans. Elle gagne cependant l'amitié de l'impératrice, amitié réelle et fidèle puisqu'elle n'abandonne pas sa protectrice lorsque celle-ci perd quelques années plus tard les faveurs de l'empereur.
A la mort de l'impératrice, en l'an mille, elle se fait religieuse errante et finit sa vie en vivant d'aumônes.

ROMAN-JOURNAL

.Notes de chevet.

MAKOURA NO SOSHI

*L'ouvrage de Sei Shoganon, « **Notes de chevet** », fait partie de la catégorie des romans dits « romans d'impression ». Écrit du temps où elle était dame d'honneur, c'est un recueil de pensées au fil de l'observation quotidienne et qui n'était destiné à circuler qu'en cachette à cause des critiques à l'encontre des contemporains. Étranger à toute idée de gravité et de pompe, c'est, comme on l'a écrit, « l'invention d'une âme gaie et sémillante qui s'amuse de toutes les choses curieuses qu'elle perçoit avec un parfait abandon ».*

Sei Shonagon juge son ouvrage :

L'obscurité arrivant, je ne puis plus écrire les caractères, et mon pinceau est usé. Je vais donc mettre fin à ces notes. Elles sont la relation de ce que j'ai vu de mes yeux, pensé dans mon cœur, et que j'ai recueilli en secret pendant les heures de loisir où je m'ennuyais dans ma chambre. Comme elles contiennent certains passages d'une critique un peu vive à l'égard d'autres personnes, j'avais jugé convenable de les cacher. Mais tout est révélé ! Et maintenant, je ne puis retenir mes larmes.

Un jour, l'Impératrice, ayant reçu du Garde des Sceaux une grande quantité de papier, me demanda : « Que faudrait-il écrire là-dessus ? » L'Empereur trouvait qu'on aurait pu y faire copier un livre d'histoire. Mais comme je disais que je voudrais en faire un journal, l'Impératrice me répondit : « Eh bien, prenez-les ! » ; et elle me les donna. Comme je désirais employer cette énorme provision de papier à noter toutes sortes de remarques, il me vint à l'esprit bien des choses étranges. J'ai écrit ce que j'ai trouvé d'amusant dans le monde ou d'admirable dans la conduite des hommes, et j'ai parlé même de la poésie, des arbres, des herbes, des oiseaux, des insectes. On me critiquera : « C'est encore pire que tout ce à quoi on pouvait s'attendre ! Comme la médiocrité de son talent saute aux yeux ! »

Ayant noté, pour m'amuser, ce que je pensais dans mon cœur, je ne voyais là qu'un ouvrage très ordinaire, en comparaison des autres. Cependant, on déclara que c'était vraiment fort bien. J'en était étonnée. Mais on a sans doute raison : ce qui déplaît aux autres, je le trouve bon, et ce qu'ils admirent, je le déclare mauvais ; on peut donc lire dans mon cœur. Je regrette seulement que ces notes aient vu le jour.

CHOSES DÉSOLANTES

Un chien qui aboie pendant le jour.

Une chambre d'accouchement où le bébé est mort.

Un brasier sans feu.

Un conducteur qui hait son bœuf.

Un savant à qui naissent continuellement des filles. *(Cette profession se transmettait de père en fils.)*

Une maison où l'on reçoit mal un visiteur venu par un long détour.

Dans une lettre du pays, il n'y a rien ! On devrait penser de même façon pour une lettre de la capitale ; pourtant, comme elle contient toujours quelque chose d'agréable et comme on sait par ailleurs ce qui se passe dans le monde, tout va bien.

On fait porter chez quelqu'un une lettre bien proprement arrangée, et on attend la réponse qui devrait venir ; on se dit : « Quel retard étrange ! » Mais cette lettre qu'on avait si gentiment nouée revient, salie, froissée par la main du messager, le trait même qui la cachetait tout effacé : « Il n'y avait personne ! » Ou bien, on l'a retournée en expliquant qu'on ne pouvait la recevoir, « pour cause de deuil, et cætera. » Voilà qui est tout à fait triste et désolant !

Autre chose. Tandis qu'on attend quelqu'un qui devait sûrement venir, et à qui on a envoyé une voiture, on entend celle-ci qui rentre. Tout le monde sort pour voir, en se disant : « Le voilà ! » Mais la voiture pénètre dans la remise : bruit de brancards qui tombent brusquement. « Qu'il a-t-il ? » – Le conducteur répond « qu'aujourd'hui on n'était pas là, qu'on ne vient pas » ; et il s'en va, n'ayant fait sortir de la voiture que le bœuf !...

Autre chose encore. Le gendre qui fut adopté avec grand remue-ménage, un beau jour, ne vient plus : c'est un désastre ! On l'a laissé aller chez une certaine personne au service du palais ; on attend son retour ; mais sans espoir.

La nourrice s'en va, disant : « C'est pour un instant. » Comme le bébé la réclame, on essaye de le consoler en attendant son retour, et on envoie dire : « Venez vite ! » Réponse : « Je ne pourrai pas rentrer ce soir. » Ceci n'est pas seulement triste : c'est haïssable ! – Combien plus désolé, en pareil cas, l'homme qui avait demandé à son amie de venir !

Une personne qui attend quelqu'un, très tard, entend frapper discrètement à la porte. Le cœur plein de trouble, elle fait demander : « Qui est là ? » Mais, hélas ! c'est un autre, absolument étranger. Chose désolante entre toutes.

Pour subjuguer le mauvais esprit, d'une manière grandement imposante, faisant apporter ses masses et ses sonnettes, l'exorciste s'est mis à pousser une voie de cigale. Par malheur, aucun signe que le démon veuille partir. La famille assemblée, qui était en prières, hommes et femmes, tous commencent à avoir des doutes. Pour lui il se fatigue à prier ; mais toujours point de signe. Alors, il déclare qu'on peut se relever et reprend ses sonnettes, avouant l'inutilité temporaire de ses efforts. Il se passe la main dans les cheveux, se gratte la tête. Enfin, il s'étend, épuisé.

A la maison de l'administrateur, qui n'a pas encore obtenu sa nomination au gouvernement d'une province, mais qui, dit-on, l'aura sûrement cette année-ci arrivent tous ceux de ses clients qui habitent un peu loin ou à la campagne. Les allées et venues des voitures se multiplient. Tout le monde accourt pour la visite aux temples. On mange, on boit, on fait du vacarme. Cependant, jusqu'à l'aurore même du dernier jour des promotions, aucun bruit ne vient frapper à la porte. Mais on dresse l'oreille : on a entendu les cris des avant-coureurs du cortège ; les dignitaires de la cour sortent du Palais. Les domestiques, qui étaient allés s'informer des décisions prises la veille, et qui depuis longtemps attendaient, tremblants de froid, reviennent enfin, avec une démarche languissante. Les gens qui étaient restés à la maison n'osent même pas leur demander la nouvelle. Seuls, les provinciaux les questionnent sur ce qu'est devenu leur seigneur. Réponse ironique des serviteurs : « Il est *ex-gouverneur* de telle ou telle province. » Ceux qui, réellement, avaient compté sur la chose pensent que c'est bien triste. Le lendemain matin, tous les clients qui encombraient la maison s'en vont, l'un après l'autre. Les vieillards, qui ne peuvent abandonner leur maître, se promènent en comptant sur leurs doigts les provinces qui seront vacantes l'année prochaine. C'est vraimant désolant !

On envoie chez quelqu'un une poésie qu'on croyait bien faite : pas de réponse ! – Si c'était un billet doux, que faire ? – En ce dernier cas, ne pas répondre pour dire au moins que « la saison est belle, et cætera », je pense que ce n'est pas bien.

A qui vit dans une maison bruyante et active, un homme un peu démodé, qui veut se distraire et qui a du temps à perdre, adresse une poésie quelconque, en vieux style.

Attachant une grande importance aux éventails pour une fête, on a donné sa commande à un marchand qui, croyait-on, ferait mieux que personne. Mais, le jour arrivé, on reçoit un éventail dont le dessin est d'une laideur qui dépasse tout ce à quoi on pouvait s'attendre.

Au messager qui apporte un cadeau à l'association d'une naissance ou d'un départ, on ne donne aucun pourboire !

Même aux gens qui arrivent porteurs d'un kouçoudama *(boule de fleurs artificielles pour préserver des maladies)* ou d'un ouzoutchi *(marteau en bois destiné à chasser les mauvaises influences)* dérisoires il faut toujours laisser quelque chose. Un cadeau qu'on n'attendait pas est toujours plus réjouissant. – Par contre, un domestique arrive, le cœur battant, se croyant chargé d'une chose de conséquence. En fait, on ne reçoit rien ; et on ne donne rien. Désolation !

Une maison où, après avoir choisi un gendre, pendant des cinq et six ans, on n'a pas à s'occuper de préparer la chambre d'accouchement : voilà bien une chose désolante !...

Un bain pris au réveil : chose irritante !

Une longue pluie, au dernier jour de l'année.

Dans un jeûne prolongé, on a négligé un jour !

Un costume blanc, au huitième mois !

Une nourrice qui commence à manquer de lait.

CHOSES FATIGANTES

Les cérémonies d'un jour d'abstinence.

Les affaires qui durent plusieurs jours.

Une longue retraite au temple.

CHOSES QU'ON MÉPRISE

Une maison qui regarde le nord.

Un homme réputé comme trop bon.

Un vieillard trop âgé.

Une femme frivole.

Un mur de terre écroulé.

CHOSES DÉTESTABLES

Un visiteur qui cause longtemps au moment où vous êtes pressé. Si c'est un familier, vous pouvez le congédier, en lui disant : « Plus tard ! » Mais s'il s'agit d'un homme avec qui l'on doit se gêner, c'est extrêmement détestable.

Tandis que vous frottez sur la pierre de l'écritoire le bâton d'encre chinoise, vous rencontrez un cheveu. Ou encore, dans ce bâton d'encre, il se trouve un caillou qui se met à grimacer, *ghishi-ghishi !*

Un homme tombe malade, soudainement. On va chercher l'exorciste. Il n'est pas à son endroit habituel, mais quelque part ailleurs : il faut le chercher partout. Enfin, après une attente pleine d'impatience, il arrive. Avec joie, on l'invite à faire ses prières et ses rites. Serait-il fatigué de dompter les mauvais esprits ? A peine a-t-il pris place que, déjà, il marmonne d'une voix endormie. C'est vraiment détestable !

Un homme banal, qui parle beaucoup, comme quelqu'un qui saurait toutes choses.

Quelqu'un qui, se chauffant au brasier, se tend la peau des mains. Un homme jeune faisait ainsi : c'était bien désagréable. D'ennuyeux vieillards, à la bonne heure : ils peuvent même élever le pied contre le brasier et se l'y frotter tout en causant. – Les hommes qui ont de telles manières seront capables, arrivant en visite, de balayer d'abord avec leur éventail la poussière de la place où ils vont s'asseoir ; puis, ils se mettront à leur aise, largement répandus ; et ils disposeront leur vêtement de travers sur leurs genoux. On pourrait croire que ces mœurs ne se rencontrent que chez des gens négligeables ; mais des personnages comme un Shikibou no Tayou et un ancien gouverneur de Sourouga se comportaient de la sorte. – Pareillement, les hommes qui, buvant du saké, appellent à haute voix, s'essuient la bouche, se frottent la barbe, s'ils en ont une, puis offrent leur coupe à d'autres ; ou qui, branlant la tête et faisant la moue, chantent des choses vulgaires. Tout cela, je l'ai vu chez des gens très bien, et je pense qu'on n'y prête pas assez d'attention.

Envier tout le monde ; geindre sur sa condition ; critiquer les autres : tout cela est parfaitement détestable.

Un bébé qui crie juste au moment où l'on veut écouter quelque chose.

Des corbeaux qui s'assemblent et croassent en s'entrecroisant dans leur vol.

Un chien qui aboie contre l'homme qui vient discrètement vous voir. On voudrait tuer ce chien !

Un homme qu'on a fait se cacher dans un endroit inusité pour le sommeil, et qui ronfle !

Un ami, qui vous visite en secret, est entré avec un long éboshi *(bonnet porté par les nobles)* ; en sortant, dans sa hâte et sa crainte d'être vu, il accroche quelque objet bruyamment, *cling !* C'est tout à fait détestable. – Et aussi quand, touchant de sa tête le store suspendu, il le fait vibrer, *bz, bz, bz !* – Surtout s'il fait tomber à terre la partie supérieure du store ! On peut pourtant bien entrer et sortir en l'élevant tout doucement et sans bruit !

On se couche, ayant bien sommeil. Le moustique vient voler tout près de la figure, en se nommant d'une voix très fine. Le bruit de ses ailes est plutôt grand pour son corps. Chose très détestable !

Les gens qui vont dans une voiture grinçante. Sans doute leurs oreilles n'entendent-elles rien ? Si je monte moi-même dans une telle voiture, c'est son propriétaire qui est détestable !

Lorsqu'on raconte une histoire, quelqu'un qui se met en avant, tout seul, pour montrer sa propre intelligence ! D'une manière générale, se mettre en avant, enfants ou grandes personnes, c'est toujours détestable.

Vous racontez quelque histoire de l'ancien temps. Quelqu'un, pour un détail qu'il connaît, interrompt tout à coup, et vous rabaisse en démentant ce que vous venez de dire. C'est vraiment détestable.

Une souris qui court partout ! Très détestable.

Des enfants qui sont venus par hasard, qu'on a caressés, auxquels on a donné des choses pour s'amuser, et qui ensuite prennent l'habitude d'entrer, et dispersent tous les objets. Détestable !

Soit chez soi, soit à la cour, où on se trouve de service, une personne se présente, qu'on souhaite ne pas voir. On fait semblant de dormir. Alors les gens de la maison accourent pour vous réveiller, et vous secouent, vous tirent, en ayant l'air de penser que vous êtes trop gourmand de sommeil. Très détestable !

Un nouveau venu, dépassant les plus anciens, parle en pédagogue, comme s'il savait toutes choses, et d'un air protecteur. Très détestable !

Un homme avec qui l'on est en relations se met à louer une femme qu'il a connue ; bien que ce soit une affaire du passé, c'est fort détestable. Combien plus, s'il s'agit d'une intrigue qui dure encore ; alors, on peut s'imaginer !... Et cependant, même en ce cas, la chose n'est pas toujours si détestable...

L'homme qui, ayant éternué, marmonne une prière. En général, excepté le maître de la maison, ceux qui éternuent très fort sont détestables.

Les puces aussi sont détestables, lorsqu'elles dansent partout sous les vêtements, comme si elles les soulevaient.

Des chiens qui aboient longuement, sur un ton montant. C'est lugubre et détestable.

Surtout, le mari de nourrice ! Si l'enfant est une fille, passe encore, car il ne s'en occupe guère. Mais si c'est un garçon, il le considère comme sa chose et le garde avec l'autorité d'un tuteur ; il calomnie les gens qui sembleraient contrarier, si peu soit-il, les augustes volontés de cet enfant ; il se montre fier envers tout le monde !

CHOSES QUI FONT BATTRE LE CŒUR

Passer près de l'endroit où l'on amuse des petits enfants.

Se coucher seule dans une chambre où brûle un encens exquis.

Voir son miroir chinois un peu terni.

Un bel homme, arrêtant sa voiture, dit quelques mots pour annoncer sa visite.

Se laver les cheveux, faire sa toilette, mettre ses vêtements tout embaumés d'encens. Même quand personne ne nous voit, au fond du cœur, c'est encore émouvant.

Une nuit où l'on attend quelqu'un, l'averse, le remuement des choses qu'ébranle le souffle du vent, tout cela émeut.

CHOSES QUI FONT NAITRE
UN DOUX SOUVENIR DU PASSÉ

Des roses séchées.

Les objets employés à la fête des poupées.

Un jour de loisir, où il pleut, on trouve les lettres d'un homme jadis aimé.

Un éventail chauve-souris de l'an passé.

Une nuit où la lune est claire.

CHOSES QUI ÉGAYENT LE CŒUR

Au retour de la promenade, dans des voitures pleines à déborder, avec des hommes très nombreux, les conducteurs guident bien les bœufs et font courir les voitures.

Une lettre écrite sur du papier de Mitchinokou, blanc et propre, avec un pinceau si fin qu'il semblerait ne pouvoir tracer un trait.

L'aspect de la descente d'un bateau de rivière.

Des dents bien noircies *(usage courant chez les anciens japonais)*.

Plusieurs coups heureux au jeu de dés.

Une purification contre les mauvais sorts récitée au bord de la rivière par un devin qui parle bien.

Lorsqu'on se réveille pendant la nuit, boire un peu d'eau.

A un moment d'oisiveté, où l'on s'ennuie, arrive un visiteur qui n'est ni trop intime, ni trop étranger. Il cause de toutes les choses actuelles qui se passent dans le monde, choses plaisantes, choses détestables, choses étranges, touchant ceci, touchant cela, affaires publiques et affaires privées, juste au degré qu'il est agréable d'entendre. Cela vous charme le cœur.

Une voiture de cérémonie, couverte de palmes, qui avance avec une sereine lenteur. Celle qui se presse n'est pas imposante. C'est la voiture légère, treillissée de bambou, qu'on doit faire courir. – Cette voiture sort d'un portail. A peine l'a-t-on aperçue, elle est déjà passée ; on ne voit plus que les valets qui la suivent. Il est charmant de se demander : « Qui était-ce ? » Mais si elle marche lentement et longtemps, c'est très mauvais.

Le conducteur d'une voiture à bœufs doit être grand, avec des cheveux gris, une face rubiconde, un maintien robuste. Les valets de pieds, sveltes : un beau garçon, tant qu'il est jeune, doit toujours paraître tel ; l'homme très gras semble endormi. Les pages, petits, avec de beaux cheveux doux, et une jolie voix : lorsqu'ils parlent en se prosternant, c'est vraiment bien.

Pour les chats, le dessus du dos étant noir, que tout le reste soit blanc.

LIVRE 2, CH. 14 A 20

Mouraçaki Shikibou

JAPON, IX – Xe SIÈCLE.

*Le **dit de Ghennji,** le roman le plus célèbre de la littérature japonaise, publié en l'an mille, est l'œuvre d'une femme dont curieusement on ignore les dates de naissance et de mort bien qu'elle ait été très connue déjà de son vivant. Mouraçaki Shikibou, issue d'une lignée de poètes et d'érudits, reçoit une éducation très soignée fondée, comme le voulait l'époque, sur les Classiques chinois et les Annales japonaises. Ses « humanités » achevées, elle se marie et elle a deux filles. La mort prématurée de son mari la conduit à se retirer dans la solitude pour se consacrer à la méditation et au travail. Après de longues années de retraite, elle passe la dernière partie de sa vie à la cour, appelée par l'impératrice, fervente bouddhiste, dont elle devient la dame d'honneur.*
***Le dit de Ghennji** fait partie de la catégorie des romans de cour. Les scènes infiniment variées et complexes de l'histoire sont le prétexte à une peinture d'un réalisme subtil, sans pruderie, un véritable trésor d'observations sur les mœurs du temps en même temps que le point de départ d'une réflexion sur les problèmes éternels de l'homme.*

ROMAN DE COUR

.Le dit de Ghennji.

Kiri-tsoubo est la concubine favorite de l'empereur. Malgré son extrême gentillesse envers tous, elle est persécutée par la jalousie des dames de la cour. Toutes les vexations sournoises dont elle est victime finissent par la faire mourir. Elle laisse un fils, Ghennji, âgé de trois ans. Le jeune prince devient un brillant jeune homme et un grand amoureux.

KIRI-TSOUBO

Je ne me rappelle plus en quel temps, parmi les nombreuses concubines du Palais, il y en avait une, Kiri Tsoubo qui, bien que n'étant pas née d'une famille noble, était aimée du mikado plus que toute autre. Les diverses femmes qui s'étaient présentées (à la cour) dans la pensée qu'elles seraient préférées s'accordaient toutes à la jalouser. Celle d'entre les concubines qui lui étaient inférieures ne se montraient pas plus satisfaites ; et, profitant de chaque occasion pendant leur service du matin et du soir, elles disaient sans cesse des choses destinées à émouvoir contre elle le cœur des hommes. Peut-être par l'effet de ces jalousies accumulées, elle tomba malade, et son état empira ; de sorte qu'elle était souvent obligée de passer les jours chez elle, le cœur épuisé... L'empereur, cependant, depuis qu'elle était malade, n'en avait que plus de pitié pour elle ; et sans prêter l'oreille aux calomnies des autres, il l'aimait d'un amour qu'on eût pu donner en exemple à la postérité.

Même les courtisans de premier rang n'osaient la regarder en face ; et elle était respectée de tous les autres. En Chine, pour une cause analogue, il y avait eu des troubles terribles dans le monde ; c'est pourquoi elle devenait, sous le ciel, un sujet d'inquiétudes pour bien des gens, qui comparaient son cas à celui dé Yô Kihi (*célèbre favorite dont l'influence fut néfaste pour l'empire*). Mais quoiqu'elle fût ainsi mal accueillie de son entourage, s'appuyant sur la rare faveur du souverain, elle se montrait aimable avec les autres femmes.

MORT DE KIRI-TSOUBO :

Dans l'été de cette année-là, Madame la *miyaçoudokoro (titre honorifique),* fut atteinte d'une maladie qui semblait légère. Elle voulut se retirer de la cour. L'empereur refusait, disant qu'elle était un peu faible, à son ordinaire, mais qu'elle devait rester encore, essayer des médicaments. Cependant, quelques jours après, son état devint plus grave. Sa mère demanda, avec des larmes, et obtint qu'elle fût autorisée à partir. Alors, pour laisser son souvenir, la jeune femme ne prit pas avec elle l'enfant impérial. Elle quitta le palais, regardant en arrière. L'empereur était désespéré ; mais il ne pouvait la retenir davantage. Il se demandait ce qu'elle allait devenir après son départ. Il regrettait de la voir, naguère si belle, maintenant maigre et pâle. Pour elle, s'efforçant de cacher sa douleur, elle causait encore avec lui comme si elle n'avait éprouvé aucune souffrance. Lui, pensait au présent et à l'avenir. Il lui parlait avec tendresse : « Le chemin de ma vie, comme le vôtre, est limité ; je n'aurais pas voulu que vous y avanciez sans moi ; partirez-vous donc ainsi ? » Elle répondit :

« Il est triste
Que ce chemin nous sépare :
C'est la destinée !
Je voudrais pourtant vivre
Cette vie (avec vous) ! »

Elle improvisa ces vers avec courage ; mais sa respiration était entrecoupée : elle paraissait souffrir beaucoup. L'empereur ordonna à des prêtres éminents de commencer le jour même un exorcisme. Cela fait, il prit congé d'elle et rentra dans ses appartements. Etendu sur sa couche, il sentait la poitrine lourde et n'arrivait pas à s'endormir. A plusieurs reprises, il envoya aux nouvelles. Un peu après minuit, un messager arrive en pleurant : « Madame vient d'expirer. » L'empereur demeura dans sa chambre. Il ne savait que faire. L'enfant, ne comprenant pas ce qui se passait, voulait sortir pour embrasser sa mère. Toute la suite impériale, touchée de ce spectacle, versait des pleurs. Mais on ne pouvait se laisser aller à des larmes sans fin. Alors, on la mit au cercueil, suivant la règle bouddhique. Toute séparation est lamentable, et celle-ci l'était singulièrement.

La mère suivit les funérailles. Elle aurait voulu disparaître avec sa fille, dans une même fumée.

Une voiture, où elle se trouvait avec d'autres dames, les conduisit jusqu'au cimetière d'Atago ; et en cette circonstance où tout le monde était triste, on peut s'imaginer leur douleur. Tant que le corps exista, on put croire que la jeune femme était encore de ce monde ; mais lorsqu'il fut réduit en cendres, on comprit qu'elle était allée dans l'autre vie. La mère essayait de se montrer vaillante ; pourtant, écrasée par le chagrin, elle serait tombée de voiture si d'autres dames ne l'avaient retenue. Au cours de la cérémonie, un envoyé impérial lut un décret élevant Kiri-tsoubo au rang de *sammi :* regrettant de n'avoir pas donné, de son vivant, le titre de nyôgo (concubine) à cette femme distinguée, il voulait au moins lui conférer aujourd'hui ce rang d'honneur ; et en entendant ce décret, on se lamenta encore davantage...

Après les funérailles, bien des jours passèrent. Les divers services mortuaires furent célébrés avec grand soin. Lorsque le vent d'automne se mettait à souffler et qu'on sentait le froid du soir, les souvenirs de l'empereur devenaient plus vifs que la coutume. Il envoya (chez la mère de Kiri-tsoubo) une dame d'honneur, Youghéi, qui partit au moment où la lune brillait d'un vif éclat. L'empereur s'assit, en contemplation devant l'astre resplendissant. A pareille heure, quand il avait un festin, son amie jouait de la harpe d'une manière merveilleuse, mieux que toute autre ; même ses moindres paroles étaient plus distinguées que celles de ses compagnes. Il se rappelait toutes ces choses qui ajoutaient à sa beauté ; et dans l'obscurité, il croyait voir encore son visage.

La dame d'honneur, en arrivant chez la mère, était déjà saisie de tristesse au moment d'ouvrir la porte. La vieille dame vivait solitaire ; elle n'avait qu'une servante ; mais cet intérieur de femme était bien tenu. Elle s'était déjà couchée, à cause de son grand âge. Dans le jardin, des mauvaises herbes, ravagées par le vent d'automne, et qu'éclairait la lumière de la lune, seule visiteuse de cette demeure éloignée. La mère, regardant la figure de la dame d'honneur sous la lueur lunaire, ne put d'abord prononcer une parole. « Je suis toute confuse, dit-elle enfin, qu'une messagère de l'empereur soit venue ici, à travers la rosée de ce jardin abandonné. » Et elle éclata en sanglots.

LA CRITIQUE DES FEMMES :

Ce fameux chapitre est connu sous le nom de « La Critique des femmes ». Ghennji et ses amis, à la recherche de la femme idéale, y discutent en effet des caractères féminins.

C'était un soir de la saison des pluies. Comme la pluie tombait toujours, le palais était presque désert, et même les appartements de Ghennji étaient plus calmes qu'à l'ordinaire. Lui, s'occupait à lire, sous la lampe. A un certain moment, il prit dans un meuble toutes sortes de papiers et de lettres. Le Tô no Tchoujô *(beau-frère de Ghennji)* marqua un vif désir d'y jeter un coup d'œil. « Tu peux en lire quelques-unes, dit Ghennji ; mais il en est d'autres que je ne puis te montrer. – Ce sont justement celles-ci que je voudrais voir ! Les lettres banales ne m'intéressent pas. Celles qui valent la peine d'être lues, ce sont celles qui, par exemple, expriment une ardente jalousie ou les langueurs passionnées de l'heure du crépuscule. » Cédant à ses instances, Ghennji lui permit de les parcourir. Sans doute n'était-ce pas, au demeurant, des lettres particulièrement secrètes, puisqu'il les avait laissées dans un meuble ordinaire ; les autres, on les cache avec grand soin, et celles-ci n'étaient donc apparemment que d'une importance relative. « Quelle variété ! » dit le Tô no Tchoujô ; et il voulut deviner par qui elles avaient été écrites. « Celle-ci est sans doute d'une telle ? Celle-là, de telle autre ?... » Parfois il tombait juste ; d'autres fois, il essayait des conjectures. Ghennji souriait, mais parlait peu, s'en tenant à des réponses évasives. « Mais toi, dit Ghennji, tu dois aussi en avoir une collection. Ne veux-tu pas m'en laisser voir quelques-unes ? Ma petite armoire pourrait alors s'ouvrir plus volontiers. – Je crois, répondit le Tô no Tchoujô, que les miennes n'offriraient guère d'intérêt pour toi. J'ai enfin découvert combien il est difficile de trouver en ce monde une femme dont on puisse dire : « Celle-ci est la bonne : voilà la perfection ! » Il en est beaucoup, d'une sensibilité médiocre, qui sont promptes à écrire et, à l'occasion, habiles à la riposte ; mais combien peu seraient admissibles en ce qui touche la sincérité ! On regrette de les voir, profitant de leurs talents supérieurs, provoquer sans cesse les autres personnes. Il en est d'autres dont les parents sont trop fiers et qu'ils gardent toujours sous leur surveillance. Tant qu'elles restent derrière le store qui borne leur existence, elles peuvent faire impression sur le cœur des hommes qui ne les connaissent guère que par ouï-dire. Elles seront souvent jeunes, aimables, modestes ; et souvent aussi elles seront devenues habiles aux arts d'agrément. Mais leurs amis dissimuleront leurs défauts, tandis qu'ils mettront leurs qualités en lumière. Comment les juger sans aucun indice, se dire que ces louanges ne sont pas la vérité ? Or, si nous y croyons, nous ne manquerons pas d'avoir ensuite une désillusion. » Cela dit, le Tô no Tchoujô s'arrêta, comme honteux d'avoir parlé trop vite. Ghennji sourit, pensant à quelque observation personnelle analogue. « Mais, dit-il, elles ont bien chacune leurs bons côtés ? – Sans doute, reprit Tô no Tchoujô ; car autrement, qui se laisserait séduire ? Il y a aussi peu de femmes assez disgraciées pour ne mériter aucune attention que de femmes assez supérieures pour entraîner une admiration sans réserves. Celles qui sont nées dans une grande famille sont entourées d'amis qui cachent leurs points faibles, de sorte qu'elles peuvent sembler parfaites en apparence. C'est chez celles de la classe moyenne, plus libres de montrer leur originalité, que nous pouvons le mieux la distinguer. Quant à celles de la basse classe, inutile de s'en préoccuper. »

GHENNJI VOIT POUR LA PREMIÈRE FOIS MOURAÇAKI NO OUÉ :

En cette saison, les jours étaient fort longs. Comme il s'ennuyait, Ghennji sortit du monastère ; et sous le brouillard du soir, il alla vers un bâtiment qu'une petite haie entourait. De toute sa suite, il n'avait conservé avec lui que Korémitsou, son fidèle compagnon. Ils regardèrent à travers la haie. Au côté ouest du bâtiment, il y avait une religieuse qui faisait ses dévotions devant une statue du Bouddha. Elle souleva le store et offrit des fleurs. Puis, elle se plaça près du pilier central, et, posant un kyô sur un support, elle se mit à le lire d'une voix triste. Cette religieuse semblait avoir dépassé la quarantaine. Elle avait quelque chose de distingué. Elle était plutôt maigre, avec une peau trop blanche. Sa chevelure, pour avoir été coupée n'avait rien perdu de sa beauté. Deux suivantes, de visage aimable, la servaient. Plusieurs enfants jouaient, entrant dans la salle ou en sortant.

Parmi eux, une petite fille, d'une dizaine d'années ou un peu plus. Elle portait un vêtement de soie blanche, avec des dessins couleur de kerrie *(jaune d'or)*. Elle ne ressemblait ni aux suivantes, ni aux autres enfants, mais se distinguait par sa beauté admirable. Sa chevelure ondulait en vagues, étalée comme un éventail. Mais elle avait les yeux rouges. La religieuse, relevant la tête, lui demanda : « Qu'y a-t-il ? Tu t'es disputée avec les enfants ? » En voyant le visage de la religieuse, Ghennji pensa qu'elle était sans doute sa fille. « Inouki, répondit celle-ci d'un ton plaintif, a lâché le petit moineau que j'avais mis dans le panier. » Une des suivantes : « Ce méchant garçon n'en fait jamais d'autres et il ennuie tout le monde ! Où est allé le moineau, maintenant ? Lui qui grandissait si bien, ces derniers jours ! Je crains qu'un corbeau ne l'aperçoive. » Et en disant, elle sortit. Cette femme avait une longue chevelure flottante. Elle était de mine fort agréable. Les autres l'appelaient « Nourrice Shônagon », et elle semblait chargée de surveiller la petite fille.

La religieuse dit à l'enfant : « Tu es bien jeune et tu fais trop de sottises. Sans songer que ma vie même peut disparaître aujourd'hui ou demain, tu ne penses qu'à ton moineau et tu commets un péché en le gardant captif. Ce n'est pas bien. Allons, viens ! » La petite fille s'avança, d'un air tout triste, les sourcils comme voilés d'un nuage. Son front était charmant ; sa coiffure d'enfant pleine de grâce. Les yeux de Ghennji étaient attirés vers elle, et il pensait combien elle serait jolie plus tard. Elle ressemblait fort à une personne à qui, naguère, il avait donné son cœur, et dont le souvenir lui fit verser des larmes. La religieuse, caressant la chevelure de la petite fille, lui dit : « Tu n'aimes pas qu'on te coiffe ; et pourtant ta chevelure est bien belle ! Je suis triste quand je pense que tu es encore si enfant. A ton âge, certaines petites filles sont tout autres. Quand ta feue mère avait douze ans, elle était infiniment plus raisonnable. Mais si je devais te quitter maintenant, que deviendrais-tu ? » Elle se mit à sangloter ; et à cette vue, Ghennji fut ému de sympathie. La petite fille, toute jeune qu'elle fût, la regarda, puis, baissant les yeux, pencha la tête ; en sorte que sa chevelure, étalée, apparut dans toute sa splendeur.

La religieuse reprit :

Il ne faut pas que disparaisse
La rosée qui nourrit
La jeune herbe,
Qui ne sait où sera la demeure
Où elle croîtra !

« C'est bien vrai, » dit l'autre suivante ; et avec des larmes, elle répondit :

Tant qu'elle ignore
Quelle sera la fin de la croissance
De la jeune pousse d'herbe,
Comment la rosée
Pourrait-elle disparaître ?

A ce moment arriva l'évêque : « Vous êtes exposées aux regards de tout le monde. En cet endroit, vous êtes vraiment trop en vue. Je viens d'apprendre que Ghennji, le général de la garde, s'est rendu chez le sage d'à côté pour subir un exorcisme. Comme il est venu incognito, je ne savais pas qu'il fût si près, et je ne suis pas encore allé le saluer. – En effet, dit la religieuse, il serait honteux qu'on nous vît en cet état négligé ! » Et elle baissa le store. « Je vais donc, dit l'évêque, voir ce brillant prince Ghennji, dont on parle tant. Même pour un bonze qui a renoncé au monde, c'est une de ces choses qui font oublier les tristesses de la vie et qui rajeunissent. » Il se leva. En entendant le bruit de ses pas, Ghennji revint au monastère.

La Chanson de Roland

ANONYME – 1080 ?

CHANSON DE GESTE

*La poésie épique chante les héros en magnifiant les vertus. Ce n'est qu'accidentellement qu'elle a trait à l'histoire qui n'est pas de ses soucis. Le Roland de l'épopée est vrai, quand celui de l'histoire n'est que réel et ne saurait être identique à l'idéal. Comme le fond, l'expression est constamment « stylisée » et guindée afin que transparaisse un sérieux qui jouxte le sacré. L'humour même reste cantonné dans ces étroites et hautes limites. On ne sait rien de l'auteur du Roland. Pour la date, les spécialistes hésitent entre le XIe et le XIIe siècle. Comme pour l'**Odyssée,** que la **Chanson de Roland** soit un chef-d'œuvre pose un problème : est-ce un coup de maître, ou l'aboutissement d'une lignée de textes à chaque étape perfectionnés ? Charlemagne est resté sept ans en Espagne. Debout, il ne reste que la ville de Saragosse. Le roi prend conseil de ses preux. Roland veut combattre ; Ganelon négocier. Roland humilie Ganelon finalement désigné pour traiter avec le roi Marsile, chef des Sarrasins. Durant son ambassade, Ganelon prépare la perte de Roland. L'arrière-garde de l'armée de Charles passe à Roncevaux, conduite par Roland. Les Sarrasins lancent le combat. Olivier veut sonner du cor, Roland s'y refuse. Roland veut sonner du cor et obtenir des secours, Olivier s'y refuse. Roland meurt en vainqueur, assez glorieux maintenant pour sonner humblement. Ganelon est jugé : lui et ses garants sont pendus. Le poème se clôt sur la douleur du roi :*
*« Dieu, dit le roi, si peineuse est ma vie ! » L'on doit savoir que la **Chanson de Roland** a été imprimée pour la première fois en 1837. « Ci faut la gest' que Turold déclinait », ce Turold est-il l'auteur ? N'est-il qu'un des jongleurs ?*

Première strophe :

Texte original :

Charles li reis, nostre emperere magnes,
Set anz tuz pleins ad estet en Espaigne :
Tresqu'en la mer cunquist la tere altaigne.
N'i ad castel ki devant lui remaigne ;
Mur ne citet n'i est remés a fraindre,
Fors Sarraguce, ki est en une muntaigne.
Li reis Marsilie la tient, ki Deu nen aimet.
Mahumet sert e Apollin recleimet :
Nes poet guarder que mals ne l'i ateignet.
AOI.

Traduction :

Le roi Charles, notre empereur, le Grand, sept ans tous pleins est resté dans l'Espagne : jusqu'à la mer il a conquis la terre hautaine. Plus un château qui devant lui résiste, plus une muraille à forcer, plus une cité, hormis Saragosse, qui est sur une montagne. Le roi Marsile la tient, qui n'aime pas Dieu. C'est Mahomet qu'il sert, Apollin qu'il prie. Il ne peut pas s'en garder : le malheur l'atteindra.

Le roi Charles interroge les pairs : qui envoyer en Espagne vers le roi Marsile ?

Seigneurs barons, qui pourrons-nous envoyer au Sarrasin qui tient Saragosse ? Roland répond : « J'y puis aller très bien. — Vous n'irez certes pas », dit le comte Olivier. « Votre cœur est âpre et orgueilleux, vous en viendriez aux prises, j'en ai peur. Si le roi veut, j'y puis aller très bien. » Le roi répond : « Tous deux, taisez-vous ! Ni vous ni lui n'y porterez les pieds. Par cette barbe que vous voyez toute blanche, malheur à qui me nommerait l'un des douze pairs ! » Les Français se taisent, restent tout interdits.

Turpin de Reims s'est levé, sort du rang, et dit au roi : « Laissez en repos vos Francs ! En ce pays sept ans vous êtes resté : ils y ont beaucoup enduré de peines, beaucoup d'ahan. Mais donnez-moi, sire, le bâton et le gant, et j'irai vers le Sarrasin d'Espagne : je vais voir un peu comme il est fait. » L'empereur répond, irrité : « Allez vous rasseoir sur ce tapis blanc ! N'en parlez plus, si je ne vous l'ordonne ! »

« Francs chevaliers », dit l'empereur Charles, « élisez-moi un baron de ma terre, qui puisse porter à Marsile mon message. » Roland dit : « Ce sera Ganelon, mon parâtre. » Les Français disent : « Certes il est homme à le faire ; lui écarté, vous n'en verrez pas un plus sage. » Et le comte Ganelon en fut pénétré d'angoisse. De son col il rejette ses grandes peaux de martre ; il reste en son bliaut de soie. Il a les yeux vairs, le visage très fier ; son corps est noble, sa poitrine large : il est si beau que tous ses pairs le contemplent. Il dit à Roland : « Fou ! pourquoi ta frénésie ? Je suis ton parâtre, chacun le sait, et pourtant voici que tu m'as désigné pour aller vers Marsile. Si Dieu donne que je revienne de là-bas, je te ferai tel dommage qui durera aussi longtemps que tu vivras ! » Roland répond : « Ce sont propos d'orgueil et de folie. On le sait bien, je n'ai cure d'une menace ; mais pour un message il faut un homme de sens ; si le roi veut, je suis prêt : je le ferai à votre place. »

Ganelon répond : « Tu n'iras pas à ma place ! Tu n'es pas mon vassal, je ne suis pas ton seigneur. Charles commande que je fasse son service : j'irai à Saragosse, vers Marsile ; mais avant que j'apaise ce grand courroux où tu me vois, j'aurai joué quelque jeu de ma façon. » Quand Roland l'entend, il se prend à rire.

Ganelon en ambassade auprès du roi Marsile livre Roland et Olivier :

« Beau sire Ganelon, [...] comment pourrai-je faire périr Roland ? » Ganelon répond : « Je sais bien vous le dire. Le roi viendra aux meilleurs ports de Cize : derrière lui il aura laissé son arrière-garde. Son neveu en sera, le puissant comte Roland, et Olivier, en qui tant il se fie, et en leur compagnie vingt mille Français. De vos païens envoyez-leur cent mille, et qu'ils leur livrent une première bataille. La gent de France y sera meurtrie et mise à mal, et il y aura aussi, je ne dis pas, grande tuerie des vôtres. Mais livrez-leur de même une seconde bataille : qu'il tombe dans l'une ou dans l'autre, Roland n'échappera pas. Alors vous aurez accompli une belle chevalerie, et de toute votre vie vous n'aurez plus la guerre.

« Qui pourrait faire que Roland y fût tué, Charles perdrait le bras droit de son corps. C'en serait fait des armées merveilleuses ; Charles n'assemblerait plus de si grandes levées : la Terre des Aïeux resterait en repos ! » Quand Marsile l'entend, il l'a baisé au cou ; puis...

Marsile dit : « [...] Un accord ne vaut guère, si [...] Vous me jurerez de trahir Roland. » Ganelon répond : « Qu'il en soit comme il vous plaît ! » Sur les reliques de son épée Murgleis, il jura la trahison ; et voilà qu'il a forfait.

Ganelon est revenu d'ambassade porteur de la soumission de Marsile. Le roi lève le camp et chevauche vers la France ; qui formera l'arrière-garde ?

La nuit passe toute, l'aube se lève claire. Par les rangs de l'armée, [...] l'empereur chevauche fièrement. « Seigneurs barons », dit l'empereur Charles, « voyez les ports et les étroits passages : choisissez-moi qui fera l'arrière-garde. » Ganelon répond : « Ce sera Roland, mon fillâtre : vous n'avez baron d'aussi grande vaillance. » Le roi l'entend, le regarde durement. Puis il lui dit : « Vous êtes un démon. Au corps vous est entrée une mortelle frénésie. Et qui donc fera devant moi l'avant-garde ? « Ganelon répond : « Ogier de Danemark ; vous n'avez baron qui mieux que lui la fasse. »

Le comte Roland s'est entendu nommer. Alors il parla comme un chevalier doit faire : « Sire parâtre, j'ai bien lieu de vous chérir : vous m'avez élu pour l'arrière-garde. Charles, le roi qui tient la France, n'y perdra, je crois, palefroi ni destrier, mulet ni mule qu'il doive chevaucher, il n'y perdra cheval de selle ni cheval de charge qu'on ne l'ait d'abord disputé par l'épée. » Ganelon répond : « Vous dites vrai, je le sais bien. »

Quand Roland entend qu'il sera à l'arrière-garde, il dit, irrité, à son parâtre : « Ah ! truand, méchant homme de vile souche, l'avais-tu donc cru, que je laisserais choir le gant par terre, comme toi le bâton, devant Charles ?

« Droit empereur », dit Roland le baron, « donnez-moi l'arc que vous tenez au poing. Nul ne me reprochera, je crois, de l'avoir laissé choir, comme fit Ganelon du bâton qu'avait reçu sa main droite. » L'empereur tient la tête baissée. Il lisse sa barbe, tord sa moustache. Il pleure, il ne peut s'en tenir.

Alors vint Naimes : en la cour il n'y a pas meilleur vassal. Il dit au roi : « Vous l'avez entendu, le comte Roland est rempli de colère. Le voilà marqué pour l'arrière-garde : vous n'avez pas un baron qui puisse rien y changer. Donnez-lui l'arc que vous avez tendu, et trouvez-lui qui bien l'assiste ! » Le roi donne l'arc et Roland l'a reçu.

L'empereur dit à son neveu Roland : « Beau sire neveu, vous le savez bien, c'est la moitié de mes armées que je vous offre et vous laisserai. Gardez avec vous ces troupes, c'est votre salut. » Le comte dit : « Je n'en ferai rien. Dieu me confonde, si je démens mon lignage ! Je garderai avec moi vingt mille Français bien vaillants. En toute assurance passez les ports. Vous auriez tort de craindre personne, moi vivant. »

Le comte Roland est monté sur son destrier. Vers lui vient son compagnon, Olivier. Gerin vient et le preux comte Gerier, et Oton vient et Bérengier vient, et Astor vient, et Anseïs le fier, et Gérard de Roussillon le vieux, et le riche duc Gaifier est venu. L'archevêque dit : « Par mon chef, j'irai ! – Et moi avec vous ».

Roland et Olivier sont à l'arrière-garde. Les Sarrasins – ou « païens » – surgissent :

Olivier est monté sur une hauteur. Il voit à plein le royaume d'Espagne et les Sarrasins, qui sont assemblés en si grande masse. Les heaumes aux gemmes serties d'or brillent, et les écus, et les hauberts safrés, et les épieux et les gonfanons fixés aux hampes. Il ne peut dénombrer même les corps de bataille : ils sont tant qu'il n'en sait pas le compte. Au-dedans de lui-même il en est grandement troublé. Le plus vite il peut, il dévale de la hauteur, vient aux Français, leur raconte tout.

Olivier dit : « J'ai vu les païens. Jamais homme sur terre n'en vit plus. Devant nous ils sont bien cent mille, l'écu au bras, le heaume lacé, le blanc haubert revêtu ; et leurs épieux bruns luisent, hampe dressée. Vous aurez une bataille, telle qu'il n'en fut jamais. Seigneurs Français, que Dieu vous donne sa force ! Tenez fermement, pour que nous ne soyons pas vaincus ! » Les Français disent : « Honni soit qui s'enfuit ! Jusqu'à la mort, pas un ne voudra vous faillir. »

Olivier dit : « Les païens sont très forts ; et nos Français, ce me semble, sont bien peu. Roland, mon compagnon, sonnez donc votre cor : Charles l'entendra, et l'armée reviendra. » Roland répond : « Ce serait faire comme un fou. En douce France j'y perdrais mon renom. Sur l'heure je frapperai de Durendal, de grands coups. Sa lame saignera jusqu'à l'or de la garde. Les félons païens sont venus aux ports pour leur malheur. Je vous le jure, tous sont marqués pour la mort. »

Engagement de la bataille :

Roland est preux et Olivier sage. Tous deux sont de courage merveilleux. Une fois à cheval et en armes, jamais par peur de la mort ils n'esquiveront une bataille. Les deux comtes sont bons et leurs paroles hautes. Les païens félons chevauchent furieusement. Olivier dit : « Roland, voyez : ils sont en nombre. Ceux-ci sont près de nous, mais Charles est trop loin ! Votre olifant, vous n'avez pas daigné le sonner. Si le roi était là, nous ne serions pas en péril. Regardez en amont vers les ports d'Espagne ; vous pourrez voir une troupe digne de pitié : qui aura fait aujourd'hui l'arrière-garde ne la fera plus jamais. » Roland répond : « Ne parlez pas si follement ! Honni le cœur qui dans la poitrine s'accouardit ! Nous tiendrons fermement, sur place. C'est nous qui mènerons joutes et mêlées. »

Quand Roland voit qu'il y aura bataille, il se fait plus fier que lion ou léopard. Il appelle les Français et Olivier : « Sire compagnon, ami, ne parlez plus ainsi ! L'empereur, qui nous laissa des Français, a trié ces vingt mille : il savait que pas un n'est un couard. Pour son seigneur on doit souffrir de grands maux et endurer les grands chauds et les grands froids, et on doit perdre du sang et de la chair. Frappe de ta lance, et moi de Durendal, ma bonne épée, que me donna le roi. Si je meurs, qui l'aura pourra dire : « Ce fut l'épée d'un noble vassal. »

D'autre part voici l'archevêque Turpin. Il éperonne et monte la pente d'un tertre. Il appelle les Français et les sermonne : « Seigneurs barons, Charles nous a laissés ici : pour notre roi nous devons bien mourir. Aidez à soutenir la chrétienté ! Vous aurez une bataille, vous en êtes bien sûrs, car de vos yeux vous voyez les Sarrasins. Battez votre coulpe, demandez à Dieu sa merci ; je vous absoudrai pour sauver vos âmes. Si vous mourez, vous serez de saints martyrs, vous aurez des sièges au plus haut paradis. » Les Français descendent de cheval, se prosternent contre terre, et l'archevêque, au nom de Dieu, les a bénis. Pour pénitence, il leur ordonne de frapper.

Les Français se redressent et se mettent sur pieds. Ils sont bien absous, quittes de leurs péchés, et l'archevêque, au nom de Dieu, les a bénis. Puis ils sont remontés sur leurs destriers bien courants. Ils sont armés comme il convient à des chevaliers, et tous bien appareillés pour la bataille. Le comte Roland appelle Olivier : « Sire compagnon, vous disiez bien, Ganelon nous a tous trahis. Il en a pris pour son salaire de l'or, des richesses, des deniers. Puisse l'empereur nous venger ! Le roi Marsile nous a achetés par marché ; mais la marchandise, il ne l'aura que par l'épée ! »

Guerre :

Le comte Roland chevauche par le champ. Il tient Durendal, qui bien tranche et bien taille. Des Sarrasins il fait grand carnage. Si vous eussiez vu comme il jette le mort sur le mort, et le sang clair s'étaler par flaques ! Il en a son haubert ensanglanté, et ses deux bras et son bon cheval, de l'encolure jusqu'aux épaules. Et Olivier n'est pas en reste, ni les douze pairs, ni les Français, qui frappent et redoublent. Les païens meurent, d'autres défaillent. L'archevêque dit : « Béni soit notre baronnage ! Montjoie ! » crie-t-il, c'est le cri d'armes de Charles.

La bataille est merveilleuse et pesante. Roland y frappe bien, et Olivier ; et l'archevêque y rend plus de mille coups et les douze pairs ne sont pas en reste, ni les Français, qui frappent tous ensemble. Par centaines et par milliers, les païens meurent. Qui ne s'enfuit ne trouve nul refuge ; bon gré mal gré, il y laisse sa vie. Les Français y perdent leurs meilleurs soutiens. Ils ne reverront plus leurs pères ni leurs parents, ni Charlemagne qui les attend aux ports. En France s'élève une tourmente étrange, un orage chargé de tonnerre et de vent, de pluie et de grêle, démesurément. La foudre tombe à coups serrés et pressés, la terre tremble. De Saint-Michel-du-Péril jusqu'aux Saints, de Besançon jusqu'au port de Wissant, il n'y a maison dont un mur ne crève. En plein midi, il y a de grandes ténèbres ; aucune clarté, sauf quand le ciel se fend. Nul ne le voit qui ne s'épouvante. Plusieurs disent : « C'est la consommation des temps, la fin du monde que voilà venue. » Ils ne savent pas, il ne disent pas vrai : c'est la grande douleur pour la mort de Roland.

Olivier voulait que Roland sonnât du cor, Roland n'a pas voulu. C'est maintenant l'inverse :

Le comte Roland voit le grand massacre des siens. Il appelle Olivier, son compagnon : « Beau seigneur, cher compagnon, par Dieu ! que vous en semble ? Voyez tant de vaillants qui gisent là contre terre ! Nous avons bien sujet de plaindre douce France, la belle ! Vidée de tels barons, comme elle reste déserte ! Ah ! roi, ami, que n'êtes-vous ici ? Olivier, frère, comment pourrons-nous faire ? Comment lui mandrons-nous des nouvelles ? » Olivier dit : « Comment ? Je ne sais pas. On en pourrait parler à notre honte, et j'aime mieux mourir ! »

Roland dit : « Je sonnerai l'olifant. Charles l'entendra, qui passe les ports. Je vous le jure, les Francs reviendront. » Olivier dit : « Ce serait pour tous vos parents un grand déshonneur et un opprobre et cette honte serait sur eux toute leur vie ! Quand je vous demandais de le faire, nous n'en fîtes rien. Faites-le maintenant : ce ne sera plus par mon conseil. Sonner votre cor, ce ne serait pas d'un vaillant ! Mais comme vos deux bras sont sanglants ! » Le comte répond : « J'ai frappé de beaux coups. »

Roland dit : « Notre bataille est dure ! Je sonnerai mon cor, le roi Charles l'entendra. » Olivier dit : « Ce ne serait pas d'un preux ! Quand je vous disais de le faire, compagnon, vous n'avez pas daigné. Si le roi avait été avec nous, nous n'eussions rien souffert. Ceux qui gisent là ne méritent aucun blâme. Par cette mienne barbe, si je puis revoir ma gente sœur Aude, vous ne coucherez jamais entre ses bras ! »

Roland dit : « Pourquoi, contre moi, de la colère ? » Et Olivier répond : « Compagnon, c'est votre faute, car vaillance sensée et folie sont deux choses, et mesure vaut mieux qu'outrecuidance. Si les Français sont morts, c'est par votre légèreté. Jamais plus nous ne ferons le service de Charles. Si vous m'aviez cru, mon seigneur serait revenu ; cette bataille nous l'aurions gagnée ; le roi Marsile eût été tué ou pris. Votre prouesse, Roland, c'est à la malheure que nous l'avons vue. Charles le Grand – jamais il n'y aura un tel homme jusqu'au dernier jugement ! – ne recevra plus notre aide. Vous allez mourir et France en sera honnie. Aujourd'hui prend fin notre loyal compagnonnage : avant ce soir nous nous séparerons, et ce sera dur. »

L'archevêque les entend qui se querellent. Il éperonne de ses éperons d'or pur, vient jusqu'à eux, et les reprend tous deux : « Sire Roland, et vous, sire Olivier, je vous en prie de par Dieu, ne vous querellez point ! Sonner du cor ne nous sauverait plus. Et pourtant, sonnez, ce sera bien mieux. Vienne le roi, il pourra nous venger : il ne faut pas que ceux d'Espagne s'en retournent joyeux. Nos Français descendront ici de cheval ; ils nous trouveront tués et démembrés ; ils nous mettront en bière, nous emporteront sur des bêtes de somme et nous pleureront, pleins de douleur et de pitié. Ils nous enterreront en des aîtres d'églises ; nous ne serons pas mangés par les loups, les porcs et les chiens. » Roland répond : « Seigneur, vous avez bien dit. »

Roland a mis l'olifant à ses lèvres. Il l'embouche bien, sonne à pleine force. Hauts sont les monts, et longue la voix du cor ; à trente grandes lieues on l'entend qui se prolonge. Charles l'entend et l'entendent tous ses corps de troupe. Le roi dit : « Nos hommes livrent bataille ! » Et Ganelon lui répond à l'encontre : « Qu'un autre l'eût dit, certes on y verrait un grand mensonge. »

Le comte Roland, à grand effort, à grand ahan, très douloureusement, sonne son olifant. Par sa bouche le sang jaillit clair. Sa tempe se rompt. La voix de son cor se répand au loin. Charles l'entend, au passage des ports. Le duc Naimes écoute, les Francs écoutent. Le roi dit : « C'est le cor de Roland ! Il n'en sonnerait pas s'il ne livrait une bataille. » Ganelon répond : « Il n'y a pas de bataille ! Vous êtes vieux, votre chef est blanc et fleuri ; par de telles paroles vous semblez un enfant. Vous connaissez bien le grand orgueil de Roland : c'est merveille que Dieu si longtemps l'endure. (...)

Douleur de Roland :

Roland regarde par les monts, par les collines. De ceux de France, il en voit tant qui gisent morts, et il les pleure en gentil chevalier : « Seigneurs barons, que Dieu vous fasse merci ! Qu'il octroie à toutes vos âmes le paradis ! Qu'il les couche parmi les saintes fleurs ! Jamais je ne vis vassaux meilleurs que vous. Vous avez si longuement, sans répit, fait mon service, conquis pour Charles de si grands pays ! L'empereur vous a nourris pour son malheur. Terre de France, vous êtes un doux pays ; en ce jour le pire fléau vous a désolée ! Barons français, je vous vois mourir pour moi, et je ne puis vous défendre ni vous sauver : que Dieu vous aide, qui jamais ne mentit ! Olivier, frère, je ne dois pas vous faillir. Je mourrai de douleur, si rien d'autre ne me tue. Sire compagnon, remettons-nous à frapper ! »

Mort d'Olivier :

Olivier sent que la mort l'angoisse. Les deux yeux lui virent dans la tête, il perd l'ouïe et tout à fait la vue. Il descend à pied, se couche contre terre. A haute voix il dit sa coulpe, les deux mains jointes et levées vers le ciel, et prie Dieu qu'il lui donne le paradis et qu'il bénisse Charles et douce France et, par-dessus tous les hommes, Roland, son compagnon. Le cœur lui manque, son heaume retombe, tout son corps s'affaisse contre terre. Le comte est mort, il n'a pas fait plus longue demeure ; le preux Roland le pleure et gémit. Jamais vous n'entendrez sur terre un homme plus douloureux.

Roland voit que son ami est mort, et qu'il gît, la face contre terre. Très doucement il dit sur lui l'adieu : « Sire compagnon, c'est pitié de votre hardiesse ! Nous fûmes ensemble et des ans et des jours : jamais tu ne me fis de mal, jamais je ne t'en fis. Quand te voilà mort, ce m'est douleur de vivre. » A ces mots, le marquis se pâme sur son cheval, qu'il nomme Veillantif. Ses étriers d'or fin le maintiennent droit en selle : par où qu'il penche, il ne peut choir.

Les païens vainqueurs sont les véritables vaincus :

Les païens disent : « Nous sommes nés à la malheure ! Quel douloureux jour s'est levé pour nous ! Nous avons perdu nos seigneurs et nos pairs. Charles revient, le vaillant, avec sa grande armée. De ceux de France, nous entendons les clairons sonner clair ; ils crient « Montjoie ! » à grand bruit. Le comte Roland est de si fière hardiesse que nul homme fait de chair ne le vaincra jamais. Lançons contre lui nos traits, puis laissons-lui le champ. » Et ils lancèrent contre lui des dards et des guivres sans nombre, des épieux, des lances, des museraz empennés. Ils ont brisé et troué son écu, rompu et démaillé son haubert ; mais son corps, ils ne l'ont pas atteint. Pourtant, ils lui ont blessé Veillantif de trente blessures ; sous le comte ils l'ont abattu mort. Les païens s'enfuient, ils lui laissent le champ. Le comte Roland est resté, démonté.

Devant la mort, Roland veut briser son épée Durendal, que les païens ne la tiennent :

Roland frappa contre une pierre bise. Il en abat plus que je ne sais vous dire. L'épée grince, elle n'éclate ni ne se rompt. Vers le ciel elle rebondit. Quand le comte voit qu'il ne la brisera point, il la plaint en lui-même, très doucement : « Ah ! Durendal, que tu es belle et sainte ! Ton pommeau d'or est plein de reliques : une dent de saint Pierre, du sang de saint Basile, et des cheveux de monseigneur saint Denis, et du vêtement de sainte Marie. Il n'est pas juste que des païens te possèdent : des chrétiens doivent faire votre service. Puissiez-vous ne jamais tomber aux mains d'un couard ! Par vous j'aurai conquis tant de larges terres, que tient Charles, qui a la barbe fleurie ! L'empereur en est puissant et riche. »

Roland sent que la mort le prend tout : de sa tête elle descend vers son cœur. Jusque sous un pin il va courant ; il s'est couché sur l'herbe verte, face contre terre. Sous lui il met son épée et l'olifant. Il a tourné sa tête du côté de la gent païenne : il a fait ainsi, voulant que Charles dise, et tous les siens, qu'il est mort en vainqueur, le gentil comte. A faibles coups et souvent, il bat sa coulpe. Pour ses péchés il tend vers Dieu son gant.

Roland sent que son temps est fini. Il est couché sur un tertre escarpé, le visage tourné vers l'Espagne. De l'une de ses mains il frappe sa poitrine : « Dieu, par ta grâce, mea culpa, pour mes péchés, les grands et les menus, que j'ai faits depuis l'heure où je naquis jusqu'à ce jour où me voici abattu ! » Il a tendu vers Dieu son gant droit. Les anges du ciel descendent à lui.

Douleur et prière du roi :

L'empereur descend de son cheval. Sur l'herbe verte il s'est couché, face contre terre. Il tourne son visage vers le soleil levant, et de tout son cœur invoque Dieu : « Vrai Père, en ce jour, défends-moi, toi qui sauvas Jonas et le retiras du corps de la baleine, toi qui épargnas le roi de Ninive et qui délivras Daniel de l'horrible supplice dans la fosse où il était avec les lions, toi qui protégeas les trois enfants dans la fournaise ardente ! En ce jour, que ton amour m'assiste ! Par ta grâce, s'il te plaît ainsi, accorde-moi que je puisse venger mon neveu Roland ! » Quand il eut fait oraison, il se redressa debout et signa son chef du signe puissant. Il se remet en selle sur son cheval rapide : Naimes et Jozeran lui ont tenu l'étrier. Il prend son écu et son épieu tranchant. Son corps est noble, gaillard et de belle prestance ; son visage, clair et assuré. Puis il chevauche, ferme sur l'étrier. A l'avant, à l'arrière, les clairons sonnent ; plus haut que tous les autres, l'olifant a retenti. Par pitié de Roland, les Français pleurent.

Mort de la « belle Aude », sœur d'Olivier, promise à Roland :

L'empereur est revenu d'Espagne. Il vient à Aix, le meilleur siège de France. Il monte au palais, il est entré dans la salle. Voici que vient à lui Aude, une belle damoiselle. Elle dit au roi : « Où est-il, Roland le capitaine, qui me jura de me prendre pour sa femme ? » Charles en a douleur et peine. Il pleure, tire sa barbe blanche : « Sœur, chère amie, de qui t'enquiers-tu ? D'un mort. Je te ferai le meilleur échange : ce sera Louis, je ne sais pas mieux te dire. Il est mon fils, c'est lui qui tiendra mes marches. » Aude répond : « Cette parole m'est étrange. A Dieu ne plaise, à ses saints, à ses anges, après Roland, que je reste vivante ! » Elle perd sa couleur, choit aux pieds de Charlemagne. Elle est morte aussitôt : que Dieu ait pitié de son âme ! Les barons français en pleurent et la plaignent.

Aude la Belle est allée à sa fin. Le roi croit qu'elle est évanouie, il a pitié d'elle, il pleure. Il la prend par les mains, la relève ; sur les épaules, la tête retombe. Quand Charles voit qu'elle est morte, il mande aussitôt quatre comtesses. A un moutier de nonnes on la porte ; toute la nuit, jusqu'à l'aube, on la veille ; au long d'un autel bellement on l'enterre. Le roi l'a hautement honorée.

Final : la douleur du roi :

Le jour s'en va, la nuit s'est faite noire. Le roi s'est couché dans sa chambre voûtée. De par Dieu, saint Gabriel vient lui dire : « Charles, par tout ton empire, lève tes armées ! Par vive force tu iras en la terre de Bire, tu secourras le roi Vivien dans sa cité d'Imphe, où les païens ont mis le siège. Là les chrétiens t'appellent et te réclament ! » L'empereur voudrait ne pas y aller : « Dieu ! » dit-il, « que de peines en ma vie ! » Ses yeux versent des larmes, il tire sa barbe blanche.

Ci falt la geste que Turoldus declinet.

Marie de France

SECONDE MOITIÉ DU XIIe SIÈCLE.

Marie de France vit à la cour d'Henri II Plantagenêt et de la reine Eléonore d'Aquitaine, en Angleterre. C'est pour ce « noble roi, preux et courtois », ainsi qu'elle le désigne dans son prologue, que Marie de France compose son recueil de ***Lais*** *narratifs qui racontent des histoires tirées des traditions bretonnes. Son œuvre délicate et savante décrit l'amour sincère et passionné. Elle écrit également un recueil de* ***Fables*** *tirées du* ***Romulus*** *anglo-saxon.*

POÈME NARRATIF

Le Lai du Chèvrefeuille ***reprend la légende de Tristan et Iseut.***

•LE LAI DU CHÈVREFEUILLE•

Assez me plaît et bien le veut
Du lai qu'on nomme chèvrefeuille,
Que la vérité vous en conte,
Comment fut fait, de quoi et dont.
Plusieurs me l'ont conté et dit
Et je l'ai trouvé par écrit,
De Tristan et puis de la reine,
De leur amour qui fut extrême
Dont ils eurent mainte douleur,
Puis en moururent en un jour.

Le roi Marc était courroucé,
Par Tristan, son neveu, fâché.
De sa terre le congédia
Pour la reine que Tristan aima.
En sa contrée s'en est allé,
En Sudgalles où était né.
Un an y resta, tout entier,
Sans en arrière retourner.
Alors se mit en abandon
De mort et de destruction.
Ne vous étonnez nullement,
Car qui aime loyalement
Bien est dolent et attristé
Quand il n'a plus sa volonté.
Tristan est dolent et pensif,
Pour ce s'émut de son pays.
En Cornouaille va tout droit
Là où la reine demeurait.
En la forêt tout seul se mit,
Car ne voulait pas qu'on le vît.
A la vêprée il en sortait,
Le temps venu de s'héberger.
Des paysans, des pauvres gens,
Prenait la nuit hébergement.
Les nouvelles leur demandait
Du roi comme il se conduisait.
Lui dirent qu'ils ont ouï
Que les barons étaient bannis.
A Tintagel doivent venir,
Le roi y veut sa cour tenir.
A Pentecôte y seront tous,
Fête sera et gai séjour,
Et la reine y viendra aussi.

Tristan alors bien se réjouit,
Car elle ne pourrait aller
Sans que lui ne la voit passer.
Le jour que le roi parti fut,
Tristan est au bois revenu
Sur le chemin où il savait
Que la route passer devait.
Un coudrier tailla parmi,
Et tout carrément le fendit.

"Ni vous sans moi, ni moi sans vous !"

Quand il a paré le bâton,
De son couteau écrit son nom.
Si la reine l'apercevait,
Qui grande garde en prenait –
Autrefois était advenu
Qu'ainsi l'avait aperçu –
De son ami bien connaîtra
Le bâton quand elle verra.
Ci fut la somme de l'écrit
Qu'il lui avait mandé et dit :
Qu'il a longtemps, tout cet été,
Et attendu et séjourné
Pour épier et pour savoir
Comment il la pourrait revoir
Car sans elle il n'a point de vie.
De ces deux, il en fut ainsi
Comme du chèvrefeuille était
Qui au coudrier s'attachait :
Quand il s'est enlacé et pris
Et tout autour du fût s'est mis,
Ensemble peuvent bien durer.
Qui plus tard les veut détacher,
Le coudrier tue vivement
Et chèvrefeuille mêmement.
« Belle amie, ainsi est de nous :
Ni vous sans moi, ni moi sans vous ! »

FABLE

La Fontaine a-t-il lu cette fable avant d'écrire ***Le Corbeau et le Renard*** *?*

•LE CORBEAU ET LE GOUPIL.

Il advint, la chose est bien possible,
qu'un corbeau vola
devant la fenêtre
d'un garde-manger ; il aperçut
des fromages qui étaient à l'intérieur,
posés sur une claie.
Il en prit un, et s'enfuit avec.
Un goupil passait, qui l'épia ;
il eut grand désir
de manger sa part du fromage.
Il voudra essayer par ruse
d'enjôler le corbeau.

« Ah ! seigneur Dieu, fait-il,
comme cet oiseau est gentil !
Il n'y a au monde tel oiseau,
de mes yeux je n'en vis plus beau.
Si son chant était comme son corps,
il vaudrait mieux qu'or fin. »
Le corbeau s'entendit si bien vanter
qu'il n'y avait son pareil au monde,
qu'il résolut de chanter.
En chantant il ne perdra rien à sa renommée.
Il ouvrit le bec et commença :
le fromage lui échappa
et ne put faire autrement que tomber à terre.
Le goupil s'empresse de le saisir.
Après il n'avait cure du chant du corbeau,
car il avait satisfait son envie de fromage.

Cet exemple s'applique aux orgueilleux
qui convoitent grande renommée.
Par flatteries et par mensonges
on peut les servir à leur gré ;
ils dépensent follement ce qu'ils ont
pour être loués des gens.

Tristan et Iseut

ANONYME — XIIe S.

ROMAN MEDIÉVAL

Il n'y a pas vraiment de récit complet du mythe de Tristan et Iseut. L'on se trouve devant plusieurs textes qui développent un certain nombre d'épisodes, ou bien un épisode principalement, tout en faisant allusion aux autres. Les textes principaux sont ceux de Marie de France, de Béroul (XIIe siècle), de Thomas (XIIe siècle), les deux anonymes **Folie Tristan**, *qu'imitent ou reprennent bon nombre de textes mineurs, jusqu'au drame de Wagner.*

La chaîne sur laquelle il est loisible de tramer est à peu près celle-ci : Neveu de roi Marc, l'orphelin Tristan est un parfait chevalier mais il suscite les jalousies de ses rivaux. Le géant Morholt, venu d'Irlande exiger son tribut de jeunes filles et jeunes garçons, est tué par Tristan. Blessé, empoisonné par l'épée du géant, Tristan se confie à une barque « sans rames ni voiles ». Sur la côte d'Irlande, il est soigné par la blonde Iseut, nièce de Morholt. Craignant d'être reconnu comme le tueur du géant, Tristan regagne la Cornouaille. Voici que le roi Marc est pressé par sa cour de se marier. Soit ! Il épousera la belle à qui appartient ce cheveu d'or déposé par deux hirondelles. A Tristan échoue la tâche ardue et périlleuse de ramener la belle. Il aborde en Irlande, et d'abord délivre le pays d'un dragon qui dévore les jeunes filles. Au vainqueur du dragon est promise Iseut la blonde. S'intercale ici l'épisode du sénéchal qui usurpe un temps la place du vainqueur avant d'être démasqué et châtié. L'on voit que **Tristan** *semble fait de mille contes et légendes (Thésée, Moïse, Ulysse, etc., etc.) que nous connaissons d'autre part. Blessé une seconde fois, Tristan est de nouveau soigné par Iseut. Mais il est cette fois reconnu comme le tueur de Morholt. Iseut prétend venger la mort de son oncle ; cependant le jeune chevalier en délivrant le pays du dragon a acquis certains droits sur elle, droits que l'amour naissant vient parfaitement légitimer ! Tristan obtient la main d'Iseut, mais pour le roi Marc au nom duquel il s'est engagé... Iseut consent, mais sa déception est atroce. Sur le navire qui les mène en Cornouaille, les jeunes gens, par un « acte manqué », boivent d'un philtre qui les unit d'un amour entier (l'action du philtre dure trois ans chez Béroul, l'éternité chez Thomas).*

Si le mythe a une très forte présence, en revanche son sens est loin d'être aussi bien assuré ; ce sens n'est pas univoque, mais analogue : il permet que l'on accentue tel ou tel aspect. Ainsi peut-on dire que dans **Tristan et Iseut** *l'amour est une fatalité dont le philtre est l'instrument ; ou bien que le philtre ne fait que symboliser concrètement la force de l'amour consenti mutuellement par les amants, force de consentement plus puissante que la mort comme le dit le proverbe biblique. De même, l'on peut voir dans les forces qui séparent les amants, soit le pouvoir ou l'État, soit la famille (***Roméo et Juliette** *chez Shakespeare par exemple), soit la « vie » ou le malheur ou l'infortune, soit encore l'envie des autres, etc., etc. Il est donc* *faux d'assurer comme d'une évidence que* **Tristan et Iseut** *est le roman de l'adultère contre le piètre amour du devoir matrimonial. Le mariage d'Iseut avec le roi Marc pouvant être compris à son tour comme le symbole concret de ces multiples forces qui font que « la vie sépare ceux qui s'aiment »... Si le mythe de Tristan et Iseut n'a ni âge, ni lieu, ni limites romanesques, ni sens univoque détaillé, c'est qu'il décrit une forme apparemment constante de la vie humaine : la lutte contre l'amour de mille et une formes d'usure et de mort. Si le Moyen Âge a bien su dire cela, c'est que ce temps d'ignorances était savant en amour.*

Tristan et Iseut sont ensemble sur le navire qui vogue vers la Cornouaille et le roi Marc :

La nef, tranchant les vagues profondes, emportait Iseut. Mais, plus elle s'éloignait de la terre d'Irlande, plus tristement la jeune fille se lamentait. Assise sous la tente où elle s'était renfermée avec Brangien, sa servante, elle pleurait au souvenir de son pays. Où ces étrangers l'entraînaient-ils ? Vers qui ? Vers quelle destinée ? Quand Tristan s'approchait d'elle et voulait l'apaiser par de douces paroles, elle s'irritait, le repoussait, et la haine gonflait son cœur. Il était venu, lui le ravisseur, lui le meurtrier du Morholt ; il l'avait arrachée par ses ruses à sa mère et à son pays ; il n'avait pas daigné la garder pour lui-même, et voici qu'il l'emportait, comme sa proie, sur les flots, vers la terre ennemie ! « Chétive ! disait-elle, maudite soit la mer qui me porte ! Mieux aimerais-je mourir sur la terre où je suis née que vivre là-bas !... »

Un jour, les vents tombèrent, et les voiles pendaient dégonflées le long du mât. Tristan fit atterrir dans une île, et, lassés de la mer, les cent cavaliers de Cornouailles et les mariniers descendirent au rivage. Seule Iseut était demeurée sur la nef, et une petite servante. Tristan vint vers la reine et tâchait de calmer son cœur. Comme le soleil brûlait et qu'ils avaient soif, ils demandèrent à boire. L'enfant chercha quelque breuvage, tant qu'elle découvrit le coutret confié à Brangien par la mère d'Iseut. « J'ai trouvé du vin ! » leur cria-t-elle. Non, ce n'était pas du vin : c'était la passion, c'était l'âpre joie et l'angoisse sans fin, et la mort. L'enfant remplit un hanap et le présenta à sa maîtresse. Elle but à longs traits, puis le tendit à Tristan, qui le vida.

A cet instant, Brangien entra et les vit qui se regardaient en silence, comme égarés et comme ravis. Elle vit devant eux le vase presque vide et le hanap. Elle prit le vase, courant à la poupe, le lança dans les vagues et gémit :

« Malheureuse ! maudit soit le jour où je suis née et maudit le jour où je suis montée sur cette nef ! Iseut, amie, et vous, Tristan, c'est votre mort que vous avez bue ! »

De nouveau, la nef cinglait vers Tintagel. Il semblait à Tristan qu'une ronce vivace, aux épines aiguës, aux fleurs odorantes, poussait ses racines dans le sang de son cœur et par de forts liens enlaçait au beau corps d'Iseut son corps et toute sa pensée, et tout son désir. Il songeait : « Andret, Denoalen, Guenelon et Gondoïne, félons qui m'accusiez de convoiter la terre du roi Marc, ah ! je suis plus vil encore, et ce n'est pas sa terre que je convoite ! Bel oncle, qui m'avez aimé orphelin avant même de reconnaître le sang de votre sœur Blanchefleur, vous qui me pleuriez tendrement, tandis que vos bras me portaient jusqu'à la barque sans rames ni voile, bel oncle, que n'avez-vous, dès le premier jour, chassé l'enfant errant venu pour vous trahir ? Ah ! qu'ai-je pensé ? Iseut est votre femme, et moi votre vassal. Iseut est votre femme, et moi votre fils. Iseut est votre femme, et ne peut pas m'aimer. »

Iseut l'aimait. Elle voulait le haïr, pourtant : ne l'avait-il pas vilement dédaignée ? Elle voulait le haïr, et ne pouvait, irritée en son cœur de cette tendresse plus douloureuse que la haine.

Brangien les observait avec angoisse, plus cruellement tourmentée encore, car seule elle savait quel mal elle avait causé. Deux jours elle les épia, les vit repousser toute nourriture, tout breuvage et tout réconfort, se chercher comme des aveugles qui marchent à tâtons l'un vers l'autre, malheureux quand ils languissaient séparés, plus malheureux encore quand, réunis, ils tremblaient devant l'horreur du premier aveu.

Au troisième jour, comme Tristan venait vers la tente, dressée sur le pont de la nef, où Iseut était assise, Iseut le vit s'approcher et lui dit humblement :

« Entrez, seigneur.

— Reine, dit Tristan, pourquoi m'avoir appelé seigneur ? Ne suis-je pas votre homme lige, au contraire, et votre vassal, pour vous révérer, vous servir et vous aimer comme ma reine et ma dame ? »

Iseut répondit :

« Non, tu le sais, que tu es mon seigneur et mon maître ! Tu le sais, que ta force me domine et que je suis ta serve ! Ah ! que n'ai-je avivé naguère les plaies du jongleur blessé ! Que n'ai-je laissé périr le tueur du monstre dans les herbes du marécage ! Que n'ai-je assené sur lui, quand il gisait dans le bain, le coup de l'épée déjà brandie ! Hélas ! je ne savais pas alors ce que je sais aujourd'hui !

— Iseut, que savez-vous donc aujourd'hui ? Qu'est-ce donc qui vous tourmente ?

— Ah ! tout ce que je sais me tourmente, et tout ce que je vois. Ce ciel me tourmente, et cette mer, et mon corps, et ma vie ! »

Elle posa son bras sur l'épaule de Tristan ; des larmes éteignirent le rayon de ses yeux, ses lèvres tremblèrent. Il répéta :

« Amie, qu'est-ce donc qui vous tourmente ? »

Elle répondit :

« L'amour de vous. »

Alors il posa ses lèvres sur les siennes.

Mais, comme pour la première fois tous deux goûtaient une joie d'amour, Brangien, qui les épiait, poussa un cri, et, les bras tendus, la face trempée de larmes, se jeta à leurs pieds :

« Malheureux ! arrêtez-vous, et retournez, si vous le pouvez encore ! Mais non, la voie est sans retour, déjà la force de l'amour vous entraîne et jamais plus vous n'aurez de joie sans douleur. C'est le vin herbé qui vous possède, le breuvage d'amour que votre mère, Iseut, m'avait confié. Seul, le roi Marc devait le boire avec vous ; mais l'Ennemi s'est joué de nous trois, et c'est vous qui avez vidé le hanap. Ami Tristan, Iseut amie, en châtiment de la male garde que j'ai faite, je vous abandonne mon corps, ma vie ; car, par mon crime, dans la coupe maudite, vous avez bu l'amour et la mort ! »

Les amants s'étreignirent ; dans leurs beaux corps frémissaient le désir et la vie. Tristan dit :

« Vienne donc la mort ! »

Et, quand le soir tomba, sur la nef qui bondissait plus rapide vers la terre du roi Marc, liés à jamais, il s'abandonnèrent à l'amour.

Est-ce par loyauté que Tristan et Iseut luttent contre leur amour ? Est-ce parce qu'il n'est pas impossible qu'ils aient la tentation de céder à la force des choses qui vont contre l'amour ?

*Dénoncés au roi Marc par les barons envieux, les amants sont un jour surpris par le roi Marc (l'on pense à **Pélléas et Mélisande** de Maeterlinck et Debussy) qui les condamne au bûcher. Tristan et Iseut parviennent à s'échapper, et trouvent refuge dans la forêt. Ils y vivront trois ans. C'est durant ce temps qu'ils rencontrent l'ermite Ogrin :*

Longuement ils séjournent en ce bocage où la nuit ils se retirent et d'où ils sortent le matin.

En l'ermitage de frère Ogrin, ils vinrent un jour par aventure. Ils mènent une vie âpre et dure. Mais ils s'entr'aiment de si grand amour qu'ils ne sentent pas la douleur.

L'ermite reconnut Tristan. Il était appuyé sur sa béquille. Il l'interpelle : « Écoutez, Tristan, le grand serment qu'on a juré en Cornouailles : Quiconque vous livrera au roi sans faute aura cent marcs de récompense. En cette terre il n'y a baron qui ne lui ait promis solennellement de vous livrer mort ou vif ». Ogrin lui dit avec bonté : « Sur ma foi, Tristan, à qui se repent par foi et par confession, Dieu pardonne son péché. »

Tristan lui dit : « Sire, en vérité, si elle m'aime de toute sa foi, vous n'en connaissez pas la raison : si elle m'aime, c'est par le breuvage. Je ne puis me séparer d'elle, ni elle de moi, sans mentir. » Ogrin lui dit : « Quel réconfort peut-on donner à homme mort ? Il est bien mort celui qui, longuement, gît dans le péché ; s'il ne se repent, on ne peut donner nulle pénitence à un pécheur sans repentance... »

L'ermite Ogrin les exhorte longuement et leur conseille de se repentir. Il leur répète souvent les prophéties de l'Écriture et leur rappelle souvent l'heure du jugement. A Tristan il dit avec rudesse : « Que feras-tu ? Réfléchis ! » — « Sire, j'aime Iseut de façon si étonnante que je n'en dors ni ne sommeille. Ma décision est toute prise : j'aime mieux, avec elle, être mendiant et vivre d'herbes et de glands que d'avoir le royaume du roi Otran. Je ne veux pas entendre parler de l'abandonner, car je ne le puis. »

Iseut pleure aux pieds de l'ermite ; elle change maintes fois de couleur en peu de temps ; souvent elle lui crie miséricorde : « Sire, au nom de Dieu tout-puissant, il ne m'aime et je ne l'aime que par un philtre dont je bus et dont il but : ce fut notre erreur. C'est pour cela que le roi nous a chassés». L'ermite lui répond aussitôt : «Allons, que Dieu qui fit le monde vous donne un vrai repentir ! »

Sachez vraiment, sans en douter, que cette nuit ils dormirent chez l'ermite : pour eux il fit une exception à sa règle. Au matin, Tristan s'éloigne. Il se tient dans les bois, hors de la plaine cultivée. Le pain leur manque, quelle pitié ! Des cerfs, des biches, des chevreuils, il en abat beaucoup par le bocage. Là où ils prennent leur repos, ils font leur cuisine avec un grand feu. Ils ne passent qu'une seule nuit au même endroit.

Au cours d'une chasse, le roi Marc surprend les amants endormis dans la forêt. Entre eux gît une épée que Marc considère comme le signe de leur chasteté. Il ne les éveille pas, mais laisse ses gants pour marquer son passage et les inviter au retour. Tristan et Iseut tentent une dernière fois de se réconcilier avec le monde, semble-t-il incompatible avec l'amour. Tristan rend Iseut au roi Marc, s'exile, se contraint à épouser en Bretagne Iseut-aux-blanches-mains (mais ne consomme pas le mariage), revient à son amante déguisé en fou, repart, etc.

Voici Tristan en Bretagne blessé à mort par une arme empoisonnée. Il envoie son beau-frère Kaherdin chercher la blonde Iseut. Si Kaherdin réussit, son navire hissera une voile blanche ; s'il échoue, une voile noire. Iseut la blonde suit Kaherdin sans hésiter, disant adieu au monde.

Tristan, immobilisé par sa blessure, gît plein de langueur, en son lit. Rien ne peut le réconforter : il n'est pas de remède qui puisse rien lui faire ou l'aider. Il désire la venue d'Iseut, il ne convoite rien d'autre : sans elle, il ne peut éprouver aucun bien. C'est pour elle qu'il vit : il languit ; il l'attend, en son lit, dans l'espoir qu'elle viendra et qu'elle guérira son mal. Il croit que sans elle il ne vivrait plus.

Tous les jours, il va à la plage pour voir si la nef revient : nul autre désir ne lui tient au cœur. Souvent il fait porter son lit au bord de la mer pour attendre la nef, pour voir comment est la voile. Il ne désire rien d'autre que sa venue : là est toute sa pensée, tout son désir, toute sa volonté. Le monde ne lui est plus rien, si la reine à lui ne vient.

Une tempête retient le navire d'Iseut au large :

Iseut dit alors : « Hélas ! malheureuse ! Dieu ne veut pas que je vive assez pour voir mon ami Tristan ; il veut que je sois noyée en mer. Tristan, si j'avais pu vous parler, peu m'importerait de mourir ensuite. Bel ami, quand vous apprendrez ma mort, je sais bien que plus jamais vous n'aurez de consolation. De ma mort vous aurez une telle douleur, ajoutée à votre grande langueur, que jamais plus vous n'en pourrez guérir. Il ne tient pas à moi que je vienne. Si Dieu l'eût voulu, je serais venue ; de votre mal j'aurais pris soin ; car, pour moi, je n'ai pas d'autre douleur que de vous savoir sans secours. C'est ma douleur et ma peine, la grande torture de mon cœur, de penser que, si je meurs, vous n'aurez, ami, aucun soutien contre votre mort. La mort ne me fait rien : si Dieu le veut, je la veux bien. Mais dès que vous l'apprendrez, ami, je sais bien que vous en mourrez.

Tel est notre amour : je ne puis, sans vous, éprouver de douleur ; vous ne pouvez, sans moi, mourir, et je ne puis, sans vous, périr. Si je dois périr en mer, c'est que vous devez aussi vous noyer. Or, vous ne pouvez vous noyer en terre : c'est donc que vous êtes venu en mer me chercher. Je vois votre mort devant moi, et je sais bien que je dois mourir bientôt. Ami, mon espoir est déçu, car je croyais mourir en vos bras, et être ensevelie avec vous en un même cercueil...

— Eh ! si Dieu le veut, il en sera ainsi !

— En mer, ami, que chercheriez-vous ? Je ne sais ce que vous y feriez ! Mais moi, ami, j'y suis et j'y mourrai ; sans vous, Tristan, je vais me noyer. Ce m'est une belle, douce et tendre consolation que ma mort vous soit toujours ignorée. Loin d'ici, elle ne sera jamais connue : je ne sais personne, ami, qui vous la dise.

Après moi, vous vivrez longuement et vous attendrez ma venue. S'il plaît à Dieu, vous pouvez guérir : c'est ce que je désire le plus. Je souhaite bien plus votre santé que je ne désire aborder à terre. Mais pour vous j'ai si tendre amour, ami, que je dois craindre après ma mort, si vous guérissez, qu'en votre vie vous ne m'oubliiez ; ou que vous n'ayez l'amour d'une autre femme, Tristan, après ma mort. Ami, certes, je crains au moins et je redoute Iseut aux-blanches-mains. Dois-je la redouter ? Je ne sais. Mais si vous étiez mort avant moi, après vous je vivrais peu de temps. Certes, je ne sais que faire, mais par-dessus tout, je vous désire. Dieu nous donne de nous réunir, pour que je puisse ami, vous guérir, ou que nous mourions tous deux de même angoisse ! »

Souvent Iseut se plaint de son malheur : ils désirent aborder au rivage, mais ne peuvent l'atteindre. Tristan en est dolent et las. Souvent il se plaint, souvent il soupire pour Iseut que tant il désire : ses yeux pleurent, son corps se tord ; peu s'en faut qu'il ne meure de désir.

En cette angoisse, en cet ennui, Iseut, sa femme, vient à lui, méditant une ruse perfide. Elle dit : « Ami, voici Kaherdin. J'ai vu sa nef, sur la mer, cingler à grand'peine. Néanmoins, je l'ai si bien vue que je l'ai reconnue. Dieu donne qu'il apporte une nouvelle à vous réconforter le cœur ! » Tristan tressaille à cette nouvelle. Il dit à Iseut : « Belle amie, êtes-vous sûre que c'est la nef ? Dites-moi donc comment est la voile ? » Iseut répond : « J'en suis sûre. Sachez que la voile est toute noire. Ils l'ont levée très haut, car le vent leur fait défaut. »

Tristan en a si grande douleur que jamais il n'en eut et n'en aura de plus grande. Il se tourne vers la muraille et dit : « Dieu sauve Iseut et moi ! Puisqu'à moi vous ne voulez venir, par amour pour vous il me faut mourir. Je ne puis plus retenir ma vie. C'est pour vous que je meurs, Iseut, belle amie. Vous n'avez pas pitié de ma langueur, mais de ma mort vous aurez douleur. Ce m'est, amie, grand réconfort de savoir que vous aurez pitié de ma mort. » «Amie Iseut ! » dit-il trois fois. A la quatrième il rend l'esprit.

Alors pleurent, par la maison, les chevaliers, les compagnons : leur cri est haut, leur plainte est grande. Chevaliers et serviteurs sortent ; ils portent le corps hors de son lit, puis le couchent sur du velours et le couvrent d'un drap brodé. Le vent s'est levé sur la mer et frappe la voile en plein milieu : il pousse la nef vers la terre. Iseut est sortie de la nef ; elle entend les grandes plaines dans la rue, les cloches des moutiers, des chapelles. Elle demande aux hommes les nouvelles : pourquoi sonner, pourquoi ces pleurs ? Alors un ancien lui dit : « Belle dame, que Dieu m'aide, nous avons ici grande douleur : nul n'en connut de plus grande. Tristan le preux, le franc, est mort : c'était le soutien de ceux du royaume. Il était généreux pour les pauvres et secourable aux

La tempête s'apaise. Le navire approche des côtes. Kaherdin fait hisser la voile blanche. Tristan est au palais, abattu par les douleurs. Nouveau malheur, le navire est maintenant quasi en panne, et ne peut atteindre le rivage. Enfin Iseut débarque, mais c'est pour apprendre la mort de Tristan, perfidement désespéré de la venue de son amante par son épouse vengeresse :

affligés. D'une plaie qu'il avait au corps, en son lit il vient de mourir. Jamais si grand malheur n'advint à notre pauvre peuple ! »

Dès qu'Iseut apprend la nouvelle, de douleur elle ne peut dire un mot. Cette mort l'accable d'une telle souffrance qu'elle va par la rue, vêtements en désordre, devançant les autres, vers le palais. Les Bretons ne virent jamais femme d'une telle beauté : ils se demandent, émerveillés, par la cité, d'où elle vient et qui elle est : Iseut arrive devant le corps ; elle se tourne vers l'Orient et, pour lui, elle prie, en grande pitié : « Ami Tristan, quand vous êtes mort, en raison je ne puis, je ne dois plus vivre. Vous êtes mort par amour pour moi, et je meurs, ami, par tendresse pour vous, puisque je n'ai pu venir à temps pour vous guérir, vous et votre mal. Ami, ami ! de votre mort, jamais rien ne me consolera, ni joie, ni liesse, ni plaisir. Maudit soit cet orage qui m'a tant retenue en mer, aimi, que je n'ai pu venir ici ! Si j'étais arrivée à temps, ami, je vous aurais rendu la vie ; je vous aurais parlé doucement de l'amour qui fut entre nous ; j'aurais pleuré notre aventure, notre joie, notre bonheur, la peine et la grande douleur qui ont été en notre amour : j'aurais rappelé tout cela, je vous aurais embrassé, enlacé. Si je n'ai pu vous guérir, ensemble puissions-nous mourir ! Puisque je n'ai pu venir à temps, que je n'ai pu savoir votre aventure et que je suis venue pour votre mort, le même breuvage me consolera. Pour moi vous avez perdu la vie, et j'agirai en vraie amie : pour vous je veux mourir également.

Elle l'embrasse ; elle s'étend, lui baise la bouche et la face ; elle l'embrasse étroitement, corps contre corps, bouche contre bouche. Aussitôt elle rend l'âme et meurt ainsi, tout contre lui, pour la douleur de son ami.

Le Roman de Renart

ANONYME – XIIe - XIVe S.

FABLE

Rédigées par divers auteurs pour la plupart inconnus, du XIIe au XIVe siècle, les 27 branches ou récits du ***Roman de Renart*** *doivent leur unité au réalisme du* ***type*** *dont elles narrent les aventures. Renart est un* ***genre,*** *une idée de l'imagination (comme* ***le Chat botté****), un support de ressemblances : en effet, est* ***du*** *Renart et lui appartient tout ce qui dans les personnes et les situations, dans les qualités et les circonstances, par telle ou telle ressemblance ou telle ou telle analogie, évoque avec force la figure du « larron roux ». Mais qu'est-ce que ce type ou cette figure ? Symbolise-t-il la ruse ? Non, car il y a mieux rusé que lui. Renart n'est pas un vainqueur, presque au contraire. Il aime sa femme et ses enfants, et même n'aime qu'eux, tout autre attachement lui étant ennemi. Renart n'a pas de concupiscence, ni d'ambition, son vice c'est de ne pas aimer son prochain (mais est-il aimable le loup ? ou le chat ? ou l'ours ?), et la faim est la nécessité qui le contraint avec violence à quitter ses proches qu'il aime. L'œuvre est une très distrayante satire des hommes par les figures animales, par un bestiaire presque symbolique. Le* ***Roman de Renart,*** *c'est l'envers de la chevalerie, la part basse de la féodalité héroïque.*

RENART ET LES ANGUILLES

C'est l'hiver, et dans leur tanière les Renart ont faim. Il n'y a rien à manger, Renart doit sortir. Il repère une charrette pleine de poissons. La devançant, Renart s'allonge sur le chemin et contrefait le mort.

Voici venir à grande allure des marchands qui transportaient du poisson et qui venaient de la mer. Ils avaient des harengs frais en quantité, car la bise favorable avait soufflé toute la semaine. Ils ont aussi d'autres bons poissons, à profusion, grands et petits, dont leurs paniers sont bien remplis. Leur charrette était chargée de lamproies et d'anguilles qu'ils avaient achetées dans les villages. Renart, l'universel trompeur, était à une portée d'arc. Quand il voit la charrette chargée d'anguilles et de lamproies, il s'enfuit au devant, sur la route, pour les tromper sans qu'ils s'en doutent. Alors, il se couche au milieu du chemin.

Écoutez maintenant comme il les trompe !

Il se vautre sur le gazon et fait le mort. Renart qui trompe tout le monde ferme les yeux, serre les dents ; il retient son haleine en prison. Vit-on jamais pareille trahison ? Il reste là, gisant. Voici les marchands qui arrivent sans y prendre garde. Le premier qui le voit le regarde, puis appelle son compagnon : « Regarde, là : c'est un goupil, ou un chien ! » L'autre le voit et s'écrie : « C'est le goupil ! Vite, attrape-le ; garde qu'il ne t'échappe : il sera bien malin, Renart, s'il ne nous laisse sa peau. » Le marchand presse l'allure, et son compagnon après lui, jusqu'à ce qu'ils soient près de Renart. Ils trouvent le goupil étendu sur le dos, le tournent et le retournent, sans crainte d'être mordus : ils lui pincent le dos, puis la gorge. L'un dit : « il vaut trois sols » ; et l'autre : « Dieu me garde, il en vaut bien quatre, et c'est pour rien ! Nous ne sommes pas trop chargés : jetons-le sur notre charrette. Vois comme sa gorge est blanche et nette ! »

A ces mots, ils s'avancent, le lancent sur leur charrette, puis se remettent en route. Ils sont en grande joie, tous deux, et disent : « Pour l'instant, nous n'y touchons pas, mais, cette nuit, chez nous, nous lui retournerons la casaque ! » Cette histoire ne leur déplaît pas. Mais Renart ne fait qu'en rire : il y a loin entre faire et dire ! Il s'allonge sur les paniers, en ouvre un avec les dents, et en tire, sachez-le bien, plus de trente harengs : il vide presque le panier. Il en mange très volontiers, sans regretter ni sel ni sauge. Avant de s'en aller, jettera-t-il encore son hameçon ? N'en doutons pas ! Il s'attaque à l'autre panier, y met son museau et ne manque pas d'en tirer trois colliers d'anguilles. Renart qui connaît maintes ruses passe sa tête et son cou dans les colliers, puis les dispose sur son dos : il en est tout couvert.

Maintenant, il peut s'en aller. Mais il faut trouver une ruse pour sauter à terre : il n'y a ni planche ni échelle. Il s'agenouille pour voir comment sauter sans dommage. Puis, il s'est un peu avancé, et, des pieds de devant, se lance hors de la charrette au milieu du chemin. Autour de son cou, il porte sa proie. Puis, quand il a fait son saut, il crie aux marchands : « Dieu vous garde ! toutes ces anguilles sont à moi,... et le reste est pour vous ! »

YSENGRIN A LA PÊCHE

De retour à Maupertuis son domaine, Renart fait griller les anguilles. Ysengrin le loup, tenaillé par la faim, est attiré par la bonne odeur. Il heurte chez Renart et lui demande de l'admettre au repas. Impossible ! Ce sont des moines qui mangent là, si Ysengrin veut entrer il doit recevoir la tonsure. Le loup consent... et Renart lui ébouillante la tête ! Reste une épreuve avant d'entrer dans ces ordres où l'on mange si bien : aller pêcher son dîner.

C'était un peu avant Noël, quand on met les jambons dans le sel.

Le ciel était clair et étoilé, et le vivier, où Ysengrin devait pêcher, était si gelé qu'on aurait pu danser dessus : il n'y avait qu'une ouverture que les vilains y avaient faite pour y mener leur bétail, chaque soir, se délasser et boire. Ils y avaient laissé un seau. Là vint Renart, à toute allure. Il regarda son compère : « Sire, fait-il, venez par ici ! C'est là qu'il y a du poisson en abondance, et voici l'engin avec lequel nous pêchons les anguilles et les barbeaux, et d'autres poissons bons et beaux. » Ysengrin dit : « Frère Renart, prenez-le donc, et attachez-le moi bien fort à la queue ! » Renart prend le seau et le lui attache à la queue de son mieux. « Frère, fait-il, maintenant, il faut rester immobile pour faire venir les poissons. » Alors, il s'est blotti près d'un buisson, le museau entre les pattes, de façon à voir ce que fera Ysengrin. Et Ysengrin est sur la glace. Le seau est dans la fontaine, plein de glaçons, à volonté. L'eau commence à geler et enserre le seau qui était attaché à la queue. Il est pris dans la glace. La queue est dans l'eau gelée et scellée dans la glace. Ysengrin s'efforce bien de se soulever et de tirer à soi le seau : il s'y essaie de cent façons et ne sait que faire ; il s'émeut. Il commence à appeler Renart, car il ne peut plus se cacher, et déjà l'aube se met à poindre. Renart a levé la tête. Il le regarde, ouvre les yeux : « Frère, fait-il, laissez-donc cet ouvrage ! Allons-nous-en, beau doux ami, nous avons pris assez de poissons. » Et Ysengrin lui crie : « Renart, il y en a trop ! J'en ai tant pris que je ne sais comment faire ! » Et Renart se met à rire, puis lui dit sans détour : « Qui tout convoite perd le tout. »

La nuit passe, l'aube pointe : le soleil du matin se lève ; les routes étaient blanches de neige. Messire Constant des Granges, un vavasseur fort aisé qui habitait près de l'étang, s'était levé, avec sa maisonnée pleine de joie et de liesse. Il prend son cor, appelle ses chiens, fait seller son cheval : sa maisonnée pousse des cris et des huées. Renart l'entend et prend la fuite jusqu'à sa tanière où il se blottit. Et Ysengrin reste sur place : de toutes ses forces il secoue. Il tire ; peu s'en faut que sa peau ne se déchire. S'il veut se tirer de là, il faudra qu'il abandonne sa queue.

Tandis qu'Ysengrin se démène, voici venir au trot un valet tenant en laisse deux lévriers. Il voit Ysengrin tout gelé sur la glace avec son crâne pelé. Il le regarde, puis s'écrie : « Ah ! le loup ! le loup ! Au secours ! au secours ! » Les veneurs, l'entendant, bondissent hors de la maison avec leurs chiens, franchissent la haie. Ysengrin n'est pas à son aise, car sire Constant les suivait sur un cheval au grand galop et s'écriait : « Lâchez, vite, lâchez les chiens ! » Les valets découplent les chiens, et les braques étreignent le loup : Ysengrin est tout hérissé. Le veneur excite les chiens et les gronde durement. Ysengrin se défend bien et les mord de toutes ses dents : mais que faire ? Il aimerait bien mieux la paix !

Sire Constant a tiré son épée : il s'apprête à bien le frapper. Il descend de cheval et vient vers le loup, sur la glace. Il l'attaque par derrière, veut le frapper, mais il manque son coup. Le coup porte de travers, et sire Constant tombe à la renverse, si bien que la nuque lui saigne. Il se relève, à grand'peine. Plein de colère, il revient à la charge. Écoutez la belle bataille ! Il croit l'atteindre à la tête, mais c'est ailleurs qu'aboutit son coup : l'épée glisse vers la queue et la coupe tout ras, sans faute.

Ysengrin le sent bien : il saute de côté et détale, mordant tour à tour les chiens qui s'accrochent cent fois à sa croupe. Il leur laisse sa queue en gage ; cela lui pèse et le désole : peu s'en faut que son cœur, de rage, ne crève !...

Sans s'attarder, Ysengrin s'enfuit droit vers le bois à grande allure : il se regarde, par derrière ! Il parvient au bois ; il jure qu'il se vengera de Renart, et que jamais il ne l'aimera.

RENART ET LE CORBEAU

Depuis Esope la fable du renard flattant le corbeau est célèbre, elle a plusieurs fois été contée au Moyen Age, et La Fontaine la reprendra.

Tiécelin, le corbeau, vient tout droit au lieu où était sire Renart.

Les voilà réunis à cette heure, Renart dessous, l'autre sur l'arbre. La seule différence c'est que l'un mange et l'autre bâille. Le fromage est un peu mou ; Tiécelin y frappe de si grands coups, du bout du bec, qu'il l'entame. Malgré la dame qui tant l'injuria quand il le prit, il en mange, et du plus jaune et du plus tendre. Il frappe de grands coups, avec force ; à son insu, une miette tombe à terre, devant Renart qui l'aperçoit. Il connaît bien pareille bête et hoche la tête. Il se dresse pour mieux voir : il voit Tiécelin, perché là-haut, un de ses vieux compères, le bon fromage entre ses pattes. Familièrement, il l'interpelle : « Par les saints de Dieu, que vois-je là ? Est-ce vous, sire compère ? Bénie soit l'âme de votre père, sire Rohart, qui si bien sut chanter ! Maintes fois je l'ai entendu se vanter d'en avoir le prix en France. Vous-même, en votre enfance, vous vous y exerciez. Ne savez-vous donc plus vocaliser ? Chantez-moi une rotrouenge ! » Tiécelin entend la flatterie, ouvre le bec, et jette un cri. Et Renart dit : « Très bien ! Vous chantez mieux qu'autrefois. Encore, si vous le vouliez, vous iriez un ton plus haut. » L'autre, qui se croit habile chanteur, se met derechef à crier. « Dieu ! dit Renart, comme s'éclaire maintenant, comme s'épure votre voix ! Si vous vous priviez de noix, vous seriez le meilleur chanteur du monde. Chantez encore, une troisième fois ! »

L'autre crie à perdre haleine, sans se douter, pendant qu'il peine, que son pied droit se desserre ; et le fromage tombe à terre, tout droit devant les pieds de Renart.

Le glouton qui brûle et se consume de gourmandise n'en toucha pas une miette ; car, s'il le peut, il voudrait aussi tenir Tiécelin. Le fromage est à terre, devant lui. Il se lève, clopin-clopant : il avance le pied dont il cloche, et la peau, qui encore lui pend. Il veut que Tiécelin le voie bien : « Ah Dieu ! fait-il, comme Dieu m'a donné peu de joie en cette vie ! Que ferai-je, sainte Marie ! Ce fromage pue si fort et vous dégage une telle odeur que bientôt je suis mort. Et surtout, ce qui m'inquiète, c'est que le fromage n'est pas bon pour les plaies ; je n'en ai nulle envie, car les médecins me l'interdisent. Ah ! Tiécelin, descendez donc ! sauvez-moi de ce mal ! certes, je ne vous en prierais pas, mais j'eus l'autre jour la jambe brisée dans un piège, par malheur. Alors m'advint cette disgrâce : je ne peux plus aller et venir ; je dois maintenant me reposer, mettre des emplâtres et me refaire, pour guérir. » Tiécelin croit qu'il dit vrai parce qu'il le prie en pleurant. Il descend de là-haut : quel saut malencontreux si messire Renart peut le tenir ! Tiécelin n'ose approcher. Renart voit sa couardise et commence à le rassurer : « Pour Dieu, fait-il, avancez-vous ! Quel mal vous peut faire un blessé ? » Renart se tourne vers lui. Le fou, qui trop s'abandonna, ne sut ce qu'il fit quand l'autre sauta. Renart crut le saisir et le manqua, mais quatre plumes lui restèrent entre les dents.

Les Mille et une nuits

ANONYME XIIe–XIIIe S.

CONTES

Ce recueil de contes arabes des XIIe et XIIIe siècles (il reçut sa forme définitive vers 1400) connut, par la version qu'en établit Antoine Galland (publiée de 1704 à 1717), un succès considérable. Depuis, d'autres traductions sont parues et le succès ne s'est pas atténué.
Deux rois et frères, Shazaman et Shahriyâr, ont été trahis par leur épouse. Trois ans durant, Shahriyâr passera chaque nuit avec une compagne différente qu'il fait décapiter le lendemain. Voici le tour de la belle Shéhérazade, elle sait après la nuit capter l'attention du roi par le pouvoir des fables, prenant soin au point du jour d'interrompre son récit en un endroit plein de mystère, et cela mille et une nuits consécutives à l'issue desquelles le roi l'épouse, guéri de sa défiance.
Le merveilleux de ces contes atteint la perfection, et le climat constamment est celui d'une exquise civilisation et d'une admirable urbanité.
Shéhérazade conte les sept voyages de ***Sindbad le marin*** *(à dire vrai un marchand qui court les mers) ; le troisième ressemble fort à l'épisode d'Ulysse et du cyclope. Sindbad et ses compagnons ont fait naufrage, et sur une île sont prisonniers d'un géant qui mange un des leurs chaque jour.*

SINDBAD LE MARIN (TROISIÈME VOYAGE)

Mais enfin voici de quelle manière nous nous vengeâmes de la cruauté du géant. Après qu'il eut achevé son détestable souper, il se coucha sur le dos et s'endormit. D'abord que nous l'entendîmes ronfler selon sa coutume, neuf des plus hardis d'entre nous et moi, nous prîmes chacun une broche, nous en mîmes la pointe dans le feu pour la faire rougir, et ensuite nous la lui enfonçâmes dans l'œil en même temps, et nous le lui crevâmes.

« La douleur que sentit le géant lui fit pousser un cri effroyable. Il se leva brusquement, et étendit les mains de tous côtés pour se saisir de quelqu'un de nous, afin de le sacrifier à sa rage ; mais nous eûmes le temps de nous éloigner de lui, et de nous jeter contre terre dans les endroits où il ne pouvait nous rencontrer sous ses pieds. Après nous avoir cherchés vainement, il trouva la porte à tâtons et sortit avec des hurlements épouvantables... »

Shéhérazade n'en dit pas davantage cette nuit ; mais la nuit suivante elle reprit ainsi cette histoire :

.76e NUIT.

« Nous sortîmes du palais après le géant, poursuivit Sindbad, et nous nous rendîmes au bord de la mer dans l'endroit où étaient nos radeaux. Nous les mîmes d'abord à l'eau, et nous attendîmes qu'il fît jour pour nous jeter dessus, supposé nous vissions le géant venir à nous avec quelque guide de son espèce ; mais nous nous flattions que, s'il ne paraissait pas lorsque le soleil serait levé, et que nous n'entendissions plus ses hurlements, que nous ne cessions pas d'ouïr, ce serait une marque qu'il aurait perdu la vie, et, en ce cas, nous nous proposions de rester dans l'île et de ne pas nous risquer sur nos radeaux. Mais à peine fut-il jour que nous aperçûmes notre cruel ennemi, accompagné de deux géants à peu près de sa grandeur qui le conduisaient, et d'un assez grand nombre d'autres encore qui marchaient devant lui à pas précipités.

« A cet objet, nous ne balançâmes point à nous jeter sur nos radeaux, et nous commençâmes à nous éloigner du rivage à force de rames. Les géants, qui s'en aperçurent, se munirent de grosses pierres, accoururent sur la rive, entrèrent même dans l'eau jusqu'à la moitié du corps, et nous les jetèrent si adroitement qu'à la réserve du radeau sur lequel j'étais tous les autres en furent brisés, et les hommes qui étaient dessus se noyèrent. Pour moi et mes deux compagnons, comme nous ramions de toutes nos forces, nous nous trouvâmes les plus avancés dans la mer et hors de la portée des pierres.

« Quand nous fûmes en pleine mer, nous devînmes le jouet du vent et des flots qui nous jetaient tantôt d'un côté, et tantôt d'un autre, et nous passâmes ce jour-là et la nuit suivante dans une cruelle incertitude de notre destinée ; mais le lendemain nous eûmes le bonheur d'être poussés contre une île où nous nous sauvâmes avec bien de la joie. Nous y trouvâmes d'excellents fruits, qui nous furent d'un grand secours pour réparer les forces que nous avions perdues.

« Sur le soir, nous nous endormîmes sur le bord de la mer ; mais nous fûmes réveillés par le bruit qu'un serpent long comme un palmier faisait de ses écailles en rampant sur la terre. Il se trouva si près de nous qu'il engloutit un de mes deux camarades, malgré les cris et les efforts qu'il put faire pour se débarrasser du serpent, qui, le secouant à plusieurs reprises, l'écrasa contre terre et acheva de l'avaler. Nous prîmes aussitôt la fuite, l'autre camarade et moi ; et, quoique nous fussions assez éloignés, nous entendîmes, quelque temps après, un bruit qui nous fit juger que le serpent rendait les os du malheureux qu'il avait surpris. En effet, nous les vîmes le lendemain avec horreur. « O Dieu ! m'écriai-je alors, à quoi nous sommes-nous exposés ! Nous nous réjouissions hier d'avoir dérobé nos vies à la cruauté d'un géant et à la fureur des eaux, et nous voilà tombés dans un péril qui n'est pas moins terrible. »

HISTOIRE D'ALADDIN OU LA LAMPE MERVEILLEUSE

Aladdin est un jeune garnement qui fait mourir son père de chagrin en raison de sa mauvaise conduite : « Il était méchant, opiniâtre, désobéissant ». Or voici que celui que le conte nomme « le Magicien Africain » choisit Aladdin pour en faire l'instrument de sa puissance. Comme le soldat pour la sorcière dans le conte du ***Briquet*** *d'Andersen, Aladdin doit procurer au Magicien une lampe merveilleuse en descendant sous la terre dans un jardin merveilleux ; encore comme dans le* ***Briquet****, Aladdin reste sous terre pour avoir refusé de donner la lampe avant d'être hissé dehors. Il parvient à sortir par le pouvoir d'un anneau, découvre par hasard la puissance de la lampe, épouse la princesse Badroulboudour et vit dans la spendeur.*

Aladdin sauta légèrement dans le caveau, et il descendit jusqu'au bas des degrés : il trouva les trois salles dont le magicien africain lui avait fait la description.

Il passa au travers avec d'autant plus de précaution qu'il appréhendait de mourir s'il manquait à observer soigneusement ce qui lui avait été prescrit. Il traversa le jardin sans s'arrêter, monta sur la terrasse, prit la lampe allumée dans la niche, jeta le lumignon et la liqueur, et, en la voyant sans humidité comme le magicien le lui avait dit, il la mit dans son sein ; il descendit de la terrasse, et il s'arrêta dans le jardin à en considérer les fruits qu'il n'avait vus qu'en passant. Les arbres de ce jardin étaient tous chargés de fruits extraordinaires. Chaque arbre en portait de différentes couleurs : il y en avait de blancs, de luisants et transparents comme le cristal ; de rouges, les uns plus chargés, les autres moins ; de verts, de bleus, de violets, de tirant sur le jaune, et de plusieurs autres sortes de couleurs. Les blancs étaient des perles ; les luisants et transparents, des diamants ; les rouges les plus foncés, des rubis ; les autres moins foncés, des rubis balais ; les verts, des émeraudes ; les bleus, des turquoises, les violets, des améthystes ; ceux qui tiraient sur le jaune, des saphirs ; et ainsi des autres ; et ces fruits étaient tous d'une grosseur et d'une perfection à quoi on n'avait encore rien vu de pareil dans le monde. Aladdin, qui n'en connaissait ni le mérite ni la valeur, ne fut pas touché de la vue de ces fruits, qui n'étaient pas de son goût comme l'eussent été des figues, des raisins, et les autres fruits excellents qui son communs dans la Chine. Aussi n'était-il pas encore dans un âge à en connaître le prix ; il s'imagina que tous ces fruits n'étaient que du verre coloré, et qu'ils ne valaient pas davantage. La diversité de tant de belles couleurs, néanmoins, la beauté et la grosseur extraordinaires de chaque fruit, lui donnèrent envie d'en cueillir de toutes les sortes. En effet, il en prit plusieurs de chaque couleur, et il en emplit ses deux poches et deux bourses toutes neuves que le magicien lui avait achetées avec l'habit dont il lui avait fait présent, afin qu'il n'eût rien que de neuf ; et, comme les deux bourses ne pouvaient tenir dans ses poches, qui étaient déjà pleines, il les attacha de chaque côté à sa ceinture ; il en enveloppa même dans les plis de sa ceinture, qui était d'une étoffe de soie ample et à plusieurs tours, et il les accommoda de manière qu'ils ne pouvaient pas tomber ; il n'oublia pas aussi d'en fourrer dans son sein, entre la robe et la chemise autour de lui. (...)

Il y avait déjà plusieurs années qu'Aladdin se gouvernait comme nous venons de le dire, quand le Magicien qui lui avait donné sans y penser le moyen de s'élever à une si haute fortune se souvint de lui en Afrique où il était retourné. Quoique jusqu'alors il se fût persuadé qu'Aladdin était mort misérablement dans le souterrain où il l'avait laissé, il lui vint néanmoins en pensée de savoir précisément quelle avait été sa fin. Comme il était grand géomancien, il tira d'une armoire un carré en forme de boîte couverte dont il se servait pour faire ses observations de géomance. Il s'assoit sur son sofa, met le carré devant lui, le découvre, et, après avoir préparé et égalé le sable, avec l'intention de savoir si Aladdin était mort dans le souterrain, il jette les points, il en tire les figures, et il en forme l'horoscope. En examinant l'horoscope pour en porter jugement, au lieu de trouver qu'Aladdin fût mort dans le souterrain, il découvre qu'il en était sorti et qu'il vivait sur terre dans une grande splendeur, puissamment riche, mari d'une princesse, honoré et respecté.

Le magicien africain n'eut pas plus tôt appris par les règles de son art diabolique qu'Aladdin était dans cette grande élévation que le feu lui en monta au visage. De rage il dit en lui-même : « Ce misérable fils de tailleur a découvert le secret et la vertu de la lampe ! J'avais cru sa mort certaine, et le voilà qui jouit du fruit de mes travaux et de mes veilles ! J'empêcherai qu'il n'en jouisse longtemps, ou je périrai. » Il ne fut pas longtemps à délibérer sur le parti qu'il avait à prendre. Dès le lendemain matin il monta un barbe qu'il avait dans son écurie, et il se mit en chemin. De ville en ville et de province en province, sans s'arrêter qu'autant qu'il en était besoin pour ne pas trop fatiguer son cheval, il arriva à la Chine, et bientôt dans la capitale du sultan dont Aladdin avait épousé la fille. Il mit pied à terre dans un khan ou hôtellerie publique où il prit une chambre à louage. Il y demeura le reste du jour et la nuit suivante pour se remettre de la fatigue de son voyage.

Le lendemain, avant toutes choses, le magicien africain voulut savoir ce que l'on disait d'Aladdin. En se promenant par la ville, il entra dans le lieu le plus fameux et le plus fréquenté par les personnes de grande distinction, où l'on s'assemblait pour boire d'une certaine boisson chaude qui lui était connue dès son premier voyage. Il n'y eut pas plus tôt pris place qu'on lui versa de cette boisson dans une tasse, et qu'on la lui présenta. En la prenant, comme il prêtait l'oreille à droite et à gauche, il entendit qu'on s'entretenait du palais d'Aladdin. Quand il eut achevé, il s'approcha d'un de ceux qui s'en entretenaient ; et, en prenant son temps, il lui demanda en particulier ce que c'était que ce palais dont on parlait si avantageusement. « D'où venez-vous ? lui dit celui à qui il s'était adressé. Il faut que vous soyez bien nouveau venu si vous n'avez pas vu, ou plutôt si vous n'avez pas encore entendu parler du palais du prince Aladdin. » On n'appelait plus autrement Aladdin depuis qu'il avait épousé la princesse Badroulboudour. « Je ne vous dis pas, continua cet homme, que c'est une des merveilles du monde, mais que c'est la merveille unique qu'il y ait au monde : jamais on n'y a rien vu de si grand, de si riche, de si magnifique ! Il faut que vous veniez de bien loin, puisque vous n'en avez pas encore entendu parler. En effet, on en doit parler par toute la terre, depuis qu'il est bâti. Voyez-le, et vous jugerez si je vous en aurai parlé contre la vérité. (...)

Ne trouvez-vous pas comme moi qu'il n'y aurait plus rien à y désirer si un œuf de roc était suspendu au milieu de l'enfoncement du dôme ? — Princesse, repartit Aladdin, il suffit que vous trouviez qu'il y manque un œuf de roc, pour y trouver le même défaut. Vous verrez par la diligence que je vais apporter à le réparer qu'il n'y a rien que je ne fasse pour l'amour de vous. »

Le magicien reprend la lampe et enlève le palais et la princesse jusqu'en Afrique. Par le pouvoir de l'anneau Aladdin retrouve son palais qu'il reprend au magicien en l'empoisonnant avec la complicité de la princesse. Mais :

« Le magicien africain avait un frère cadet qui n'était pas moins habile que lui dans l'art magique ; on peut même dire qu'il le surpassait en méchanceté et en artifices pernicieux. »

Sous l'apparence d'une sainte femme, le magicien

s'introduit au palais et suggère à la princesse qu'elle demande l'ultime ornement manquant : un œuf de l'oiseau roc. *La princesse dit alors à Aladdin :*

Dans le moment, Aladdin quitta la princesse Badroulboudour ; il monta au salon aux vingt-quatre croisées ; et là, après avoir tiré de son sein la lampe qu'il portait toujours sur lui, en quelque lieu qu'il allât, depuis le danger qu'il avait couru pour avoir négligé de prendre cette précaution, il la frotta. Aussitôt le génie se présenta devant lui. « Génie, lui dit Aladdin, il manque à ce dôme un œuf de roc suspendu au milieu de l'enfoncement : je te demande, au nom de la lampe que je tiens, que tu fasses en sorte que ce défaut soit réparé. »

Aladdin n'eut pas achevé de prononcer ces paroles que le génie fit un cri si bruyant et si épouvantable que le salon en fut ébranlé, et qu'Aladdin en chancela prêt à tomber de son haut. « Quoi ! misérable, lui dit le génie d'une voix à faire trembler l'homme le plus assuré, ne te suffit-il pas que mes compagnons et moi nous ayons fait toute chose en ta considération, pour me demander, par une ingratitude qui n'a pas de pareille, que je t'apporte mon maître et que je le pende au milieu de la voûte de ce dôme ? Cet attentat mériterait que vous fussiez réduits en cendre sur-le-champ, toi, ta femme et ton palais. Mais tu es heureux de n'en être pas l'auteur, et que la demande ne vienne pas directement de ta part. Apprends quel en est le véritable auteur : c'est le frère du magicien africain, ton ennemi, que tu as exterminé comme il le méritait. Il est dans ton palais, déguisé sous l'habit de Fatime la sainte femme, qu'il a assassinée ; et c'est lui qui a suggéré à ta femme de faire la demande pernicieuse que tu m'as faite. Son dessein est de te tuer ; c'est à toi d'y prendre garde. » Et en achevant il disparut.

Ainsi prévenu, Aladdin fait demander la fausse Fatime :

La fausse Fatime arriva ; et, dès qu'elle fut entrée : « Venez, ma bonne mère, lui dit Aladdin, je suis bien aise de vous voir et de ce que mon bonheur veut que vous vous trouviez ici. Je suis tourmenté d'un furieux mal de tête qui vient de me saisir. Je demande votre secours par la confiance que j'ai en vos bonnes prières, et j'espère que vous ne me refuserez pas la grâce que vous faites à tant d'affligés de ce mal. » En achevant ces paroles, il se leva en baissant la tête ; et la fausse Fatime s'avança de son côté, mais en portant la main sur un poignard qu'elle avait à sa ceinture sous sa robe. Aladdin, qui l'observait, lui saisit la main avant qu'elle l'eût tiré, et, en lui perçant le cœur du sien, il la jeta morte sur le plancher.

« Mon cher époux, qu'avez-vous fait ? s'écria la princesse dans sa surprise. Vous avez tué la sainte femme ! — Non, ma princesse, répondit Aladdin sans s'émouvoir, je n'ai pas tué Fatime, mais un scélérat qui m'allait assassiner, si je ne l'eusse prévenu. C'est ce méchant homme que vous voyez, ajouta-t-il en le dévoilant, qui a étranglé Fatime que vous avez cru regretter en m'accusant de sa mort, et qui s'était déguisé sous son habit pour me poignarder. Et, afin que vous le connaissiez mieux, il était frère du magicien africain votre ravisseur. » Aladdin lui raconta ensuite par quelle voie il avait appris ces particularités ; après quoi il fit enlever le cadavre.

C'est ainsi qu'Aladdin fut délivré de la persécution des deux frères magiciens. Peu d'années après, le sultan mourut dans une grande vieillesse. Comme il ne laissa pas d'enfants mâles, la princesse Badroulboudour, en qualité de légitime héritière, lui succéda, et communiqua la puissance suprême à Aladdin. Ils régnèrent ensemble de longues années, et laissèrent une illustre postérité.

HISTOIRE D'ALI BABA ET DE QUARANTE VOLEURS EXTERMINÉS PAR UNE ESCLAVE

Il était une fois deux frères, l'un riche, nommé Cassim, l'autre pauvre, nommé Ali Baba. Un jour, dans la forêt, Ali Baba surprend le secret d'une bande de quarante voleurs : une grotte pleine de trésors que ferme une porte merveilleuse.

Les cavaliers, grands, puissants, tous bien montés et bien armés, arrivèrent près du rocher, où ils mirent pied à terre ; et Ali Baba, qui en compta quarante, à leur mine et à leur équipement, ne douta pas qu'ils fussent des voleurs. Il ne se trompait pas : en effet, c'étaient des voleurs qui, sans faire aucun tort aux environs, allaient exercer leurs brigandages bien loin, et avaient là leur rendez-vous ; et ce qu'il les vit faire le confirma dans cette opinion.

Chaque cavalier débrida son cheval, l'attacha, lui passa au cou un sac plein d'orge qu'il avait apporté sur la croupe, et ils se chargèrent chacun de leur valise ; et la plupart des valises parurent si pesantes à Ali Baba qu'il jugea qu'elles étaient pleines d'or et d'argent monnayé.

Le plus apparent, chargé de sa valise comme les autres, qu'Ali Baba prit pour le capitaine des voleurs, s'approcha du rocher, fort près du gros arbre où il s'était réfugié ; et, après qu'il se fut fait chemin au travers de quelques arbrisseaux, il prononça ces paroles si distinctement : *Sésame, ouvre-toi,* qu'Ali Baba les entendit. Dès que le capitaine des voleurs les eut prononcées, une porte s'ouvrit ; et, après qu'il eut fait passer tous ses gens devant lui et qu'ils furent tous entrés, il entra aussi, et la porte se ferma.

Les voleurs demeurèrent longtemps dans le rocher ; et Ali Baba, qui craignait que quelqu'un d'eux, où que tous ensemble ne sortissent s'il quittait son poste pour se sauver, fut contraint de rester sur l'arbre et d'attendre avec patience. Il fut tenté néanmoins de descendre pour se saisir de deux chevaux, en monter un et mener l'autre par la bride, et de gagner la ville en chassant ses trois ânes devant lui ; mais l'incertitude de l'événement fit qu'il prit le parti le plus sûr.

La porte se rouvrit enfin ; les quarante voleurs sortirent ; et, au lieu que le capitaine était entré le dernier, il sortit le premier, et, après les avoir vus défiler devant lui, Ali Baba entendit qu'il fit refermer la porte en prononçant ces paroles : *Sésame, referme-toi.* Chacun retourna à son cheval, le rebrida, rattacha sa valise, et remonta dessus. Quand ce capitaine enfin vit qu'ils étaient tous prêts à partir, il se mit à la tête, et il reprit avec eux le chemin par où ils étaient venus.

Ali Baba ne descendit pas de l'arbre d'abord ; il dit en lui-même : « Ils peuvent avoir oublié quelque chose à les obliger de revenir, et je me trouverais attrapé si cela arrivait. » Il les conduisit de l'œil jusqu'à ce qu'il les eût perdus de vue, et il ne descendit que longtemps après, pour plus grande sûreté. Comme il avait retenu les paroles par lesquelles le capitaine des voleurs avait fait ouvrir et refermer la porte, il eut la curiosité d'éprouver si en les prononçant elles feraient le même effet. Il passa au travers des arbrisseaux, et il aperçut la porte qu'ils cachaient. Il se présenta devant, et dit : *Sésame, ouvre-toi,* et dans l'instant la porte s'ouvrit toute grande.

Ali Baba s'était attendu de voir un lieu de ténèbres et d'obscurité ; mais il fut surpris d'en voir un bien éclairé, vaste et spacieux, creusé en voûte fort élevée à main d'homme, qui recevait la lumière du haut du rocher par une ouverture pratiquée de même. Il vit de grandes provisions de bouche, des ballots de riches marchandises en piles, des étoffes de soie et de brocart, des tapis de grand prix, et surtout de l'or et de l'argent monnayé par tas, et dans des sacs ou grandes bourses de cuir les unes sur les autres ; et, à voir toutes ces choses, il lui parut qu'il y avait non pas de longues années, mais des siècles que cette grotte servait de retraite à des voleurs qui avaient succédé les uns aux autres.

Ali Baba ne balança pas sur le parti qu'il devait prendre : il entra dans la grotte, et, dès qu'il y fut entré, la porte se referma ; mais cela ne l'inquiéta pas : il savait le secret de la faire ouvrir. Il ne s'attacha pas à l'argent, mais à l'or monnayé, et particulièrement à celui qui était dans les sacs. Il en enleva à plusieurs fois autant qu'il pouvait en porter, et qu'ils purent suffire pour faire la charge de ses trois ânes. Il rassembla ses ânes qui étaient dispersés ; et, quand il les eut fait approcher du rocher, il les chargea des sacs ; et, pour les cacher, il accommmoda du bois par-dessus, de manière qu'on ne pouvait les apercevoir. (...)

Cassim ayant surpris le secret se rend à la grotte. Son avarice le rend imprudent, les voleurs le trouvent et le tuent. Ali Baba reprend aux voleurs le corps de son frère, en sorte que les brigands retrouvent sa trace et décident de se venger. Morgiane, « une esclave adroite, entendue et féconde en inventions pour faire réussir les choses les plus difficiles », deux fois déjoue les tentatives des bandits. Le capitaine des voleurs se déguise en marchand d'huile, sa caravane se compose de dix-neuf mulets, chargés de vases où se tiennent cachés ses hommes, un seul vase étant réellement rempli d'huile.

Les choses ainsi disposées, quand les mulets furent chargés des trente-sept voleurs, sans y comprendre le capitaine, chacun caché dans un des vases, et du vase qui était plein d'huile, leur capitaine, comme conducteur, prit le chemin de la ville, dans le temps qu'il avait résolu, et y arriva à la brune, environ une heure après le coucher du soleil, comme il se l'était proposé. Il y entra, et il alla droit à la maison d'Ali Baba, dans le dessein de frapper à la porte et de demander à y passer la nuit avec ses mulets, sous le bon plaisir du maître. Il n'eut pas la peine de frapper : il trouva Ali Baba à la porte, qui prenait le frais après le souper. Il fit arrêter ses mulets, et, en s'adressant à Ali Baba : « Seigneur, dit-il, j'amène l'huile que vous voyez, de bien loin, pour la vendre demain au marché ; et, à l'heure qu'il est, je ne sais où aller loger. Si cela ne vous incommode pas, faites-moi le plaisir de me recevoir chez vous pour y passer la nuit : je vous en aurai obligation. »

Quoique Ali Baba eût vu dans la forêt celui qui lui parlait, et même entendu sa voix, comment eût-il pu le reconnaître pour le capitaine des quarante voleurs, sous le déguisement d'un marchand d'huile ?

« Vous êtes le bien venu, lui dit-il, entrez. » Et, en disant ces paroles, il lui fit place pour le laisser entrer avec ses mulets, comme il le fit.

En même temps, Ali Baba appela un esclave qu'il avait, et lui commanda, quand les mulets seraient déchargés, de les mettre non seulement à couvert dans l'écurie, mais même de leur donner du foin et de l'orge. Il prit aussi la peine d'entrer dans la cuisine, et d'ordonner à Morgiane d'apprêter promptement à souper pour l'hôte qui venait d'arriver, et de lui préparer un lit dans une chambre.

Ali Baba fit plus : pour faire à son hôte tout l'accueil possible, quand il vit que le capitaine des voleurs avait déchargé ses mulets, que les mulets avaient été menés dans l'écurie comme il l'avait commandé, et qu'il cherchait une place pour passer la nuit à l'air, il alla le prendre pour le faire entrer dans la salle où il recevait son monde, en lui disant qu'il ne souffrirait pas qu'il couchât dans la cour. Le capitaine des voleurs s'en excusa fort, sous prétexte de ne vouloir pas être incommode, mais, dans le vrai, pour avoir lieu d'exécuter ce qu'il méditait avec plus de liberté ; et il ne céda aux honnêtetés d'Ali Baba qu'après de fortes instances. (...)

Tandis qu'Ali Baba dans l'ignorance traite au mieux celui qui en veut à sa vie, Morgiane n'ayant plus d'huile veut s'en procurer dans un des vases de la caravane et ainsi surprend le stratagème.

Morgiane n'oublia pas les ordres d'Ali Baba : elle prépare son linge de bain, elle en charge Abdalla qui n'était pas encore allé se coucher, elle met le pot au feu pour le bouillon, et, pendant qu'elle écume le pot, la lampe s'éteint. Il n'y avait plus d'huile dans la maison, et la chandelle y manquait aussi. Que faire ? Elle a besoin cependant de voir clair pour écumer son pot ; elle en témoigne sa peine à Abdalla.

« Te voilà bien embarrassée, lui dit Abdalla. Va prendre de l'huile dans un des vases que voilà dans la cour. »

Morgiane remercia Abdalla de l'avis, et, pendant qu'il va se coucher près de la chambre d'Ali Baba, pour le suivre au bain, elle prend la cruche à l'huile et elle va dans la cour. Comme elle se fut approchée du premier vase qu'elle rencontra, le voleur qui était caché dedans demanda en parlant bas : « Est-il temps ? »

Quoique le voleur eût parlé bas, Morgiane néanmoins fut frappée de la voix d'autant plus facilement que le capitaine des voleurs, dès qu'il eut déchargé ses mulets, avait ouvert, non seulement ce vase, mais même tous les autres, pour donner de l'air à ses gens, qui d'ailleurs y étaient fort mal à leur aise, sans y être encore privés de la facilité de respirer.

Toute autre esclave que Morgiane, aussi surprise qu'elle le fut en trouvant un homme dans un vase, au lieu d'y trouver de l'huile qu'elle cherchait, eût fait un vacarme capable de causer de grands malheurs. Mais Morgiane était au-dessus de ses semblables : elle comprit en un instant l'importance de garder le secret, le danger pressant où se trouvaient Ali Baba et sa famille et où elle se trouvait elle-même, et la nécessité d'y apporter promptement le remède, sans faire d'éclat ; et par sa capacité elle en pénétra d'abord les moyens. Elle rentra donc en elle-même dans le moment, et, sans faire paraître aucune émotion, en prenant la place du capitaine des voleurs, elle répondit à la demande, et elle dit : « Pas encore, mais bientôt. » Elle s'approcha du vase qui suivait, et la même demande lui fut faite, et ainsi de suite, jusqu'à ce qu'elle arriva au dernier qui était plein d'huile ; et à la même demande elle donna la même réponse.

Morgiane connut par là que son maître Ali Baba, qui avait cru ne donner à loger chez lui qu'à un marchand d'huile, y avait donné entrée à trente-huit voleurs, en y comprenant le faux marchand, leur capitaine. Elle remplit en diligence sa cruche d'huile, qu'elle prit du dernier vase ; elle revint dans sa cuisine, où, après avoir mis de l'huile dans la lampe et l'avoir rallumée, elle prend une grande chaudière, elle retourna à la cour où elle l'emplit de l'huile du vase. Elle la rapporte, la met sur le feu, et met dessous force bois, parce que plus tôt l'huile bouillira, plus tôt elle aura exécuté ce qui doit contribuer au salut commun de la maison, qui ne demande pas de retardement. L'huile bout enfin ; elle prend la chaudière, et elle va verser dans chaque vase assez d'huile toute bouillante, depuis le premier jusqu'au dernier, pour les étouffer et leur ôter la vie, comme elle la leur ôta.

Le capitaine, qui s'était enfui, reviendra à la charge, seul cette fois, et Morgiane le tuera. Pour prix de son dévouement, Ali Baba donnera Morgiane comme épouse à son fils.

« Depuis ce temps-là, Ali Baba, son fils, qu'il mena à la grotte, et à qui il enseigna le secret pour y entrer, et après eux leur postérité, à laquelle ils firent passer le même secret, en profitant de leur fortune avec modération, vécurent dans une grande splendeur, et honorés des premières dignités de la ville. »

Chrétien de Troyes

TROYES 1130 ? – 1190 ?

Chrestien ou Chrétien de Troyes traduit ***l'Art d'Aimer*** *d'Ovide et compose un* ***Tristan et Iseut*** *qui tous deux sont perdus. Vers 1162 il écrit* ***Erec et Enide,*** *vers 1164* ***Cligès,*** *vers 1168* ***Lancelot ou le Chevalier à la charette,*** *vers 1172* ***Yvain ou le Chevalier au lion,*** *enfin* ***Perceval ou le Conte du Graal*** *qui est resté inachevé. Ces cinq romans sont écrits en vers de huit syllabes. Chrétien emprunte ses personnages, le Roi Arthur et les chevaliers de la Table Ronde, aux romans bretons, et les transpose dans la société courtoise française, avec ses fêtes, ses tournois, ses amours.*

Les héros de Chrétien se débattent entre l'amour et l'aventure auxquels ils aspirent également : dans ***le Chevalier au lion,*** *Yvain a sacrifié l'amour pour les aventures, il n'obtient le pardon de sa dame qu'en acceptant de rester fidèlement auprès d'elle.*

ROMAN BRETON

.Yvain et le Chevalier au lion.

VERS 1172

Considéré comme le chef-d'œuvre de Chrétien, ***Yvain*** *est composé de 6800 vers. Yvain, chevalier de la Table Ronde, se met à la recherche d'une fontaine miraculeuse, et la trouve. Il y puise de l'eau et aussitôt une tempête terrible dévaste les alentours. Le seigneur du pays accourt, attaque Yvain ; celui-ci le blesse à mort et le poursuit jusque dans son château, dont les portes se referment. Lunette, une jeune confidente de la châtelaine lui cède un anneau qui le rend invisible. Sans être vu, Yvain assiste aux funérailles du châtelain, s'éprend de la veuve, lui inspire de l'amour et l'épouse. Quelque temps après invité par Arthur à un tournoi, Yvain obtient de sa dame un congé de un an. Entraîné dans des aventures il oublie le délai et apprend qu'il est répudié. Dans l'espoir d'obtenir son pardon, il entreprend divers exploits, aidé d'un lion qu'il a sauvé de la mort. Il finit par obtenir son pardon.*

Yvain assiste aux funérailles de son adversaire et s'émeut devant la beauté et la douleur de la veuve :

Lunette était si intime avec sa dame qu'elle ne craignait pas de lui dire tout, quelque importance qu'eût la chose; car elle était sa gouvernante et sa gardienne. Pourquoi aurait-elle eu peur de la consoler et de lui rappeler ses intérêts ? Elle lui dit d'abord, en particulier : « Ma dame, je suis fort étonnée de vous voir agir si follement. Croyez-vous recouvrer votre mari en pleurant ? – Non, » fait la dame, « mais je voudrais être morte de chagrin. – Pourquoi ? – Pour aller après lui. – Après lui ? Dieu vous en garde et vous rende un aussi bon mari, car il est assez puissant pour le faire ! – Jamais tu n'as prononcé si fausse parole, car il ne pourrait m'en rendre un aussi bon. – Il vous en rendra un meilleur, si vous voulez l'accepter, et je vous le prouverai. – Fuis ! tais-toi ! Jamais je ne le trouverai. – Si fait, ma dame, s'il vous plaît. Mais dites-moi, et que cela ne vous ennuie pas, qui défendra votre terre quand viendra le roi Arthur, qui doit venir la semaine prochaine au perron et à la fontaine ? Vous en avez reçu avis de la demoiselle sauvage, qui vous en a écrit. Ah ! comme elle a bien employé sa lettre ! Vous devriez à cette heure prendre conseil pour défendre votre fontaine, et vous ne cessez de pleurer ! Vous n'auriez pas de temps à perdre, si vous le vouliez, ma chère dame, car tous les chevaliers que vous avez ne valent certainement pas une chambrière. Celui qui se croit le plus brave ne prendra ni écu ni lance. Vous avez beaucoup de mauvaises gens, mais pas un seul homme si hardi qu'il ose monter à cheval en cette occasion. Et le roi vient avec une si grande armée qu'il prendra tout sans obstacle. » La dame sait très bien que la demoiselle la conseille loyalement ; mais elle est atteinte de cette folie qui est commune aux femmes et dont presque toutes font preuve : elles mettent en avant leur déraison et refusent ce qu'elles désirent. « Fuis, » fait-elle, « laisse-moi en paix ; si jamais je t'en entends parler, tu auras tort de ne pas fuir. Tu parles tant que tu m'irrites. – A la bonne heure, ma dame ; il paraît bien que vous êtes femme, qui se met en colère lorsqu'elle entend quelqu'un lui donner un bon conseil ! »

La demoiselle laissa la dame et sortit. Celle-ci se ravisa et se dit qu'elle avait eu très grand tort. Elle voudrait bien savoir comment Lunette pourrait prouver la possibilité de trouver un chevalier meilleur que n'était son mari. Bien volontiers elle le lui entendrait dire, mais elle le lui a défendu. Elle s'enferma dans ces pensées jusqu'à ce que Lunette revint. Mais celle-ci ne se laissa pas arrêter par la défense qu'on lui avait faite, et en arrivant elle dit : « Ma dame, est-il raisonnable que vous vous fassiez mourir de chagrin ? Pour Dieu, dominez-vous, et renoncez-y, ne fût-ce que par honte. Il ne convient pas à une si grande dame de garder si longtemps le deuil. Qu'il vous souvienne de votre situation et de votre grande noblesse. Croyez-vous que toute valeur ait péri avec votre mari ? Cent aussi bons et cent meilleurs sont restés en ce monde. – Si tu ne mens, Dieu me confonde ! Et pourtant nomme-m'en un seul qui puisse prouver être aussi vaillant que mon mari le fut toute sa vie. – Vous m'en sauriez mauvais gré, vous vous en fâcheriez et me blâmeriez. – Je ne le ferai pas, je te le garantis. – Que ce soit pour votre bonheur, qui vous en adviendra, si c'est votre plaisir, et Dieu veuille que la chose vous plaise ! Je ne vois pas pourquoi je me tairais, car personne ne nous entend ni ne nous écoute. Vous me tiendrez pour bien osée, mais je dirai vrai, je le crois : quand deux chevaliers en sont venus aux armes dans un combat, et que l'un deux a vaincu l'autre, lequel, à votre avis, est le meilleur ? Pour moi je donne le prix au vainqueur. Et vous ? – Je crois que tu me tends un piège et que tu veux me prendre à ma réponse. – Certes vous pouvez bien comprendre que je suis dans le vrai, et je vous prouve par déduction sûre que celui qui a vaincu votre mari vaut mieux que lui. Il l'a vaincu, l'a poursuivi hardiment jusqu'ici et l'a enfermé dans sa maison. – J'entends, » répond-elle, « la plus grande déraison qui jamais ait été dite. Fuis, possédée du mauvais esprit ! fuis, fille folle et insupportable ! Ne répète jamais pareille sottise ! Ne parais jamais devant moi si tu dois parler de lui ! – Certes, ma dame, j'étais bien sûre que vous m'en voudriez, et je vous en avais prévenue. Mais vous m'aviez promis que vous ne m'en sauriez pas mauvais gré, et que vous ne vous en fâcheriez pas. Vous m'avez mal tenu votre promesse et vous m'avez dit tout ce qu'il vous a plu : moi, j'ai perdu une belle occasion de me taire. »

A ces mots, la jeune fille retourne à la chambre où se repose messire Yvain, dont elle s'efforce de charmer la captivité ; mais il n'y a chose qui plaise au chevalier, parce qu'il ne peut voir la dame. Il ne sait pas un mot et ne se doute en rien de l'assaut que la demoiselle livre à celle-ci. Cependant la dame discute avec elle-même toute la nuit, car elle désire anxieusement défendre sa fontaine. Elle commence à se repentir d'avoir blâmé et injurié la demoiselle et de lui avoir retiré sa confiance ; car elle est bien sûre et bien certaine que, si la jeune fille a plaidé pour le chevalier, ce n'est pas en vue d'une récompense, ni par reconnaissance ou par amour pour lui ; elle aime sa dame plus que le chevalier et ne lui conseillerait pas ce qui pourrait faire sa honte ou son malheur, car elle est sa loyale amie. Voilà donc la dame retournée : celle qu'elle a maltraitée, elle n'aurait pas cru devoir jamais l'aimer de bon cœur ; et celui qu'elle a refusé, elle l'excuse bien sincèrement et reconnaît par raisons et arguments juridiques qu'il n'a aucun tort envers elle. Elle discute avec lui comme s'il était présent ; elle lui fait ainsi son procès : « Va, » fait-elle, « peux-tu nier que mon mari ait été tué par toi ? – Je ne puis le contester, au contraire je l'avoue. – Dis alors pourquoi tu l'as fait. Est-ce pour me nuire ? Est-ce en haine ou en dépit de moi ? – Puissé-je mourir sur-le-champ, si je l'ai fait pour vous nuire ! – Tu n'as donc nul tort envers moi, ni envers lui, car s'il l'avait pu, il t'aurait tué. Aussi suis-je convaincue que j'ai bien et loyalement jugé. »

Ainsi elle se prouve à elle-même, et y trouve justice, bon sens et raison, qu'elle n'a aucun droit de le haïr. Elle allègue pour lui les arguments qui lui plaisent, et s'enflamme elle-même comme la bûche qui fume tant qu'elle s'allume, sans que personne y souffle ou l'attise. Si maintenant la demoiselle revenait, elle gagnerait le procès pour lequel elle a tant plaidé qu'elle en a été fort malmenée.

Elle revint en effet le matin et reprit son sermon à l'endroit où elle l'avait laissé. Et la dame tenait la tête baissée, reconnaissant qu'elle avait eu tort de l'offenser, résolue à lui faire ses excuses et à lui demander le nom du chevalier, comment il est et de quelle famille. Elle s'humilie, en femme de sens, et lui dit : « Je veux vous demander pardon des paroles outrageantes et orgueilleuses que je vous ai adressées follement ; je m'en remettrai à votre enseignement. Mais dites-moi, si vous le savez : le chevalier dont vous m'avez si longuement entretenue, quel homme est-il, et de quelle famille ? S'il est de ma condition et pourvu qu'il ne s'y refuse pas, je le ferai, je vous l'accorde, le seigneur de mes terres et le mien. Mais il faudra agir en sorte qu'on ne puisse pas me le reprocher et dire : C'est celle qui a épousé le meurtrier de son mari. – Par le nom de Dieu, ma dame, il en sera ainsi. Vous aurez le mari le plus noble, le plus loyal et le plus beau qui soit jamais sorti de la lignée d'Abel. – Quel est son nom ? – Messire Yvain. – Assurément, ce n'est pas un vilain ; il est au contraire très noble, je le sais, car il est fils du roi Urien. – Ma dame, vous dites vrai. – Et quand pourrons-nous l'avoir ? – D'ici cinq jours. – Ce serait trop long, car je voudrais qu'il fût déjà ici. Qu'il vienne aujourd'hui ou tout au moins demain ! – Ma dame, je ne crois pas que nul oiseau puisse en un jour tant voler. Mais j'y enverrai un garçon que j'ai, qui est excellent coureur et qui sera à la cour du roi Arthur, je l'espère, pour demain soir ; on ne peut le joindre plus tôt. – Ce délai est beaucoup trop grand : les jours sont longs. Dites-lui que demain au soir il soit revenu ici, et qu'il coure plus vite qu'à l'ordinaire, car s'il veut se forcer il fera deux étapes en une journée ; et comme cette nuit la lune brillera, qu'il fasse en outre de la nuit le jour. Je lui donnerai à son retour tout ce qu'il demandera. – Laissez-moi le soin de cette affaire, et vous l'aurez avant trois jours au plus. En attendant, vous convoquerez vos gens et vous les consulterez au sujet de la venue du roi. Dites-leur qu'il convient d'aviser à défendre votre fontaine suivant la coutume. Il ne se trouvera pas un homme assez hardi pour se vanter d'y aller. Vous pourrez alors à bon droit dire qu'il vous faut vous remarier ; qu'un chevalier très renommé vous demande, mais que vous n'osez l'accepter sans leur consentement à tous. Je vous garantis bien, tant je les sais lâches, que pour se décharger sur autrui du fardeau dont ils seraient accablés, ils vous baiseront tous les pieds, et vous remercieront, car il seront tirés d'un grand souci. Qui a peur de son ombre évite volontiers, s'il le peut, le jeu de la lance et du javelot, qui est un mauvais jeu pour le poltron. » La dame répond : « Je suis entièrement de cet avis, et j'avais déjà songé au plan que vous me proposez ; nous le suivrons donc de point en point. Mais pourquoi demeurez-vous ici ? Allez, ne tardez pas davantage, et faites tant que vous l'ayez ; de mon côté je convoquerai mes gens. » Ainsi finit l'entretien.

La jeune fille feint d'envoyer chercher monseigneur Yvain dans sa terre ; cependant elle le fait chaque jour baigner, bien laver, bien peigner ; elle lui prépare une robe d'écarlate rouge, fourrée de vair, encore blanche de craie. Il n'est rien qu'elle ne lui prête pour l'embellir : une agrafe d'or pour mettre à son cou, ornée de pierres précieuses qui font prendre les gens en gré, une ceinture et une aumônière de riche étoffe. Il était bien apprêté, lorsqu'elle annonça secrètement à sa dame que l'envoyé était de retour et s'était bien acquitté de son message : « Comment ? » fait-elle, « quand viendra messire Yvain ? – Il est ici. – Il est ici ? Qu'il vienne donc vite sans qu'on le voie, pendant que je suis seule. Ayez soin que personne ne l'accompagne, car tout autre témoin que vous me déplairait fort. » La demoiselle la quitte alors et s'en revient à son hôte, mais ne laisse pas apparaître sur son visage la joie qu'elle a dans son cœur. Elle lui dit que la dame a appris qu'elle l'a gardé dans cette chambre et lui en tient rigueur. « Il m'est inutile maintenant de rien cacher, ma dame sait tout, elle m'a vivement blâmée et me garde rancune ; elle m'en a fait un crime. Toutefois elle m'a donné l'assurance que je puis vous conduire en sa présence, sans qu'il vous en advienne aucun mal. Elle ne vous fera pas de mal, je crois, sinon (car je ne veux pas vous mentir, ce serait une trahison), sinon qu'elle veut vous avoir en sa prison, et garder votre corps si étroitement que même votre cœur ne soit pas libre. – Certes, » répond Yvain, « j'y consens : cela ne me pèsera pas ; je serai volontiers son prisonnier. – Vous le serez, par cette main que je tiens. Maintenant venez avec moi, et, croyez-moi, ayez en sa présence une contenance si humble qu'elle ne vous rende pas sa prison pénible. N'ayez aucune autre crainte : je ne pense pas que votre prison soit très dure. » La demoiselle alors l'emmène, l'effrayant et le rassurant tour à tour, et lui parlant à mots couverts de la prison où il sera enfermé, car il n'y a pas d'ami sans chaîne. Elle a le droit de l'appeler prisonnier, car celui qui aime est en prison.

Geoffroi de Villehardouin

VILLEHARDOUIN VERS 1150 — ? VERS 1213.

Lorsqu'en 1199 Thibaud de Champagne prend la croix au cours d'un tournoi, son vassal Geoffroi, Maréchal de Champagne, suit aussitôt son exemple. Thibaud meurt en 1200, Villehardouin fait accepter Boniface de Montferrat comme chef de la quatrième croisade, et est lui-même chargé de missions diplomatiques auprès de Louis de Blois, de Baudouin 1er, et de l'empereur byzantin Isaac. Après la prise de Constantinople Villehardouin est à la tête de l'armée et fait maréchal de Romanie. En 1212 il est encore en Orient, et ne revient pas en France.

CHRONIQUE HISTORIQUE

.*Histoire de la conquête de Constantinople*.

1207-1213

Les croisés assiègent Constantinople :

On fixa le jour où l'on s'embarquerait sur les nefs et sur les vaisseaux pour aborder de force, pour vivre ou pour mourir ; et sachez que ce fut une des choses les plus difficiles à faire qui fut jamais. Alors les évêques et les clercs parlèrent au peuple et ils les engagèrent à se confesser et que chacun fit sa confession : car ils ne savaient ce que Dieu ferait d'eux. Et ils le firent très volontiers dans toute l'armée et très humblement.

Le terme qu'on avait fixé arriva et les chevaliers vinrent aux uissiers avec leurs chevaux. Ils y furent tout armés, les heaumes lacés et les chevaux couverts et sellés. Et les autres, qui n'avaient pas un si grand rôle à jouer dans la bataille, furent mis dans les grandes nefs et les galères furent armées et préparées.

Villehardouin commence sa chronique à la prédication de la quatrième croisade par le prêtre Foulque. C'est qu'il entend montrer que les croisés n'ont pas failli à leur mission, et que la seule force des événements à fait que l'expédition n'a pas atteint la Terre Sainte. Le premier rendez-vous des croisés est Venise, là beaucoup manquent, et la somme due aux vénitiens pour la flotte manque aussi. L'on convient alors de reprendre Zara, et d'ainsi payer la dette. Le doge se croise aussi. Alexis Comnène, fils de l'empereur de Constantinople, vient d'être détrôné par son frère. Les croisés prendront Constantinople, chasseront l'usurpateur, en échange de quoi Alexis leur paiera une forte somme, participera à la croisade, et soumettra l'empire de Romanie à la puissance de Rome. Pour Villehardouin, la Providence en détournant les croisés de leur but initial a voulu châtier les schismatiques de l'empire byzantin.

Et le matin fut beau, un peu après le soleil levant, et l'empereur Alexis les attendait avec des troupes en rangs nombreux. Et on fit sonner les trompettes et chaque galère fut liée à un uissier pour passer plus facilement. Nul ne demande qui doit passer devant, mais chacun arrive aussitôt qu'il le peut. Et les chevaliers sortirent des uissiers et sautèrent dans la mer avec de l'eau jusqu'à la ceinture, tous armés, les heaumes lacés et la lance à la main, et les bons archers et les bons sergents et les bons arbalétriers, chacun avec sa compagnie à l'endroit où elle arriva.

Les Grecs firent une tentative pour les empêcher, mais quand les lances furent baissées, les Grecs tournèrent le dos. Ils s'en vont en fuyant et leur laissent le rivage. Et sachez qu'on ne prit jamais un port de façon si téméraire.

Alors les mariniers commencèrent à ouvrir les portes des uissiers et à jeter les ponts et on commence à sortir les chevaux et les chevaliers commencent à monter à cheval, et les batailles à se mettre en rang comme il fallait.

Le comte Baudouin de Flandre et de Hainaut qui faisait l'avant-garde, se mit en route et les autres batailles à la suite, chacune comme elle devait et elles allèrent vers l'endroit où se tenait l'empereur Alexis. Mais il s'en retourna vers Constantinople et laissa ses tentes et ses pavillons tendus et là nos gens firent assez de butin.

Nos gens résolurent de s'établir sur le port devant la tour de Galata où était attachée la chaîne qui partait de Constantinople. Et sachez vraiment que ceux qui voulaient entrer à Constantinople devaient passer par cette chaîne et nos barons virent bien que s'ils ne prenaient pas cette tour, ils étaient morts et mal en point. Aussi ils s'établirent pour la nuit devant la tour et dans la Juiverie qu'on appelle l'Estanor où il y avait une très bonne ville et très riche.

Pendant la nuit ils se firent soigneusement garder et le lendemain, à l'heure de tierce, ceux de la tour de Galata firent une sortie et ceux de Constantinople venaient, en barques, les aider. Et nos gens coururent aux armes. Le premier qui arriva fut Jacques d'Avesnes, à pied avec sa troupe, et sachez qu'il fut fortement chargé et qu'il fut blessé d'une lance au visage et mis en péril de mort. Mais un sien chevalier qui s'appelait Nicole de Jaulain monta à cheval et secourut très bien son seigneur et on l'en loua fort.

Et l'alarme fut donnée dans toute l'armée et nos gens vinrent de toutes parts et les mirent en fuite honteusement, et il y en eut assez de morts et de pris. Parmi les fuyards, il y en eut qui ne regagnèrent pas la tour, mais ils allèrent aux barques qui les avaient amenés, et là, il y en eut plusieurs de noyés et quelques-uns échappèrent et ceux qui regagnèrent la tour furent si pressés par nos gens qu'ils ne purent fermer la porte. Il y eut là un grand tumulte et nos gens prirent la tour de force et firent prisonniers ceux qui étaient dedans. Là il y en eut plusieurs de morts et de pris.

Ainsi fut pris le château de Galata et ainsi fut le port de Constantinople gagné par force. Ceux de l'armée en furent réconfortés et remercièrent Dieu et ceux de la ville furent découragés. Le lendemain, les nefs, les vaisseaux, les galères et les uissiers furent tirés à l'intérieur du port. Et ceux de l'armée délibérèrent pour savoir ce qu'ils pourraient faire, s'ils donneraient l'assaut par terre ou par mer. Les Vénitiens furent d'avis de dresser les échelles sur les nefs et de donner l'assaut par mer. Les Français disaient qu'ils n'étaient pas si habiles sur mer que sur terre, mais lorsqu'ils auraient leurs chevaux et leurs armes, ils seraient plus habiles sur terre. Aussi fut-il décidé que les Vénitiens attaqueraient du côté de la mer et les barons et ceux de l'armée, du côté de la terre.

Ils restèrent ainsi quatre jours. Le cinquième, toute l'armée prit les armes. Et les batailles chevauchèrent dans l'ordre où elles étaient le long du port, jusqu'en face du palais des Blaquernes, et les navires entrés dans le port s'avancèrent à leur hauteur. Ce fut au fond du port. Là il y a un fleuve qui se jette dans la mer et qu'on ne peut traverser que par un pont de pierre. Les Grecs avaient coupé les ponts ; et les barons firent travailler l'armée tout le jour et toute la nuit pour refaire le pont. Ainsi le pont fut-il refait et les batailles s'armèrent au matin et chevauchèrent l'une après l'autre dans l'ordre où elles étaient. Ils arrivèrent devant la ville. Nul ne sortit de la cité contre eux et ce fut bien étonnant, car pour un qui était dans l'armée il y en avait bien deux cents dans la ville.

Alors les barons décidèrent de s'établir entre le palais des Blaquernes et le château de Bohémond qui était une abbaye close de murs. Et alors ils firent tendre leurs tentes et leurs pavillons. Et ce fut une fière chose à considérer. Car de Constantinople, qui du côté de la terre tenait bien trois lieues de front, toute l'armée ne pouvait assiéger que l'une des portes. Et les Vénitiens étaient sur mer dans les nefs et les vaisseaux et ils dressèrent leurs échelles, les mangonneaux et les perrières et préparèrent très bien leur assaut. Et les barons préparèrent le leur du côté de la terre avec leurs perrières et leurs mangonneaux.

Les fabliaux (XIIIe siècle)

CONTE

Estula

*Les fabliaux, contes comiques ou contes moraux écrits en vers, ont été composés entre le XIIe siècle et le XIVe siècle. **Estula**, que nous donnons ici intégralement est un récit vivant et gai dont l'intrigue repose sur une succession de méprises.*

Il y avait jadis deux frères, qui n'avaient plus ni père ni mère pour les conseiller, ni aucun autre parent. Pauvreté était leur amie intime, car elle était souvent avec eux. C'est la chose qui fait le plus souffrir ceux qu'elle hante ; il n'est pas de pire maladie. Les deux frères dont je vous parle habitaient ensemble. Une nuit qu'ils furent poussés à bout par la faim, la soif et le froid, tous maux qui s'attachent à ceux que Pauvreté tient en son pouvoir, ils se mirent à réfléchir comment ils pourraient se défendre contre Pauvreté qui les harcelait, et leur faisait souvent éprouver ses privations.

Un homme que tout le monde savait très riche habitait près d'eux. Ils sont pauvres, et le riche est sot. Il a des choux dans son potager et des brebis dans son étable. Ils tournent donc leurs pas de ce côté. Pauvreté fait perdre la tête à bien des gens. L'un jette un sac sur son cou, l'autre prend un couteau à la main, et tous deux se mettent en route. L'un entre directement dans le jardin, et sans plus tarder se met à couper des choux. L'autre se dirige vers la bergerie pour y pénétrer, et fait si bien qu'il en ouvre la porte ; il lui semble que l'affaire va pour le mieux, et il se met à tâter les moutons pour chercher le plus gras. Mais on était encore sur pied dans la maison, et l'on entendit le bruit de la porte du bercail lorsqu'elle s'ouvrit. Le bourgeois appela son fils et lui dit : « Va voir à la cour si tout est bien en ordre, et appelle le chien de garde. » Le chien s'appelait Estula. Heureusement pour les deux frères, il n'était pas cette nuit-là dans la cour. Le fils était aux écoutes ; il ouvrit la porte donnant sur la cour, et cria : « Estula ! Estula ! » Celui qui était dans la bergerie répondit : « Oui, certainement, je suis ici. » L'obscurité était très profonde, de sorte que le jeune homme ne pouvait pas voir celui qui lui avait répondu. Il crut bien réellement que c'était le chien, et, sans perdre de temps, il rentra précipitamment dans la maison, tout bouleversé de peur : « Qu'as-tu, beau fils ! » lui dit le père. — « Foi que je dois à ma mère, Estula vient de me parler. — Qui ? notre chien ? — Parfaitement, je le jure ; et si vous ne voulez pas m'en croire, appelez-le et vous l'entendrez aussitôt parler. » Le bourgeois s'empresse d'aller voir cette merveille, entre dans la cour et appelle son chien Estula. Et le voleur, qui ne se doute de rien, dit : « Certainement, je suis ici. » Le bourgeois en est stupéfait : « Fils, » dit-il, « par tous les saints et par toutes les saintes, j'ai entendu bien des choses surprenantes : jamais je n'en ai entendu de pareilles ; va vite conter cela au curé, ramène-le avec toi et dis-lui qu'il apporte son étole et de l'eau bénite. » Le jeune homme, au plus vite qu'il peut, court jusqu'au presbytère, et sans perdre de temps, s'adressant aussitôt au curé, il lui dit : « Sire, venez à la maison entendre des choses merveilleuses ; jamais vous n'avez entendu les pareilles. Prenez l'étole à votre cou. » Le prêtre lui dit : « Tu es complètement fou de vouloir me conduire dehors à cette heure. Je suis nu-pieds, je n'y pourrais aller. » Et l'autre lui répond aussitôt : « Si, vous viendrez ; je vous porterai. » Le prêtre prend l'étole et, sans plus discuter, monte sur les épaules du jeune homme, qui se remet en route ; lorsqu'ils furent près de la maison, afin d'arriver plus vite, ils prirent directement par le sentier par où étaient descendus les maraudeurs. Celui qui était en train de cueillir les choux vit la forme blanche du prêtre et, pensant que c'était son compagnon qui rapportait quelque butin, il lui demanda tout joyeux : « Apportes-tu quelque chose ? — Sûrement oui, » répondit le jeune homme, croyant que c'était son père qui avait parlé. — « Vite ! » reprend l'autre, « jette-le bas, mon couteau est bien émoulu, je l'ai fait aiguiser hier à la forge : nous allons lui couper la gorge. » Quand le prêtre l'entendit, il fut convaincu qu'on l'avait trahi, il sauta à terre et s'enfuit tout éperdu. Mais son surplis s'accrocha à un pieu et y resta, car le prêtre n'osa pas s'arrêter pour le décrocher. Celui qui avait cueilli les choux n'était pas moins ébahi que celui qui s'enfuyait à cause de lui, car il ne savait ce qu'il en était. Toutefois, il alla prendre l'objet blanc qu'il voyait suspendu au pieu, et s'aperçut que c'était un surplis. A ce moment, son frère sortit de la bergerie avec un mouton et appela son compagnon, qui avait son sac plein de choux. Tous deux avaient les épaules bien chargées ; ils ne firent pas là plus long conte et reprirent le chemin de leur maison, qui était proche. Arrivés chez eux, celui qui avait pris le surplis fit voir son butin, et tous deux rirent et plaisantèrent de bon cœur, car le rire, qui avant leur était interdit, leur était maintenant rendu.

En peu de temps Dieu fait de l'ouvrage. Tel rit le matin qui le soir pleure, et tel est chagrin le soir qui est joyeux le matin.

CHANTEFABLE

.Aucassin et Nicolette.

*L'auteur d'**Aucassin et Nicolette** est inconnu. Il désigne ce court récit du nom de Chantefable : le récit en prose y alterne avec le chant en vers. Le ton est ironique : l'auteur a choisi de raconter une histoire romanesque en se jouant des conventions du romanesque : celle des amours contrariées d'Aucassin et Nicolette, jeune fille captive du comte de Beaucaire dont Aucassin est le fils.*

Le comte de Beaucaire s'oppose aux amours d'Aucassin et Nicolette qu'il tient en prison séparés. Nicolette s'échappe, avant de quitter la ville elle veut prévenir Aucassin. Par une ouverture de la tour où Aucassin est enfermé, elle s'adresse à lui, mais les gardes approchent :

I. – Chant

Le veilleur était un excellent homme, brave, courtois, intelligent. Il commença une chanson belle et plaisante :

« Fillette au noble cœur, tu as le corps gracieux et séduisant, les cheveux blonds, les dents blanches, les yeux vifs, le visage riant. Je vois bien à ta mine que tu as parlé à ton ami, qui se meurt pour toi. Je te préviens, entends-moi : garde-toi des traîtres qui viennent te cherchant par ici, les épées nues sous leurs chapes. Ils te menacent fort et bientôt t'auront fait du mal, si tu n'y prends garde. »

II. – Récit

« Ah ! » fait Nicolette, « que l'âme de ton père et celle de ta mère reposent en paix, puisque tu m'as si gracieusement et si courtoisement avertie ! S'il plaît à Dieu, je m'en garderai bien ; et que Dieu m'en garde ! »

Elle se blottit dans son manteau à l'ombre du pilier jusqu'à ce que les gardes soient passés, puis elle prend congé d'Aucassin et s'en va. Elle arrive au mur de la ville. Le mur était démoli ; on avait construit dans la brèche un échafaudage. Nicolette y monta et fit tant qu'elle se trouva entre le mur et le fossé. Elle regarda en bas, et vit le fossé très profond et très escarpé, et elle eut grand'peur.

« Ah Dieu ! » fait-elle, « doux être ! Si je me laisse tomber, je me briserai le cou, et si je reste ici, demain on me prendra et l'on me brûlera sur un bûcher. J'aime encore mieux mourir ici qu'être en spectacle demain à tout le peuple. »

Elle se signa, puis se laissa glisser en bas du fossé, et quand elle arriva au fond, ses beaux pieds et ses belles mains, qui n'avaient pas l'habitude d'être blessés, étaient meurtris et écorchés ; le sang en sortait en plus de douze endroits, et néanmoins elle ne sentait ni mal ni douleur, à cause de la grand'peur qu'elle avait. Si elle avait été en peine de descendre, elle le fut bien davantage encore pour sortir. Mais elle se dit qu'il ne ferait pas bon demeurer là. Elle trouva un pieu aigu, que les gens de la ville y avaient jeté en défendant le château ; elle le prit, et, pas à pas, elle fit tant qu'elle arriva péniblement en haut.

La forêt était près, à deux portées d'arbalète, ayant au moins trente lieues de long et de large, pleine de bêtes sauvages et de serpents. Elle avait peur, si elle y entrait, d'être dévorée, et d'autre part, elle songeait que, si on la trouvait là, on la ramènerait dans la ville pour la brûler.

III. – Chant

Nicolette au blanc visage est montée en haut du fossé, se met à se désoler et à invoquer Jésus.

« Père, roi de majesté, je ne sais où aller. Si je vais dans le bois touffu, les loups me mangeront, et les lions, et les sangliers, qui y sont nombreux. Et si j'attends le jour, et qu'on me trouve ici, on allumera le bûcher où je serai brûlée. Mais par le Dieu de majesté, j'aime encore mieux être mangée des loups, et des lions et des sangliers, qu'aller en la ville. Je n'irai pas. »

IV. – Récit

Nicolette se désolait fort, comme vous avez entendu. Elle se recommanda à Dieu et marcha tant qu'elle vint en la forêt. Elle n'osa pas s'y enfoncer loin à cause des bêtes sauvages et des serpents ; elle se blottit dans un buisson épais ; le sommeil la prit et elle s'endormit jusqu'au lendemain, à prime bien sonnée, que les pastoureaux sortirent de la ville et menèrent leurs bêtes entre le bois et la rivière, puis se réunirent près d'une belle source, au bord de la forêt ; ils étendirent une chape sur l'herbe et mirent leur pain dessus. Pendant qu'ils mangeaient, voilà que Nicolette s'éveilla aux chants des oiseaux et aux cris des pastoureaux, et elle s'approcha de ceux-ci sans qu'ils la vissent venir :

« Beaux enfants, » fait-elle, « que Dieu soit avec vous ! — Dieu vous bénisse ! » répond l'un des bergers, qui savait mieux parler que les autres. « Beaux enfants, connaissez-vous Aucassin, le fils du comte Garin de Beaucaire ? — Oui, nous le connaissons bien. — Au nom de Dieu, beaux enfants, dites-lui qu'il y a une bête dans cette forêt, et qu'il vienne la chasser, et que, s'il peut l'y prendre, il n'en donnerait pas un membre pour cent marcs d'or, ni pour cinq cents, ni pour aucune richesse. »

Ils la regardèrent, et ils la virent si belle qu'ils en furent tout interdits.

« Que je le lui dise ? » fait celui qui savait mieux parler que les autres. « Malheur à qui en parlera et le lui dira ! Ce sont enchantements que vous dites-là : car il n'y a si précieuse bête en cette forêt, ni cerf, ni lion, ni sanglier, dont un des membres vaille plus de deux deniers ou de trois au plus, et vous parlez d'une si grande richesse ! Malheur à qui vous en croit et à qui le lui dira ! Vous êtes fée : nous n'avons cure de votre compagnie ; passez votre chemin. — Ah ! beaux enfants, vous le ferez ! La bête a une telle vertu qu'Aucassin en sera guéri de son mal. Et j'ai ici cinq sous dans ma bourse : tenez, et dites-le lui. Il faut qu'il la chasse d'ici trois jours, et si dans trois jours il ne la trouve pas, jamais il ne sera guéri de son mal. — Ma foi ! nous prendrons les deniers, et s'il vient ici, nous le lui dirons, mais nous ne l'irons pas chercher. — A la bonne heure ! » fait-elle.

Elle prend alors congé des pastoureaux et s'en va.

V. – Chant

Nicolette au blanc visage s'éloigna des pastoureaux ; elle s'enfonça dans le bois touffu, suivant un vieux sentier, jusqu'à ce qu'elle arrivât à un carrefour d'où partent sept chemins qui conduisent à travers le pays. L'idée lui vint d'éprouver son ami pour savoir s'il l'aime autant qu'il le dit. Elle cueillit des fleurs de lis, de l'herbe de la garigue et des feuilles, et en fit une belle loge. Jamais je n'en ai vu une si belle. Elle jure par le Dieu de vérité que si Aucassin vient par là et ne s'y repose un peu pour l'amour d'elle, jamais il ne sera son ami, ni elle son amie.

VI. – Récit

Nicolette a fait une loge, ainsi que vous avez entendu, très belle et très agréable ; elle l'a tapissée au dedans et au dehors de fleurs et de feuilles ; puis elle s'est cachée près de là dans un épais buisson, pour voir ce que fera Aucassin.

Le bruit se répandit par tout le pays que Nicolette avait disparu. Les uns disent qu'elle s'est enfuie, les autres que le comte Garin l'a fait mettre à mort. Quiconque en fût joyeux, Aucassin ne le fut pas. Le comte

Garin son père le fit mettre hors de prison ; il manda les chevaliers et les demoiselles de la contrée et fit faire une fête très riche, croyant consoler son fils. Alors que la fête était le plus animée, Aucassin se tenait appuyé à une balustrade, triste et accablé. Quelle que fût la joie, il n'avait aucune envie d'y prendre part, car il ne voyait là rien de ce qu'il aimait. Un chevalier le vit, vint à lui et lui dit :

« Aucassin, du même mal que vous avez j'ai souffert. Je vous donnerai un bon avis, si vous me voulez croire. — Sire, fait Aucassin, « grand merci. Un bon conseil me serait précieux. — Montez à cheval, allez vous distraire le long de cette forêt : vous y verrez les fleurs et la verdure, et vous entendrez chanter les oiseaux. Peut-être y entendrez-vous telles paroles qui vous feront du bien. — Sire, fait Aucassin, « grand merci. Ainsi ferai-je. »

Il s'esquive de la salle, descend l'escalier et vient à l'écurie où est son cheval. Il lui fait mettre la selle et le frein, met le pied à l'étrier, monte et sort du château. Il chevauche jusqu'à la forêt, puis arrive à la fontaine et y trouve les pastoureaux sur le coup de none. Ils avaient étendu une chape sur l'herbe et mangeaient leur pain et faisaient grand'fête.

Le Roman de la Rose

POÈME DIDACTIQUE

*Le **Roman de la Rose** a eu une action importante sur la littérature des siècles suivants. Il se divise en deux parties.*
*La première est écrite par Guillaume de Lorris (Lorris en Gâtinais, vers 1210 – vers 1237) vers 1230, c'est un **Art d'Aimer,** influencé par Ovide, dans lequel l'auteur lie les préceptes de l'amour courtois à une intrigue amoureuse. Guillaume de Lorris écrit 4068 vers, il meurt avant d'avoir achevé son poème.*
*Un demi-siècle plus tard Jean Chopinel dit Jean de Meung (Meung-sur-Loire vers 1240-1305) le prolonge de 18 000 vers. Il en change l'esprit : l'**Art d'Aimer** n'est plus qu'un cadre pour communiquer au grand public des idées philosophiques et morales.*

PREMIÈRE PARTIE

Le héros erre dans le jardin de l'Amour ; il découvre une Rose, belle entre toutes, et désire la cueillir : la Rose, c'est l'idéale bien-aimée. Parviendra-t-il à la conquérir ? Son entreprise ressemble à un combat.

Le héros se promène dans le jardin, il arrive devant un grand mur où se trouvent dix statues symboliques ; parmi elles est Vieillesse. Guillaume de Lorris songe au temps qui passe, transforme, et détruit toute chose :

Ensuite Vieillesse était représentée ; elle était rapetissée d'un bon pied de ce qu'elle avait été jadis. A peine pouvait-elle se nourrir tant elle était vieille et faible d'esprit ; elle avait perdu sa beauté, elle était devenue très laide ; elle avait la tête toute blanche, comme si elle était fleurie. Ce n'eût pas été une mort bien sensible si elle avait quitté la vie, ni un grand dommage, car tout son corps était desséché, anéanti par l'âge. Son visage, jadis lisse et uni, était maintenant tout flétri et sillonné de rides ; elle avait les oreilles ratatinées, elle avait perdu toutes ses dents, au point qu'il ne lui en restait pas une. Elle était si âgée qu'elle n'aurait pu aller quatre toises sans sa béquille.

Le Temps, qui marche nuit et jour, sans repos, sans arrêt, et qui s'éloigne de nous et s'enfuit si furtivement qu'il nous semble qu'il soit toujours immobile au même point, tandis qu'il ne s'y arrête pas, et qu'au contraire il ne cesse de passer outre, de sorte qu'on ne peut même pas penser le temps présent (demandez-le aux clercs qui lisent), car avant qu'on l'eût pensé, trois temps seraient déjà passés ; le Temps, qui ne peut séjourner, mais va toujours sans se retourner, comme l'eau qui descend toute, sans qu'il en revienne en arrière une goutte ; le Temps, à qui rien ne résiste, ni fer, ni chose si dure soit-elle, car Temps détruit et mange tout ; le Temps, qui transforme toute chose, qui fait tout croire et nourrit tout, et qui use tout et pourrit tout ; le Temps, qui est en train de vieillir nos pères,

"Le Temps, qui ne peut séjourner, mais va toujours sans se retourner"

qui vieillit les rois et les empereurs et qui nous vieillira tous, à moins que la Mort ne nous prenne avant, le Temps, qui a tout pouvoir de vieillir les hommes, l'avait vieillie si fortement qu'à mon avis elle ne pouvait plus rien faire ; elle retournait déjà en enfance, car elle n'avait certainement pas plus de puissance, de force ni de sens qu'un enfant d'un an. Et cependant, autant que je sache, elle avait été raisonnable et sage, lorsqu'elle était en la fleur de l'âge, mais je crois qu'elle n'avait plus sa raison et qu'elle était toute assotée. Elle avait, je m'en souviens, le corps complètement enveloppé dans un manteau fourré ; elle s'était vêtue très chaudement, car autrement elle eût froid. Ces vieilles gens se refroidissent facilement ; vous savez bien que telle est leur complexion.

VERS 339 A 406

DEUXIÈME PARTIE

Jean de Meung a transformé l'Art d'Amour de Guillaume de Lorris en un poème encyclopédique où Raison et Nature sont louées. Nature crée sans se lasser des êtres que la mort guette, cependant que l'Art s'efforce en vain de l'imiter. Tous les hommes, égaux devant elle, doivent écouter sa voix.

En son nom, Jean de Meung n'accepte pas l'hypocrisie. Faux-Semblant – qui symbolise les hypocrites – fait ses aveux :

Nous avons une autre coutume à l'égard de ceux que nous savons contre nous : c'est de les haïr de toutes nos forces et de les attaquer d'accord. Celui que l'un de nous hait les autres le haïssent ; tous aspirent à le perdre. Si nous voyons qu'il puisse acquérir par quelques gens honneur, prébendes ou domaines, nous cherchons à savoir par quelle échelle il monte, et pour mieux le prendre et le vaincre, nous le diffamons en trahison près de ses bienfaiteurs, du moment où nous ne l'aimons pas. Nous lui coupons ainsi les échelons de son échelle, nous lui enlevons ses amis, et il les aura perdus avant qu'il s'en doute. Si nous lui nuisions ouvertement, peut-être en serions-nous blâmés et alors nous manquerions notre but, car, s'il connaissait notre mauvaise intention, il se défendrait, et l'on nous le reprocherait. Quand l'un de nous fait quelque bien, nous le tenons comme fait par nous tous, et même, s'il feint de l'avoir fait, ou s'il se vante seulement d'avoir fait avancer quelqu'un, tous nous nous y attribuons une part, et nous disons : « Vous devez bien savoir qu'un tel a été élevé grâce à nous. » Pour être loués des gens, nous obtenons par flatteries des puissants seigneurs qu'ils nous donnent des lettres témoignant de nos qualités de façon que l'on croie par le monde que toute vertu abonde en nous. Toujours nous feignons d'être pauvres, mais quelles que soient nos plaintes, nous sommes, je vous le déclare, ceux qui ont tout sans rien avoir. Je me mêle de courtages, je fais les réconciliations, les mariages, je me charge des excécutions, des procurations, je suis messager, je fais des enquêtes qui ne me sont pas très honorables ; m'occuper des affaires d'autrui est pour moi un métier très agréable ; si vous avez quelque chose à faire avec ceux que j'approche, dites-le-moi, ce sera chose faite dès que vous me l'aurez exposée ; pourvu que vous m'ayez bien servi, vous avez mérité mon service. Mais qui voudrait me corriger perdrait aussitôt mes bonnes grâces ; je n'aime pas celui par qui je suis repris et je n'ai pour lui aucun égard. Je veux réprimander tout le monde, mais je ne veux entendre la réprimande de personne, car moi, qui reprends les autres, je n'ai pas besoin de leurs remontrances.

VERS 11 637 A 11 700

Rutebeuf

VERS 1230 – VERS 1285.

Rutebeuf est un inconnu, peut-être d'origine champenoise, parisien d'adoption, qui porte un surnom dont il a plusieurs fois fait l'exégèse en « rude bœuf » montrant ainsi son dédain pour la poésie courtoise. C'est un vagabond, un jongleur qui propose ses propres œuvres de château en château. Sa poésie se compose de ***Poèmes de l'Infortune*** *et de* ***Complaintes*** *qui chantent sa vie de misère et d'errance. Il écrit également trois* ***Poèmes pour prier Notre-Dame, Le Miracle de Théophile*** *où la Vierge secourt les plus coupables ; enfin quelques œuvres commandées pour soutenir une cause (Croisades, Université...) et pour divertir (fabliaux).*

POÉSIE

•LA COMPLAINTE RUTEBEUF•

Le pauvre jongleur abandonné de ses amis :

Que sont mes amis devenus
Que j'avais de si près tenus
Et tant aimés ?
Je crois qu'ils sont trop clairsemés,
Ils ne furent pas bien semés
Et sont faillis.
De tels amis m'ont mal bailli,
Car dès que Dieu m'eut assailli
En maint côté,
N'en vis un seul en mon hôté :
Le vent, je crois, les a ôtés,
L'amour est morte.
Ce sont amis que vent emporte,
Et il ventait devant ma porte,
Aussi les emporta...

VERS 109 à VERS 123

•LA PAUVRETÉ RUTEBEUF•

Rutebeuf raconte au Roi Louis sa vie d'errance et de misère dont il ne peut guérir :

Je ne sais par où je commence,
Tant ai de matière abondance
Pour parler de ma pauvreté.
Par Dieu vous prie, franc roi de France,
Que me donniez quelque chevance,
Ainsi ferez grand'charité.
J'ai vécu d'argent emprunté
Que l'on m'a en crédit prêté ;
Or ne trouve plus de créance,
On me sait pauvre et endetté :
Mais vous hors du royaume étiez,
Où toute avais mon attendance...

Grand roi, s'il advient qu'à vous faille,
(A tous ai-je failli sans faille)
Vivre me faut et suis failli.
Nul ne me tend, nul ne me baille,
Je tousse de froid, de faim bâille,
Dont je suis mort et assailli.
Je suis sans couverte et sans lit,
N'a si pauvre jusqu'à Senlis ;
Sire, ne sais quelle part j'aille.
Mon côté connaît le paillis,
Et lit de paille n'est pas lit,
Et en mon lit n'y a que paille.

Sire, je vous fais assavoir :
Je n'ai de quoi du pain avoir.
A Paris suis entre tous biens,

Et nul n'y a qui y soit mien.
Ne me souvient de nul apôtre,
Bien sais *Pater,* ne sais qu'est *nôtre,*
Car le temps cher m'a tout ôté,
Il m'a tant vidé mon logis
Que le *Credo* m'est interdit,
Et n'ai plus que ce que voyez.

VERS 1 à VERS 12
ET VERS 25 à VERS 48

•LA GRIÈCHE D'HIVER.

Rutebeuf raconte sa vie de vagabond soumis au rythme des saisons :

Durant le temps qu'arbre défeuille,
Qu'il ne demeure en branche feuille
Qui n'aille à terre,
Par la pauvreté qui m'atterre,
Qui de toutes parts me fait guerre,
Durant l'hiver,
Beaucoup me sont changés les vers,
Mon dit commence trop divers,
De pauvre histoire.
Pauvre sens et pauvre mémoire
M'a Dieu donnés, le roi de gloire,
Et pauvre rente,
Et froid au cul quand bise vente.
Le vent me vient, le vent m'évente,
Et trop souvent
Plus d'une fois je sens le vent.
Bien me l'a Grièche en convent
Ce que me livre :
Bien me paye, bien me délivre ;
Contre le sou me rend la livre
De grand poverte.
Pauvreté est sur moi reverte :
Toujours m'en est la porte ouverte,
Toujours y suis,
Aucune fois ne m'en enfuis,
Par pluie mouillé, par chaud essui,
Je suis riche homme !
Je ne dors que le premier somme,
De mon avoir ne sais la somme
Qu'il n'y a point.
Dieu me fait le temps si à point,
Noire mouche en été me point,
En hiver blanche.
Je suis comme l'osière franche
Ou comme l'oiseau sur la branche :
En été chante,
En hiver pleure et me lamente,
Et me défeuille ainsi que l'ente
Au premier gel.

VERS 1 à VERS 39

Marco Polo

VENISE 1254 – VENISE 1324.

Nicolo et Matteo Polo (père et oncle de Marco) depuis la Crimée avait atteint Pékin où le conquérant mongol Koubilaï avait fixé la capitale. Ils reviennent à Venise vers 1260 (Marco a quinze ans), puis repartent en 1271 ; Marco les accompagne. Entrés en Asie par la côte du Levant, ils parcourent l'Anatolie, l'Arménie, la Perse, les plaines de la Boukharie, les monts du Khorassan, le Pamir, les montagnes de la chaîne du Tien, les déserts du Si-kiang et de Gobi, et enfin la Chine. Koubilaï, le grand Khan, les accueille bien. Marco Polo devient son conseiller ; il est chargé du gouvernement de certaines provinces, assure des missions diplomatiques, des inspections, etc., au Yunnan, en Birmanie, en Inde. Après un séjour de dix-sept années, les trois hommes prennent le chemin du retour : le long des côtes chinoises jusqu'à Sumatra, l'Inde, l'Iran, la Perse, l'Arménie, l'Anatolie : ils sont à Venise en 1295. Trois ans plus tard, au cours d'un combat naval contre les Génois, Marco Polo est fait prisonnier. Il partage sa cellule avec un écrivain de Pise, Rustichello, auquel il raconte ses voyages. Rustichello établit ces mémoires en français. La critique a montré que le témoignage de Marco Polo est très sûr.

RÉCIT DE VOYAGES

.Le Livre de Marco Polo, ou le devisement du monde.

1298

Mulect est une contrée où le Vieil de la Montagne avait coutume de demeurer anciennement. Mulect veut dire en français : Dieu-terrien. Or je vous conterai toute son affaire selon ce que moi, messire Marco Polo, j'ai entendu conter par plusieurs hommes de cette contrée.

Le Vieil était appelé en leur langage Aloadin. Il avait fait enclore, en une vallée, entre deux montagnes, le plus grand et le plus beau jardin qu'on vît jamais, plein de tous les fruits du monde. Il y avait là les plus belles maisons et les plus beaux palais qu'on eût jamais vus, tout dorés et décorés de belles peintures. Il y avait des canaux qui transportaient du vin, du lait, du miel et de l'eau. Et c'était plein de

Marco Polo parle du nord de la Perse : « Les gens de la contrée disent que c'est là que fut la bataille d'Alexandre contre le roi Darius. (...) Maintenant nous partirons d'ici et nous parlerons d'une contrée qui est appelée Milect, où le Vieil de la Montagne avait coutume de demeurer avec ses Hasisins, comme vous allez l'entendre. » Et Baudelaire écrit dans ***Les Paradis artificiels*** *(II. Qu'est-ce que le hachisch ?) : « Les récits de Marco Polo dont on s'est à tort moqué, comme de quelques autres voyageurs anciens, ont été vérifiés par les savants et méritent notre créance. Je ne raconterai pas après lui comment le Vieux de la Montagne enfermait, après les avoir enivrés de hachisch (d'où, Hachischins ou Assassins), dans un jardin plein de délices, ceux de ses plus jeunes disciples à qui il voulait donner une idée du paradis, récompense entrevue, pour ainsi dire, d'une obéissance passive et irréfléchie ».*

dames et de damoiselles les plus belles du monde, qui savaient jouer de tous les instruments, chanter à merveille et si bien danser que c'était un délice de les voir. Et leur faisait croire, le Vieil, que ce jardin était le Paradis. Et pour ce, l'avait-il fait de la manière que Mahomet dit que sera le Paradis, beaux jardins pleins de canaux de vin, de lait, de miel et d'eau et pleins de belles femmes au délice de chacun.

En ce jardin n'entrait nul homme sinon ceux dont il voulait faire ses Hasisins. Il y avait un château à l'entrée de ce jardin, si fort que personne n'aurait pu le prendre ; et l'on ne pouvait entrer dans le jardin que par là. Le Vieil gardait en sa cour royale les jeunes gens de sa contrée, de douze à vingt ans, qui voulaient être ses hommes d'armes, et il leur disait comment Mahomet décrivait le Paradis, de la manière que je vous ai dit ; et ils le croyaient comme tous les Sarrasins le croient. Et que vous en dirai-je ? Il les faisait mettre dans ce jardin, par dix, par six ou par quatre, de la manière qui suit : il leur faisait boire un breuvage qui les endormait aussitôt, puis les faisait emporter dans son jardin. Et quand ils se réveillaient, ils se trouvaient là.

Quand ils se trouvent là, ils se voient en si beau lieu qu'ils pensent être vraiment en Paradis. Les dames et les damoiselles les satisfont tout le jour à leur volonté, de telle manière qu'ayant tout ce qu'ils veulent, jamais ils ne sortiraient de là de leur propre vouloir. Le seigneur Vieil que je vous ai dit tient une cour noble et grande, et fait croire aux gens simples qui l'entourent qu'il est un grand prophète. Et quand il veut envoyer en quelque lieu un de ses Hasisins, il fait donner de son breuvage à l'un ou à l'autre de ceux qui sont dans son jardin, et le fait porter dans son palais. Et quand il est réveillé, il se trouve hors de son Paradis, dans le château, de quoi il est fort étonné et n'en est pas trop aise. Le Vieil le fait alors venir devant lui, et l'Hasisin s'humilie devant lui comme un qui croit qu'il est vraiment prophète. Et il lui demande d'où il vient. Et il dit qu'il vient du Paradis, et qu'il est fait tel que Mahomet l'a décrit dans sa loi. Et ceux qui l'entendent, et qui ne l'ont pas vu, ont grand désir d'y aller, et voudraient mourir pour y aller.

Et quand le Vieil veut faire occire un grand seigneur, il leur dit :

« Allez et tuez telle personne, et quand vous reviendrez, je vous ferai porter par mes anges en Paradis. Et si vous mourez dans l'affaire, je commanderai à mes anges qu'ils vous ramènent en Paradis. »

C'est ce qu'il leur faisait croire. Aussi faisaient-ils à son commandement sans craindre aucun péril, dans le désir qu'ils avaient de retourner en Paradis. Et par cette manière le Vieil faisait occire tous ceux qu'il leur commandait. Et pour la très grande peur que les seigneurs avaient de lui, ils lui payaient tribut pour avoir paix et amitié.

Je vous ai conté l'histoire du Vieil de la Montagne et de ses Hasisins, je vous dirai maintenant comment il fut détruit et par qui. Au temps de l'Incarnation du Christ 1242, Alau, le seigneur des Tartares du Levant, connut cette grande méchanceté du Vieil et résolut de le détruire. Il envoya donc un de ses barons vers le château, avec une grande armée. Ils assiégèrent le château pendant trois ans, sans pouvoir le prendre, tant il était fort, et ils ne l'auraient jamais pris si les assiégés eussent eu à manger. Mais après trois ans, la victuaille leur manqua. Ils furent pris, et le Vieil fut tué avec tous ses hommes. Et depuis ce temps jusqu'aujourd'hui, il n'y eut plus de Vieil ni d'Hasisins, et avec lui finirent les maux que les Vieils de la Montagne avaient faits.

De Chine, Marco Polo passe au Tibet :

Après les cinq journées que je vous ai dit, on entre dans une forêt très grande qui est dans la province de Tibet. Il y a cités, bourgs et villages, mais tous ruinés et désolés par la guerre que Mongu-Khan y a faite.

On y trouve beaucoup de cannes de bambou grosses de trois paumes et longues de bien quinze pas, avec plus de trois paumes d'un nœud à l'autre. Et vous dis que les marchands et autres gens qui cheminent, la nuit, par cette terre, prennent de ces cannes et en font du feu, parce que, quand elles sont au feu, elles font si grand fracas que les lions, les ours et autres bêtes sauvages en ont grand-peur, fuient tant qu'ils peuvent et n'approcheraient du feu pour rien au monde. Et s'il y a tant de bêtes sauvages dans cette province désolée, c'est parce qu'il n'y habite personne et que les bêtes se sont multipliées. Et ne fussent les cannes qui brûlent avec si grand fracas que les bêtes fuient et en ont grand-peur, nul ne pourrait passer par là. Et nous vous dirons comment ces cannes font si grand bruit. Ils prennent de ces cannes vertes, dont il y a beaucoup, et en mettent au feu plusieurs ensemble ; et quand elles y sont demeurées un certain temps, elles s'écorcent et se fendent par le milieu, en faisant si grand fracas que, la nuit, on les entend de bien dix milles. Et sachez que si l'on n'était pas accoutumé à les entendre, on pourrait facilement en perdre le sens ou en mourir. Mais ceux qui sont accoutumés à les entendre n'en ont pas peur, et pour ceux qui n'y sont pas accoutumés, il leur convient de prendre du coton et de bien s'en farcir les oreilles, et puis de bien bander leur tête et leur visage et de les couvrir de toutes les robes dont ils disposent. Ainsi échappe-t-on au premier danger jusqu'à tant qu'on y soit accoutumé. Pour les chevaux, ceux qui n'y sont pas accoutumés, quand ils l'entendent, rompent leurs brides et autres liens : et plusieurs ont déjà perdu leurs bêtes de cette manière. Mais quand ils veulent épargner leurs bêtes, ils leur font bien lier et enchevêtrer les quatre pieds, et puis bien bander la tête, les yeux et les oreilles. Les chevaux, quand ils ont entendu ce bruit plusieurs fois, n'en ont plus si grand-peur. Car je vous dis que, la première fois, c'est la plus horrible chose à ouïr qui soit au monde. Et malgré tout cela, il vient parfois des lions, des ours et autres bêtes sauvages qui font grand dommage ; car il y en a à foison dans tout le pays.

On chevauche vingt journées sans trouver aucune habitation ; aussi convient-il aux cheminants de porter toutes leurs victuailles. On rencontre aussi beaucoup de ces bêtes sauvages qui sont périlleuses et redoutables. Puis on trouve des bourgs et des villes dont les habitants ont coutume de se marier comme je vous le dirai. Nul homme de cette contrée ne prendrait pour femme une fille pucelle : ils disent qu'elles ne valent rien si on ne s'en est pas servi et si elles ne sont pas accoutumées à coucher avec les hommes. Aussi font-ils de telle manière quand les cheminants passent, s'ils sont disposés : les vieilles femmes s'en viennent avec ces filles pucelles, leurs filles ou leurs parentes, et les mènent aux étrangers qui passent par là, et les donnent à chacun qui en veut prendre pour en faire à sa volonté. Et les hommes les prennent et en font ce qu'ils veulent, et puis les rendent à ces vieilles qui les ont amenées, car on ne les laisse pas s'en aller avec les gens. De cette manière, les cheminants, quand ils vont par les chemins, en trouvent jusqu'à vingt et trente, tant qu'ils en veulent, quand ils passent devant un village ou un bourg, ou toute autre habitation. Et quand ils logent avec ces gens dans une maison, ils en ont tant qu'ils veulent, de ceux qui les en viennent prier. Il est vrai qu'il convient que vous donniez à celle avec qui vous aurez couché, un annelet, ou une petite chosette, ou une marque quelconque, afin qu'elle puisse montrer, quand elle se voudra marier, qu'elle a eu plusieurs hommes. Et ne le font pour autre chose. Il convient donc à chaque pucelle de se procurer, par la voie que je vous ai dit, plus de vingt joyaux ou marques avant qu'elle puisse se marier. Celles qui ont le plus de marques et auront donc montré qu'elles ont été le plus touchées, sont tenues pour les meilleures, et plus volontiers on les épouse parce qu'on dit qu'elles sont plus généreuses. Mais quand elles sont mariées, elles leur sont très chères, et ils tiennent comme très grande vilenie que l'on touche la femme d'un autre ; et tous se gardent fort de cette honte, dès qu'ils sont mariés avec des femmes ainsi faites.

Si je vous ai parlé de ces mariages, qui sont bien à en conter et en dire, c'est que nos jeunes bacheliers devraient bien y aller, pour avoir de ces pucelles à leur volonté, tant qu'ils en demanderaient ; et encore en seraient-ils priés sans nul débours.

Les gens sont idolâtres et durement méchants, les plus grands dérobeurs du monde, et qui ne tiennent à nul péché de voler et de mal faire. Ils vivent de chasse, de venaison, de bétail et du fruit qu'ils tirent de la terre. Et vous dis encore que, dans cette contrée, il y a beaucoup des bêtes qui produisent le musc, aussi les appellent-ils dans leur langage : gudderi. Et ils ont, ces mauvaises gens, de grès grands et bons chiens qui prennent beaucoup de ces bêtes : aussi ont-ils du musc en grande abondance. Ils n'ont pas monnaie de carton, de celle du Grand Khan, mais font monnaie du sel. Ils sont vêtus pauvrement, car ils ne portent que des peaux de bêtes, du chanvre et du bougran. Ils ont un langage à eux, et s'appellent Tibet. Et ce Tibet est une grandissime province, comme je vous en dirai encore.

Cette province de Tibet est proche de Mangi et de maintes autres provinces ; elle est si grande qu'il s'y trouve huit royaumes et grande quantité de cités et de bourgs. Il y a en plusieurs lieux des lacs et des fleuves où l'on trouve des paillettes d'or en grande quantité. Il y croît de la cannelle en grande abondance. On y recueille aussi du corail, mais il est très cher, car ils le mettent au cou de leurs femmes et de leurs idoles, pour leur grand plaisir. Il y a encore dans cette province beaucoup d'autres choses d'or et de soie, et il y croît maintes épices qui jamais ne furent vues dans notre pays. Sachez encore qu'ils ont les meilleurs enchanteurs et astrologues qui soient en toutes les provinces, car ils font de si grands enchantements et de si grandes merveilles par art diabolique que c'est merveille à le voir et à l'entendre. Mais je ne vous le conterai pas dans ce livre, car le lecteur s'en émerveillerait trop, et ce ne serait pas honnête.

Ils ont de mauvaises coutumes. Ils ont des chiens mâtins grands comme des ânes, qui sont très bons pour prendre les bêtes sauvages, dont il y a beaucoup, comme je vous l'ai dit. Ils ont encore plusieurs autres espèces de chiens de chasse, de bons faucons laniers qui sont bien volants et savent bien oiseler ; lesquels naissent dans leurs montagnes.

Du passage de la Rosie (Russie) en Oroech (Norvège) :

Rosie est une grandissime province vers le nord. Les gens sont Chrétiens et tiennent la loi grecque. Il y a plusieurs rois, et ils ont un langage à eux. Ce sont très simples gens, mais ils sont très beaux, mâles et femelles, et ils sont tout blancs et blonds. Il y a maints défilés et passages fortifiés. Ils ne paient tribut à personne, fors qu'ils donnent quelque chose à un roi du ponent qui est tartare et s'appelle Tactactai ; mais ce n'est que peu de chose. Ce n'est pas un pays de commerce ; cependant ils ont beaucoup de fourrures précieuses et de grande valeur, car ils ont beaucoup de zibelines, hermines, vairs, ercolins et renards en abondance, les meilleurs du monde et les plus beaux. Encore vous dis qu'ils ont maintes mines d'argent d'où ils tirent beaucoup d'argent. Il n'y a pas autre chose qui soit à retenir, et pour ce, partirons de Rosie et vous parlerons de la Grande Mer qui environne toutes ces provinces, et des gens qui habitent ces provinces, comme vous pourrez l'ouïr tout apertement. Et nous commencerons tout d'abord par Constantinople. Mais auparavant nous parlerons d'une province qui est entre le nord et le nord-ouest : elle s'appelle Lac et confine avec la Rosie. Les habitants ont roi ; ils sont Chrétiens ou Sarrasins. Ils ont beaucoup de fourrures que les marchands emportent vers d'autres pays. Ils vivent de commerce et d'artisanat.

Il n'y a rien d'autre qui soit à retenir, et pour ce, partirons et vous parlerons des autres. Mais avant, je vous veux dire de la Rosie quelque chose que j'avais oublié. Sachez tout vraiment qu'en Rosie est le plus grand froid qui soit au monde, qu'à grand-peine y peut-on échapper. C'est une si grande province qu'elle va jusqu'à la mer Océane ; et vous dis qu'il y a dans cette mer quelques îles où naissent maints gerfauts et faucons pèlerins, si bien qu'on en porte en plusieurs lieux du monde. Et vous dis que de Rosie en Oroech il n'y a pas beaucoup de chemin, et n'était le grand froid, on y pourrait bientôt aller ; mais à cause du grand froid, on n'y peut pas si facilement aller.

Dante Alighieri

FLORENCE 1265 – RAVENNE 1321.

Dante remplit des charges honorables à Florence mais il en est banni en 1306 par le parti des guelfes noirs. Il ne consentira jamais à payer une amende pour obtenir de revenir dans sa patrie, et mourra à Ravenne. Son amour pour Béatrice marque profondément son œuvre poétique ; dans sa jeunesse il compose pour elle ***La Vita nuova*** *(La Vie nouvelle). Il écrit des traités :* ***De la Langue vulgaire, De la Monarchie*** *qui expose les rapports légitimes, selon Dante, entre le pouvoir temporel et le pouvoir spirituel, entre l'Empire et l'Église, entre l'Empereur et le Pape. Il compose* ***Le Banquet*** *(qui restera inachevé) où Dante se propose de mettre la science à la portée des ignorants. Ses poésies seront assemblées dans un recueil,* ***le Canzoniere.*** *Il écrit aussi des œuvres latines. Mais sa grande œuvre* ***La Divine Comédie*** *éclipse ces œuvres.*

POÉSIE – PHILOSOPHIE

.La Divine Comédie.

COMMENCÉE EN 1307

L'ENFER

La Divine Comédie *se compose de trois parties* ***l'Enfer,*** *le* ***Purgatoire,*** *et le* ***Paradis,*** *chacune divisée en 33 Chants. La Comédie apparaît comme le carnet de route d'un voyage réellement accompli : Dante part le vendredi saint 8 avril 1300 pour l'Enfer d'où il passe au Purgatoire, puis au Paradis. La Comédie est aussi une œuvre philosophique : « le genre philosophique » de la Comédie dit Dante « est la morale pratique ou éthique, car l'œuvre a été entreprise non pour la spéculation, mais pour l'action. » La route longue, semée d'obstacles qui va de l'Enfer au Paradis c'est la route qui conduit de la misère au bonheur, de la servitude à la liberté, du mal au bien. La Comédie veut « arracher ceux qui vivent dans cette vie à l'état de misère et les conduire à l'état de bonheur ». Dante symbolise l'humanité, Virgile, son premier guide, la raison humaine et Béatrice, son second guide, la vérité révélée : Virgile conduit Dante jusqu'au Paradis terrestre c'est-à-dire le*

Dante égaré rencontre Virgile

Au milieu de la course de notre vie, je perdis le véritable chemin, et je me trouvai dans une forêt obscure : ah ! il serait trop pénible de dire combien cette forêt, dont le souvenir renouvelle ma crainte, était âpre, touffue et sauvage...

Je ne puis pas bien retracer comment j'entrai dans cette forêt, tant j'étais accablé de terreur, quand j'abandonnai la bonne voie. Mais à peine fus-je arrivé au pied d'une colline où se terminait la vallée qui m'avait fait ressentir un effroi si cruel, que je levai les yeux et que je vis le sommet de cette colline revêtu des rayons de l'astre qui est un guide sûr dans tous les voyages.

... Reposé de ma fatigue, je continuai de

bonheur de la vie terrestre, fin première de l'homme. Il ne peut aller plus loin. Béatrice seule peut guider Dante dans le Paradis.

« Vallée douloureuse de l'abîme » où tombe l'homme pécheur, l'Enfer est composé d'un vestibule où se trouvent les tièdes, les lâches et de neuf cercles. Après avoir franchi le fleuve sur la barque de Caron, Virgile et Dante arrivent au premier cercle où soupirent les païens. Dans le second cercle Dante rencontre les luxurieux, dans le troisième les gourmands ; le quatrième cercle est celui des avares et des prodigues, le cinquième celui des coléreux. Ce sont tous des pécheurs par passion. Virgile conduit ensuite Dante dans le Bas de l'Enfer où souffrent les pécheurs par malice : les hérétiques dans le sixième cercle, les violents dans le septième, les fraudeurs dans le huitième et enfin les traîtres dans le neuvième et dernier cercle, c'est là que se trouve Judas. Les pécheurs subissent des peines différentes selon la faute commise.

gravir la montagne déserte, de manière que le pied droit était le plus bas. Et voilà que, tout à coup, une panthère agile et tachetée de diverses couleurs apparaît devant mes yeux, et s'oppose avec tant d'obstination à mon passage, que plusieurs fois je me retournai pour prendre la fuite.

Le jour avait commencé à renaître, le soleil s'élevait entouré des mêmes étoiles qui l'accompagnaient au moment où l'amour divin créa cette œuvre sublime. Le charme de la saison, la fraîcheur du matin m'avaient bien fait augurer de la peau brillante de la panthère. Cependant une nouvelle frayeur me saisit à l'apparition d'un lion horrible : il semblait courir sur moi, à travers l'air épouvanté, portant la tête haute, et paraissant pressé d'une faim dévorante. En même temps une louve avide, d'une maigreur repoussante, et souillée encore des traces de ses fureurs, en fixant sur moi ses yeux qui lançaient la terreur, me fit perdre l'espoir de franchir la colline.

Semblable à celui que la soif de l'argent tourmente, et qui, s'il vient à perdre ses richesses, ne cesse, dans sa douleur, de faire entendre des sanglots, je m'affligeais profondément en voyant la louve impitoyable s'avancer à ma rencontre et me repousser insensiblement là où se tait l'astre du jour. Je reculais précipitamment vers la vallée ténébreuse, lorsque je distinguai devant moi un personnage à qui un long silence paraissait avoir ôté l'usage de la voix. En l'apercevant dans cet immense désert, je lui criai : « Prends pitié de moi, qui que tu sois, ombre ou homme véritable ! ».

Il me répondit : « Je ne suis plus un homme, je l'ai été. Mes parents furent Lombards, et Mantouans de patrie. Je puis dire que je suis né sous le règne de Jules César, quoiqu'il n'ait été revêtu de la dictature que longtemps après ma naissance et j'ai vécu à Rome sous l'empire bienfaisant d'Auguste, quand on adorait encore des dieux faux et trompeurs. J'ai été poète, et j'ai chanté le pieux fils d'Anchise, qui a fui loin de Troie, après que la flamme eut dévoré la superbe Ilion. Mais toi, pourquoi retournes-tu vers cette fatale forêt ? pourquoi ne gravis-tu pas ce mont délicieux qui est le principe et la cause de toute joie ? – Es-tu donc, lui dis-je, rougissant de l'état de crainte où il m'avait surpris, es-tu ce Virgile, cette source qui répand des flots d'une harmonieuse poésie ? O flambeau, ô gloire des autres poètes, puissent mes longues études et l'amour passionné avec lequel j'ai cherché tes vers me protéger auprès de toi ! Tu es mon maître, tu es mon modèle ; à toi seul je dois ce style noble qui a pu honorer mon nom. Vois-tu cette bête sanguinaire dont je fuis les approches ? Secours-moi, illustre sage, sa férocité m'épouvante. »

Virgile, me voyant verser des larmes, répondit : « Si tu veux sortir de ce lieu sauvage, il faut suivre une autre route. Cette louve qui t'effraye empêche qu'on ne s'engage dans ce chemin. Elle dévore à la fin ceux qui s'obstinent à y pénétrer. Insatiable de sa nature, plus elle trouve de proies à déchirer, plus la faim la dévore... Mais bientôt paraîtra le Lévrier qui doit exterminer cette louve sans pitié. Pour ton avantage, suis-moi donc, je serai ton guide : je te ferai sortir de ce lieu terrible ; je te conduirai à travers le royaume éternel, où tu entendras les accents du désespoir, où tu verras le supplice de ces anciens coupables qui invoquent à grands cris une seconde mort : tu visiteras ensuite ceux qui vivent satisfaits au milieu des flammes, parce qu'ils espèrent jouir, quand le ciel le permettra, d'une divine béatitude. Si tu veux monter au séjour des ombres bienheureuses, une âme plus digne que moi de cet honneur te protégera dans ce glorieux voyage. A mon départ, je te laisserai auprès d'elle. Le souverain qui règne sur les mondes ne veut pas que je serve de guide dans son empire, parce que je n'ai pas connu la foi véritable. Sa puissance s'étend sur toutes les parties de l'univers ; mais c'est dans le ciel qu'il fixe son séjour. C'est là que tu dois admirer sa capitale et son trône : heureux ceux qu'il appelle jusqu'à lui ! »

Alors je parlai ainsi : « O poète ! je te le demande au nom de ce Dieu que tu n'as pas connu, aide-moi à fuir cette forêt et d'autres lieux plus funestes ; accompagne-moi dans ces régions dont tu m'as entretenu ; fais que je voie ceux que tu dis plongés dans un si profond désespoir, et conduis-moi jusqu'à la porte confiée à saint Pierre. »

Virgile alors se mit en marche, et je suivis ses pas.

CHANT I

"Au milieu de la course de notre vie, je perdis le véritable chemin, et je me trouvai dans une forêt obscure"

L'Entrée de l'Enfer

« Par moi l'on va dans la cité dolente ; par moi l'on va dans l'éternelle douleur ; par moi l'on va parmi la race perdue. La justice anima mon sublime créateur : je suis l'ouvrage de la divine puissance, de la haute sagesse et du premier amour ; rien ne fut créé avant moi, que les substances éternelles, et moi je dure éternellement. O vous qui entrez, laissez toute espérance ! »

Telles sont les paroles que je vis tracées en caractères noirs au-dessus d'une porte. Je dis alors : « Mon maître, ces paroles sont terribles. » Il me répondit avec un ton d'assurance : « Il faut renoncer ici à toute défiance, il faut bannir toute lâcheté ; nous sommes arrivés aux lieux dont je t'ai parlé ; tu y verras les ombres plaintives qui ont perdu la connaissance de la béatitude. » En même temps mon guide me prit par la main d'un air joyeux, qui me rendit mon courage, et il m'introduisit dans les mystères de l'abîme.

Là, des soupirs, des plaintes, des gémissements profonds se répandaient sous un ciel qui n'est éclairé d'aucune étoile. Un premier mouvement de pitié m'arracha des larmes. Mille langages divers, des cris de désespoir et de rage, d'affreux hurlements, des voix rauques ou retentissantes, accompagnés du choc tumultueux des mains, produisaient un bruit impétueux dont ce brouillard perpétuel est agité, comme le sable est soulevé par le vent de la tempête...

Nous vîmes alors paraître un vieillard à cheveux blancs, monté sur une barque ; il criait : « Malheur à vous, âmes dépravées, n'espérez jamais revoir le ciel ; je viens pour vous mener à l'autre rive, dans la région des ténèbres, au milieu des flammes et des glaces éternelles : et toi, homme vivant, qui te présentes ici, éloigne-toi de ceux qui sont morts. » Il ajouta, voyant que je ne m'éloignais pas : « C'est par un autre chemin, et non à ce port, que tu peux traverser cette onde ; il faut qu'une barque plus légère te conduise sur l'autre bord. – Caron, dit alors mon guide, ne résiste pas : on le veut ainsi, là où l'on peut tout ce que l'on veut ; ne demande rien de plus. »

A ces mots, le visage barbu de ce nocher du marais fétide perdit les traces de la colère qui avait chargé ses yeux de flammes menaçantes. Mais les âmes nues et harassées qui avaient entendu les paroles dures de Caron, changèrent de couleur et grincèrent des dents ; elles blasphémaient Dieu, elles maudissaient leurs parents, les enfants et leurs enfants, l'espère humaine, le lieu, le temps de leur naissance ; ensuite elles se réunirent, en versant des larmes, au bord du fleuve terrible où est attendu tout homme qui ne craint pas Dieu. L'infernal Caron, roulant ses yeux enflammés, les rassemble toutes, et frappe de sa rame les plus lentes à se mouvoir.

"Par moi l'on va dans la cité dolente ; par moi l'on va dans l'éternelle douleur ; par moi l'on va parmi la race perdue"

Ainsi que, dans l'automne, les feuilles tombent des arbres l'une après l'autre, tant que les branches n'ont pas rendu à la terre toutes leurs dépouilles, ainsi les fils impies d'Adam se jettent dans la barque un à un, au moindre signe du pilote, semblables à l'oiseau que trompe la ruse de l'oiseleur. Ainsi les ombres s'embarquent sur l'onde noire ; et, avant qu'elles soient descendues à l'autre bord, une autre foule s'est déjà rassemblée sur la première rive. « Mon fils, me dit mon guide bienfaisant, ceux qui meurent dans la colère de Dieu arrivent ici, de tous les pays de la terre. Ils sont tourmentés du besoin de traverser le fleuve, parce que la justice divine les aiguillonne, et que leur crainte se change en désir. Jamais une âme vertueuse n'a passé ici ; et si Caron t'a voulu repousser, tu dois deviner quel est le motif de ses menaces. »

"O vous qui entrez, laissez toute espérance !"

Virgile cessa de parler : le sombre royaume trembla si fortement, que le souvenir de cette commotion couvre encore ma tête de sueur. Il s'éleva sur cette terre de larmes un vent mêlé d'éclairs qui me fit perdre tout sentiment, et je tombai comme un homme que le sommeil accable.

CHANT III

Les Amants de Rimini

Dante parvient au second cercle de l'Enfer où se tiennent les luxurieux. Deux ombres attirent l'attention du poète :

... Lorsque mon guide m'eut nommé ces princesses des premiers âges et ces antiques guerriers, la compassion entra dans mon cœur. « O poète, dis-je à mon maître, je parlerais avec plaisir à ces deux ombres qui volent ensemble et qui s'abandonnent au vent, dans leur course légère. – Attends, reprit-il, qu'elles soient arrivées plus près de toi, et prie-les, au nom de l'amour qui les tient encore unies, de s'arrêter un moment. Elles viendront à nous. » Lorsque le vent les dirigea de notre côté, j'élevai la voix et je parlai ainsi : « O âmes infortunées, venez vous entretenir avec nous, si aucun obstacle ne s'y oppose ! » Telles que des colombes appelées à leur nid, objet de leur tendre affection, sillonnent l'air d'un vol rapide, les deux âmes, tant notre invitation affectueuse eut de force, quittent la foule où se trouvait Didon, et accourent vers nous à travers la tempête. L'une d'elles me dit : « Nous te saluons, être gracieux et bienveillant qui viens nous visiter dans cet air de ténèbres, nous qui avons teint le monde de notre sang... Pendant que le vent se tait, comme à présent, nous écouterons ce que tu vas dire, et nous répondrons à tes demandes. La contrée qui m'a vue naître est voisine de la mer où descend le Pô, fatigué du tribut des diverses eaux qu'il a reçues dans son sein. L'amour, qui enflamme si vite une âme noble, rendit celui que tu vois près de moi passionné pour ces charmes séduisants qui me furent si cruellement enlevés (le souvenir de cette barbarie oppresse mon cœur). L'amour qui n'épargne à nul être d'aimer aussi, m'enivra d'une tendresse si vive, qu'elle ne m'a pas encore abandonnée. L'amour nous entraîna tous deux à la même mort. Le lieu où Caïn est tourmenté attend le monstre qui nous arracha le jour. »

"Ah ! que jamais il ne soit séparé de moi."

L'ombre acheva de parler. A ces mots déchirants, touché d'une vive douleur, je baissai les yeux. Mon guide me dit : « Que fais-tu ? – Hélas ! répondis-je, combien de douces pensées et de désirs brûlants ont dû les conduire au terme de la vie ! » Je me retournai ensuite vers les deux âmes, et je dis : « Françoise, ton supplice excite la douleur et la pitié ; mais écoute encore, au temps de vos doux soupirs, quand et comment connûtes-vous la tendre intelligence de vos cœurs ? » L'âme répondit ainsi : « Il n'est pas de peine plus vive que celle de se rappeler, dans le malheur, les jours de la félicité ; c'est une vérité enseignée par ton maître.

« Puisque tu veux connaître la première source de notre amour, tu vas m'entendre pleurer et parler à la fois. Nous lisions un jour, pour nous distraire, l'histoire des amours de Lancelot. Nous étions seuls, sans aucune défiance. Plusieurs fois cette lecture nous arracha des larmes et nous fit changer de couleur. Un seul moment décida de notre sort. Quand nous lûmes que cet amant si tendre avait imprimé un baiser sur le doux sourire de son amante, celui-ci (ah ! que jamais il ne soit séparé de moi) imprima, tout tremblant, un baiser sur mes lèvres. Le livre et celui qui l'écrivit furent pour nous un autre *Galléhaut.* Ce jour-là, nous ne lûmes pas plus avant. »

Pendant que l'une des âmes parlait ainsi, l'autre pleurait si amèrement que je défaillis de pitié et que je tombai comme tombe un corps mort.

CHANT V

Dante pénètre dans le dernier cercle de l'Enfer où sont punis les traîtres. Il marche sur un lac glacé, d'où émergent des têtes. Il reconnaît Ugolin, qui mord le crâne de l'archevêque Ruggieri :

Ugolin

Le pécheur détourna sa bouche du féroce repas ; et, après l'avoir essuyée aux cheveux de la tête qu'il avait rongée par derrière, il commença ainsi : « Tu veux que je renouvelle cette rage désespérée dont le souvenir m'accable avant même que je parle ; mais si mes paroles sont une semence qui porte pour fruit l'infamie du traître que je ronge, tu me verras parler et pleurer à la fois. Je ne sais qui tu es, ni sous quels auspices tu es venu jusqu'ici ; à ton langage, tu me parais Florentin. Apprends que je fus le comte Ugolin, celui-ci est l'archevêque Roger ; je te dirai pourquoi je lui suis un tel voisin. Il est inutile de répéter que, malgré ma confiance en lui, victime de ses affreux soupçons, je fus saisi et dévoué à la mort : mais ce que tu ne sais pas, c'est combien cette mort fut atroce ; tu vas en entendre le récit, et tu sauras si ce monstre a mérité ma haine. A travers les soupiraux de la tour, à laquelle, depuis mon supplice, on a donné le nom de *Tour de la faim,* et où tant d'autres seront enfermés après moi, une légère ouverture m'avait déjà, plusieurs fois, fait apercevoir la clarté du jour, lorsque j'eus un songe funeste qui déchira pour moi le voile de l'avenir.

"Ensuite la faim eut plus de pouvoir que la douleur."

« Roger me paraissait être mon seigneur et mon maître ; il poursuivait un loup et ses louveteaux vers la montagne qui dérobe aux Pisans la vue de l'État de Lucques. Il chassait devant lui les Gualandi, les Sismondi et les Lanfranchi, précédés eux-mêmes de chiennes maigres, affamées et dressées par des mains habiles. En peu de temps le loup et ses petits me parurent fatigués, et les chiennes semblaient, de leur dent aiguë, leur fendre le flanc.

« Quand je fus éveillé, avant l'aurore, j'entendis mes fils, qu'on avait emprisonnés avec moi, pleurer, en dormant encore, et demander du pain. Tu es bien cruel, toi, si tu ne gémis du triste sort qui m'était annoncé ; et si tu ne verses pas de larmes, de quoi peux-tu donc pleurer ?

« Déjà nous étions debout : déjà approchait l'heure où l'on avait coutume d'apporter notre nourriture ; chacun de nous était tourmenté de noirs pressentiments, funeste effet de notre songe. J'entendis clouer les portes de l'horrible tour ; je regardai mes enfants sans parler : je ne pleurais pas, tant je me sentis en dedans devenir de pierre. Mes fils pleuraient ; mon jeune Anselme me dit : « Pourquoi nous regardes-tu ainsi, mon père ? qu'as-tu donc ? » Je ne pleurai pas encore, et je ne répondis pas tout ce jour et la nuit qui le suivit, jusqu'au lendemain, lorsqu'un autre soleil vint éclairer le monde. Ce jour et le suivant, nous restâmes tous dans un morne silence. Ah ! terre insensible, pourquoi ne t'es-tu pas entr'ouverte ? Nous avions atteint le quatrième jour ; Gaddo vint tomber à mes pieds, en me disant : « *Mon père, est-ce que tu ne viens pas à mon secours ?* » et il expira. Comme tu me vois en ce moment, je vis les trois autres s'éteindre, un à un, entre le cinquième et le sixième jour. La vue troublée par mon état de faiblesse, je roulai sur eux, presque sans connaissance, et je les appelai encore deux jours après leur mort. Ensuite la faim eut plus de pouvoir que la douleur.

A peine Ugolin eut-il parlé qu'il reprit le misérable crâne, auquel, en tordant les yeux il donna, avec la fureur d'un chien, des coups de dent qui pénétrèrent jusqu'à l'os...

CHANT XXXIII

LE PURGATOIRE

Le Purgatoire est une montagne escarpée, abrupte qui monte selon sept corniches vers les Cieux. Au sommet se trouve le Paradis terrestre. Au fur et à mesure de l'ascension Dante rencontre les orgueilleux, les envieux, les coléreux, ceux qui cèdent à l'« accédia », c'est-à-dire au spleen, au désespoir. Sur la cinquième corniche se trouvent les avares et les prodigues, sur la sixième les gourmands, sur la dernière les luxurieux.

Avant d'accéder au Purgatoire et ses sept corniches Virgile et Dante traversent l'Antipurgatoire où attendent les âmes avant leur expiation : les excommuniés, les négligents, les victimes de mort violente, les princes opprimés par les soucis de la terre. Virgile et Dante croisent ceux qui sont morts par violence et ne se sont réconciliés avec Dieu qu'à la dernière minute. Ils rencontrent Sordello de Mantoue ; l'amour de la patrie commune a jeté Sordello aux bras de Virgile. Cette scène fait éclater les sentiments de Dante qui apostrophe l'Italie :

Apostrophe à l'Italie

Ah ! Italie esclave, habitation de douleur, vaisseau sans nocher dans la grande tempête, tu n'es plus la maîtresse des peuples, mais un horrible bouge ! Au seul nom de sa patrie, comme cette âme généreuse fit promptement fête à son concitoyen ! Et maintenant ceux qui vivent dans tes contrées se font une guerre implacable ; ceux qu'une même muraille et les mêmes remparts protègent, se rongent l'un l'autre. Cherche, misérable, autour de tes rives, et vois si dans ton sein une seule de tes provinces jouit de la paix. Qu'importe que Justinien t'ait donné le frein des lois, si la selle est vide ? Sans lui, tu aurais moins de honte, nation qui devrais être plus fidèle, et laisser César sur la selle, si tu comprenais la volonté de Dieu. Albert de Germanie, vois comme cette bête est devenue féroce pour n'avoir pas été corrigée par l'éperon, lorsque tu as commencé à lui imposer le joug ! Toi qui abandonnes cette bête indocile et sauvage quand tu devrais enfourcher les arçons, qu'un juste jugement tombe du ciel sur ta race, et qu'il effraye ton successeur ! Entraînés par la cupidité, ton père et toi, vous avez souffert que le jardin de l'Empire fût abandonné. Viens voir, homme négligent, les Montecchi, les Cappelletti, les Monaldi, les Filippeschi, les uns déjà consternés, les autres dans la crainte de l'être. Viens, cruel, et vois l'oppression de ceux qui te sont fidèles : venge leurs injures, et tu sauras comme le séjour de Santafiora est tranquille. Viens voir ta ville de Rome, veuve et délaissée, qui pleure, qui t'appelle nuit et jour, et qui s'écrie : « O mon César, pourquoi n'accours-tu pas dans mon sein ? » Viens voir combien on t'aime, et si tu n'as aucune pitié de nous, apprends de ta renommée à rougir de tes retards. S'il m'est permis de le dire, souverain Dieu qui reçus la mort pour nous, tes yeux justes se sont-ils tournés ailleurs ? ou prépares-tu, dans la profondeur de tes décrets, quelque grand bien que nous ne puissions pénétrer ? Toutes les terres d'Italie sont pleines de tyrans. Tout vil factieux devient un *Marcellus.*

CHANT VI

Apparition de Béatrice, Virgile quitte Dante

... J'ai vu, au commencement du jour, tout l'horizon affranchi de nuages, et la partie de l'orient nuancée d'une teinte de rose, au milieu de laquelle naissait le soleil, dont on pouvait supporter l'éclat tempéré par les vapeurs du matin ; de même, à travers un nuage de fleurs que jetaient ces mains angéliques, et qui retombaient de toutes parts, je vis une femme qui avait les épaules couvertes d'un manteau vert : elle était vêtue d'une draperie de la couleur d'une flamme ardente ; un voile blanc et une couronne de feuilles d'olivier ornaient encore sa tête. Mon esprit, quoiqu'il y eût longtemps qu'il fût saisi de stupeur en sa présence, sans bien discerner à l'aide de mes yeux qui pouvait être devant moi, sentit par la vertu cachée qui sortit de cette femme, la grande puissance d'un antique amour.

Aussitôt que ma vue eut ête frappée par

cette vertu souveraine qui m'avait blessé avant que je fusse sorti de l'enfance, je me tournai à gauche, avec ce respect qu'éprouve l'enfant qui court à sa mère quand il a peur ou quand il est affligé, pour dire à Virgile : « Je n'ai pas une goutte de sang qui ne soit agitée : je reconnais les traits de mon ancienne flamme. »

Mais Virgile avait disparu, Virgile ce doux père, ce Virgile à qui *Elle* avait confié mon salut ; et l'aspect du séjour que perdit notre antique mère ne put empêcher mes yeux, secs jusqu'alors, de verser un torrent de larmes.

« O Dante ! parce que Virgile a disparu, ne verse pas, non, ne verse pas de larmes, tu dois pleurer pour une autre blessure. » Ainsi me parla la femme céleste. Bientôt, avec le même air altier, elle continua ainsi que celui qui, en parlant, réserve, pour la fin de son discours, les invectives les plus fortes. – « Regarde-moi bien, suis-je bien, oui, suis-je bien Béatrice ? Comment as-tu donc daigné gravir la montagne ? ne savais-tu pas qu'ici l'homme est heureux ? »

A ces mots, mes yeux se baissèrent sur l'onde pure ; mais y reconnaissant ma confusion, je les reportai sur l'herbe, tant la honte avait abattu mon visage. Béatrice me parut insultante, comme une mère paraît l'être pour son fils, quand il trouve une saveur amère aux reproches d'une tendresse acerbe.

La femme sainte cessa de parler, et les anges chantèrent, aussitôt : « *Seigneur, j'ai espéré en toi.* » Mais ils ne passèrent pas la strophe où il est dit : « *Tu as placé mes pieds.* »

De même que la neige qui couvre les montagnes ombragées de l'Italie se congèle, endurcie par les aquilons que vomit l'Esclavonie, et ensuite, après s'être amollie au premier souffle du vent venu de la terre qui n'a pas d'ombre contre le soleil, se fond comme la cire est fondue par le feu ; de même, je ne pus verser des larmes et pousser des soupirs avant que les êtres dont les âmes sont en harmonie avec les chants des sphères éternelles eussent fait entendre leur douce mélodie : mais quand leurs voix suaves eurent compati à ma douleur, plus que si elles avaient dit : « Femme, pourquoi le maltraites-tu ainsi ? » la glace qui enchaînait mon cœur se fondit en un torrent de pleurs et de gémissements dont furent inondés mes yeux et ma bouche.

Cependant Béatrice, immobile sur la partie droite du char, adressa ces paroles aux saintes substances : « Vous veillez dans la divine lumière ; le cours des siècles ne vous est dérobé ni par le sommeil, ni par l'ignorance ; aussi j'expliquerai mieux ma réponse, non pas pour vous, mais pour celui-là qui pleure de l'autre côté du fleuve, afin que sa douleur soit mesurée sur sa faute. Ce coupable, non seulement par l'influence des sphères qui donne une impulsion à chaque chose naissante, selon que dominent les étoiles bienfaisantes ou maléfiques, mais par l'abondance des grâces divines, qui, en descendant sur nous, élèvent des vapeurs qu'on ne peut suivre des yeux, fut, dans son jeune âge, tellement disposé par des vertus reçues de Dieu et des cieux, que toute bonne habitude aurait produit en lui de merveilleux effets : mais le terrain mal semé et mal cultivé devient d'autant plus sauvage, qu'il a plus de force et de sève. Je soutins ce coupable quelque temps par mes regards, en lui montrant mon visage enfantin ; je le conduisis dans la véritable route ; mais quand je fus sur le seuil de mon second âge, et que je changeai de vie, le parjure me quitta et se livra à d'autres. Lorsque j'eus déposé ma dépouille mortelle pour devenir plus belle et plus puissante, je lui parus moins chère et moins agréable : il tourna ses pas vers le faux chemin, en suivant les trompeuses images du bien qui ne tient aucune promesse. En vain j'obtins de Dieu pour lui de saintes inspirations par lesquelles je le rappelai pendant ses songes et pendant ses veilles, il en tint peu de compte ; il tomba si bas, que, pour assurer son salut, tous les efforts étaient vains, si je ne lui faisais connaître les races condamnées ; aussi visitais-je la porte de leur empire, et mes prières et mes pleurs furent-ils portés à celui qui l'a conduit ici. Ce coupable enfin violerait les hauts décrets de Dieu, s'il passait le Léthé et s'il goûtait de ces mets avant d'avoir, en expiation de ses fautes, versé quelques larmes de repentir. »

CHANT XXX

Dante confesse ses fautes à Béatrice

« O toi qui es au-delà du fleuve, me dit Béatrice sans s'arrêter, en m'adressant par la pointe ses paroles dont le taillant m'avait paru si âcre, réponds, réponds, ai-je dit la vérité ? Il faut que ton aveu confirme de telles accusations. »

J'étais si confondu, que ma voix s'agita pour répondre et fut étouffée avant d'articuler un son. Béatrice attendit quelque temps, ensuite elle ajouta : « Que penses-tu ? Réponds-moi, tes tristes souvenirs n'ont pas encore été lavés par les eaux saintes. » La peur et la confusion réunies m'arrachèrent un *oui* prononcé si faiblement, que Béatrice put apercevoir plutôt le mouvement de mes lèvres qu'elle ne put entendre ce mot. De même qu'une arbalète mal tendue fait rompre la corde et l'arc, et ne lance qu'une flèche mal assurée, de même je fus accablé sous le poids de ma honte ; je versai un torrent de larmes, et ma voix ne put que péniblement se frayer un chemin.

Alors Béatrice me parla ainsi : « Au milieu des nobles désirs qui te portaient à aimer le seul souverain désirable, quels ravins inabordables, quelles chaînes ont arrêté ta marche ? Pourquoi as-tu sitôt perdu l'espérance d'aller en avant ? Quels charmes, quels attraits se montrèrent sur le front des autres objets, pour que tu dusses ainsi te promener devant eux ? »

Après un soupir amer, mes lèvres à peine donnèrent passage à la voix qui répondit, en pleurant : « Les objets présents et leurs faux plaisirs ont détourné mes pas, depuis que votre visage s'est caché. » Béatrice reprit ainsi : « Quand tu tairais, quand tu nierais ta faute que tu avoues, elle n'en serait pas moins connue : un tel juge la sait ! Mais lorsque l'aveu du péché tombe de la propre bouche du pécheur, l'épée de la divine justice est émoussée dans notre céleste cour.

Je ressemblais aux enfants qui, les yeux à terre, en silence, couverts de honte, et reconnaissant leur faute, en conçoivent du repentir. L'ortie du repentir me piqua tellement, que je conçus de la haine pour tout ce qui avait pu me distraire de Béatrice. Je fus pénétré d'un tel mouvement de reconnaissance que je tombai évanoui, et celle qui m'avait adressé tant de reproches sait ce que je devins. Lorsque mon cœur rendit l'activité à mes sentiments extérieurs, je vis auprès de moi la femme que j'avais d'abord aperçue seule, elle me disait de m'appuyer sur elle : alors elle me traîna dans le fleuve où je fus plongé jusqu'à la bouche, et elle se retira sur l'eau avec la rapidité d'un léger esquif... CHANT XXXI

LE PARADIS

Conduit par Béatrice, Dante pénètre dans le Paradis, qui est composé de dix régions différentes : neuf ciels mobiles et l'Empyrée, séjour de Dieu. Dans le ciel de la Lune sont les esprits qui ont manqué à leurs vœux ; dans le ciel de Mercure sont les esprits actifs et bienfaisants ; dans le ciel de Vénus les esprits aimants ; dans le ciel du Soleil séjournent les théologiens ; dans celui de Mars les Chevaliers du Christ ; dans celui de Jupiter les Esprits contemplatifs. Vient ensuite le ciel des Étoiles : le triomphe du Christ et de la Vierge ; puis le premier mobile qui abrite les hiérarchies angéliques, enfin le ciel immobile, l'Empyrée.

Cacciaguida prédit à Dante son exil et ses malheurs

Arrivé au ciel de Mars, Dante interroge Cacciaguida sur son sort futur :

« ... Tu quitteras Florence, comme Hippolyte, persécuté par la perfidie de son impitoyable belle-mère, sortit d'Athènes. On le veut, et l'on trame déjà l'intrigue, là où tous les jours on trafique du Christ. On attribuera tous les torts au parti le plus faible, suivant l'usage ; mais la vengeance du ciel rendra un témoignage éclatant à la vérité. Tu seras obligé d'abandonner ce qui te sera le plus cher : c'est la première flèche que lance l'arc de l'exil. Tu apprendras combien le pain étranger est amer, et combien il est dur de monter et de descendre l'escalier d'autrui. Ce qui aggravera le plus ton tourment, ce sera la société perfide et désunie des compagnons avec lesquels tu tomberas dans ce gouffre : leur ingratitude, leur folie, leur impiété n'accuseront que toi ; mais ce sont eux, plutôt que toi, qui auront à en rougir. Les procédés de leur bestialité prouveront qu'il sera honorable pour toi d'être ton parti à toi-même. Ton premier refuge sera la courtoisie de ce grand et noble Lombard qui porte pour armoiries le saint oiseau sur une échelle d'or. Ce sera là ta première demeure. Ses prévenances pour toi seront telles, qu'entre vous deux, pour la demande et la faveur, celle-ci, quoique généralement la seconde, arrivera la première. Dans son palais, tu connaîtras celui qui, né sous l'influence de cette étoile guerrière, fera de si notables prodiges. Le monde ne les prévoit pas, parce que ce héros est encore jeune, et que ces sphères n'ont fait leur révolution que neuf fois autour de lui.

... L'esprit ajouta des détails difficiles à croire pour ceux mêmes qui seront témoins de tant de gloire, et continua ainsi : « O mon fils, voilà les causes de ce qu'on t'a dit ; voilà les embûches qu'un court intervalle de temps te cache encore. Tu ne dois pas cependant vouer de la haine à tes concitoyens, parce que tu vivras assez de temps pour voir la punition de leur perfidie. »

Lorsque l'âme sainte, en se taisant, se montra disposée à mettre la trame sur la toile que j'avais présentée ourdie, je lui répondis comme l'homme qui, en doutant, sollicite un conseil d'un autre homme qu'il respecte et qu'il aime : « Je vois bien, ô mon père, que le temps accourt vers moi, pour me porter un de ces coups qui sont d'autant plus douloureux, qu'on leur oppose moins de courage : aussi dois-je m'armer de prévoyance, afin que si le séjour le plus cher m'est enlevé, je ne perde pas en même temps, par la liberté de mes vers, les asiles que l'on pourrait m'offrir. Dans le monde, où tout est amertume sans fin, sur la montagne du sommet de laquelle les yeux de Béatrice m'ont enlevé, ensuite dans le ciel, de lumière en lumière, j'ai appris des choses qui seront âcres pour un grand nombre, si j'ose les redire ; mais au contraire, si je suis un ami timide de la vérité, je crains de ne plus vivre parmi ceux pour qui le temps actuel sera l'ancien temps. »

La lueur où étincelait mon trésor, brilla d'un plus vif éclat, semblable à un miroir d'or exposé au soleil ; elle répondit : « Les consciences qui auront des fautes à se reprocher, ou qui rougiront de celles de leurs amis, trouveront tes paroles âpres et désagréables ; néanmoins, sans rien altérer, manifeste ta vision tout entière. Si tes révélations ne flattent pas le goût dans le premier moment, elles laisseront une substance fortifiante chez celui qui n'aura pas craint de s'en alimenter. Tes cris seront ces ouragans qui frappent les plus hautes montagnes, et tu ne retireras pas une faible gloire de ton courage... »

CHANT XVII

Francesco Petrarca, dit en France

Pétrarque

AREZZO 1304 — ARQUA 1374.

Fils d'un notaire florentin exilé, Pétrarque passe sa jeunesse dans le midi de la France, principalement à Avignon où résident les Papes. Il étudie le droit puis les lettres ; c'est en 1327 qu'il rencontre en l'église Sainte Claire d'Avignon celle qu'il aimera et chantera toute sa vie : Laure. Il commence à écrire des poésies italiennes exprimant sa tristesse amoureuse (les ***Rimes****). Il acquiert la protection des Colonna, entreprend son* ***De Viris illustribus (Des Hommes illustres)****. Il effectue en 1333 un voyage en France, Flandre, et Allemagne, puis en 1337 un voyage à Rome où il parfait son goût pour l'Antiquité classique qui lui apparaît comme le monde idéal qu'il cherche vainement en lui et autour de lui. Il compose en 1339 un poème latin* ***Africa*** *(sur Scipion l'Africain), et reçoit l'année suivante l'invitation à recevoir la couronne du poète de Paris et de Rome : il choisit Rome. Il a deux enfants naturels, Giovanni né en 1337 et Francesca née en 1342. Il se lie d'amitié avec Boccace, écrit des sonnets et autres poésies en italien. En 1348 il apprend la mort de Laure et continue de chanter son amour pour elle. Il écrit les* ***Trionfi (Les Triomphes)****.*

POÉSIE

.Le Canzionere (Le Chansonnier).

Le Canzionere réunit les poésies italiennes de Pétrarque qui proclament l'amour pour une seule femme, Laure. Ce recueil se compose de quelques madrigaux, ballades, sizains mais essentiellement de sonnets qui sont la forme préférée du poète. Ces sonnets expriment la passion amoureuse de Pétrarque, ses troubles, sa tristesse, ses espérances. Le thème de la fuite du temps est central : fragilité de l'existence vers une fin inexorable... Le ***Canzionere*** *se divise en deux parties :* ***Sur la Vie de ma dame Laure*** *(avant 1348) et* ***Sur la mort de ma dame Laure*** *(après 1348).*

SUR LA VIE DE MA DAME LAURE

CONTRE LE VOILE DE SA DAME

Soit au soleil, soit à l'ombre, Dame, je ne vous vis jamais vous défaire de votre voile, depuis que vous avez découvert le grand désir qui étouffe dans mon cœur toute autre volonté.

Alors que je portais cachés les beaux pensers qui ont fait succomber mon esprit sous le désir, je vous vis embellir votre visage de pitié ; mais dès qu'Amour appela sur moi votre attention, les blonds cheveux furent alors voilés et l'amoureux regard en lui-même recueilli. Ce que je désirais le plus en vous m'est enlevé ; votre voile me tyrannise de telle sorte que pour me faire périr, par la chaleur comme par le froid, il obscurcit la douce lumière de vos beaux yeux.

LA BEAUTÉ DE SA DAME LE GUIDE AU SOUVERAIN BIEN

Quand parfois, au milieu d'autres dames, Amour apparaît au beau visage de celle-ci, autant chacune lui cède en beauté, autant s'accroît le désir qui me passionne.

Je bénis le lieu, et le temps, et l'heure où l'élevai mes regards vers un but si altier ; et je dis : « Ô mon âme, tu dois être bien reconnaissante d'avoir été jugée alors digne d'un tel honneur !

« D'*elle* te vient l'amoureux penser qui, pendant que tu le suis, t'envoie au souverain bien, estimant peu ce que tout homme désire ;

D'*elle* te vient ce noble courage qui te guide vers le ciel par le sentier direct, si bien que je vais déjà rempli de sublimes espérances. »

LES YEUX DE LAURE

Les beaux yeux dont j'ai été frappé de telle façon que la blessure ne pourrait être guérie que par eux-mêmes, et non par aucune vertu d'herbes, ni d'art magique, ou de pierre venue des mers lointaines ;

Ces beaux yeux m'ont si bien fermé le chemin d'un autre amour qu'il n'est qu'un seul doux penser pour contenter mon âme ; et si ma langue est jalouse de le suivre, ce n'est pas elle, mais seulement son guide qu'on peut railler.

Ceux-ci sont les beaux yeux qui font triompher les entreprises de mon seigneur en tout endroit, mais surtout contre mon sein ;

Ceux-ci sont les beaux yeux qui me restent sans cesse dans le cœur avec leurs étincelles enflammées ; aussi jamais ne suis-je las d'en parler.

LE GANT DÉROBÉ

O belle main qui me serres le cœur et renfermes ma vie dans un si petit espace, main où la Nature et le Ciel, pour se faire honneur, ont mis tout leur art et tous leurs soins ;

Doigts déliés et suaves, pareils, en vos couleurs, à cinq perles orientales, et qui n'êtes acerbes et cruels que pour me déchirer, Amour, comblant mes vœux, me permet maintenant de vous voir nus enfin.

Blanc, gracieux et précieux gant qui recouvrait cet ivoire sans tache et ces roses délicates, personne au monde vit-il jamais de si douces dépouilles ?

Puissé-je ainsi en obtenir encore autant du beau voile ! O inconstance des choses humaines ! Ceci n'est qu'un larcin, et quelqu'un vient qui va m'en dépouiller.

LE GANT RESTITUÉ

Amour et ma fortune m'avaient favorisé d'une belle broderie d'or et de soie, si bien que je me trouvais presque arrivé au comble de mon bonheur, en pensant en moi-même à qui elle avait servi :

Et jamais ne me revient à l'esprit ce jour qui me fit en un instant riche et pauvre, que je ne me sente pénétré de colère et de douleur, et rempli de honte et d'amoureux dépit ;

Pour n'avoir pas mieux su retenir cette noble proie, quand il le fallait, ni résister à un seul effort d'une angélique créature.

Ou bien, en fuyant, joindre des ailes à mes pieds, afin de me venger du moins sur cette main qui a fait couler tant de pleurs de mes yeux.

IL PRIE LE CIEL DE LE FAIRE MOURIR AVANT SA DAME

L'aure dont l'haleine délicieuse agite le vert Laurier et l'or de la belle chevelure, fait, par ses jeux gracieux et nouveaux, émigrer les âmes de leurs corps.

C'est une rose candide éclose parmi de cruelles épines ! Quand trouvera-t-on sa pareille en ce monde ? C'est la gloire de notre âge ! O vivant Jupiter, je t'en supplie, ordonne mon trépas avant le sien.

Afin que je ne voie pas cette grande et publique calamité, et le monde privé de son soleil, ainsi que mes yeux qui n'ont pas d'autre lumière ;

Et mon âme, qui repousse toute autre pensée, et mes oreilles qui ne savent écouter que ses chastes et douces paroles !

LE POÈTE GÉMIT SUR LA MORT DE SA DAME

Hélas ! il n'est plus ce beau visage ; il n'est plus ce suave regard ; il n'est plus ce gracieux et noble maintien ; il n'est plus ce parler qui adoucissait l'esprit le plus âpre et le plus farouche, et qui donnait du cœur à l'homme le plus lâche.

Il n'est plus enfin ce doux sourire, duquel sortit le trait dont je n'attends désormais d'autre bien que la mort : âme royale, bien digne de l'empire, si tu ne fusses descendue si tard parmi nous !

Il faut que pour vous je brûle et qu'en vous je respire, car je n'ai appartenu qu'à vous ; et il n'est pas de malheur qui me touche à beaucoup près autant que d'être séparé de vous.

Vous m'aviez rempli d'espérance et de désir, quand je m'éloignai de mon bien suprême encore en vie ; mais le vent emportait alors les paroles qui me charmaient.

LAURE LUI APPARAÎT SANS CESSE

Combien de fois vers mon doux refuge, pour fuir le monde et moi-même s'il se peut, je m'en vais baignant des larmes de mes yeux et l'herbe et ma poitrine, et brisant de mes soupirs l'air qui m'environne !

Combien de fois, solitaire et plein de méfiance, me suis-je lancé à travers les lieux ombragés et obscurs, pour tâcher de retrouver par la pensée celle qui était mon souverain bien et que m'a ravie la mort, ce qui est cause que toujours je l'appelle !

Je l'ai revue, sous la forme d'une Nymphe ou bien d'une autre divinité, sortant du lit de la Sorgue à l'endroit où l'onde est la plus claire, pour venir se reposer sur la rive ;

Ou bien sur l'herbe fraîche foulant les fleurs comme une dame vivante, et laissant voir à son air que de moi elle s'ennuie.

INVECTIVES CONTRE LA MORT

O Mort, tu as décoloré le plus beau visage que jamais on ait vu, éteint les plus beaux yeux, et arraché au corps le plus gracieux et le plus beau, l'esprit le plus embrasé des flammes de la vertu.

En un instant, tu m'as ravi tout mon bien ; tu as imposé silence aux plus suaves accents que jamais on ait entendus, et tu m'as rempli de gémissements : tout ce que je vois et tout ce que j'entends m'est un ennui.

Il est vrai que ma Dame revient pour me consoler dans une si grande douleur ; la pitié la ramène vers moi, et c'est le seul recours que je trouve en cette vie ;

Et si je pouvais redire les paroles qu'elle m'adresse et l'éclat dont elle brille, j'enflammerais d'amour, je ne dirais pas les cœurs des hommes, mais ceux des tigres et des ours !

A LA VALLÉE DE VAUCLUSE

Vallée remplie de mes plaintes ; fleuves dont mes larmes accroissent souvent les ondes ; bêtes des bois, oiseaux vagabonds, et vous, poissons que retient l'une et l'autre de ces vertes rives ;

Air que mes soupirs échauffent et rafraîchissent, doux sentier dont le but est si amer ; colline qui m'as charmé et qui maintenant m'importunes, et où par habitude Amour me mène encore :

Je reconnais bien en vous les formes accoutumées, hélas ! mais non pas en moi, qui, loin d'une vie en joies si féconde, suis devenu l'asile d'une douleur sans fin.

C'est ici que je contemplais celle qui était tout mon bien, et je reviens sur ces traces d'autrefois, pour voir le lieu d'où, sans voile désormais, elle est montée au ciel, abandonnant sa belle dépouille à la terre.

LE RETOUR DU PRINTEMPS

Zéphir nous revient, ramenant les beaux jours et sa douce famille de plantes et de fleurs, et Progné gazouillant, et Philomèle qui pleure, et le printemps blanc et vermeil.

On voit rire les prés, et le ciel se rasséréner ; Jupiter est joyeux de contempler sa fille ; l'air, et les ondes, et la terre, tout est rempli d'amour : tout ce qui respire veut aimer de nouveau.

Mais pour moi, hélas ! reviennent plus rigoureux les soupirs que tire du fond de mon cœur celle qui en emporta les clefs au ciel avec elle.

Et les oiseaux qui chantent, et les plaines qui fleurissent, et les belles et chastes dames aux suaves façons, tout cela n'est pour moi qu'un désert peuplé de bêtes cruelles et sauvages.

LA PLAINTE DU ROSSIGNOL

Ce rossignol qui, si mélodieusement, pleure ses fils peut-être ou sa chère compagne, a rempli de douceur le ciel et les campagnes, avec tous ses accords si touchants et si bien sentis.

Et chaque nuit il semble qu'il m'accompagne et me remet en l'esprit ma cruelle destinée : car je n'ai personne que moi dont je puisse me plaindre, et je ne croyais pas que la Mort étendît son empire sur les divinités.

O combien il est facile de surprendre celui qui est sans défiance ! Qui pensa jamais voir se réduire en terre ténébreuse ces deux belles lumières, d'un éclat dont n'approchait pas celui du Soleil ?

Je connais maintenant que mon impitoyable fortune veut qu'en vivant et en pleurant j'apprenne qu'il n'est rien ici-bas de satisfaisant et de durable.

LE RETOUR A VAUCLUSE

Je sens ma brise d'autrefois, et je vois apparaître les douces collines où naquit celle qui remplit, tant qu'il plut au ciel, mes yeux de désir et de joie ; à présent, elle les remplit de tristesse et de pleurs.

O caduques espérances ! ô folles pensées ! Les herbes sont veuves et les ondes ont perdu leur limpidité ; et vide et froid est le nid où elle reposa, et dans lequel, vivant et mort, j'ai voulu reposer.

Espérant, à la fin, obtenir de ses pieds charmants et de ses beaux yeux qui m'ont brûlé le cœur, quelque repos après tant de fatigues.

J'ai servi un maître cruel et avare : car je brûlai, tant que je fus en présence de mon feu ; et j'en pleure aujourd'hui la cendre dispersée.

Giovanni Boccacio, dit en France

Boccace

PARIS 1313 – CERTALDO 1375.

Fils d'un banquier italien, Boccace témoigne très jeune d'un goût pour la littérature et surtout pour Dante. Son père l'envoie à Naples, où il vit à la cour raffinée de Robert d'Anjou et se consacre à la lecture et l'écriture. Il a pour protectrice la fille du roi, la comtesse Maria d'Aquino qu'il chante sous le nom de Fiametta. Il compose ***Le Philostrate*** *(1338),* ***La Vision amoureuse*** *(1343) etc. Rappelé à Florence par son père en 1340 il y trouve des soucis domestiques. Il écrit la* ***Nymphée de Fiesole*** *(1346) qui célèbre des amours purs. En 1347 il assiste à la terrible épidémie de peste qu'il décrit dans son chef-d'œuvre* ***Le Décaméron.*** *A partir de 1350 il est désigné par ses compatriotes pour régler diverses missions délicates. Il rencontre Pétrarque avec lequel il a des conversations inoubliables ; les deux écrivains entretiennent dès lors une abondante correspondance qui fait d'eux « une même âme dans deux corps » selon l'expression de Pétrarque. De 1350 à 1355 il compose Le Décaméron, recueil de cent admirables nouvelles très libres, qui sera imité par Marguerite de Navarre en France. A la fin de sa vie Boccace occupe une chaire instituée pour expliquer l'œuvre de Dante. En 1374 Pétrarque meurt, les derniers écrits de Boccace pleurent son ami et guide.*

CONTES

.Le Décaméron.

1350 – 1355

Le Décaméron, qui signifie d'après son étymologie grecque dix jours, est le titre d'un recueil de cent contes libres : Boccace suppose que pendant la peste de Florence en 1348 sept nobles dames et trois gentilhommes se retirent à la campagne et se racontent les uns aux autres, pendant dix jours, dix plaisantes histoires. Chacun doit inventer un conte selon un thème imposé par la « reine » ou le « roi » du jour.

L'AVARE CORRIGÉ

Au cours de la première journée Pampinée est reine, elle n'impose aucun sujet : on parle « de ce qui plaît le plus à chacun ». La huitième nouvelle de cette journée est contée par Laurette :

« D'une réplique spirituelle Guillaume Boursier corrige l'avarice du Seigneur Ermino Grimaldi. Il y eut autrefois à Gênes un gentilhomme commerçant, connu sous le nom de messire Ermin de Grimaldi, qui passait pour le plus riche particulier qu'il y eût alors en Italie. Mais autant il était opulent, autant il était avare. Il n'ouvrait jamais sa bourse pour obliger qui que ce fût, et se refusait à lui-même les choses les plus nécessaires à la vie, tant il craignait de faire la moindre dépense, bien différent en cela des autres Génois, qui aimaient le faste et la bonne chère. Il poussa cette ladrerie si loin que ses concitoyens lui ôtèrent le nom de Grimaldi pour lui donner celui d'*Ermin l'Avare*.

Pendant que, par son économie sordide, il augmentait tous les jours ses richesses, arriva à Gênes un courtisan français, nommé Guillaume Boursier ; c'était un gentilhomme plein de droiture et d'honnêteté, parlant avec autant d'esprit que d'aisance, généreux et affable envers tout le monde. Sa conduite était fort opposée à celle des courtisans d'aujourd'hui qui, malgré la vie dépravée qu'ils mènent et l'ignorance dans laquelle ils croupissent, ne rougissent pas de se qualifier de gentilshommes et de grands seigneurs, et qui auraient plus de raison de se faire appeler du nom de ces animaux à longues oreilles, dont ils ont, pour la plupart, les mœurs et la stupidité. Les gentilshommes du temps passé étaient sans cesse occupés à mettre la paix dans les familles divisées, à favoriser les alliances convenables, à resserrer les nœuds de l'amitié ; ils se faisaient un devoir et un plaisir d'égayer les esprits mélancoliques et chagrins par des propos aussi joyeux qu'innocents, de secourir les malheureux, et de rendre service aux hommes de tous les états ; ils cultivaient leur esprit pour ce rendre utiles et intéressants dans la Cour où ils vivaient, et étaient surtout attentifs à réprimer, par une juste censure et avec la douceur d'un père à l'égard d'un enfant, les vices et les travers de leurs inférieurs. Les courtisans de nos jours font presque tout le contraire : ils ne s'occupent qu'à se nuire réciproquement, à susciter des querelles et des haines par des propos ou des rapports malins, à se reprocher les uns aux autres leurs excès et leurs turpitudes. Tour à tour altiers et bas, flatteurs, carressants, tyranniques, injustes, méchants, cruels, on les voit sans cesse dégrader leur noblesse et avilir leur rang. Le plus recherché, le plus chéri, le mieux récompensé de ceux qui occupent les premiers postes est, à la honte du siècle, presque toujours celui à qui on a à reprocher le plus de défauts, de vices, et quelquefois de crimes...

Mais pour reprendre le sujet de mon récit, dont une juste indignation m'a peut-être un peu trop écarté, je vous dirai que Guillaume Boursier fut visité et honoré de toute la noblesse de Gênes. Il eut bientôt occasion d'entendre parler de l'avarice de messire Ermin et de la vie malheureuse qu'il menait, et il lui prit la fantaisie de le voir.

Ermin, qui, tout avare qu'il était, avait conservé un reste de politesse, et qui, de son côté, avait entendu dire que messire Boursier était un fort galant homme, le reçut de bonne grâce, et soutint à merveille la conversation, qui roula sur différents sujets. Il fut si enchanté de l'esprit et des manières polies de ce courtisan, qu'il le mena, avec les Génois qui l'avaient conduit chez lui, à une belle maison qu'il avait fait bâtir depuis peu, et qu'il voulait lui faire voir. Quand il lui en eut montré les divers appartements :

– Monsieur, lui dit-il en se tournant vers lui, vous, qui me paraissez si instruit et qui avez vu tant de choses, ne pourriez-vous pas m'en indiquer une qui n'eût jamais été vue, et que je pourrais faire peindre dans la salle de compagnie ?

Boursier, sentant le ridicule de cette demande :

– Faites-y peindre des éternuements, lui répondit-il ; c'est une chose que personne n'a jamais vue et qu'on ne verra jamais ! Mais si vous voulez, ajouta-t-il, que je vous en indique une qu'on peut peindre, mais que certainement vous ne connaissez pas, je vous la dirai.

– Vous m'obligerez, Monsieur, lui répondit messire Ermin, qui ne s'attendait sans doute pas à une telle réponse.

– Eh bien ! reprit Boursier, faites-y peindre la *Libéralité*.

Ce seul mot fit une telle impression sur messire Ermin, et le rendit si honteux, qu'il prit soudain la résolution de changer de vie et de tenir une conduite différente de celle qu'il avait eue jusqu'alors.

– Oui, Monsieur, répondit-il, un peu déconcerté, oui, je ferai peindre la *Libéralité*, et si bien, que ni vous, ni aucune autre personne, de quelque qualité qu'elle puisse être, ne pourra désormais me faire le reproche que je ne l'ai ni vue ni connue !

En effet, messire Ermin changea tellement de conduite et de sentiments, qu'il fut, depuis ce jour-là, le plus libéral et le plus honnête Génois de son temps, et celui qui recevait le mieux les étrangers et ses propres compatriotes.

Reine de la sixième journée Elisa demande qu'il soit traité en ce jour de ceux qui, « victimes d'une attaque, la repoussent d'un trait d'esprit et de ceux qui, par la rapidité de leur répartie ou la souplesse de leur invention, esquivent un danger ». La quatrième nouvelle de ce jour est contée par Néifile :

« Quinquibio, cuisinier de Conrard Gianfigliazzi, se tire d'affaire par une prompte riposte, et change en gaieté la colère de son maître. Il échappe au châtiment.

Vous pouvez avoir entendu dire ou avoir vu par vous-mêmes que messire Conrard, citoyen de Florence, a toujours été libéral, magnifique, aimant beaucoup les chiens et les oiseaux, pour ne point parler de ses autres goûts.

Un jour, à la chasse au faucon, il prit une grue, près d'un village nommé Perctola. La trouvant jeune et grasse, il ordonna qu'on la remît à son cuisinier pour la rôtir et la servir à son souper. Notez bien que ce cuisinier, Vénitien d'origine, et qui portait le nom de Quinquibio, était un sot accompli. Il prend la grue et la fait rôtir de son mieux. Elle était sur le point d'être cuite et répandait une excellente odeur, lorsqu'une femme du quartier, appelée Brunette, entra dans la cuisine. L'agréable fumet qu'exhalait l'oiseau qu'on venait d'ôter de la broche, fait naître à cette femme l'envie d'en manger, et aussitôt de prier instamment le cuisinier de lui en donner une cuisse.

Après plusieurs paroles de part et d'autre, Quinquibio, qui ne voulait pas déplaire à cette femme, coupe la cuisse et la lui donne.

Il y avait ce jour-là, au logis, grande compagnie à souper. La grue fut servie avec une seule cuisse. Un des convives, qui fut le premier à s'en apercevoir, ayant montré de l'étonnement, messire Conrard fit appeler le cuisinier, et lui demanda ce qu'était devenue l'autre cuisse. Le Vénitien, naturellement menteur, répondit effrontément que les grues n'avaient qu'une jambe et une cuisse.

– Ce que je vous dis, Monsieur, est à la lettre ; et si vous en doutez encore, je me fais fort de vous le prouver dans celles qui sont en vie.

Tout le monde se prit à rire de cette réponse ; mais Conrard ne voulant pas faire plus grand bruit à cause des étrangers qu'il avait à sa table, se contenta de répondre au lourdaud :

– Puisque tu te fais fort, coquin, de me montrer ce que je n'ai jamais vu ni entendu dire, nous verrons demain si tu tiendras ta parole ; mais parbleu, si tu ne le fais pas, je t'assure que tu te souviendras longtemps de ta bêtise et de ton opiniâtreté ; qu'il n'en soit à présent plus question : retire-toi !

Le lendemain, messire Conrard, que le sommeil n'avait point calmé, se leva à la pointe du jour, le cœur plein de ressentiment contre son cuisinier. Il monte à cheval, le fait monter sur un autre pour qu'il le suive, et va vers un ruisseau, sur le bord duquel on voyait toujours des grues au lever de l'aurore.

– Nous verrons, lui disait-il en chemin, de temps en temps, d'un ton de dépit, nous verrons lequel de nous a raison.

Le Vénitien, voyant que son maître n'était pas revenu des premiers mouvements de sa colère, et qu'il allait se trouver confondu, ne savait comment faire pour se disculper. Il aurait volontiers pris la fuite s'il eût osé, tant il était épouvanté des menaces du gentilhomme. Mais le moyen, n'étant pas le mieux monté ? Il regardait donc de tous côtés, croyant que tous les objets qu'il apercevait étaient autant de grues qui se soutenaient sur deux pieds.

Quand ils furent arrivés près du ruisseau, Quinquibio fut le premier à en voir une douzaine, toutes appuyées sur un pied, comme elles font ordinairement quand elles dorment. Il les montre aussitôt à son maître, en lui disant :

– Voyez donc, Monsieur, si ce que je vous disais hier au soir n'est pas vrai ; regardez ces grues, et voyez si elles ont plus d'une jambe et d'une cuisse !

– Je vais te faire voir qu'elles en ont deux, répliqua messire Conrard ; attends un peu !

Et s'étant approché, il se mit à crier : *Hou ! bou ! bou !*

A ce bruit, les grues de s'éveiller, de baisser l'autre pied, et de prendre ensuite la volée.

– Hé bien, maraud, dit alors le gentilhomme, les grues ont-elles deux pieds ? Que diras-tu maintenant ?

– Mais, Monsieur, repartit Quinquibio, qui ne savait plus que dire, vous ne criâtes pas : *Hou ! bou ! bou !* à celle d'hier soir ; car, si vous l'aviez fait, elle aurait montré comme celles-ci, l'autre pied.

Cette réponse ingénue plut si fort à messire Conrard, qu'elle désarma sa colère, et ne pouvant s'empêcher de rire :

– Tu as raison, Quinquibio, lui dit-il, j'aurais dû vraiment faire ce que tu dis : va, je te pardonne ; mais n'y reviens plus !

C'est ainsi que, par une répartie tout à fait plaisante, le cuisinier esquiva la punition, et fit sa paix avec son maître.

Charles d'Orléans

PARIS 1394 – BLOIS 1465.

Fils de Louis d'Orléans et de Valentine Visconti, Charles d'Orléans épouse à quatorze ans Isabelle de France, fille du roi Charles VI. En 1407 son père est assassiné à l'instigation de Jean sans Peur. Il devient le chef du parti Armagnac, et blessé à la bataille d'Azincourt il est emmené en Angleterre où il reste vingt-cinq ans. En 1440 il recouvre sa liberté et se retire dans son château de Blois. Il y passe le reste de ses jours au milieu d'une petite cour de poètes ; il reçoit un vagabond poète : François Villon. C'est d'abord comme un divertissement de cour, puis durant sa captivité comme une consolation, qu'il compose ses poésies pleines de grâce : ballades, chansons, complaintes, caroles, rondeaux.

POÈME, BALLADE

Charles d'Orléans se peint en aveugle égaré :

.BALLADE.

En la forêt d'Ennuyeuse Tristesse,
Un jour m'advint qu'à part moi cheminais,
Si rencontrai l'amoureuse déesse
Qui m'appela, demandant où j'allais.
Je répondis que par fortune étais
Mis en exil en ce bois, longtemps a,
Et qu'à bon droit appeler me pouvais
L'homme égaré qui ne sais où il va.

En souriant, par sa très grande humblesse,
Me répondit : « Ami, si je savais
Pourquoi tu es mis en cette détresse,
A mon pouvoir volontiers t'aiderais ;
Car, jà piéça, je mis ton cœur en voie
De tout plaisir, ne sais qui l'en ôta ;
Or me déplaît qu'à présent je te voie
L'homme égaré qui ne sait où il va. »

« Hélas ! dis-je, souveraine princesse,
Mon fait savez, pourquoi le vous dirais ?
C'est par la mort, qui fait à tous rudesse,
Qui m'a repris celle que tant aimais,
En qui était tout l'espoir que j'avais,
Qui me guidait, si bien m'accompagna,
En son vivant, que point ne me trouvai
L'homme égaré qui ne sait où il va. »

Aveugle suis, ne sais où aller dois ;
De mon bâton, afin que ne fourvoie,
Je vais tâtant mon chemin çà et là ;
C'est grand'pitié qu'il convient que je sois
L'homme égaré qui ne sait où il va !

BALLADE XXI

Captif en Angleterre, Charles d'Orléans pleure sa patrie qu'il entrevoit dans les brumes du lointain :

.BALLADE.

En regardant vers le pays de France,
Un jour m'advint, à Douvres, sur la mer,
Qu'il me souvint de la douce plaisance
Que je soulais au dit pays trouver ;
Si commençai du cœur à soupirer,
Combien certes que grand bien me faisoit
De voir France que mon cœur aimer doit.

Je m'avisai que c'était non savance
De tels soupirs dedans mon cœur garder,
Vu que je vois que telle voie commence

De bonne paix, qui tous biens peut donner ;
Pour ce, tournai en confort mon penser.
Mais non pourtant mon cœur ne le lassoit
De voir France que mon cœur aimer doit.

Alors chargeai en la nef d'Espérance
Tous mes souhaits, en leur priant d'aller
Outre la mer, sans faire demeurance,
Et à France de me recommander.

Nous donne Dieu bonne paix sans tarder !
Adonc aurai loisir, mais qu'ainsi soit
De voir France que mon cœur aimer doit.

Paix est trésor qu'on ne peut trop louer.
Je hais guerre, point ne la dois priser ;
Destourbé m'a longtemps, soit tort ou droit,
De voir France que mon cœur aimer doit !

BALLADE XXVI

POÈME, RONDEAU

L'hiver et les peines sont passés, voici le printemps et les joies :

.RONDEAU.

Le temps a laissé son manteau
De vent, de froidure et de pluie,
Et s'est vêtu de broderie,
De soleil luisant, clair et beau.

Il n'y a bête ni oiseau
Qu'en son jargon ne chante ou crie :
Le temps a laissé son manteau !

Rivière, fontaine et ruisseau
Portent, en livrée jolie,
Gouttes d'argent d'orfèvrerie,
Chacun s'habille de nouveau :
Le temps a laissé son manteau.

RONDEAU VI

L'hiver « morte saison », disait Villon :

.RONDEAU.

Hiver, vous n'êtes qu'un vilain !
Été est plaisant et gentil,
En témoin de mai et d'avril
Qui l'accompagnent soir et main.

Été revêt champs, bois et fleurs
De sa livrée de verdure
Et de maintes autres couleurs,
Par l'ordonnance de Nature.

Mais vous, Hiver, trop êtes plein
De neige, vent, pluie et grésil ;
On vous doit bannir en exil.
Sans point flatter, je parle plain :
Hiver, vous n'êtes qu'un vilain !

RONDEAU XXXII

François Villon

PARIS 1431 – APRÈS 1463 ?

Elevé par un chanoine, François Villon est licencié maître-ès-arts en 1452. Il mène une vie tourmentée : en 1455, lors d'une querelle, il tue un prêtre, fuit, se lie avec des malfaiteurs. Gracié, il rentre à Paris puis participe à un cambriolage. On peut suivre sa vie à l'aide des registres d'écrou. Il écrit le ***Lais*** *(ou Legs) (1456), des ballades (1456 à 1461),* ***le Testament*** *(1461). En 1462 il est à nouveau compromis dans une rixe et condamné cette fois à être « pendu et estranglé » : il compose la* ***Ballade des Pendus.*** *Sa peine est commuée en exil. A partir de ce moment on perd sa trace.*

POÈME, BALLADE

*Où se tient **l'Etre** du temps passé ?*

•BALLADE DES DAMES DU TEMPS JADIS•

Dites-moi où, n'en quel pays
Est Flora la belle Romaine,
Archipiades, ne Thaïs
Qui fut sa cousine germaine,
Écho, parlant quand bruit on mène
Dessus rivière ou sur étang,
Qui beauté eut trop plus qu'humaine ?
Mais où sont les neiges d'antan ?

Où est la très sage Héloïs,
Pour qui fut châtré et puis moine
Pierre Abélard à Saint-Denis ?
Pour son amour eut cette essoine.
Semblablement, où est la reine
Qui commanda que Buridan
Fût jeté en un sac en Seine ?
Mais où sont les neiges d'antan ?

La reine Blanche comme un lis
Qui chantait à voix de sirène,
Berthe au grand pied, Biétris, Alis,
Haramburgis qui tint le Maine,
Et Jeanne, la bonne Lorraine,
Qu'Anglais brûlèrent à Rouen ;
Où sont-ils, Vierge souveraine ?
Mais où sont les neiges d'antan ?

Prince, n'enquerez de semaine
Où elles sont, ni de cet an,
Qu'à ce refrain ne vous ramène :
Mais où sont les neiges d'antan ?

Premier éloge des « Parisiennes » :

•BALLADE DES FEMMES DE PARIS•

Quoiqu'on tient belles langagères
Florentines, Vénitiennes,
Assez pour être messagères,
Et mêmement les anciennes ;
Mais soient Lombardes, Romaines,
Génevoises, à mes périls,
Piémontoises, Savoisiennes,
Il n'est bon bec que de Paris.

De très beau parler tiennent chaires,
Ce dit-on, les Napolitaines,
Et sont très bonnes caquetières
Allemandes et Prussiennes ;
Soient Grecques, Égyptiennes,
De Hongrie et d'autres pays,
Espagnoles ou Catelennes,
Il n'est bon bec que de Paris.

Brettes, Suisses n'y savent guère,
Gasconnes, n'aussi Toulousaines :
Du Petit Pont deux harangères
Les conluront, et les Lorraines,
Anglaises et Calaisiennes
(Ai-je beaucoup de lieux compris ?)
Picardes de Valenciennes ;
Il n'est bon bec que de Paris.

Prince, aux dames parisiennes
De bien parler donnez le prix ;
Quoi qu'on die d'Italiennes,
Il n'est bon bec que de Paris.

Villon lègue cette ballade à sa mère – « femme pauvrette et ancienne », ignorante (« qui ne sais rien ; oncques lettres ne lus ») mais fidèle paroissienne – pour aider à son salut :

.BALLADE POUR PRIER NOTRE DAME.

Dame du ciel, régente terrienne,
Emperière des infernaux palus,
Recevez-moi, votre humble chrétienne,
Que comprise sois entre vos élus,
Ce nonobstant qu'onques rien ne valus.
Les biens de vous, ma Dame et ma Maîtresse,
Sont trop plus grands que ne suis pécheresse,
Sans lesquels biens âme ne peut mérir
N'avoir les cieux. Je n'en suis jangleresse :
En cette foi je veux vivre et mourir.

A votre Fils dites que je suis sienne ;
De lui soient mes péchés abolus ;
Pardonne à moi comme à l'Égyptienne,
Ou comme il fit au clerc Theophilus,
Lequel par vous fut quitte et absolus,
Combien qu'il eût au diable fait promesse.
Préservez-moi de faire jamais ce,
Vierge portant, sans rompure encourir,
Le sacrement qu'on célèbre à la messe :
En cette foi je veux vivre et mourir.

Femme je suis pauvrette et ancienne,
Qui rien ne sais ; onques lettre ne lus.
Au moutier vois, dont suis paroisienne,
Paradis peint où sont harpes et luths,
Et un enfer où damnés sont boullus :
L'un me fait peur, l'autre joie et liesse.
La joie avoir me fais, haute Déesse,
A qui pécheurs doivent tous recourir,
Comblés de foi, sans feinte ni paresse :
En cette foi je veux vivre et mourir.

Vous portâtes, digne Vierge, Princesse,
Iésus régnant qui n'a ni fin ni cesse.
Le Tout-Puissant, prenant notre faiblesse,
Laissa les cieux et nous vint secourir,
Offrit à mort sa très chère jeunesse ;
Notre Seigneur tel est, tel le confesse :
En cette foi je veux vivre et mourir.

Condamné à être pendu en 1462, Villon compose cette ballade :

.BALLADE DES PENDUS.

Frères humains qui après nous vivez,
N'ayez les cœurs contre nous endurcis,
Car, si pitié de nous pauvres avez,
Dieu en aura plus tôt de vous merci.
Vous nous voyez ci attachés, cinq, six :
Quant à la chair, que trop avons nourrie,
Elle est piéça dévorée et pourrie,
Et nous, les os, devenons cendre et poudre.
De notre mal personne ne s'en rie ;
Mais priez Dieu que tous nous veuille absoudre !

Si frères vous clamons, pas n'en devez
Avoir dédain, quoique fûmes occis
Par justice. Toutefois, vous savez
Que tous hommes n'ont pas bon sens rassis ;
Excusez-nous, puisque sommes transis,
Envers le fils de la Vierge Marie,
Que sa grâce ne soit pour nous tarie,
Nous préservant de l'infernale foudre.
Nous sommes morts, âme ne nous harie ;
Mais priez Dieu que tous nous veuille absoudre !

La pluie nous a débués et lavés,
Et le soleil desséchés et noircis ;
Pies, corbeaux, nous ont les yeux cavés,
Et arraché la barbe et les sourcils.
Jamais nul temps nous ne sommes assis ;
Puis çà, puis là, comme le vent varie,
A son plaisir sans cesser nous charrie,
Plus becquetés d'oiseaux que dés à coudre.
Ne soyez donc de notre confrérie,
Mais priez Dieu que tous nous veuille absoudre !

Prince Jésus, qui sur tous a maîtrie,
Garde qu'Enfer n'ait de nous seigneurie :
A lui n'ayons que faire ni que soudre.
Hommes, ici n'a point de moquerie ;
Mais priez Dieu que tous nous veuille absoudre !

Les dernières paroles de Villon :

.BALLADE FINALE.

Ici se clôt le testament
Et finit du pauvre Villon.
Venez à son enterrement,
Quand vous oirez le carillon,
Vêtus rouge avec vermillon,
Car en amour mourut martyr :
Ce jura-t-il sur son couillon
Quand de ce monde voulut partir.

Et je crois bien que pas ne ment,
Car chassé fut comme un souillon
De ses amours haineusement ;
Tant que, d'ici à Roussillon,

Brosse n'y a ni brossillon
Qui n'eût, ce dit-il sans mentir,
Un lambeau de son cotillon,
Quand de ce monde voulut partir.

Il est ainsi et tellement,
Quand mourut n'avait qu'un haillon ;
Qui plus, en mourant, malement,
Le poignait d'amour l'aiguillon ;

Plus aigu que le ranguillon
D'un baudrier lui faisait sentir
(C'est de quoi nous émerveillons)
Quand de ce monde voulut partir.

Prince, gent comme émerillon,
Sachez qu'il fit au départir :
Un trait but de vin morillon,
Quand de ce monde voulut partir.

Niccolo Machiavelli, dit en France

Machiavel

FLORENCE 1469 – FLORENCE 1527.

Florence est une république gouvernée par les Médicis, lorsque Machiavel naît. A 25 ans il assiste à l'exil des Médicis et l'entrée de Charles VIII à Florence. En 1498 il est nommé secrétaire à la chancellerie, accomplit plusieurs missions délicates et se voit fort apprécié. Sa pensée politique s'affirme peu à peu. En 1502 Soderini prend le pouvoir, Machiavel est chargé d'organiser une milice populaire. Mais en 1512 les Espagnols dévastent Florence, Soderini prend la fuite, Machiavel est emprisonné, torturé et condamné à l'exil. Les Médicis reviennent au pouvoir. C'est en exil que Machiavel compose en quelques mois son chef-d'œuvre **Le Prince** *(1513) qu'il dédie à Laurent de Médicis afin d'être réintégré à Florence : son espoir est déçu.* **Le Prince** *examine les problèmes politiques de son temps et de son pays, analyse la fin et les moyens du politique. Il y révèle son amour de la civilisation des arts et ses qualités de penseur politique. Il compose ensuite les* **Discours sur la première Décade de Tite-Live** *(1513 à 1520) où il expose la structure de l'action politique à partir de l'étude de l'histoire de la Rome républicaine qui lui paraît exemplaire. Ses autres œuvres importantes sont* **L'Art de la guerre**, *une comédie en cinq actes* **La Mandragore** *(1518) et* **L'Histoire de Florence** *(1520-1526). C'est dans une très grande pauvreté qu'il meurt en 1527.*

TRAITÉ POLITIQUE

.Le Prince.

ÉCRIT EN 1513, PUBLIÉ EN 1532

A propos de son **Prince,** *Machiavel écrit à un ami : « Je creuse de mon mieux les problèmes que pose un tel sujet : ce que c'est que la souveraineté, combien d'espèces il y en a, comment on l'acquiert, comment on la garde, comment on la perd ». Ce traité politique comprend 26 chapitres. En ce monde de misère et de violences seul un pouvoir fort qui sait se maintenir peut favoriser la civilisation des arts et des lettres qui ne réside qu'en quelques hommes, les meilleurs esprits. La politique est un art séparé dont le principe est le pouvoir pour le pouvoir, et dont les moyens sont au-delà du bien et du mal. Parce que les hommes sont par nature dominés par la violence, la cupidité, l'égoïsme et la lâcheté le Prince doit être un animal de proie, savoir être à la fois lion et renard. Les deux vertus politiques sont la violence et la ruse. Le Prince ne doit pas observer la parole donnée lorsque cette observance tourne à son détriment. Il vaut mieux être craint et respecté qu'aimé et insuffisamment craint. Il est nécessaire de ne pas s'éloigner du bien s'il le peut mais il doit savoir entrer dans le mal s'il y a nécessité. Que le Prince fasse en sorte de vaincre et de maintenir son pouvoir, ses moyens seront justes politiquement.*

DE LA LIBÉRALITÉ ET DE L'AVARICE

« Si un prince veut se faire dans le monde la réputation de libéral, il faut nécessairement qu'il n'épargne aucune sorte de somptuosité ; ce qui l'obligera à épuiser son trésor par ce genre de dépenses ; d'où il s'ensuivra que, pour conserver la réputation qu'il s'est acquise, il se verra enfin contraint à grever son peuple de charges extraordinaires, à devenir fiscal, et, en un mot, à se procurer de l'argent par tous les moyens. Aussi commencera-t-il bientôt à être odieux à ses sujets, et à mesure qu'il s'appauvrira, il sera moins considéré. Ainsi, ayant, par sa libéralité, gratifié peu d'individus, et déplu à un très grand nombre, le moindre embarras sera considérable pour lui, et le plus léger revers le mettra en danger : que si, connaissant son erreur, il veut s'en retirer, il verra aussitôt rejaillir sur lui la honte attachée au nom d'avare.

Le prince, ne pouvant donc, sans fâcheuse conséquence, exercer la libéralité de telle manière qu'elle soit bien connue, doit, s'il a quelque prudence, ne pas trop appréhender le renom d'avare, d'autant plus qu'avec le temps il acquerra de jour en jour celui de libéral. En voyant, en effet, que grâce à son économie ses revenus lui suffisent, et qu'elle le met en état, soit de se défendre contre ses ennemis, soit d'exécuter des entreprises utiles, sans surcharger son peuple, il sera réputé libéral par tous ceux, en nombre infini, auxquels il ne prendra rien ; et le reproche d'avarice ne lui sera fait que par ce peu de personnes qui ne participent point à ses dons.

De notre temps, nous n'avons vu exécuter de grandes choses que par les princes qui passaient pour avares ; tous les autres sont demeurés dans l'obscurité. Le pape Jules II s'était bien fait, pour parvenir au pontificat, la réputation de libéralité ; mais il ne pensa nullement ensuite à la consolider, ne songeant qu'à pouvoir faire la guerre au roi de France – guerre qu'il fit, ainsi de plusieurs autres, sans mettre aucune imposition extraordinaire, car sa constante économie fournissait à toutes les dépenses. Si le roi d'Espagne actuel avait passé pour libéral, il n'aurait ni formé, ni exécuté autant d'entreprises. Un prince qui veut n'avoir pas à dépouiller ses sujets pour pouvoir se défendre, et ne pas se rendre pauvre et méprisé, de peur de devenir rapace, doit craindre peu qu'on le taxe d'avarice, puisque c'est là une de ces mauvaises qualités qui le font régner.

Si l'on dit que César s'éleva à l'empire par sa libéralité, et que la réputation de libéral a fait parvenir bien des gens aux rangs les plus élevés, je réponds : ou vous êtes déjà effectivement prince, ou vous êtes en voie de le devenir. Dans le premier cas, la libéralité vous est dommageable ; dans le second, il faut nécessairement que vous en ayez la réputation : or, c'est dans ce second cas que se trouvait César, qui aspirait au pouvoir souverain dans Rome. Mais si, après y être parvenu, il eût encore vécu longtemps et n'eût point modéré ses dépenses, il aurait renversé lui-même son empire.

Si l'on insiste, et que l'on dise encore que plusieurs princes ont régné et exécuté de grandes choses avec leurs armées, et quoiqu'ils eussent cependant la réputation d'être très libéraux, je répliquerai : le prince dépense ou de son propre bien et de celui de ses sujets, ou du bien d'autrui : dans le premier cas, il doit être économe ; dans le second, il ne saurait être trop libéral.

Pour le prince, en effet, qui va conquérant avec ses armées, vivant de dépouilles, de pillage, de contributions, et usant du bien d'autrui, la libéralité lui est nécessaire, car sans elle il ne serait point suivi par ses soldats. Rien ne l'empêche aussi d'être distributeur généreux – ainsi que le furent Cyrus, César et Alexandre – de ce qui n'appartient ni à lui-même ni à ses sujets. En prodiguant le bien d'autrui, il n'a point à craindre de diminuer son crédit ; il ne peut, au contraire, que l'accroître : c'est la prodigalité de son propre bien qui pourrait seule lui nuire.

Enfin la libéralité, plus que toute autre chose, se dévore elle-même ; car, à mesure qu'on l'exerce, on perd la faculté de l'exercer encore : on devient pauvre, méprisé, ou bien rapace et odieux. Le mépris et la haine sont sans doute les écueils dont il importe le plus aux princes de se préserver. Or la libéralité conduit infailliblement à l'un et à l'autre. Il est donc plus sage de se résoudre à être appelé avare, qualité qui n'attire que du mépris sans haine, que de se mettre, pour éviter ce nom, dans la nécessité d'encourir la qualification de rapace, qui engendre le mépris et la haine tout ensemble.

CHAPITRE XVI

DE LA CRUAUTÉ ET DE LA CLÉMENCE, ET S'IL VAUT MIEUX ÊTRE AIMÉ QUE CRAINT

Continuant à suivre les autres qualités précédemment énoncées, je dis que tout prince doit désirer d'être réputé clément et non cruel. Il faut pourtant bien prendre garde de ne point user mal à propos de la clémence. César Borgia passait pour cruel, mais sa cruauté rétablit l'ordre et l'union dans la Romagne ; elle y ramena la tranquillité et l'obéissance. On peut dire aussi, en considérant bien les choses, qu'il fut plus clément que le peuple florentin, lequel, pour éviter le reproche de cruauté, laissa détruire la ville de Pistoie.

Un prince ne doit donc point s'effrayer de ce reproche, quand il s'agit de contenir ses sujets dans l'union et la fidélité. En faisant un petit nombre d'exemples de rigueur, vous serez plus clément que ceux qui, par trop de pitié, laissent s'élever des désordres d'où s'ensuivent les meurtres et les rapines ; car ces désordres blessent la société tout entière, au lieu que les rigueurs ordonnées par le prince ne tombent que sur des particuliers.

Mais c'est surtout à un prince nouveau qu'il est impossible de faire le reproche de cruauté, parce que, dans les États nouveaux, les dangers sont très multipliés. C'est cette raison aussi que Virgile met dans la bouche de Didon, lorsqu'il lui fait dire, pour excuser la rigueur de son gouvernement :

Res dura et regni novitas me talia cogunt
Moliri, et late fines custode tueri.

Il doit toutefois ne croire et n'agir qu'avec une grande maturité, ne point s'effrayer lui-même, et suivre en tout les conseils de la prudence, tempérés par ceux de l'humanité ; en sorte qu'il ne soit point imprévoyant par trop de confiance, et qu'une défiance excessive ne le rende point intolérable.

Sur cela s'est élevée la question de savoir *s'il vaut mieux être aimé que craint, ou être craint qu'aimé ?*

On peut répondre que le meilleur serait d'être l'un et l'autre. Mais, comme il est très difficile que les deux choses existent ensemble, je dis que, si l'une doit manquer, il est plus sûr d'être craint que d'être aimé. On peut, en effet, dire généralement des hommes qu'ils sont ingrats, inconstants, dissimulés, tremblants devant les dangers, et cupides ; que, tant que vous leur faites du bien, ils sont à vous ; qu'ils vous offrent leur sang, leurs biens, leur vie, leurs enfants, tant, comme je l'ai déjà dit, que le péril ne s'offre que dans l'éloignement ; mais que, lorsqu'il s'approche, ils se détournent. Le prince qui se serait entièrement reposé sur leur parole, et qui, dans cette confiance, n'aurait point pris d'autres mesures, serait bientôt perdu ; car toutes ces amitiés, achetées par des largesses, et non accordées par générosité et grandeur d'âme, sont quelquefois, il est vrai, bien méritées, mais on ne les possède pas effectivement ; et, au moment de les employer, elles manquent toujours. Ajoutons qu'on craint beaucoup moins d'offenser celui qui se fait aimer que celui qui se fait craindre ; car l'amour tient par un lien de reconnaissance bien faible pour la perversité humaine, et qui cède au moindre motif d'intérêt personnel ; au lieu que la crainte résulte de la menace du châtiment et cette peur ne s'évanouit jamais.

"Il est plus sûr d'être craint que d'être aimé"

Cependant le prince qui veut se faire craindre, doit s'y prendre de telle manière que, s'il ne gagne point l'affection, il ne s'attire pas non plus la haine ; ce qui, du reste, n'est point impossible ; car on peut fort bien tout à la fois être craint et n'être pas haï ; et c'est à quoi aussi il parviendra sûrement, en s'abstenant d'attenter aux biens de ses sujets et à leur honneur. S'il faut qu'il en fasse périr quelqu'un, il ne doit s'y décider que quand il y en aura une raison manifeste, et que cet acte de rigueur paraîtra bien justifié. Mais il doit surtout se garder, avec d'autant plus de soin, d'attenter aux biens, que les hommes oublient plutôt la mort d'un père même que la perte de leur patrimoine, et que d'ailleurs il en aura des occasions plus fréquentes. Le prince qui s'est une fois livré à la rapine, trouve toujours, pour s'emparer du bien de ses sujets, des raisons et des moyens, alors que, pour répandre leur sang, les raisons sont plus rares et manquent plus vite.

C'est lorsque le prince est à la tête de ses troupes, et qu'il commande à une multitude de soldats, qu'il doit moins que jamais redouter d'être réputé cruel ; car, sans ce renom, on ne tient point une armée dans l'ordre et disposée à toute entreprise.

Entre les actions admirables d'Annibal, on a remarqué particulièrement que, quoique son armée fût très nombreuse, et composée d'un mélange de plusieurs espèces d'hommes très différents, faisant la guerre sur le territoire d'autrui, il ne s'y éleva, ni dans la bonne ni dans la mauvaise fortune, aucune dissension entre les troupes, aucun mouvement de révolte contre le général. D'où cela vient-il, si ce n'est de cette cruauté excessive qui, jointe aux autres grandes qualités d'Annibal, le rendit tout à la fois la vénération et la terreur de ses soldats, et sans laquelle toutes ses autres qualités auraient été insuffisantes ? Ils avaient donc bien peu réfléchi, ces écrivains, qui, en célébrant d'un côté les actions de cet homme illustre, ont blâmé de l'autre ce qui en avait été la principale cause.

Pour se convaincre que les autres qualités d'Annibal ne lui auraient pas suffi, il n'y a qu'à considérer ce qui arriva à Scipion, homme tel qu'on n'en trouve presque point de semblable, soit dans nos temps modernes, soit même dans l'histoire de tous les temps connus. Les troupes qu'il commandait en Espagne se soulevèrent contre lui, et cette révolte ne put être attribuée qu'à sa clémence excessive, qui avait laissé prendre aux soldats beaucoup plus de licence que n'en comportait la discipline militaire. C'est ce que Fabius Maximus lui reprocha en plein Sénat, en l'appelant corrupteur de la milice romaine.

De plus, les Locriens, tourmentés et ruinés par un de ses lieutenants, ne purent obtenir de lui aucune vengeance, et l'insolence du lieutenant ne fut point réprimée ; toujours à cause de son naturel facile. Sur quoi quelqu'un, voulant l'accuser dans le Sénat, dit qu'il « y avait des hommes qui savaient mieux ne « point commettre de fautes que corriger « celles des autres ». On peut croire aussi que cette extrême douceur aurait fini par ternir la gloire et la renommée de Scipion, s'il avait exercé durant quelque temps le pouvoir suprême ; mais il était lui-même soumis aux ordres du Sénat, de sorte que cette qualité, nuisible de sa nature, demeura non seulement cachée, mais fut même encore pour lui un sujet de gloire.

Revenant donc à la question dont il s'agit, je conclus que les hommes, aimant à leur gré, et craignant au gré du prince, celui-ci doit plutôt compter sur ce qui dépend de lui, que sur ce qui dépend des autres : il faut seulement que, comme je l'ai dit, il s'efforce avec soin de ne pas s'attirer la haine.

CHAPITRE XVII

COMMENT LES PRINCES DOIVENT TENIR PAROLE

Chacun comprend combien il est louable pour un prince d'être fidèle à sa parole et d'agir toujours franchement et sans artifice. De notre temps, néanmoins, nous avons vu de grandes choses exécutées par des princes qui faisaient peu de cas de cette fidélité et qui savaient, par ruse, tourner la tête aux hommes. Nous avons vu ces princes l'emporter enfin sur ceux qui prenaient la loyauté pour base de toute leur conduite.

On peut combattre de deux manières : ou avec les lois, ou avec la force. La première est propre à l'homme, la seconde est celle des bêtes ; mais comme souvent celle-là ne suffit point, on est obligé de recourir à l'autre : il faut donc qu'un prince sache agir à propos, et en bête et en homme. C'est ce que les anciens écrivains ont enseigné allégoriquement, en racontant qu'Achille et plusieurs autres héros de l'antiquité avaient été confiés au centaure Chiron, pour qu'il les nourrît et les élevât.

Par là, en effet, et par cet instituteur moitié homme et moitié bête, ils ont voulu signifier qu'un prince doit avoir en quelque sorte ces deux natures, et que l'une a besoin d'être soutenue par l'autre. Le prince, devant donc agir en bête, tâchera d'être tout à fois renard et lion : car, s'il n'est que lion, il n'apercevra point les pièges ; s'il n'est que renard, il ne se défendra point contre les loups ; et il a également besoin d'être renard pour connaître les pièges, et lion pour épouvanter les loups. Ceux qui s'en tiennent tout simplement à être lions, sont très malhabiles.

Un prince bien avisé ne doit jamais accomplir sa promesse lorsque cet accomplissement lui serait nuisible, et que les raisons qui l'ont déterminé à promettre n'existent plus :

tel est le précepte à donner. Il ne serait pas bon sans doute, si les hommes étaient tous gens de bien ; mais comme ils sont méchants, et qu'assurément ils ne vous tiendraient point leur parole, pourquoi devriez-vous leur tenir la vôtre ? Et d'ailleurs, un prince peut-il manquer de raisons légitimes pour farder l'inexécution de ce qu'il a promis ?
A ce propos on peut citer une infinité d'exemples modernes, et alléguer un très grand nombre de traités de paix, d'accords de toute espèce, devenus vains et inutiles par l'infidélité des princes qui les avaient conclus. On peut faire voir que ceux qui ont su le mieux agir en renard sont ceux qui ont le plus prospéré.

Mais pour cela, ce qui est absolument nécessaire, c'est de savoir bien déguiser cette nature de renard, et de posséder parfaitement l'art de simuler et de dissimuler. Les hommes sont si aveuglés, si entraînés par le besoin du moment, qu'un trompeur trouve toujours quelqu'un qui se laisse tromper.

... Ainsi donc, pour en revenir aux bonnes qualités énoncées ci-dessus, il n'est pas nécessaire qu'un prince les possède toutes ; mais il l'est qu'il paraisse les avoir. J'ose même dire que s'il les avait effectivement, et s'il les montrait toujours dans sa conduite, elles pourraient lui nuire, au lieu qu'il lui est toujours utile d'en avoir l'apparence. Il lui est toujours bon, par exemple, de paraître clément, fidèle, humain, religieux, sincère ; il l'est même d'être tout cela en réalité : mais il faut en même temps qu'il soit assez maître de lui pour pouvoir et savoir au besoin montrer les qualités opposées.

On doit bien comprendre qu'il n'est pas possible à un prince, et surtout à un prince nouveau, d'observer dans sa conduite tout ce qui fait que les hommes sont réputés gens de bien, et qu'il est souvent obligé, pour maintenir l'État, d'agir contre l'humanité, contre la charité, contre la religion même. Il faut donc qu'il ait l'esprit assez flexible pour se tourner à toutes choses, selon que le vent et les accidents de la fortune le commandent ; il faut, comme je l'ai dit, que tant qu'il le peut, il ne s'écarte pas de la voie du bien, mais qu'au besoin il sache entrer dans celle du mal.

Il doit aussi prendre grand soin de ne pas laisser échapper une seule parole qui ne respire les cinq qualités que je viens de nommer ; en sorte qu'à le voir et à l'entendre, on le croie tout plein de douceur, de sincérité, d'humanité, d'honneur, et principalement de religion, qui est encore ce dont il importe le plus d'avoir l'apparence : car les hommes, en général, jugent plus par leurs yeux que par leurs mains, tous étant à portée de voir, et peu de toucher. Tout le monde voit ce que vous paraissez ; peu connaissent à fond ce que vous êtes, et ce petit nombre n'osera point s'élever contre l'opinion de la majorité, soutenue encore par la majesté du pouvoir souverain.

“Le prince tâchera d'être tout à la fois renard et lion”

Au surplus, dans les actions des hommes, et surtout des princes, qui ne peuvent être scrutées devant le tribunal, ce que l'on considère, c'est le résultat. Que le prince songe donc uniquement à conserver sa vie et son État : s'il y réussit, tous les moyens qu'il aura pris seront jugés honorables et loués par tout le monde.

CHAPITRE XVIII

Martin Luther

EISLEBEN 1483 — EISLEBEN 1546.

Fils d'un mineur, Martin Luther entreprend des études de droit à l'Université d'Erfurt. En 1505, lors d'un violent orage, Luther croit mourir, il fait le vœu d'entrer au couvent : ce sera la même année chez les ermites de Saint Augustin. En 1507 il est ordonné prêtre et désigné pour enseigner la théologie. Il devient en 1512 professeur d'Écriture sainte à l'Université de Wittenberg. C'est l'époque de l'expérience décisive de sa vie : « l'épisode de la tour » ; méditant avec une inquiétude extrême sur le problème théologique de la justice de Dieu, en une illumination Luther trouve la solution, Dieu sauve le pécheur sans même la coopération et le consentement du libre arbitre. En 1517 il fait placarder sur la porte de l'Église du château de Wittenberg les 95 ***Thèses sur les indulgences****, et rédige en 1518 les* ***Résolutions sur les 95 thèses*** *qu'il dédie au pape Léon X. Il est soutenu en Allemagne, mais Rome intente un procès d'hérésie contre lui. Excommunié en 1520, il expose ses idées religieuses dans divers* ***Écrits réformateurs*** *; il comparaît en 1521 devant la Diète de Worms où, au péril de sa vie, il tient tête aux autorités catholiques : « révoquer quoi que ce soit, je ne le puis, ni ne le veux ». Le grand duc de Saxe cache Luther à la Wartburg ; celui-ci traduit le* ***Nouveau Testament*** *en un trimestre ; il traduira l'****Ancien Testament*** *dans les années suivantes. En 1525 il combat les paysans soulevés contre l'Empire ; écrit son* ***traité du serf arbitre*** *; et se marie avec une ancienne nonne. Il meurt en 1546 dans sa ville natale.*

PHILOSOPHIE-THÉOLOGIE

.Mémoires de Luther.

Traduites et mises en ordre par Jules Michelet en 1835

L'influence de Luther est considérable, à tel point qu'elle est difficilement pondérable. Il est l'initiateur et le directeur de la Réforme, mais la Réforme ne se limite pas — loin de là — aux domaines culturel et religieux : la théologie protestante ne s'est pas seulement chargée de peser sur l'histoire des idées, il semble qu'elle ait changé quasiment de corps, ici philosophie, là politique, et même économie politique. Ainsi peut-on dire que Luther commence et commande l'Europe moderne, et non seulement l'Allemagne. Quant à l'Allemagne, elle lui doit directement ce qui a rendu nécessaire l'unité, et — surtout — la langue : car en traduisant la **Bible,** *Luther a donné aux Allemands la langue nationale qui leur faisait totalement défaut.*

Michelet pour ce travail a utilisé la volumineuse **Correspondance** *de Luther, ses* **Propos de table** *(recueillis par ses disciples), enfin ses diverses œuvres, dans le but de construire l'autobiographie dispersée ; il écrit dans la* **Préface** *: « C'est donc ici le vrai livre des Confessions de Luther, confessions négligées, éparses, involontaires, et d'autant plus vraies. Celles de Rousseau sont à coup sûr moins naïves, celles de Saint Augustin moins complètes et moins variées. »*

Il y a peut-être un centre à toute cette aventure luthérienne et européenne : la négation du libre arbitre et, par conséquent, l'affirmation d'un fatalisme. Cette négation après Luther est constamment suivie par les grands métaphysiciens allemands (jusqu'à Heidegger inclus), ainsi que par les penseurs et scientifiques (par exemple : Marx, Groddeck, Freud). Elle ouvre la voie à la déshumanisation ; à savoir le fait que dans la pensée, et la réflexion sur les sciences, la personne humaine n'est non seulement plus au cœur mais se voit niée comme **forme** *de référence au bénéfice de notions comme l'Absolu, ou l'Être, ou encore — dans le domaine de la biologie — les gènes, ou encore — en physique — l'atome, en chimie les molécules, en psychologie l'inconscient ; toutes ces notions impliquant — doit-on le rappeler ? — que la fatalité gouverne l'homme, fatalité qui seule est libre, et à la liberté de laquelle l'homme appartient (et non plus la liberté appartenant à l'homme). Dans sa* **Préface,** *Michelet ne tarde pas à aborder cette question : Luther, écrit-il, « a immolé le libre arbitre à la grâce, l'homme à Dieu, la morale à une sorte de fatalité providentielle ». Luther fut tout à fait conscient de son opération. Il félicite Erasme, qui vient de publier contre lui un traité* **Du Libre Arbitre** *(auquel Luther répondra par un traité* **Du Serf Arbitre***) :*

« Ce que j'estime, ce que je loue en toi, c'est que seul tu as touché le fond de l'affaire, et ce qui est le tout des choses ; je veux dire : le libre arbitre. Toi, tu ne me fatigues pas de querelles étrangères, de papauté, de purgatoire, d'indulgences et autres fadaises, pour lesquelles ils m'ont relancé. Seul, tu as saisi le nœud, tu as frappé à la gorge. Merci, Erasme !... »

***

*Moine, Luther a la révélation de la justification par la foi ; ce que l'on a transcrit par le proverbial « il n'y a que la foi qui sauve ! » (**nota bene** : lorsque les guillemets cessent, c'est Michelet qui parle) :*

A Mélanchton. « Sois pécheur et pèche fortement, mais aie encore plus forte confiance, et réjouis-toi en Christ, qui est le vainqueur du péché, de la mort et du monde. Il faut pécher, tant que nous sommes ici. Cette vie n'est point le séjour de la justice ; non, nous attendons, comme dit Pierre, les cieux nouveaux et la terre nouvelle où la justice habite... »

« Prie grandement ; car tu es un grand pécheur. »

« Je suis maintenant tout à fait dans la doctrine de la rémission des péchés. Je n'accorde rien à la Loi ni à tous les diables. Celui qui peut croire en son cœur à la rémission des péchés, celui-là est sauvé. »

« De même qu'il est impossible de rencontrer dans la nature le point *mathématique, indivisible,* de même l'on ne trouve nulle part la justice telle que la Loi la demande. Personne ne peut satisfaire à la Loi entièrement, et les juristes eux-mêmes, malgré tout leur art, sont bien souvent obligés de recourir à la rémission des péchés, car ils n'atteignent pas toujours le but, et quand ils ont rendu un faux jugement, et que le Diable leur tourmente la conscience, ni Barthole, ni Baldus, ni tous leurs autres docteurs ne leur servent de rien. Pour résister, ils sont forcés de se couvrir de l'ἐπιείχεια, c'est-à-dire de la rémission des péchés. Ils font leur possible pour bien juger, et après cela il ne leur reste plus qu'à dire : « Si j'ai mal jugé, ô mon Dieu, pardonne-le-moi. » C'est la théologie seule qui possède le point mathématique, elle ne tâtonne pas, elle a le Verbe même de Dieu. Elle dit : « Il n'est qu'une justice, Jésus-Christ. Qui vit en lui, celui-là est juste. »

« La Loi sans doute est nécessaire, mais non pour la béatitude, car personne ne peut l'accomplir ; mais le pardon des péchés la consomme et l'accomplit.

« La Loi est un vrai labyrinthe qui ne peut que brouiller les consciences, et la justice de la Loi est un minotaure, c'est-à-dire une pure fiction qui ne nous conduit point à la béatitude, mais nous attire en enfer. »

Addition de Luther à une lettre de Mélanchton sur la Grâce et la Loi... — « Pour me délivrer entièrement de la vue de la Loi et des œuvres, je ne me contente pas même de voir en Jésus-Christ mon maître, mon docteur et mon donateur ; je veux qu'il soit lui-même ma doctrine et mon don, de telle sorte qu'en lui je possède toute chose. Il dit : « Je suis le chemin, la vérité et la vie », non pas : « Je te montre, ou je te donne le chemin, la vérité et la vie », comme s'il opérait seulement ceci en moi, et que lui-même il fût néanmoins en dehors de moi... » — « Il n'est qu'un seul point dans toute la théologie : vraie foi et confiance en Jésus-Christ. Cet article contient tous les autres. — « Notre foi est un soupir inexprimable. » Et ailleurs : « Nous sommes nos propres geôliers. » (C'est-à-dire que nous nous enfermons dans nos œuvres, au lieu de nous élancer dans la foi.)

« Le Diable veut seulement une justice *active,* une justice que nous fassions nous-même en nous, tandis que nous n'en avons qu'une *passive* et étrangère qu'il ne veut point nous laisser. Si nous étions bornés à l'*active,* nous serions perdus, car elle est défectueuse dans tous les hommes. »

Un docteur anglais, Antonius Barns, demandait au docteur Luther si les chrétiens, justifiés par la foi en Christ, méritaient quelque chose pour les œuvres qui venaient ensuite. Car cette question était souvent agitée en Angleterre. — *Réponse* : 1° Nous sommes encore pécheurs après la justification ; 2° Dieu promet récompense à ceux qui font bien. Les œuvres ne méritent point le ciel, mais elles ornent la foi qui nous justifie. Dieu ne couronne que les dons mêmes qu'il nous a faits.

FIDELIS ANIMÆ VOX AD CHRISTUM. *Ego sum tuum peccatum, tu mea justitia ; triumpho igitur securus,* etc.

« Pour résister au désespoir, il ne suffit pas d'avoir de vains mots sur la langue, ni une vaine et faible opinion ; mais il faut qu'on relève la tête, que l'on prenne une âme ferme et que l'on se confie en Christ contre le péché, la mort, l'enfer, la Loi et la mauvaise conscience. »

"Sois pécheur et pèche fortement, mais aie encore plus forte confiance, et réjouis-toi en Christ, qui est le vainqueur du péché, de la mort et du monde. Il faut pécher, tant que nous sommes ici"

"La Loi sans doute est nécessaire, mais non pour la béatitude, car personne ne peut l'accomplir ; mais le pardon des péchés la consomme et l'accomplit"

« Quand la Loi t'accuse et te reproche tes fautes, ta conscience te dit : Oui, Dieu a donné la Loi et commandé de l'observer sous peine de damnation éternelle ; il faut donc que tu sois damné. A cela tu répondras : Je sais bien que Dieu a donné la Loi, mais il a aussi donné par son fils l'Évangile qui dit : Celui qui aura reçu le baptême et qui croira sera sauvé. Cet Évangile est plus grand que toute la Loi, car la Loi est terrestre et nous a été transmise par un homme ; l'Évangile est céleste et nous a été apporté par le Fils de Dieu. — N'importe, dit la conscience, tu as péché et transgressé le commandement de Dieu ; donc tu seras damné. — *Réponse* : Je sais fort bien que j'ai péché, mais l'Évangile m'affranchit de mes péchés, parce que je crois en Jésus, et cet Évangile est élevé au-dessus de la Loi autant que le ciel l'est au-dessus de la terre. C'est pourquoi le corps doit rester sur la terre et porter le fardeau de la Loi, mais la conscience monter, avec Isaac, sur la montagne, et s'attacher à l'Évangile, qui promet la vie éternelle à ceux qui croient en Jésus-Christ. — N'importe, dit encore la conscience, tu iras en Enfer ; tu n'as pas observé la Loi. — *Réponse* : Oui, si le Ciel ne venait à mon secours ; mais il est venu à mon secours, il s'est ouvert pour moi ; le Seigneur a dit : Celui qui sera baptisé et qui croira, sera sauvé. »

« Dieu dit à Moïse : Tu verras mon dos, mais non point mon visage. Le dos c'est la Loi, le visage c'est l'Évangile. »

« La loi ne souffre pas la Grâce et à son tour la Grâce ne souffre pas la Loi. La Loi est donnée seulement aux orgueilleux, aux arrogants, à la noblesse, aux paysans, aux hypocrites et à ceux qui ont mis leur amour et leur plaisir dans la multitude des lois. Mais la Grâce est promise aux pauvres cœurs souffrants, aux humbles, aux affligés ; c'est eux que regarde le pardon des péchés. A la Grâce appartiennent maître Nicolas Hansman, Cordatus, Philippe (Mélanchton) et moi. »

« Il n'y a point d'auteur, excepté saint Paul, qui ait écrit d'une manière complète et parfaite sur la Loi, car c'est la mort de toute raison de juger la Loi : l'esprit en est le seule juge. » (15 août 1530.)

« La bonne et véritable théologie consiste dans la pratique, l'usage et l'exercice. Sa base et son fondement, c'est le Christ, dont on comprend avec la foi la passion, la mort et la résurrection. Ils se font aujourd'hui, pour eux, une *théologie spéculative* d'après la raison. Cette *théologie spéculative* appartient au Diable dans l'Enfer. Ainsi Zwingli et les sacramentaires *spéculent* que le corps du Christ est dans le pain, mais seulement dans le sens spirituel. C'est aussi la théologie d'Origène. David n'agit pas ainsi, mais il reconnaît ses péchés et dit : *Miserere mei, Domine !* »

« J'ai vu naguère deux signes au ciel. Je regardais par la fenêtre au milieu de la nuit, et je vis les étoiles et toute la voûte majestueuse de Dieu se soutenir sans que je pusse apercevoir les colonnes sur lesquelles le Maître avait appuyé cette voûte. Cependant elle ne s'écroulait pas. Il y en a maintenant qui cherchent ces colonnes et qui voudraient les toucher de leurs mains. Mais comme ils n'y peuvent arriver, ils tremblent, se lamentent, et craignent que le ciel ne tombe. Ils pourraient les toucher que le ciel n'en bougerait pas.

« Plus tard je vis de gros nuages, tout chargés, qui flottaient sur ma tête comme un océan. Je n'apercevais nul appui qui les pût soutenir. Néanmoins, ils ne tombaient pas, mais nous saluaient tristement et passaient. Et comme ils passaient, je distinguai dessous la courbe qui les avait soutenus, un délicieux arc-en-ciel. Mince il était sans doute, bien délicat, et l'on devait trembler pour lui en voyant la masse des nuages. Cependant cette ligne aérienne suffisait pour porter cette charge et nous protéger. Nous en voyons toutefois qui craignent le poids du nuage, et ne se fient pas au léger soutien ; ils voudraient bien en éprouver la force, et, ne le pouvant, ils craignent que les nuages ne fondent et ne nous abîment de leurs flots... Notre arc-en-ciel est faible, leurs nuages sont lourds. Mais la fin jugera de la force de l'arc. (Août 1530.)

LIVRE 5, CHAPITRE 3 : *LA LOI, LA FOI*

François Rabelais

PRÈS DE CHINON VERS 1484 – PARIS 1553.

Vers 1520, Rabelais est moine chez les Cordeliers. Il étudie le grec et correspond avec l'humaniste Guillaume Budé. Il passe en 1523 chez les bénédictins de Maillezais, mais vit auprès de Geoffroy d'Estissac, son évêque, au prieuré de Liguré, et l'accompagne dans ses déplacements. A partir de 1527, il fait le tour de France des universités. Il s'inscrit en 1530 en médecine à Montpellier. En 1532 il est médecin à l'Hôtel-Dieu de Lyon, et publie ***Pantagruel*** *que la Sorbonne condamne pour obscénité. Avec le cardinal Du Bellay, en tant que médecin attaché à sa personne, Rabelais voyage plusieurs mois en Italie.* ***Gargantua*** *paraît en 1534, il est également condamné. Rabelais repart en Italie avec le cardinal, revient à Lyon en 1536, passe sa thèse de doctorat l'année suivante. Il mène ensuite une vie assez errante parce que la censure l'inquiète. Cependant il publie le* ***Tiers Livre*** *avec privilège du roi en 1546. La vie errante reprend. Le* ***Quart Livre*** *paraît en 1552 ; il est interdit.*

ROMAN

.Pantagruel.

1532

.Gargantua.

1535

En 1542 paraît une édition remaniée et définitive des deux romans « Pantagruel les horribles et épouvantables faits et prouesses du très renommé Pantagruel roi des Dipsodes, fils du grand géant Gargantua » paru en 1532 et « La vie inestimable du grand Gargantua père de Pantagruel, jadis composé par l'abstracteur de quinte essence » paru en 1535, où conformément à la généalogie Gargantua prend la première place.

Gargantua est précédé d'un dizain adressé aux lecteurs :

« Amis lecteurs, qui ce livre lisez,
Dépouillez-vous de toute affection,
Et, le lisant, ne vous scandalisez :
Il ne contient mal ni infection.
Vrai est qu'ici peu de perfection
Vous apprendrez, sinon en cas de rire ;
Autre argument ne peut mon cœur élire,
Voyant le deuil qui vous mine et consomme :
Mieux est de ris que de larmes écrire,
Pour ce que rire est le propre de l'homme. »

Confronté à la misère des hommes Rabelais (il est moine et médecin) décide dans ses écrits d'en rire plutôt que d'en pleurer. Cette conscience de la douleur humaine universelle est vraisemblablement le secret qui permet au comique grossier de Rabelais d'émouvoir si finement.

D'abord mal élevé par le sophiste Tubal Holoferne, Gargantua est confié à un nouveau maître – Ponocratès – qui établit un emploi du temps si serré que pas une heure du jour n'est perdue :

"Mieux est de ris que de larmes écrire, Pour ce que rire est le propre de l'homme."

Quand Ponocratès connut la vicieuse manière de vivre de Gargantua, délibéra autrement l'instituer en lettres, mais pour les premiers jours le toléra, considérant que Nature n'endure mutations soudaines sans grande violence.

Pour donc mieux son œuvre commencer, supplia un savant médecin de celui temps, nommé Séraphin Calobarsy, à ce qu'il considérât si possible était remettre Gargantua en meilleure voie, lequel le purgea canoniquement avec ellébore d'Anticyre et par ce médicament lui nettoya toute l'altération et perverse habitude du cerveau. Par ce moyen aussi Ponocratès lui fit oublier tout ce qu'il avait appris sous ses antiques précepteurs, comme faisait Timothée à ses disciples qui avaient été instruits sous autres musiciens.

Pour mieux ce faire, l'introduisait ès compagnies des gens savants que là étaient, à l'émulation desquels lui crût l'esprit et le désir d'étudier autrement et se faire valoir.

Après en tel train d'étude le mit qu'il ne perdait heure quelconque du jour, ains tout son temps consommait en lettres et honnête savoir.

S'éveillait donc Gargantua environ quatre heures du matin. Cependant qu'on le frottait, lui était lue quelque pagine de la divine Écriture hautement et clairement, avec prononciation compétente à la matière, et à ce était commis un jeune page, natif de Basché, nommé Anagnostes. Selon le propos et argument de cette leçon souventes fois s'adonnait à révérer, adorer, prier et supplier le bon Dieu, duquel la lecture montrait la majesté et jugements merveilleux.

Puis allait ès lieux secrets faire excrétion des digestions naturelles. Là son précepteur répétait ce qu'avait été lu, lui exposant les points plus obscurs et difficiles.

Eux retournant, considéraient l'état du ciel : si tel était comme l'avaient noté au soir précédent, et quels signes entrait le soleil, aussi la lune, pour icelle journée.

Ce fait, était habillé, peigné, testonné, accoutré et parfumé, durant lequel temps on lui répétait les leçons du jour d'avant. Lui-même les disait par cœur, et y fondait quelques cas pratiques et concernant l'état humain, lesquels ils étendaient aucunes fois jusque deux ou trois heures, mais ordinairement cessaient lorsqu'il était du tout habillé.

Puis par trois bonnes heures lui était faite lecture.

Ce fait, issaient hors, toujours conférant des propos de la lecture, et se déportaient en Bracque ou ès prés, et jouaient à la balle, à la paume, à la pile trigone, galantement s'exerçant les corps comme ils avaient les âmes auparavant exercé.

Tout leur jeu n'était qu'en liberté, car ils laissaient la partie quand leur plaisait et cessaient ordinairement lorsque suaient parmi le corps, ou étaient autrement las. Adonc étaient très bien essuyés et frottés, changeaient de chemise et, doucement se promenant, allaient voir si le dîner était prêt. Là attendant, récitaient clairement et éloquentement quelques sentences retenues de la leçon.

Cependant, Monsieur l'Appétit venait, et par bonne opportunité s'asseoient à table.

Au commencement du repas était lue quelque histoire plaisante des anciennes prouesses, jusques à ce qu'il eût pris son vin.

Lors (si bon semblait) on continuait la lecture, ou commençaient à deviser joyeusement ensemble, parlants, pour les premiers mois, de la vertu, propriété, efficace et nature de tout ce que leur était servi à table : du pain, du vin, de l'eau, du sel, des viandes, poissons, fruits, herbes, racines, et de l'apprêt d'icelles. Ce que faisant, apprit en peu de temps tous les passages à ce compétant en Pline, Athénée, Dioscoride, Julius Pollux, Galien, Porphyre, Oppien, Polybe, Héliodore, Aristote, Elien et autres. Iceux propos tenus, faisaient souvent, pour plus être assurés, apporter les livres susdits à table. Et si bien et entièrement retint en sa mémoire les choses dites, que pour lors n'était médecin qui en sût à la moitié tant comme il faisait.

Après, devisaient des leçons lues au matin, et, parachevant leur repas par quelque confection de cotoniat, se curait les dents avec un trou de lentisque, se lavait les mains et les yeux de belle eau fraîche et rendaient grâces à Dieu par quelques beaux cantiques faits à la louange de la munificence et bénignité divine. Ce fait, on apportait des cartes, non pour jouer, mais pour y apprendre mille petites gentillesses et inventions nouvelles, lesquelles toutes issaient d'arithmétique.

En ce moyen entra en affection d'icelle science numérale, et tous les jours, après dîner et souper, y passait temps aussi plaisantement qu'il soulait en dés ou ès cartes. A tant, sut d'icelle, et théorique et pratique, si bien que Tunstal, Anglais, qui en avait amplement écrit, confessa que vraiment, en comparaison de lui, il n'y entendait que le haut allemand.

Et non seulement d'icelle, mais des autres sciences mathématiques, comme géométrie, astronomie et musique ; car, attendant la concoction et digestion de son pât, ils faisaient mille joyeux instruments et figures géométriques, et de même pratiquaient les canons astronomiques.

Après, s'ébaudissaient à chanter musicalement à quatre et cinq parties, ou sur un thème à plaisir de gorge.

Au regard des instruments de musique, il apprit jouer du luth, de l'épinette, de la harpe, de la flûte d'Allemand et à neuf trous, de la viole et de la saquebute.

Cette heure ainsi employée, la digestion parachevée, se prugeait des excréments naturels, puis se remettait à son étude principal par trois heures ou davantage, tant à répéter la lecture matutinale qu'à poursuivre le livre entrepris, qu'aussi à écrire et bien traire et former les antiques et romaines lettres.

Ce fait, issaient hors leur hôtel, avec eux un jeune gentilhomme de Touraine, nommé l'écuyer Gymnaste, lequel lui montrait l'art de chevalerie.

Changeant donc de vêtements, montait sur un coursier, sur un roussin, sur un genet, sur un cheval barbe, cheval léger, et lui donnait cent carrières, le faisait voltiger en l'air, franchir le fossé, sauter le palis, court tourner en un cercle, tant à dextre comme à senestre.

Là rompait non la lance, car c'est la plus grande rêverie du monde dire : « J'ai rompu dix lances en tournoi ou en bataille » – un charpentier le ferait bien – mais louable gloire est d'une lance avoir rompu dix de ses ennemis. De sa lance donc acérée, verte et roide, rompait des huis, enfonçait un harnois, acculait une arbre, enclavait un anneau, enlevait une selle d'armes, un haubert, un gantelet. Le tout faisait armé de pied en cap (...).

Le temps ainsi employé, lui frotté, nettoyé et rafraîchi d'habillements, tout doucement retournait, et, passant par quelques prés ou autres lieux herbus, visitaient les arbres et plantes, les conférant avec les livres des anciens qui en ont écrit, comme Théophraste, Dioscoride, Marinus, Pline, Nicander, Macer et Galien, et en emportaient leurs pleines mains au logis, desquelles avait la charge un jeune page, nommé Rhizotome, ensemble des marrochons, des pioches, serfouettes, bêches, tranches et autres instruments requis à bien herboriser.

Eux arrivés au logis, cependant qu'on apprêtait le souper, répétaient quelques passages de ce qu'avait été lu et s'asseyaient à table.

Notez ici que son dîner était sobre et frugal, car tant seulement mangeait pour réfréner les abois de l'estomac ; mais le souper était copieux et large, car tant en prenait que lui était de besoin à soi entretenir et nourrir, ce qu'est la vraie diète prescrite par l'art de bonne et sûre médecine, quoiqu'un tas de badauds médecins, harcelés en l'officine des Arabes, conseillent le contraire.

Durant icelui repas était continuée la leçon du dîner tant que bon semblait ; le reste était consommé en bons propos, tous lettrés et utiles.

Après grâces rendues, s'adonnaient à chanter musicalement, à jouer d'instruments harmonieux, ou de ces petits passetemps qu'on fait ès cartes, ès dés et gobelets, et là demeuraient, faisant grand chère et s'ébaudissant aucunes fois jusques à l'heure de dormir ; quelquefois allaient visiter les compagnies des gens lettrés, ou de gens qu'eussent vu pays étranges.

En pleine nuit, devant que soi retirer, allaient au lieu de leur logis le plus découvert voir la face du ciel, et là notaient les comètes, si aucunes étaient, les figures, situations, aspects, oppositions et conjonctions des astres.

Puis avec son précepteur récapitulait brièvement, à la mode des Pythagoriques, tout ce qu'il avait lu, vu, su, fait et entendu au décours de toute la journée.

Si priaient Dieu le créateur, en l'adorant et ratifiant leur foi envers lui, et le glorifiant de sa bonté immense, et, lui rendant grâce de tout le temps passé, se recommandaient à sa divine clémence pour tout l'avenir. Ce fait, entraient en leur repos.

CHAPITRE 23

Devenu un parfait humaniste, Gargantua se voit contraint d'entrer en guerre contre Picrochole, belliqueux voisin de Grangousier, père de Gargantua. Il rencontre alors le frère Jean des Entommeures qui devient son fidèle compagnon. Pour récompenser frère Jean de ses vaillances au combat, selon ses vœux Gargantua fonde l'abbaye de Thélème. Le bâtiment est un château d'une grande beauté ou les « librairies » (bibliothèques) ne font pas défaut : « Depuis la tour Artice jusques à Crière étaient belles grandes librairies, en Grec, Latin, Hébreu, Français, Toscan et Espagnol, réparties par les divers étages selon ces langages. »

L'avant-dernier chapitre de Gargantua enseigne « comment étaient réglés les Thélémites à leur manière de vivre » :

"Fais ce que voudras"

Toute leur vie était employée non par lois, statuts ou règles, mais selon leur vouloir et franc arbitre. Se levaient du lit quand bon leur semblait, buvaient, mangeaient, travaillaient, dormaient quand le désir leur venait ; nul ne les éveillait, nul ne les parforçait ni à boire, ni à manger, ni à faire chose autre quelconque. Ainsi l'avait établi Gargantua. En leur règle n'était que cette clause :

FAIS CE QUE VOUDRAS,

parce que gens libères, bien nés, bien instruits, conversant en compagnies honnêtes, ont par nature un instinct et aiguillon, qui toujours les pousse à faits vertueux et retire de vice, lequel ils nommaient honneur. Iceux, quand par vile sujétion et contrainte sont déprimés et asservis, détournent la noble affection, par laquelle à vertus franchement tendaient, à déposer et enfreindre ce joug de servitude ; car nous entreprenons toujours choses défendues et convoitons ce que nous est dénié.

Par cette liberté entrèrent en louable émulation de faire tous ce qu'à un seul voyaient plaire. Si quelqu'un ou quelqu'une disait : « Buvons », tous buvaient ; si disait : « Jouons », tous jouaient ; si disait : « Allons à l'ébat ès champs », tous y allaient. Si c'était pour voler ou chasser, les dames, montées sur belles haquenées avec leur palefroi gorier, sur le poing mignonnement enganté, portaient chacune ou un épervier, ou un laneret, ou un émerillon. Les hommes portaient les autres oiseaux.

Tant noblement étaient appris qu'il n'était entre eux celui ni celle qui ne sût lire, écrire, chanter, jouer d'instruments harmonieux, parler de cinq à six langages, et en iceux composer tant en carme, qu'en oraison solue. Jamais ne furent veus chevaliers tant preux, plus verts, mieux remuants, mieux maniant tous bâtons, que là étaient, jamais ne furent veues da es tant propres, tant mignonnes, moins fâcheuses, plus doctes à la main, à l'aiguille, à tout acte mulière honnête et libre, que là étaient.

Par cette raison, quand le temps venu était que aucun d'icelle abbaye, ou à la requête de ses parents, ou pour autres causes, voulût issir hors, avec soi il emmenait une des dames, celle laquelle l'aurait pris pour son dévot, et étaient ensemble mariés ; et si bien avaient vécus à Thélème en dévotion et amitié, encore mieux la continuaient-ils en mariage : d'autant s'entre-aimaient à la fin de leurs jours comme le premier de leurs noces. »

CHAPITRE 57

Après avoir donné la généalogie de Pantagruel, Rabelais conte sa naissance. Hélas ! Badebec, épouse de Gargantua meurt en couches. Plaisirs et peines en cette vie sont inextricablement mêlés :

Quand Pantagruel fut né, qui fut bien ébahi et perplexe ? ce fut Gargantua son père, car, voyant d'un côté sa femme Badebec morte, et de l'autre son fils Pantagruel né, tant beau et grand, il ne savait que dire ni que faire. Et le doute qui troublait son entendement était à savoir s'il devait pleurer pour le deuil de sa femme, ou rire pour la joie de son fils. D'un côté et d'autre, il avait arguments sophistiques qui le suffoquaient, car il les faisait très bien *in modo et figura,* mais il ne les pouvait soudre. Et, par ce moyen, demeurait empêtré comme la souris empeigée, ou un milan pris au lacet.

« Pleurerai-je ? disait-il. Oui, car, pourquoi ? Ma tant bonne femme est morte, qui était la plus ceci, la plus cela qui fût au monde. Jamais je ne la verrai, jamais je n'en recouvrerai une telle : ce m'est une perte inestimable ! O mon Dieu, que t'avais-je fait pour ainsi me punir ? Que n'envoyas-tu la mort à moi premier qu'à elle ? car vivre sans elle ne m'est que languir. Ha, Badebec, ma mignonne, m'amie, ma tendrette, ma savate, ma pantoufle, jamais je ne te verrai. Ha, pauvre Pantagruel, tu as perdu ta bonne mère, ta douce nourrice, ta dame très aimée. Ha, fausse mort, tant tu m'es malivole, tant tu m'es outrageuse de me tollir celle à laquelle immortalité appartenait de droit. »

Et, ce disant, pleurait comme une vache. Mais tout soudain riait comme un veau, quand Pantagruel lui venait en mémoire. « Ho, mon petit fils, disait-il, mon peton, que tu es joli ! et tant je suis tenu à Dieu de ce qu'il m'a donné un si beau fils, tant joyeux, tant riant, tant joli. Ho, ho, ho, ho ! que je suis aise ! buvons, ho ! laissons toute mélancolie ; apporte du meilleur, rince les verres, boute la nappe, chasse ces chiens, souffle ce feu, allume cette chandelle, ferme cette porte, taille ces soupes, envoie ces pauvres, baille-leur ce qu'ils demandent ; tiens ma robe que je me mette en pourpoint pour mieux festoyer les commères. »

Ce disant, ouït la litanie et les mementos des prêtres qui portaient sa femme en terre, dont laissa son propos, et tout soudain fut ravi ailleurs, disant : « Seigneur Dieu, faut-il que je me contriste encore ? Cela me fâche, je ne suis plus jeune, je deviens vieux, le temps est dangereux, je pourrai prendre quelque fièvre, me voilà affolé. Foi de gentilhomme, il vaut mieux pleurer moins et boire davantage. Ma femme est morte : eh bien, par Dieu *(da jurandi),* je ne la ressusciterai pas par mes pleurs : elle est bien, elle est en paradis pour le moins, si mieux n'est ; elle prie Dieu pour nous, elle est bien heureuse, elle ne se soucie plus de nos misères et calamités. Autant nous en pend à l'œil ! Dieu gard le demeurant ! Il me faut penser d'en trouver une autre.

Mais voici que vous ferez, dit-il aux sages-femmes (où sont-elles ? bonnes gens, je ne vous peux voir) : allez à l'enterrement d'elle, et cependant je bercerai ici mon fils, car je me sens bien fort altéré, et serais en danger de tomber malade ; mais buvez quelque bon trait devant : car vous vous en trouverez bien, et m'en croyez sur mon honneur. »

CHAPITRE 3

Pantagruel en âge d'étudier fait le tour des universités comme le fit Rabelais. Parvenu à Paris, il reçoit de son père cette admirable lettre d'esprit profondément chrétien :

Par quoi, mon fils, je t'admoneste qu'emploies ta jeunesse à bien profiter en études et en vertus. Tu es à Paris, tu as ton précepteur Épistémon, dont l'un par vives et vocales instructions, l'autre par louables exemples, te peut endoctriner. J'entends et veux que tu apprennes les langues parfaitement. Premièrement la grecque, comme le veut Quintilien ; secondement, la latine ; et puis l'hébraïque pour les saintes lettres, et la chaldaïque et arabique pareillement ; et que tu formes ton style, quant à la grecque, à l'imitation de Platon ; quant à la latine, de Cicéron. Qu'il n'y ait histoire que tu ne tiennes en mémoire présente, à quoi t'aidera la cosmographie de ceux qui en ont écrit. Des arts libéraux, géométrique, arithmétique et musique, je t'en donnai quelque goût quand tu étais encore petit, en l'âge de cinq à six ans ; poursuis le reste, et d'astronomie saches-en tous les canons ; laisse-moi l'astrologie divinatrice, et l'art de Lullius, comme abus et vanités. Du droit civil, je veux que tu saches par cœur les beaux textes et me les confères avec philosophie.

Et quant à la connaissance des faits de nature, je veux que tu t'y adonnes curieusement : qu'il n'y ait mer, rivière, ni fontaine, dont tu ne connaisses les poissons ; tous les oiseaux de l'air, tous les arbres, arbustes et fructices des forêts, toutes les herbes de la terre, tous les métaux cachés au ventre des abîmes, les pierreries de tout Orient et Midi, rien ne te soit inconnu.

Puis soigneusement revisite les livres des médecins grecs, arabes et latins, sans contemner les talmudistes et cabalistes, et, par fréquentes anatomies, acquiers-toi parfaite connaissance de l'autre monde, qui est l'homme. Et, par quelques heures du jour, commence à visiter les saintes lettres. Premièrement, en grec, le *Nouveau Testament,* et *Épîtres* des apôtres, et puis, en hébreu, le *Vieux Testament.* Somme, que je voie un abîme de science. Car, dorénavant que tu deviens homme et te fais grand, il te faudra issir de cette tranquillité et repos d'étude et apprendre la chevalerie et les armes, pour défendre ma maison, et nos amis secourir en tous leurs affaires, contre les assauts des malfaisants. Et veux que, de bref, tu essaies combien tu as profité, ce que tu ne pourras mieux faire, que tenant conclusions en tout savoir publiquement envers tous et contre tous et hantant les gens lettrés qui sont tant à Paris comme ailleurs.

“Science sans conscience n'est que ruine de l'âme”

Mais parce que, selon le sage Salomon, sapience n'entre point en âme malivole et science sans conscience n'est que ruine de l'âme, il te convient servir, aimer et craindre Dieu, et en lui mettre toutes tes pensées et tout ton espoir ; et, par foi formée de charité être à lui adjoint, en sorte que jamais n'en sois désemparé par péché. Aie suspects les abus du monde ; ne mets ton cœur à vanité, car cette vie est transitoire, mais la parole de Dieu demeure éternellement. Sois serviable à tous les prochains, et les aime comme toi-même. Révère tes précepteurs, fuis les compagnies des gens esquels tu ne veux point ressembler, et les grâces que Dieu t'a données, icelles ne reçois en vain. Et quand tu connaîtras qu'auras tout le savoir de par delà acquis, retourne vers moi, afin que je te voie et donne ma bénédiction devant que mourir.

“Foi formée de charité”

Mon fils, la paix et grâce de Notre Seigneur soit avec toi. Amen. D'Utopie, ce dix-septième jour du mois de mars,

Ton père, GARGANTUA

Ces lettres reçues et vues, Pantagruel prit nouveau courage, et fut enflambé à profiter plus que jamais ; en sorte que, le voyant étudier et profiter, eussiez dit que tel était son esprit entre les livres comme est le feu parmi les brandes, tant il l'avait infatigable et strident.

“Car cette vie est transitoire, mais la parole de Dieu demeure éternellement”

CHAPITRE 8

.Tiers Livre des faits et dits héroïques du noble Pantagruel.

1546

C'est dans Pantagruel qu'a lieu la rencontre du géant et de celui qui en devient inséparable : l'habile roublard Panurge, homme de tous les tours et expédients, Ulysse et Renart, Scapin et Figaro, « malfaisant, pipeur, buveur, batteur de pavés, ribleur s'il en était à Paris, au demeurant le meilleur fils du monde. » Panurge, c'est tout l'homme.

Dans le Tiers Livre, Pantagruel administre le royaume de Dipsodie qu'il vient de conquérir, à quoi l'aide en mal son famulus Panurge qui philosophe tout au long de ses méfaits. Cependant Panurge est tracassé par une question : doit-il se marier ou non ? Et comment savoir ? La vérité est traquée par tous les moyens : Panurge bredouille. Le conseil des sages ne permet pas qu'il se décide. Pourquoi ne pas prendre avis des fous ? Par ce conte du portefaix, Pantagruel vante à Panurge le conseil des fous :

« A Paris, à la rôtisserie du Petit Châtelet, à la devanture de la boutique d'un rôtisseur, un portefaix mangeait son pain à la fumée du rôt et le trouvait, ainsi parfumé, très savoureux. Le rôtisseur le laissait faire. Enfin, quand tout le pain fut avalé, le rôtisseur saisit le portefaix au collet, et voulait qu'il lui payât la fumée de son rôt. Le portefaix disait n'avoir en rien endommagé ses victuailles, n'avoir rien pris de son bien, n'être en rien son débiteur. La fumée dont il était question se dissipait à l'extérieur ; d'une façon comme de l'autre, elle était perdue ; on n'avait jamais entendu dire qu'à Paris on avait vendu de la fumée de rôt dans la rue. Le rôtisseur répliquait qu'il n'était pas tenu de nourrir les portefaix de la fumée de son rôt et jurait que, s'il ne le payait pas, il lui enlèverait ses crochets.

« Le portefaix tire son gourdin, et se mettait sur la défensive. L'altercation prit de l'importance. Ce badaud de peuple parisien accourut de toutes parts à la dispute. Là se trouva bien à propos Sire Joan le fou, citoyen parisien. L'ayant aperçu, le rôtisseur demanda au portefaix : « Veux-tu dans notre différend te fier à ce noble Sire Joan ? – Oui, par le sang de bleu », répondit le portefaix.

« Alors, Sire Joan, après s'être mis au courant du désaccord, demanda au portefaix de tirer de son baudrier une pièce d'argent. Le portefaix lui mit dans la main un tournois-de-Philippe. Sire Joan le prit et le mit sur son épaule gauche comme pour vérifier s'il pesait le poids ; puis il le faisait sonner sur la paume de sa main gauche, comme pour entendre s'il était de bon aloi ; puis il le posa sur la prunelle de son œil droit comme pour voir s'il était bien frappé. Pendant toute cette action, tout le peuple badaud gardait un grand silence, tandis que le rôtisseur attendait fermement et que le portefaix se désespérait. Enfin il le fit sonner sur le comptoir à plusieurs reprises. Puis, avec une majesté présidentielle, tenant sa marotte au poing comme s'il s'était agi d'un sceptre, et ajustant sur sa tête son capuchon en martre de singe à oreillettes de papier, fraisé à points d'orgue, toussant au préalable deux ou trois bonnes fois, il dit à haute voix :

« – La Cour vous signifie que le portefaix qui a mangé son pain à la fumée du rôt a payé civilement le rôtisseur au son de son argent. Ladite Cour ordonne que chacun se retire dans sa chacunière, sans dépens et pour cause. »

« Cette sentence du fou parisien a semblé si équitable, voire admirable, aux docteurs susdits qu'ils se demandent si, au cas où la cause eût été tranchée au Parlement du dudit lieux ou à la Rotta à Rome, voire tranchée par les Aréopagites, la sentence eût été plus légalement prononcée par eux. Voyez donc si vous voulez prendre conseil d'un fou. »

CHAPITRE 37

Clément Marot

CAHORS 1497 – TURIN (ITALIE) 1544.

Clément Marot, fils du poète Jean Marot, est astreint quotidiennement par son père à des exercices de prosodie. D'abord clerc de chancellerie, ayant présenté à François Ier *son* ***Temple de Cupido,*** *il est nommé valet de chambre de Marguerite de Navarre. Il devrait à ce milieu son intérêt pour les idées de la Réforme. Marot se livre alors aux plaisirs d'être un poète de cour. Il est arrêté une première fois pour avoir mangé du lard en carême. Il compose* ***l'Enfer,*** *satire des mœurs judiciaires. En 1527 la charge de valet de chambre du roi lui est attribuée. Il publie en 1532 avec grand succès le recueil de ses œuvres :* ***L'Adolescence clémentine.*** *Contraint de s'exiler en 1534, il rencontre à Ferrare Calvin, et traduit des Psaumes qu'il présente au roi à son retour. Lorsque l'édition en paraît, la Sorbonne l'interdit. Marot s'établit à Genève, mais doit affronter la censure de Calvin. Il trouve refuge à Chambéry en 1543, et y compose ses derniers vers :* ***Complainte d'un pastoureau chrétien.***

POÉSIE

.L'Adolescence clémentine.

1532

Des Epîtres, celle « à son ami Lyon » est célèbre pour la « belle fable » du lion et du rat :

.A SON AMI LYON.

Je ne t'écris de l'amour vaine et folle :
Tu vois assez s'elle sert ou affolle ;
Je ne t'écris ni d'armes, ni de guerre :
Tu vois qui peut bien ou mal y acquerre ;
Je ne t'écris de fortune puissante :
Tu vois assez s'elle est ferme ou glissante ;

Je ne t'écris d'abus trop abusant :
Tu en sais prou et si n'en vas usant ;
Je ne t'écris de Dieu ni sa puissance :
C'est à lui seul t'en donner connaissance ;
Je ne t'écris des dames de Paris :
Tu en sais plus que leurs propres maris ;
Je ne t'écris qui est rude ou affable,
Mais je te veux dire une belle fable,
C'est à savoir du lion et du rat.

Cettui lion, plus fort qu'un vieux verrat,
Vit une fois que le rat ne savait
Sortir d'un lieu, pour autant qu'il avait
Mangé le lard et la chair toute crue ;
Mais ce lion (qui jamais ne fut grue)
Trouva moyen et manière et matière,
D'ongles et dents, de rompre la ratière,
Dont maître rat échappe vitement,
Puis met à terre un genou gentement,
Et en ôtant son bonnet de la tête,
A mercié mille fois la grand'bête,

Jurant le Dieu des souris et des rats
Qu'il lui rendrait. Maitenant tu verras
Le bon du compte. Il advint d'aventure
Que le lion, pour chercher sa pâture,
Saillit dehors sa caverne et son siège,
Dont (par malheur) se trouva pris au piège,
Et fut lié contre un ferme poteau.

Adonc le rat, sans serpe ni couteau,
Y arriva joyeux et esbaudi,
Et du lion (pour vrai) ne s'est gaudi,
Mais dépita chats, chattes, et chatons
Et prisa fort rats, rates et ratons,
Dont il avait trouvé temps favorable
Pour secourir le lion secourable,
Auquel a dit : « Tais-toi, lion lié,
Par moi seras maintenant délié :
Tu le vaux bien, car le cœur joli as ;
Bien y parut quand tu me délias.
Secouru m'as fort lionneusement ;
Or secouru seras rateusement. »

Lors le lion ses deux grands yeux vertit,
Et vers le rat les tourna un petit
En lui disant : « O pauvre verminière
Tu n'as sur toi instrument ni manière,
Tu n'as couteau, serpe ni serpillon,
Qui sût couper corde ni cordillon,
Pour me jeter de cette étroite voie.
Va te cacher, que le chat ne te voie.
– Sire lion, dit le fils de souris,
De ton propos, certes, je me souris :
J'ai des couteaux assez, ne te soucie,
De bel os blanc, plus tranchants qu'une scie ;
Leur gaine, c'est ma gencive et ma bouche ;
Bien couperont la corde qui te touche.
De si très près, car j'y mettrai bon ordre. »

Lors sire rat va commencer à mordre
Ce gros lien : vrai est qu'il y songea
Assez longtemps ; mais il le vous rongea
Souvent, et tant, qu'à la parfin tout rompt,
Et le lion de s'en aller fut prompt,
Disant en soi : « Nul plaisir, en effet,
Ne se perd point quelque part où soit fait. »
Voilà le conte en termes rimassés :
Il est bien long, mais il est vieil assez,
Témoin Ésope, et plus d'un million.

Or viens me voir pour faire le lion,
Et je mettrai peine, sens et étude
D'être le rat, exempt d'ingratitude,
J'entends, si Dieu te donne autant d'affaire
Qu'au grand lion, ce qu'il ne veuille faire.

C'est à Ferrare en 1535 que Marot compose ce blason, donnant lieu à une sorte de concours spontané des poètes français qui lui envoient leurs textes. La Duchesse de Ferrare et Marot convinrent que Maurice Scève en remportait le prix.

.LE BEAU TÉTIN.

Tétin refait, plus blanc qu'un œuf,
Tétin de satin blanc tout neuf,
Tout qui fait honte à la Rose,
Tétin plus beau que nulle chose
Tétin dur, non pas Tétin, voire,
Mais petite boule d'Ivoire,
Au milieu duquel est assise
Une Fraise, ou une Cerise
Que nul ne voit, ne touche aussi,
Mais je gage qu'il est ainsi :
Tétin donc au petit bout rouge,
Tétin qui jamais ne se bouge,
Soit pour venir, soit pour aller,
Soit pour courir, soit pour baller :
Tétin gauche, Tétin mignon,
Toujours loin de son compagnon,
Tétin qui porte témoignage
Du demeurant du personnage,
Quand on te voit, il vient à maints
Une envie dedans les mains
De te tâter, de te tenir :
Mais il se faut bien contenir
D'en approcher, bon gré ma vie,
Car il viendrait une autre envie.
O Tétin, ni grand ni petit,
Tétin mûr, Tétin d'appétit,
Tétin qui nuit et jour criez :
Mariez si tôt, mariez !
Tétin qui t'enfles, et repouses
Ton gorgias de deux bons pouces,
A bon droit heureux on dira
Celui qui de lait t'emplira,
Faisant d'un Tétin de pucelle,
Tétin de femme entière et belle.

.Trente Psaumes de David mis en rimes françaises.

1541

.DOMINI EST TERRA ET PLENITUDO.

La terre au Seigneur appartient,
Tout ce qu'en sa rondeur contient,
Et ceux qui habitent en elle ;
Sur mer fondements lui donna,
L'enrichit et l'environna
De mainte rivière très belle.

Mais sa montagne est un saint lieu ;
Qui viendra donc au mont de Dieu,
Qui est-ce qui là tiendra place ?
L'homme de mains et cœur lavé,
En vanité non élevé,
Et qui n'a juré en fallace.

L'homme tel, Dieu le bénira :
Dieu son sauveur le munira
De miséricorde et clémence.
Telle est la génération
Cherchant, cherchant d'affection
Du Dieu de Jacob la présence.

Haussez vos têtes, grands portaux,
Huis éternels, tenez-vous hauts,
Si entrera le Roi de gloire.
Qui est ce Roi tant glorieux ?
C'est le fort Dieu victorieux,
Le plus fort qu'en guerre on peut croire.

Haussez vos têtes, grands portaux,
Huis éternels, tenez-vous hauts,
Si entrera le Roi de gloire.
Qui est ce Roi tant glorieux ?
Ce Dieu d'armes victorieux,
C'est lui qui est le Roi de gloire.

PSAUME XXIV

Ambroise Paré

BOURG HERSENT 1509 – PARIS 1590.

Ambroise Paré apprend les rudiments de son art chez un chirurgien de Vitré, puis vient à Paris où il est compagnon chirurgien à l'Hôtel-Dieu. Il suit l'armé du maréchal de Montejean en Italie, est nommé maître barbier chirurgien à Paris (1541), puis chirurgien militaire. Soignant les blessés de guerre, il modifie certaines méthodes, renonce notamment à la cautérisation des plaies à l'huile bouillante et y substitue un pansement doux. Il publie en 1545 ***La Manière de traiter les plaies faites par arquebuses et autres bâtons à feu.*** *Il entre au service du vicomte de Rohan, s'illustre en sauvant le duc de Guise, et est nommé chirurgien ordinaire du roi. En 1554 il est reçu docteur en chirurgie. Après la mort de Henri II, blessé à l'œil au cours d'un tournoi et pour lequel Paré ne put rien faire, il conserve son emploi auprès de François II, puis de Charles IX qui le nomme premier chirurgien du roi. Paré publie un grand nombre de traités, notamment l'****Anatomie universelle du corps humain,*** *le* ***Traité de la peste,*** *les* ***Livres de chirurgie, Monstres et prodiges,*** *etc.*

SCIENCES

Introduction ou entrée pour parvenir à la vraie connaissance de la chirurgie.

1575

Le sixième chapitre, ***Des Humeurs,*** *continue la classification des tempéraments ou caractères établie au chapitre précédent. Le tempérament dispose à certaines passions et à certaines maladies ; le domaine est celui de la personne, de l'union de l'âme et du corps. Contrairement à ce que la modernité dit des caractères, qu'ils sont immuables, la théorie des tempéraments chez Paré laisse toute sa place à la liberté de l'homme. Après avoir décrit les signes de l'homme sanguin, de l'homme cholérique et du phlegmatique, Paré définit les signes de l'homme mélancolique :*

Le premier signe est pris de la couleur : c'est que la face est brune ou noirâtre, avec un regard inconstant, farouche et hagard, triste, morne et renfrogné. Le second est pris des maladies, principalement lors que l'humeur mélancholique est mêlée avec la cholère, et qu'il s'est tourné en adustion : car lors il advient rogne et gratele croûteuse, morphée noire, chancre ulcéré et non ulcéré, ladrerie et *psora,* qui est une rogne puante où se trouvent de petits corps farineux, maladie qui est dite du vulgaire, mal saint Main : ils sont sujets aux scirrhes, hémorrhoïdes, varices, fièvres quartes, continues, intermittentes et fréquentes, quintaines, sextaines, qui toutefois adviennent fort rarement : à dureté et tumeur de la ratelle. Ils ont les veines et artères fort étroites à cause de la frigidité de leur tempérament, le propre de laquelle est de restreindre, comme le propre de la chaleur est de dilater : que si quelquefois les veines en telles personnes semblent enflées, ce n'est point d'un bon sang, mais plutôt d'une substance flatueuse, à cause de quoi ils sont difficiles à saigner, non seulement parce qu'il ne sort rien ou peu de la veine étant ouverte, pour la terrestrité et tardité de leurs humeurs : mais à cause que la veine ne fait pas beau jeu à la première impression de la lancette, tant pource que le cuir des mélancholiques est dur et rude, que aussi qu'elle n'étant presque pleine que de vent, elle fluctue, et ondoye çà et là.

Leur corps est froid et dur au toucher, ils ont songes et idées en dormant fort épouvantables : car quelquefois il leur est advis qu'ils voyent des diables, serpents, manoirs obscurs, sépulcres, et corps morts, et autres choses semblables, lesquelles impressions sont faites aux sens, à cause des vapeurs fuligineuses de l'humeur mélancholique qui monte au cerveau, ainsi que nous voyons advenir à ceux qui tombent en hydrophobie. Ils sont graves et malins, frauduleux, trompeurs, chiches, et extrêmement avares, tardifs à payer leurs dettes, craintifs, tristes, chagrins, grognars, de peu de parole, pleureux, pensifs, ingénieux, désirant de grandes et excellentes choses, et sont fort soupçonneux, solitaires, haïssant la compagnie des hommes, fermes et stables en leur opinion, tardifs à ire, mais quand ils se courroucent ils s'appaisent difficilement. Et lorsque l'humeur mélancholique a excédé son degré de justice, ils deviennent par pourriture et adustion dudit humeur furieux, maniaques, et souvent se précipitent et tuent.

Ils sont cruels, opiniâtres, inexorables, et leur esprit n'a point ou peu de repos : dont toutefois ne faut faire règle générale, mais considérer ce que Socrate répondit à ses disciples, qui se mocquaient du physionome qui avait jugé leur maître (qu'on estimait le plus continent et chaste de son temps) être paillard : j'étais (dit-il) tel de nature, mais la Philosophie m'a enseigné autres mœurs. Car la bonne nourriture et les lettres peuvent changer l'inclination naturelle. Les gens de cœur et magnanimes ont été pour la plupart mélancholiques, aussi fort ingénieux, sages et prudents. On voit pareillement aucuns avoir le visage d'une vierge, et le cœur d'un lion, comme Alexandre le Grand. Plutarque dit que ceux qui ne sont pas totalement bien nés, étant secourus par bonne doctrine et exercitation, peuvent recouvrer le défaut de leur nature : ainsi qu'une terre aride et pierreuse plus qu'il ne serait de besoin, étant néanmoins bien cultivée, porte bon fruit. Il est vrai que selon la diversité des humeurs et tempéraments, les hommes sont joyeux, riants, et amoureux, audacieux, convoiteux de gloire, vengeurs des injures, injurieux, libéraux, prodigues, d'esprit lourd et tardif, grossiers, paresseux, malins, frauduleux, trompeurs, chiches, avares, craintifs, tristes, pensifs, ingénieux, solitaires, fermes, stables en leur opinion, furieux et maniaques, menteurs, faciles à accoster, miséricordieux, envieux, ignares, fols, sots, badins, variables, querelleux, prudents, et autres affections de l'âme.

Or il faut ici noter qu'un homme qui sera de température et complexion sanguine, peut venir en complexion cholérique, ou mélancholique, ou phlegmatique : comme le sanguin pourra devenir cholérique, usant d'aliments trop chauds et secs (car chacune chose engendre, conserve et augmente son semblable, et détruit son contraire) faisant grands exercices : aussi intermission d'évacuation des excréments cholériques, qui soulait être faite ou par art ou naturellement. Aussi toute personne de quelque température qu'il soit, peut venir mélancholique, usant de viandes qui engendrent un gros sang, comme chair de bœuf, de cerf, vieils lièvres, porcs, fourmage, et autres viandes trop salées. D'avantage la vie triste, empêchée de beaucoup d'affaires, soins, cogitations, contemplations, solitudes, procès, études, ou lettres, et pour être trop sédentaires : car par faute d'exercice la chaleur naturelle s'assoupit, et les humeurs deviennent gros et terrestres : aussi la demeure en une région froide et sèche : pareillement faute d'évacuation accoustumée de l'humeur mélancholique, qui avait accoutumé de fluer par les hémorrhoïdes, menstrues, ou de l'évacuation des humeurs par le siège. Toute personne peut tomber en température phlegmatique, (non par transmutation du sang en phlegme, mais par échange et mutation de manière de vivre) s'il use d'aliments froids et humides, s'il prend aussi viandes excessivement et hors de temps et heure dues, et devant que les premières soyent cuites, digérées, et distribuées : aussi s'il fait grands mouvements devant que concoction soit faite : pareillement la demeure en une région froide et humide : la vie oisive sans aucun souci ni tristesse : l'intermission de l'évacuation du phlegme faite naturellement, ou par l'artifice des médicaments, par vomissement, cracher, moucher, suer : toutes ces choses amassent le phlegme en notre corps, et rendent le sang phlegmatique. (...)

Jean Calvin

NOYON 1509 — GENÈVE 1564.

Jean Calvin est destiné par son père à une carrière ecclésiastique. Il étudie la théologie à Paris où il rencontre les humanistes. Sur ordre de son père, il renonce à cette première voie et se forme au droit à Orléans puis à Bourges. Il publie en 1532 un commentaire très érudit du ***De Clementia*** *de Sénèque. C'est vers 1533 que se situe son passage à la Réforme.*
*Poursuivi, Calvin doit quitter Paris ; il se rend à Nérac, à la cour de la reine de Navarre ; puis à Bâle, où il travaille à l'****Institution de la religion chrétienne****, d'abord publié en latin en 1536, puis augmenté en 1543, 1545 etc., traduit en français par Calvin lui-même, édité en 1541, et augmenté également. Passant par Genève, Farel l'invite à y organiser l'Église réformée en 1536 ; à la suite de désaccords, il quitte cette ville deux ans plus tard avec Farel et se rend à Strasbourg ; là, son activité est intense ; il se marie en 1540. Sur l'invitation de la ville, il retourne à Genève où il organise l'Église selon l'****Institution*** *et affermit son autorité (Michel Servet, chef des opposants est exécuté en 1553) ; il y publie une réfutation du libre arbitre, et un traité contre le culte des reliques.*

PHILOSOPHIE-THÉOLOGIE

.Institution de la religion chrétienne.

1541

L'ouvrage se compose de quatre grandes parties. La première établit que l'Écriture Sainte est la parole de Dieu et notre connaissance de lui, et que la foi est une certitude intérieure issue du Saint-Esprit. La deuxième affirme qu'en conséquence du péché originel l'homme est incapable d'aucune bonne action, et que le libre arbitre est une chimère. Le Fils de Dieu s'est incarné pour retirer les hommes du mal ; seule la grâce de Dieu opère donc le salut, l'homme n'y coopère nullement. La quatrième partie traite de la véritable Église. Calvin condamne les sectes, et montre que par sa corruption, l'Église catholique est déchue de son rôle. Il nie la présence réelle du Christ dans l'Eucharistie. La troisième partie est la plus décisive : la foi seule justifie et les œuvres ne produisent aucun mérite ; la prédestination est absolue.

Les Anciens ont diversement exposé ces vocables de Prescience, Prédestination, Élection et Providence. Nous, laissant là toute contention superflue, suivons simplement la propriété des mots. Quand nous attribuons une Prescience à Dieu, nous signifions que toutes choses ont toujours été et demeurent éternellement en son regard, tellement qu'il n'y a rien de futur ni de passé à sa connaissance ; mais toutes choses lui sont présentes, et tellement présentes, qu'il ne les imagine point comme par quelques espèces, ainsi que les choses que nous avons en mémoire nous viennent quasi au devant des yeux par imagination, mais il les voit et regarde à la vérité comme si elles étaient devant sa face. Nous disons que cette Prescience s'étend par tout le circuit du monde et sur toutes créatures.

Nous appelons Prédestination le conseil éternel de Dieu par lequel il a déterminé ce qu'il voulait faire d'un chacun homme. Car il ne les crée pas tous en pareille condition, mais ordonne les uns à vie éternelle, les autres à éternelle damnation. Ainsi, selon la fin à laquelle est créé l'homme, nous disons qu'il est prédestiné à mort ou à vie.

L'usage a obtenu qu'on appelle Providence l'ordre que tient Dieu au gouvernement du monde et en la conduite de toutes choses.

"La volonté de Dieu est tellement la règle suprême et souveraine de justice, que tout ce qu'il veut, il le faut tenir pour juste, d'autant qu'il le veut"

Nous traiterons en premier lieu de Prédestination. Selon donc que l'Écriture montre clairement, nous disons que le Seigneur a une fois constitué en son conseil éternel et immuable lesquels il voulait prendre à salut, et lesquels il voulait laisser en ruine. Ceux qu'il appelle à salut, nous disons qu'il les reçoit de sa miséricorde gratuite, sans avoir égard aucun à leur propre dignité ; au contraire, que l'entrée de vie est forclose à tous ceux qu'il veut livrer en damnation, et que cela se fait par son jugement occulte et incompréhensible, combien qu'il soit juste et équitable. Davantage, nous enseignons que la vocation des élus est comme montre et témoignage de leur élection ; pareillement que leur justification en est une autre marque et enseigne, jusques à ce qu'ils viennent en la gloire en laquelle gît l'accomplissement d'icelle. Or, comme le Seigneur marque ceux qu'il a élus en les appelant et justifiant, aussi au contraire, en privant les réprouvés de la connaissance de sa parole ou de la sanctification de son Esprit, il démontre par tel signe quelle sera leur fin et quel jugement leur est préparé (...).

Or quand l'entendement humain ouït ces choses, son intempérance ne se peut tenir de faire troubles et émotions, comme si une trompette avait sonné à l'assaut. Car les hommes charnels (comme ils sont pleins de folies) plaidaient contre Dieu, comme s'ils le tenaient sujet à leurs répréhensions ! Premièrement, ils demandent à quel propos Dieu se courrouce contre ses créatures, lesquelles ne l'ont provoqué par aucune offense. Car de perdre et ruiner ceux que bon lui semble, c'est chose plus convenable à la cruauté d'un tyran qu'à la droiture du juge. Ainsi il leur semble que les hommes ont bonne cause de se plaindre de Dieu, si par son pur vouloir, sans leur propre mérite, ils sont prédestinés à la mort éternelle. Si telles cogitations viennent quelquefois en l'entendement des fidèles, ils seront assez armés pour les repousser, quand seulement ils reputeront quelle témérité c'est même d'enquérir des causes de la volonté de Dieu ; vu qu'icelle est (et à bon droit doit être) la cause de toutes les choses qui se font. Car si elle a quelque cause, il faut que cette cause la précède et qu'elle soit comme attachée à icelle, ce qu'il n'est licite d'imaginer. Car la volonté de Dieu est tellement la règle suprême et souveraine de justice, que tout ce qu'il veut, il le faut tenir pour juste, d'autant qu'il le veut. Pourtant quand on demande : Pourquoi est-ce que Dieu a fait ainsi ? il faut répondre : Pour ce qu'il l'a voulu. Si on passe outre, en demandant : Pourquoi l'a-t-il voulu ? c'est demander une chose plus grande et plus haute que la volonté de Dieu, ce qui ne se peut trouver. Pourtant que la témérité humaine se modèle et qu'elle ne cherche ce qui n'est point, de peur de ne trouver point ce qui est.

CHAP. VIII : *DE LA PRÉDESTINATION ET PROVIDENCE DE DIEU*

.Traité des reliques.

1543

La raison du culte des reliques, c'est la résurrection des corps en corps glorieux. L'âme des morts restant indissolublement liée à leur corps, les saints accomplissent des miracles par le truchement d'un morceau d'os ou d'un objet qui ne les quittait guère. On voit que s'en prenant aux cultes des reliques, (et non pas simplement à ses excès), Calvin s'attaquait à beaucoup de choses. Sa violence verbale est dans la façon bien allemande de Luther.

Quant à la vierge Marie, pour ce qu'ils tiennent que son corps n'est plus en terre, le moyen leur est ôté de se vanter d'en avoir les os ; autrement je pense qu'ils eussent fait accroire qu'elle avait un corps pour remplir un grand charnier. Au reste, ils se sont vengés sur ses cheveux et sur son lait, pour avoir quelque chose de son corps. De ses cheveux, il y en a à Rome, à Sainte-Mariesur-Minerve, à Saint-Salvador en Espagne, à Mâcon, à Cluny, à Noyers, à Saint-Flour, à Saint-Jacquerie, et en autres plusieurs lieux. Du lait, il n'est jà métier de nombrer les lieux où il y en a, et aussi ce ne serait jamais fait car il n'y a si petite villette, ni si méchant couvent soit de moines, soit de nonnains, où l'on n'en montre ; les uns plus, les autres moins. Non pas qu'ils aient été honteux de se vanter d'en avoir à pleines potées, mais pour ce qu'il leur semblait avis que leur mensonge serait plus couvert, s'ils n'en avaient que ce qui se pourrait tenir dedans quelque monstre de verre ou de cristallin, afin qu'on n'en fît pas d'examen plus près. Tant y a que si la sainte Vierge eût été une vache et qu'elle eût été une nourrice toute sa vie, à grand'peine en eût-elle pu rendre telle quantité (...).

Les peintres, peuvent bien contrefaire des marmousets à leur plaisir, les dorant et ornant depuis la tête jusques aux pieds, puis après leur imposer le nom de saint Pierre ou de saint Paul. Mais on sait quel a été leur état pendant qu'ils ont vécu dans le monde, et qu'ils n'ont eu d'autres accoutrements que de pauvres gens. Il y a aussi bien à Rome la chaire épiscopale de saint Pierre, avec sa chasuble, comme si de ce temps-là les évêques eussent eu des trônes pour s'asseoir. Mais leur office était d'enseigner, de consoler, d'exhorter en public et en particulier, et montrer exemple de vraie humilité à leur troupeau, non point de faire des idoles, comme font ceux de maintenant. Quant est de la chasuble, la façon n'était point encore venue de se déguiser, car on ne jouait point des farces en l'Église, comme on fait maintenant. Ainsi pour prouver que saint Pierre eut une chasuble, il faudrait premièrement montrer qu'il aurait fait du bateleur, comme font nos prêtres de maintenant, en voulant servir Dieu. Il est vrai qu'ils pouvaient bien donner une chasuble, quant ils lui ont assigné un autel : mais autant a de couleur l'un comme l'autre. On sait quelles messes on chantait alors. Les apôtres ont célébré de leur temps, simplement, la Cène de notre Seigneur, à laquelle il n'est point métier d'avoir un autel. De la messe, on ne savait encore quelle bête c'était, et ne l'a-t-on pas su longtemps après. On voit bien donc que, quand ils ont inventé leurs reliques, ils ne se doutaient point de jamais avoir de contredisants, vu qu'ils ont osé ainsi impudemment mentir à bride avalée (...).

Pour faire fin, je prie et exhorte, au nom de Dieu, tous lecteurs de vouloir entendre, à la vérité, pendant qu'elle leur est tant ouvertement montrée, et connaître que cela s'est fait par une singulière providence de Dieu, que ceux qui ont voulu ainsi séduire le pauvre monde, ont été aveuglés qu'ils n'ont point pensé à couvrir autrement leurs mensonges ; mais, comme Madianites, ayant les yeux crevés, se sont dressés les uns contre les autres, comme nous voyons qu'ils se font eux-mêmes la guerre et se démentent mutuellement. Quiconque ne se voudra point endurcir pour répugner à toute raison à son escient, encore qu'il ne soit pas pleinement instruit que c'est une idolâtrie exécrable d'adorer relique aucune, quelle qu'elle soit, vraie ou fausse ; néanmoins, voyant la fausseté tant évidente, n'aura jamais le courage d'en baiser une seule, et, quelque dévotion qu'il y ait eue auparavant, il en sera entièrement dégoûté.

Le principal serait bien, comme j'ai du commencement dit, l'abolir entre nous chrétiens cette superstition païenne de canoniser les reliques, tant de Jésus-Christ que de ses saints, pour en faire des idoles. Cette façon de faire est une pollution et ordure qu'on ne devrait nullement tolérer en l'Église. Nous avons déjà remontré, par raisons et témoignages de l'Écriture, qu'ainsi est. Si quelqu'un n'est content de cela, qu'il regarde l'usage des Pères anciens, afin de se conformer à leurs exemples.

Joachim du Bellay

LIRÉ VERS 1522 – PARIS 1560.

Issu d'une famille illustre, Joachim du Bellay est orphelin à l'âge de dix ans. En 1545 il étudie le droit à Poitiers et rencontre Muret, Jacques Peletier du Mans et Ronsard. Ce dernier l'entraîne à Paris où il rencontre Dorat, Rémy Belleau, Jodelle, etc. En 1549 il publie ***La Défense et Illustration de la Langue Française*** *et son premier recueil de sonnets amoureux* ***L'Olive.*** *En 1553 il part pour Rome comme secrétaire du cardinal Jean du Bellay son oncle. Pendant son séjour qui dure quatre ans, il n'apprend rien qu'il ne savait déjà de lui-même ; désespéré par le spectacle de la corruption de la cour pontificale, par ses soucis personnels, le sentiment de vide et d'être toujours ailleurs, il regrette sa France natale et écrit. C'est en 1558, après son retour à Paris qu'il publie son travail romain :* ***Les Regrets, Les Antiquités de Rome,*** *et* ***Divers Jeux Rustiques.*** *En 1559 il publie encore un* ***Discours au Roi, Le poète courtisan*** *et* ***L'Hymne chrétien,*** *mais sa santé s'altère rapidement ; il meurt à Paris à l'âge de 37 ans et est enseveli dans le chœur de l'église Notre Dame.*

CRITIQUE LITTÉRAIRE

.La Défense et Illustration de la Langue Française.

1549

A Paris Du Bellay s'est lié avec Ronsard, Dorat, Jodelle, Rémy Belleau, etc. Ensemble ils préparent la révolution poétique. En 1549 Du Bellay publie ***La Défense :*** *cette œuvre est le manifeste de l'école de Ronsard qui prendra ensuite le nom de «* ***La pléiade*** *». Il s'agit de réhabiliter la langue française :*

L'ORIGINE DES LANGUES

Si la nature (dont quelque personnage de grande renommée non sans raison a douté si on la devait appeler mère ou marâtre) eût donné aux hommes un commun vouloir et consentement, outre les innumérables commodités qui en fussent procédées, l'inconstance humaine n'eût eu besoin de se forger tant de manières de parler. Laquelle diversité et confusion se peut à bon droit appeler la Tour de Babel. Donc les langues ne sont nées d'elles-mêmes en façon d'herbes,

“Laquelle diversité et confusion se peut à bon droit appeler la Tour de Babel”

racines et arbres : les unes infirmes et débiles en leurs espèces, les autres saines et robustes, et plus aptes à porter le faix des conceptions humaines ; mais toute leur vertu est née au monde du vouloir et arbitre des mortels. Cela (ce me semble) est une grande raison pourquoi on ne doit ainsi louer une langue et blâmer l'autre, vu qu'elles viennent toutes d'une même source et origine : c'est la fantaisie des hommes ; et ont été formées d'un même jugement à une même fin : c'est pour signifier entre nous les conceptions et intelligences de l'esprit. Il est vrai que par succession de temps les unes, pour avoir été plus curieusement réglées, sont devenues plus riches que les autres ; mais cela ne se doit attribuer à la félicité desdites langues, ainsi au seul artifice et industrie des hommes. Ainsi donc toutes les choses que la nature a créées, tous les arts et sciences en toutes les quatre parties du monde, sont chacune endroit soi une même chose : mais pource que les hommes sont de divers vouloir, ils en parlent et écrivent diversement. (...)

POURQUOI LA LANGUE FRANÇAISE N'EST PAS SI RICHE QUE LA GRECQUE ET LATINE

“Pource que les hommes sont de divers vouloir, ils en parlent et écrivent diversement”

Et si notre langue n'est si copieuse et riche que la grecque ou latine, cela ne doit être imputé au défaut d'icelle, comme si d'elle-même elle ne pouvait jamais être sinon pauvre et stérile : mais bien on le doit attribuer à l'ignorance de nos majeurs, qui ayant (comme dit quelqu'un, parlant des anciens Romains) en plus grande recommandation le bien faire que le bien dire, et mieux aimant laisser à leur postérité les exemples de vertu que les préceptes, se sont privés de la gloire de leurs bienfaits, et nous du fruit de l'imitation d'iceux : et par même moyen nous ont laissé notre langue si pauvre et nue qu'elle a besoin des ornements et (s'il faut ainsi parler) des plumes d'autrui. Mais qui voudrait dire que la grecque et romaine eussent toujours été en l'excellence qu'on les a vues du temps d'Homère et de Démosthène, de Virgile et de Cicéron ? Et si ces auteurs eussent jugé que jamais, pour quelque diligence et culture qu'on y eût pu faire, elles n'eussent su produire plus grand fruit, se fussent-ils tant efforcés de les mettre au point où nous les voyons maintenant ? Ainsi puis-je dire de notre langue, qui commence encore à fleurir sans fructifier, ou plutôt, comme une plante et vergette, n'a point encore fleuri, tant se faut qu'elle ait apporté tout le fruit qu'elle pourrait bien produire. Cela, certainement, non pour le défaut de la nature d'elle, aussi apte à engendrer que les autres : mais pour la coulpe de ceux qui l'ont eue en garde, et ne l'ont cultivée à suffisance, ainsi comme une plante sauvage, en celui même désert où elle avait commencé à naître, sans jamais l'arroser, la tailler, ni défendre des ronces et épines qui lui faisaient ombre, l'ont laissée envieillir et quasi mourir. Que si les anciens Romains eussent été aussi négligents à la culture de leur langue, quand premièrement elle commença à pulluler, pour certain en si peu de temps elle ne fût devenue si grande. Mais eux, en guise de bons agriculteurs, l'ont premièrement transmuée d'un lieu sauvage en un domestique : puis afin que plus tôt et mieux elle pût fructifier, coupant à l'entour les inutiles rameaux, l'ont pour échange d'iceux restaurée de rameaux francs et domestiques, magistralement tirés de la langue grecque, lesquels soudainement se sont si bien entés et faits semblables à leur tronc que désormais n'apparaissent plus adoptifs, mais naturels. De là sont nées en la langue latine ces fleurs et ces fruits colorés de cette grande éloquence, avec ces nombres et cette liaison si artificielle, toutes lesquelles choses, non tant de sa propre nature que par artifice, toute langue a coutume de produire. Donc si les Grecs et Romains, plus diligents à la culture de leurs langues que nous à celle de la nôtre, n'ont pu trouver en icelles, sinon avec grand labeur et industrie, ni grâce, ni nombre, ni finalement aucune éloquence, nous devons nous émerveiller si notre vulgaire n'est si riche comme il pourra bien être, et de là prendre occasion de le mépriser comme chose vile et de petit prix ? Le temps viendra (peut-être), et je l'espère moyennant la bonne destinée française, que ce noble et puissant royaume obtiendra à son tour les rênes de la monarchie, et que notre langue (si avec Français n'est du tout ensevelie la langue française) qui commence encore à jeter ses racines, sortira de terre, et s'élèvera en telle hauteur et grosseur qu'elle se pourra égaler aux mêmes Grecs et Romains, produisant comme eux des Homères, Démosthènes, Virgiles et Cicérons, aussi bien que la France a quelquefois produit des Périclès, Nicias, Alcibiades, Thémistocles, Césars et Scipions. (...)

COMMENT LES ROMAINS ONT ENRICHI LEUR LANGUE

Si les Romains (dira quelqu'un) n'ont vaqué à ce labeur de traduction, par quels moyens donc ont-ils pu ainsi enrichir leur langue, voire jusques à l'égaler quasi à la grecque ? Imitant les meilleurs auteurs grecs, se transformant en eux, les dévorant, et après les avoir bien digérés, les convertissant en sang et nourriture, se proposant, chacun selon son naturel et l'argument qu'il voulait élire, le meilleur auteur, dont ils observaient diligemment toutes les plus rares et exquises vertus, et icelles comme greffes, ainsi que j'ai dit devant, entaient et appliquaient à leur langue. Cela faisant (dis-je) les Romains ont bâti tous ces beaux écrits, que nous louons et admirons si fort : égalant ores quelqu'un d'iceux, ores le préférant aux Grecs. Et de ce que je dis font preuve Cicéron et Virgile, que volontiers et par honneur je nomme toujours en la langue latine, desquels comme l'un se fut entièrement adonné à l'imitation des Grecs, contrefit et exprima si au vif la copie de Platon, la véhémence de Démosthène et la joyeuse douceur d'Isocrate, que Molon Rhodien l'oyant quelquefois déclamer, s'écria qu'il emportait l'éloquence grecque à Rome.

L'autre imita si bien Homère, Hésiode et Théocrite que depuis on a dit de lui que de ces trois il a surmonté l'un, égalé l'autre, et approché si près de l'autre que si la félicité des arguments qu'ils ont traités eût été pareille, la palme serait bien douteuse. Je vous demande donc, vous autres, qui ne vous employez qu'aux translations, si ces tant fameux auteurs se fussent amusés à traduire, eussent-ils élevé leur langue à l'excellence et hauteur où nous la voyons maintenant ? Ne pensez donc, quelque diligence et industrie que vous puissiez mettre en cet endroit, faire tant que notre langue, encore rampante à terre, puisse hausser la tête et l'élever sur pieds.

D'AMPLIFIER LA LANGUE FRANÇAISE PAR L'IMITATION DES ANCIENS AUTEURS GRECS ET ROMAINS

Se compose donc celui qui voudra enrichir sa langue à l'imitation des meilleurs auteurs grecs et latins : et à toutes leurs plus grandes vertus, comme à un certain but, dirige la pointe de son style. Car il n'y a point de doute que la plus grande part de l'artifice ne soit contenue en l'imitation, et tout ainsi que ce fut le plus louable aux anciens de bien inventer, aussi est-ce le plus utile de bien imiter, même à ceux dont la langue n'est encore bien copieuse et riche. Mais entende celui qui voudra imiter, que ce n'est chose facile de bien suivre les vertus d'un bon auteur, et quasi comme se transformer en lui, vu que la nature même aux choses qui paraissent très semblables n'a su tant faire que par quelque note et différence elles ne puissent être discernées. Je dis ceci, pource qu'il y en a beaucoup en toutes langues qui, sans pénétrer aux plus cachées et intérieures parties de l'auteur qu'ils se sont proposé, s'adaptent seulement au premier regard, et, s'amusant à la beauté des mots, perdent la force des choses. Et certes, comme ce n'est point chose vicieuse, mais grandement louable, emprunter d'une langue étrangère les sentences et les mots, et les approprier à la sienne, aussi est-ce chose grandement à reprendre, voire odieuse à tout lecteur de libérale nature, voir en une même langue une telle imitation, comme celle d'aucuns savants mêmes, qui s'estiment être des meilleurs, quand plus ils ressemblent un Heroët ou un Marot.

Je t'admoneste donc (ô toi qui désires l'accroissement de ta langue, et veux exceller en icelle) de non imiter à pied levé, comme naguère à dit quelqu'un, les plus fameux auteurs d'icelle, ainsi que font ordinairement la plupart de nos poètes français, chose certes autant vicieuse, comme de nul profit à notre vulgaire : vu que ce n'est autre chose (ô grande libéralité !) sinon lui donner ce qui était à lui. Je voudrais bien que notre langue fût si riche d'exemples domestiques que n'eussions besoin d'avoir recours aux étrangers. Mais si Virgile et Cicéron se fussent contentés d'imiter ceux de leur langue, qu'auront les Latins outre Ennius ou Lucrèce, outre Crassus ou Antoine ?

(...)

"Car il n'y a point de doute que la plus grande part de l'artifice ne soit contenue en l'imitation"

QUELS GENRES DE POÈMES DOIT ÉLIRE LE POÈTE FRANÇAIS

"Lis donc et relis premièrement, ô poète futur, feuillette de main nocturne et journelle les exemplaires Grecs et Latins"

Lis donc et relis premièrement, ô poète futur, feuillette de main nocturne et journelle les exemplaires Grecs et Latins ; puis me laisse toutes ces vieilles poésies françaises aux Jeux Floraux de Toulouse et au Puy de Rouen : comme rondeaux, ballades, virelais, chants royaux, chansons et autres telles épiceries, qui corrompent le goût de notre langue, et ne servent sinon à porter témoignage de notre ignorance. Jette-toi à ces plaisants épigrammes, non point comme font aujourd'hui un tas de faiseurs de contes nouveaux, qui en un dizain sont contents n'avoir rien dit qui vaille aux neuf premiers vers, pourvu qu'au dixième il y ait le petit mot pour rire : mais à l'imitation d'un Martial, ou de quelque autre bien approuvé, si la lascivité ne te plaît, mêle le profitable avec le doux. Distille avec un style coulant et non scabreux ces pitoyables élégies, à l'exemple d'un Ovide, d'un Tibulle et d'un Properce, y entremêlant quelquefois de ces fables anciennes, non petit ornement de poésie. Chante-moi ces odes inconnues encore de la Muse française, d'un luth bien accordé au son de la lyre grecque et romaine : et qu'il n'y ait vers où n'apparaisse quelque vestige de rare et antique érudition. Et quant à ce, te fourniront de matière les louanges des dieux et des hommes vertueux, le discours fatal des choses mondaines, la sollicitude des jeunes hommes, comme l'amour, les vins ; garde que ce genre de poème soit éloigné du vulgaire, enrichi et illustré de mots propres et épithètes non oisifs, orné de graves sentences, et varié de toutes manières de couleurs et ornements poétiques, non comme un *Laissez la verde couleur, Amour avecques Psyches, O combien est heureuse,* et autres tels ouvrages, mieux dignes d'être nommés chansons vulgaires qu'odes ou vers lyriques. Quant aux épîtres, ce n'est qu'un poème qui puisse grandement enrichir notre vulgaire, pource qu'elles sont volontiers de choses familières et domestiques, si tu ne les voulais faire à l'imitation d'élégies, comme Ovide, ou sentencieuses et graves, comme Horace. Autant te dis-je des satires, que les Français, je ne sais comment, ont appelées coq-à-l'âne : ès quels je te conseille aussi peu t'exercer, comme je te veux être aliène de mal dire, si tu ne voulais à l'exemple des anciens, en vers héroïques (c'est-à-dire de X à XI, et non seulement de VIII à IX), sous le nom de satire, et non de cette inepte appellation de coq-à-l'âne, taxer modestement les vices de ton temps, et pardonner aux noms des personnes vicieuses. Tu as pour ceci Horace, qui, selon Quintilien, tient le premier lieu entre les satiriques.

Sonne-moi ces beaux sonnets, non moins docte que plaisante invention italienne, conforme de nom à l'ode, et différente d'elle seulement pource que le sonnet a certains vers réglés et limités, et l'ode peut courir par toutes manières de vers librement, voire en inventer à plaisir, à l'exemple d'Horace, qui a chanté en dix-neuf sortes de vers, comme disent les grammairiens. Pour le sonnet donc tu as Pétrarque et quelques modernes Italiens. Chante-moi d'une musette bien résonnante et d'une flûte bien jointe ces plaisantes églogues rustiques, à l'exemple de Théocrite et de Virgile : marines à l'exemple de Sannazar, gentilhomme napolitain. Que plût aux Muses qu'en toutes les espèces de poésie que j'ai nommées nous eussions beaucoup de telles imitations qu'est cette églogue sur la naissance du fils de Monseigneur le Dauphin, à mon gré un des meilleurs petits ouvrages que fit onques Marot. Adopte-moi aussi en la famille française ces coulants et mignards hendécasyllabes, à l'exemple d'un Catulle, d'un Pontan et d'un Second : ce que tu pourras faire, sinon en quantité, pour le moins en nombre de syllabes. Quant aux comédies et tragédies, si les rois et les républiques les voulaient restituer en leur ancienne dignité, qu'ont usurpée les faces et moralités, je serais bien d'opinion que tu t'y employasses, et si tu le veux faire pour l'ornement de ta langue, tu sais où tu en dois trouver les archétypes.

DU LONG POÈME FRANÇAIS

Donc, ô toi, qui, doué d'une excellente félicité de nature, instruit de tous bons arts et sciences, principalement naturelles et mathématiques, versé en tous genres de bons auteurs grecs et latins, non ignorant des parties et offices de la vie humaine, non de trop haute condition, ou appelé au régime public, non aussi abject et pauvre, non troublé d'affaires domestiques, mais en repos et tranquillité d'esprit, acquise premièrement par la magnanimité de ton courage, puis entretenue par ta prudence et sage gouvernement, ô toi (dis-je), orné de tant de grâces et perfections, si tu as quelquefois pitié de ton pauvre langage, si tu daignes l'enrichir de tes trésors, ce sera toi véritablement qui lui feras hausser la tête, et d'un brave sourcil s'égaler aux superbes langues grecque et latine, comme a fait de notre temps en son vulgaire un Arioste italien, que j'oserais (n'était la sainteté des vieux poèmes) comparer à un Homère et Virgile. Comme lui donc, qui a bien voulu emprunter de notre langue les noms et l'histoire de son poème, choisis-moi quelqu'un de ces beaux vieux romans français, comme un Lancelot, un Tristan, ou autres : et en fais renaître au monde une admirable Iliade et laborieuse Énéide. Je veux bien en passant dire un mot à ceux qui ne s'emploient qu'à orner et amplifier nos romans, et en font des livres, certainement en beau et fluide langage, mais beaucoup plus propre à bien entretenir damoiselles qu'à doctement écrire : je voudrais bien (dis-je) les avertir d'employer cette grande éloquence à recueillir ces fragments de vieilles chroniques françaises, et comme a fait Tite-Live des annales et autres anciennes chroniques romaines, en bâtir le corps entier d'une belle histoire, y entremêlant à propos ces belles concions et harangues à l'imitation de celui que je viens de nommer, de Thucydide, Salluste, ou quelque autre bien approuvé, selon le genre d'écrire où ils se sentiraient propres. Tel œuvre certainement serait à leur immortelle gloire, honneur de la France, et grande illustration de notre langue. Pour reprendre le propos que j'avais laissé, quelqu'un (peut-être) trouvera étrange que je requière une si exacte perfection en celui qui voudra faire un long poème, vu aussi qu'à peine se trouveraient, encore qu'ils fussent instruits de toutes ces choses, qui voulussent entreprendre un œuvre de si laborieuse longueur, et quasi de la vie d'un homme. Il semblera à quelque autre que, voulant bailler les moyens d'enrichir notre langue, je fasse le contraire, d'autant que je retarde plutôt et refroidis l'étude de ceux qui étaient bien affectionnés à leur vulgaire, que je ne les incite, pource que, débilités par désespoir, ne voudront point essayer ce à quoi ne s'attendront de pouvoir parvenir. Mais c'est chose convenable, que toutes choses soient expérimentées de tous ceux qui désirent atteindre à quelque haut point d'excellence et gloire non vulgaire. Que si quelqu'un n'a du tout cette grande vigueur d'esprit, cette parfaite intelligence des disciplines, et toutes ces autres commodités que j'ai nommées, tienne pourtant le cours tel qu'il pourra. Car c'est chose honnête à celui qui aspire au premier rang, demeurer au second, voire au troisième. Non Homère seul entre les Grecs, non Virgile entre les Latins, ont acquis los et réputation. Mais telle a été la louange de beaucoup d'autres, chacun en son genre, que pour admirer les choses hautes, on ne laissait pourtant de louer les inférieures. Certainement si nous avions des Mécènes et des Augustes, les cieux et la nature ne sont point si ennemis de notre siècle que n'eussions encore des Virgiles. L'honneur nourrit les arts, nous sommes tous par la gloire enflammés à l'étude des sciences, et ne s'élèvent jamais les choses qu'on voit être déprisées de tous. Les rois et les princes devraient (ce me semble) avoir mémoire de ce grand empereur qui voulait plutôt la vénérable puissance des lois être rompue, que les œuvres de Virgile, condamnées au feu par le testament de l'auteur, fussent brûlées. Que dirai-je de cet autre grand monarque, qui désirait plus le renaître d'Homère que le gain d'une grosse bataille ? et quelquefois, étant près du tombeau d'Achille, s'écria hautement : O bienheureux adolescent, qui as trouvé un tel buccinateur de tes louanges ! Et à la vérité, sans la divine Muse d'Homère, le même tombeau qui couvrait le corps d'Achille eût aussi accablé son renom. Ce qu'advient à tous ceux qui mettent l'assurance de leur immortalité au marbre, au cuivre, aux colosses, aux pyramides, aux laborieux édifices, et autres choses non moins sujettes aux injures du ciel et du temps, de la flamme et du fer, que de frais excessifs et perpétuelle sollicitude. Les allèchements de Vénus, la gueule et les otieuses plumes ont chassé d'entre les hommes tout désir de l'immortalité : mais encore est-ce chose plus indigne, que ceux qui d'ignorance et toutes espèces de vices font leur plus grande gloire, se moquent de ceux qui en ce tant louable labeur poétique emploient les heures que les autres consument aux jeux, aux bains, aux banquets, et autres tels menus plaisirs. Or néanmoins quelque infélicité de siècle où nous soyons, toi à qui les dieux et les muses auront été si favorables comme j'ai dit, bien que tu sois dépourvu de la faveur des hommes, ne laisse pourtant à entreprendre un œuvre digne de toi, mais non dû à ceux qui, tout ainsi qu'ils ne font choses louables, aussi ne font-ils cas d'être loués. Espère le fruit de ton labeur de l'incorruptible et non envieuse postérité : c'est la gloire, seule échelle par les degrés de laquelle les mortels d'un pied léger montent au ciel et se font compagnons des dieux.

"Choisis-moi quelqu'un de ces beaux vieux romans français, comme un Lancelot, un Tristan, ou autres : et en fais renaître au monde une admirable Iliade et laborieuse Énéide"

POÉSIE, SONNETS

.*L'Olive*.

Ce recueil de sonnets s'inspire de Pétrarque :

Si notre vie est moins qu'une journée
En l'éternel, si l'an qui fait le tour
Chasse nos jours sans espoir de retour,
Si périssable est toute chose née,

Que songes-tu, mon âme emprisonnée ?
Pourquoi te plaît l'obscur de notre jour,
Si, pour voler en un plus clair séjour,
Tu as au dos l'aile bien empennée ?

Là est le bien que tout esprit désire,
Là le repos où tout le monde aspire.
Là est l'amour, là le plaisir encore.

Là, ô mon âme, au plus haut ciel guidée,
Tu y pourras reconnaître l'Idée
De la beauté qu'en ce monde j'adore.

SONNET 113

.*Les Antiquités de Rome*.

1558

Les Antiquités de Rome sont un recueil de 32 sonnets qui exaltent la grandeur romaine et le néant de toute grandeur :

Nouveau venu, qui cherche Rome en Rome
Et rien de Rome en Rome n'aperçois,
Ces vieux palais, ces vieux arcs que tu vois,
Et ces vieux murs, c'est ce que Rome on nomme.

Vois quel orgueil, quelle ruine, et comme
Celle qui mit le monde sous ses lois,
Pour dompter tout, se dompta quelquefois,
Et devint proie au temps, qui tout consomme.

Rome de Rome est le seul monument,
Et Rome Rome a vaincu seulement.
Le Tibre seul, qui vers la mer s'enfuit,

Reste de Rome. O mondaine inconstance !
Ce qui est ferme, est par le temps détruit,
Et ce qui fuit, au temps fait résistance.

SONNET 3

Telle que dans son char la Bérécynthienne,
Couronnée de tours, et joyeuse d'avoir
Enfanté tant de dieux, telle se faisait voir,
En ses jours plus heureux, cette ville ancienne ;

Cette ville qui fut, plus que la Phrygienne,
Foisonnante en enfants, et de qui le pouvoir
Fut le pouvoir du monde, et ne se peut revoir,
Pareille à sa grandeur, grandeur, sinon la sienne.

Rome seule pouvait à Rome ressembler,
Rome seule pouvait Rome faire trembler :
Aussi n'avait permis l'ordonnance fatale

Qu'autre pouvoir humain, tant fût audacieux,
Se vantât d'égaler celle qui fit égale
Sa puissance à la terre et son courage aux cieux.

SONNET 6

Sacrés coteaux, et vous, saintes ruines,
Qui le seul nom de Rome retenez,
Vieux monuments, qui encor soutenez
L'honneur poudreux de tant d'âmes divines ;

Arcs triomphaux, pointes du ciel voisines,
Qui, de vous voir, le ciel même étonnez,
Las ! peu à peu cendre vous devenez,
Fable du peuple, et publiques rapines !

Et, bien qu'au temps pour un temps fassent guerre
Les bâtiments, si est-ce que le temps
Œuvres et noms finablement atterre.

Tristes désirs, vivez doncque contents :
Car, si le temps finit chose si dure,
Il finira la peine que j'endure.

SONNET 7

Comme on passe en été le torrent sans danger,
Qui soulait en hiver être roi de la plaine
Et ravir par les champs, d'une fuite hautaine,
L'espoir du laboureur et l'espoir du berger ;

Comme on voit les couards animaux outrager
Le courageux lion gisant dessus l'arène,
Ensanglanter leurs dents et d'une audace vaine
Provoquer l'ennemi qui ne se peut venger ;

Et comme devant Troie on vit des Grecs encor
Braver les moins vaillants autour du corps d'Hector :
Ainsi ceux qui jadis soulaient, à tête basse,

Du triomphe romain la gloire accompagner,
Sur ces poudreux tombeaux exercent leur audace,
Et osent les vaincus les vainqueurs dédaigner.

SONNET 14

.*Les Regrets*.

1558

Les Regrets sont le plus important texte du poète (191 sonnets), ils expriment le sentiment du vide et la nostalgie de ce que le poète a perdu en perdant la France. Du Bellay y exalte la poésie seule consolatrice :

France, mère des arts, des armes et des lois,
Tu m'as nourri longtemps du lait de ta mamelle :
Ores, comme un agneau qui sa nourrice appelle,
Je remplis de ton nom les antres et les bois.

Si tu m'as pour enfant avoué quelquefois,
Que ne me réponds-tu maintenant, ô cruelle ?
France, France, réponds à ma triste querelle.
Mais nul, sinon Écho, ne répond à ma voix.

Entre les loups cruels j'erre parmi la plaine,
Je sens venir l'hiver, de qui la froide haleine
D'une tremblante horreur fait hérisser ma peau.

Las, tes autres agneaux n'ont faute de pâture,
Ils ne craignent le loup, le vent, ni la froidure :
Si ne suis-je pourtant le pire du troupeau.

SONNET 9

Las, où est maintenant ce mépris de Fortune ?
Où est ce cœur vainqueur de toute adversité,
Cet honnête désir de l'immortalité,
Et cette honnête flamme au peuple non commune ?

Où sont ces doux plaisirs, qu'au soir sous la nuit brune
Les Muses me donnaient, alors qu'en liberté
Dessus le vert tapis d'un rivage écarté
Je les menais danser aux rayons de la Lune ?

Maintenant la Fortune est maîtresse de moi,
Et mon cœur qui soulait être maître de soi,
Est serf de mille maux et regrets qui m'ennuient.

De la postérité je n'ai plus de souci,
Cette divine ardeur, je ne l'ai plus aussi,
Et les Muses de moi, comme étranges, s'enfuient.

SONNET 6

Heureux qui, comme Ulysse, a fait un beau voyage,
Ou comme cestui-là qui conquit la toison,
Et puis est retourné, plein d'usage et raison,
Vivre entre ses parents le reste de son âge.

Quand reverrai-je, hélas ! de mon petit village
Fumer la cheminée, et en quelle saison
Reverrai-je le clos de ma pauvre maison,
Qui m'est une province et beaucoup davantage ?

Plus me plaît le séjour qu'ont bâti mes aïeux
Que des palais romains le front audacieux,
Plus que le marbre dur me plaît l'ardoise fine,

Plus mon Loire gaulois que le Tibre Latin,
Plus mon petit Liré que le mont Palatin,
Et plus que l'air marin la douceur angevine.

.*Divers Jeux rustiques.*

1558

« Jeux » pour amuser l'oreille et
« rustiques » car il s'agit de la vie paysanne.
Parmi ces 38 poèmes un chef-d'œuvre a ému
Baudelaire : le vœu

.D'UN VANNEUR DE BLÉ AUX VENTS.

A vous, troupe légère,
Qui d'aile passagère
Par le monde volez,
Et d'un sifflant murmure
L'ombrageuse verdure
Doucement ébranlez,

J'offre ces violettes,
Ces lis et ces fleurettes,
Et ces roses ici,
Ces vermeillettes roses,
Tout fraîchement écloses,
Et ces œillets aussi.

De votre douce haleine
Éventez cette plaine,
Éventez ce séjour :
Cependant que j'ahanne
A mon blé, que je vanne
A la chaleur du jour.

2e POÈME

Pierre de Ronsard

CHATEAU DE LA POSSONNIÈRE (VENDÔMOIS) 1524 – SAINT-COME-LÈS-TOURS 1585.

Ronsard écrit ses premiers vers à l'âge de douze ans. Page des princesses royales, il accompagne Madeleine de France en Écosse. A quinze ans, il est frappé de surdité, et doit renoncer à la carrière des armes. Intégrant les ordres mineurs, il reçoit des bénéfices ecclésiastiques et peut ainsi se consacrer « aux Muses ». Il rencontre maints humanistes, et surtout Du Bellay. En 1550 Ronsard publie ***les Quatre Premiers Livres des Odes,*** *le* ***Cinquième Livre*** *en 1552, et* ***les Amours de Cassandre*** *(1552 et 1555) inspirés par Cassandre Salviati célébrée à la manière de Pétrarque. C'est ensuite Marie qu'il chante dans la* ***Continuation des Amours*** *et* ***Nouvelle Continuation,*** *une paysanne angevine de quinze ans, d'un ton plus simple en des formes non moins élaborées que pour Cassandre. Dans les* ***Hymnes,*** *Ronsard reprend l'alexandrin délaissé qu'il a déjà employé dans la* ***Continuation.*** *C'est le temps des guerres de religion, et Ronsard prend parti pour les catholiques :* ***Discours des misères de ce temps, Remontrances au peuple de France*** *(1562). Sur le modèle de l'Énéide de Virgile, il tente une épopée française :* ***la Franciade,*** *il ne l'achèvera pas et son échec commence l'impuissance de la poésie française dans le genre épique. Après la mort de Charles IX en 1574, Ronsard quitte la cour et se retire au prieuré de Saint-Côme. Il écrit alors les* ***Sonnets à Hélène, l'élégie contre les bûcherons de la forêt de Gâtine,*** *et les admirables* ***Derniers Vers.***

POÉSIE

.Odes.

1550 – 1552

Cette très célèbre Ode paraît d'abord dans la deuxième édition des ***Amours*** *(1553), mais dans son édition de 1584 Ronsard la donne aux* ***Livres des Odes.***

Mignonne, allons voir si la rose,
Qui, ce matin, avait déclose
Sa robe de pourpre au soleil,
A point perdu, cette vêprée,
Les plis de sa robe pourprée,
Et son teint au vôtre pareil.
Las ! Voyez comme en peu d'espace,
Mignonne, elle a, dessus la place,
Las ! las ! ses beautés laissé choir !
O vraiment marâtre Nature,

Puisqu'une telle fleur ne dure
Que du matin jusques au soir !
Donc, si vous me croyez, mignonne,
Tandis que votre âge fleuronne
En sa plus verte nouveauté,
Cueillez, cueillez votre jeunesse :
Comme à cette fleur, la vieillesse
Fera ternir votre beauté.

Imité d'Horace, ce poème une nouvelle fois témoigne de la mystérieuse liaison qui unit la poésie (l'art du langage) à l'amour des sources.

•A LA FONTAINE BELLERIE.

O fontaine Bellerie,
Belle fontaine chérie
De nos Nymphes, quand ton eau
Les cache au creux de ta source
Fuyantes le satyreau
Qui les pourchasse à la course,
Jusqu'au bord de ton ruisseau ;
Tu es la Nymphe éternelle
De ma terre paternelle ;
Pour ce en ce pré verdelet
Vois ton poète qui t'orne
D'un petit chevreau de lait,
A qui l'une et l'autre corne
Sortent du front nouvelet.
L'été je dors ou repose
Sur ton herbe, où je compose,
Caché sous tes saules verts,
Je ne sais quoi, qui ta gloire
Enverra par l'univers,
Commandant à la Mémoire
Que tu vives par mes vers.
L'ardeur de la canicule
Ton vert rivage ne brûle,
Tellement qu'en toutes parts
Ton ombre est épaisse et drue

C'est la poésie qui est cause de l'amour de Ronsard pour la nature. Or la nature dit qu'elle dure, tandis que le poète sait et sent que le temps le vainc.

Quand je suis vingt ou trente mois
Sans retourner en Vendômois,
Plein de pensées vagabondes,
Plein d'un remords et d'un souci,
Aux rochers je me plains ainsi,
Aux bois, aux antres et aux ondes :
« Rochers, bien que soyez âgés
De trois mille ans, vous ne changez
Jamais ni d'état ni de forme ;
Mais toujours ma jeunesse fuit,
Et la vieillesse qui me suit
De jeune en vieillard me transforme.
« Bois, bien que perdiez tous les ans
En hiver vos cheveux plaisants,
L'an d'après qui se renouvelle
Renouvelle aussi votre chef,
Mais le mien ne peut derechef
Ravoir sa perruque nouvelle.
« Antres, je me suis vu chez vous
Avoir jadis verts les genoux,
Le corps habile et la main bonne ;
Mais ores j'ai le corps plus dur,
Et les genoux, que n'est le mur
Qui froidement vous environne.
« Ondes, sans fin vous promenez
Et vous menez et ramenez
Vos flots d'un cours qui ne séjourne ;
Et moi, sans faire long séjour,
Je m'en vais de nuit et de jour
Au lieu d'où plus on ne retourne. »
Si est-ce que je ne voudrais
Avoir été rocher ou bois,
Pour avoir la peau plus épaisse,
Et vaincre le temps emplumé ;
Car ainsi dur je n'eusse aimé
Toi qui m'as fait vieillir, maîtresse.

C'est une idée antique que la forêt est l'hôte des Muses. Elle a donc un bois sacré et qui s'harmonise avec la contemplation littéraire (Ronsard part lire dans la forêt), et non un lieu sauvage et contraire à l'humanité libre.

•A LA FORÊT DE GÂTINE.

Couché sous tes ombrages verts,
Il faut que je te vante
Autant que les Grecs par leurs vers
La forêt d'Erymanthe.

Car, malin, celer je ne puis
A la race future
De combien obligé je suis
A ta belle verdure :

Toi, qui sous l'abri de tes bois
Ravi d'esprit m'amuses ;
Toi, qui fais qu'à toutes les fois
Me répondent les Muses ;

Toi, par qui de ce méchant soin
Tout franc je me délivre,
Lorsqu'en toi je me perds bien loin,
Parlant avec un livre.

Tes bocages soient toujours pleins
D'amoureuses brigades,
De Satyres et de Sylvains,
La crainte des Naïades.

En toi habite désormais
Des Muses le collège,
Et ton bois ne sente jamais
La flamme sacrilège.

.Les Amours de Cassandre.

1552

Femme fière, Cassandre résiste au poète, qu'elle « affole » ; et ici prophétise des malheurs comme la Cassandre troyenne :

« Avant le temps tes temples fleuriront,
De peu de jours ta fin sera bornée,
Avant le soir se clora ta journée,
Trahis d'espoir tes pensers périront.

Sans me fléchir tes écrits flétriront,
En ton désastre ira ma destinée,
Pour abuser les poètes je suis née,
De tes soupirs nos neveux se riront.

Tu seras fait du vulgaire la fable,
Tu bâtiras sur l'incertain du sable,
Et vainement tu peindras dans les cieux. »

Ainsi disait la Nymphe qui m'affole,
Lorsque le ciel témoin de sa parole,
D'un dextre éclair fut présage à mes yeux.

Si mille œillets, si mille lis j'embrasse,
Entortillant mes bras tout à l'entour,
Plus fort qu'un cep, qui d'un amoureux tour
La branche aimée en mille plis enlace ;

Si le souci ne jaunit plus ma face,
Si le plaisir fait en moi son séjour,
Si j'aime mieux les ombres que le jour,
Songe divin, ce bien vient de ta grâce.

Suivant ton vol je volerais aux cieux,
Mais son portrait, qui me trompe les yeux,
Fraude toujours ma joie interrompue.

Puis tu me fuis au milieu de mon bien,
Comme un éclair qui ne finit en rien,
Ou comme au vent s'évanouit la nue.

Comme un chevreuil, quand le printemps détruit
Du froid hiver la poignante gelée,
Pour mieux brouter la feuille emmiellée,
Hors de son bois avec l'aube s'enfuit,

Et seul, et sûr, loin de chiens et de bruit,
Or, sur un mont, or, dans une vallée,
Or, près d'une onde à l'écart recelée,
Libre, folâtre où son pied le conduit,

De rets ni d'arc sa liberté n'a crainte,
Sinon alors que sa vie est atteinte
D'un trait meurtrier empourpré de son sang ;

Ainsi j'allais, sans espoir de dommage,
Le jour qu'un œil, sur l'avril de mon âge,
Tira d'un coup mille traits en mon flanc.

.Nouvelle Continuation des Amours.

1556

Demandes-tu, chère Marie
Quelle est pour toi ma pauvre vie ?
Je jure par tes yeux qu'elle est
Telle qu'ordonner te la plaît :
Pauvre, chétive, langoureuse,
Dolente, triste, malheureuse,
Et tout le mal qui vient d'amour,
Ne m'abandonne nuit ni jour !
Après demandes-tu, Marie,
Quels compagnons suivent ma vie ?
Suivie en sa fortune elle est
De tels compagnons qu'il te plaît :
Ennui, travail, peine, tristesse,
Larmes, soupirs, sanglots, détresse,
Et tout le mal qui vient d'amour
Ne m'abandonne nuit ni jour !
Voilà comment pour toi, Marie,
Je traîne ma chétive vie,
Heureux du mal que je reçois
Pour t'aimer cent fois plus que moi.

J'aime la fleur de mars, j'aime la belle rose,
L'une qui est sacrée à Vénus la déesse,
L'autre qui a le nom de ma belle maîtresse,
Pour qui troublé d'esprit en paix je ne repose.

J'aime trois oiselets, l'un qui sa plume arrose
De la pluie de mai, et vers le ciel se dresse,
L'autre qui veuf au bois lamente sa détresse,
L'autre qui pour son fils mille versets compose.

J'aime un pin de Bourgueil, où Vénus apendit
Ma jeune liberté, quand pris elle rendit
Mon cœur que doucement un bel œil emprisonne.

J'aime un jeune laurier, de Phébus l'arbrisseau,
Dont ma belle maîtresse, en pliant un rameau
Lié de ses cheveux, me fit une couronne.

POÉSIE, SONNETS

.*Sonnets pour Hélène.*

1578

Ronsard fut mal aimé de Cassandre et de Marie ; il l'est maintenant d'Hélène :

Adieu, belle Cassandre, et vous, belle Marie,
Pour qui je fus trois ans en servage à Bourgueil :
L'une vit, l'autre est morte, et ores de son œil
Le Ciel se réjouit, dont la terre est marrie.

Sur mon premier avril, d'une amoureuse envie
J'adorai vos beautés ; mais votre fier orgueil
Ne s'amollit jamais pour larmes ni pour deuil,
Tant d'une gauche main la Parque ourdit ma vie.

Maintenant en automne encore malheureux,
Je vis comme au printemps, de nature amoureux,
Afin que tout mon âge aille au gré de la peine.

Ores que je dusse être affranchi du harnois,
Mon maître Amour m'envoie à grands coups de [carquois,
Rassiéger Ilion pour conquérir Hélène.

Le temps vainc la beauté. Le ton est ici plus rude que lors de « Mignonne... » :

Quand vous serez bien vieille, au soir à la chandelle,
Assise auprès du feu, dévidant et filant,
Direz, chantant mes vers, en vous émerveillant :
« Ronsard me célébrait du temps que j'étais belle ! »

Lors vous n'aurez servante oyant telle nouvelle,
Déjà sous le labeur à demi sommeillant,
Qui au bruit de mon nom ne s'aille réveillant,
Bénissant votre nom de louange immortelle.

Je serai sous la terre, et, fantôme sans os,
Par les ombres myrteux je prendai mon repos ;
Vous serez au foyer une vieille accroupie,

Regrettant mon amour et votre fier dédain.
Vivez, si m'en croyez, n'attendez à demain :
Cueillez dès aujourd'hui les roses de la vie.

.*Derniers Vers.*

1585

Les derniers vers de Ronsard accueillent la mort ensemble comme une délivrance et le temps d'adieux et de regrets.

Je n'ai plus que les os, un squelette je semble,
Décharné, dénervé, démusclé, dépoulpé,
Que le trait de la mort sans pardon a frappé :
Je n'ose voir mes bras que de peur je ne tremble.

Apollon et son fils, deux grands maîtres ensemble,
Ne me sauraient guérir ; leur métier m'a trompé.
Adieu, plaisant soleil ! Mon œil est étoupé,
Mon corps s'en va descendre où tout se désassemble.

Quel ami, me voyant en ce point dépouillé,
Ne remporte au logis un œil triste et mouillé,
Me consolant au lit et me baisant la face,

En essuyant mes yeux par la mort endormis ?
Adieu, chers compagnons ! Adieu, mes chers amis !
Je m'en vais le premier vous préparer la place.

Ah ! longues nuits d'hiver, de ma vie bourrelles,
Donnez-moi patience et me laissez dormir !
Votre nom seulement et suer et frémir
Me fait par tout le corps, tant vous m'êtes cruelles.

Le sommeil tant soit peu n'évente de ses ailes
Mes yeux toujours ouverts, et ne puis affermir
Paupière sur paupière, et ne fais que gémir,
Souffrant, comme Ixion, des peines éternelles.

Vieille ombre de la terre, ainçois l'ombre d'enfer,
Tu m'as ouvert les yeux d'une chaîne de fer,
Me consumant au lit, navré de mille pointes :

Pour chasser mes douleurs, amène-moi la mort.
Ha ! Mort ! le port commun, des hommes le confort,
Viens enterrer mes maux, je t'en prie à mains jointes !

Quoi ! mon âme, dors-tu engourdie en ta masse ?
La trompette a sonné, serre bagage, et va
Le chemin déserté que Jésus-Christ trouva,
Quand tout mouillé de sang racheta notre race.

C'est un chemin fâcheux borné de peu d'espace,
Tracé de peu de gens, que la ronce pava,
Où le chardon poignant ses têtes éleva ;
Prends courage pourtant, et ne quitte la place.

N'appose point la main à la mansine, après
Pour ficher ta charrue au milieu des guérets,
Retournant coup sur coup en arrière ta vue.

Il ne faut commencer, ou du tout s'employer,
Il ne faut point mener, puis laisser la charrue ;
Qui laisse son métier, n'est digne du loyer.

Michel Eyquem seigneur de

Montaigne

CHATEAU DE MONTAIGNE EN PÉRIGORD 1533 – BORDEAUX 1592.

Confié à un précepteur, Montaigne parle le latin avant le français. En 1539, il entre au collège de Guyenne à Bordeaux. Après 1546 il suit les cours de philosophie, puis part étudier le droit à Toulouse. En 1554 son père lui achète une charge de conseiller, en 1557 il est membre du Parlement de Bordeaux. C'est alors qu'il rencontre Étienne de la Boétie (1530-1563) en une parfaite amitié. Montaigne se retire en 1571 dans sa « librairie », et commence la composition des ***Essais.*** *En 1580-1581, il voyage en Europe et rédige un* ***Journal de voyage en Italie par la Suisse et l'Allemagne.*** *Il est maire de Bordeaux durant quatre ans. Ses dernières années sont consacrées à la préparation de la troisième édition des* ***Essais.***

ESSAIS DE MORALE ET AUTOBIOGRAPHIE

.Les Essais.

1580

Au retour de son voyage en Italie, Montaigne augmente la première édition des ***Essais*** *de nombreuses remarques et d'un troisième livre (en treize chapitres) entièrement inédit. Cette nouvelle édition paraît en 1588. La troisième édition qu'il avait préparée voit le jour en 1595.*

Dans une adresse au lecteur, Montaigne définit son projet, qui, de la première à la troisième édition se diversifie sans se modifier. Pascal et Port-Royal réprouveront fortement l'attitude de Montaigne tout au long de son livre.

« Au lecteur

C'est ici un livre de bonne foi, lecteur. Il t'avertit dès l'entrée, que je ne m'y suis proposé aucune fin, que domestique et privée. Je n'y ai eu nulle considération de ton service, ni de ma gloire. Mes forces ne sont pas capables d'un tel dessein. Je l'ai voué à la commodité particulière de mes parents et amis : à ce que m'ayant perdu (ce qu'ils ont à faire bientôt) ils y puissent retrouver certains traits de mes conditions et humeurs, et que par ce moyen ils nourrissent plus entière et plus vive la connaissance qu'ils ont eue de moi. Si c'eût été pour rechercher la valeur du monde, je me fusse mieux paré et me présenterais en une marche étudiée.

Je veux qu'on m'y voie en ma façon simple, naturelle et ordinaire, sans contention et artifice : car c'est moi que je peins. Mes défauts s'y liront au vif, et ma forme naïve, autant que la révérence publique me l'a permis. Que si j'eusse été entre ces nations qu'on dit vivre encore sous la douce liberté des premières lois de nature, je t'assure que je m'y fusse très volontiers peint tout entier, et tout nu. Ainsi, lecteur, je suis moi-même la matière de mon livre : ce n'est pas raison que tu emploies ton loisir en un sujet si frivole et si vain. Adieu donc ; de Montaigne, ce premier de mars mil cinq cent quatre-vingts. »

Au scepticisme dans lequel il se complaisait, Montaigne joignait l'intention d'une résolution stoïque. « Philosopher, c'est apprendre à mourir ».

"Il faut être toujours botté et prêt à partir"

Ils vont, ils viennnent, ils trottent, ils dansent, de mort nulles nouvelles. Tout cela est beau. Mais aussi quand elle arrive, ou à eux, ou à leurs femmes, enfants et amis, les surprenant en dessoude et à découvert, quels tourments, quels cris, quelle rage, et quel désespoir les accable ? Vîtes-vous jamais rien si rabaissé, si changé, si confus ? Il y faut pourvoir de meilleur heure : et cette nonchalance bestiale, quand elle pourrait loger en la tête d'un homme d'entendement, ce que je trouve entièrement impossible, vous vend trop cher ses denrées. Si c'était ennemi qui se peut éviter, je conseillerais d'emprunter les armes de la couardise. Mais puisqu'il ne se peut, puisqu'il vous attrape fuyant et poltron aussi bien qu'honnête homme, (...) et que nulle trempe de cuirasse vous couvre, (...) apprenons à le soutenir de pied ferme, et à le combattre. Et pour commencer à lui ôter son plus grand avantage contre nous, prenons voie toute contraire à la commune. Otons-lui l'étrangeté, pratiquons-le, accoutumons-le. N'ayons rien si souvent en la tête que la mort. A tous instants représentons-la à notre imagination et en tous visages. Au broncher d'un cheval, à la chute d'une tuile, à la moindre piqûre d'épingle, remâchons soudain : « Eh bien, quand ce serait la mort même ? » et là-dessus, roidissons-nous et efforçons-nous. Parmi les fêtes et la joie, ayons toujours ce refrain de la souvenance de notre condition, et ne nous laissons pas si fort emporter au plaisir, que parfois il ne nous repasse en la mémoire, en combien de sortes cette notre allégresse est en butte à la mort, et de combien de prises elle la menace. Ainsi faisaient les Égyptiens, qui, au milieu de leurs festins et parmi leur meilleure chère, faisaient apporter l'anatomie sèche d'un corps d'homme mort, pour servir d'avertissement aux conviés. (...) Il est incertain où la mort nous attende, attendons-la partout. La préméditation de la mort est préméditation de la liberté. Qui a appris à mourir, il a désappris à servir. Le savoir mourir nous affranchit de toute sujétion et contrainte. Il n'y a rien de mal en la vie pour celui qui a bien compris que la privation de la vie n'est pas mal. Paulus Æmilius répondit à celui que ce misérable Roi de Macédoine, son prisonnier, lui envoyait pour le prier de ne le mener pas en son triomphe : « Qu'il en fasse la requête à soi-même. »

A la vérité, en toutes choses, si nature ne prête un peu, il est malaisé que l'art et l'industrie aillent guère avant. Je suis de moi-même non mélancolique, mais songe-creux. Il n'est rien de quoi je me sois dès toujours plus entretenu que des imaginations de la mort. [...]

Il est impossible que d'arrivée nous ne sentions des piqûres de telles imaginations. Mais en les maniant et repassant, au long aller, on les apprivoise sans doute. Autrement de ma part je fusse en continuelle frayeur et frénésie : car jamais homme ne se défia tant de sa vie, jamais homme ne fit moins d'état de sa durée. Ni la santé, que j'ai joui jusques à présent très vigoureuse et peu souvent interrompue, ne m'en allonge l'espérance, ni les maladies ne me l'accourcissent. A chaque minute il me semble que je m'échappe. Et me rechante sans cesse : « Tout ce qui peut être fait un autre jour, le peut être aujourd'hui. » De vrai, les hasards et dangers nous approchent peu ou rien de notre fin ; et si nous pensons combien il en reste, sans cet accident qui semble nous menacer le plus, de millions d'autres sur nos têtes, nous trouverons que, gaillards et fiévreux, en la mer et en nos maisons, en la bataille et en repos, elle nous est également près. (...) Ce que j'ai affaire avant mourir, pour l'achever tout loisir me semble court, fût-ce d'une heure. Quelqu'un, feuilletant l'autre jour mes tablettes, trouva un mémoire de quelque chose, que je voulais être faite après ma mort. Je lui dis, comme il était vrai, que, n'étant qu'à une lieue de ma maison, et sain et gaillard, je m'étais hâté de l'écrire là, pour ne m'assurer point d'arriver jusque chez moi. Comme celui qui continuellement me couve de mes pensées et les couche en moi, je suis à toute heure préparé environ ce que je puis être. Et ne m'avertira de rien de nouveau la survenance de la mort. Il faut être toujours botté et prêt à partir.

LIVRE 1, CHAPITRE 20

Lorsqu'ils se rencontrèrent en 1558, Montaigne et La Boétie avaient respectivement 25 et 28 ans. La Boétie mourra quatre ans plus tard. Dans son essai sur l'amitié, Montaigne en théorie ne fait que redire l'enseignement traditionnel d'Aristote ; mais il y ajoute ce qui fait tout le prix : l'émotion de l'amitié vécue ; et une sorte de tremblement, car l'ami n'est plus :

Ce que nous appelons ordinairement amis et amitiés, ce ne sont qu'accointances et familiarités nouées par quelque occasion ou commodité, par le moyen de laquelle nos âmes s'entretiennent. En l'amitié de quoi je parle, elles se mêlent et se confondent l'une en l'autre, d'un mélange si universel qu'elles effacent et ne retrouvent plus la couture qui les a jointes. Si on me presse de dire pourquoi je l'aimais, je sens que cela ne se peut exprimer qu'en répondant : « Parce que c'était lui ; parce que c'était moi. »

Il y a, au-delà de tout mon discours, et de ce que j'en puis dire particulièrement, ne sais quelle force inexplicable et fatale, médiatrice de cette union. Nous nous cherchions avant que de nous être vus, et par des rapports que nous oyïons l'un de l'autre, qui faisaient en notre affection plus d'effort que ne porte la raison des rapports, je crois par quelque ordonnance du ciel : nous nous embrassions par nos noms. Et à notre première rencontre, qui fut par hasard en une grande fête et compagnie de ville, nous nous trouvâmes si pris, si connus, si obligés entre nous que rien dès lors ne nous fut si proche que l'un à l'autre. Il écrivit une satire latine excellente, qui est publiée, par laquelle il excuse et explique la précipitation de notre intelligence, si promptement parvenue à sa perfection. Ayant si peu à durer, et ayant si tard commencé, car nous étions tous deux hommes faits, et lui plus de quelque année, elle n'avait point à perdre temps, et à se régler au patron des amitiés molles et régulières, auxquelles il faut tant de précautions de longue et préalable conversation. Cette-ci n'a point d'autre idée que d'elle-même, et ne se peut rapporter qu'à soi. Ce n'est pas une spéciale considération, ni deux, ni trois, ni quatre, ni mille : c'est je ne sais quelle quintessence de tout ce mélange, qui, ayant saisi toute ma volonté, l'amena se plonger et se perdre dans la sienne ; qui, ayant saisi toute sa volonté, l'amena se plonger et se perdre en la mienne, d'une faim, d'une concurrence pareille. Je dis perdre, à la vérité, ne nous réservant rien qui nous fût propre, ni qui fût ou sien ou mien. (...)

"Parce que c'était lui ; parce que c'était moi"

Si je compare tout le reste de ma vie, quoiqu'avec la grâce de Dieu je l'aie passée douce, aisée et, sauf la perte d'un tel ami, exempte d'affliction pesante, pleine de tranquillité d'esprit, ayant pris en paiement mes commodités naturelles et originelles sans en rechercher d'autres, si je la compare, dis-je, toute aux quatre années qu'il m'a été donné de jouir de la douce compagnie et société de ce personnage, ce n'est que fumée, ce n'est qu'une nuit obscure et ennuyeuse. Depuis le jour que je le perdis, (...) je ne fais que traîner languissant ; et les plaisirs même qui s'offrent à moi, au lieu de me consoler, me redoublent le regret de sa perte.

LIVRE 1, CHAPITRE 28

Montaigne reprend les thèses des sceptiques ou des pyrrhoniens leur insufflant par la beauté de son style une vigueur qu'elles n'avaient jamais eu. Pascal (et maints autres) y sera extrêmement sensible. Qu'est l'homme si l'on fait abstraction de ce qu'il sait par la Révélation divine, et s'il est dénué des secours que Dieu lui accorde ?

Considérons donc pour cette heure l'homme seul, sans secours étranger, armé seulement de ses armes, et dépourvu de la grâce et connaissance divine, qui est tout son honneur, sa force et le fondement de son être. Voyons combien il a de tenue en ce bel équipage. Qu'il me fasse entendre par l'effort de son discours, sur quels fondements il a bâti ces grands avantages qu'il pense avoir sur les autres créatures. Qui lui a persuadé que ce branle admirable de la voûte céleste, la lumière éternelle de ces flambeaux roulants si fièrement sur sa tête, les mouvements épouvantables de cette mer infinie, soient établis et se continuent tant de siècles pour sa commodité et pour son service ? Est-il possible de rien imaginer si ridicule que cette misérable et chétive créature, qui n'est pas seulement maîtresse de soi, exposée aux offenses de toutes choses, se dise maîtresse et empérière de l'univers, duquel il n'est pas en sa puissance de connaître la moindre partie, tant s'en faut de la commander ? Et ce privilège qu'il s'attribue d'être seul en ce grand bâtiment, qui ait la suffisance d'en reconnaître la beauté et les pièces, seul qui en puisse rendre grâces à l'architecte et tenir conte de la recette et mise du monde, qui lui a scellé ce privilège ? Qu'il nous montre lettres de cette belle et grande charge. [...]

La présomption est notre maladie naturelle et originelle. La plus calamiteuse et frêle de toutes les créatures, c'est l'homme, et quant et quant la plus orgueilleuse. Elle se sent et se voit logée ici, parmi la bourbe et le fient du monde, attachée et clouée à la pire, plus morte et croupie partie de l'univers, au dernier étage du logis et le plus éloigné de la voûte céleste, avec les animaux de la pire condition des trois ; et se va plantant par imagination au dessus du cercle de la Lune et ramenant le ciel sous ses pieds. C'est par la vanité de cette même imagination qu'il s'égale à Dieu, qu'il s'attribue les conditions divines, qu'il se trie soi-même et sépare de la presse des autres créatures, taille les parts aux animaux ses confrères et compagnons, et leur distribue telle portion de facultés et de forces que bon lui semble. Comment connaît-il, par l'effort de son intelligence, les branles internes et secrets des animaux ? par quelle comparaison d'eux à nous conclut-il la bêtise qu'il leur attribue ?

Quand je me joue à ma chatte, qui sait si elle passe son temps de moi plus que je fais d'elle ? (...)

Si c'est de nous que nous tirons le règlement de nos mœurs, à quelle confusion nous rejetons-nous ! Car ce que notre raison nous y conseille de plus vraisemblable, c'est généralement à chacun d'obéir aux lois de son pays, comme est l'avis de Socrate inspiré, dit-il, d'un conseil divin. Et par là que veut-elle dire, sinon que notre devoir n'a autre règle que fortuite ? La vérité doit avoir un visage pareil et universel. La droiture et la justice, si l'homme en connaissait qui eût corps et véritable essence, il ne l'attacherait pas à la condition des coutumes de cette contrée ou de celle-là ; ce ne serait pas de la fantaisie des Perses ou des Indes que la vertu prendrait sa forme. Il n'est rien sujet à plus continuelle agitation que les lois. [...] Et chez nous ici, j'ai vu telle chose qui nous était capitale devenir légitime ; et nous, qui en tenons d'autres, sommes à même, selon l'incertitude de la fortune guerrière, d'être un jour criminels de lèse-majesté humaine et divine, notre justice tombant à la merci de l'injustice, et, en l'espace de peu d'années de possession, prenant une essence contraire. [...]

"Nous veillons dormant, et veillant dormons"

Que nous dira donc en cette nécessité la philosophie ? Que nous suivons les lois de notre pays ? c'est-à-dire cette mer flottante des opinions d'un peuple ou d'un Prince, qui me peindront la justice d'autant de couleurs et la reformeront en autant de visages qu'il y aura en eux de changements de passion ? Je ne puis pas avoir le jugement si flexible. Quelle bonté est-ce que je voyais hier en crédit, et demain plus, et que le trait d'une rivière fait crime ?

Quelle vérité que ces montagnes bornent, qui est mensonge au monde qui se tient au-delà ?

Qu'on loge un philosophe dans une cage de menus filets de fer clairsemés, qui soit suspendue au haut des tours de Notre-Dame de Paris, il verra par raison évidente qu'il est impossible qu'il en tombe, et si ne se saurait garder (s'il n'a accoutumé le métier des recouvreurs) que la vue de cette hauteur extrême ne l'épouvante et ne le transisse. Car nous avons assez affaire de nous assurer aux galeries qui sont en nos clochers, si elles sont façonnées à jour, encore qu'elles soient de pierre. Il y en a qui n'en peuvent pas seulement porter la pensée. Qu'on jette une poutre entre ces deux tours, d'une grosseur telle qu'il nous la faut à nous promener dessus, il n'y a sagesse philosophique de si grande fermeté qui puisse nous donner courage d'y marcher comme nous ferions si elle était à terre. J'ai souvent essayé cela en nos montages de deçà (et si suis de ceux qui ne s'effraient que médiocrement de telles choses) que je ne pouvais souffrir la vue de cette profondeur infinie sans horreur et tremblement de jarrets et de cuisses, encore qu'il s'en fallût bien ma longueur que je ne fusse du tout au bord et n'eusse su choir si je ne me fusse porté à escient au danger. (...)

Ceux qui ont apparié notre vie à un songe ont eu de la raison, à l'aventure plus qu'ils ne le pensaient. Quand nous songeons, notre âme vit, agit, exerce toutes ses facultés, ni plus ni moins que quand elle veille ; mais si plus mollement et obscurément, non de tant certes que la différence y soit comme de la nuit à une clarté vive ; oui, comme de la nuit à l'ombre : là elle dort, ici elle sommeille, plus et moins. Ce sont toujours ténèbres, et ténèbres Cymmériennes.

Nous veillons dormant, et veillant dormons. Je ne vois pas si clair dans le sommeil ; mais, quant au veiller, je ne le trouve jamais assez pur et sans nuage. Encore le sommeil en sa profondeur endort parfois les songes. Mais notre veiller n'est jamais si éveillé qu'il purge et dissipe bien à point les rêveries, qui sont les songes des veillants, et pires que songes.

Notre raison et notre âme, recevant les fantaisies et opinions qui lui naissent en dormant, et autorisant les actions de nos songes de pareille approbation qu'elle fait celles du jour, pourquoi ne mettons-nous en doute si notre penser, notre agir, n'est pas un autre songer et notre veiller quelque espèce de dormir ? (...)

Nous n'avons aucune communication à l'être, par ce que toute humaine nature est toujours au milieu entre le naître et le mourir, ne baillant de soi qu'une obscure apparence et ombre, et une incertaine et débile opinion. Et si, de fortune, vous fichez votre pensée à vouloir prendre son être, ce sera ni plus ni moins que qui voudrait empoigner l'eau : car tant plus il serrera et pressera ce qui de sa nature coule par tout, tant plus il perdra ce qu'il voulait tenir et empoigner. Ainsi, étant toutes choses sujettes à passer d'un changement en autre, la raison, y cherchant une réelle subsistance, se trouve déçue, ne pouvant rien appréhender, de subsistant et permanent par ce que tout ou vient en être et n'est pas encore du tout ou commence à mourir avant qu'il soit né. Platon disait que les corps n'avaient jamais existence, oui bien naissance, estimant que Homère eût fait l'océan père des Dieux, et Thétis la mère, pour nous montrer que toutes choses sont en fluxion muance et variation perpétuelle : opinion commune à tous les Philosophes avant son temps, comme il dit, sauf le seul Parménides, qui refusait mouvement aux choses, de la force du quel il fait grand cas, Pythagoras ; que toute matière est coulante et labile ; les Stoïciens, qu'il n'y a point de temps présent, et que ce que nous appellons présent, n'est que la jointure et assemblage du futur et du passé ; Heraclitus, que jamais homme n'était deux fois entré en même rivière ; Epicharmus, que celui qui a pieça emprunté de l'argent ne le doit pas maintenant ; et que celui qui cette nuit a été convié à venir ce matin dîner, vient aujourd'hui non convié, attendu que ce ne sont plus eux : ils sont devenus autres ; et qu'il ne se pouvait trouver une substance mortelle deux fois en même état, car, par soudaineté et légèreté de changement, tantôt elle dissipe, tantôt elle rassemble ; elle vient et puis s'en va. De façon que ce qui commence à naître ne parvient jamais jusques à perfection d'être, pour autant que ce naître n'achève jamais, et jamais n'arrête, comme étant à bout, ains, depuis la semence, va toujours se changeant et muant d'un à autre. Comme de semence humaine se fait premièrement dans le ventre de la mère un fruit sans forme, puis un enfant formé, puis, étant hors du ventre, un enfant de mammelle ; après il devient garçon ; puis conséquemment un jouvenceau ; après un homme fait ; puis un homme d'âge ; à la fin décrépité vieillard. De manière que l'âge et génération subséquente va toujours défaisant et gâtant la précédente [...].

Et puis nous autres sottement craignons une espèce de mort, là où nous en avons déjà passé et en passons tant d'autres. Car non seulement, comme disait Heraclitus, la mort du feu est génération de l'air, et la mort de l'air génération de l'eau, mais encor plus manifestement le pouvons nous voir en nous-mêmes. La fleur d'âge se meurt et passe quand la vieillesse survient, et la jeunesse se termine en fleur d'âge d'homme fait, l'enfance en la jeunesse, et le premier âge meurt en l'enfance, et le jour d'hier meurt en celui du jourd'hui, et le jourd'hui mourra en celui de demain ; et n'y a rien qui demeure ni qui soit toujours un. Car, qu'il soit ainsi, si nous demeurons toujours mêmes et uns, comment est-ce que nous nous éjouissons maintenant d'une chose, et maintenant d'une autre ? Comment est-ce que nous aimons choses contraires ou les haïssons, nous les louons ou nous les blâmons ? Comment avons nous différentes affections, ne retenant plus le même sentiment en la même pensée ? Car il n'est pas vraisemblable que sans mutation nous prenions autres passions ; et ce qui souffre mutation ne demeure pas un même, et, s'il n'est pas un même, il n'est donc pas aussi. Ains, quant et l'être tout un, change aussi l'être simplement, devenant toujours autre d'un autre. Et par conséquent se trompent et mentent les sens de nature, prenant ce qui apparait pour ce qui est, à faute de bien savoir que c'est qui est. Mais qu'est-ce donc qui est véritablement ? Ce qui est éternel, c'est-à-dire qui n'a jamais eu de naissance, n'y n'aura jamais fin ; à qui le temps n'apporte jamais aucune mutation. Car c'est chose mobile que le temps, et qui apparait comme en ombre, avec la matière coulante et fluante toujours, sans jamais demeurer stable ni permanente ; à qui appartiennent ces mots : devant et après, et a été ou sera, lesquels tout de prime face montrent évidemment que ce n'est pas chose qui soit ; car ce serait grande sottise et fausseté toute apparente de dire que cela soit qui n'est pas encore en être, ou qui déjà a cessé d'être. Et quant à ces mots : présent, instant, maintenant, par lesquels il semble que principalement nous soutenons et fondons l'intelligence du temps, la raison le découvrant le détruit tout sur le champ : car elle le fend incontinent et le part en futur et en passé, comme le voulant voir nécessairement départi en deux. Autant en advient-il à la nature qui est mesurée, comme au temps qui la mesure. Car il n'y a non plus en elle rien qui demeure, ni qui soit subsistant ; ains y sont toutes choses ou nées, ou naissantes, ou mourantes. Au moyen de quoi ce seroit péché de dire de Dieu, qui est le seul qui est, qu'il fut ou il sera. Car ces termes là sont déclinaisons, passages ou vicissitudes de ce qui ne peut durer, ni demeurer en être. Par quoi il faut conclure que Dieu seul est, non point selon aucune mesure du temps, mais selon une éternité immuable et immobile, non mesurée par temps, ni sujette à aucune déclinaison ; devant lequel rien n'est, ni ne sera après, ni plus nouveau ou plus récent, ains un réellement étant, qui, par un seul maintenant emplit le toujours ; et n'y a rien qui véritablement soit que lui seul, sans qu'on puisse dire : Il a été, ou : Il sera ; sans commencement et sans fin.

Les lignes qui suivent immédiatement témoignent que chez Montaigne le scepticisme (Dieu aidant) est la vraie sagesse que le stoïcisme ne saurait atteindre :

A cette conclusion si religieuse d'un homme païen je veux joindre seulement ce mot d'un témoin de même condition, (...) :

« O la vile chose, dit-il, et abjecte que l'homme, s'il ne s'élève au-dessus de l'humanité ! » Voilà un bon mot et un utile désir, mais pareillement absurde. Car de faire la poignée plus grande que le poing, la brassée plus grande que le bras, et d'espérer enjamber plus que de l'étendue de nos jambes, cela est impossible et monstrueux. Ni que l'homme se monte au-dessus de soi et de l'humanité : car il ne peut voir que de ses yeux, ni saisir que de ses prises. Il s'élèvera si Dieu lui prête extraordinairement la main, il s'élèvera, abandonnant et renonçant à ses propres moyens, et se laissant hausser et soulever par les moyens purement célestes.

C'est à notre foi Chrétienne, non à sa vertu stoïque de prétendre à cette divine et miraculeuse métamorphose.

LIVRE 2, CHAPITRE 12

Comme s'il devançait le reproche que lui fera Pascal d'avoir eu le sot projet de se peindre et de s'y être complu, Montaigne justifie son livre et se justifie. « Être à soi », dit Montaigne, est la plus grande chose au monde ; et son livre lui offre cette égalité à soi qui permet que l'on fasse bien l'homme. Écrire vaut d'abord pour l'auteur.

Quand personne ne me lira, ai-je perdu mon temps de m'être entretenu tant d'heures oisives à pensements si utiles et agréables ? Moulant sur moi cette figure, il m'a fallu si souvent dresser et composer pour m'extraire, que le patron s'en est fermi et aucunement formé soi-même. Me peignant pour autrui, je me suis peint en moi de couleurs plus nettes que n'étaient les miennes premières. Je n'ai pas plus fait mon livre que mon livre m'a fait, livre consubstantiel à son auteur, d'une occupation propre, membre de ma vie ; non d'une occupation et fin tierce et étrangère comme tous autres livres. Ai-je perdu mon temps de m'être rendu compte de moi si continuellement, si curieusement ? Car ceux qui se repassent par fantaisie seulement et par langue quelque heure, ne s'examinent pas si primement, ni ne se pénètrent, comme celui qui en fait son étude, son ouvrage et son métier, qui s'engage à un registre de durée de toute sa foi, de toute sa force.

Les plus délicieux plaisirs, si se digèrent-ils au-dedans, fuient à laisser trace de soi, et fuient la vue non seulement du peuple, mais d'un autre.

Combien de fois m'a cette besogne diverti de cogitations ennuyeuses ! et doivent être comptées pour ennuyeuses toutes les frivoles. Nature nous a étrennés d'une large faculté à nous entretenir à part, et nous y appelle souvent pour nous apprendre que nous nous devons en partie à la société, mais en la meilleure partie à nous. Aux fins de ranger ma fantaisie à rêver même par quelque ordre et projet, et la garder de se perdre et extravaguer au vent, il n'est que de donner corps et mettre en registre tant de menues pensées qui se présentent à elle. J'écoute à mes rêveries parce que j'ai à les enrôler. Quant de fois, étant marri de quelque action que la civilité et la raison me prohibaient de reprendre à découvert, m'en suis-je ici dégorgé, non sans dessein de publique instruction ! Et si ces verges poétiques :

Zon dessus l'œil, zon sur le groin,
Zon sur le dos du Sagoin !

s'impriment encore mieux en papier qu'en la chair vive. Quoi, si je prête un peu plus attentivement l'oreille aux livres, depuis que je guette si j'en pourrai friponner quelque chose de quoi émailler ou étayer le mien ?

Je n'ai aucunement étudié pour faire un livre ; mais j'ai aucunement étudié pour ce que je l'avais fait, si c'est aucunement étudier qu'effleurer et pincer par la tête ou par les pieds tantôt un auteur tantôt un autre ; nullement pour former mes opinions ; oui, pour les assister piéça formées, seconder et servir.

LIVRE 2, CHAPITRE 18

Ici, comme chez Platon, la pensée est un dialogue de l'âme avec elle-même. Puisque chaque homme porte la forme entière de l'humaine condition, l'on connaît l'homme en se connaissant soi-même. Et l'on se connaît soi-même par une multiplicité et diversité de traits mieux que par notions universelles et abstraites.

Je propose une vie basse et sans lustre, c'est tout un. On attache aussi bien toute la philosophie morale à une vie populaire et privée qu'à une vie de plus riche étoffe : chaque homme porte la forme entière de l'humaine condition.

Les auteurs se communiquent au peuple par quelque marque particulière et étrangère ; moi le premier par mon être universel, comme Michel de Montaigne, non comme grammairien ou poète ou jurisconsulte. Si le monde se plaint de quoi je parle trop de moi, je me plains de quoi il ne pense seulement pas à soi.

Mais est-ce raison que, si particulier en usage, je prétende me rendre public en connaissance ? Est-il aussi raison que je produise au monde, où la façon et l'art ont tant de crédit et de commandement, des effets de nature crus et simples, et d'une nature encore bien faiblette ? Est-ce pas faire une muraille sans pierre, ou chose semblable, que de bâtir des livres sans science et sans art ? Les fantaisies de la musique sont conduites par art, les miennes par sort. Au moins j'ai ceci selon la discipline que jamais homme ne traita sujet qu'il entendît ni connût mieux que je fais celui que j'ai entrepris, et qu'en celui-là je suis le plus savant homme qui vive ; secondement, que jamais aucun ne pénétra en sa matière plus avant, ni en éplucha plus particulièrement les membres et suites ; et n'arriva plus exactement et pleinement à la fin qu'il s'était proposée à sa besogne. Pour la parfaire, je n'ai besoin d'y apporter que la fidélité : celle-là y est, la plus sincère et pure qui se trouve. Je dis vrai, non pas tout mon saoul, mais autant que je l'ose dire ; et l'ose un peu plus en vieillissant, car il semble que la coutume concède à cet âge plus de liberté de bavasser et d'indiscrétion à parler de soi. Il ne peut advenir ici ce que je vois advenir souvent, que l'artisan et sa besogne se contrarient : un homme de si honnête conversation a-t-il fait un si sot écrit ? ou, des écrits si savants sont-ils partis d'un homme de si faible conversation ?

Qui a un entretien commun et ses écrits rares, c'est-à-dire que sa capacité est en lieu d'où il l'emprunte, et non en lui. Un personnage savant n'est pas savant par tout ; mais le suffisant est par tout suffisant, et à ignorer même.

Ici, nous allons conformément et tout d'un train, mon livre et moi. Ailleurs, on peut recommander et accuser l'ouvrage à part de l'ouvrier ; ici, non : qui touche l'un, touche l'autre.

LIVRE 3, CHAPITRE 2

Si Montaigne a cultivé un certain goût pour la médiocrité, ce n'est pas sans l'avoir contrebalancée d'une curiosité pleine de largesse.

S'il fait laid à droite, je prends à gauche ; si je me trouve mal propre à monter à cheval, je m'arrête. Et faisant ainsi, je ne vois à la vérité rien qui ne soit aussi plaisant et commode que ma maison. Il est vrai que je trouve la superfluité toujours superflue, et remarque de l'empêchement en la délicatesse même et en l'abondance. Ai-je laissé quelque chose à voir derrière moi ? J'y retourne ; c'est toujours mon chemin. Je ne trace aucune ligne certaine, ni droite ni courbe. Ne trouvé-je point où je vais ce qu'on m'avait dit ? Comme il advient souvent que les jugements d'autrui ne s'accordent pas aux miens, et les ai trouvés plus souvent faux, je ne plains pas ma peine : j'ai appris que ce qu'on disait n'y est point.

J'ai la complexion du corps libre et le goût commun, autant qu'homme du monde. La diversité des façons d'une nation à autre ne me touche que par le plaisir de la variété. Chaque usage a sa raison. Soient des assiettes d'étain, de bois, de terre, bouilli ou rôti, beurre ou huile de noix ou d'olive, chaud ou froid, tout m'est un, et si un que, vieillissant, j'accuse cette généreuse faculté, et aurais besoin que la délicatesse et le choix arrêtât l'indiscrétion de mon appétit et parfois soulageât mon estomac. Quand j'ai été ailleurs qu'en France et que, pour me faire courtoisie, on m'a demandé si je voulais être servi à la française, je m'en suis moqué et me suis toujours jeté aux tables les plus épaisses d'étrangers.

J'ai honte de voir nos hommes enivrés de cette sotte humeur de s'effaroucher des formes contraires aux leurs : il leur semble être hors de leur élément quand ils sont hors de leur village. Où qu'ils aillent, ils se tiennent à leurs façons et abominent les étrangères. Retrouvent-ils un compatriote en Hongrie, ils festoient cette aventure : les voilà à se rallier et à se recoudre ensemble, à condamner tant de mœurs barbares qu'ils voient. Pourquoi non barbares, puisqu'elles ne sont françaises ? Encore sont-ce les plus habiles qui les ont reconnues, pour en médire. La plupart ne prennent l'aller que pour le venir. Ils voyagent couverts et resserrés d'une prudence taciturne et incommunicable, se défendant de la contagion d'un air inconnu.

Ce que je dis de ceux-là me ramentoit, en chose semblable, ce que j'ai parfois aperçu en aucuns de nos jeunes courtisans. Ils ne tiennent qu'aux hommes de leur sorte, nous regardent comme gens de l'autre monde, avec dédain ou pitié. Otez-leur les entretiens des mystères de la cour, ils sont hors de leur gibier, aussi neufs pour nous et malhabiles comme nous sommes à eux. On dit bien vrai qu'un honnête homme, c'est un homme mêlé. Au rebours, je périgrine très saoul de nos façons, non pour chercher des Gascons en Sicile (j'en ai assez laissé au logis) ; je cherche des Grecs plutôt, et des Persans : j'accointe ceux-là, je les considère ; c'est là où je me prête et où je m'emploie. Et qui plus est, il me semble que je n'ai rencontré guère de manières qui ne vaillent les nôtres. Je couche de peu, car à peine ai-je perdu mes girouettes de vue.

LIVRE 3, CHAPITRE 9

Finalement, apprendre à mourir nuit à la vie. La vie doit être elle-même son but. Mourir s'inscrit dans l'art de vivre, et n'y occupe que peu de place et de temps. Des pauvres gens nous devons apprendre constance et patience : à endurer.

A quoi faire nous allons-nous gendarmant par ces efforts de la science ? Regardons à terre les pauvres gens que nous y voyons épandus, la tête penchante après leur besogne, qui ne savent ni Aristote ni Caton, ni exemple, ni précepte : de ceux-là tire nature tous les jours des effets de constance et de patience, plus purs et plus roides que ne sont ceux que nous étudions si curieusement en l'école. Combien en vois-je ordinairement, qui méconnaissent la pauvreté ? combien qui désirent la mort, ou qui la passent sans alarme et sans affliction ? Celui-là qui fouit mon jardin, il a ce matin enterré son père ou son fils. Les noms mêmes de quoi ils appellent les maladies en adoucissent et amollissent l'âpreté : la phtisie, c'est la toux pour eux ; la dysenterie, dévoiement d'estomac ; une pleurésie, c'est un morfondement ; et selon qu'ils les nomment doucement, ils les supportent aussi. Elles sont bien griéves quand elles rompent leur travail ordinaire ; ils ne s'alitent que pour mourir. (...)

"Si nous n'avons su vivre, c'est injustice de nous apprendre à mourir"

La vue de la mort à venir à besoin d'une fermeté lente, et difficile par conséquent à fournir. Si vous ne savez pas mourir, ne vous chaille ; nature vous en informera sur-le-champ, pleinement et suffisamment ; elle fera exactement cette besogne pour vous ; n'en empêchez votre soin. Nous troublons la vie par le soin de la mort, et la mort par le soin de la vie. L'une nous ennuie, l'autre nous effraie. Ce n'est pas contre la mort que nous nous préparons ; c'est chose trop momentanée. Un quart d'heure de passion sans conséquence, sans nuisance, ne mérite pas des préceptes particuliers. A dire vrai, nous nous préparons contre les préparations de la mort. La philosophie nous ordonne d'avoir la mort toujours devant les yeux, de la prévoir et considérer avant le temps, et nous donne après les règles et les précautions pour pourvoir à ce que cette prévoyance et cette pensée ne nous blesse. Ainsi font les médecins qui nous jettent aux maladies, afin qu'ils aient où employer leurs drogues et leur art. Si nous n'avons su vivre, c'est injustice de nous apprendre à mourir, et de difformer la fin de son tout. Si nous avons su vivre constamment et tranquillement, nous saurons mourir de même. Ils s'en vanteront tant qu'il leur plaira. Mais il m'est avis que c'est bien le bout, non pourtant le but de la vie, c'est sa fin, son extrémité, non pourtant son objet. Elle doit être elle-même à soi sa visée, son dessein ; son droit étude est se régler, se conduire, se souffrir. Au nombre de plusieurs autres offices que comprend ce général et principal chapitre de savoir vivre est cet article de savoir mourir ; et des plus légers si notre crainte ne lui donnait poids.

LIVRE 3, CHAPITRE 12

Miguel de Cervantès Y Saavreda dit

Cervantès

ALCALA DE HÉNARÈS 1547
MADRID 1616.

Fils d'un médecin impécunieux, Cervantès quoique ayant des goûts littéraires affirmés s'engage dans une compagnie de soldats. Le service des armes le conduit d'abord en Italie (il s'en souviendra dans le ***Licencié de verre****, une des* ***Nouvelles exemplaires****). En 1571, Cervantès prend part aux combats de la bataille de Lépante, contre les Turcs, il essuie deux coups d'arquebuse dans la poitrine et un dans le bras gauche si rude qu'on est contraint de l'amputer. Cependant l'année suivante, c'est aux combats de Navarin et Modon, encore contre les Turcs, qu'on le voit. Et en 1573, il participe à la prise de Tunis. Il obtient en 1575 un congé d'un an, et vogue avec son frère vers l'Espagne lorsque la galère qui le porte est attaquée par les Turcs. Les frères Cervantès sont prisonniers et ne seront libérés que contre rançon. Ce qui se produit en 1580, après maintes tentatives manquées d'évasion. Cervantès gagne Valence, en 1583 il achève un roman pastoral :* ***Galatée*** *; il se marie en 1584. A cette époque il est lié avec les meilleurs écrivains de son temps. La première partie de* ***Don Quichotte*** *est publiée en 1605. La vie de l'auteur entre-temps n'a pas été simple, et il a séjourné plusieurs fois en prison.* ***Don Quichotte*** *est réimprimé six fois l'année de sa parution tant le succès est immédiat. En 1612 Cervantès publie les* ***Nouvelles exemplaires.*** *Et lorsque paraît en 1616 la deuxième partie de Don Quichotte, Cervantès doit se défendre contre une contrefaçon.*

ROMAN

.Don Quichotte.

1605 ET 1616

Contre la réalité Don Quichotte veut rétablir par la chevalerie la justice et l'âge d'or de l'humanité. Il prend donc exactement ses désirs pour des réalités, une sorte d'idéalisme subjectif absolu lui permettant d'accorder ses chimères aux perceptions de ses sens : « Je le pense, donc c'est ainsi » dit-il. Son famulus Sancho Pança, homme pratique qui ne connaît que l'utilité dans son humilité mais n'est pas dénué de profondeur, est curieusement séduit par la grandeur de Don Quichotte dans ce monde de misères. Les actions de Don Quichotte, qui n'ont pour fin que la justice, augmentent en fait l'injustice et le désordre du monde. Don Quichotte n'est pas un assassin seulement par grâce.

DU CARACTÈRE ET DES OCCUPATIONS DU FAMEUX DON QUICHOTTE DE LA MANCHE

Dans un village de la Manche dont je ne me soucie guère de me rappeler le nom, vivait, il n'y a pas longtemps, un de ces gentilshommes qui ont une vieille lance, une rondache rouillée, un cheval maigre et un lévrier. Un bouilli, plus souvent de vache que de mouton, une vinaigrette le soir, des œufs frits le samedi, le vendredi des lentilles, et quelques pigeonneaux de surplus le dimanche, emportaient les trois quarts de son revenu. Le reste payait sa casaque de drap fin, ses chausses de velours avec les mules pareilles pour les jours de fête, et l'habit de gros drap pour les jours ouvriers. Sa maison était composée d'une gouvernante de plus de quarante ans, d'une nièce qui n'en avais pas vingt, et d'un valet qui faisait le service de la maison, de l'écurie, travaillait aux champs et taillait la vigne. L'âge de notre gentilhomme approchait de cinquante ans. Il était vigoureux, robuste, d'un corps sec, d'un visage maigre, très matinal et grand chasseur. L'on prétend qu'il avait le surnom de Quixada ou Quésada. Les auteurs varient sur ce point. Ce qui paraît le plus vraisemblable, c'est qu'il s'appelait Quixada. Peu importe, pourvu que nous soyons certains des faits.

Lorsque notre gentilhomme était oisif, c'est-à-dire les trois quarts de la journée, il s'appliquait à la lecture des livres de chevalerie avec tant de goût, de plaisir, qu'il en oublia la chasse et l'administration de son bien. Cette passion devint si forte, qu'il vendit plusieurs morceaux de terre pour se former une bibliothèque de ces livres, parmi lesquels il préférait surtout les ouvrages du célèbre Feliciar de Silva. Cette prose claire et facile, qui presque jamais n'a de sens, lui paraissait admirable, surtout dans ces lettres si tendres où les amants s'expriment ainsi : *La raison de la déraison que vous faites à ma raison affaiblit tant ma raison que ce n'est pas sans raison que je me plains de votre beauté.* Cette manière si naturelle de parler enchantait notre gentilhomme. Il était seulement fâché de ne pouvoir deviner ce que cela voulait dire, et se donnait la torture pour comprendre ce qu'Aristote lui-même aurait eu bien de la peine à expliquer. Il ne laissait pas encore d'être un peu étonné des prodigieuses blessures que Don Bélianis faisait et recevait : quelque habiles que fussent les chirurgiens, il lui semblait qu'il en devait rester des cicatrices extraordinaires : mais il passait tout à l'auteur, en faveur de cette aventure interminable qu'il promet en terminant son livre. Plusieurs fois, notre gentilhomme fut tenté de prendre sa plume et d'achever ce beau chef-d'œuvre ; malheureusement le temps lui manqua.

Il avait souvent des querelles avec le curé du village, homme instruit et gradué à Siguence, sur le plus ou moins de mérite de *Palmerin d'Angleterre* et d'*Amadis de Gaule.*

Sa pauvre tête n'était plus remplie que d'enchantements, de batailles, de cartels, d'amours, de tourments, et de toutes les folies qu'il avait vues dans les livres de chevalerie.

Il finit par en perdre la raison à tel point qu'il en vint à convevoir l'idée la plus étrange qui ait jamais germé dans le cerveau d'un fou.

Il s'imagina que rien ne serait plus beau pour lui, plus utile pour sa patrie, que de ressusciter la chevalerie errante, en allant luimême à cheval, armé comme les paladins, cherchant les aventures, redressant les torts, réparant les injustices. Son premier soin fut d'aller chercher les vieilles armes, couvertes de rouille, qui, depuis son bisaïeul, étaient restées dans un coin. Il les nettoya, les rajusta le mieux qu'il put ; mais il vit avec chagrin qu'il lui manquait la moitié du casque. Son adresse y suppléa ; il fit cette moitié en carton, et parvint à se fabriquer quelque chose qui ressemblait à un casque. A la vérité, voulant éprouver s'il était de bonne trempe, il tira son épée, et, le frappant de toute sa force, il brisa du premier coup tout son ouvrage de la semaine. Cette promptitude à se rompre ne laissa pas de lui déplaire dans un casque. Il recommença son travail, et, cette fois, ajouta par-dessus de petites bandes de fer qui le rendirent un peu plus solide. Satisfait de son invention, et ne se souciant pas de faire une nouvelle expérience, il se tint pour bien armé. Alors il fut voir son cheval ; et quoique la pauvre bête ne fût qu'un squelette vivant, il lui parut plus vigoureux que le Bucéphale d'Alexandre ou le Babiéca du Cid. Il rêva pendant quatre jours au nom qu'il lui donnerait, ce qui l'embarrassait beaucoup ; car, devant faire du bruit dans le monde, il désirait que ce nom exprimât ce qu'avait été le coursier avant sa noble destinée et ce qu'il était devenu. Après en avoir adopté, rejeté, changé plusieurs, il se détermina pour *Rossinante,* nom sonore selon lui, beau, grand, significatif.

En regardant de tous côtés pour découvrir quelque château ou quelque cabane de pâtre qui pût lui servir d'asile, il aperçut une hôtellerie, et, rendant grâce au ciel de cette fortune, il se pressa d'arriver.

Le hasard fit que deux jeunes filles étaient alors sur que la porte de l'auberge, où elles s'étaient arrêtées avec des muletiers de Séville. Don Quichotte, qui voyait partout ce qu'il avait lu, n'eut pas plutôt découvert l'hôtellerie, qu'il la prit pour un château superbe avec ses fossés et son pont-levis, ses quatre tours, ses créneaux d'argent, tels qu'ils sont décrits dans les romanciers. Il s'approcha du prétendu château, et s'arrêtant à peu de distance, il attendit que le nain se montrât sur une des plates-formes pour annoncer, selon l'usage, en sonnant de la trompette, l'arrivée du chevalier. Comme le nain ne se pressait pas, et que Rossinante paraissait pressée de gagner l'écurie, notre héros s'avança jusqu'à la porte où étaient les deux jeunes filles. Elles lui parurent deux demoiselles de haut parage, prenant le frais devant leur château. Dans le même instant, un porcher, pour rassembler son troupeau, se mit à sonner d'un mauvais cornet. Don Quichotte ne douta plus que ce ne fût le nain qui l'annonçait, et s'adressant aux demoiselles un peu effrayées de ses armes : « Rassurez-vous, leur dit-il, en leur montrant sous sa visière de carton un visage sec et poudreux, vos seigneuries n'ont rien à craindre ; les lois de la chevalerie, que je fais profession de suivre, me défendent d'offenser personne, et me prescrivent surtout d'être aux ordres des demoiselles aussi respectables que vous. »

Les jeunes filles étonnées, le considéraient avec de grands yeux. Le mot de respect les fit rire. « Mesdames, reprit Don Quichotte, presque fâché, il ne suffit pas d'être belles, il faut encore être très réservées, et surtout ne pas rire sans sujet. Daignez excuser cet avis de la part d'un homme qui ne désire que de vous servir. » Ce langage, fort étranger aux jeunes filles, et la mine du chevalier faisaient redoubler les rires. Don Quichotte perdait patience, lorsque heureusement l'aubergiste

Don Quichotte cherche un château, afin que le seigneur du lieu l'arme chevalier.

COMMENT DON QUICHOTTE FUT ARMÉ CHEVALIER

arriva. C'était un gros Andalous de la plage de San-Lucar, fin comme l'ambre, rusé, voleur, et plus malin qu'un écolier. Il fut sur le point de rire aussi bien que les demoiselles quand il aperçut l'extraordinaire figure du gentilhomme cuirassé ; mais craignant qu'il ne prît mal la plaisanterie, il voulut en user poliment. « Seigneur chevalier, dit-il, si votre seigneurie demande à coucher, elle trouvera ici tout ce qu'il faut, excepté un lit ; c'est la seule chose qui nous a toujours manqué. » Don Quichotte très satisfait des offres obligeantes de l'alcade de la forteresse, car l'aubergiste lui parut tel, se hâta de lui répondre : « Seigneur châtelain, tout est bon pour moi ; les armes sont ma parure, et les combats mon repos. – Cela étant, reprit l'aubergiste, un peu surpris de s'entendre appeler châtelain, si votre seigneurie veut passer ici la nuit sans dormir, elle y sera plus commodément que partout ailleur. » En achevant ces mots, il courut tenir l'étrier de Don Quichotte, qui descendit avec assez de peine, comme un homme encore à jeun.

Son premier soin fut de recommander à l'aubergiste de ne laisser manquer de rien son cheval, qu'il l'assura être le meilleur des animaux de ce monde. L'aubergiste, le considérant, fut loin d'en être convaincu ; cependant il le conduisit à l'écurie, et revint près de Don Quichotte, qu'il trouva se faisant désarmer par les deux belles demoiselles, déjà réconciliées avec lui. Ces dames lui avaient ôté les deux pièces de la cuirasse ; mais elles ne pouvaient venir à bout de désenchâsser sa tête du hausse-col et du casque, que Don Quichotte avait attachés l'un à l'autre avec de petits rubans verts si étroitement noués, qu'il fallait couper les nœuds. Notre chevalier s'y opposa fortement : il aima mieux rester toute la nuit avec son casque ; ce qui faisait la plus étrange figure que l'on puisse imaginer.

(...) Notre héros supportait tout patiemment, plutôt que de sacrifier ses rubans verts. La seule chose qui l'affligeait au fond de l'âme, c'était de n'être point encore armé chevalier.

Tourmenté de cette idée, Don Quichotte abrège son mauvais souper, se lève, appelle l'aubergiste et, s'enfermant avec lui dans l'écurie, il se jette à ses genoux : « Illustre chevalier, lui dit-il, j'ose supplier votre courtoisie de vouloir m'accorder un don. » L'aubergiste, surpris de ces paroles et de voir cet homme à ses pieds, s'efforçait de le relever ; mais, n'en pouvant venir à bout, il lui promit ce qu'il demandait. « Je n'en attendais pas moins de votre magnanimité, reprit Don Quichotte ; ce que je désire de vous ne peut tourner qu'à votre gloire et au profit de l'univers : c'est de permettre que cette nuit même, je fasse la veillée des armes dans la chapelle de votre château, et que, demain au point du jour, vous me confériez l'ordre de la chevalerie, afin que je puisse aller dans les quatre parties du monde secourir les faibles et les opprimés, selon l'usage des chevaliers errants, au nombre desquels je brûle de me voir enfin agrégé. »

L'aubergiste, comme nous l'avons dit, ne manquait pas de malice. Il avait d'abord soupçonné la folie de Don Quichotte : il n'en douta plus après ces paroles, et, voulant s'en amuser, il lui répondit très sérieusement : « Seigneur, un si noble désir est digne de votre grande âme. Vous ne pouviez pour le satisfaire, mieux vous adresser qu'à moi ; ma jeunesse fut consacrée à cet honorable exercice. J'allais courant l'univers et cherchant les aventures dans les faubourgs de Malaga, dans les marchés de Séville, de Ségovie, de Valence, sur les ports, aux jardins publics, à la Bourse, partout enfin où je trouvais quelque chose à faire. Les principaux objets de mes soins étaient les veuves et les jeunes filles ; je me suis prodigieusement mêlé de leurs affaires, et presque tous les tribunaux d'Espagne m'ont rendu justice sur ce point. Me voyant vieux, j'ai pris le parti de me retirer dans mon château, où je vis paisiblement de mon bien et de celui des autres, me faisant toujours un plaisir de recevoir de mon mieux tous les chevaliers errants qui passent, de quelque qualité qu'ils soient, et ne leur demandant, pour prix d'une si tendre affection, que de partager avec moi l'argent qui peut les embarrasser. Dans ce moment, je n'ai point de chapelle à vous offrir, parce que je viens de l'abattre pour en construire une plus belle ; mais il est possible de s'en passer, et ma cour, qui est grande, commode, sera précisément ce qu'il faut pour que vous fassiez cette nuit la veillée des armes. Demain matin, nous remplirons les autres cérémonies ; après quoi, vous serez chevalier, et tout aussi bien chevalier qu'il y en ait jamais eu au monde. Répondez-moi d'abord sur un point qui ne laisse pas de m'intéresser : avez-vous de l'argent ? »

« Non, répondit Don Quichotte ; je n'ai jamais lu qu'aucun chevalier se fût muni de ce vil métal. » – « Vous êtes dans l'erreur, reprit l'aubergiste ; si les historiens n'en parlent pas, c'est qu'ils ont pensé qu'il allait sans dire que les chevaliers ne marchaient jamais sans une chose aussi nécessaire que de l'argent. Je puis vous assurer qu'ils portaient tous une bourse bien garnie, des chemises blanches et une petite boîte d'onguent pour les blessures qu'ils pouvaient recevoir. Vous sentez bien qu'ils n'étaient pas toujours sûrs, après un combat terrible, de voir arriver sur un nuage une demoiselle ou un nain qui vînt leur faire boire de ces eaux divines dont une seule goutte guérissait leurs plaies. Pour plus grande précaution, ils chargeaient leurs écuyers d'avoir avec eux de la charpie, de l'onguent et de l'argent. Quand ils n'avaient point d'écuyer, ce qui était rare, à la vérité, ces messieurs portaient leur provision dans un petit porte-manteau, qui ne paraissait presque point, sur la croupe du cheval, et qui n'était permis que pour ce seul cas. Ainsi, je vous ordonne, comme à mon fils en chevalerie, de ne jamais voyager sans argent ; vous verrez que vous et les autres vous en trouverez à merveille. »

Don Quichotte promit de n'y pas manquer. Pressé de commencer la veillée des armes, il alla chercher les siennes, qu'il vint porter au milieu de la cour, sur une auge près du puits. Il prit seulement son écu, sa lance, et se mit à se promener en long et en large devant l'auge. La lune, au plus haut de son cours, brillait dans un ciel sans nuage. Les habitants de l'auberge, à qui l'hôte avait raconté les folies du chevalier, vinrent le contempler de loin. Don Quichotte, sans y prendre garde, continuait sa promenade, s'appuyait de temps en temps sur sa lance, et regardait fixement les armes, affectant toujours une contenance aussi tranquille que fière.

L'aubergiste, qui commençait à ne plus rire des plaisanteries du héros, résolut d'y mettre fin en lui conférant le plus tôt possible ce malheureux ordre de chevalerie. Il vint lui demander excuse de la grossièreté de ces rustres qu'il avait si bien châtiés, l'assurant que tout s'était passé à son insu, et ajouta qu'au surplus, ayant satisfait à l'obligation de la veillée des armes, qui n'exigeait que deux heures, il pouvait, à défaut de chapelle, recevoir dans tout autre lieu l'accolade et le coup de plat d'épée sur le dos, seules choses nécessaires, suivant les rites de l'ordre.

Don Quichotte le crut aisément, le supplia de se dépêcher, parce qu'une fois armé chevalier, son dessein, si l'on venait encore le provoquer, était de ne laisser personne en vie dans le château. Le châtelain n'en fut que plus pressé d'aller chercher le livre où il écrivait ses rations de paille, et suivi d'un petit garçon qui portait un bout de chandelle, et des deux demoiselles dont j'ai parlé, il revint trouver Don Quichotte, qu'il fit mettre à genoux devant lui. Marmottant alors dans son livre, comme s'il eût dit quelque oraison, il leva sa main, la fit tomber assez rudement sur le cou de Don Quichotte, et, sans s'interrompre, le frappa de même avec le plat de son épée. L'une de ces dames, qui avaient besoin pour ne pas rire de se rappeler les prouesses du chevalier, lui ceignit l'épée ; l'autre lui chaussa l'éperon. Don Quichotte,

Surviennent des muletiers qui dérangent les armes de Don Quichotte en menant boire leurs bêtes. Don Quichotte saisit sa lance et abat un muletier, il n'est qu'assommé, mais parce que le romancier et la Providence refusent de faire du chevalier un meurtrier. Les muletiers vengent leur compagnon en lançant des pierres.

reconnaissant, voulut savoir comment elles se nommaient afin de les faire jouir d'une portion de sa gloire. Les modestes demoiselles lui avouèrent que l'une d'elles était fille d'une ravaudeuse de Tolède, et s'appelait *la Tolosa ;* que l'autre étant la fille d'un meunier, n'avait pas d'autre nom que *la Meunière ;* qu'au surplus, partout où il les rencontrerait, elles seraient à son service. Don Quichotte leur rendit grâces, et les pria de vouloir prendre le *Don* pour l'amour de lui, et de s'appeler désormais *Doña Tolosa,* et *Doña Meunière.*

Toutes les cérémonies achevées, notre nouveau chevalier, qui brûlait d'aller chercher les aventures, courut seller Rossinante, monta dessus, et tout à cheval, vint embrasser l'aubergiste, en le remerciant de la faveur qu'il avait reçue de lui, dans des termes si extraordinaires, qu'il me serait impossible de les rapporter. L'hôte, qui désirait fort de s'en voir défait répondit brièvement, mais dans le même langage, et, sans rien lui demander de sa dépense, le vit partir avec grande joie.

La première sortie se termine brutalement pour Don Quichotte. Il est reconduit chez lui en piteux état, et doit garder la chambre. Dès son rétablissement Don Quichotte opère sa deuxième sortie. Il est cette fois accompagné par son écuyer, le paysan Sancho Pança monté sur un âne, en partie persuadé par son maître, en partie séduit par la promesse d'une île à gouverner.

COMMENT DON QUICHOTTE MIT FIN A L'ÉPOUVANTABLE AVENTURE DES MOULINS A VENT

Dans ce moment, Don Quichotte aperçut trente ou quarante moulins à vent, et regardant son écuyer : « Ami, dit-il, la fortune vient au-devant de nos souhaits. Vois-tu là-bas, ces terribles géants ? Ils sont plus de trente ; n'importe, je vais attaquer ces fiers ennemis de Dieu et des hommes. Leurs dépouilles commenceront à nous enrichir. – Quels géants ? répondit Sancho. – Ceux que tu vois avec ces grands bras qui ont peut-être deux lieues de long. – Mais, monsieur, prenez-y garde ; ce sont des moulins à vent, et ce qui vous semble des bras n'est autre chose que leurs ailes. – Ah ! mon pauvre ami, l'on voit bien que tu n'es pas encore expert en aventures. Ce sont des géants ; je m'y connais. Si tu as peur, éloigne-toi ; va quelque part te mettre en prière, tandis que j'entreprendrai cet inégal et dangereux combat.

En disant ces paroles, il pique des deux, sans écouter le pauvre Sancho, qui se tuait de lui crier que ce n'étaient point des géants, mais des moulins, sans se désabuser davantage à mesure qu'il en approchait. « Attendez-moi, disait-il, attendez-moi, lâches brigands ; un seul chevalier vous attaque. » A l'instant même, un peu de vent s'éleva, et les ailes se mirent à tourner. « Oh ! vous avez beau faire, ajouta Don Quichotte ; quand vous remueriez plus de bras que le géant Briarée, vous n'en serez pas moins punis. » Il dit, embrasse son écu, et, se recommandant à Dulcinée, tombe la lance en arrêt, sur l'aile du premier moulin, qui l'enlève, lui et son cheval, et les jette à vingt pas l'un de l'autre. Sancho se pressait d'accourir au plus grand trot de son âne. Il eut de la peine à relever son maître, tant la chute avait été lourde. « Eh ! Dieu me soit en aide, dit-il, je vous crie depuis une heure que ce sont des moulins à vent. Il faut en avoir d'autres dans la tête pour ne pas le voir tout de suite. – Paix ! paix !

répondit le héros ; c'est dans le métier de la guerre que l'on se voit le plus dépendant des caprices de la fortune, surtout lorsqu'on a pour ennemi ce redoutable enchanteur Freston, déjà voleur de ma bibliothèque. Je vois bien ce qu'il vient de faire : il a changé les géants en moulins pour me dérober la gloire de les vaincre. Patience ! il faudra bien à la fin que mon épée triomphe de sa malice. – Dieu le veuille ! » répondit Sancho, en le remettant debout, et courant en faire autant à Rossinante, dont l'épaule était à demi déboîtée.

Notre héros, remonté sur sa bête, suivit le chemin du port Lapice, ne doutant pas qu'un lieu aussi passager ne fût fertile en aventures. Il regrettait beaucoup sa lance, que l'aile du moulin avait brisée. « Mon ami, dit-il à Sancho, je me souviens d'avoir lu qu'un chevalier espagnol, appelé Perez de Vargas, ayant rompu son épée dans une bataille, arracha une branche ou un tronc de chêne avec lequel il tua tant de Maures, qu'on le surnomma l'*Assommeur*. Je veux imiter Perez de Vargas. Au premier chêne que je rencontrerai, je vais me tailler une massue ; et cette arme me suffira pour faire de tels exploits que jamais personne ne pourra les croire. – Ainsi-soit-il ! répondit Sancho : mais redressez-vous un peu, car vous allez tout de côté. – Je t'avoue que je me ressens un peu de ma chute ; et si je ne me plains pas, c'est qu'il est défendu aux chevaliers errants de se plaindre, quand même ils auraient l'estomac ouvert. – Diable ! si c'est défendu de même aux écuyers, je ne sais trop comment je ferai, car je vous préviens qu'à la moindre égratignure, je crie comme si on m'écorchait. Mais vous ne pensez pas, monsieur, qu'il est temps de dîner ? » Don Quichotte lui répondit qu'il n'avait besoin de rien, et qu'il pouvait manger, s'il voulait. Avec cette permission, Sancho s'arrangea sur son âne, tira les provisions du bissac, et, trouvant dans ce moment que rien n'était si agréable que de chercher les aventures, sans songer aux promesses de son maître, il allait cheminant derrière lui, doublant les morceaux et haussant la gourde avec tant d'appétit, avec tant de plaisir, qu'il aurait donné de l'envie aux plus gourmets buveurs de malaga.

François de Malherbe

CAEN 1555 – PARIS 1628.

Fils aîné d'un conseiller au présidial de Caen Malherbe reçoit une excellente éducation. En 1576 il quitte sa famille et devient secrétaire d'Henri d'Angoulême. Il compose quelques poèmes amoureux et ***Les Larmes de saint Pierre*** *(1587). Il regagne Caen et écrit la* ***Consolation à Monsieur du Périer*** *(1598). Il compose ses premières grandes odes, célébrant la prise de Marseille par Guise, puis en 1600 l'****Ode de bienvenue à la reine Marie de Médicis.*** *En 1605 il devient le poète officiel du roi Henri IV, de la Cour et des Grands. Il compose des odes et des stances qui constitueront pour les générations suivantes un art poétique. La fin de sa vie est assombrie par la mort de son fils Marc-Antoine tué lors d'un duel. Malherbe supplie en vain le roi de venger son fils. Son amertume transparaît dans l'****Imitation du Psaume CXLV.*** *L'année suivante il meurt à 73 ans. C'est aujourd'hui le poète Francis Ponge qui nous persuade le mieux de la grandeur de François de Malherbe.*

POÉSIE

.DESSEIN DE QUITTER UNE DAME QUI NE LE CONTENTAIT QUE DE PROMESSE.

vers 1586

Une poésie amoureuse composée à la cour du duc d'Angoulême :

Beauté, mon beau souci, de qui l'âme incertaine
A, comme l'Océan, son flux et son reflux,
Pensez de vous résoudre à soulager ma peine,
Ou je me vais résoudre à ne le souffrir plus.

Vos yeux ont des appas que j'aime et que je prise,
Et qui peuvent beaucoup dessus ma liberté ;
Mais pour me retenir, s'ils font cas de ma prise,
Il leur faut de l'amour autant que de beauté.

Quand je pense être au point que cela s'accomplisse
Quelque excuse toujours en empêche l'effet ;
C'est la toile sans fin de la femme d'Ulysse,
Dont l'ouvrage du soir au matin se défait.

Madame, avisez-y, vous perdez votre gloire
De me l'avoir promis, et vous rire de moi ;
S'il ne vous en souvient, vous manquez de mémoire,
Et s'il vous en souvient, vous n'avez point de foi.

J'avais toujours fait compte, aimant chose si haute,
De ne m'en séparer qu'avecque le trépas ;
S'il arrive autrement, ce sera votre faute
De faire des serments et ne les tenir pas.

•LES LARMES DE SAINT PIERRE•

1587

Ce long poème de 66 sizains (dont nous donnons ici un extrait) imité de Tansillo raconte le trahison de saint Pierre. Le Christ va être crucifié, Pierre l'a renié trois fois avant que le coq chante. Pierre prend conscience de sa trahison, son chagrin éclate en des strophes pathétiques pendant que l'aube se lève :

En ces propos mourants ses complaintes se meurent,
Mais vivantes sans fin ses angoisses demeurent,
Pour le faire en langueur à jamais consumer ;
Tandis la nuit s'en va, ses chandelles s'éteignent,
Et déjà devant lui les campagnes se peignent
Du safran que le jour apporte de la mer.

L'Aurore d'une main en sortant de ses portes,
Tient un vase de fleurs languissantes et mortes ;
Elle verse de l'autre une cruche de pleurs,
Et d'un voile tissu de vapeur et d'orage
Couvrant ses cheveux d'or, découvre en son visage,
Tout ce qu'une âme sent de cruelles douleurs.

Le Soleil qui dédaigne une telle carrière,
Puisqu'il faut qu'il déloge, éloigne sa barrière ;
Mais comme un criminel qui chemine au trépas,
Montrant que dans le cœur ce voyage le fâche,
Il marche lentement, et désire qu'on sache
Que si ce n'était force il ne le ferait pas.

Ses yeux par un dépit en ce monde regardent,
Ses chevaux tantôt vont, et tantôt se retardent,
Eux-mêmes ignorants de la course qu'ils font ;
Sa lumière pâlit, sa couronne se cache ;
Aussi n'en veut-il pas, cependant qu'on attache,
A celui qui l'a fait, des épines au front.

Au point accoutumé les oiseaux qui sommeillent,
Apprêtés à chanter, dans les bois se réveillent ;
Mais voyant ce matin des autres différent,
Remplis d'étonnement ils ne daignent paraître,
Et font à qui les voit, ouvertement connaître
De leur peine secrète un regret apparent.

Le jour est déjà grand, et la honte plus claire
De l'Apôtre ennuyé l'avertit de se taire ;
Sa parole se lasse, et le quitte au besoin ;
Il voit de tous côtés qu'il n'est vu de personne ;
Toutefois le remords que son âme lui donne
Témoigne assez le mal qui n'a point de témoin.

•CONSOLATION A MONSIEUR DU PÉRIER SUR LA MORT DE SA FILLE•

composée en 1598, publiée en 1607

Ami de Malherbe, François du Périer a perdu sa fille Marguerite, âgée de cinq ans. Le poète, qui vient lui-même de perdre une fille, lui adresse une « consolation » :

Ta douleur, Du Périer, sera donc éternelle,
Et les tristes discours
Que te met en l'esprit l'amitié paternelle
L'augmenteront toujours ?

Le malheur de ta fille au tombeau descendue
Par un commun trépas,
Est-ce quelque dédale où ta raison perdue
Ne se retrouve pas ?

Je sais de quels appas son enfance était pleine ;
Et n'ai pas entrepris,
Injurieux ami, de soulager ta peine
Avecque son mépris.

Mais elle était du monde où les plus belles choses
Ont le pire destin ;
Et, rose, elle a vécu ce que vivent les roses,
L'espace d'un matin.

Puis, quand ainsi serait que, selon ta prière,
Elle aurait obtenu
D'avoir en cheveux blancs terminé sa carrière,
Qu'en fût-il advenu ?

Penses-tu que, plus vieille, en la maison céleste
Elle eût eu plus d'accueil ?
Ou qu'elle eût moins senti la poussière funeste
Et les vers du cercueil ?

Non, non, mon Du Périer : aussitôt que la Parque
Ote l'âme du corps,
L'âge s'évanouit au deçà de la barque
Et ne suit point les morts.

Tithon n'a plus les ans qui le firent cigale,
Et Pluton aujourd'hui,
Sans égard du passé, les mérites égale
D'Archémore et de lui.

Ne te lasse donc plus d'inutiles complaintes ;
Mais songe à l'avenir,
Aime une ombre comme ombre, et de cendres éteintes
Éteins le souvenir.

C'est bien, je le confesse, une juste coutume,
Que le cœur affligé,
Par le canal des yeux vidant son amertume,
Cherche d'être allégé.

Même quand il advient que la tombe sépare
Ce que nature a joint,
Celui qui ne s'émeut a l'âme d'un barbare,
Ou n'en a du tout point.

Mais d'être inconsolable, et dedans sa mémoire
Enfermer un ennui,
N'est-ce pas se haïr pour acquérir la gloire
De bien aimer autrui ?

Priam, qui vit ses fils abattus par Achille,
Dénué de support
Et hors de tout espoir du salut de sa ville,
Reçut du réconfort.

François, quand la Castille, inégale à ses armes,
Lui vola son Dauphin,
Sembla d'un si grand coup devoir jeter des larmes
Qui n'eussent point de fin.

Il les sécha pourtant, et comme un autre Alcide
Contre fortune instruit,
Fit qu'à ses ennemis d'un acte si perfide
' La honte fut le fruit.

Leur camp, qui la Durance avait presque tarie
De bataillons épais,
Entendant sa constance, eut peur de sa furie
Et demanda la paix.

De moi, déjà deux fois d'une pareille foudre
Je me suis vu perclus,
Et deux fois la raison m'a si bien fait résoudre
Qu'il ne m'en souvient plus.

Non qu'il ne me soit grief que la terre possède
Ce qui me fut si cher ;
Mais en un accident qui n'a point de remède,
Il n'en faut point chercher.

La mort a des rigueurs à nulle autre pareilles ;
On a beau la prier,
La cruelle qu'elle est se bouche les oreilles
Et nous laisse crier.

Le pauvre en sa cabane, où le chaume le couvre,
Est sujet à ses lois ;
Et la garde qui veille aux barrières du Louvre
N'en défend point nos rois.

De murmurer contre elle et perdre patience
Il est mal à propos ;
Vouloir ce que Dieu veut est la seule science
Qui nous mette en repos.

•IMITATION DU PSAUME CXLV.

1627

Le fils de Malherbe vient de mourir lors d'un duel. C'est en vain que le vieux poète supplie le roi de venger son fils. Son amertume transparaît dans l'imitation du psaume Lauda, anima mea, dominum :

N'espérons plus, mon âme, aux promesses du monde ;
Sa lumière est un verre, et sa faveur une onde,
Que toujours quelque vent empêche de calmer ;
Quittons ses vanités, lassons-nous de les suivre :
C'est Dieu qui nous fait vivre
C'est Dieu qu'il faut aimer.

En vain, pour satisfaire à nos lâches envies,
Nous passons près des Rois tout le temps de nos vies,
A souffrir des mépris et ployer les genoux ;
Ce qu'ils peuvent n'est rien : ils sont comme nous
sommes
Véritablement hommes,
Et meurent comme nous.

Ont-ils rendu l'esprit, ce n'est plus que poussière
Que cette majesté si pompeuse et si fière
Dont l'éclat orgueilleux étonne l'Univers,
Et dans ces grands tombeaux où leurs âmes hautaines
Font encore les vaines,
Ils sont mangés des vers.

Là se perdent ces noms de maîtres de la terre,
D'arbitres de la paix, de foudres de la guerre :
Comme ils n'ont plus de sceptre ils n'ont plus de
flatteurs,

Et tombent avecque eux d'une chute commune
Tous ceux que leur fortune
Faisait leurs serviteurs.

William Shakespeare

STRATFORD ON AVON 1564 – STRATFORD ON AVON 1616.

Les renseignements sur la vie de Shakespeare sont lacunaires et au fond de faible intérêt quant à la compréhension de son théâtre. On a longtemps douté d'ailleurs, et l'on doute encore, que l'acteur Shakespeare soit véritablement l'auteur de ces pièces immensément célèbres, et l'on a avancé le plus souvent le nom du philosophe Francis Bacon (1561-1626), ou celui du comte d'Oxford. A dix-huit ans Shakespeare se marie avec Anne Hathaway, dont il aura trois enfants. En 1592, il est à Londres. Il semble qu'il ait écrit alors les trois pièces sur ***Henri VI. Vénus et Adonis, Le Viol de Lucrèce,*** *deux poèmes de Shakespeare, sont dédiés au comte de Southampton, Henry Wriothesley, ainsi que les* ***Sonnets.*** *A partir de 1594, le dramaturge fait partie de la compagnie du lord chambellan, une troupe florissante.* ***La Mégère apprivoisée, La Comédie des méprises,*** *(1594) ;* ***Les Deux gentilshommes de Vérone, Roméo et Juliette,*** *(1595) ;* ***Le Songe d'une nuit d'été,*** *(1596). En 1597, Shakespeare acquiert une maison dans sa ville natale ;* ***Le Roi Jean, Le Marchand de Venise,*** *etc. Shakespeare est actionnaire du théâtre du Globe en 1599 ;* ***Beaucoup de Bruit pour rien, Jules César, Comme il vous plaira, La Nuit des rois, Le songe d'une nuit d'été,*** *(1600). En 1601, il écrit* ***Hamlet ; Othello*** *en 1604 ;* ***Le Roi Lear, Macbeth,*** *(1606) ;* ***Coriolan, Timon d'Athènes, Périclès,*** *(1608) ;* ***Cymbeline*** *(1610) ;* ***La Tempête,*** *(1611). C'est vers 1610 que Shakespeare se retire à Stratford on Avon.*

THÉÂTRE

•Le Songe d'une nuit d'été•

1596

Thésée, duc d'Athènes, va épouser Hippolyte la reine des Amazones. Les fêtes se préparent. Dans la forêt, Obéron le roi des elfes se querelle avec son épouse Titania qui ne veut pas lui céder son page. Obéron charge Puck le lutin de la colline de semer les sortilèges. Des artisans d'Athènes répètent dans les bois une pièce en l'honneur du mariage de Thésée, ***Pyrame et Thisbé.*** *Dans la forêt aussi a fui Hermia : elle doit épouser Démétrius, mais elle aime Lysandre. Hélène aussi est là, qui aime Démétrius. Par la magie d'un philtre, Puck fait que Titania soupire d'amour envers le tisserand Bottom, affublé d'une magnifique tête d'âne. Lysandre et Démétrius soudain aiment Hélène, et Hermia reste délaissée. Obéron enfin dissipe les enchantements. Lysandre épouse Hermia, Démétrius Hélène. La pièce s'achève par du théâtre dans le théâtre : les artisans joue* ***Pyrame et Thisbé.***

Entrent PYRAME, THISBÉ, LA MURAILLE, LE CLAIR DE LUNE ET LE LION.

LE PROLOGUE.

Messieurs, peut-être êtes-vous étonnés de ce spectacle ; mais étonnez-vous jusqu'à ce que la vérité vienne tout éclaircir. Ce personnage, c'est Pyrame, si vous voulez le savoir. Cette belle dame, c'est Thisbé, pour le certain. Cet homme, enduit de chaux et de crépi, représente cette odieuse Muraille qui sépare ces deux amants ; et les pauvres enfants, il faut qu'ils se contentent de se murmurer quelques mots de tendresse au travers d'une lézarde ; et il ne faut pas que personne s'en étonne. Cet autre, avec sa lanterne, un chien et un buisson d'épines, représente le Clair de Lune ; car, si vous voulez le savoir, ces deux amants ne se firent pas scrupule de se donner rendez-vous au clair de lune, à la tombe de Ninus, pour s'y faire la cour. Cette terrible bête, qui, de son nom, s'appelle un Lion, fit reculer de son cri, ou plutôt épouvanta la fidèle Thisbé, venant dans l'ombre de la nuit ; et, en fuyant, elle laissa tomber son voile, que l'infâme Lion teignit de sa gueule ensanglantée. Aussitôt arrive Pyrame, ce beau et grand jeune homme, et il trouve le manteau sanglant de sa fidèle Thisbé. A cette vue, avec son cimeterre, son coupable et sanguinaire cimeterre, il se perce bravement son brave sein, d'où le sang sort en bouillonnant ; et Thisbé, qui s'était arrêtée sous l'ombrage d'un mûrier, retira son poignard, et mourut. Quant au reste des personnages, vous, le Lion, le Clair de la Lune, la Muraille et les deux amants, discourez en long et en large en lignes rimées, tant que vous serez ici en scène.

(Tous s'en vont, excepté la Muraille.)

THÉSÉE.

Je serai fort surpris si le Lion doit parler.

DÉMÉTRIUS.

Il n'y a rien d'étonnant à cela, mon prince : un lion peut parler, si tant d'ânes le peuvent.

LA MURAILLE.

Dans le même intermède il se trouve que moi, qui de mon nom m'appelle *Snout,* je représente une muraille, et une muraille que je voudrais que vous voulussiez bien croire, qui a un trou ou une crevasse ouverte, par laquelle les deux amants Pyrame et Thisbé, se murmuraient souvent en secret leurs mutuelles confidences. Cette chaux, ce crépi et cette pierre vous montrent que je suis précisément cette muraille : voilà la vérité. Et voici, sur la gauche, l'ouverture, la lézarde par laquelle ces timides amants doivent se parler tout bas.

THÉSÉE.

Voilà Pyrame qui s'approche de la Muraille : silence !

PYRAME.

O affreuse nuit ! ô nuit de couleur noire ! ô nuit qui es toujours quand le jour n'est plus ! ô nuit ! ô nuit ! hélas ! hélas ! hélas ! je crains que ma Thisbé n'ait oublié sa promesse ! – Et toi, ô Muraille ! ô douce et aimable Muraille ! qui es élevée entre le terrain de son père et le mien ; toi, Muraille, ô Muraille ! ô aimable et douce Muraille ! montre-moi ta lézarde, que je puisse entrevoir au travers avec mon œil ! je te rends grâce, officieuse Muraille ! que Jupiter te soutienne et te protège pour ce rare service. *(Il regarde par la fente.)* Mais que vois-je ? je ne vois point de Thisbé. O maudite Muraille ! au travers de laquelle je ne vois point mon bonheur : maudites soient tes pierres pour me tromper ainsi !

THÉSÉE.

La Muraille étant sensible, devrait, ce me semble, le maudire à son tour.

PYRAME.

Non, monsieur ; en vérité, elle ne le doit pas. – *Me tromper ainsi* est la réplique du rôle de Thisbé ; c'est à elle à paraître maintenant, et je vais la chercher des yeux à travers la Muraille. Vous verrez que tout cela va arriver juste, comme je vous l'ai dit. Tenez, la voilà qui vient.

THISBÉ.

O Muraille ! tu as souvent entendu mes plaintes de ce que tu séparais mon cher Pyrame et moi : mes lèvres vermeilles ont souvent baisé tes pierres, tes pierres cimentées en toi avec de la chaux et de la bourre.

PYRAME.

Je vois une voix ; je veux m'approcher du trou pour voir si je peux entendre le visage de ma Thisbé. – Thisbé !

THISBÉ.

Mon amant ! tu es mon amant, je crois ?

PYRAME.

Crois ce que tu voudras ; je suis ton amant, et je suis toujours fidèle, comme *Limandre*.

THISBÉ.

Et moi, comme Hélène, jusqu'à ce que les destins me tuent.

PYRAME.

Jamais Saphale ne fut si fidèle à Procrus.

THISBÉ.

Comme Saphale fut fidèle à Procrus, je le suis pour toi.

PYRAME.

Oh ! donne-moi un baiser par le trou de cette odieuse Muraille.

THISBÉ.

Je baise le trou de la Muraille, et point tes lèvres.

PYRAME.

Veux-tu venir tout à l'heure me rejoindre à la tombe de Ninus ?

THISBÉ.

A la vie ou à la mort ; j'y vais sans délai.

LA MURAILLE.

Moi, Muraille, me voilà à la fin de mon rôle ; et mon rôle étant fini, c'est ainsi que la Muraille s'en va.

(La Muraille, Pyrame et Thisbé sortent.)

THÉSÉE.

Maintenant la voilà donc à bas, la Muraille qui séparait les deux voisins.

DÉMÉTRIUS.

Il n'y a pas de remède, mon prince, quand les murailles sont si prêtes à saisir le mot de l'ordre sans qu'on les en avertisse auparavant.

HIPPOLYTE.

Voilà la plus impertinente sottise que j'aie jamais entendue.

THÉSÉE.

La meilleure de ces représentations n'est qu'une illusion, et le pire ne sera pas le pire, si l'imagination veut se prêter et l'embellir.

HIPPOLYTE.

Il faut que ce soit votre imagination qui s'en charge et non pas la leur.

THÉSÉE.

Si notre imagination ne pense pas plus mal d'eux qu'ils n'en pensent eux-mêmes, ils peuvent passer pour d'excellents acteurs. – Voici deux immenses bêtes qui s'avancent, une Lune et un Lion.

LE LION.

Belles dames, vous dont le cœur timide frémit à la vue de la plus petite souris qui vous surprend et se glisse dans vos lambris, vous pourriez bien ici frissonner et trembler d'effroi lorsqu'un lion féroce vient à rugir dans sa rage. Sachez donc que moi, Snug le menuisier, je ne suis ni un lion féroce, ni la femelle d'un lion ; car si j'étais venu comme un lion irrité dans ce lieu, et avec de mauvais desseins, ce serait exposer ma vie.

THÉSÉE.

Une fort bonne bête, et d'une honnête conscience !

DÉMÉTRIUS.

La meilleure bête, pour une bête, que j'aie jamais vue, mon prince.

LYSANDRE.

Ce Lion est un vrai renard par la valeur.

THÉSÉE.

Cela est vrai ; et un véritable oison par la prudence.

DÉMÉTRIUS.

Non pas, mon prince ; car sa valeur ne peut emmener sa prudence, et le renard emmène l'oison.

THÉSÉE.

Sa prudence, j'en suis sûr, ne peut emmener sa valeur, car l'oison n'emmène pas le renard, c'est à merveille : laissez-le à sa prudence, et écoutons la Lune.

LE CLAIR DE LUNE.

Cette lanterne vous représente la Lune et ses cornes.

DÉMÉTRIUS.

Il aurait dû porter les cornes sur sa tête.

THÉSÉE.

Ce n'est pas un croissant, et ses cornes sont invisibles et fondues dans la circonférence.

LE CLAIR DE LUNE.

Cette lanterne représente la Lune et ses cornes ; et moi j'ai l'air d'être l'homme dans la Lune.

THÉSÉE.

Cette erreur est la plus grande de toutes ; l'homme devrait être mis dans la lanterne : autrement, comment serait-il l'homme dans la Lune ?

DÉMÉTRIUS.

Il n'ose pas se fourrer là à cause de la chandelle, car vous voyez qu'il est déjà en mèche usée.

HIPPOLYTE.

Je suis lasse de la Lune : je voudrais que la scène changeât.

THÉSÉE.

Il paraît à sa petite lueur de prudence qu'il est dans le décours. Mais cependant, par politesse, et par toutes sortes de raisons, il faut attendre le temps.

LYSANDRE.

Poursuis, Lune.

LE CLAIR DE LUNE.

Tout ce qui me reste à vous dire, c'est de vous déclarer que la lanterne est la Lune ; moi, l'homme dans la Lune ; ce buisson d'épines, mon buisson d'épines ; et ce chien, mon chien.

DÉMÉTRIUS.

Eh ! mais tout cela devrait être dans la lanterne ; car ils sont dans la Lune. Mais silence ! voici Thisbé.

THISBÉ.

Voici la tombe de Ninny. Où est mon amant ?

LE LION.

Ho ! *(Le Lion rugit, Thisbé s'enfuit).*

DÉMÉTRIUS.

Bien rugi, Lion.

THÉSÉE.

Bien couru, Thisbé.

HIPPOLYTE.

Bien lui, Lune. Vraiment, la Lune luit avec fort bonne grâce.

THÉSÉE.

Bien crié en souris, Lion.

DÉMÉTRIUS.

Et voilà Pyrame qui est venu.

LYSANDRE.

Et le Lion qui a disparu.

PYRAME.

Douce Lune, je te remercie de tes rayons solaires ; je te rends grâce, Lune, de ta clarté si brillante ; car à la lumière de tes rayons gracieux, dorés et brillants, je me promets de goûter de la vue de la très fidèle Thisbé. – Mais, arrêtons : ô horreur ! – Mais, voyons : pauvre chevalier, – Quel affreux objet s'offre ici ! – Mes yeux, voyez-vous ? – Comment cela peut-il être ? – O mon petit cœur ! ô ma chère ! – Quoi ! ton charmant voile – Tout teint de sang ! – Approchez, cruelles furies ; – O destin, venez, venez, – Coupez fil et trame ; – Ecrasez, détruisez, égorgez, et finissez tout !

THÉSÉE.

Cet accès de passion et la mort d'un tendre amant seraient capables de rendre un homme triste.

HIPPOLYTE.

J'en veux à mon cœur ; mais j'ai pitié de lui.

PYRAME.

O nature ! pourquoi formas-tu des lions ? Puisque cet infâme Lion a dévoré ici ma chère maîtresse, qui est, non, non, mais qui était la plus belle personne qui ait vécu, qui ait aimé, qui ait carressé, qui ait regardé de ses beaux yeux l'éclat du jour, – Venez, mes larmes, confondez mes sens. – A moi, mon épée, et blesse – Le sein de Pyrame ; – Oui, le sein gauche. – Où palpite le cœur !

(Il se perce.)

Ainsi, je meurs, je meurs, je meurs ! – Maintenant je suis mort, – Maintenant, je suis parti de ce monde ; – Mon âme est dans les cieux. – Langue, perds ta lumière ; – Lune, fuis de ces lieux ; – Et maintenant, meurs, meurs, meurs ! – Bonsoir, bonsoir !

(Il meurt. Le Clair de Lune sort.)

DÉMÉTRIUS.

Plus de dés, mais un as pour lui ; car il n'est qu'un.

LYSANDRE.

Il est moins qu'un as, ami, car il est mort ; il n'est rien.

THÉSÉE.

Avec le secours d'un chirurgien, il pourrait en revenir encore et se trouver un âne.

HIPPOLYTE.

Par quel hasard le Clair de Lune s'en est-il allé avant que Thisbé arrive et trouve son amant ?

THÉSÉE.

Elle le trouvera à la clarté des étoiles. – La voici qui s'avance, et sa douleur va finir la pièce.

(Thisbé paraît.)

HIPPOLYTE.

Il me semble qu'elle ne doit pas être fort longue pour un pareil Pyrame ; j'espère qu'elle sera courte.

DÉMÉTRIUS.

Un atome ferait pencher la balance entre l'amant et la maîtresse, lequel de Pyrame ou de Thisbé vaut le mieux ?

LYSANDRE.

Elle l'a déjà cherché de ses beaux yeux.

DÉMÉTRIUS.

Et la voilà qui va gémir : vous allez entendre.

THISBÉ.

Dors-tu, mon amant ? – Quoi ! serais-tu mort, cher cœur ? – O Pyrame ! lève-toi ! – Parle, parle-moi : tout à fait muet ? – Quoi ! mort ! Une tombe – Doit donc couvrir tes tendres yeux. – Ces sourcils de lis, – Ce nez vermeil, – Ces joues jaunes comme la primevère, – Sont évanouis, sont évanouis. – Amants, gémissez ; – Ses yeux sont verts comme poireau. – O vous, fatales sœurs ! – Venez, venez sur moi. – Avec vos mains pâles comme le lait, – Teignez-les dans le sang, – Puisque vous avez coupé – De vos ciseaux son fil de soie. – Langue, n'ajoute pas un mot ; – Viens, fidèle épée, – Viens, fer tranchant, plonge-toi dans mon sein ! – Et adieu, mes amis. – Ainsi finit Thisbé. – Adieu, adieu, adieu !

(Elle meurt.)

THÉSÉE.

Le clair de Lune et le Lion sont restés pour enterrer les morts.

DÉMÉTRIUS.

Oui, et la Muraille aussi.

BOTTOM.

Non, je puis vous l'assurer. La Muraille, qui séparait leurs pères, est à bas. – Vous plaît-il de voir l'épilogue, ou d'entendre une danse bergamasque, entre deux acteurs de notre troupe ?

THÉSÉE.

Point d'épilogue, je vous prie, car votre pièce n'a pas besoin d'apologie : non, jamais d'excuse ; car, quand tous les acteurs sont morts, il n'est pas besoin de blâmer la mémoire d'aucun. Vraiment, si celui qui a composé cette pièce avait joué le rôle de Pyrame, et qu'il se fût pendu avec la jarretière de Thisbé, cela aurait fait une bien belle tragédie ; et elle est fort belle, en vérité, et jouée avec distinction. Mais voyons votre bergamasque : laissez là votre épilogue.

(Une danse de paysans bouffons.)

ACTE V. SC. I

.*Hamlet*.

1601

Le roi du Danemark, père de Hamlet, est mort assassiné par son frère Claudius avec la complicité de la reine Gertrude que Claudius épouse sans attendre que soit passé le temps du deuil. Sur les remparts du château d'Elseneur, le spectre du roi révèle le crime à Hamlet et lui demande vengeance. Profitant du passage d'une troupe de comédiens (de nouveau le théâtre dans le théâtre), Hamlet fera jouer une pièce dans laquelle il intercale quelques vers afin de « surprendre la conscience » du roi Claudius. Devant Hamlet un comédien vient de réciter une tirade tragique sur la mort de Priam et la douleur de son épouse Hécube. Sortent les espions de Claudius, Rosencrantz et Guildenstern.

HAMLET *au chef des comédiens.*

Écoute, mon vieil ami, pourrais-tu nous jouer le meurtre tragique de Gonzague ?

LE COMÉDIEN.

Oui, seigneur.

HAMLET.

Eh bien, donnez-nous-le demain au soir. Vous pourriez aussi apprendre par cœur douze ou seize vers que j'insérerai dans la pièce ? Ne le pourriez-vous pas ?

LE COMÉDIEN.

Oui, seigneur.

HAMLET.

Bon. Suivez ce seigneur, et n'allez pas le jouer en chemin. *(A Rosencrantz et Guildenstern.)* Mes bons amis, je vous quitte ; à ce soir, vous êtes les bienvenus à Elseneur.

ROSENGRANTZ.

Seigneur...

(Ils sortent.)

HAMLET.

Dieu vous accompagne ! – Enfin me voilà seul ! – Oh ! quel homme indigne et insensible je suis ! N'est-il pas monstrueux que, pour un malheur factice dans un vain songe de chimériques passions, cet histrion exalte et monte son âme au ton de son imagination et en peigne tous les mouvements de son visage enflammé ? Des yeux baignés de larmes, le désordre de la douleur dans tous ses traits, une voix entrecoupée de sanglots, un geste pathétique et conforme à l'état où il feint d'être : et tout cela pour rien ! – Pour Hécube ! Qu'est-il Hécube ? Qu'est Hécube à lui, pour qu'il lui donne ainsi ses larmes ? que ferait-il donc s'il était à ma place ? S'il avait à remplir comme moi le rôle d'une douleur véritable, il inonderait le théâtre de ses pleurs ; il épouvanterait l'oreille des spectateurs de ses cris et de ses gémissements. Il porterait le trouble dans le cœur du coupable, et ferait pâlir jusqu'à l'innocent. Il confondrait d'étonnement l'âme la plus stupide, et présenterait aux yeux et à l'oreille un étonnant objet de terreur et de pitié. Et moi, épaisse et lourde masse, triste et stupide rêveur, je reste muet, sans sentiment de la cause que j'ai à venger, et ne dis pas un mot pour un roi qui a perdu sa couronne et la vie par le plus noir des attentats ! Suis-je donc un lâche ? – Qui ose m'appeler traître ? Qui ose me donner un démenti ? Qui ose m'insulter et me faire en face un outrage ? et cependant je le souffrirais. Car il est impossible que je n'aie par un cœur pusillanime, que mon sang ne soit pas glacé dans mes veines, pour engourdir ainsi en moi le sentiment de la vengeance ; sans quoi j'aurais déjà livré aux vautours le corps de ce scélérat. – O perfide assassin ! âme sans remords, traître infâme ! – Quel homme stupide je suis ! – Oui, il est bien généreux à moi, au fils d'un tendre père assassiné, tandis que le ciel et l'enfer m'excitent à la vengeance, de me contenter, comme une vile femmelette, d'exhaler mon cœur en grossières injures et en folles imprécations ! Fi donc ! A votre tâche, ma pensée ! – *(Il rêve.)* J'ai ouï dire que des coupables, assis au théâtre, ont été tellement émus par l'art de la scène, et frappés au cœur, qu'ils ont eux-mêmes, à l'instant, proclamé l'aveu de leurs crimes. Car le crime, quoique sans langue, se trahira par un miracle et parlera. Je veux que ces acteurs représentent quelque drame qui soit l'histoire de la mort de mon père, devant mon oncle. J'observerai ses regards, je sonderai au vif la plaie de son cœur. Si je le vois tressaillir, je sais mon devoir. – Le fantôme que j'ai vu pourrait être un esprit infernal, et le démon peut revêtir la forme d'un objet qui nous est cher. Que sais-je ? Peut-être abuse-t-il de ma faiblesse et de ma mélancolie pour me conduire au forfait par le pouvoir qu'il exerce sur les imaginations de cette trempe. Il me faut des motifs plus directs ; un drame est le piège où je surprendrai la conscience d'un roi.

(Il sort.)

ACTE II, SC. II

Hamlet aime Ophélie, fille de Polonius. Or Polonius est acquis au roi Claudius. Hamlet ayant à châtier sa mère, ne saurait indécemment songer à aimer. Il renvoie Ophélie brutalement, souhaitant peut-être qu'elle soit assez légère pour l'oublier. Mais Ophélie sera trouvée noyée.

"Être ou ne pas être, telle est la question"

HAMLET *s'avance sans apercevoir Ophélie.*

Être ou ne pas être, telle est la question. S'il est plus noble à l'âme de souffrir les traits poignants de l'injuste fortune, ou, se révoltant contre cette multitude de maux, de s'opposer au torrent, et les finir ? – Mourir, – dormir, – rien de plus, et par ce sommeil, dire : Nous mettons un terme aux angoisses du cœur, et à cette foule de plaies et de douleurs, l'héritage naturel de cette masse de chair... Ce point, où tout est consommé, devrait être désiré avec ferveur. – Mourir, – dormir. – Dormir ? Rêver peut-être ; oui, voilà le grand obstacle. – Car de savoir quels songes peuvent survenir dans ce sommeil de la mort, après que nous nous sommes dépouillés de cette enveloppe mortelle, c'est de quoi nous forcer à réfléchir. Voilà l'idée qui donne une si longue vie à la calamité. Car quel homme voudrait supporter les traits et les injures du temps, les injustices de l'oppresseur, les outrages de l'orgueilleux, les tortures de l'amour méprisé, les longs délais de la loi, l'insolence des grands en place, et les avilissants rebuts que le mérite patient essuie de l'homme sans âme, lorsque, avec un poignard, il pourrait lui-même se procurer le repos ? Qui voudrait porter tous ces fardeaux, et suer et gémir sous le poids d'une laborieuse vie, s'il n'était retenu par la crainte de quelque avenir après la mort... Cette contrée ignorée dont nul voyageur ne revient, plonge la volonté dans une affreuse perplexité, et nous fait préférer de supporter les maux que nous sentons, plutôt que de fuir vers d'autres maux que nous ne connaissons pas ! Ainsi la conscience fait de nous tous des poltrons ; ainsi tout le feu de la résolution la plus déterminée se décolore et s'éteint devant la pâle lueur de cette pensée. Les projets enfantés avec le plus d'énergie et d'audace, détournent à cet aspect leurs cours, et retournent dans le néant de l'imagination. – Cessons. *(Apercevant Ophélie.)* La belle Ophélie ! – *(Il s'approche d'elle.)* O jeune vierge, que mes fautes ne soient pas oubliées dans vos pieuses oraisons !

OPHÉLIE.

Mon digne prince, comment vous êtes-vous porté tous ces jours passés ?

HAMLET.

Je vous rends humblement grâce : bien.

OPHÉLIE.

Seigneur, j'ai à vous certains présents que j'aspire depuis longtemps à vous rendre. Je vous prie, recevez-les en ce moment.

HAMLET, *avec dépit.*

Moi, jamais je ne vous ai rien donné !

OPHÉLIE.

Mon très honorable seigneur, je sais bien, moi, que vous m'avez fait des dons ; et ils furent assaisonnés de paroles si douces et si gracieuses, qu'elles en relevaient encore le prix. Aujourd'hui qu'ils ont perdu ce doux parfum, reprenez-les ; car pour une âme noble, les plus riches dons s'appauvrissent et perdent tout leur prix, dès que le cœur qui les a donnés devient indifférent.

HAMLET.

Ha, ha ! êtes-vous vertueuse ?

OPHÉLIE.

Seigneur...

HAMLET.

Êtes-vous belle ?

OPHÉLIE.

Que veut dire Votre Altesse ?

HAMLET.

Que si vous êtes honnête et belle, votre vertu ne devrait permettre aucun entretien avec votre beauté.

OPHÉLIE.

Avec qui la beauté, seigneur, peut-elle mieux converser qu'avec la vertu ?

HAMLET.

Oui, sans doute ; car la beauté a bien plus de pouvoir pour transformer la vertu en vice, que la vertu n'a de force pour transformer la beauté en son semblable. C'était là un paradoxe jadis ; mais aujourd'hui ce siècle nous en donne la preuve. Je vous aimais autrefois.

OPHÉLIE.

Il est vrai, seigneur, vous me l'aviez fait croire.

HAMLET.

Vous ne deviez pas me croire ; car la vertu a beau se greffer sur nos penchants originels et corrompus, nous en conservons toujours quelque goût. Je ne vous ai jamais aimée.

OPHÉLIE.

Je n'en ai été que plus déçue.

HAMLET.

Retirez-vous dans un couvent ! Pourquoi voudriez-vous être mère de nouveaux pécheurs ? Je suis moi-même passablement honnête, et cependant je pourrais m'accuser de fautes assez graves pour souhaiter que ma mère ne m'eût jamais donné le jour. Je suis très orgueilleux, vindicatif, ambitieux, avec plus de tentations dans ma tête que je n'y peux loger de pensées pour les exprimer, d'imagination pour leur donner une forme, ou que je n'ai de temps pour les mettre à exécution. Qu'ont besoin des malheureux de mon espèce d'être ici à ramper entre le ciel et la terre ? Nous sommes tous des misérables. Ne croyez aucun de nous. Allez, retirez-vous dans un couvent ! – *(Avec un sourire ironique).* Où est votre père ? *(Il soupçonne que Polonius l'écoute).*

"Retirez-vous dans un couvent ! Pourquoi voudriez-vous être mère de nouveaux pécheurs ?"

OPHÉLIE.

Au logis, seigneur.

HAMLET.

Qu'on ferme les portes sur lui, afin qu'il ne joue pas le rôle de fou ailleurs que dans l'intérieur de sa maison. Adieu.

OPHÉLIE.

Oh ! secourez-le, ciel bienfaisant !

HAMLET.

Si vous vous mariez, je vous donnerai cette malédiction pour votre dot : fussiez-vous froide comme la glace, pure comme la neige, n'importe, vous n'échapperez pas à la calomnie. – Entrez dans un couvent ; allez ; adieu ; – ou, s'il faut nécessairement que vous vous mariiez, mariez-vous à un fou ; car les hommes sages savent très bien quelle destinée vous leur faites éprouver. – Au couvent, allez ! – et promptement. Adieu !

OPHÉLIE.

Puissances célestes, rendez-lui la raison !

HAMLET.

J'ai aussi entendu dire que vous vous fardez assez honnêtement. Dieu vous a donné un visage, et vous vous en faites un autre ! Vous dansez, vous vous pavanez, vous grasseyez, vous donnez dans des travers que vous colorez du prétexte de simplicité. – Allez ; je ne veux plus m'arrêter à cette idée ; elle m'a rendu insensé. Je vous dis que nous n'aurons plus de mariages. Ceux qui sont déjà mariés, tous, excepté un, vivront ; mais les autres resteront comme ils sont. Au couvent ; allez !

(Hamlet sort.)

OPHÉLIE, *avec douleur.*

Oh ! quelle âme noble misérablement anéantie ! Il était l'œil des savants, la langue des courtisans, l'épée des guerriers, l'espérance et la première fleur de ce bel empire, le miroir des modes élégantes et le modèle des usages, l'exemple sans cesse étudié de

tous ceux qui se piquent de savoir ; oh ! tout à fait, tout à fait anéantie ! – Je suis de toutes les filles et la plus malheureuse et la plus désespérée, moi qui ai savouré la douceur et le charme de ses tendres vœux ; maintenant je vois cette noble et suprême raison troublée, son harmonie dérangée comme celle d'un instrument mélodieux, dont les sons discords blessent l'oreille, cette forme incomparable, ces beaux traits dans la fleur de la jeunesse, flétris et défigurés par la démence ! Oh ! malheur à moi ! d'avoir su ce que j'ai su, et de voir ce que je vois !
(Elle sort.) ACTE III, SC. I

Devant la reine et le roi, l'on vient de jouer la pièce commandée par Hamlet où figure l'épisode qu'il a rajouté : l'empoisonnement d'un roi. La reine et le roi n'ont pu supporter cette scène, ils ont quitté la salle. Hamlet tient une occasion de tuer Claudius, mais de le voir en prière arrête son bras.

LE ROI, POLONIUS entre.

POLONIUS.

Seigneur, le voici qui se rend à l'appartement de la reine ; je vais me cacher derrière la tapisserie pour entendre leur entretien. Je suis sûr qu'elle va lui faire des reproches, et, comme je l'ai dit, et très sagement dit, il est bon que, d'un poste avantageux et secret, un autre témoin qu'une mère (la nature les rend toutes partiales) entende cette conférence. Adieu, seigneur ; je viendrai vous trouver avant que vous vous mettiez au lit, et je vous instruirai de ce que j'aurai appris.

LE ROI.

Je vous rends grâce, mon cher Polonius.
(Polonius sort.)

LE ROI, *seul.*

Oh ! mon offense est affreuse ; elle crie vengeance au ciel, elle porte avec elle la plus grande de toutes les malédictions. Le meurtre d'un frère ! – *(Il étend les bras vers le ciel.)* Prier ! hélas ! je ne le puis ; malgré l'effort de ma volonté, mon crime le détruit. Comme un homme pressé entre deux tâches qui l'appellent, j'hésite, je considère par où je dois commencer, et je n'en exécute aucune. Quoi donc ? Quand cette main maudite serait encore plus souillée qu'elle ne l'est du sang de mon frère, le ciel bienfaisant n'a-t-il point assez de pluies salutaires pour la rendre aussi blanche que la neige ? A quoi sert la miséricorde, si elle ne sert à faire grâce à l'offense ? et quelle est la vertu de la prière, si elle n'a pas la double force de prévenir nos chutes, ou de nous en relever pardonnés ? Élevons donc les yeux vers le ciel, et ma faute est effacée. – Mais, hélas ! à quelle forme de prière aurai-je recours ? *(Il s'adresse au ciel.)* Pardonne-moi mon meutre horrible. – Hélas ! le puis-je, en obtenir le pardon, quand je suis encore en possession des objets pour lesquels j'ai commis ce meutre, ma couronne, mon épouse et mon ambition ? Peut-on recevoir le pardon et retenir le crime ? Dans ce monde corrompu, la main dorée du coupable peut repousser la justice, et l'on voit souvent son or pervers acheter et corrompre la loi : mais là-haut, il n'en est pas ainsi ; là il n'y a point de subterfuge. C'est là que l'action paraît ce qu'elle est, et que nous sommes contraints de produire nous-mêmes au jour nos fautes, et de les montrer tout entières, nues et sans voiles. – Que me reste-il donc ? essayons ce que peut le repentir. Que ne peut-il pas ? – Mais que peut-il pour un homme qui ne peut se repentir ? O état déplorable ? O conscience noire comme la mort ! O âme entraînée dans le crime ; plus elle se débat pour se dégager de sa chaîne, plus elle s'en environne ! Anges, secourez-moi ; faites sur moi un essai de votre puissance ! – Fléchissez, genoux rebelles ; et toi, mon cœur, que tes fibres de fer deviennent molles et tendres comme les nerfs d'un enfant nouveau-né ! Tout peut se réparer encore... *(Il se met à genoux, et y demeure.)*

LE ROI, HAMLET entre par derrière,
et s'avance sans bruit, armé.

HAMLET.

Voici l'instant propice ; il prie... – Je vais l'exécuter. *(Il s'arrête.)* – Oui, mais ainsi il va au ciel ; est-ce là me venger ? Ce point mérite réflexion. Un scélérat assassine mon père ; et, pour récompense, moi, son fils unique, j'envoie le meurtrier au ciel ! C'est une faveur, et non pas une vengeance. Le traître a surpris mon père sortant des plaisirs de la table, et couvert de ses péchés, comme le mois de mai l'est de fleurs. – Et le compte que mon père avait à rendre... qui le sait que le ciel ? Mais autant que nos conjectures peuvent s'étendre, un rigoureux jugement pèse sur son âme. Est-ce donc me venger que de donner la mort à son assassin au moment où il purifie son âme, et où il est préparé pour ce passage de l'autre vie ? – *(Relevant son épée.)* Reviens vers moi, mon épée, et attends un moment plus horrible ; attends qu'il soit plongé dans le vin ou le sommeil, livré à la colère, jouant, ou faisant quelque autre action ennemie du salut ; frappe alors ; que, repoussé des portes du ciel, il tombe la tête la première dans l'abîme, et que son âme condamnée soit noire comme l'enfer, qui sera sa demeure. – Ma mère m'attend. Va, ce répit que je te donne ne fait que prolonger tes malheureux jours.

LE ROI, *se relevant avec désespoir, retombant attaché à la terre.*

Mes paroles vont en haut, mes pensées restent en terre ; jamais les paroles, sans le cœur et la pensée, ne parviennent au ciel.

(Il sort.)

ACTE III, SC. III

Dans la chambre de la reine, Hamlet faisant de vives remontrances à sa mère a tué Polonius caché derrière une tenture. Meurtre « déplacé » de la mère. Voilà qui sépare Hamlet à jamais d'Ophélie. Le roi envoie Hamlet en Angleterre et combine sa mort. Hamlet déjoue le piège. Les espions du roi, Rosencrantz et Guildenstern sont tués à sa place. Hamlet rentre au Danemark, le voici au cimetière avec son compagnon Horatio, c'est le jour de l'enterrement d'Ophélie, mais Hamlet l'ignore.

HAMLET.

Ce malheureux n'a-t-il donc aucun sentiment de ce qu'il fait, qu'il chante en creusant un tombeau ?

HORATIO.

L'habitude l'a familiarisé avec sa profession, et l'y rend indifférent.

HAMLET.

Il est vrai. La main qui travaille peu a le tact plus fin.

LE FOSSOYEUR, *chante.*

Mais la vieillesse, venant à pas de voleur, – M'a empoigné dans ses serres ; – Et elle m'a transporté dans l'autre monde, – Où je ne me reconnais pas moi-même.

HAMLET.

Ce crâne avait une langue autrefois qui pouvait chanter. Comme ce maraud le froisse contre la terre ! Il ne ferait pas pis au crâne de Caïn, qui commit le premier meurtre ! Ce pourrait être la tête d'un ministre que ce brutal traite avec tant d'insolence ; d'un homme peut-être qui, dans son orgueil, se croyait capable de tromper Dieu même : n'est-ce pas une chose possible ?

HORATIO.

Très possible, seigneur.

HAMLET.

Ou d'un courtisan, qui savait tous les matins dire : « Bonjour, mon aimable seigneur ; comment se porte mon seigneur ? » Ce peut être le crâne de milord un tel qui vantait le cheval de monseigneur un tel lorsqu'il voulait le lui emprunter, n'est-ce pas ?

HORATIO.

Oui, seigneur.

HAMLET.

Oh ! oui, certainement ; et aujourd'hui, il appartient à monseigneur le ver, décharné, mutilé et souffleté brutalement par la bêche d'un fossoyeur ! Il se fait ici d'étranges révolutions ; si nous avions d'assez bons yeux pour les voir ! Ces ossements ont-ils donc si peu coûté à former, qu'ils soient faits pour servir aux jeux cruels de ces misérables ? – Les miens frémissent en y songeant.

LE FOSSOYEUR *chante.*

Une pioche et une bêche, une bêche ; – Un drap mortuaire étendu, – Et un trou dans l'argile, pour une fosse, – C'en est assez pour un tel hôte.

(Le fossoyeur roule un autre crâne aux pieds d'Hamlet.)

HAMLET.

En voilà encore un autre ! Ne serait-ce pas le crâne d'un avocat ? Où sont maintenant ses équivoques, ses subtilités, ses rôles, ses tours de chicane ? Pourquoi souffre-t-il que ce brutal lui cogne si rudement la tête de sa pelle fangeuse ; que ne lui intente-t-il une action pour cause de voies de fait ? Hélas ! c'était peut-être de son vivant un grand acquéreur de terres, avec ses arrêtés, ses obligations, ses transactions, ses cautionnements solidaires, ses recouvrements. Voilà donc où aboutissent toutes ses requêtes, tous ses recouvrements, à recueillir de la poussière du tombeau plein le crâne de sa tête ! Ses cautions et doubles cautions ne lui garantiront-elles de tous ses marchés qu'un espace de la longueur et de la largeur de deux contrats ? Les titres de toutes ses acquisitions auraient de la peine à tenir dans son cercueil, et son héritier n'en conservera pas lui-même davantage.

HORATIO.

Pas un pouce de plus, seigneur.

HAMLET.

Le parchemin n'est-il pas fait de peau de mouton ?

HORATIO.

Oui, seigneur, et de veau aussi.

HAMLET.

Eh bien ! plus stupides que ces animaux sont ceux qui fondent leur existence et leur bonheur sur un amas de ces parchemins. – Je veux parler à cet homme. – A qui est cette fosse, l'ami ?

“Hélas ! pauvre Yorik. Je l'ai connu, Horatio.”

LE FOSSOYEUR.

A moi. *(Il reprend le refrain de sa chanson.)* – Et un trou dans l'argile, pour une fosse, – C'en est assez pour un tel hôte.

HAMLET.

Tu mens : la fosse est pour les morts, et non pour les vivants.

LE FOSSOYEUR.

Voilà un démenti donné bien légèrement : je saurai vous le rendre.

HAMLET.

Pour quel homme creuses-tu cette fosse ?

LE FOSSOYEUR.

Ce n'est pas pour un homme.

HAMLET.

Pour quelle femme donc ?

LE FOSSOYEUR.

Ni pour une femme non plus.

HAMLET.

Qui doit donc être enseveli dans cette fosse ?

LE FOSSOYEUR.

Un corps qui fut une femme ; mais, que son âme repose en paix ! elle est morte.

HAMLET.

Comme ce drôle est résolu ! Parlons-lui net, ou nous serons toujours le jouet de ses équivoques. – Horatio, depuis trois ans j'en fais la remarque, le siècle où nous vivons se raffine tous les jours ; et le soulier pointu du villageois frise de si près le pied du courtisan, qu'il lui écorchera bientôt le talon. – Depuis quand es-tu fossoyeur ?

LE FOSSOYEUR.

De tous les jours de l'année, celui où je commençai ce métier, fut le jour que notre défunt roi Hamlet vainquit Fortinbras.

HAMLET.

Combien y a-t-il de cela ?

LE FOSSOYEUR.

Ne pouvez-vous le dire ? Il n'y a pas d'imbécile qui ne soit en état de vous le dire. Ce fut le jour même où naquit le jeune Hamlet, celui qui est devenu fou, et qu'on a envoyé en Angleterre.

HAMLET.

Oui-dà ; et pourquoi l'envoyer en Angleterre ?

LE FOSSOYEUR.

Eh ! parce qu'il était fou ; il retrouvera là son bon sens ; ou s'il ne l'y retrouve pas, il n'y a pas grand mal.

HAMLET.

Pourquoi donc ?

LE FOSSOYEUR.

On ne s'apercevra pas qu'il est fou : tous les hommes de ce pays-là sont aussi fous que lui. – Moi, il y a bientôt trente ans que, tant garçon que marié, je remplis ici l'office de bedeau.

HAMLET.

Combien de temps un homme reste-t-il en terre avant d'être consommé ?

LE FOSSOYEUR.

Ma foi, s'il n'est pas déjà consommé par la maladie avant de mourir, comme nous voyons quantité de corps usés qui nous tombent en lambeaux dans les mains, il se conservera huit à neuf ans. Un tanneur vous dure toujours ses neuf ans entiers.

HAMLET.

Pourquoi un tanneur, plutôt qu'un autre ?

LE FOSSOYEUR.

Pourquoi ? Parce que sa peau est si bien endurcie par le tan dans son métier, qu'elle reste longtemps impénétrable à l'eau ; et l'eau est un destructeur qui vous démolit promptement un cadavre. – Tenez, voici le crâne d'un corps enterré depuis vingt-trois ans.

HAMLET.

A qui était-il ?

LE FOSSOYEUR.

Oh ! au plus étrange original... Que devinez-vous ?

HAMLET.

Ma foi, je n'en sais rien.

LE FOSSOYEUR.

Peste soit du drôle et de sa folie ! Il me répandit un jour une bouteille de vin du Rhin sur la tête ! – Le crâne que vous voyez était le crâne d'Yorik, bouffon du roi.

HAMLET.

Celui-ci ?

LE FOSSOYEUR.

Lui-même.

HAMLET, *le prenant dans ses mains.*

Donne. – Hélas ! pauvre Yorik. Je l'ai connu, Horatio. C'était le bouffon le plus plaisant : une imagination des plus fécondes. Il m'a tenu entre ses bras mille fois ; et maintenant, comme sa vue remplit d'horreur mon imagination, comme mon cœur se soulève ! – Là furent ses lèvres, que j'ai baisées je ne sais combien de fois. Pauvre Yorik ! où son maintenant tes bons mots, tes folies, tes chansons, tes vives saillies, dont la gaieté faisait rire aux éclats tous les convives ? Tu ne peux pas même à présent rire de la triste grimace que tu fais là. Plus de joues ni de bouche. Va maintenant te poser sur la toilette d'une de nos belles ; dis-lui qu'elle a beau se mettre en pouce de fard, qu'il faut qu'elle en vienne à cette gracieuse métamorphose. Fais-la sourire à cette idée. – Horatio, dis-moi, je te prie, une chose.

HORATIO.

Quoi, seigneur.

HAMLET.

Crois-tu qu'Alexandre offrit cette triste physionomie sous la terre ?

HORATIO.

Je le crois, seigneur.

HAMLET.

Comment, cette odeur cadavéreuse ? *(Il la respire.)* Oh !

HORATIO.

La même, seigneur.

HAMLET.

A quelles indignes humiliations la mort nous fait redescendre Horatio ! L'imagination ne peut-elle pas suivre la cendre auguste d'Alexandre jusqu'à ce qu'elle la trouve employée à boucher le trou d'une futaille ?

HORATIO.

Ce serait pousser trop loin vos réflexions lugubres, seigneur.

HAMLET.

Non certes, non ; pas du tout. Nous pouvons avec assez de vraisemblance, et sans rien outrer, conduire jusque-là le grand Alexandre. Nous pouvons dire : Alexandre mourut ; Alexandre fut inhumé ; Alexandre redevint poussière ; la poussière est terre ; de la terre on forme l'argile ; et pourquoi cette argile, en partie formée des cendres d'Alexandre, ne pourrait-elle pas se trouver employée à l'ignominieux usage de boucher un tonneau ?
Le premier empereur, César, mort et devenu poussière, – Ne sert peut-être plus qu'à fermer aux vents le trou qu'il remplit. – Quoi ! cette argile qui tenait l'univers en respect, – étoupe le mur d'une chaumière contre la bise glacée de l'hiver ! – Mais, silence, Horatio, silence ! j'aperçois le roi.

Apparaît un cortège funèbre. Laerte, le frère d'Ophélie, conduit sa sœur à sa dernière demeure. Voyant Hamlet, il veut le tuer. Le roi Claudius, feignant de vouloir une réconciliation générale, propose au lieu d'un duel à mort un simple assaut d'escrime. Mais l'épée de Laerte est empoisonnée, et Hamlet en est blessé. Avant de mourir Hamlet tue Claudius et blesse mortellement Laerte, tandis que la reine Gertrude boit une coupe de vin empoisonnée que Claudius destinait à Hamlet. Rideau.

Chansons XVIe siècle

.LE ROI RENAUD.

L'on ignore la date de composition, le XVIe siècle est de pure conjecture. Gérard de Nerval donne cette très belle complainte dans ses **Chansons du Valois.** *Il semble que le thème soit d'origine nordique, et que cet état de la chanson soit imité d'une ballade bretonne. La mélodie est d'origine grégorienne : libre traitement de l'hymne* **Ave maris stella** *; c'est en tous cas l'avis très autorisé de Henri Davenson.*

Le Roi Renaud de guerre vint,
Portant ses tripes en sa main.
Sa mère était sur le créneau
Qui vit venir son fils Renaud.

– Renaud, Renaud, réjouis-toi !
Ta femme est accouchée d'un roi.
– Ni de la femme, ni du fils
Je ne saurais me réjouir.

Allez ma mère, allez devant ;
Faites-moi faire un beau lit blanc :
Guère de tens n'y demorrai,
A la minuit trépasserai.

– Mais faites l' moi faire ici-bas
Que l'accouchée n'entende pas.
Et quand ce vint sur la minuit,
Le roi Renaud rendit l'esprit.

Il ne fut pas le matin jour
Que les valets ploroient tretous ;
Il ne fut tens de déjeûner,
Que les servantes ont ploré.

– Dites-moi, ma mère m'ami',
Que plourent nos valets ici ?
– Ma fille, en baignant nos chevaux
Ont laissé noyer le plus beau.

– Et pourquoi, ma mère m'ami',
Pour un cheval plorer ainsi ?
Quand le roi Renaud reviendra,
Plus beaux chevaux amènera.

Dites-moi, ma mère m'ami',
Que plourent nos servantes-ci ?
– Ma fille, en lavant nos linceuls
Ont laissé aller le plus neuf.

– Et pourquoi, ma mère m'ami',
Pour un linceul plourer ainsi ?
Quand le roi Renaud reviendra
Plus beaux linceuls achètera.

– Dites-moi, ma mère m'ami',
Pourquoi j'entends cogner ici ?
– Ma fille ce sont les charpentiers
Qui racommodent le plancher.

– Dites-moi, ma mère m'ami',
Pourquoi les cloches sonnent ici ?
– Ma fille, c'est la procession
Qui sort pour les rogations.

– Dites-moi, ma mère m'ami',
Que chantent les prêtres ici ?
– Ma fille, c'est la procession
Qui fait le tour de la maison.

Or quand ce fut pour relever
A la messe ell' voulut aller ;
Or quand ce fut passé huit jours,
Ell' voulut faire ses atours.

– Dites-moi, ma mère m'ami',
Quel habit prendrai-je aujourd'hui ?
– Prenez le vert, prenez le gris,
Prenez le noir pour mieux choisir.

– Dites-moi, ma mère m'ami',
Ce que ce noir-là signifie ?
– Femme qui relève d'enfant
Le noir lui est bien plus séant.

Mais quand ell' fut emmi les champs,
Trois patoureaux allaient disant :
– Voilà la femme du Seigneur
Que l'on enterra l'autre jour.

– Dites-moi, ma mère m'ami',
Que disent ces patoureaux-ci ?
– Ils nous crient d'avancer le pas,
Ou que la messe n'auront pas.

Quand ell' fut dans l'église entré',
Le cierge on lui a présenté ;
Aperçoit en s'agenouillant
La terre fraîche sous son banc.

– Dites-moi, ma mère m'ami',
Pourquoi la terre est rafraîchi' ?
– Ma fille, ne l' vous puis plus celer,
Renaud est mort et enterré.

– Puisque le roi Renaud est mort.
Voici les clefs de mon trésor.
Prenez mes bagues et joyaux,
Nourrissez bien le fils Renaud.

– Terre, ouvre-toi, terre fends-toi,
Que j'aille avec Renaud mon roi.
Terre s'ouvrit, terre fendit,
Et s'y fut la belle englouti'.

•IL ÉTAIT UN PETIT HOMME OU COMPÈRE GUILLERI•

L'on ne connaît pas la date de cette chanson en « conte à dormir debout », en ***nonsense*** *comme disent les Anglais. Qui est le* ***Guilleri*** *de cet air* ***guilleret*** *? On appelle le loriot* ***compère-loriot,*** *et* ***guilleri*** *désigne le chant du moineau et le moineau.* ***Guiller,*** *anciennement veut dire tromper, de là le* ***guilleur*** *ou trompeur, le* ***Gille,*** *personnage qui tient du clown et du pierrot...* ***Guilleri*** *est encore le nom* **de guerre** *d'un gentilhomme breton chef de brigands en Bretagne, exécuté en 1608. La chanson vraisemblablement est ancienne si l'on en juge au verbe* ***laire*** *(te lairas-tu...), terme médiéval qui signifie* ***laisser, abandonner,*** *et qui fut en usage jusqu'au début du XVII*[e] *siècle.*

Il était un p'tit homme
Qui s'appelait Guilleri,
        Carabi ;
Il s'en fut à la chasse,
A la chasse aux perdrix,
        Carabi,
        Toto carabo.
Marchand d'carabas,
Compère Guilleri,
Te lairas-tu mouri ?

Il s'en fut à la chasse,
A la chasse aux perdrix,
        Carabi ;
Il monta sur un arbre
Pour voir ses chiens couri,
        Carabi ;
        Toto carabo.
Marchand d'carabas,
Compère Guilleri,
Te lairas-tu mouri ?

Il monta sur un arbre
Pour voir ses chiens couri,
        Carabi ;
La branche vint à rompre,
        Carabi,
        Toto carabo.
Marchand d'carabas,
Compère Guilleri,
Te lairas-tu mouri ?

La branche vint à rompre,
Et Guilleri tombi,
        Carabi ;
Il se cassa la jambe,
Et le bras se démit,
        Carabi,
        Toto carabo.
Marchand d'carabas,
Compère Guilleri,
Te lairas-tu mouri ?

Il se cassa la jambe
Et le bras se démit,
        Carabi ;
Les dam's de l'Hôpital
Sont arrivé's au bruit,
        Carabi,
        Toto carabo.
Marchand d'carabas,
Compère Guilleri,
Te lairas-tu mouri ?

Les dam's de l'Hôpital

Sont arrivé's au bruit,
Carabi ;
L'une apporte un emplâtre,
L'autre, de la charpi,
Carabi,
Toto carabo.
Marchand d'carabas,
Compère Guilleri,
Te lairas-tu mouri ?

L'une apporte un emplâtre,
L'autre, de la charpi,
Carabi ;
On lui banda la jambe
Et le bras lui remit,
Carabi,
Toto carabo.
Marchand d'carabas,
Compère Guilleri
Te lairas-tu mouri ?

On lui banda la jambe,
Et le bras lui remit,
Carabi ;
Pour remercier ces dames,
Guilleri les embrassi,
Carabi,
Toto carabo.
Marchand d'carabas,
Compère Guilleri,
Te lairas-tu mouri ?

Pour remercier ces dames,
Guilleri les embrassi,
Carabi,
Ça prouv' que par les femmes
L'homme est toujours guéri ;
Carabi,
Toto carabo.
Marchand d'carabas.
Compère Guilleri,
Te lairas-tu mouri ?

.LA COURTE PAILLE OU IL ÉTAIT UN PETIT NAVIRE.

Il était un petit navire,
dessus la mer s'en est allé.

A bien été sept ans sur mer,
sans jamais la terre aborder.

Au bout de la septième année,
les vivres vinrent à manquer.

Faut tirer à la courte paille
pour savoir qui sera mangé.

Le maître qu'a parti les pailles,
la plus courte lui a resté.

S'est écrié « O Vierge mère,
c'est donc moi qui sera mangé ! »

Le mousse lui a dit : « Mon maître,
pour vous le sort je subirai,

Mais auparavant que je meure,
au haut du mât je veux monter. »

Le mousse monte dans la hune,
a regardé de tous côtés.

Quand il fut monté sur la pomme,
le mousse s'est mis à chanter ;

De cette chanson de matelot originaire de l'Atlantique (et vraisemblablement du XVIe siècle), l'on connaît une version portugaise, une version anglaise, et même une en grec classique ! L'on sait et chante aujourd'hui une version du XIXe qui donne à la deuxième ligne : ***qui n'avait jamais navigué,*** *changeant ainsi l'émotion en raillerie.*

Le paysage que voit le mousse n'est pas sans rappeler le mythe des « îles bleues », de la terre paradisiaque.

« Je vois la tour de Babylone,
Barbarie de l'autre côté ;

Je vois les moutons dans la plaine,
et la bergère à les garder ;

Je vois la fille à notre maître,
à trois pigeons donne à manger.

– Ah, chante, chante, vaillant mousse,
chante t'as bien de quoi chanter :

T'as gagné la fille à ton maître,
le navire qu'est sous tes pieds. »

.EN PASSANT PAR LA LORRAINE.

En passant par la Lorraine, avec mes sabots, *(bis)*
Rencontrai trois capitaines,
Avec mes sabots, dondaine, ho ! ho ! oh !
Avec mes sabots.

Rencontrai trois capitaines, avec mes sabots, *(bis)*
Ils m'ont appelé vilaine,
Avec mes sabots...

Ils m'ont appelé vilaine, avec mes sabots, *(bis)*
Je ne suis pas si vilaine,
Avec mes sabots...

Je ne suis pas si vilaine, avec mes sabots, *(bis)*
Puisque le fils du roi m'aime,
Avec mes sabots...

Puisque le fils du roi m'aime, avec mes sabots, *(bis)*
Il m'a donné pour étrennes,
Avec mes sabots...

Il m'a donné pour étrennes, avec mes sabots, *(bis)*
Un bouquet de marjolaine,
Avec mes sabots...

Un bouquet de marjolaine, avec mes sabots, *(bis)*
S'il fleurit, je serai reine,
Avec mes sabots...

S'il fleurit, je serai reine, avec mes sabots, *(bis)*
S'il y meurt, je perds ma peine,
Avec mes sabots...

♦

René Descartes

LA HAYE 1595 – STOCKHOLM 1650.

Descartes fait ses études chez les jésuites au collège de La Flèche. En 1616, il est licencié en droit. Après un temps aux armées, il voyage. C'est à Ulm, en Allemagne, dans son "poêle", qu'en un grand enthousiasme et trois rêves consécutifs il conçoit d'une première façon son œuvre. De 1626 datent plusieurs découvertes mathématiques, dont la loi des sinus. En 1644, depuis longtemps déjà en Hollande, il s'installe à Egmond dont il ne partira que pour la Suède en 1649. ***Les Méditations métaphysiques*** *sont attaquées de toutes parts mais lui apportent la gloire. Il meurt à Stockholm d'une pneumonie.*

PHILOSOPHIE

.Discours de la méthode pour bien conduire sa raison et chercher la vérité dans les sciences.

1637

"(...) ainsi, au lieu de ce grand nombre de préceptes dont la logique est composée, je crus que j'aurais assez des quatre suivants, pourvu que je prisse une ferme et constante résolution de ne manquer pas une seule fois à les observer.

Le premier était de ne recevoir jamais aucune chose pour vraie, que je ne la connusse évidemment être telle : c'est-à-dire d'éviter soigneusement la précipitation et la prévention ; et de ne comprendre rien de plus en mes jugements, que ce qui se présenterait si clairement et si distinctement à mon esprit, que je n'eusse aucune occasion de le mettre en doute.

Le second, de diviser chacune des difficultés que j'examinerais, en autant de parcelles qu'il se pourrait et qu'il serait requis pour les mieux résoudre.

Le troisième, de conduire par ordre mes pensées, en commençant par les objets les plus simples et les plus aisés à connaître, pour monter peu à peu, comme par degrés, jusqu'à la connaissance des plus composés ; et supposant même de l'ordre entre ceux qui ne se précèdent point naturellement les uns les autres.

Et le dernier, de faire partout des dénombrements si entiers, et des revues si générales, que je fusse assuré de ne rien omettre."

DEUXIÈME PARTIE

Descartes cherche des vérités indubitables, or on lui a enseigné des vraisemblances. Ses voyages lui ont redit la diversité des opinions : il s'est résolu à chercher la vérité en lui-même ; et justement, il semble que la véritable méthode se soit révélée à lui.

Partant de la logique, de la géométrie et de l'algèbre, Descartes propose quatre préceptes qu'on appliquera à toutes les sciences afin de les perfectionner :

"ne recevoir jamais aucune chose pour vraie, que je ne la connusse évidemment être telle"

L'action ne souffrant aucun délai, en attendant que soit constituée une morale certaine (ce qui ne peut venir qu'en fin), Descartes établit par provision quelques règles assez vraisemblables pour que par elles l'on évite le regret et le remords :

"tâcher toujours plutôt à me vaincre que la fortune, et à changer mes désirs que l'ordre du monde"

"(...) ainsi, afin que je ne demeurasse point irrésolu en mes actions, pendant que la raison m'obligerait de l'être en mes jugements, et que je ne laissasse pas de vivre dès lors le plus heureusement que je pourrais, je me formai une morale par provision, qui ne consistait qu'en trois ou quatre maximes, dont je veux bien vous faire part.

La première était d'obéir aux lois et aux coutumes de mon pays, retenant constamment la religion en laquelle Dieu m'a fait la grâce d'être instruit dès mon enfance, et me gouvernant, en toute autre chose, suivant les opinions les plus modérées, et les plus éloignées de l'excès, qui fussent communément reçues en pratique par les mieux sensés de ceux avec lesquels j'aurais à vivre. (...)

Ma seconde maxime était d'être le plus ferme et le plus résolu en mes actions que je pourrais, et de ne suivre pas moins constamment les opinions les plus douteuses, lorsque je m'y serais une fois déterminé, que si elles eussent été très assurées. (...)

Et ceci fut capable dès lors de me délivrer de tous les repentirs et les remords, qui ont coutume d'agiter les consciences de ces esprits faibles et chancelants, qui se laissent aller inconstamment à pratiquer, comme bonnes, les choses qu'ils jugent après être mauvaises.

Ma troisième maxime était de tâcher toujours plutôt à me vaincre que la fortune, et à changer mes désirs que l'ordre du monde ; et généralement, de m'accoutumer à croire qu'il n'y a rien qui soit entièrement en notre pouvoir, que nos pensées, en sorte qu'après que nous avons fait notre mieux, touchant les choses qui nous sont extérieures, tout ce qui manque de nous réussir est, au regard de nous, absolument impossible. Et ceci seul me semblait être suffisant pour m'empêcher de rien désirer à l'avenir que je n'acquisse, et ainsi pour me rendre..." (...)

TROISIÈME PARTIE

Enfin, l'on doit répondre à la question "que faire ?" :

"Enfin, pour conclusion de cette morale, je m'avisai de faire une revue sur les diverses occupations qu'ont les hommes en cette vie, pour tâcher à faire choix de la meilleure ; et sans que je veuille rien dire de celles des autres, je pensai que je ne pouvais mieux que de continuer en celle-là même où je me trouvais, c'est-à-dire que d'employer toute ma vie à cultiver ma raison, et m'avancer, autant que je pourrais, en la connaissance de la vérité, suivant la méthode que je m'étais prescrite."

TROISIÈME PARTIE

Le doute "fictif" conduit à la première évidence sur laquelle tout l'édifice des sciences s'appuiera :

"je pense, donc je suis"

"(...) pource qu'alors je désirais vaquer seulement à la recherche de la vérité, je pensai qu'il fallait (...) que je rejetasse, comme absolument faux, tout ce en quoi je pourrais imaginer le moindre doute, afin de voir s'il ne resterait point, après cela, quelque chose en ma créance, qui fût entièrement indubitable. Ainsi, à cause que nos sens nous trompent quelquefois, je voulus supposer qu'il n'y avait aucune chose qui fût telle qu'ils nous la font imaginer. Et pource qu'il y a des hommes qui se méprennent en raisonnant, même touchant les plus simples matières de géométrie, et y font des paralogismes, jugeant que j'étais sujet à faillir, autant qu'aucun autre, je rejetai comme fausses toutes les raisons que j'avais prises auparavant pour démonstrations. Et enfin, considérant que toutes les mêmes pensées, que nous avons étant éveillés, nous peuvent aussi venir quand nous dormons, sans qu'il y en ait aucune, pour lors, qui soit vraie, je me résolus de feindre que toutes les choses qui m'étaient jamais entrées en l'esprit, n'étaient non plus vraies que les illusions de mes songes. Mais, aussitôt après, je pris garde que, pendant que je voulais ainsi penser que tout était faux, il fallait nécessairement que moi, qui le pensais, fusse quelque chose. Et remarquant que cette vérité : *je pense, donc je suis,* était si ferme et si assurée, que toutes les plus extravagantes suppositions des sceptiques n'étaient pas capables de l'ébranler, je jugeai que je pouvais la recevoir, sans scrupule, pour le premier principe de la philosophie, que je cherchais."

QUATRIÈME PARTIE

Dans la sixième et dernière partie du ***Discours de la méthode,*** *Descartes précise le programme de la technique moderne autour de ce mot d'ordre : "devenir comme maîtres et possesseurs de la nature".*

"Sitôt que j'ai eu acquis quelques notions générales touchant la physique, et que, commençant à les éprouver en diverses difficultés particulières, j'ai remarqué jusques où elles peuvent conduire, et combien elles diffèrent des principes dont on s'est servi jusques à présent, j'ai cru que je ne pouvais les tenir cachées, sans pécher grandement contre la loi qui nous oblige à procurer, autant qu'il est en nous, le bien général de tous les hommes. Car elles m'ont fait voir qu'il est possible de parvenir à des connaissances qui soient fort utiles à la vie, et qu'au lieu de cette philosophie spéculative, qu'on enseigne dans les écoles, on en peut trouver une pratique, par laquelle connaissant la force et les actions du feu, de l'eau, de l'air, des astres, des cieux et de tous les autres corps qui nous environnent, aussi distinctement que nous connaissons les divers métiers de nos artisans, nous les pourrions employer en même façon à tous les usages auxquels ils sont propres, et ainsi nous rendre comme maîtres et possesseurs de la nature. Ce qui n'est pas seulement à désirer pour l'invention d'une infinité d'artifices, qui feraient qu'on jouirait, sans aucune peine, des fruits de la terre et de toutes les commodités qui s'y trouvent, mais principalement aussi pour la conservation de la santé, laquelle est sans doute le premier bien et le fondement de tous les autres biens de cette vie ; car même l'esprit dépend si fort du tempérament et de la disposition des organes du corps que, s'il est possible de trouver quelque moyen qui rende communément les hommes plus sages et plus habiles qu'ils n'ont été jusques ici, je crois que c'est dans la médecine qu'on doit le chercher.

Il est vrai que celle qui est maintenant en usage, contient peu de choses dont l'utilité soit si remarquable ; mais, sans que j'aie aucun dessein de la mépriser, je m'assure qu'il n'y a personne même de ceux qui en font profession, qui n'avoue que tout ce qu'on y sait n'est presque rien, à comparaison de ce qui reste à y savoir, et qu'on se pourrait exempter d'une infinité de maladies, tant du corps que de l'esprit, et même aussi peut-être de l'affaiblissement de la vieillesse, si on avait assez de connaissance de leurs causes, et de tous les remèdes dont la nature nous a pourvus."

SIXIÈME PARTIE

"ainsi nous rendre comme maîtres et possesseurs de la nature."

.*Méditations métaphysiques*.

1641

Dans ces ***Méditations touchant la philosophie première dans lesquelles on prouve clairement l'existence de Dieu et la distinction réelle entre l'âme et le corps de l'homme,*** *Descartes annonce la physique mécaniste qui réduit tout phénomène au mouvement et dédaigne les qualités sensibles. Les animaux n'étant que des machines, comme les choses, et les machines n'étant finalement que de l'étendue, l'on doit reconnaître que seuls l'homme et Dieu possèdent conscience et volonté. C'est ce que veut montrer l'exemple du "morceau de cire" :*

"Prenons pour exemple ce morceau de cire qui vient d'être tiré de la ruche, il n'a pas encore perdu la douceur du miel qu'il contenait, il retient encore quelque chose de l'odeur des fleurs dont il a été recueilli ; sa couleur, sa figure, sa grandeur, sont apparentes : il est dur, il est froid, on le touche, et si vous le frappez, il rendra quelque son. (...)

Mais voici que cependant que je parle on l'approche du feu, ce qui y restait de saveur s'exhale, l'odeur s'évanouit, sa couleur se change, sa figure se perd, sa grandeur augmente, il devient liquide, il s'échauffe, à peine le peut-on toucher, et quoiqu'on le frappe il ne rendra plus aucun son (...). Qu'est-ce donc que l'on connaissait en ce morceau de cire avec tant de distinction ? Certes ce ne peut être rien de tout ce que j'y ai remarqué par l'entremise des sens, puisque toutes les choses qui tombaient sous le goût, ou l'odorat, ou la vue, ou l'attouchement, ou l'ouïe se trouvent changées, et cependant la même cire demeure. (...) Considérons-le attentivement, et éloignant toutes les choses qui n'appartiennent point à la cire, voyons ce qui reste. Certes il ne demeure rien que quelque chose d'étendu, de flexible et de muable (...)."

MÉDITATION SECONDE

Les Principes de la philosophie.

1644

*Descartes considère ces "***Principes***" comme un "traité systématique et définitif des principes de la connaissance humaine". La première partie reprend sa métaphysique, le reste étant consacré à la physique. C'est dans la* **Lettre de l'auteur** *à son traducteur (***les Principes** *furent rédigés en latin) que Descartes, en une métaphore célèbre, redit son ambition d'une unité des sciences :*

"Ainsi toute la philosophie est comme un arbre, dont les racines sont la métaphysique, le tronc la physique, et les branches qui sortent de ce tronc toutes les autres sciences, lesquelles se réduisent à trois principales : la médecine, la mécanique et la morale, j'entend la plus haute et la plus parfaite morale, qui présupposant une entière connaissance des autres sciences est le dernier degré de la sagesse."

Les Passions de l'âme.

1649

Cette morale, Descartes ne l'achèvera jamais. Dans son dernier livre, les **Passions de l'âme** *(rédigé en français), Descartes en revient à sa morale "par provision", procédant par vraisemblances analysant les passions avec la plus grande finesse, aboutissant à une philosophie de la décision qui ne rend plus nécessaire "que notre raison ne se trompe point", puisqu'"il suffit que notre conscience nous témoigne que nous n'avons jamais manqué de résolution et de vertu, pour exécuter toutes les choses que nous avons jugé être les meilleures, et ainsi la vertu seule est suffisante pour nous rendre contents en cette vie" (Lettre de Descartes à Elisabeth, 4 août 1645). La "vraie générosité" serait-elle mieux faite que le "je pense, donc je suis" ?*

"Ainsi je crois que la vraie générosité, qui fait qu'un homme s'estime au plus haut point qu'il se peut légitimement estimer, consiste seulement partie en ce qu'il connaît qu'il n'y a rien qui véritablement lui appartienne que cette libre disposition de ses volontés, ni pourquoi il doive être loué ou blâmé sinon pour ce qu'il en use bien ou mal, et partie en ce qu'il sent en soi-même une ferme et constante résolution d'en bien user, c'est-à-dire de ne manquer jamais de volonté pour entreprendre et exécuter toutes les choses qu'il jugera être les meilleures ; ce qui est suivre parfaitement la vertu."

ARTICLE 153. *EN QUOI CONSISTE LA GÉNÉROSITÉ*

Chansons XVIIe siècle

.LE PETIT CORDONNIER.

Sur les marches du palais,
Sur les marches du palais,
Y a une jolie Flammande, lon la,
Y a une jolie Flammande.

Elle a tant d'amoureux, *(bis)*
Qu'elle ne sait lequel prendre, lon la
Qu'elle ne sait lequel prendre.

C'est un petit cordonnier, *(bis)*
Qu'a eu la préférence, lon la
Qu'a eu la préférence.

Lui fera des souliers, *(bis)*
De maroquin d'Hollande, lon la
De maroquin d'Hollande.

C'est en les lui chaussant, *(bis)*
Qu'il a fait sa demande, lon la
Qu'il a fait sa demande.

La belle, si vous voulez, *(bis)*
Nous dormirions ensemble, lon la
Nous dormirions ensemble.

Dans un grand lit carré, *(bis)*
Recouvert de taies blanches, lon la
Recouvert de taies blanches.

Aux quatre coins du lit, *(bis)*
Un bouquet de pervenches, lon la
Un bouquet de pervenches.

Dans le mitan du lit, *(bis)*
La rivière est profonde, lon la
La rivière est profonde.

Tous les chevaux du roi, *(bis)*
Viendraient y boire ensemble, lon la
Viendraient y boire ensemble.

Et là nous dormirions, *(bis)*
Jusqu'à la fin du monde, lon la
Jusqu'à la fin du monde.

.AUPRÈS DE MA BLONDE.

Au jardin de mon père,
les lilas sont fleuris,

Tous les oiseaux du monde
y viennent faire leur nid :

La caille, la tourterelle,
et la jolie perdrix,

Et ma jolie colombe
qui chante jour et nuit,

Qui chante pour les filles
qui n'ont point de mari ;

Pour moi ne chante guère
car j'en ai un joli.

– Dites-nous donc, la Belle,
où est donc votre mari ?

– Il est dans la Hollande,
les Hollandais l'ont pris.

– Que donneriez-vous, Belle,
pour ravoir votre mari ?

.SAINT NICOLAS ET LES ENFANTS AU SALOIR.

Il était trois petits enfants,
Qui s'en allaient glaner aux champs,
Il sont tant allés et venus
Que le soleil on n'a plus vu.

S'en sont allés chez un boucher :
« Boucher, voudrais-tu nous loger ? »
– « Allez, allez, mes beaux enfants,
Nous avons trop d'empêchement. »

Sa femme qu'était derrier' lui,
Bien vitement le conseillit :
« Ils ont, dit-elle, de l'argent,

"Il était trois petits enfants, Qui s'en allaient glaner aux champs"

Nous en seront riches marchants, »

« Entrez, entrez, mes beaux enfants !
Y a de la place assurément.
Nous vous feront fort bien souper,
Aussi bien blanchement coucher.

Ils n'étaient pas sitôt entrés,
Que le boucher les a tués,
Les a coupés tout par morceaux,
Mis au saloir comme pourceaux.

Quand ce fut au bout de sept ans,
Saint Nicolas vint dans le champ.
Il s'en alla chez le boucher :
« Boucher, voudrais-tu me loger ? »

– « Entrez, entrez Saint Nicolas !
De la place il n'en manque pas. »
Il n'était pas sitôt entré,
Qu'il a demandé à souper.

« Voulez-vous un morceau de jambon ? »
– « Je n'en veux pas, il n'est pas bon. »
– « Voulez-vous un morceau de veau ? »
– « Je n'en veux pas, il n'est pas beau. »

« De ce salé je veux avoir,
Qu'y a sept ans qu'est dans l' saloir. »
Quand le boucher entendit çà,
Hors de sa porte il s'enfuya.

« Boucher, boucher, ne t'enfuis pas !
Repens-toi, Dieu te pardonnera. »
Saint Nicolas posa trois doigts
Dessus le bord de ce saloir.

Le premier dit : « J'ai bien dormi ! »
Le second dit : « Et moi aussi ! »
A ajouté le plus petit :
« Je croyais être en paradis ! »

.A LA CLAIRE FONTAINE.

En revenant des noces,
j'étais bien fatiguée,

Au bord d'une fontaine,
je me suis reposée,

Et l'eau était si claire
que je m'y suis baignée ;

A la feuille du chêne
je me suis essuyée.

Sur la plus haute branche
le rossignol chantait :

"Chante, rossignol, chante, toi qui as le cœur gai !"

Chante, rossignol, chante,
toi qui as le cœur gai !

Le mien n'est pas de même,
Il est bien affligé :

C'est de mon ami Pierre
qui ne veut plus m'aimer,

Pour un bouton de rose
que je lui refusai.

Je voudrais que la rose
fût encore au rosier,

Et que mon ami Pierre
fût encore à m'aimer.

.DANS LES PRISONS DE NANTES.

Dans les prisons de Nantes,
il y a un prisonnier,

Que personne ne va voir
que la fille du geôlier.

Elle lui porte à boire,
à boire et à manger ;

Et des chemises blanches
quand il veut en changer.

Un jour il lui demande :
« De moi oy'ous parler ?

– Le bruit court par la ville
que demain vous mourrez.

– Puisqu'il faut que je meurs,
déliez-moi les pieds. »

La fille était jeunette,
les pieds lui a lâchés.

Le galant fort alerte
dans la Loire a sauté.

Quand il fut sur la grève,
il se mit à chanter :

« Dieu bénisse les filles,
surtout celle du geôlier.

Si je reviens à Nantes,
oui, je l'épouserai ! »

•LE PETIT MARI•

La plus célèbre des chansons qui ont pour thème la maurariée ou la mal-mariée. Scarron cite cette chanson dans son ***Roman comique.***

D'une feuille on fit son habit,
Mon Dieu ! quel homme,
Quel petit homme !
D'une feuille on fit son habit,
Mon Dieu ! quel homme,
Qu'il est petit !

Le chat l'a pris pour un' souris,
Mon Dieu ! quel homme,
Quel petit homme !
Le chat l'a pris pour un' souris,
Mon Dieu ! quel homme,
Qu'il est petit !

Au chat ! au chat ! c'est mon mari,
Mon Dieu ! quel homme,
Quel petit homme !
Au chat ! au chat ! c'est mon mari,
Mon Dieu ! quel homme,
Qu'il est petit !

Le feu à sa paillasse a pris,
Mon Dieu ! quel homme,
Quel petit homme !
Le feu à sa paillasse a pris,
Mon Dieu ! quel homme
Qu'il est petit !

Mon petit mari fut rôti,
Mon Dieu ! quel homme,
Quel petit homme !
Mon petit mari fut rôti,
Mon Dieu ! quel homme,
Qu'il est petit !

Pour me consoler, je me dis :
Mon Dieu ! quel homme,
Quel petit homme !
Pour me consoler, je me dis :
Mon Dieu ! quel homme,
Qu'il est petit !

Pierre Corneille

ROUEN 1606 – PARIS 1684.

Né dans une famille de magistrats, Corneille fait des études studieuses au collège des jésuites à Rouen, puis des études de droit. Il devient avocat en 1624. Il écrit une première comédie ***Mélite*** *en 1629 qui, jouée à Paris, remporte un bon succès. Le jeune avocat continue d'écrire des comédies :* ***La Veuve*** *(1633),* ***La Place royale*** *(1634),* ***L'illusion comique*** *(1636)... Il apporte à ce genre une grande tenue littéraire. En 1637 c'est le triomphe du* ***Cid,*** *tragi-comédie qui reprend une ancienne légende du Moyen Age espagnol. Corneille écrit successivement ses trois autres chefs-d'œuvre :* ***Horace*** *(1640),* ***Cinna*** *(1642), et* ***Polyeucte*** *(1643). Ses héros sont tous soucieux d'honneur ou de « gloire », au sens de la générosité cartésienne. Ils décident librement de leurs actions, mais le triomphe de la gloire n'est pas toujours sans déchirements : les passions et l'amour entrent en conflit avec l'idéal de gloire. En 1645, il compose* ***Rodogune,*** *puis en 1651* ***Nicomède*** *qui déplaît au pouvoir : l'auteur est privé de sa pension. Il se retire et, après l'échec de* ***Pertharite*** *(1652), il garde le silence jusqu'en 1658 ; il se consacre à la pieuse adaptation de* ***l'Imitation de Jésus-Christ.*** *En 1658 Fouquet rappelle Corneille au théâtre :* ***Œdipe*** *est joué en 1659. Installé à Paris, Corneille produit plusieurs tragédies, mais c'est le temps de la rivalité avec le jeune Racine. Malade et diminué Corneille se retire à l'âge de 69 ans. Il mourra neuf ans plus tard.*

THÉÂTRE, TRAGÉDIE

.Le Cid.

1637

Rodrigue et Chimène s'aiment, mais au cours d'une querelle le père du jeune homme est souffleté par celui de la jeune fille. Rodrigue tue l'offenseur de son père. Il se présente ensuite à Chimène pour recevoir de sa main la mort. Elle refuse, par amour, mais réclame à la justice de châtier le meurtrier. Cependant les Mores sont aux portes de la ville. Rodrigue les combat et revient vainqueur, reconnu comme ***le Cid*** *par les vaincus. Chimène demande encore son châtiment, mais elle doit se soumettre à la volonté du roi qui lui ordonne de pardonner et d'épouser celui qu'elle aime.*

Rodrigue dit sa douleur de devoir, par honneur, provoquer en duel le père de celle qu'il aime :

RODRIGUE.

Percé jusques au fond du cœur
D'une atteinte imprévue aussi bien que mortelle,
Misérable vengeur d'une juste querelle,
Et malheureux objet d'une injuste rigueur,
Je demeure immobile, et mon âme abattue
Cède au coup qui me tue.
Si près de voir mon feu récompensé,
O Dieu, l'étrange peine !
En cet affront mon père est l'offensé,
Et l'offenseur le père de Chimène !

Que je sens de rudes combats !
Contre mon propre honneur mon amour s'intéresse
Il faut venger un père et perdre une maîtresse.
L'un m'anime le cœur, l'autre retient mon bras.
Réduit au triste choix ou de trahir ma flamme,
Ou de vivre en infâme,
Des deux côtés mon mal est infini.
O Dieu, l'étrange peine !
Faut-il laisser un affront impuni ?
Faut-il punir le père de Chimène ?

Père, maîtresse, honneur, amour,
Noble et dure contrainte, aimable tyrannie,
Tous mes plaisirs sont morts, ou ma gloire ternie.
L'un me rend malheureux, l'autre indigne du jour.
Cher et cruel espoir d'une âme généreuse,
Mais ensemble amoureuse,
Digne ennemi de mon plus grand bonheur,
Fer qui causes ma peine,
M'es-tu donné pour venger mon honneur ?
M'es-tu donné pour perdre ma Chimène ?

Il vaut mieux courir au trépas.
Je dois à ma maîtresse aussi bien qu'à mon père ;
J'attire en me vengeant sa haine et sa colère ;
J'attire ses mépris en ne me vengeant pas.
A mon plus doux espoir l'un me rend infidèle,
Et l'autre indigne d'elle.
Mon mal augmente à le vouloir guérir ;
Tout redouble ma peine.
Allons, mon âme ; et puisqu'il faut mourir,
Mourons du moins sans offenser Chimène.

Mourir sans tirer ma raison !
Rechercher un trépas si mortel à ma gloire !
Endurer que l'Espagne impute à ma mémoire
D'avoir mal soutenu l'honneur de ma maison !
Respecter un amour dont mon âme égarée
Voit la perte assurée !
N'écoutons plus ce penser suborneur,
Qui ne sert qu'à ma peine.
Allons, mon bras, sauvons du moins l'honneur,
Puisqu'après tout il faut perdre Chimène.

Oui, mon esprit s'était déçu.
Je dois tout à mon père avant qu'à ma maîtresse :
Que je meure au combat, ou meure de tristesse,
Je rendrai mon sang pur comme je l'ai reçu.
Je m'accuse déjà de trop de négligence ;
Courons à la vengeance ;
Et tout honteux d'avoir tant balancé,
Ne soyons plus en peine,
Puisqu'aujourd'hui mon père est l'offensé,
Si l'offenseur est père de Chimène.

ACTE I, SCÈNE 6

Rodrigue provoque le comte en duel :

LE COMTE, DON RODRIGUE

DON RODRIGUE.

A moi, Comte, deux mots.

LE COMTE.

Parle.

DON RODRIGUE.

Ote-moi d'un doute.
Connais-tu bien don Diègue ?

LE COMTE

Oui.

DON RODRIGUE.

Parlons bas ; écoute.
Sais-tu que ce vieillard fut la même vertu,
La vaillance et l'honneur de son temps ? le sais-tu ?

LE COMTE.

Peut-être.

DON RODRIGUE.

Cette ardeur que dans les yeux je porte,
Sais-tu que c'est son sang ? le sais-tu ?

LE COMTE.

Que m'importe ?

DON RODRIGUE.

A quatre pas d'ici je te le fais savoir.

LE COMTE.

Jeune présomptueux !

DON RODRIGUE.

Parle sans t'émouvoir.
Je suis jeune, il est vrai ; mais aux âmes bien nées
La valeur n'attend point le nombre des années.

LE COMTE.

Te mesurer à moi ! qui t'a rendu si vain,
Toi qu'on n'a jamais vu les armes à la main ?

DON RODRIGUE.

Mes pareils à deux fois ne se font point connaître,
Et pour leurs coups d'essai veulent des coups de maître.

LE COMTE.

Sais-tu bien qui je suis ?

DON RODRIGUE.

Oui ; tout autre que moi

Au seul bruit de ton nom pourrait trembler d'effroi.
Les palmes dont je vois ta tête si couverte
Semblent porter écrit le destin de ma perte.
J'attaque en téméraire un bras toujours vainqueur ;
Mais j'aurai trop de force, ayant assez de cœur.
A qui venge son père il n'est rien impossible.
Ton bras est invaincu, mais non pas invincible.

LE COMTE.

Ce grand cœur qui paraît aux discours que tu tiens,
Par tes yeux chaque jour se découvrait aux miens ;
Et, croyant voir en toi l'honneur de la Castille,
Mon âme avec plaisir te destinait ma fille.
Je sais ta passion, et suis ravi de voir
Que tous ses mouvements cèdent à ton devoir,
Qu'ils n'ont point affaibli cette ardeur magnanime ;
Que ta haute vertu répond à mon estime ;
Et que, voulant pour gendre un cavalier parfait,
Je ne me trompais point au choix que j'avais fait ;
Mais je sens que pour toi ma pitié s'intéresse ;
J'admire ton courage, et je plains ta jeunesse.
Ne cherche point à faire un coup d'essai fatal ;
Dispense ma valeur d'un combat inégal ;
Trop peu d'honneur pour moi suivrait cette victoire.
A vaincre sans péril, on triomphe sans gloire
On te croirait toujours abattu sans effort ;
Et j'aurais seulement le regret de ta mort.

DON RODRIGUE.

D'une indigne pitié ton audace est suivie :
Qui m'ose ôter l'honneur craint de m'ôter la vie ?

LE COMTE.

Retire-toi d'ici.

DON RODRIGUE.

Marchons sans discourir.

LE COMTE.

Es-tu si las de vivre ?

DON RODRIGUE.

As-tu peur de mourir ?

LE COMTE.

Viens, tu fais ton devoir, et le fils dégénère
Qui survit un moment à l'honneur de son père.

ACTE II, SCÈNE 2

Rodrigue demande à Chimène de le tuer ; comme il lui tend son épée, elle le prie de la remettre au fourreau :

DON RODRIGUE.

Je fais ce que tu veux, mais sans quitter l'envie
De finir par tes mains ma déplorable vie ;
Car enfin n'attends pas de mon affection
Un lâche repentir d'une bonne action.
L'irréparable effet d'une chaleur trop prompte
Déshonorait mon père, et me couvrait de honte.
Tu sais comme un soufflet touche un homme au cœur ;
J'avais part à l'affront, j'en ai cherché l'auteur :
Je l'ai vu, j'ai vengé mon honneur et mon père ;
Je le ferais encor, si j'avais à le faire.
Ce n'est pas qu'en effet contre mon père et moi
Ma flamme assez longtemps n'ait combattu pour toi ;
Juge de son pouvoir : dans une telle offense
J'ai pu délibérer si j'en prendrais vengeance.
Réduit à te déplaire, ou souffrir un affront,
J'ai pensé qu'à son tour mon bras était trop prompt ;
Je me suis accusé de trop de violence ;
Et ta beauté sans doute emportait la balance,
A moins que d'opposer à tes plus forts appas
Qu'un homme sans honneur ne te méritait pas ;
Que malgré cette part que j'avais en ton âme,
Qui m'aima généreux me haïrait infâme ;
Qu'écouter ton amour, obéir à sa voix,
C'était m'en rendre indigne et diffamer ton choix.
Je te le dis encore ; et quoique j'en soupire,
Jusqu'au dernier soupir je veux bien le redire :
Je t'ai fait une offense, et j'ai dû m'y porter
Pour effacer ma honte, et pour te mériter ;
Mais quitte envers l'honneur, et quitte envers mon père,
C'est maintenant à toi que je viens satisfaire :
C'est pour t'offrir mon sang qu'en ce lieu tu me vois.
J'ai fait ce que j'ai dû, je fais ce que je dois.
Je sais qu'un père mort t'arme contre mon crime ;
Je ne t'ai point voulu dérober ta victime :
Immole avec courage au sang qu'il a perdu
Celui qui met sa gloire à l'avoir répandu.

CHIMÈNE.

Ah ! Rodrigue, il est vrai, quoique ton ennemie,
Je ne puis te blâmer d'avoir fui l'infamie ;
Et de quelque façon qu'éclatent mes douleurs,
Je ne t'accuse point, je pleure mes malheurs.
Je sais ce que l'honneur, après un tel outrage,
Demandait à l'ardeur d'un généreux courage :
Tu n'as fait le devoir que d'un homme de bien ;
Mais aussi le faisant, tu m'as appris le mien.
Ta funeste valeur m'instruit par ta victoire ;
Elle a vengé ton père et soutenu ta gloire :
Même soin me regarde, et j'ai, pour m'affliger,
Ma gloire à soutenir, et mon père à venger.
Hélas ! ton intérêt ici me désespère :
Si quelque autre malheur m'avait ravi mon père,
Mon âme aurait trouvé dans le bien de te voir
L'unique allégement qu'elle eût pu recevoir ;
Et contre ma douleur j'aurais senti des charmes,
Quand une main si chère eût essuyé mes larmes.
Mais il me faut te perdre après l'avoir perdu ;
Cet effort sur ma flamme à mon honneur est dû ;
Et cet affreux devoir, dont l'ordre m'assassine,
Me force à travailler moi-même à ta ruine.
Car enfin n'attends pas de mon affection
De lâches sentiments pour ta punition.
De quoi qu'en ta faveur notre amour m'entretienne,
Ma générosité doit répondre à la tienne ;
Tu t'es, en m'offensant, montré digne de moi ;
Je me dois, par ta mort, montrer digne de toi.

DON RODRIGUE.

Ne diffère donc plus ce que l'honneur t'ordonne :
Il demande ma tête ; et je te l'abandonne ;
Fais-en un sacrifice à ce noble intérêt :
Le coup m'en sera doux, aussi bien que l'arrêt.
Attendre après mon crime une lente justice,
C'est reculer ta gloire autant que mon supplice.
Je mourrai trop heureux, mourant d'un coup si beau.

CHIMÈNE.

Va, je suis ta partie, et non pas ton bourreau.
Si tu m'offres ta tête, est-ce à moi de la prendre ?
Je la dois attaquer, mais tu dois la défendre ;
C'est d'un autre que toi qu'il me faut l'obtenir,
Et je dois te poursuivre, et non pas te punir.

DON RODRIGUE.

De quoi qu'en ma faveur notre amour t'entretienne,
Ta générosité doit répondre à la mienne ;
Et pour venger un père emprunter d'autres bras,
Ma Chimène, crois-moi, c'est n'y répondre pas.
Ma main seule du mien a su venger l'offense,
Ta main seule du tien doit prendre la vengeance.

CHIMÈNE.

Cruel ! à quel propos sur ce point t'obstiner ?
Tu t'es vengé sans aide, et tu m'en veux donner !
Je suivrai ton exemple, et j'ai trop de courage
Pour souffrir qu'avec toi ma gloire se partage.
Mon père et mon honneur ne veulent rien devoir
Aux traits de ton amour ni de ton désespoir.

DON RODRIGUE.

Rigoureux point d'honneur ! hélas ! quoi que je fasse,
Ne pourrai-je à la fin obtenir cette grâce ?
Au nom d'un père mort, ou de notre amitié,
Punis-moi par vengeance, ou du moins par pitié.
Ton malheureux amant aura bien moins de peine
A mourir par ta main qu'à vivre avec ta haine.

CHIMÈNE.

Va, je ne te hais point.

DON RODRIGUE.

Tu le dois.

CHIMÈNE.

Je ne puis.

ACTE III, SCÈNE 4

THÉÂTRE, TRAGÉDIE

.Horace.

1640

L'action se déroule au VIIe siècle avant J.-C., Rome et Albe, villes voisines et autrefois amies, sont en guerre. A Rome, le jeune Horace a épousé une fille d'Albe, Sabine ; sa sœur, Camille, est fiancée à Curiace, un des frères de Sabine. Une trêve est intervenue entre les armées : il a été décidé qu'un combat opposerait en champ clos trois guerriers romains et trois albains. Horace a été désigné avec ses deux frères pour défendre Rome. Il se prépare farouchement au combat. Mais on annonce à Curiace qu'il est désigné avec ses deux frères pour défendre Albe :

CURIACE.

Que désormais le ciel, les enfers et la terre
Unissent leurs fureurs à nous faire la guerre ;
Que les hommes, les dieux, les démons et le sort
Préparent contre nous un général effort !
Je mets à faire pis, en l'état où nous sommes,
Le sort, et les démons, et les dieux, et les hommes.
Ce qu'ils ont de cruel, et d'horrible et d'affreux,
L'est bien moins que l'honneur qu'on nous fait à tous [deux.

HORACE.

Le sort qui de l'honneur nous ouvre la barrière
Offre à notre constance une illustre matière,
Il épuise sa force à former un malheur
Pour mieux se mesurer avec notre valeur ;
Et comme il voit en nous des âmes peu communes,
Hors de l'ordre commun il nous fait des fortunes.
Combattre un ennemi pour le salut de tous,
Et contre un inconnu s'exposer seul aux coups,
D'une simple vertu c'est l'effet ordinaire :
Mille déjà l'ont fait, mille pourraient le faire ;
Mourir pour le pays est un si digne sort
Qu'on briguerait en foule une si belle mort ;
Mais vouloir au public immoler ceux qu'on aime,
S'attacher au combat contre un autre soi-même,
Attaquer un parti qui prend pour défenseur
Le frère d'une femme et l'amant d'une sœur,
Et, rompant tous ces nœuds, s'armer pour la patrie
Contre un sang qu'on voudrait racheter de sa vie,
Une telle vertu n'appartenait qu'à nous ;
L'éclat de son grand nom lui fait peu de jaloux,
Et peu d'hommes au cœur l'ont assez imprimée
Pour oser aspirer à tant de renommée.

CURIACE.

Il est vrai que nos noms ne sauraient plus périr.
L'occasion est belle, il nous la faut chérir.
Nous serons les miroirs d'une vertu bien rare ;
Mais votre fermeté tient un peu du barbare :

Peu, même des grands cœurs, tireraient vanité
D'aller par ce chemin à l'immortalité.
A quelque prix qu'on mette une telle fumée,
L'obscurité vaut mieux que tant de renommée.
Pour moi, je l'ose dire, et vous l'avez pu voir,
Je n'ai point consulté pour suivre mon devoir ;
Notre longue amitié, l'amour, ni l'alliance,
N'ont pu mettre un moment mon esprit en balance ;
Et puisque par ce choix Albe montre en effet
Qu'elle m'estime autant que Rome vous a fait,
Je crois faire pour elle autant que vous pour Rome.
J'ai le cœur aussi bon, mais enfin je suis homme.
Je vois que votre honneur demande tout mon sang,
Que tout le mien consiste à vous percer le flanc,
Près d'épouser la sœur, qu'il faut tuer le frère,
Et que pour mon pays j'ai le sort si contraire.
Encor qu'à mon devoir je coure sans terreur,
Mon cœur s'en effarouche, et j'en frémis d'horreur ;
J'ai pitié de moi-même et jette un œil d'envie
Sur ceux dont notre guerre a consumé la vie,
Sans souhait toutefois de pouvoir reculer.
Ce triste et fier honneur m'émeut sans m'ébranler.
J'aime ce qu'il me donne, et je plains ce qu'il m'ôte ;
Et si Rome demande une vertu plus haute,
Je rends grâces aux dieux de n'être pas Romain,
Pour conserver encor quelque chose d'humain.

HORACE.

Si vous n'êtes Romain, soyez digne de l'être ;
Et si vous m'égalez, faites-le mieux paraître.
La solide vertu dont je fais vanité
N'admet point de faiblesse avec sa fermeté ;
Et c'est mal de l'honneur entrer dans la carrière
Que dès le premier pas regarder en arrière.
Notre malheur est grand ; il est au plus haut point ;
Je l'envisage entier, mais je n'en frémis point :
Contre qui que ce soit que mon pays m'emploie,
J'accepte aveuglément cette gloire avec joie ;
Celle de recevoir de tels commandements
Doit étouffer en nous tous autres sentiments.
Qui, près de le servir, considère autre chose,
A faire ce qu'il doit lâchement se dispose ;
Ce droit saint et sacré rompt tout autre lien.
Rome a choisi mon bras, je n'examine rien :
Avec une allégresse aussi pleine et sincère
Que j'épousai la sœur, je combattrai le frère ;
Et, pour trancher enfin ces discours superflus,
Albe vous a nommé, je ne vous connais plus.

CURIACE.

Je vous connais encore, et c'est ce qui me tue.

ACTE II, SCÈNE 3

Au nom de leur amour, Camille tente de dissuader son fiancé d'accepter un tel combat ; Sabine fait de semblables demandes à son époux. Mais l'honneur l'emporte. Les deux femmes attendent avec désespoir l'issue du combat :

SABINE.

Prenons parti, mon âme, en de telle disgrâces :
Soyons femme d'Horace, ou sœur des Curiaces ;
Cessons de partager nos inutiles soins ;
Souhaitons quelque chose, et craignons un peu moins.
Mais, las ! quel parti prendre en un sort si contraire ?
Quel ennemi choisir, d'un époux ou d'un frère ?
La nature ou l'amour parle pour chacun d'eux,
Et la loi du devoir m'attache à tous les deux.
Sur leurs hauts sentiments réglons plutôt les nôtres ;
Soyons femme de l'un ensemble et sœur des autres :
Regardons leur honneur comme un souverain bien ;
Imitons leur constance, et ne craignons plus rien.
La mort qui les menace est une mort si belle,
Qu'il en faut sans frayeur attendre la nouvelle.
N'appelons point alors les destins inhumains ;
Songeons pour quelle cause, et non par quelles mains ;
Revoyons les vainqueurs, sans penser qu'à la gloire
Que toute leur maison reçoit de leur victoire ;
Et sans considérer aux dépens de quel sang
Leur vertu les élève en cet illustre rang,
Faisons nos intérêts de ceux de leur famille :
En l'une je suis femme, en l'autre je suis fille,
Et tiens à toutes deux par de si forts liens,
Qu'on ne peut triompher que par les bras des miens.
Fortune, quelques maux que ta rigueur m'envoie,
J'ai trouvé les moyens d'en tirer de la joie,
Et puis voir aujourd'hui le combat sans terreur,
Les morts sans désespoir, les vainqueurs sans horreur.
Flatteuse illusion, erreur douce et grossière,
Vain effort de mon âme, impuissante lumière,
De qui le faux brillant prend droit de m'éblouir,
Que tu sais peu durer, et tôt t'évanouir !
Pareille à ces éclairs qui, dans le fort des ombres,
Poussent un jour qui fuit, et rend les nuits plus [sombres,
Tu n'as frappé mes yeux d'un moment de clarté
Que pour les abîmer dans plus d'obscurité.
Tu charmais trop ma peine, et le ciel, qui s'en fâche,
Me vend déjà bien cher ce moment de relâche.
Je sens mon triste cœur percé de tous les coups
Qui m'ôtent maintenant un frère ou mon époux.
Quand je songe à leur mort, quoi que je me propose,
Je songe par quels bras, et non pour quelle cause,
Et ne vois les vainqueurs en leur illustre rang
Que pour considérer aux dépens de quel sang.
La maison des vaincus touche seule mon âme ;
En l'une je suis fille, en l'autre je suis femme,
Et tiens à toutes deux par de si forts liens,
Qu'on ne peut triompher que par la mort des miens.
C'est là donc cette paix que j'ai tant souhaitée !
Trop favorables dieux, vous m'avez écoutée !
Quels foudres lancez-vous quand vous vous irritez,
Si même vos faveurs ont tant de cruautés ?
Et de quelle façon punissez-vous l'offense,
Si vous traitez ainsi les vœux de l'innocence ?

ACTE III, SCÈNE 1

Valère rapporte au vieil Horace la victoire de son fils et lui explique comment la fuite d'Horace était une ruse pour diviser ses adversaires et les affronter séparément :

LE VIEIL HORACE, VALÈRE, CAMILLE

VALÈRE.

Envoyé par le roi pour consoler un père,
Et pour lui témoigner...

LE VIEIL HORACE.

N'en prenez aucun soin :
C'est un soulagement dont je n'ai pas besoin ;
Et j'aime mieux voir morts que couverts d'infamie
Ceux que vient de m'ôter une main ennemie.
Tous deux pour leur pays sont morts en gens
[d'honneur ;
Il me suffit.

VALÈRE.

Mais l'autre est un rare bonheur ;
De tous les trois chez vous il doit tenir la place.

LE VIEIL HORACE.

Que n'a-t-on vu périr en lui le nom d'Horace !

VALÈRE.

Seul vous le maltraitez après ce qu'il a fait.

LE VIEIL HORACE.

C'est à moi seul aussi de punir son forfait.

VALÈRE.

Quel forfait trouvez-vous en sa bonne conduite ?

LE VIEIL HORACE.

Quel éclat de vertu trouvez-vous en sa fuite ?

VALÈRE.

La fuite est glorieuse en cette occasion.

LE VIEIL HORACE.

Vous redoublez ma honte et ma confusion.
Certes, l'exemple est rare et digne de mémoire
De trouver dans la fuite un chemin à la gloire.

VALÈRE.

Quelle confusion, et quelle honte à vous
D'avoir produit un fils qui nous conserve tous,
Qui fait triompher Rome, et lui gagne un empire ?
A quels plus grands honneurs faut-il qu'un père aspire ?

LE VIEIL HORACE.

Quels honneurs, quel triomphe, et quel empire enfin,
Lorsqu'Albe sous ses lois range notre destin ?

VALÈRE.

Que parlez-vous ici d'Albe et de sa victoire ?
Ignorez-vous encor la moitié de l'histoire ?

LE VIEIL HORACE.

Je sais que par sa fuite il a trahi l'État.

VALÈRE.

Oui, s'il eût en fuyant terminé le combat ;
Mais on a bientôt vu qu'il ne fuyait qu'en homme
Qui savait ménager l'avantage de Rome.

LE VIEIL HORACE.

Quoi, Rome donc triomphe !

VALÈRE.

Apprenez, apprenez
La valeur de ce fils qu'à tort vous condamnez.
Resté seul contre trois, mais en cette aventure
Tous trois étant blessés, et lui seul sans blessure,
Trop faible pour eux tous, trop fort pour chacun d'eux,
Il sait bien se tirer d'un pas si dangereux ;
Il fuit pour mieux combattre, et cette prompte ruse
Divise adroitement trois frères qu'elle abuse.
Chacun le suit d'un pas ou plus ou moins pressé,
Selon qu'il se rencontre ou plus ou moins blessé ;
Leur ardeur est égale à poursuivre sa fuite ;
Mais leurs coups inégaux séparent leur poursuite.
Horace, les voyant l'un de l'autre écartés,
Se retourne, et déjà les croit demi-domptés :
Il attend le premier, et c'était votre gendre.
L'autre, tout indigné qu'il ait osé l'attendre,
En vain en l'attaquant fait paraître un grand cœur,
Le sang qu'il a perdu ralentit sa vigueur.
Albe à son tour commence à craindre un sort contraire ;
Elle crie au second qu'il secoure son frère ;
Il se hâte et s'épuise en efforts superflus ;
Il trouve en les joignant que son frère n'est plus.

CAMILLE.

Hélas !

VALÈRE.

Tout hors d'haleine il prend pourtant sa place,
Et redouble bientôt la victoire d'Horace :
Son courage sans force est un débile appui ;
Voulant venger son frère, il tombe auprès de lui.
L'air résonne des cris qu'au ciel chacun envoie ;
Albe en jette d'angoisse, et les Romains de joie.
Comme notre héros se voit près d'achever,
C'est peu pour lui de vaincre, il veut encor braver :
« J'en viens d'immoler deux aux mânes de mes frères ;
Rome aura le dernier de mes trois adversaires ;
C'est à ses intérêts que je vais l'immoler »,
Dit-il ; et tout d'un temps on le voit y voler.
La victoire entre eux deux n'était pas incertaine ;
L'Albain percé de coups ne se traînait qu'à peine ;
Et comme une victime aux marches de l'autel,
Il semblait présenter sa gorge au coup mortel :
Aussi le reçoit-il, peu s'en faut, sans défense,
Et son trépas de Rome établit la puissance.

LE VIEIL HORACE.

O mon fils ! ô l'honneur de nos jours !
O d'un État penchant l'inespéré secours !
Vertu digne de Rome, et sang digne d'Horace !
Appui de ton pays, et gloire de ta race !
Quand pourrai-je étouffer dans tes embrassements
L'erreur dont j'ai formé de si faux sentiments ?
Quand pourra mon amour baigner avec tendresse
Ton front victorieux de larmes d'allégresse ?

ACTE IV, SCÈNE 2

Jean-François Paul de Gondi,
Cardinal de Retz

MONTMIRAIL 1613 – PARIS 1679.

Issu d'une grande famille originaire d'Italie, élevée aux plus hautes charges par Catherine de Médicis, le cardinal de Retz est destiné très jeune et sans vocation à la succession de son oncle, archevêque de Paris. Il a une jeunesse dissipée, mais un esprit décidément tourné vers la réussite. Nommé coadjuteur de son oncle à 30 ans il joue un rôle important pendant la Fronde et se pose en ennemi de Mazarin. En 1651 il obtient l'éloignement de Mazarin et pour lui-même le titre de cardinal : il prend le nom de cardinal de Retz. Mais dès 1652 il est arrêté et emprisonné à Vincennes, puis à Nantes. Louis XIV ne lui pardonnera jamais d'avoir participé à une révolte contre l'autorité royale. Il s'évade du château de Nantes, erre à travers l'Europe pendant sept ans. Ce n'est qu'en 1662, à la mort de Mazarin, qu'il peut revenir en france. Il y reçoit la riche abbaye de Saint-Denis et s'installe dans son château de Commercy où il écrit ses **Mémoires** *qui racontent les événements auxquels il fut mêlé et dressent des portraits excellents et féroces des Grands. Ce n'est qu'après sa mort, en 1717, que les* **Mémoires** *seront publiées. Il finit sa vie très pieusement.*

MÉMOIRES

.Mémoires.

1662 à 1678

Le cardinal de Retz adresse ses **Mémoires** *(écrites probablement de 1662 à 1678 et publiées en 1717) à une mystérieuse dame, très probablement Mme de Sévigné. Le dessein du cardinal est de donner un manuel de politique en racontant sa vie « sans fausse gloire ni fausse modestie » et les événements politiques auxquels il fut mêlé.*

Après de multiples aventures galantes, Retz passe brillamment sa licence en théologie à la Sorbonne en 1638 ; mais il a mécontenté Richelieu en écrivant l'apologie d'un conspirateur italien du XVIe siècle, sa famille effrayée décide de l'envoyer en Italie :

Toute ma famille s'épouvanta. Mon père et ma tante de Maignelais, qui se joignaient ensemble, la Sorbonne, Remebroc, Monsieur le Comte, mon frère qui était parti la même nuit, Mme de Guéméné, à laquelle ils voyaient bien que j'étais fort attaché, souhaitaient avec passion de m'éloigner et de m'envoyer en Italie. J'y allai, et je demeurai à Venise jusqu'à la mi-août, et il ne tint pas à moi de me faire assassiner. Je m'amusai à vouloir faire galanterie à la signora Vendranina, noble Vénitienne, et qui était une des personnes du monde les plus jolies. Le président de Maillé, ambassadeur pour le Roi, qui savait le péril qu'il y a, en ce pays-là, pour ces sortes d'aventures, me commanda d'en sortir. Je fis le tour de la Lombardie, et je me rendis à Rome sur la fin de septembre. M. le maréchal d'Estrées y était ambassadeur. Il me fit des leçons sur la manière dont je devais vivre, qui me persuadèrent ; et quoique je n'eusse aucun dessein d'être d'Eglise, je me résolus, à tout hasard, d'acquérir de la réputation dans une cour ecclésiastique où l'on me verrait avec la soutane.

J'exécutai fort bien ma résolution. Je ne laissai pas la moindre ombre de débauche ou de galanterie : je fus modeste au dernier point dans mes habits ; et cette modestie, qui paraissait dans ma personne, était relevée par une très grande dépense, par de belles livrées, par un équipage fort leste, et par une suite de sept ou huit gentilshommes, dont il y en avait quatre chevaliers de Malte. Je disputai dans les Écoles de Sapience, qui ne sont pas à beaucoup près si savantes que celles de Sorbonne ; et la fortune contribua encore à me relever.

Le prince de Schemberg, ambassadeur d'obédience de l'Empire, m'envoya dire, un jour que je jouais au ballon dans les thermes de l'empereur Antonin, de lui quitter la place. Je lui fis répondre qu'il n'y avait rien que je n'eusse rendu à son Excellence, si elle me l'eût demandé par civilité ; mais puisque c'était un ordre, j'étais obligé de lui dire que je n'en pouvais recevoir d'aucun ambassadeur que de celui du Roi mon maître. Comme il insista et qu'il m'eut fait dire, pour la seconde fois, par un de ses estafiers, de sortir du jeu, je me mis sur la défensive ; et les Allemands, plus par mépris, à mon sens, du peu de gens que j'avais avec moi, que par autre considération, ne poussèrent pas l'affaire. Ce coup, porté par un abbé tout modeste à un ambassadeur qui marchait toujours avec cent mousquetaires à cheval, fit un très grand éclat à Rome, et si grand que Roze, que vous voyez secrétaire du cabinet, et qui était ce jour-là dans le jeu du ballon, dit que feu M. le cardinal Mazarin en eut, dès ce jour, l'imagination saisie, et qu'il lui en a parlé depuis plusieurs fois.

PREMIÈRE PARTIE

De nouveaux impôts provoquent un mécontentement général. Le Parlement de Paris prend la tête des troubles. Mazarin fait arrêter le président Blancmesnil et le vieux conseiller Broussel, très populaire. Les bourgeois et les gens du peuple dressent des barricades. Le maréchal Meilleraie et Retz se rendent au Palais-Royal « dire à la reine la vérité » :

Le Chancelier entra dans le cabinet. [...] Il parla selon ce que lui dictait ce qu'il avait vu dans les rues. J'observai que le Cardinal parut fort touché de la liberté d'un homme en qui il n'en avait jamais vu. Mais Senneterre, qui entra presque en même temps, effaça en moins d'un rien ces premières idées, en assurant que la chaleur du peuple commençait à se ralentir, que l'on ne prenait point les armes, et qu'avec un peu de patience tout irait bien.

Il n'y a rien de si dangereux que la flatterie dans les conjonctures où celui que l'on flatte peut avoir peur. L'envie qu'il a de ne la pas prendre fait qu'il croit à tout ce qui l'empêche d'y remédier. Ces avis, qui arrivaient de moment à autre, faisaient perdre inutilement ceux dans lesquels on peut dire que le salut de l'État était enfermé. Le vieux Guitaut, homme de peu de sens, mais très affectionné, s'en impatienta plus que les autres, et il dit, d'un ton de voix encore plus rauque qu'à son ordinaire, qu'il ne comprenait pas comme il était possible de s'endormir en l'état où étaient les choses. Il ajouta je ne sais quoi entre ses dents, que je n'entendis pas, mais qui apparemment piqua le Cardinal, qui d'ailleurs ne l'aimait pas, et qui lui répondit : « Hé bien ! Monsieur de Guitaut, quel est votre avis ? – Mon avis est, Monsieur, lui repartit brusquement Guitaut, de rendre ce vieux coquin de Broussel mort ou vif. » Je pris la parole et je lui dis : « Le premier ne serait ni de la piété ni de la prudence de la Reine ; le second pourrait faire cesser le tumulte. » La Reine rougit à ce mot, et elle s'écria : « Je vous entends, Monsieur le Coadjuteur ; vous voudriez que je donnasse la liberté à Broussel : je l'étranglerais plutôt avec ces deux mains. » Et en achevant cette dernière syllabe, elle me les porta presque au visage, en ajoutant : « Et ceux qui... » Le Cardinal, qui ne douta point qu'elle ne m'allât dire tout ce que la rage peut inspirer, s'avança ; il lui parla à l'oreille. Elle se composa, et à un point que, si je ne l'eusse bien connue, elle m'eût paru bien radoucie. Le lieutenant civil entra à ce moment dans le cabinet, avec une pâleur mortelle sur le visage, et je n'ai jamais vu à la comédie italienne de peur si naïvement et si ridiculement représentée que celle qu'il fit voir à la Reine en lui racontant des aventures de rien qui lui étaient arrivées depuis son logis jusques au Palais-Royal. Admirez, je vous supplie, la sympathie des âmes timides. Le cardinal Mazarin n'avait jusque-là été que médiocrement touché de ce que M. de la Meilleraie et moi lui avions dit avec assez de vigueur, et La Rivière n'en avait pas été seulement ému. La frayeur du lieutenant civil se glissa, je crois par contagion, dans leur imagination, dans leur esprit, dans leur cœur. Ils nous parurent tout à coup métamorphosés ; ils ne me traitèrent plus de ridicule ; ils avouèrent que l'affaire méritait de la réflexion ; ils consultèrent, et ils souffrirent que MM. de Longueville, le Chancelier, le maréchal de Villeroi et celui de la Meilleraie, et le Coadjuteur prouvassent, par bonnes raisons, qu'il fallait rendre Broussel devant que les peuples, qui menaçaient de prendre les armes, les eussent prises effectivement.

DEUXIÈME PARTIE

Dans ses Mémoires Retz se plaît à brosser de féroces portraits des Grands, de la Reine Anne d'Autriche, du duc d'Orléans, frère de Louis XIII, du Grand Condé, de La Rochefoucauld qu'il haïssait :

La Reine avait, plus que personne que j'aie jamais vu, de cette sorte d'esprit qui lui était nécessaire pour ne pas paraître sotte à ceux qui ne la connaissaient pas. Elle avait plus d'aigreur que de hauteur, plus de hauteur que de grandeur, plus de manières que de fond, plus d'inapplication à l'argent que de libéralité, plus de libéralité que d'intérêt, plus d'intérêt que de désintéressement, plus d'attachement que de passion, plus de dureté que de fierté, plus de mémoire des injures que des bienfaits, plus d'intention de piété que de piété, plus d'opiniâtreté que de fermeté, et plus d'incapacité que de tout ce que dessus.

M. le duc d'Orléans avait, à l'exception du courage, tout ce qui était nécessaire à un honnête homme ; mais comme il n'avait rien, sans exception, de tout ce qui peut distinguer un grand homme, il ne trouvait rien dans lui-même qui pût ni suppléer ni même soutenir sa faiblesse. Comme elle régnait dans son cœur par la frayeur, et dans son esprit par l'irrésolution, elle sait tout le cours de sa vie. Il entra dans toutes les affaires, parce qu'il n'avait pas la force de résister à ceux qui l'y entraînaient pour leurs intérêts ; il n'en sortit jamais qu'avec honte, parce qu'il n'avait pas le courage de les soutenir. Cet ombrage amortit, dès sa jeunesse, en lui les couleurs même les plus vives et les plus gaies, qui devaient briller naturellement dans un esprit beau et éclairé, dans un enjouement aimable, dans une intention très bonne, dans un désintéressement complet et dans une facilité de mœurs incroyable.

Monsieur le Prince est né capitaine, ce qui n'est jamais arrivé qu'à lui, à César et à Spinola. Il a égalé le premier ; il a passé le second. L'intrépidité est l'un des moindres traits de son caractère. La nature lui avait fait l'esprit aussi grand que le cœur. La fortune, en le donnant à un siècle de guerre, a laissé au second toute son étendue ; la naissance, ou plutôt l'éducation, dans une maison attachée et soumise au cabinet, a donné des bornes trop étroites au premier. L'on ne lui a pas inspiré d'assez bonne heure les grandes et générales maximes, qui sont celles qui font et qui forment ce que l'on appelle l'esprit de suite. Il n'a pas eu le temps de les prendre par lui-même, parce qu'il a été prévenu, dès sa jeunesse, par la chute imprévue des grandes affaires et par l'habitude au bonheur. Ce défaut a fait qu'avec l'âme du monde la moins méchante, il a fait des injustices ; qu'avec le cœur d'Alexandre, il n'a pas été exempt, il est tombé dans des imprudences ; qu'ayant toutes les qualités de François de Guise, il n'a pas servi l'État, en de certaines occasions, aussi bien qu'il le devait ; et qu'ayant toutes celles de Henri du même nom, il n'a pas poussé la faction où il le pouvait. Il n'a pu remplir son mérite, c'est un défaut ; mais il est rare, mais il est beau. (...)

Il y a toujours eu du je ne sais quoi en tout M. de La Rochefoucauld. Il a voulu se mêler d'intrigue, dès son enfance, et dans un temps où il ne sentait pas les petits intérêts, qui n'ont jamais été son faible ; et où il ne connaissait pas les grands, qui, d'un autre sens, n'ont pas été son fort. Il n'a jamais été capable d'aucune affaire, et je ne sais pourquoi ; car il avait des qualités qui eussent suppléé, en tout autre, celles qu'il n'avait pas. Sa vue n'était pas assez étendue, et il ne voyait pas même tout ensemble ce qui était à sa portée ; mais son bon sens, et très bon dans la spéculation, joint à sa douceur, à son insinuation et à sa facilité de mœurs, qui est admirable, devait récompenser plus qu'il n'a fait le défaut de sa pénétration. Il a toujours eu une irrésolution habituelle ; mais je ne sais même à quoi attribuer cette irrésolution. Elle n'a pu venir en lui de la fécondité de son imagination qui n'est rien moins que vive. Je ne la puis donner à la stérilité de son jugement ; car, quoiqu'il ne l'ait pas exquis dans l'action, il a un bon fonds de raison. Nous voyons les effets de cette irrésolution, quoique nous n'en connaissions pas la cause. Il n'a jamais été guerrier, quoiqu'il fût très soldat. Il n'a jamais été, par lui-même, bon courtisan, quoiqu'il ait eu toujours bonne intention de l'être. Il n'a jamais été bon homme de parti, quoique toute sa vie il y ait été engagé. Cet air de honte et de timidité que vous lui voyez dans la vie civile s'était tourné, dans les affaires, en air d'apologie. Il croyait toujours en avoir besoin, ce qui, joint à ses *Maximes,* qui ne marquent pas assez de foi en la vertu, et à sa pratique, qui a toujours été de chercher à sortir des affaires avec autant d'impatience qu'il y était entré, me fait conclure qu'il eût beaucoup mieux fait de se connaître et de se réduire à passer, comme il l'eût pu, pour le courtisan le plus poli qui eût paru dans son siècle.

DEUXIÈME PARTIE

Portraits de Richelieu et de Mazarin :

Le cardinal de Richelieu avait de la naissance. Sa jeunesse jeta des étincelles de son mérite : il se distingua en Sorbonne ; on remarqua de fort bonne heure qu'il avait de la force et de la vivacité dans l'esprit. Il prenait d'ordinaire très bien son parti. Il était homme de parole, où un grand intérêt ne l'obligeait pas au contraire ; et en ce cas, il n'oubliait rien pour sauver les apparences de la bonne foi. Il n'était pas libéral ; mais il donnait plus qu'il ne promettait, et il assaisonnait admirablement les bienfaits. Il aimait la gloire beaucoup plus que la morale ne le permet ; mais il faut avouer qu'il n'abusait qu'à proportion de son mérite de la dispense qu'il avait prise sur ce point de l'excès de son ambition. Il n'avait ni l'esprit ni le cœur au-dessus des périls ; il n'avait ni l'un ni l'autre au-dessous ; et l'on peut dire qu'il en prévint davantage par sa sagacité qu'il n'en surmonta par sa fermeté. Il était bon ami ; il eût même souhaité d'être aimé du public ; mais quoiqu'il eût la civilité, l'extérieur et beaucoup d'autres parties propres à cet effet, il n'en eut jamais le je ne sais quoi, qui est encore, en cette matière, plus requis qu'en toute autre. Il anéantissait par son pouvoir et par son faste royal la majesté personnelle du Roi ; mais il remplissait avec tant de dignité les fonctions de la royauté, qu'il fallait n'être pas du vulgaire pour ne pas confondre le bien et le mal en ce fait. Il distinguait plus judicieusement qu'homme du monde entre le mal et le pis, entre le bien et le mieux, ce qui est une grande qualité pour un ministre. Il s'impatientait trop facilement dans les petites choses qui étaient préalables des grandes ; mais ce défaut, qui vient de la sublimité de l'esprit, est toujours joint à des lumières qui le suppléent. Il avait assez de religion pour ce monde. Il allait au bien, ou par inclination ou par bon sens, toutefois que son intérêt ne le portait point au mal, qu'il connaissait parfaitement quand il le faisait. Il ne considérait l'État que pour sa vie ; mais jamais ministre n'a eu plus d'application à faire croire qu'il en ménageait l'avenir. Enfin il faut confesser que tous ses vices ont été de ceux que la grande fortune rend aisément illustres, parce qu'ils ont été de ceux qui ne peuvent avoir pour instruments que de grandes vertus.

Vous jugez facilement qu'un homme qui a autant de grandes qualités et autant d'apparences de celles même qu'il n'avait pas, se conserve assez aisément dans le monde cette sorte de respect qui démêle le mépris d'avec la haine, et qui, dans un État où il n'y a plus de lois, supplée au moins pour quelque temps à leur défaut.

Le cardinal Mazarin était d'un caractère tout contraire. Sa naissance était basse et son enfance honteuse. Au sortir du Colisée, il apprit à piper, ce qui lui attira des coups de bâtons d'un orfèvre de Rome appelé Moreto. Il fut capitaine d'infanterie en Valteline ; et Bagni, qui était son général, m'a dit qu'il ne passa dans sa guerre, qui ne fut que de trois mois, que pour un escroc. Il eut la nonciature extraordinaire en France, par la faveur du cardinal Antoine, qui ne s'acquérait pas, en ce temps-là, par de bons moyens. Il plut à Chavigni par ses contes libertins d'Italie, et par Chavigni à Richelieu, qui le fit cardinal, par le même esprit, à ce que l'on a cru, qui obligea Auguste à laisser à Tibère la succession de l'Empire. La pourpre ne l'empêcha pas de demeurer valet sous Richelieu. La Reine l'ayant choisi faute d'autre, ce qui est vrai quoi qu'on en dise, il parut d'abord original de *Trivelino Principe*. La fortune l'ayant ébloui et tous les autres, il s'érigea et l'on l'érigea en Richelieu ; mais il n'en eut que l'impudence de l'imitation. Il se fit de la honte de tout ce que l'autre s'était fait de l'honneur. Il se moqua de la religion. Il promit tout, parce qu'il ne voulut rien tenir. Il ne fut ni doux ni cruel, parce qu'il ne se ressouvenait ni des bienfaits ni des injures. Il s'aimait trop, ce qui est le naturel des âmes lâches ; il se craignait trop peu, ce qui est le caractère de ceux qui n'ont pas de soin de leur réputation. Il prévoyait assez bien le mal, parce qu'il avait souvent peur ; mais il n'y remédiait pas à proportion, parce qu'il n'avait pas tant de prudence que de peur. Il avait de l'esprit, de l'insinuation, de l'enjouement, des manières ; mais le vilain cœur paraissait toujours au travers, et au point que ces qualités eurent, dans l'adversité, tout l'air du ridicule, et ne perdirent pas, dans la plus grande prospérité, celui de fourberie. Il porta le filoutage dans le ministère, ce qui n'est jamais arrivé qu'à lui ; et ce filoutage faisait que le ministère, même heureux et absolu, ne lui seyait pas bien, et que le mépris s'y glissa, qui est la madadie la plus dangereuse d'un État, et dont la contagion se répand le plus aisément et le plus promptement du chef dans les membres.

Prince François de Marcillac, puis duc de

La Rochefoucauld

PARIS 1613 – PARIS 1680.

La Rochefoucauld appartient à l'une des plus nobles familles de France ; il connaît une jeunesse aventureuse et participe contre Richelieu au complot de Madame de Chevreuse. Mais la reine Anne d'Autriche ne lui témoigne aucune reconnaissance, il prend alors part à la Fronde et est gravement blessé. Amer et déçu par les hommes et l'action, il renonce à ses ambitions politiques et se consacre à la connaissance de soi et des autres. Il fréquence divers salons littéraires, se lie d'une tendre amitié avec Madame de La Fayette et compose ses **Réflexions ou Sentences et Maximes Morales** *(1665) qui révèlent son profond pessimisme : selon lui toute action humaine ne fait que traduire « l'amour propre ». Il y élabore la morale du « vrai honnête homme ». Il écrit des* **Mémoires** *qui ne seront publiées qu'au XIX*[e] *siècle. Il refuse, fidèle à sa morale, l'offre d'un fauteuil à l'Académie. C'est avec dignité qu'il meurt en 1680, assisté par Bossuet.*

PHILOSOPHIE

.Réflexions ou Sentences et Maximes Morales.

1665 – 1678

Les Maximes obtiennent dès leur première parution en 1665 un grand succès qui ne va pas sans un certain scandale. Quatre éditions suivent la première : en 1666, 1671, 1675 et 1678. Chacune est corrigée : sous l'influence de Madame de La Fayette, La Rochefoucauld atténue le ton très absolu et l'amertume. Madame de La Fayette écrit : « Monsieur de La Rochefoucauld m'a donné de l'esprit, mais j'ai réformé son cœur. » Chaque édition est enrichie de nouvelles maximes, l'édition définitive de 1678 compte 504 maximes.

Ces Maximes s'organisent autour d'une idée centrale : misère et grandeur de l'homme. Le versant pessimiste domine : La Rochefoucauld considère avec « lucidité » les hommes « dans cet état déplorable de la nature corrompue par le péché. » Les hommes sont menés par l'amour-propre, source de l'intérêt, l'orgueil, la vanité, enfin des passions les plus diverses. « Nos vertus ne sont le plus souvent que des vices déguisés » : la bonté est une paresse ou impuissance de la volonté » la pitié « un sentiment de nos propres maux dans les maux d'autrui » et l'amitié « un ménagement d'intérêts réciproques » etc.

Cependant les Maximes présentent aussi un versant constructif, un idéal de rigueur et de dignité humaine : idéal aristocratique car il s'adresse à des hommes d'honneur, idéal chrétien car il est fondé sur l'humilité, idéal classique car il prône la vertu de la lucidité.

Portrait de La Rochefoucauld par lui-même comme connaissance de soi (1659) :

J'ai quelque chose de chagrin et de fier dans la mine : cela fait croire à la plupart des gens que je suis méprisant, quoique je ne le sois point du tout. J'ai l'action fort aisée, et même un peu trop, et jusqu'à faire beaucoup de gestes en parlant. Voilà naïvement comme je pense que je suis fait au dehors, et l'on trouvera, je crois, que ce que je pense de moi là-dessus n'est pas fort éloigné de ce qui en est. J'en userai avec la même fidélité dans ce qui me reste à faire de mon portrait ; car je me suis assez étudié pour me bien connaître, et je ne manquerai ni d'assurance pour dire librement ce que je puis avoir de bonnes qualités, ni de sincérité pour avouer franchement ce que j'ai de défauts.

Premièrement, pour parler de mon humeur, je suis mélancolique, et je le suis à un point que, depuis trois ou quatre ans, à peine m'a-t-on vu rire trois ou quatre fois. J'aurois pourtant, ce me semble, une mélancolie assez supportable et assez douce, si je n'en avois point d'autre que celle qui me vient de mon tempérament ; mais il m'en vient tant d'ailleurs, et ce qui m'en vient me remplit de telle sorte l'imagination, et m'occupe si fort l'esprit, que la plupart du temps, ou je rêve sans dire mot, ou je n'ai presque point d'attache à ce que je dis. Je suis fort resserré avec ceux que je ne connois pas, et je ne suis pas même extrêmement ouvert avec la plupart de ceux que je connois. C'est un défaut, je le sais bien, et je ne négligerai rien pour m'en corriger. (...)

J'aime la lecture, en général ; celle où il se trouve quelque chose qui peut façonner l'esprit et fortifier l'âme est celle que j'aime le plus. Surtout, j'ai une extrême satisfaction à lire avec une personne d'esprit : car, de cette sorte, on réfléchit à tout moment sur ce qu'on lit ; et des réflexions que l'on fait il se forme une conversation la plus agréable du monde et la plus utile.

Je juge assez bien des ouvrages de vers et de prose que l'on me montre ; mais j'en dis peut-être mon sentiment avec un peu trop de liberté. Ce qu'il y a encore de mal en moi, c'est que j'ai quelquefois une délicatesse trop scrupuleuse et une critique trop sévère. Je ne hais pas entendre disputer, et souvent aussi je me mêle assez volontiers dans la dispute : mais je soutiens d'ordinaire mon opinion avec trop de chaleur ; et lorsqu'on défend un parti injuste contre moi, quelquefois, à force de me passionner pour la raison, je deviens moi-même fort peu raisonnable.

J'ai les sentiments vertueux, les inclinations belles, et une si forte envie d'être tout à fait honnête homme que mes amis ne me sauroient faire un plus grand plaisir que de m'avertir sincèrement de mes défauts. Ceux qui me connoissent un peu particulièrement, et qui ont eu la bonté de me donner quelquefois des avis là-dessus, savent que je les ai toujours reçus avec toute la joie imaginable et toute la soumission d'esprit que l'on sauroit désirer.

J'ai toutes les passions assez douces et assez réglées : on ne m'a presque jamais vu en colère, et je n'ai jamais eu de haine pour personne. Je ne suis pas pourtant incapable de me venger, si l'on m'avoit offensé, et qu'il y allât de mon honneur à me ressentir de l'injure qu'on m'auroit faite. Au contraire, je suis assuré que le devoir feroit si bien en moi l'office de la haine, que je poursuivrois ma vengeance avec encore plus de vigueur qu'un autre. (...)

J'aime mes amis, et je les aime d'une façon que je ne balancerois pas un moment à sacrifier mes intérêts aux leurs. J'ai de la condescendance pour eux ; je souffre patiemment leurs mauvaises humeurs : seulement je ne leur fais beaucoup de caresses, et je n'ai pas non plus de grandes inquiétudes en leur absence. (...)

J'approuve extrêmement les belles passions ; elles marquent la grandeur de l'âme : et quoique, dans les inquiétudes qu'elles donnent, il y ait quelque chose de contraire à la sévère sagesse, elles s'accomodent si bien d'ailleurs avec la plus austère vertu que je crois qu'on ne les sauroit condamner avec justice. Moi qui connois tout ce qu'il y a de délicat et de fort dans les grands sentiments de l'amour, si jamais je viens à aimer, ce sera assurément de cette sorte ; mais, de la façon dont je suis, je ne crois pas que cette connoissance que j'ai me passe jamais de l'esprit au cœur.

La première maxime de l'édition de 1665 met au centre de la morale l'amour-propre ainsi défini :

L'amour-propre est l'amour de soi-même et de toutes choses pour soi ; il rend les hommes idolâtres d'eux-mêmes, et les rendrait les tyrans des autres, si la fortune leur en donnait les moyens. Il ne se repose jamais hors de soi, et ne s'arrête dans les sujets étrangers que comme les abeilles sur les fleurs, pour en tirer ce qui lui est propre. Rien n'est si impétueux que ses désirs ; rien de si caché que ses desseins, rien de si habile que ses conduites ; ses souplesses ne se peuvent représenter, ses transformations passent celles des métamorphoses, et ses raffinements ceux de la chimie. On ne peut sonder la profondeur, ni percer les ténèbres de ses abîmes : là il est à couvert des yeux les plus pénétrants ; il y fait mille insensibles tours et retours ; là il est souvent invisible à lui-même ; il y conçoit, il y nourrit et il y élève, sans le savoir, un grand nombre d'affections et de haines ; il en forme de si monstrueuses que, lorsqu'il les a mises au jour, il les méconnaît, ou il ne peut se résoudre à les avouer.

La Rochefoucauld s'applique à rechercher toutes les ruses et les métamorphoses de l'amour-propre :
(le numéro qui précède chaque maxime est celui de l'édition de 1678)

Nos vertus ne sont le plus souvent que des vices déguisés.

.1.

Ce que nous prenons pour des vertus n'est souvent qu'un assemblage de diverses actions et de divers intérêts que la fortune ou notre industrie savent arranger, et ce n'est pas toujours par valeur et par chasteté que les hommes sont vaillants et que les femmes sont chastes.

.2.

L'amour-propre est le plus grand de tous les flatteurs.

.4.

L'amour-propre est plus habile que le plus habile homme du monde.

.16.

Cette clémence, dont on fait une vertu, se pratique, tantôt par vanité, quelquefois par paresse, souvent par crainte et presque toujours par toutes les trois ensemble.

.19.

Nous avons tous assez de force pour supporter les maux d'autrui.

.35.

L'orgueil est égal dans tous les hommes, et il n'y a de différence qu'aux moyens et à la manière de le mettre à jour.

"Nos vertus ne sont le plus souvent que des vices déguisés"

.39.

L'intérêt parle toutes sortes de langues et joue toutes sortes de personnages, même celui de désintéressé.

.81.

Nous ne pouvons rien aimer que par rapport à nous, et nous ne faisons que suivre notre goût et notre plaisir, quand nous préférons nos amis à nous-mêmes ; c'est néanmoins par cette préférence seule que l'amitié peut être vraie et parfaite.

.83.

Ce que les hommes ont nommé amitié n'est qu'une société, qu'un ménagement réciproque d'intérêts, et qu'un échange de bons offices ; ce n'est enfin qu'un commerce où

"L'amour-propre est le plus grand de tous les flatteurs"

"L'esprit est toujours la dupe du cœur"

"On parle peu quand la vanité ne fait pas parler"

"La pitié est souvent un sentiment de nos propres maux dans les maux d'autrui"

l'amour-propre se propose toujours quelque chose à gagner.

.102.

L'esprit est toujours la dupe du cœur

.137.

On parle peu quand la vanité ne fait pas parler.

.144.

On n'aime point à louer, et on ne loue jamais personne sans intérêt. La louange est une flatterie habile, cachée et délicate, qui satisfait différemment celui qui la donne et celui qui la reçoit : l'un la prend comme une récompense de son mérite : l'autre la donne pour faire remarquer son équité et son discernement.

.149.

Le refus des louanges est un désir d'être loué deux fois.

.196.

Nous oublions aisément nos fautes lorsqu'elles ne sont sues que de nous.

.237.

Nul ne mérite d'être loué de bonté, s'il n'a pas la force d'être méchant : toute autre bonté n'est le plus souvent qu'une paresse ou une impuissance de la volonté.

.246.

Ce qui paraît générosité n'est souvent qu'une ambition déguisée, qui méprise de petits intérêts, pour aller à de plus grands.

.263.

Ce qu'on nomme libéralité n'est le plus souvent que la vanité de donner, que nous aimons mieux que ce que nous donnons.

.264.

La pitié est souvent un sentiment de nos propres maux dans les maux d'autrui ; c'est une habile prévoyance des malheurs où nous pouvons tomber ; nous donnons du secours aux autres, pour les engager à nous en donner en de semblables occasions, et ces services que nous leur rendons sont, à proprement parler, des biens que nous nous faisons à nous-mêmes par avance.

Les Maximes sont aussi une morale positive pleine d'honneur fondée sur l'humilité et la lucidité :

"L'humilité est la véritable preuve des vertus chrétiennes"

"On doit se consoler de ses fautes quand on a la force de les avouer"

L'humilité est la véritable preuve des vertus chrétiennes : sans elle, nous conservons tous nos défauts, et ils sont seulement couverts par l'orgueil, qui les cache aux autres, et souvent à nous-mêmes. *(éd. 1665)*

L'humilité est l'autel sur lequel Dieu veut qu'on lui offre des sacrifices. *(éd. 1665)*

.202.

Les faux honnêtes gens sont ceux qui déguisent leurs défauts aux autres et à eux-mêmes ; les vrais honnêtes gens sont ceux qui les connaissent parfaitement, et les confessent. *(éd. 1678).*

.216.

La parfaite valeur est de faire sans témoins ce qu'on serait capable de faire devant tout le monde. *(éd. 1678).*

Nous gagnerions plus de nous laisser voir tels que nous sommes, que d'essayer de paraître ce que nous ne sommes pas. *(éd. 1665).*

On doit se consoler de ses fautes quand on a la force de les avouer. *(éd. 1665).*

♦

Jean de La Fontaine

CHATEAU-THIERRY 1621 – PARIS 1695.

*De son noviciat à l'Oratoire (il a vingt ans), La Fontaine dira qu'il y relut l'**Astrée** ; il étudie un peu le droit, se marie (1647), hérite (en 1654) d'une charge de maître des Eaux et Forêts qu'il tiendra jusqu'en 1671. Il sera successivement protégé par Fouquet, la duchesse d'Orléans, et Madame de La Sablière. Élu académicien en 1683, il se tourne vers la religion dans les dernières années de sa vie.*

.Les Fables.

1695

.LA CIGALE ET LA FOURMI.

La Cigale, ayant chanté
Tout l'été,
Se trouva fort dépourvue
Quand la bise fut venue :
Pas un seul petit morceau
De mouche ou de vermisseau.
Elle alla crier famine
Chez la Fourmi sa voisine,
La priant de lui prêter
Quelque grain pour subsister
Jusqu'à la saison nouvelle.
« Je vous paierai, lui dit-elle,
Avant l'oût, foi d'animal,
Intérêt et principal. »
La Fourmi n'est pas prêteuse ;
C'est là son moindre défaut.
« Que faisiez-vous au temps chaud ?
Dit-elle à cette emprunteuse.
– Nuit et jour à tout venant
Je chantais, ne vous déplaise.
– Vous chantiez ? j'en suis fort aise :
Eh bien ! dansez maintenant. »

*Les premières **Fables** paraissent en 1665, le douzième et dernier livre quelques mois avant la mort de son auteur. Les **Fables** sont la meilleure part d'une œuvre très diverse qui comprend les **Contes et Nouvelles en vers,** des pièces de théâtre, des poèmes (dont **Adonis, La Captivité de saint Malc,** etc.), un très curieux « roman » des **Amours de Psyché et de Cupidon,** diverses pièces dont une paraphrase du **Dies irae,** et une **Relation d'un voyage de Paris en Limousin.** Imitées d'Esope, de Pilpay et d'autres, les **Fables** sont le vrai patrimoine culturel des Français (La Fontaine est « notre Homère ») et un trésor de proverbes et de bons conseils.*

•LE CORBEAU ET LE RENARD.

Maître Corbeau, sur un arbre perché,
Tenait en son bec un fromage.
Maître Renard, par l'odeur alléché,
Lui tint à peu près ce langage :
« Hé ! bonjour, Monsieur du Corbeau,
Que vous êtes joli ! que vous me semblez beau !
Sans mentir, si votre ramage
Se rapporte à votre plumage,
Vous êtes le phénix des hôtes de ces bois. »
A ces mots le Corbeau ne se sent pas de joie ;
Et pour montrer sa belle voix,
Il ouvre un large bec, laisse tomber sa proie.
Le Renard s'en saisit, et dit : « Mon bon Monsieur,
Apprenez que tout flatteur
Vit aux dépens de celui qui l'écoute :
Cette leçon vaut bien un fromage, sans doute. »
Le Corbeau, honteux et confus,
Jura, mais un peu tard, qu'on ne l'y prendrait plus.

•LA GRENOUILLE QUI VEUT SE FAIRE AUSSI GROSSE QUE LE BŒUF.

Une grenouille vit un Bœuf
Qui lui sembla de belle taille.
Elle, qui n'était pas grosse en tout comme un œuf,
Envieuse, s'étend, et s'enfle, et se travaille,
Pour égaler l'animal en grosseur,
Disant : « Regardez bien, ma sœur ;
Est-ce assez ? dites-moi ; n'y suis-je point encore ?
– Nenni. – M'y voici donc ? – Point du tout. – M'y voilà ?
– Vous n'en approchez point. » La chétive pécore
S'enfla si bien qu'elle creva.

Le monde est plein de gens qui ne sont pas plus sages :
Tout bourgeois veut bâtir comme les grands seigneurs,
Tout petit prince a des ambassadeurs,
Tout marquis veut avoir des pages.

•LE LOUP ET L'AGNEAU.

La raison du plus fort est toujours la meilleure ;
Nous l'allons montrer tout à l'heure.

Un Agneau se désaltérait
Dans le courant d'une onde pure.
Un Loup survient à jeun, qui cherchait aventure,
Et que la faim en ces lieux attirait.
« Qui te rend si hardi de troubler mon breuvage ?
Dit cet animal plein de rage :
Tu seras châtié de ta témérité.
– Sire, répond l'Agneau, que Votre Majesté
Ne se mette pas en colère ;
Mais plutôt qu'elle considère
Que je me vas désaltérant
Dans le courant,
Plus de vingt pas au-dessous d'Elle ;
Et que par conséquent, en aucune façon,
Je ne puis troubler sa boisson.
– Tu la troubles, reprit cette bête cruelle ;
Et je sais que de moi tu médis l'an passé.
– Comment l'aurais-je fait si je n'étais pas né ?
Reprit l'Agneau ; je tette encor ma mère.
– Si ce n'est toi, c'est donc ton frère.
– Je n'en ai point. – C'est donc quelqu'un des tiens ;
Car vous ne m'épargnez guère,
Vous, vos bergers, et vos chiens.
On me l'a dit : il faut que je me venge. »
Là-dessus, au fond des forêts
Le Loup l'emporte, et puis le mange,
Sans autre forme de procès.

•LE RAT DE VILLE ET LE RAT DES CHAMPS.

Autrefois le Rat de ville
Invita le Rat des champs,
D'une façon fort civile,
A des reliefs d'ortolans.

Sur un tapis de Turquie
Le couvert se trouva mis.
Je laisse à penser la vie
Que firent ces deux amis.

Le régal fut fort honnête :
Rien ne manquait au festin ;
Mais quelqu'un troubla la fête
Pendant qu'ils étaient en train.

A la porte de la salle
Ils entendirent du bruit :
Le Rat de ville détale ;
Son camarade le suit.

Le bruit cesse, on se retire :
Rats en campagne aussitôt ;
Et le citadin de dire :
« Achevons tout notre rôt.

– C'est assez, dit le rustique ;
Demain vous viendrez chez moi :
Ce n'est pas que je me pique
De tous vos festins de roi ;

Mais rien ne vient m'interrompre :
Je mange tout à loisir.
Adieu donc, fi du plaisir
Que la crainte peut corrompre ! »

•LE RENARD ET LES RAISINS.

Certain Renard gascon, d'autres disent normand,
Mourant presque de faim, vit au haut d'une treille
Des Raisins, mûrs apparemment
Et couverts d'une peau vermeille.
Le galant en eût fait volontiers un repas,
Mais comme il n'y pouvait atteindre :
« Ils sont trop verts, dit-il, et bons pour des goujats. »

Fit-il pas mieux que de se plaindre ?

•LE CHÊNE ET LE ROSEAU•

Le Chêne un jour dit au Roseau :
« Vous avez bien sujet d'accuser la Nature ;
Un roitelet pour vous est un pesant fardeau ;
Le moindre vent qui d'aventure
Fait rider la face de l'eau,
Vous oblige à baisser la tête,
Cependant que mon front, au Caucase pareil,
Non content d'arrêter les rayons du soleil,
Brave l'effort de la tempête.
Tout vous est aquilon, tout me semble zéphyr.
Encor si vous naissiez à l'abri du feuillage
Dont je couvre le voisinage,
Vous n'auriez pas tant à souffrir :
Je vous défendrais de l'orage ;
Mais vous naissez le plus souvent
Sur les humides bords des royaumes du vent.
La Nature envers vous me semble bien injuste.
– Votre compassion, lui répondit l'arbuste,
Part d'un bon naturel ; mais quittez ce souci :
Les vents me sont moins qu'à vous redoutables ;
Je plie, et ne romps pas. Vous avez jusqu'ici
Contre leurs coups épouvantables
Résisté sans courber le dos ;
Mais attendons la fin. » Comme il disait ces mots,
Du bout de l'horizon accourt avec furie
Le plus terrible des enfants
Que le Nord eût portés jusque-là dans ses flancs.
L'arbre tient bon ; le Roseau plie.
Le vent redouble ses efforts,
Et fait si bien qu'il déracine
Celui de qui la tête au ciel était voisine,
Et dont les pieds touchaient à l'empire des morts.

•LE PETIT POISSON ET LE PÊCHEUR•

Petit poisson deviendra grand,
Pourvu que Dieu lui prête vie ;
Mais le lâcher en attendant,
Je tiens pour moi que c'est folie :
Car de le rattraper il n'est pas trop certain.

Un Carpeau, qui n'était encore que fretin,
Fut pris par un pêcheur au bord d'une rivière.
« Tout fait nombre, dit l'homme en voyant son butin ;
Voilà commencement de chère et de festin :
Mettons-le en notre gibecière. »
Le pauvre Carpillon lui dit en sa manière :
« Que ferez-vous de moi ? je ne saurais fournir
Au plus qu'une demi-bouchée.
Laissez-moi carpe devenir :
Je serai par vous repêchée ;
Quelque gros partisan m'achètera bien cher :
Au lieu qu'il vous en faut chercher
Peut-être encor cent de ma taille
Pour faire un plat : quel plat ? croyez-moi, rien qui vaille.
– Rien qui vaille ? Eh bien ! soit, repartit le Pêcheur :
Poisson, mon bel ami, qui faites le prêcheur,
Vous irez dans la poêle ; et vous avez beau dire,
Dès ce soir on vous fera frire. »

Un Tiens vaut, ce dit-on, mieux que deux Tu l'auras :
L'un est sûr, l'autre ne l'est pas.

•LE LION ET LE RAT•

Il faut, autant qu'on peut, obliger tout le monde :
On a souvent besoin d'un plus petit que soi.
De cette vérité deux fables feront loi,
Tant la chose en preuves abonde.

Entre les pattes d'un Lion
Un Rat sortit de terre assez à l'étourdie,
Le roi des animaux, en cette occasion,
Montra ce qu'il était, et lui donna la vie,
Ce bienfait ne fut pas perdu.
Quelqu'un aurait-il jamais cru
Qu'un Lion d'un Rat eût affaire ?
Cependant il avint qu'au sortir des forêts
Ce Lion fut pris dans des rets,
Dont ses rugissements ne le purent défaire,
Sire Rat accourut, et fit tant par ses dents
Qu'une maille rongée emporta tout l'ouvrage,

Patience et longueur de temps
Font plus que force ni que rage.

•LE LIÈVRE ET LA TORTUE•

Rien ne sert de courir ; il faut partir à point :
Le Lièvre et la Tortue en sont un témoignage.
« Gageons, dit celle-ci, que vous n'atteindrez point
Sitôt que moi ce but. – Sitôt ? Êtes-vous sage ?
Repartit l'animal léger :
Ma commère, il vous faut purger
Avec quatre grains d'ellébore.
– Sage ou non, je parie encore.
Ainsi fut fait ; et de tous deux
On mit près du but les enjeux :
Savoir quoi, ce n'est pas l'affaire,
Ni de quel juge l'on convint.
Notre Lièvre n'avait que quatre pas à faire,
J'entends de ceux qu'il fait lorsque, prêt d'être atteint,
Il s'éloigne des chiens, les renvoie aux calendes
Et leur fait arpenter les landes.
Ayant, dis-je, du temps de reste pour brouter,
Pour dormir et pour écouter
D'où vient le vent, il laisse la Tortue
Aller son train de sénateur.
Elle part, elle s'évertue,
Elle se hâte avec lenteur.
Lui cependant méprise une telle victoire,
Tient la gageure à peu de gloire,
Croit qu'il y va de son honneur
De partir tard. Il broute, il se repose,
Il s'amuse à toute autre chose
Qu'à la gageure. A la fin, quand il vit
Que l'autre touchait presque au bout de la carrière,
Il partit comme un trait ; mais les élans qu'il fit
Furent vains : la Tortue arriva la première.
« Eh bien ! lui cria-t-elle, avais-je pas raison ?

De quoi vous sert votre vitesse ?
Moi l'emporter ! et que serait-ce
Si vous portiez une maison ? »

.LA POULE AUX ŒUFS D'OR.

L'avarice perd tout en voulant tout gagner,
Je ne veux, pour le témoigner,
Que celui dont la Poule, à ce que dit la fable,
Pondait tous les jours un œuf d'or.
Il crut que dans son corps elle avait un trésor.
Il la tua, l'ouvrit, et la trouva semblable
A celles dont les œufs ne lui rapportaient rien,
S'étant lui-même ôté le plus beau de son bien.

Belle leçon pour les gens chiches !
Pendant ces derniers temps, combien en a-t-on vus
Qui du soir au matin sont pauvres devenus,
Pour vouloir trop tôt être riches !

.LA LAITIÈRE ET LE POT AU LAIT.

Perrette, sur sa tête ayant un Pot au lait
Bien posé sur un coussinet,
Prétendait arriver sans encombre à la ville.
Légère et court vêtue, elle allait à grands pas,
Ayant mis, ce jour-là, pour être plus agile,
Cotillon simple et souliers plats.

Notre laitière ainsi troussée
Comptait déjà dans sa pensée
Tout le prix de son lait, en employait l'argent ;
Achetait un cent d'œufs, faisait triple couvée :
La chose allait à bien par son soin diligent.
« Il m'est, disait-elle, facile
D'élever des poulets autour de ma maison ;
Le renard sera bien habile
S'il ne m'en laisse assez pour avoir un cochon.
Le porc à s'engraisser coûtera peu de son ;
Il était, quand je l'eus, de grosseur raisonnable :
J'aurai, le revendant, de l'argent bel et bon.
Et qui m'empêchera de mettre en notre étable,
Vu le prix dont il est, une vache et son veau,
Que je verrai sauter au milieu du troupeau ? »
Perrette là-dessus, saute aussi, transportée :
Le lait tombe ; adieu veau, vache, cochon, couvée.
La dame de ces biens, quittant d'un œil marri
Sa fortune ainsi répandue,
Va s'excuser à son mari,
En grand danger d'être battue.
Le récit en farce en fut fait ;
On l'appela le Pot au lait.
Quel esprit ne bat la campagne ?
Qui ne fait châteaux en Espagne ?
Picrochole, Pyrrhus, la Laitière, enfin tous,
Autant les sages que les fous.
Chacun songe en veillant, il n'est rien de plus doux :
Une flatteuse erreur emporte alors nos âmes ;
Tout le bien du monde est à nous,
Tous les honneurs, toutes les femmes.
Quand je suis seul, je fais au plus brave un défi ;
Je m'écarte, je vais détrôner le Sophi ;
On m'élit roi, mon peuple m'aime ;
Les diadèmes vont sur ma tête pleuvant :
Quelque accident fait-il que je rentre en moi-même,
Je suis gros Jean comme devant.

.LE LABOUREUR ET SES ENFANTS.

Travaillez, prenez de la peine :
C'est le fonds qui manque le moins.
Un riche Laboureur, sentant sa mort prochaine,
Fit venir ses enfants, leur parla sans témoins.
« Gardez-vous, leur dit-il, de vendre l'héritage
Que nous ont laissé nos parents :
Un trésor est caché dedans.
Je ne sais pas l'endroit ; mais un peu de courage
Vous le fera trouver : vous en viendrez à bout.
Remuez votre champ dès qu'on aura fait l'oût :
Creusez, fouillez, bêchez ; ne laissez nulle place
Où la main ne passe et repasse. »
Le père mort, les fils vous retournent le champ,
Deçà, delà, partout : si bien qu'au bout de l'an
Il en rapporta davantage.
D'argent, point de caché. Mais le père fut sage
De leur montrer, avant sa mort,
Que le travail est un trésor.

Jean-Baptiste Poquelin, dit

Molière

PARIS 1622 – PARIS 1673.

*Fils d'un riche « tapissier ordinaire du roi », Molière fait de bonnes études chez les jésuites. En 1640 il est avocat, mais la rencontre de Madeleine Béjart le décide pour le théâtre. Molière crée sa première comédie à Lyon en 1655 (**L'Étourdi**). Cet écrivain assez tardif produira tous ses chefs-d'œuvre en moins de vingt ans. Son premier triomphe vient des **Précieuses ridicules**, créées à Paris en 1659. En 1662 Molière épouse Armande Béjart, fille de Madeleine. En 1664 éclate « l'affaire Tartuffe » ; Molière est malade, et Armande et lui se séparent. C'est au cours de la quatrième représentation de sa dernière pièce (**Le Malade imaginaire**), que Molière interprétant le rôle principal est pris du malaise qui l'emportera le même jour. Avec Molière, la comédie s'élève au-dessus de la tragédie.*

THÉÂTRE, COMÉDIE

.Le Tartuffe.

1664

*Quand il écrit en 1664 **Le Tartuffe**, Molière est l'auteur de douze pièces, dont **Les Précieuses ridicules** et **L'École des femmes**. Plusieurs fois interdite, le roi autorisera la pièce après que Molière lui a envoyé trois placets (1669).*

Le bourgeois Orgon a entièrement remis le gouvernement de sa maison à Tartuffe, son directeur de conscience, qu'il a installé chez lui. Voici l'entrée en scène du faux dévot (accompagné de son valet Laurent) confronté à la servante Elmire :

TARTUFFE, *apercevant Dorine.*

Laurent, serrez ma haire avec ma discipline,
Et priez que toujours le ciel vous illumine.
Si l'on vient pour me voir, je vais aux prisonniers
Des aumônes que j'ai partager les deniers.

DORINE.

Que d'affectation et de forfanterie !

TARTUFFE.

Que voulez-vous ?

DORINE.

Vous dire...

TARTUFFE, *il tire un mouchoir de sa poche.*

Ah ! mon Dieu, je vous prie,
Avant que de parler, prenez-moi ce mouchoir.

DORINE.

Comment ?

TARTUFFE.

Couvrez ce sein que je ne saurais voir.
Par de pareils objets les âmes sont blessées,

Et cela fait venir de coupables pensées.

DORINE.

Vous êtes donc bien tendre à la tentation,
Et la chair sur vos sens fait grande impression !
Certes, je ne sais pas quelle chaleur vous monte,
Mais à convoiter, moi, je ne suis point si prompte,
Et je vous verrais nu du haut jusques en bas
Que toute votre peau ne me tenterait pas.

ACTE III, SCÈNE 2

Orgon voudrait que sa fille Marianne épousât Tartuffe. Mais Marianne aime Valère. Elmire, la mère, qui ne veut pas de ce mariage, tâche de profiter de la « douceur de cœur » qu'elle soupçonne Tartuffe d'éprouver pour elle pour briser le projet. Tartuffe avoue à Elmire sa passion, qui s'en étonne, à quoi le faux dévot :

TARTUFFE.

Ah ! pour être dévot, je n'en suis pas moins homme ;
Et lorsqu'on vient à voir vos célestes appas,
Un cœur se laisse prendre et ne raisonne pas.
Je sais qu'un tel discours de moi paraît étrange ;
Mais, madame, après tout, je ne suis pas un ange,
Et, si vous condamnez l'aveu que je vous fais,
Vous devez vous en prendre à vos charmants attraits.
Dès que j'en vis briller la splendeur plus qu'humaine,
De mon intérieur vous fûtes souveraine.
De vos regards divins l'ineffable douceur
Força la résistance où s'obstinait mon cœur ;
Elle surmonta tout, jeûnes, prières, larmes,
Et tourna tous mes vœux du côté de vos charmes.
Mes yeux et mes soupirs vous l'ont dit mille fois,
Et pour mieux m'expliquer j'emploie ici la voix.
Que si vous contemplez d'une âme un peu bénigne
Les tribulations de votre esclave indigne,
S'il faut que vos bontés veuillent me consoler
Et jusqu'à mon néant daignent se ravaler,
J'aurai toujours pour vous, ô suave merveille,
Une dévotion à nulle autre pareille.
Votre honneur avec moi ne court point de hasard
Et n'a nulle disgrâce à craindre de ma part.
Tous ces galants de cour dont les femmes sont folles
Sont bruyants dans leurs faits et vains dans leurs paroles ;
De leurs progrès sans cesse on les voit se targuer ;
Ils n'ont point de faveurs qu'ils n'aillent divulguer,
Et leur langue indiscrète, en qui l'on se confie,
Déshonore l'autel où leur cœur sacrifie.
Mais les gens comme nous brûlent d'un feu discret,
Avec qui pour toujours on est sûr du secret.
Le soin que nous prenons de notre renommée
Répond de toute chose à la personne aimée,
Et c'est en nous qu'on trouve, acceptant notre cœur,
De l'amour sans scandale et du plaisir sans peur.

ACTE III, SCÈNE 3

Elmire oblige Orgon à assister caché sous la table à son deuxième entretien avec Tartuffe, dont le cynisme ouvrira enfin les yeux d'Orgon. Elmire tousse pour avertir son mari.

ELMIRE.

Mais comment consentir à ce que vous voulez
Sans offenser le ciel, dont toujours vous parlez ?

TARTUFFE.

Si ce n'est que le ciel qu'à mes vœux on oppose,
Lever un tel obstacle est à moi peu de chose,
Et cela ne doit pas retenir votre cœur.

ELMIRE.

Mais des arrêts du ciel on nous fait tant de peur !

TARTUFFE.

Je puis vous dissiper ces craintes ridicules,
Madame, et je sais l'art de lever les scrupules.
Le ciel défend, de vrai, certains contentements,
(C'est un scélérat qui parle.)
Mais on trouve avec lui des accommodements,
Selon divers besoins, il est une science
D'étendre les liens de notre conscience,
Et de rectifier le mal de l'action
Avec la pureté de notre intention.
De ces secrets, madame, on saura vous instruire ;
Vous n'avez seulement qu'à vous laisser conduire.
Contentez mon désir, et n'ayez point d'effroi ;
Je vous réponds de tout et prends le mal sur moi.
Vous toussez fort, madame.

ELMIRE.

Oui, je suis au supplice.

TARTUFFE.

Vous plaît-il un morceau de ce jus de réglisse ?

ACTE IV, SCÈNE 5

Dom Juan ou le Festin de Pierre.

1665

Dom Juan, « grand seigneur et méchant homme », libertin et quasi libertaire, a délaissé Elvire son épouse et se sent « un cœur à aimer toute la terre », c'est que « les inclinations ont des charmes inexplicables », et que « tout le plaisir de l'amour est dans le changement ». A Sganarelle, son valet et famulus qui lui reproche (tout en l'admirant) sa mauvaise vie, Dom Juan répond :

DOM JUAN.

Quoi ? tu veux qu'on se lie à demeurer au premier objet qui nous prend, qu'on renonce au monde pour lui, et qu'on n'ait plus d'yeux pour personne ? La belle chose de vouloir se piquer d'un faux honneur d'être fidèle, de s'ensevelir pour toujours dans une passion, et d'être mort dès sa jeunesse à toutes les autres beautés qui nous peuvent frapper les yeux ! Non, non : la constance n'est bonne que pour des ridicules ; toutes les belles ont droit de nous charmer, et l'avantage d'être rencontrée la première ne doit point dérober aux autres les justes prétentions qu'elles ont toutes sur nos cœurs. Pour moi, la beauté me ravit partout où je la trouve, et je cède facilement à cette douce violence dont elle nous entraîne. J'ai beau être engagé, l'amour que j'ai pour une belle n'engage point mon âme à faire injustice aux autres ; je conserve des yeux pour voir le mérite de toutes, et rends à chacune les hommages et les tributs où la nature nous oblige. Quoi qu'il en soit, je ne puis refuser mon cœur à tout ce que je vois d'aimable ; et dès qu'un beau visage me le demande, si j'en avais dix mille, je les donnerais tous. Les inclinations naissantes, après tout, ont des charmes inexplicables, et tout le plaisir de l'amour est dans le changement. On goûte une douceur extrême à réduire, par cent hommages, le cœur d'une jeune beauté, à voir de jour en jour les petits progrès qu'on y fait, à combattre par des transports, par des larmes et des soupirs, l'innocente pudeur d'une âme qui a peine à rendre les armes, à forcer pied à pied toutes les petites résistances qu'elle nous oppose, à vaincre les scrupules dont elle se fait un honneur et la mener doucement où nous avons envie de la faire venir. Mais lorsqu'on en est maître une fois, il n'y a plus rien à dire ni rien à souhaiter ; tout le beau de la passion est fini, et nous nous endormons dans la tranquillité d'un tel amour, si quelque objet nouveau ne vient réveiller nos désirs, a présenter à notre cœur les charmes attrayants d'une conquête à faire. Enfin il n'est rien de si doux que de triompher de la résistance d'une belle personne, et j'ai sur ce sujet l'ambition des conquérants, qui volent perpétuellement de victoire en victoire, et ne peuvent se résoudre à borner leurs souhaits. Il n'est rien qui puisse arrêter l'impétuosité de mes désirs : je me sens un cœur à aimer toute la terre ; et comme Alexandre, je souhaiterais qu'il y eût d'autres mondes, pour y pouvoir étendre mes conquêtes amoureuses.

SGANARELLE.

Vertu de ma vie, comme vous débitez ! Il semble que vous ayez appris cela par cœur, et vous parlez tout comme un livre.

ACTE I, SCÈNE 2

Le Misanthrope ou l'Atrabilaire amoureux.

1666

Alceste est un misanthrope, il y a de quoi quand on regarde autour de soi, voilà pour l'esprit. Alceste est atrabilaire, il « fait trop de bile », voilà pour le corps et déjà la comédie à quoi s'ajoute ceci : le bileux est amoureux d'une excessive coquette...

Il y avait un procès : Alceste qui avait pour lui la justice le perd à cause de la fourberie des hommes. Il se fâche avec ses amis, avec Philinte parce qu'il « estime tout le monde », avec le poète Oronte qui lui soumettait un sonnet pour lui avoir dit sa pensée. Alceste décide de fuir les hommes et en fait part à Philinte. Célimène la coquette refusera de le suivre « au désert ».

ALCESTE.

La résolution en est prise, vous dis-je.

PHILINTE.

Mais, quel que soit ce coup, faut-il qu'il vous oblige...

ALCESTE.

Non, vous avez beau faire et beau me raisonner,
Rien de ce que je dis ne me peut détourner ;
Trop de perversité règne au siècle où nous sommes.
Et je veux me tirer du commerce des hommes.
Quoi ! contre ma partie on voit tout à la fois
L'honneur, la probité, la pudeur et les lois ;
On publie en tous lieux l'équité de ma cause,
Sur la foi de mon droit mon âme se repose ;
Cependant je me vois trompé par le succès :
J'ai pour moi la justice, et je perds mon procès !
Un traître, dont on sait la scandaleuse histoire,

Est sorti triomphant d'une fausseté noire !
Toute la bonne foi cède à sa trahison !
Il trouve, en m'égorgeant, moyen d'avoir raison !
Le poids de sa grimace, où brille l'artifice,
Renverse le bon droit, et tourne la justice !
Il fait par un arrêt couronner son forfait ;
Et, non content encor du tort que l'on me fait,
Il court parmi le monde un livre abominable,
Et de qui la lecture est même condamnable,
Un livre à mériter la dernière rigueur,
Dont le fourbe a le front de me faire l'auteur !
Et, là-dessus, on voit Oronte qui murmure,
Et tâche méchamment d'appuyer l'imposture !
Lui qui d'un honnête homme à la cour tient le rang,
A qui je n'ai rien fait qu'être sincère et franc,
Qui me vient, malgré moi, d'une ardeur empressée,
Sur des vers qu'il a faits demander ma pensée ;
Et, parce que j'en use avec honnêteté,
Et ne le veux trahir, lui ni la vérité,
Il aide à m'accabler d'un crime imaginaire !
Le voilà devenu mon plus grand adversaire,
Et jamais de son cœur je n'aurai de pardon,
Pour n'avoir pas trouvé que son sonnet fût bon !
Et les hommes, morbleu ! sont faits de cette sorte !
C'est à ces actions que la gloire les porte !
Voilà la bonne foi, le zèle vertueux,
La justice et l'honneur que l'on trouve chez eux !
Allons, c'est trop souffrir les chagrins qu'on nous forge ;
Tirons-nous de ce bois et de ce coupe-gorge.
Puisque entre humains ainsi vous vivez en vrais loups,
Traîtres, vous ne m'aurez de ma vie avec vous.

ACTE V, SCÈNE 1

.L'Avare.

1668

Le riche bourgeois Harpagon, qui à la grande honte de sa famille pratique l'usure, est le type de l'avare (il rappelle celui de ***La Marmite*** *de Plaute et devance le Géronte des* ***Fourberies de Scapin****). Pour son or, Harpagon est près à faire le malheur de sa fille et de son fils, Élise et Cléante. La Flèche, valet de Cléante, a si bien espionné l'avare qu'il parvient à lui dérober sa cassette d'or cachée dans le jardin ; elle contient dix mille écus. Harpagon vient de découvrir le vol :*

Au voleur ! au voleur ! à l'assassin ! au meurtrier ! Justice, juste Ciel ! je suis perdu, je suis assassiné, on m'a coupé la gorge, on m'a dérobé mon argent. Qui peut-ce être ? Qu'est-il devenu ? Où est-il ? Où se cache-t-il ? Que ferai-je pour le trouver ? Où courir ? Où ne pas courir ? N'est-il point là ? N'est-il point ici ? Qui est-ce ? Arrête ! Rends-moi mon argent, coquin... *(Il se prend lui-même le bras.)* Ah ! c'est moi ! Mon esprit est troublé, et j'ignore où je suis, qui je suis et ce que je fais. Hélas ! mon pauvre argent, mon pauvre argent, mon cher ami ! on m'a privé de toi ; et puisque tu m'es enlevé, j'ai perdu mon support, ma consolation, ma joie ; tout est fini pour moi, et je n'ai plus que faire au monde : sans toi, il m'est impossible de vivre. C'en est fait, je n'en puis plus ; je me meurs, je suis mort, je suis enterré. N'y a-t-il personne qui puisse me ressusciter, en me rendant mon cher argent, ou en m'apprenant qui l'a pris ?

Euh ? que dites-vous ? Ce n'est personne. Il faut, qui que ce soit qui ait fait le coup, qu'avec beaucoup de soin on ait épié l'heure ; et l'on a choisi justement le temps que je parlais à mon traître de fils. Sortons. Je veux aller quérir la justice, et faire donner la question à toute la maison : à servantes, à valets, à fils, à fille, et à moi aussi. Que de gens assemblés ! Je ne jette mes regards sur personne qui ne me donne des soupçons, et tout me semble mon voleur. Eh ! de quoi est-ce qu'on parle là ? De celui qui m'a dérobé ? Quel bruit fait-on là-haut ? Est-ce mon voleur qui y est ? De grâce, si l'on sait des nouvelles de mon voleur, je supplie que l'on m'en dise. N'est-il point caché là parmi vous ? Ils me regardent tous, et se mettent à rire. Vous verrez qu'ils ont part sans doute du vol que l'on m'a fait. Allons vite, des commissaires, des archers, des prévôts, des juges, des gênes, des potences et des bourreaux. Je veux faire pendre tout le monde ; et si je ne retrouve mon argent, je me prendrai moi-même après.

ACTE IV, SCÈNE 7

.Le Bourgeois gentilhomme.

1670

« Tout bourgeois veut bâtir comme les grands seigneurs », dit La Fontaine dans la fable de la ***Grenouille*** *envieuse. Avec* ***Georges Dandin,*** *Molière a montré un paysan parvenu et soucieux d'être gentilhomme (Marivaux fera le portrait du* ***paysan parvenu,*** *Restif de la Bretonne celui du* ***paysan perverti*** *par la ville), il décrit maintenant le désir d'un riche*

bourgeois d'être reconnu comme un « grand » : l'on a dit que Monsieur Jourdain ressemblait au ministre Colbert, et la Révolution française n'est pas si loin où la bourgeoisie voudra nier la noblesse.

Le bourgeois gentilhomme veut d'abord ***savoir.*** *Son « maître de philosophie » ne ressemble-t-il pas à* ***nos*** *linguistes ?*

MAITRE DE PHILOSOPHIE.

Que voulez-vous donc que je vous apprenne ?

MONSIEUR JOURDAIN.

Apprenez-moi l'orthographe.

MAITRE DE PHILOSOPHIE.

Très volontiers.

MONSIEUR JOURDAIN.

Après vous m'apprendrez l'almanach, pour savoir quand il y a de la lune et quand il n'y en a point.

MAITRE DE PHILOSOPHIE.

Soit. Pour bien suivre votre pensée et traiter cette matière en philosophe, il faut commencer selon l'ordre des choses, par une exacte connaissance de la nature des lettres, et de la différente manière de les prononcer toutes. Et là-dessus j'ai à vous dire que les lettres sont divisées en voyelles, ainsi dites voyelles parce qu'elles expriment les voix ; et en consonnes, ainsi appelées consonnes parce qu'elles sonnent avec les voyelles, et ne font que marquer les diverses articulations des voix : A, E, I, O, U.

MONSIEUR JOURDAIN.

J'entends tout cela.

MAITRE DE PHILOSOPHIE.

La voix A se forme en ouvrant fort la bouche : A.

MONSIEUR JOURDAIN.

A, A. Oui.

MAITRE DE PHILOSOPHIE.

La voix E se forme en rapprochant la mâchoire d'en bas de celle d'en haut : A, E.

MONSIEUR JOURDAIN.

A, E, A, E. Ma foi ! oui. Ah ! que cela est beau !

MAITRE DE PHILOSOPHIE.

Et la voix I en rapprochant encore davantage les mâchoires l'une de l'autre, et écartant les deux coins de la bouche vers les oreilles : A, E, I.

MONSIEUR JOURDAIN.

A, E, I, I, I. Cela est vrai. Vive la science. !

MAITRE DE PHILOSOPHIE.

La voix O se forme en rouvrant les mâchoires et rapprochant les lèvres par les deux bouts, le haut et le bas : O.

MONSIEUR JOURDAIN.

O. O. Il n'y a rien de plus juste. A, E, I, O, I, O. Cela est admirable I, O, I, O.

ACTE II, SCÈNE 4

Monsieur Jourdain veut aussi « courtiser » :

MONSIEUR JOURDAIN.

Au reste, il faut que je vous fasse une confidence. Je suis amoureux d'une personne de grande qualité, et je souhaiterais que vous m'aidassiez à lui écrire quelque chose dans un petit billet que je veux laisser tomber à ses pieds.

MAITRE DE PHILOSOPHIE.

Fort bien.

MONSIEUR JOURDAIN.

Cela sera galant, oui.

MAITRE DE PHILOSOPHIE.

Sans doute. Sont-ce des vers que vous lui voulez écrire ?

MONSIEUR JOURDAIN.

Non, non, point de vers.

MAITRE DE PHILOSOPHIE.

Vous ne voulez que de la prose ?

MONSIEUR JOURDAIN.

Non, je ne veux ni prose ni vers.

MAITRE DE PHILOSOPHIE.

Il faut bien que ce soit l'un ou l'autre.

MONSIEUR JOURDAIN.

Pourquoi ?

MAITRE DE PHILOSOPHIE.

Par la raison, Monsieur, qu'il n'y a pour s'exprimer que la prose ou les vers.

MONSIEUR JOURDAIN.

Il n'y a que la prose ou les vers ?

MAITRE DE PHILOSOPHIE.

Non, Monsieur : tout ce qui n'est point prose est vers ; et tout ce qui n'est point vers est prose.

MONSIEUR JOURDAIN.

Et comme l'on parle, qu'est-ce que c'est donc cela ?

MAITRE DE PHILOSOPHIE.

De la prose.

MONSIEUR JOURDAIN.

Quoi ! quand je dis : « Nicole, apportez-moi mes pantoufles, et me donnez mon bonnet de nuit », c'est de la prose ?

MAITRE DE PHILOSOPHIE.

Oui, Monsieur.

MONSIEUR JOURDAIN.

Par ma foi ! il y a plus de quarante ans que je dis de la prose sans que j'en susse rien ; et je vous suis le plus obligé du monde de m'avoir appris cela. Je voudrais donc lui mettre dans un billet : « Belle Marquise, vos beaux yeux me font mourir d'amour » ; mais je voudrais que cela fût mis d'une manière galante, que ce fût tourné gentiment.

MAITRE DE PHILOSOPHIE.

Mettre que les feux de ses yeux réduisent votre cœur en cendres ; que vous souffrez nuit et jour pour elle les violences d'un...

MONSIEUR JOURDAIN.

Non, non, non, je ne veux point tout cela ; je ne veux que ce que je vous ai dit : « Belle Marquise, vos beaux yeux me font mourir d'amour. »

MAITRE DE PHILOSOPHIE.

Il faut bien étendre un peu la chose.

MONSIEUR JOURDAIN.

Non, vous dis-je, je ne veux que ces seules paroles-là dans le billet, mais tournées à la mode, bien arrangées comme il faut. Je vous prie de me dire un peu, pour voir, les diverses manières dont on peut les mettre.

MAITRE DE PHILOSOPHIE.

On les peut mettre premièrement comme vous avez dit : « Belle Marquise, vos beaux yeux me font mourir d'amour. » Ou bien : « D'amour mourir me font, belle Marquise, vos beaux yeux. » Ou Bien : « Vos yeux beaux d'amour me font, belle Marquise, mourir. » Ou bien : « Mourir vos beaux yeux, belle Marquise, d'amour me font. » Ou bien : « Me font vos yeux beaux mourir, belle Marquise, d'amour. »

MONSIEUR JOURDAIN.

Mais, de toutes ces façons-là, laquelle est la meilleure ?

MAITRE DE PHILOSOPHIE.

Celle que vous avez dite : « Belle Marquise, vos beaux yeux me font mourir d'amour. »

MONSIEUR JOURDAIN.

Cependant je n'ai point étudié, et j'ai fait cela tout du premier coup. Je vous remercie de tout mon cœur, et vous prie de venir demain de bonne heure.

MAITRE DE PHILOSOPHIE.

Je n'y manquerai pas. *(Il sort.)*

ACTE II, SCÈNE 4

THÉÂTRE, FARCE

.*Les Fourberies de Scapin*.

1671

Quoique tardive, cette pièce est un retour de Molière à ses débuts. Il reprend une petite farce ***(Gorgibus dans le sac)*** *dont il tire les trois actes de* ***Scapin,*** *empruntant à Térence, à Cyrano de Bergerac, etc. Scapin est le type du fourbe sympathique, une sorte de* ***Renard*** *issu de la comédie italienne. Le valet Scapin extorque ici au vieil avare Géronte une jolie somme en faveur du fils :*

SCAPIN, *faisant semblant de ne pas voir Géronte.*

O Ciel ! ô disgrâce imprévue ! ô misérable père ! Pauvre Géronte, que feras-tu ?

GÉRONTE.

Que dit-il là de moi, avec ce visage affligé ?

SCAPIN, *même jeu.*

N'y a-t-il personne qui puisse me dire où est le seigneur Géronte ?

GÉRONTE.

Qu'y a-t-il, Scapin ?

SCAPIN, *même jeu.*

Où pourrai-je le rencontrer pour lui dire cette infortune ?

GÉRONTE, *courant après Scapin.*

Qu'est-ce que c'est donc ?

SCAPIN, *même jeu.*

En vain je cours de tous côtés pour le pouvoir trouver.

GÉRONTE.

Me voici.

SCAPIN, *même jeu.*

Il faut qu'il soit caché en quelque endroit qu'on ne puisse point deviner.

GÉRONTE, *arrêtant Scapin.*

Holà, es-tu aveugle, que tu ne me vois pas ?

SCAPIN.

Ah ! Monsieur, il n'y a pas moyen de vous rencontrer.

GÉRONTE.

Il y a une heure que je suis devant toi. Qu'est-ce que c'est donc qu'il y a ?

SCAPIN.

Monsieur...

GÉRONTE.

Quoi ?

SCAPIN.

Monsieur, votre fils...

GÉRONTE.

Hé bien ! mon fils...

SCAPIN.

Est tombé dans une disgrâce la plus étrange du monde.

GÉRONTE.

Et quelle ?

SCAPIN.

Je l'ai trouvé tantôt tout triste de je ne sais quoi que vous lui avez dit, où vous m'avez mêlé assez mal à propos ; et, cherchant à divertir cette tristesse, nous nous sommes allés promener sur le port. Là, entre autres plusieurs choses, nous avons arrêté nos yeux sur une galère turque assez bien équipée. Un jeune Turc de bonne mine nous a invités d'y entrer et nous a présenté la main. Nous y avons passé ; il nous a fait mille civilités, nous a donné la collation, où nous avons mangé des fruits les plus excellents qui se puissent voir, et bu du vin que nous avons trouvé le meilleur du monde.

GÉRONTE.

Qu'y a-t-il de si affligeant en tout cela ?

SCAPIN.

Attendez, Monsieur, nous y voici. Pendant que nous mangions, il a fait mettre la galère en mer, et, se voyant éloigné du port, il m'a fait mettre dans un esquif, et m'envoie vous dire que si vous ne lui envoyez par moi tout à l'heure cinq cents écus, il va vous emmener votre fils en Alger.

GÉRONTE.

Comment, diantre ! cinq cents écus ?

SCAPIN.

Oui, Monsieur ; et, de plus, il ne m'a donné pour cela que deux heures.

GÉRONTE.

Ah ! le pendard de Turc ! m'assassiner de la façon !

SCAPIN.

C'est à vous, Monsieur, d'aviser promptement aux moyens de sauver des fers un fils que vous aimez avec tant de tendresse.

GÉRONTE.

Que diable allait-il faire dans cette galère ?

SCAPIN.

Il ne songeait pas à ce qui est arrivé.

GÉRONTE.

Va-t'en, Scapin, va-t'en vite dire à ce Turc que je vais envoyer la justice après lui.

SCAPIN.

La justice en pleine mer ! Vous moquez-vous des gens ?

GÉRONTE.

Que diable allait-il faire dans cette galère ?

SCAPIN.

Une méchante destinée conduit quelquefois les personnes.

GÉRONTE.

Il faut, Scapin, il faut que tu fasses ici l'action d'un serviteur fidèle.

SCAPIN.

Quoi, Monsieur ?

GÉRONTE.

Que tu ailles dire à ce Turc qu'il me renvoie mon fils, et que tu te mettes à sa place jusqu'à ce que j'ai amassé la somme qu'il demande.

SCAPIN.

Eh ! Monsieur, songez-vous à ce que vous dites ? et vous figurez-vous que ce Turc ait si peu de sens, que d'aller recevoir un misérable comme moi à la place de votre fils ?

GÉRONTE.

Que diable allait-il faire dans cette galère ?

SCAPIN.

Il ne devinait pas ce malheur. Songez, Monsieur, qu'il ne m'a donné que deux heures.

GÉRONTE.

Tu dis qu'il demande...

SCAPIN.

Cinq cents écus.

GÉRONTE.

Cinq cents écus ! N'a-t-il point de conscience ?

SCAPIN.

Vraiment oui, de la conscience à un Turc !

GÉRONTE.

Sait-il bien ce que c'est que cinq cents écus ?

SCAPIN.

Oui, Monsieur, il sait que c'est mille cinq cents livres.

GÉRONTE.

Croit-il, le traître, que mille cinq cents livres se trouvent dans le pas d'un cheval ?

SCAPIN.

Ce sont des gens qui n'entendent point de raison.

GÉRONTE.

Mais que diable allait-il faire à cette galère ?

SCAPIN.

Il est vrai ; mais quoi ! on ne prévoyait pas les choses. De grâce, Monsieur, dépêchez.

GÉRONTE.

Tiens, voilà la clef de mon armoire.

SCAPIN.

Bon.

GÉRONTE.

Tu l'ouvriras.

SCAPIN.

Fort bien.

GÉRONTE.

Tu trouveras une grosse clef du côté gauche, qui est celle de mon grenier.

SCAPIN.

Oui.

GÉRONTE.

Tu iras prendre toutes les hardes qui sont dans cette grande manne, et tu les vendras aux fripiers pour aller racheter mon fils.

SCAPIN, *en lui rendant la clef.*

Eh ! Monsieur, rêvez-vous ? Je n'aurais pas cent francs de tout ce que vous dites ; et, de plus, vous savez le peu de temps qu'on m'a donné.

GÉRONTE.

Mais que diable allait-il faire dans cette galère ?

SCAPIN.

Oh ! que de paroles perdues ! Laissez là cette galère, et songez que le temps presse, et que vous courez risque de perdre votre fils. Hélas ! mon pauvre maître, peut-être que je ne te verrai de ma vie, et qu'à l'heure que je parle, on t'emmène esclave en Alger ! Mais le Ciel me sera témoin que j'ai fait pour toi tout ce que j'ai pu, et que si tu manques à être racheté, il m'en faut accuser que le peu d'amitié d'un père.

GÉRONTE.

Attends, Scapin, je m'en vais quérir cette somme.

SCAPIN.

Dépêchez-vous donc vite, Monsieur, je tremble que l'heure ne sonne.

GÉRONTE.

N'est-ce pas quatre cents écus que tu dis ?

SCAPIN.

Non, cinq cents écus.

GÉRONTE.

Cinq cents écus ?

SCAPIN.

Oui.

GÉRONTE.

Que diable allait-il faire à cette galère ?

SCAPIN.

Vous avez raison, mais hâtez-vous.

GÉRONTE.

N'y avait-il point d'autre promenade ?

SCAPIN.

Cela est vrai. Mais faites promptement.

GÉRONTE.

Ah, maudite galère !

SCAPIN, *à part.*

Cette galère lui tient au cœur.

GÉRONTE.

Tiens, Scapin, je ne me souvenais pas que je viens justement de recevoir cette somme en or, et je ne croyais pas qu'elle dût m'être si tôt ravie. (*Il lui présente sa bourse, qu'il ne laisse pourtant pas aller ; et, dans ses transports, il fait aller son bras de côté et d'autre, et Scapin le sien pour avoir la bourse.*) Tiens. Va-t'en racheter mon fils.

SCAPIN, *tendant la main.*

Oui, Monsieur.

GÉRONTE, *retenant la bourse qu'il fait semblant de vouloir donner à Scapin.*

Mais dis à ce Turc que c'est un scélérat.

SCAPIN, *tendant encore la main.*

Oui.

GÉRONTE, *recommençant la même action.*

Un infâme.

SCAPIN, *tendant toujours la main.*

Oui.

GÉRONTE, *de même.*

Un homme sans foi, un voleur.

SCAPIN.

Laissez-moi faire.

GÉRONTE, *de même.*

Qu'il me tire cinq cents écus contre toute sorte de droit.

SCAPIN.

Oui.

GÉRONTE, *de même.*

Que je ne les lui donne ni à la mort, ni à la vie.

SCAPIN.

Fort bien.

GÉRONTE, *de même.*

Et que si jamais je l'attrape, je saurai me venger de lui.

SCAPIN.

Oui.

GÉRONTE *remet la bourse dans sa poche, et s'en va.*

Va, va vite requérir mon fils.

SCAPIN, *allant après lui.*

Holà, Monsieur.

GÉRONTE.

Quoi ?

SCAPIN.

Où est donc cet argent ?

GÉRONTE.

Ne te l'ai-je pas donné ?

SCAPIN.

Non, vraiment, vous l'avez remis dans votre poche.

GÉRONTE.

Ah ! c'est la douleur qui me trouble l'esprit.

SCAPIN.

Je le vois bien.

GÉRONTE.

Que diable allait-il faire dans cette galère ? Ah ! maudite galère ! Traître de Turc à tous les diables !

SCAPIN, *seul.*

Il ne peut digérer les cinq cents écus que je lui arrache ; mais il n'est pas quitte envers moi, et je veux qu'il me paie en une autre monnaie l'imposture qu'il m'a faite auprès de son fils. ACTE II, SCÈNE 7

THÉÂTRE, COMÉDIE

•Le Malade imaginaire•

1673

Argan s'imagine atteint de mille maladies. Il s'est entièrement remis aux mains de Monsieur Purgon, son médecin, et de Monsieur Fleurant, son apothicaire, auxquels il verse des sommes folles en consultations, saignées, purges et lavements. Béralde essaie en vain de guérir son frère de sa manie, et lui propose d'aller voir à ce sujet une comédie de Molière... le théâtre dans le théâtre :

ARGAN.

Mais il faut bien que les médecins croient leur art véritable, puisqu'ils s'en servent pour eux-mêmes.

BÉRALDE.

C'est qu'il y en a parmi eux qui sont eux-mêmes dans l'erreur populaire, dont ils profitent, et d'autres qui en profitent sans y être. Votre Monsieur Purgon, par exemple, n'y sait point de finesse ; c'est un homme tout médecin, depuis la tête jusqu'aux pieds ; un homme qui croit à ses règles plus qu'à toutes les démonstrations des mathématiques, et qui croirait du crime à les vouloir examiner ; qui ne voit rien d'obscur dans la médecine, rien de douteux, rien de difficile, et qui, avec une impétuosité de prévention, une raideur de confiance, une brutalité de sens commun et de raison, donne au travers des purgations et des saignées, et ne balance aucune chose. Il ne lui faut point vouloir mal de tout ce qu'il pourra vous faire ; c'est de la meilleure foi du monde qu'il vous expédiera, et il ne fera, en vous tuant, que ce qu'il a fait à sa femme et à ses enfants, et ce qu'en un besoin il ferait à lui-même.

ARGAN.

C'est que vous avez, mon frère, une dent de lait contre lui. Mais, enfin, venons au fait. Que faire donc, quand on est malade ?

BÉRALDE.

Rien, mon frère.

ARGAN.

Rien.

BÉRALDE.

Rien. Il ne faut que demeurer en repos. La nature, d'elle-même, quand nous la laissons faire, se tire doucement du désordre où elle est tombée. C'est notre inquiétude, c'est notre impatience qui gâte tout, et presque tous les hommes meurent de leurs remèdes, et non pas de leurs maladies.

ARGAN.

Mais il faut demeurer d'accord, mon frère, qu'on peut aider cette nature par certaines choses.

BÉRALDE.

Mon Dieu ! mon frère, ce sont pures idées, dont nous aimons à nous repaître ; et, de tout temps, il s'est glissé parmi les hommes de belles imaginations, que nous venons à croire, parce qu'elles nous flattent et qu'il serait à souhaiter qu'elles fussent véritables. Lorsqu'un médecin vous parle d'aider, de secourir, de soulager la nature, de lui ôter ce qui lui nuit, et lui donner ce qui lui manque, de la rétablir et de la remettre dans une pleine facilité de ses fonctions ; lorsqu'il vous parle de rectifier le sang, de tempérer ses entrailles et le cerveau, de dégonfler la rate, de raccommoder la poitrine, de réparer le foie, de fortifier le cœur, de rétablir et conserver la chaleur naturelle, et d'avoir des secrets pour étendre la vie à de longue années : il vous dit justement le roman de la médecine. Mais quand vous en venez à la vérité et à l'expérience, vous ne trouvez rien de tout cela, et il en est comme de ces beaux songes qui ne vous laissent au réveil que le déplaisir de les avoir crus.

ARGAN.

C'est-à-dire que toute la science du monde est renfermée dans votre tête, et vous voulez en savoir plus que tous les grands médecins de notre siècle.

BÉRALDE.

Dans les discours et dans les choses, ce sont deux sortes de personnes que vos grands médecins. Entendez-les parler : les plus habiles gens du monde. Voyez-les faire : les plus ignorants de tous les hommes.

ARGAN.

Hoy ! Vous êtes un grand docteur, à ce que je vois, et je voudrais bien qu'il y eût ici quelqu'un de ces Messieurs pour rembarrer vos raisonnements et rabaisser votre caquet.

BÉRALDE.

Moi, mon frère, je ne prends point à tâche de combattre la médecine ; et chacun, à ses périls et fortune, peut croire tout ce qu'il lui plaît. Ce que j'en dis n'est qu'entre nous, et j'aurais souhaité de pouvoir un peu vous tirer de l'erreur où vous êtes, et, pour vous divertir, mener voir sur ce chapitre quelqu'une des comédies de Molière.

ARGAN.

C'est un bon impertinent que votre Molière avec ses comédies, et je trouve bien plaisant d'aller jouer d'honnêtes gens comme les médecins.

BÉRALDE.

Ce ne sont point les médecins qu'il joue, mais le ridicule de la médecine.

ARGAN.

C'est bien à lui de faire de se mêler de contrôler la médecine ; voilà un bon nigaud, un bon impertinent, de se moquer des consultations et des ordonnances, de s'attaquer au corps des médecins, et d'aller mettre sur son théâtre des personnes vénérables comme ces messieurs-là.

BÉRALDE.

Que voulez-vous qu'il y mette que les diverses professions des hommes ? On y met bien tous les jours les princes et les rois, qui sont d'aussi bonne maison que les médecins.

ARGAN.

Par la mort non de diable ! si j'étais que des médecins, je me vengerais de son impertinence ; et quand il sera malade, je le laisserais mourir sans secours. Il aurait beau faire et beau dire, je ne lui ordonnerais pas la moindre petite saignée, le moindre petit lavement, et je lui dirais : « Crève, crève ! cela t'apprendra une fois à te jouer à la Faculté. »

BÉRALDE.

Vous voilà bien en colère contre lui.

ARGAN.

Oui, c'est un malavisé, et si les médecins sont sages, ils feront ce que je dis.

BÉRALDE.

Il sera encore plus sage que vos médecins, car il ne leur demandera point de secours.

ARGAN.

Tant pis pour lui, s'il n'a point recours aux remèdes.

BÉRALDE.

Il a ses raisons pour n'en point vouloir, et il soutient que cela n'est permis qu'aux gens vigoureux et robustes, et qui ont des forces de reste pour porter les remèdes avec la madadie ; mais que, pour lui, il n'a justement de la force que pour porter son mal.

ARGAN.

Les sottes raisons que voilà ! Tenez, mon frère, ne parlons point de cet homme-là davantage, car cela m'échauffe la bile, et vous me donneriez mon mal.

ACTE III, SCÈNE 3

Blaise Pascal

CLERMONT-FERRAND 1623 – PARIS 1662.

Le père de Blaise Pascal, président à la Cour des Aides, s'établit à Paris en 1631. A l'âge de onze ans Pascal écrit un court traité sur la propagation des sons, et retrouve (dit-on) seul les trente-deux premières propositions d'Euclide quoiqu'il fût tenu à l'écart d'un apprentissage de la géométrie. A seize ans son ***Essai sur les Coniques*** *fait l'admiration des mathématiciens. Son père est nommé à Rouen intendant « pour l'impôt et la levée des tailles » sur ordre de Richelieu. Déjà des troubles ont été réprimés, et de nouveaux éclatent. Pour aider son père dans ses calculs, Pascal conçoit une « machine d'arithmétique ». En 1646 Pascal se tourne résolument vers la religion. Ses expériences scientifiques se poursuivent. Il rédige en 1651 un* ***Traité du vide*** *dont nous n'avons que des fragments. En 1652 sa sœur Jacqueline entre à Port-Royal, Pascal lui rend de nombreuses visites. La deuxième « conversion » de Pascal (1654) donne lieu au texte du* ***Mémorial,*** *retrouvé cousu dans ses vêtements. Il écrit une* ***Vie de Jésus,*** *s'entretient avec M. de Saci sur Epictète et Montaigne ; écrit en 1656 et 1657 les* ***Provinciales,*** *les fragments de l'****Esprit géométrique,*** *et prend les premières notes des* ***Pensées*** *dont il expose en 1658 le plan à quelques amis. Son activité scientifique ne s'interrompt pas. Cependant la maladie le saisit en 1659 et lui interdit tout ouvrage suivi. Il écrit pourtant une Prière pour demander à Dieu le bon usage des maladies, ordonne le manuscrit des* ***Pensées*** *(1660), rédige trois Discours sur la condition des grands. Jacqueline Pascal meurt. Pascal s'intéresse à un projet de transport en commun, les « carrosses à cinq sols ». Sur son lit de mort, il se reproche de n'avoir pas assez fait pour les pauvres.*

PHILOSOPHIE

Préface du traité du vide.

1651

« Dans les matières où l'on recherche seulement de savoir ce que les auteurs ont écrit, comme dans l'histoire, dans la géographie, dans la jurisprudence, dans les langues et surtout dans la théologie », c'est l'argument d'autorité qui vaut le plus : « C'est l'autorité seule qui nous en peut éclaircir ». Mais « il n'en est pas de même des sujets qui tombent sous le sens ou sous le raisonnement : l'autorité y est inutile ; la raison seule a lieu d'en connaître ». Les sciences soumises au raisonnement progressent parce que les travaux des hommes se complètent et s'augmentent les uns des autres. L'on doit donc inventer en physique, et « confondre l'insolence de ces téméraires qui produisent des nouveautés en théologie ». Dans les sciences physiques, le respect que nous portons aux anciens doit être borné, car :

Ceux que nous appelons anciens étaient véritablement nouveaux en toutes choses, et formaient l'enfance des hommes proprement ; et comme nous avons joint à leurs connaissances l'expérience des siècles qui les ont suivis, c'est en nous que l'on peut trouver cette antiquité que nous révérons dans les autres.

Ils doivent être admirés dans les conséquences qu'ils ont bien tirées de peu de principes qu'ils avaient, et ils doivent être excusés dans celles où ils ont plutôt manqué du bonheur de l'expérience que de la force du raisonnement.

Car n'étaient-ils pas excusables dans la pensée qu'ils ont eue pour la Voie de lait, quand, la faiblesse de leurs yeux n'ayant pas encore reçu le secours de l'artifice, ils ont attribué cette couleur à une plus grande solidité en cette partie du ciel, qui renvoie la lumière avec plus de force ?

Mais ne serions-nous pas inexcusables de demeurer dans la même pensée, maintenant qu'aidés des avantages que nous donne la lunette d'approche, nous y avons découvert une infinité de petites étoiles, dont la splendeur plus abondante nous a fait reconnaître quelle est la véritable cause de cette blancheur ?

N'avaient-ils pas aussi sujet de dire que tous les corps corruptibles étaient enfermés dans la sphère du ciel de la lune, lorsque durant le cours de tant de siècles, ils n'avaient point encore remarqué de corruptions ni de générations hors de cet espace ?

Mais ne devons-nous pas assurer le contraire, lorsque toute la terre a vu sensiblement les comètes s'enflammer et disparaître bien loin au-delà de cette sphère ?

C'est ainsi que, sur le sujet du vide, ils avaient droit de dire que la nature n'en souffrait point, parce que toutes leurs expériences leur avaient toujours fait remarquer qu'elle l'abhorrait et ne le pouvait souffrir. Mais si les nouvelles expériences leur avaient été connues, peut-être auraient-ils trouvé sujet d'affirmer ce qu'ils ont eu sujet de nier par là que le vide n'avait point encore paru. Aussi dans le jugement qu'ils ont fait que la nature ne souffrait point de vide, ils n'ont entendu parler de la nature qu'en l'état où ils la connaissaient ; puisque, pour le dire généralement, ce ne serait assez de l'avoir vu constamment en cent rencontres, ni en mille, ni en tout autre nombre, quelque grand qu'il soit ; puisque s'il restait un seul cas à examiner, ce seul suffirait pour empêcher la définition générale, et si un seul était contraire, ce seul... Car dans toutes les matières dont la preuve consiste en expériences et non en démonstrations, on ne peut faire aucune assertion universelle que par la générale énumération de toutes les parties ou de tous les cas différents. C'est ainsi que, quand nous disons que le diamant est le plus dur de tous les corps, nous entendons de tous les corps que nous connaissons, et nous ne pouvons ni ne devons y comprendre ceux que nous ne connaissons point ; et quand nous disons que l'or est le plus pesant de tous les corps, nous serions téméraires de comprendre dans cette proposition générale ceux qui ne sont point encore en notre connaissance, quoiqu'il ne soit pas impossible qu'ils soient en nature. De même quand les anciens ont assuré que la nature ne souffrait point de vide, ils ont entendu qu'elle n'en souffrait point dans toutes les expériences qu'ils avaient vues, et ils n'auraient pu sans témérité y comprendre celles qui n'étaient pas en leur connaissance. Que si elles eussent été, sans doute ils auraient tiré les mêmes conséquences que nous et les auraient par leur aveu autorisées à cette antiquité dont on veut faire aujourd'hui l'unique principe des sciences.

C'est ainsi que, sans les contredire, nous pouvons assurer le contraire de ce qu'ils disaient et, quelque force enfin qu'ait cette antiquité, la vérité doit toujours avoir l'avantage, quoique nouvellement découverte, puisqu'elle est toujours plus ancienne que tous les opinions qu'on en a eues, et que ce serait ignorer sa nature de s'imaginer qu'elle ait commencé d'être au temps qu'elle a commencé d'être connue.

Lettres provinciales.

1656 – 1657

*Pascal est très proche de Port-Royal, mais cela ne signifie pas qu'il soit janséniste. Dans la question du salut, les jansénistes font une part un peu trop réduite (selon leurs adversaires) à la liberté de l'homme, et une part très grande à la grâce de Dieu. Les ennemis des jansénistes crient donc au calvinisme ! Tout est parti d'un livre de théologie de Jansénius. La Sorbonne en extrait cinq propositions qu'elle condamne comme hérétiques. Antoine Arnauld, de Port-Royal, veut bien les condamner, mais pas chez Jansénius car elles ne s'y trouvent pas ! « Elles y sont ! » dit la Sorbonne... Aux jansénistes s'opposent les jésuites et leur maître Molina, théologien espagnol auteur de l'****Accord du libre arbitre avec les dons de la grâce****(1588). Les jansénistes jugent ce Molina, commentateur de saint Thomas, trop laxiste ; il n'a cependant jamais été condamné par Rome, et un homme sévère comme Joseph de Maistre l'admirait. Quant à Pascal, ce qu'il condamne et combat dans ces* ***Lettres,*** *c'est la trop grande « souplesse » de la casuistique des jésuites qui, finalement, sont près à excuser beaucoup pourvu que l'on reste au sein de l'Église.*

L'auteur des ***Lettres provinciales*** *consulte un théologien qui l'éclaire sur le sens de l'action des jésuites :*

Sachez donc que leur objet n'est pas de corrompre les mœurs : ce n'est pas leur dessein. Mais ils n'ont pas aussi pour unique but celui de les réformer. Ce serait une mauvaise politique. Voici quelle est leur pensée. Ils ont assez bonne opinion d'eux-mêmes pour croire qu'il est utile et comme nécessaire au bien de la religion que leur crédit s'étende partout et qu'ils gouvernent toutes les consciences. Et parce que les maximes évangéliques et sévères sont propres pour gouverner quelques sortes de personnes, ils s'en servent dans ces occasions où elles leur sont favorables. Mais comme ces mêmes maximes ne s'accordent pas au dessein de la plupart des gens, ils les laissent à l'égard de ceux-là, afin d'avoir de quoi satisfaire tout le monde.

C'est pour cette raison qu'ayant affaire à des personnes de toutes sortes de conditions et des nations si différentes, il est nécessaire qu'ils aient des casuistes assortis à toute cette diversité.

De ce principe vous jugez aisément, que s'ils n'avaient que des casuistes relâchés, ils ruineraient leur principal dessein, qui est d'embrasser tout le monde, puisque ceux qui sont véritablement pieux cherchent une conduite plus sévère. Mais comme il n'y en a pas beaucoup de cette sorte, ils n'ont pas besoin de beaucoup de directeurs sévères pour les conduire. Ils en ont peu pour peu ; au lieu que la foule des casuistes relâchés s'offre à la foule de ceux qui cherchent le relâchement.

C'est par cette conduite *obligeante et accommodante,* comme l'appelle le P. Petau, qu'ils tendent les bras à tout le monde. Car, s'il se présente à eux quelqu'un qui soit tout résolu de rendre des biens mal acquis, ne craignez pas qu'ils l'en détournent ; ils loueront au contraire et confirmeront une si sainte résolution. Mais qu'il en vienne un autre qui veuille avoir l'absolution sans restituer ; la chose sera bien difficile, s'ils n'en fournissent des moyens dont ils se rendront les garants.

Par là ils conservent tous leurs amis, et se défendent contre tous leurs ennemis. Car, si on leur reproche leur extrême relâchement, ils produisent au public leurs directeurs austères, et quelques livres qu'ils ont faits de la rigueur de la loi chrétienne ; et les simples, et ceux qui n'approfondissent pas plus avant les choses, se contentent de ces preuves.

Ainsi, ils en ont pour toutes sortes de personnes, et répondent si bien selon ce qu'on leur demande, que, quand ils se trouvent en des pays où un Dieu crucifié passe pour folie, ils suppriment le scandale de la croix, et ne prêchent que Jésus-Christ glorieux, et non pas Jésus-Christ souffrant : comme ils ont fait dans les Indes et dans la Chine, où ils ont permis aux chrétiens l'idolâtrie même, par cette subtile invention, de leur faire cacher sous leurs habits une image de Jésus-Christ, à laquelle ils leur enseignent de rapporter mentalement les adorations publiques qu'ils rendent à l'idole Chacim-Choan et à leur Keum-fucum, comme Gravina, Dominicain, le leur reproche, et comme le témoigne le mémoire en espagnol, présenté au roi d'Espagne Philippe IV, par les Cordeliers des Iles Philippines, rapporté par Thomas Hurtade dans son livre du *Martyre de la Foi,* page 427. De telle sorte que la congrégation des cardinaux *de propaganda fide* fut obligée de défendre particulièrement aux Jésuites, sur peine d'excommunication, de permettre des adorations d'idoles sous aucun prétexte, et de cacher le mystère de la croix à ceux qu'ils instruisent de la religion, leur commandant expressément de n'en recevoir aucun au baptême qu'après cette connaissance, et d'exposer dans leurs églises l'image du crucifix, comme il est porté amplement dans le décret de cette congrégation, donné le 9 juillet 1646, signé par le cardinal Caponi.

Voilà de quelle sorte ils se sont répandus par toute la terre à la faveur *de la doctrine des opinions probables,* qui est la source et la base de tout ce dérèglement. C'est ce qu'il faut que vous appreniez d'eux-mêmes. Car ils ne le cachent à personne, non plus que tout ce que vous venez d'entendre, avec cette différence, qu'ils couvrent leur prudence humaine et politique du prétexte d'une prudence divine et chrétienne ; comme si la foi, et la tradition qui la maintient, n'était pas toujours une et invariable dans tous les temps et dans tous les lieux ; comme si c'était à la règle à se fléchir pour convenir au sujet qui doit lui être conforme, et comme si les âmes n'avaient, pour se purifier de leurs taches, qu'à corrompre la loi du Seigneur ; au lieu *que la loi du Seigneur, qui est sans tache et toute sainte, est celle qui doit convertir les âmes,* et les conformer à ses salutaires instructions !

CINQUIÈME LETTRE, 1657

De l'esprit géométrique et de l'art de persuader.

1656

L'activité scientifique de Pascal lui permet de rassembler les principes de la conviction, c'est-à-dire de la démonstration. L'homme ne peut pas même tout prouver dans une science comme la géométrie alors qu'elle est « l'ordre le plus parfait entre les hommes », et que « ce qui passe la géométrie nous surpasse ». Cependant, en géométrie, là où manque les démonstrations se présentent naturellement (et providentiellement) les évidences. Cette « nature qui nous soutient au défaut du discours » est manifestement divine. Par sa perfection, la géométrie désigne Dieu. Dans le même ordre d'idées Leibniz dira : « Un géomètre athée peut bien faire de la géométrie, mais non pas savoir ce qu'est la géométrie ».

« (...) Je reviens à l'explication du véritable ordre, qui consiste, comme je disais, à tout définir et à tout prouver.

Certainement cette méthode serait belle, mais elle est absolument impossible : car il est évident que les premiers termes qu'on voudrait définir, en supposeraient de précédents pour servir à leur explication, et que de même les premières propositions qu'on voudrait prouver en supposeraient d'autres qui les précédassent ; et ainsi il est clair qu'on n'arriverait jamais aux premières.

Aussi, en poussant les recherches de plus en plus, on arrive nécessairement à des mots primitifs qu'on ne peut plus définir, et à des principes si clairs qu'on n'en trouve plus qui le soient davantage pour servir à leur preuve. D'où il paraît que les hommes sont dans une impuissance naturelle et immuable de traiter quelque science que ce soit dans un ordre absolument accompli.

Mais il ne s'ensuit pas de là qu'on doive abandonner toute sorte d'ordre. Car il y en a un, et c'est celui de la géométrie, qui est à la vérité inférieur en ce qu'il est moins convaincant, mais non pas en ce qu'il est moins certain. Il ne définit pas tout et ne prouve pas tout, et c'est en cela qu'il lui cède ; mais il ne suppose que des choses claires et constantes par la lumière naturelle, et c'est pourquoi il est parfaitement véritable, la nature le soutenant au défaut du discours. Cet ordre, le plus parfait entre les hommes, consiste non pas à tout définir ou à tout démontrer, ni aussi à ne rien définir ou à ne rien démontrer, mais à se tenir dans ce milieu de ne point définir les choses claires et entendues de tous les hommes, et de définir toutes les autres ; et de ne point prouver toutes les choses connues des hommes, et de prouver toutes les autres. Contre cet ordre pèchent également ceux qui entreprennent de tout définir et de tout prouver et ceux qui négligent de le faire dans les choses qui ne sont pas évidentes d'elles-mêmes.

C'est ce que la géométrie enseigne parfaitement. Elle ne définit aucune de ces choses, espace, temps, mouvement, nombre, égalité, ni les semblables qui sont en grand nombre, parce que ces termes-là désignent si naturellement les choses qu'ils signifient, à ceux qui entendent la langue, que l'éclaircissement qu'on en voudrait faire apporterait plus d'obscurité que d'instruction.

(...) On trouvera peut-être étrange que la géométrie ne puisse définir aucune des choses qu'elle a pour principaux objets.

(...) Mais on n'en sera pas surpris, si l'on remarque que cette admirable science ne s'attachant qu'aux choses les plus simples, cette même qualité qui les rend dignes d'être ses objets, les rend incapables d'être définies ; de sorte que le manque de définition est plutôt une perfection qu'un défaut, parce qu'il ne vient pas de leur obscurité, mais au contraire de leur extrême évidence, qui est telle qu'encore qu'elle n'ait pas la conviction des démonstrations, elle en a toute la certitude. Elle suppose donc que l'on sait quelle est la chose qu'on entend par ces mots : mouvement, nombre, espace ; et, sans s'arrêter à les définir inutilement, elle en pénètre la nature, et en découvre les merveilleuses propriétés.

Or, de ces deux méthodes, l'une de convaincre, l'autre d'agréer, je ne donnerai ici que les règles de la première ; et encore au cas qu'on ait accordé les principes et qu'on demeure ferme à les avouer : autrement je ne sais s'il y aurait un art pour accommoder les preuves à l'inconstance de nos caprices.

Mais la manière d'agréer est bien sans comparaison plus difficile, plus subtile, plus utile et plus admirable ; aussi, si je n'en traite pas, c'est parce que je n'en suis pas capable ; et je m'y sens tellement disproportionné, que je crois la chose absolument impossible.

Ce n'est pas que je ne croie qu'il y ait des règles aussi sûres pour plaire que pour démontrer, et que qui les saurait parfaitement connaître et pratiquer ne réussit aussi sûrement à se faire aimer des rois et de toutes sortes de personnes, qu'à démontrer les éléments de la géométrie à ceux qui ont assez d'imagination pour en comprendre les hypothèses. Mais j'estime, et c'est peut-être ma faiblesse qui me le fait croire, qu'il est impossible d'y arriver. Au moins je sais que si quelqu'un en est capable, ce sont des personnes que je connais, et qu'aucun autre n'a sur cela de si claires et de si abondantes lumières.

La raison de cette extrême difficulté vient de ce que les principes du plaisir ne sont pas fermes et stables. Ils sont divers en tous les hommes, et variables dans chaque particulier avec une telle diversité, qu'il n'y a point d'homme plus différent d'un autre que de soi-même dans les divers temps. Un homme a d'autres plaisirs qu'une femme ; un riche et un pauvre en ont de différents ; un prince, un homme de guerre, un marchand, un bourgeois, un paysan, les vieux, les jeunes, les sains, les malades, tous varient ; les moindres accidents les changent.

Or, il y a un art, et c'est celui que je donne, pour faire voir la liaison des vérités avec leurs principes soit de vrai, soit de plaisir, pourvu que les principes qu'on a une fois avoués demeurent fermes et sans être jamais démentis.

Mais comme il y a peu de principes de cette sorte, et que hors de la géométrie, qui ne considère que des figures très simples, il n'y a presque point de vérités dont nous demeurions toujours d'accord, et encore moins d'objets de plaisir dont nous ne changions à toute heure.

*Les **Lettres provinciales** montrent que Pascal sait tout ce que l'on peut savoir de l'art de persuader. Ses pamphlets restent en effet les modèles du genre, et ce n'est pas seulement parce que les **Lettres** s'en prennent aux jésuites qu'on les lit et étudie. Mais dans la querelle Pascal a appris l'horrible difficulté de convaincre les hommes autrement que dans les questions de géométrie, et la vanité de vouloir persuader ou agréer : l'homme est trop changeant et inconstant, et dans les questions de la foi c'est Dieu seul qui fait don de la vraie foi.*

.Pensées.

1658-1662 ; PREMIÈRE ÉDITION EN 1669-1670

Il n'y a que trois sortes de personnes : les uns qui servent Dieu l'ayant trouvé, les autres qui s'emploient à le chercher ne l'ayant pas trouvé, les autres qui vivent sans le chercher ni l'avoir trouvé. Les premiers sont raisonnables et heureux, les derniers sont fous et malheureux, ceux du milieu sont malheureux et raisonnables.

*Cette **Apologie de la religion chrétienne** est inachevée. Pascal avait informé les « Messieurs » de Port-Royal du plan général. Ses feuillets ont été rassemblés après sa mort. L'on a plusieurs fois et de manière différente proposé un classement. Pascal écrit pour ceux qui s'emploient à chercher Dieu :*

Différentes voix s'entendent dans les Pensées ; tantôt c'est un libertin qui parle, tantôt un sceptique, et le plus souvent

Pascal. De là des difficultés d'interprétation. Pascal se défiait-il de la raion pour avoir tant déployé les arguments des sceptiques ?

La première partie du plan de Pascal est intitulé **Ordre.** *Il s'agit de montrer « à un ami pour le porter à chercher » :*

La deuxième partie du plan général porte le titre : **Vanité.** *L'homme ne saurait se suffire à lui-même, trouver la paix en soi. « Tout est vanité », dit la Bible. Certains affirment que la raison conduit assez tranquillement à la vérité, ils ignorent la puissance trompeuse de* ***l'imagination :***

"Misère de l'homme sans Dieu"

1re partie. Misère de l'homme sans Dieu. 2e partie. Félicité de l'homme avec Dieu. Autrement : 1re partie. Que la nature est corrompue, par la nature même. 2e partie. Qu'il y a un Réparateur, par l'Écriture.

C'est cette partie décevante dans l'homme, cette maîtresse d'erreur et de fausseté, et d'autant plus fourbe qu'elle ne l'est pas toujours ; car elle serait règle infaillible de vérité, si elle l'était infaillible du mensonge. Mais étant le plus souvent fausse, elle ne donne aucune marque de sa qualité, marquant du même caractère le vrai et le faux.

Je ne parle pas des fous, je parle des plus sages ; et c'est parmi eux que l'imagination a le grand don de persuader les hommes. La raison a beau crier, elle ne peut mettre le prix aux choses.

Cette superbe puissance, ennemie de la raison, qui se plaît à la contrôler et à la dominer, pour montrer combien elle peut en toutes choses, a établi dans l'homme une seconde nature. Elle a ses heureux, ses malheureux, ses sains, ses malades, ses riches, ses pauvres ; elle fait croire, douter, nier la raison ; elle suspend les sens, elle les fait sentir ; elle a ses fous et ses sages ; et rien ne nous dépite davantage que de voir qu'elle remplit ses hôtes d'une satisfaction bien autrement pleine et entière que la raison. Les habiles par imagination se plaisent tout autrement à eux-mêmes que les prudents ne se peuvent raisonnablement plaire. Ils regardent les gens avec empire ; ils disputent avec hardiesse et confiance ; les autres, avec crainte et défiance : et cette gaîté de visage leur donne souvent l'avantage dans l'opinion des écoutants, tant les sages imaginaires ont de faveur auprès des juges de même nature. Elle ne peut rendre sages les fous ; mais elle les rend heureux, à l'envi de la raison qui ne peut rendre ses amis que misérables, l'une les couvrant de gloire, l'autre de honte.

Qui dispense la réputation ? qui donne le respect et la vénération aux personnes, aux ouvrages, aux lois, aux grands, sinon cette faculté imaginante ? Combien toutes les richesses de la terre insuffisantes sans son consentement !

Ne diriez-vous pas que ce magistrat, dont la vieillesse vénérable impose le respect à tout un peuple, se gouverne par une raison pure et sublime, et qu'il juge des choses dans leur nature sans s'arrêter à ces vaines circonstances qui ne blessent que l'imagination des faibles ? Voyez-le entrer dans un sermon où il apporte un zèle tout dévot, renforçant la solidité de sa raison par l'ardeur de sa charité. Le voilà prêt à l'ouïr avec un respect exemplaire. Que le prédicateur vienne à paraître, que la nature lui ait donné une voix enrouée et un tour de visage bizarre, que son barbier l'ait mal rasé, si le hasard l'a encore barbouillé de surcroît, quelque grandes vérités qu'il annonce, je parie la perte de la gravité de notre sénateur.

Le plus grand philosophe du monde, sur une planche plus large qu'il ne faut, s'il y a au-dessous un précipice, quoique sa raison le convainque de sa sûreté, son imagination prévaudra. Plusieurs n'en sauraient soutenir la pensée sans pâlir et suer.

La misère de l'homme est telle que la diversité des opinions n'épargne aucun domaine :

"Vérité au-deçà des Pyrénées, erreur au-delà"

Sur quoi la fondera-t-il, l'économie du monde qu'il veut gouverner ? Sera-ce sur le caprice de chaque particulier ? quelle confusion ! Sera-ce sur la justice ? il l'ignore.

Certainement s'il la connaissait, il n'aurait pas établi cette maxime, la plus générale de toutes celles qui sont parmi les hommes, que chaun suive les mœurs de son pays ; l'éclat de la véritable équité aurait assujetti tous les peuples, et les législateurs n'auraient pas pris pour modèle, au lieu de cette justice constante, les fantaisies et les caprices des Perses et Allemands. On la verrait plantée par tous les États du monde et dans tous les temps, au lieu qu'on ne voit rien de juste ou d'injuste qui ne change de qualité en changeant de climat. Trois degrés d'élévation du pôle renversent toute la jurisprudence, un méridien décide de la vérité ; en peu d'années de possession, les lois fondamentales changent ; le droit a ses époques, l'entrée de Saturne au Lion nous marque l'origine d'un tel crime. Plaisante justice qu'une rivière borne ! Vérité au-deçà des Pyrénées, erreur au-delà.

Ils confessent que la justice n'est pas dans ces coutumes, mais qu'elle réside dans les lois naturelles, connues en tout pays. Certainement ils le soutiendraient opiniâtrement, si la témérité du hasard qui a semé les lois humaines en avait rencontré au moins une qui fût universelle ; mais la plaisanterie est telle, que le caprice des hommes s'est si bien diversifié, qu'il n'y en a point.

Le larcin, l'inceste, le meurtre des enfants et des pères, tout a eu sa place entre les actions vertueuses. Se peut-il rien de plus plaisant, qu'un homme ait droit de me tuer parce qu'il demeure au-delà de l'eau, et que son prince a querelle contre le mien, quoique je n'en aie aucune de lui ?

Il y a sans doute des lois naturelles ; mais cette belle raison corrompue a tout corrompu.

Le cœur a ses raisons que la raison ne connaît point ; on le sait en mille choses. Je dis que le cœur aime l'être universel naturellement, et soi-même naturellement selon qu'il s'y adonne ; et il se durcit contre l'un ou l'autre à son choix. Vous avez rejeté l'un et conservé l'autre : est-ce par raison que vous vous aimez ?

L'homme n'est qu'un roseau, le plus faible de la nature ; mais c'est un roseau pensant. Il ne faut pas que l'univers entier s'arme pour l'écraser : une vapeur, une goutte d'eau suffit pour le tuer. Mais, quand l'univers l'écraserait, l'homme serait encore plus noble que ce qui le tue, parce qu'il sait qu'il meurt, et l'avantage que l'univers a sur lui, l'univers n'en sait rien.

Toute notre dignité consiste donc en la pensée. C'est de là qu'il faut nous relever et non de l'espace et de la durée, que nous ne saurions remplir. Travaillons donc à bien penser : voilà le principe de la morale.

L'homme n'est ni ange ni bête, et le malheur veut que qui veut faire l'ange fait la bête.

Quelle chimère est-ce donc que l'homme ? Quelle nouveauté, quel monstre, quel chaos, quel sujet de contradiction, quel prodige ! Juge de toutes choses imbécile ver de terre ; dépositaire du vrai, cloaque d'incertitude et d'erreur ; gloire et rebut de l'univers.

Qui démêlera cet embrouillement ? La nature confond les pyrrhoniens, et la raison confond les dogmatiques. Que deviendrez-vous donc, ô hommes qui cherchez quelle est votre véritable condition par votre raison naturelle ? Vous ne pouvez fuir une de ces sectes, ni subsister dans aucune.

Connaissez donc, superbe, quel paradoxe vous êtes à vous-même. Humiliez-vous, raison impuissante ; taisez-vous, nature imbécile : apprenez que l'homme passe infiniment l'homme, et entendez de votre maître votre condition véritable que vous ignorez. Écoutez Dieu.

Car enfin, si l'homme n'avait jamais été

L'homme supporte des contrariétés : grandeur, mais misère ; ennui, mais divertissement ; désir du bonheur, mais malheur et souffrances. Seule la religion chrétienne résout les contrariétés :

corrompu, il jouirait dans son innoncence et de la vérité et de la félicité avec assurance ; et si l'homme n'avait jamais été que corrompu, il n'aurait aucune idée ni de la vérité ni de la béatitude. Mais, malheureux que nous sommes, et plus que s'il n'y avait point de grandeur dans notre condition, nous avons une idée du bonheur, et ne pouvons y arriver ; nous sentons une image de la vérité, et ne possédons que le mensonge ; incapables d'ignorer absolument et de savoir certainement, tant il est manifeste que nous avons été dans un degré de perfection dont nous sommes malheureusement déchus !

Chose étonnante, cependant, que le mystère le plus éloigné de notre connaissance, qui est celui de la transmission du péché, soit une chose sans laquelle nous ne pouvons avoir aucune connaissance de nous-mêmes ! Car il est sans doute qu'il n'y a rien qui choque plus notre raison que de dire que le péché du premier homme ait rendu coupables ceux qui, étant éloignés de cette source, semblent incapables d'y participer. Cet écoulement ne nous paraît pas seulement impossible, il nous semble même très injuste ; car qu'y a-t-il de plus contraire aux règles de notre misérable justice que de damner éternellement un enfant incapable de volonté, pour un péché où il paraît avoir si peu de part, qu'il est commis six mille ans avant qu'il fût en être ? Certainement rien ne nous heurte plus rudement que cette doctrine ; et cependant, sans ce mystère, le plus incompréhensible de tous, nous sommes incompréhensibles à nous-mêmes. Le nœud de notre condition prend ses replis et ses tours dans cet abîme ; de sorte que l'homme est plus inconcevable dans ce mystère que ce mystère n'est inconcevable à l'homme.

"Le cœur a ses raisons que la raison ne connaît point"

"L'homme n'est qu'un roseau, le plus faible de la nature ; mais c'est un roseau pensant"

"L'homme n'est ni ange ni bête, et le malheur veut que qui veut faire l'ange fait la bête"

L'argument du pari serait une tentative d'agréer par le recours à l'analogie du jeu, mais son déroulement est parfaitement rationnel :

"L'homme est plus inconcevable sans ce mystère que ce mystère n'est inconcevable à l'homme"

Examinons donc ce point, et disons : Dieu est ou il n'est pas ; mais de quel côté pencherons-nous ? La raison n'y peut rien déterminer. Il y a un chaos infini qui nous sépare. Il se joue un jeu à l'extrémité de cette distance infinie, où il arrivera croix ou pile. Que gagerez-vous ? Par raison, vous ne pouvez faire ni l'un ni l'autre ; par raison, vous ne pouvez défendre nul des deux.

Ne blâmez donc pas de fausseté ceux qui ont pris un choix, car vous n'en savez rien. – Non, mais je les blâmerai d'avoir fait non ce choix, mais un choix, car encore que celui qui prend croix et l'autre soient en pareille faute, ils sont tous deux en faute ; le juste est de ne point parier.

– Oui, mais il faut parier. Cela n'est pas volontaire, vous êtes embarqué. Lequel prendrez-vous donc ? Voyons, puisqu'il faut choisir, voyons ce qui vous intéresse le moins. Vous avez deux choses à perdre, le vrai et le bien, et deux choses à engager, votre raison et votre volonté, votre connaissance et votre béatitude, et votre nature deux choses à fuir, l'erreur et la misère. Votre raison n'est pas plus blessée, puisqu'il faut nécessairement choisir, en choisissant l'un que l'autre. Voilà un point vidé. Mais votre béatitude ? Pesons le gain et la perte en prenant croix que Dieu est. Estimons ces deux cas : si vous gagnez, vous gagnez tout, et si vous perdez, vous ne perdez rien ; gagez donc qu'il est sans hésiter. Cela est admirable. – Oui, il faut gager, mais je gage peut-être trop. – Voyons, puisqu'il y a pareil hasard de gain et de perte, si vous n'aviez qu'à gagner deux vies pour une, vous pourriez encore gager, mais s'il y en avait trois à gagner, il faudrait jouer (puisque vous êtes dans la nécessité de jouer) et vous seriez imprudent, lorsque vous êtes forcé à jouer, de ne pas hasarder votre vie pour en gagner trois à un jeu où il y a pareil hasard de perte et de gain. Mais il y a une éternité de vie et de bonheur. Et cela étant, quand il y aurait une infinité de hasards dont un seul serait pour vous, vous auriez encore raison de gager un pour avoir deux, et vous agirez de mauvais sens, en étant obligé de jouer, de refuser de jouer une vie contre trois à un jeu où d'une infinité de hasards il y en a un pour vous, s'il y avait une infinité de vie infiniment heureuse à gagner ; mais il y a une infinité de vie infiniment heureuse à gagner, un hasard de gain contre un nombre fini de hasards de perte, et ce que vous jouez est fini. Cela ôte tout parti partout où est l'infini et où il n'y a pas infinité de hasards de perte contre celui de gain. Il n'y a point à balancer, il faut tout donner. Et ainsi quand on est forcé à jouer, il faut renoncer à la raison pour garder la vie plutôt que de la hasarder pour le gain infini aussi prêt à arriver que la perte du néant.

Car il ne sert de rien de dire qu'il est incertain si on gagnera, et qu'il est certain qu'on hasarde, et que l'infinie distance qui est entre la *certitude* de ce qu'on expose et l'*incertitude* de ce qu'on gagnera égale le bien fini qu'on expose certainement à l'infini qui est incertain. Cela n'est pas ainsi. Tout joueur hasarde avec certitude pour gagner avec incertitude, et néanmoins il hasarde certainement le fini pour gagner incertainement le fini, sans pécher contre la raison. Il n'y a pas infinité de distance entre cette certitude de ce qu'on s'expose et l'incertitude du gain ; cela est faux. Il y a, à la vérité, infinité entre la certitude de gagner et la certitude de perdre, mais l'incertitude de gagner est proportionnée à la certitude de ce qu'on hasarde selon la proportion des hasards de gain et de perte. Et de là vient que s'il y a autant de hasards d'un côté que de l'autre, le parti est à jouer égal contre égal. Et alors la certitude de ce qu'on s'expose est égale à l'incertitude du gain, tant s'en faut qu'elle en soit infiniment distante. Et ainsi notre proposition est dans une force infinie, quand il y a le fini à hasarder, à un jeu où il y a pareils hasards de gain et de perte, et l'infini à gagner.

Cela est démonstratif et, si les hommes sont capables de quelque vérité, celle-là l'est.

– Je le confesse, je l'avoue, mais encore n'y a-t-il point moyen de voir le dessous du jeu ? – Oui, l'Écriture et le reste, etc. – Oui, mais j'ai les mains liées et la bouche muette, on me force à parier, et je ne suis pas en liberté, on ne me relâche pas, et je suis fait d'une telle sorte que je ne puis croire. Que voulez-vous donc que je fasse ? – Il est vrai, mais apprenez au moins que votre impuissance à croire vient de vos passions, puisque la raison vous y porte et que néanmoins vous ne le pouvez. Travaillez donc non pas à vous convaincre par l'augmentation des preuves de Dieu, mais par la diminution de vos passions. Vous voulez aller à la foi et vous n'en savez pas le chemin. Vous voulez vous guérir de l'infidélité et vous en demandez les remèdes, apprenez de ceux, etc., qui ont été liés comme vous et qui parient maintenant tout leur bien. Ce sont gens qui savent ce chemin que vous voudriez suivre et guéris d'un mal dont vous voulez guérir ; suivez la manière par où ils ont commencé. C'est en faisant tout comme s'ils croyaient, en prenant de l'eau bénite, en faisant dire des messes, etc. Naturellement même cela vous fera croire et vous abêtira. – Mais c'est ce que je crains. – Et pourquoi ? Qu'avez-vous à perdre ? Mais pour vous montrer que cela y mène, c'est que cela diminue les passions qui sont vos grands obstacles, etc.

Fin de ce discours.

La distance infinie des corps aux esprits figure la distance infiniment plus infinie des esprits à la charité, car elle est surnaturelle.

Tout l'éclat des grandeurs n'a point de lustre pour les gens qui sont dans les recherches de l'esprit.

La grandeur des gens d'esprit est invisible aux rois, aux riches, aux capitaines, à tous ces grands de chair.

La grandeur de la sagesse, qui n'est nulle sinon de Dieu, est invisible aux charnels et aux gens d'esprit. Ce sont trois ordres différant de genre.

Les grands génies ont leur empire, leur éclat, leur grandeur, leur victoire, leur lustre et n'ont nul besoin des grandeurs charnelles, où elles n'ont pas de rapport. Ils sont vus non des yeux, mais des esprits, c'est assez.

Les saints ont leur empire, leur éclat, leur victoire, leur lustre, et n'ont nul besoin des grandeurs charnelles ou spirituelles, où elles n'ont nul rapport, car elles n'y ajoutent ni ôtent. Ils sont vus de Dieu et des anges, et non des corps ni des esprits curieux : Dieu leur suffit.

Archimède, sans éclat, serait en même vénération. Il n'a pas donné des batailles pour les yeux, mais il a fourni à tous les esprits ses inventions. Oh ! qu'il a éclaté aux esprits !

Jésus-Christ, sans biens et sans aucune production au-dehors de science, est dans son ordre de sainteté. Il n'a point donné d'invention, il n'a point régné ; mais il a été humble, patient, saint, saint à Dieu, terrible aux démons, sans aucun péché. Oh ! qu'il est venu en grande pompe et en une prodigieuse magnificience, aux yeux du cœur, qui voient la sagesse !

Il eût été inutile à Archimède de faire le prince dans ses livres de géométrie, quoiqu'il le fût.

*Les **ordres** sont des domaines séparés. L'on ne passe pas du premier, des corps, aux autres par une progression en degrés : des corps une grâce nous fait surgir dans l'esprit, une grâce supérieure dans la charité.*

Il eût été inutile à Notre Seigneur Jésus-Christ, pour éclater dans son règne de sainteté, de venir en roi ; mais il y est bien venu avec l'éclat de son ordre !

Il est bien ridicule de se scandaliser de la bassesse de Jésus-Christ, comme si cette bassesse était du même ordre duquel est la grandeur qu'il venait faire paraître. Qu'on considère cette grandeur-là dans sa vie, dans sa Passion, dans son obscurité, dans sa mort, dans l'élection des siens, dans leur abandonnement, dans sa secrète résurrection, et dans le reste, on la verra si grande, qu'on aura pas sujet de se scandaliser d'une bassesse qui n'y est pas.

Mais il y en a qui ne peuvent admirer que les grandeurs charnelles, comme s'il n'y en avait pas de spirituelles ; et d'autres qui n'admirent que les spirituelles, comme s'il n'y en avait pas d'infiniment plus hautes dans la sagesse.

Tous les corps, le firmament, les étoiles, la terre et ses royaumes ne valent pas le moindre des esprits ; car il connaît tout cela, et soi ; et les corps, rien.

Tous les corps ensemble, et tous les esprits ensemble, et toutes leurs productions ne valent pas le moindre mouvement de charité. Cela est d'un ordre infiniment plus élevé.

De tous les corps ensemble, on ne saurait en faire réussir une petite pensée : cela est impossible, et d'un autre ordre. De tous les corps et esprits, on n'en saurait tirer un mouvement de vraie charité, cela est impossible, et d'un autre ordre, surnaturel.

Le Mystère de Jésus.

Jésus souffre dans sa passion les tourments que lui font les hommes, mais dans l'agonie il souffre les tourments qu'il se donne à lui-même. « *Turbare semet ipsum.* » C'est un supplice d'une main non humaine mais toute-puissante, et il faut être tout-puissant pour le soutenir.

Jésus cherche quelque consolation au moins dans ses trois plus chers amis, et ils dorment, il les prie de soutenir un peu avec lui, et ils le laissent avec une négligence entière, ayant si peu de compassion qu'elle ne pouvait seulement les empêcher de dormir

*Jésus-Christ, par qui nous connaissons Dieu, est au principe et à la fin des **Pensées** : toutes les digressions se rapportent à lui :*

un moment. Et ainsi Jésus était délaissé seul à la colère de Dieu.

Jésus est seul dans la terre, non seulement qui ressente et partage sa peine, mais qui la sache. Le ciel et lui sont seuls dans cette connaissance.

Jésus est dans un jardin, non de délices comme le premier Adam où il se perdit et tout le genre humain, mais dans un de supplices où il s'est sauvé et tout le genre humain.

Il souffre cette peine et cet abandon dans l'horreur de la nuit.

Je crois que Jésus ne s'est jamais plaint que cette seule fois. Mais alors il se plaint comme s'il n'eût plus pu contenir sa douleur excessive : « Mon âme est triste jusqu'à la mort. »

Jésus cherche de la compagnie et du soulagement de la part des hommes. Cela est unique en toute sa vie, ce me semble, mais il n'en reçoit point, car ses disciples dorment.

Jésus sera en agonie jusqu'à la fin du monde. Il ne faut pas dormir pendant ce temps-là.

"J'ai versé telles gouttes de sang pour toi"

Jésus, au milieu de ce délaissement universel et de ses amis choisis pour veiller avec lui, les trouvant dormant, s'en fâche à cause du péril où ils exposent, non lui, mais eux-mêmes et les avertit de leur propre salut et de leur bien avec une tendresse cordiale pour eux pendant leur ingratitude. Et les avertit que l'esprit est prompt et la chair infirme.

Jésus les trouvant encore dormant sans que ni sa considération ni la leur les en eût retenus, il a la bonté de ne pas les éveiller, et les laisse dans leur repos.

Jésus prie dans l'incertitude de la volonté du Père et craint la mort. Mais l'ayant connue, il va au-devant s'offrir à elle : *« Eamus. » « Processit »* (Joannes).

Jésus a prié les hommes, et n'en a pas été exaucé.

Jésus, pendant que ses disciples dormaient, a opéré leur salut. Il l'a fait à chacun des justes pendant qu'ils dormaient, et dans le néant avant leur naissance, et dans les péchés depuis leur naissance.

Il ne prie qu'une fois que le calice passe, et encore avec soumission, et deux fois qu'il vienne s'il le faut.

Jésus dans l'ennui.

Jésus, voyant tous ses amis endormis, et tous ses ennemis vigilants, se remet tout entier à son Père.

Jésus ne regarde pas dans Judas son inimitié, mais l'ordre de Dieu qu'il aime, et la voit si peu qu'il l'appelle ami.

Jésus s'arrache d'avec ses disciples pour entrer dans l'agonie ; il faut s'arracher de ses plus proches et des plus intimes, pour l'imiter.

Jésus étant dans l'agonie et dans les plus grandes peines, prions plus longtemps.

Nous implorons la miséricorde de Dieu, non afin qu'il nous laisse en paix dans nos vices, mais afin qu'il nous en délivre.

Si Dieu nous donnait des maîtres de sa main, ô qu'il leur faudrait obéir de bon cœur ! La nécessité et les événements en sont infailliblement.

Console-toi, tu ne me chercherais pas si tu ne m'avais trouvé.

Je pensais à toi dans mon agonie ; j'ai versé telles gouttes de sang pour toi.

C'est me tenter, plus que t'éprouver, que de penser si tu ferais bien telle et telle chose absente. Je la ferai en toi si elle arrive.

Laisse-toi conduire à mes règles. Vois comme j'ai bien conduit la Vierge et les saints, qui m'ont laissé agir en eux.

Le Père aime tout ce que je fais.

Veux-tu qu'il me coûte toujours du sang de mon humanité sans que tu donnes des larmes ?

C'est mon affaire que ta conversion, ne crains point, et prie avec confiance comme pour moi.

Marie de Rabutin-Chantal,

Marquise de Sévigné

PARIS 1626 – CHATEAU DE GRIGNAN 1696.

Enfant, Madame de Sévigné apprend le français, l'italien, l'espagnol, le latin, le chant et la danse ; elle a pour maître Ménage qui en est amoureux. A 18 ans elle épouse le baron Henri de Sévigné, mari volage, qui lui donne en 1646 une fille, Françoise-Marguerite, et en 1648 un fils, Charles. En 1651 le baron est tué dans un duel. Mme de Sévigné fréquente les salons de Paris, rencontre La Rochefoucauld, Corneille, Mlle de Scudéry et Mme de La Fayette dont elle devient l'amie intime. Elle séduit par son charme Turenne, Fouquet, son cousin Bussy-Rabutin, le prince de Conti mais elle refuse leurs hommages. Sa fille épouse, en 1669, le comte de Grignan et suit son mari au château de Grignan dans la Drôme. La séparation est déchirante pour Mme de Sévigné qui commence une correspondance qui ne cessera pas. Mme de Sévigné a écrit mille cinq cents lettres, dont huit cents sont adressées à sa fille, les autres à son cousin Bussy-Rabutin, Mme de La Fayette, Pomponne, l'abbé Ménage... Cette correspondance fait de Mme de Sévigné un merveilleux témoin de son temps, des grands événements comme des petits faits de Cour. Ses lettres sont à la fois une chronique, une grande œuvre littéraire, et l'histoire d'une femme enjouée, intelligente, passionnée, aimante et généreuse.

CORRESPONDANCE

Adressée à M. de Pomponne ***la lettre du 1er décembre 1664*** *relate un amusant et cruel fait de Cour :*

Le Roi se mêle depuis peu de faire des vers ; MM de Saint-Aignan et Dangeau lui apprennent comme il s'y faut prendre. Il fit l'autre jour un petit madrigal, que lui-même ne trouva pas trop joli. Un matin il dit au maréchal de Gramont : « Monsieur le maréchal, je vous prie, lisez ce petit madrigal, et voyez si vous en avez jamais vu un si impertinent. Parce qu'on sait que depuis peu j'aime les vers, on m'en apporte de toutes les façons. » Le maréchal, après avoir lu, dit au Roi : « Sire, votre Majesté juge divinement bien de toutes choses ; il est vrai que voilà le plus sot et le plus ridicule madrigal que j'aie jamais lu. » Le Roi se mit à rire, et lui dit : « N'est-il pas vrai que celui qui l'a fait est bien fat ? – Sire, il n'y a pas moyen de lui donner un autre nom. – Oh bien ! dit le Roi, je suis ravi que vous m'en ayant parlé si bonnement ; c'est moi qu'il l'ai fait. – Ah ! Sire, quelle trahison ! Que votre Majesté me le rende ; je l'ai lu brusquement. – Non, Monsieur le Maréchal : les premiers sentiments sont toujours les plus naturels. » Le Roi a fort ri de cette folie, et tout le monde trouve que voilà la plus cruelle petite chose que l'on puisse faire à un vieux courtisan. Pour moi, qui aime toujours à faire des réflexions, je voudrais que le Roi en fît là-dessus et qu'il jugeât par là combien il est loin de connaître jamais la vérité.

La fille de Mme de Sévigné a épousé M. de Grignan, elle le suit au château de Grignan en 1671, la séparation est douloureuse :

A Madame de Grignan
A Paris, vendredi 6 février 1671.

Ma douleur serait bien médiocre si je pouvais vous la dépeindre ; je ne l'entreprendrai pas aussi. J'ai beau chercher ma chère fille, je ne la trouve plus, et tous les pas qu'elle fait l'éloignent de moi. Je m'en allai donc à Sainte-Marie, toujours pleurant et toujours mourant : il me semblait qu'on m'arrachait le cœur et l'âme ; et en effet, quelle rude séparation ! Je demandai la liberté d'être seule ; on me mena dans la chambre de Mme du Housset, on me fit du feu ; Agnès me regardait sans me parler, c'était notre marché ; j'y passai jusqu'à cinq heures sans cesser de sangloter : toutes mes pensées me faisaient mourir. J'écrivis à M. de Grignan, vous pouvez penser sur quel ton. J'allai ensuite chez Mme de La Fayette, qui redoubla mes douleurs par la part qu'elle y prit. Elle était seule, et malade, et triste de la mort d'une sœur religieuse : elle était comme je la pouvais désirer. M. de la Rochefoucauld y vint ; on ne parla que de vous, de la raison que j'avais d'être touchée, et du dessein de parler comme il faut à *Merlusine*. Je vous réponds qu'elle sera bien relancée. D'Hacqueville vous rendra un bon compte de cette affaire. Je revins enfin à huit heure de chez Mme de La Fayette ; mais en entrant ici, bon Dieu ! comprenez-vous bien ce que je sentis en montant ce degré ? Cette chambre où j'entrais toujours, hélas ! j'en trouvai les portes ouvertes ; mais je vis tout démeublé, tout dérangé, et votre pauvre petite fille qui me représentait la mienne. Comprenez-vous bien tout ce que je souffris ? Les réveils de la nuit ont été noirs, et le matin je n'étais point avancée d'un pas pour le repos de mon esprit. L'après-dînée se passa avec Mme de La Troche à l'Arsenal. Le soir, je reçus votre lettre, qui me remit dans les premiers transports, et ce soir j'achèverai celle-ci chez M. de Coulanges, où j'apprendrai des nouvelles ; car pour moi, voilà ce que je sais, avec les douleurs de tous ceux que vous avez laissés ici. Toute ma lettre serait pleine de compliments si je voulais.

Mme de Sévigné vient de faire un long séjour chez sa fille. Elle revient à Paris, sur la route, lors de la première étape, à Montélimar, elle écrit à sa fille :

"Je trouve que tout me manque, parce que vous me manquez"

A Madame de Grignan
A Montélimar, jeudi 5 octobre 1673.

Voici un terrible jour, ma chère fille ; je vous avoue que je n'en puis plus. Je vous ai quittée dans un état qui augmente ma douleur. Je songe à tous les pas que vous faites et à tous ceux que je fais, et combien il s'en faut qu'en marchant toujours de cette sorte, nous puissions jamais nous rencontrer. Mon cœur est en repos quand il est auprès de vous : c'est son état naturel, et le seul qui peut lui plaire. Ce qui s'est passé ce matin me donne une douleur sensible, et me fait un déchirement dont votre philosophie sait les raisons : je les ai senties et les sentirai longtemps. J'ai le cœur et l'imagination tout remplis de vous ; je n'y puis penser sans pleurer, et j'y pense toujours : de sorte que l'état où je suis n'est pas une chose soutenable ; comme il est extrême, j'espère qu'il ne durera pas dans cette violence. Je vous cherche toujours, et je trouve que tout me manque, parce que vous me manquez. Mes yeux qui vous ont tant rencontrée depuis quatorze mois ne vous trouvent plus. Le temps agréable qui est passé rend celui-ci douloureux, jusqu'à ce que j'y sois un peu accoutumée ; mais ce ne sera jamais assez pour ne pas souhaiter ardemment de vous revoir et de vous embrasser. Je ne dois pas espérer mieux de l'avenir que du passé. Je sais ce que votre absence m'a fait souffrir : je serai encore plus à plaindre, parce que je me suis fait imprudemment une habitude nécessaire de vous voir. Il me semble que je ne vous ai point assez embrassée en partant : qu'avais-je à ménager ? Je ne vous ai point assez dit combien je suis contente de votre tendresse ; je ne vous ai point assez recommandée à M. de Grignan ; je ne l'ai point assez remercié de toutes ses politesses et de toute l'amitié qu'il a pour moi ; j'en attendrai les effets sur tous les chapitres : il y en a où il a plus d'intérêt que moi, quoique j'en sois plus touchée que lui. Je suis déjà dévorée de curiosité ; je n'espère plus de consolation que de vos lettres, qui me feront encore bien soupirer. En un mot, ma fille, je ne vis que pour vous. Dieu me fasse la grâce de l'aimer quelque jour comme je vous aime. Je songe aux *pichons ;* je suis toute pétrie de Grignans ; je tiens partout. Jamais un voyage n'a été si triste que le nôtre ; nous ne disons pas un mot.

"Ma fille, je ne vis que pour vous"

Adieu, ma chère enfant, aimez-moi toujours : hélas ! nous revoilà dans les lettres. Assurez Monsieur l'Archevêque de mon respect très tendre, et embrassez le Coadjuteur ; je vous recommande à lui. Nous avons encore dîné à vos dépens. Voilà M. de Saint-Geniez qui vient me consoler. Ma fille, plaignez-moi de vous avoir quittée.

"Ma fille, plaignez-moi de vous avoir quittée"

Description de la vie de Cour à Versailles :

A Madame de Grignan
A Paris, 29 juillet 1676.

Je fus samedi à Versailles avec les Villars : voici comme cela va. Vous connaissez la toilette de la Reine, la messe, le dîner ; mais il n'est plus besoin de se faire étouffer, pendant que Leurs Majestés sont à table, car, à trois heures, le Roi, la Reine, Monsieur, Madame, Mademoiselle, tout ce qu'il y a de princes et princesses, Mme de Montespan, toute sa suite, tous les courtisans, toutes les dames, enfin ce qui s'appelle la cour de France, se trouve dans ce bel appartement du Roi que vous connaissez. Tout est meublé divinement, tout est magnifique. On ne sait ce que c'est que d'y avoir chaud ; on passe d'un lieu à l'autre sans faire la presse en nul lieu. [...]

Je saluai le Roi, comme vous me l'avez appris ; il me rendit mon salut, comme si j'avais été jeune et belle. La Reine me parla aussi longtemps de ma maladie que si c'eût été une couche. Elle me parla aussi de vous. Monsieur le duc me fit mille de ces caresses à quoi il ne pense pas. Le maréchal de Lorges m'attaqua sous le nom du chevalier de Grignan, enfin *tutti quanti* : vous savez ce que c'est que de recevoir un mot de tout ce qu'on trouve en chemin. Mme de Montespan me parla de Bourbon, et me pria de lui conter Vichy, et comme je m'en étais trouvée ; elle dit que Bourbon, au lieu de lui guérir un genou, lui a fait mal aux deux. Je lui trouvai le dos bien plat, comme disait la maréchale de la Meilleraie ; mais sérieusement, c'est une chose surprenante que sa beauté ; et sa taille qui n'est pas de la moitié si grosse qu'elle était, sans que son teint, ni ses yeux, ni ses lèvres en soient moins bien. Elle était toute habillée de point de France ; coiffé de mille boucles ; les deux des tempes lui tombaient fort bas sur les deux joues ; des rubans noirs sur la tête, des perles de la maréchale de l'Hospital, embellies de boucles et de pendeloques de diamant de la dernière beauté, trois ou quatre poinçons, une boîte, point de coiffe, en un mot, une triomphante beauté à faire admirer à tous les ambassadeurs. Elle a su qu'on se plaignait qu'elle empêchait toute la France de voir le Roi ; elle l'a redonné, comme vous voyez ; et vous ne sauriez croire la joie que tout le monde en a, ni de quelle beauté cela rend la cour. Cette agréable confusion, sans confusion, de tout ce qu'il y a de plus choisi, dure jusqu'à six heures depuis trois. S'il vient des courriers, le Roi se retire pour lire ses lettres, et puis revient. Il y a toujours quelque musique qu'il écoute, et qui fait un très bon effet. Il cause avec celles qui ont accoutumé d'avoir cet honneur. [...]

A six heures donc, on monte en calèche, le Roi, Mme de Montespan, Monsieur, Mme de Thianges, et la bonne d'Heudicourt sur le strapontin, c'est-à-dire comme en paradis, ou dans la *Gloire de Niquée*. Vous savez comme ces calèches sont faites : on ne se regarde point, on est tourné du même côté. La Reine était dans une autre avec les princesses, et ensuite tout le monde attroupé selon sa fantaisie. On va sur le canal dans des gondoles, on y trouve de la musique, on revient à dix heures, on trouve la comédie, minuit sonne, on fait médianoche ; voilà comme se passa le samedi.

La marquise de Brinvilliers est exécutée en 1676 pour avoir empoisonné plusieurs de ses parents dont elle convoitait la fortune :

A Madame de Grignan
A Paris, ce 17 juillet 1676.

Enfin c'en est fait, la Brinvilliers est en l'air : son pauvre petit corps a été jeté, après l'exécution, dans un fort grand feu, et les cendres au vent ; de sorte que nous la respirerons, et par la communication des petits esprits, il nous prendra quelque humeur empoisonnante, dont nous serons tous étonnés. Elle fut jugée dès hier ; ce matin on lui a lu son arrêt, qui était de faire amende honorable à Notre-Dame, et d'avoir la tête coupée, son corps brûlé, les cendres au vent. On l'a présentée à la question : elle a dit qu'il n'en était pas besoin, et qu'elle dirait tout : en effet, jusqu'à cinq heures du soir elle a conté sa vie, encore plus épouvantable qu'on ne le pensait. Elle a empoisonné dix fois de suite son père (elle ne pouvait en venir à bout), ses frères et plusieurs autres ; et toujours l'amour et les confidences mêlées partout. Elle n'a rien dit contre Penautier. Après cette confession, on n'a pas laissé de lui donner dès le matin la question ordinaire et extraordinaire : elle n'en a pas dit davantage. Elle a

"Enfin c'en est fait, la Brinvilliers est en l'air"

demandé à parler à M. le procureur général, elle a été une heure avec lui : on ne sait point encore le sujet de cette conversation. A six heures on l'a menée nue en chemise et la corde au cou, à Notre-Dame, faire l'amende honorable ; et puis on la remise dans le même tombereau, où je l'ai vue, jetée à reculons sur de la paille, avec une cornette basse et sa chemise, un docteur auprès d'elle, le bourreau de l'autre côté : en vérité cela m'a fait frémir. Ceux qui ont vu l'exécution disent qu'elle a monté sur l'échafaud avec bien du courage. Pour moi, j'étais sur le pont Notre-Dame, avec la bonne d'Escars ; jamais il ne s'est vu tant de monde, ni Paris si ému ni si attentif ; et demandez-moi ce qu'on a vu, car pour moi je n'ai vu qu'une cornette ; mais enfin ce jour était consacré à cette tragédie. J'en saurai demain davantage, et cela vous reviendra. (...)

Catherine Deshayes, veuve Monvoisin, dite la Voisin, voyante qui exploite la crédulité des gens est arrêtée pour avoir vendu des poisons. Depuis quelques jours elle connaît la sentence, et mène dans sa prison une vie « scandaleuse » malgré les tortures subies :

A Madame de Grignan
A Paris, ce 23 février 1680.

Je ne vous parlerai que de Mme Voisin : ce ne fut point mercredi, comme je vous l'avais mandé, qu'elle fut brûlée, ce ne fut qu'hier. Elle savait son arrêt dès lundi, chose fort extraordinaire. Le soir elle dit à ses gardes : « Quoi ? nous ne ferons point médianoche ! » Elle mangea avec eux à minuit, par fantaisie, car il n'était point jour maigre ; elle but beaucoup de vin, elle chanta vingt chansons à boire. Le mardi elle eut la question ordinaire, extraordinaire ; elle avait dîné et dormi huit heures ; elle fut confrontée à Mme de Dreux, Le Féron, et plusieurs autres, sur le matelas : on ne dit pas encore ce qu'elle a dit ; on croit toujours qu'on verra des choses étranges. Elle soupa le soir, et recommença, toute brisée qu'elle était, à faire la débauche avec scandale : on lui en fit honte, et on lui dit qu'elle ferait bien mieux de penser à Dieu, et de chanter un *Ave maris stella,* ou un Salve, que toutes ces chansons : elle chanta l'un et l'autre en ridicule, elle mangea le soir et dormit. Le mercredi se passa de même en confrontations, et débauche, et chansons : elle ne voulut point voir de confesseur. Enfin le jeudi, qui était hier, on ne voulut lui donner qu'un bouillon : elle en gronda, craignant de n'avoir pas la force de parler à ces Messieurs. Elle vint en carrosse de Vincennes à Paris ; elle étouffa un peu, et fut embarrassée ; on la voulut faire confesser, point de nouvelles. A cinq heures on la lia ; et avec une torche à la main, elle parut dans le tombereau, habillée de blanc, c'est une sorte d'habit pour être brûlée ; elle était fort rouge, et l'on voyait qu'elle repoussait le confesseur et le crucifix avec violence. Nous la vîmes passer à l'hôtel de Sully, Mme de Chaulnes et Mme de Sully, la Comtesse, et bien d'autres. A Notre-Dame, elle ne voulut jamais prononcer l'amende honorable, et à la Grève elle se défendit, autant qu'elle put, de sortir du tombereau : on l'en tira de force, on la mit sur le bûcher, assise et liée avec du fer ; on la couvrit de paille ; elle jura beaucoup ; elle repoussa la paille cinq ou six fois ; mais enfin le feu s'augmenta, et on l'a perdue de vue, et ses cendres sont en l'air présentement. Voilà la mort de Mme Voisin, célèbre par ses crimes et par son impiété. On croit qu'il y aura de grandes suites qui nous surprendront.

Un juge, à qui mon fils disait l'autre jour que c'était une étrange chose que de la faire brûler à petit feu, lui dit : « Ah ! Monsieur ! il y a certains petits adoucissements à cause de la faiblesse du sexe. – Eh quoi ! Monsieur, on les étrangle ? – Non, mais on leur jette des bûches sur la tête ; les garçons du bourreau leur arrachent la tête avec des crocs de fer. » Vous voyez bien, ma fille, que cela n'est pas si terrible que l'on pense : comment vous portez-vous de ce petit conte ? Il m'a fait grincer les dents. Une de ces misérables, qui fut pendue l'autre jour, avait demandé la vie à M. de Louvois, et qu'en ce cas elle dirait des choses étranges ; elle fut refusée. « Eh bien ! dit-elle, soyez persuadé que nulle douleur ne me fera dire une seule parole. » On lui donna la question ordinaire, extraordinaire et si extraordinairement ordinaire, qu'elle pensa y mourir, comme une autre qui expira, le médecin lui tenant le pouls, cela soit dit en passant. Cette femme donc souffrit tout l'excès de ce martyre sans parler. On la mène à la Grève ; avant que d'être jetée, elle dit qu'elle voudrait parler ; elle se présente héroïquement : « Messieurs, dit-elle, assurez M. de Louvois que je suis sa servante, et que je lui ai tenu ma parole ; allons, qu'on achève ! » Elle fut expédiée à l'instant. Que dites-vous de cette sorte de courage ? Je sais encore mille petits contes agréables comme celui-là ; mais le moyen de tout dire ? [...]

Jacques-Bénigne Bossuet

DIJON 1627 – PARIS 1704.

Fils d'un magistrat, Bossuet est destiné à l'Église et tonsuré à l'âge de huit ans. Il fait d'excellentes études dans le collège des jésuites et montre déjà ses qualités de travail. Ordonné prêtre en 1552 il est nommé chanoine de Metz où il fait ses débuts de prédicateur : ses premiers sermons sont des panégyriques, le **Panégyrique de saint François** *en 1652, celui de saint Paul en 1657, etc. C'est à Paris, de 1658 à 1670 qu'il prononce ses* **Sermons** *et ses* **Oraisons funèbres** *devant la Cour et les Grands. Son enseignement est à la fois dogmatique et philosophique ; en s'appuyant sur les textes de la Bible et des Pères de l'Église il exhorte aux vertus chrétiennes, expliquant les grands thèmes du christianisme : la Providence, la grâce, la piété, la misère et la splendeur de l'homme, la mort et la résurrection des corps... Il atteint l'apogée de son art de prédicateur en prononçant son* **Sermon sur la mort** *et les* **Oraisons funèbres d'Henriette-Marie de France** *et* **d'Henriette-Anne d'Angleterre.** *Son éloquence est à la fois puissante et soucieuse de simplicité (selon l'enseignement de saint François de Sales et de saint Vincent de Paul). En 1770 le roi lui confie l'éducation du Dauphin. Il se consacrera dix ans à cette mission, enseignant la morale, la religion, la littérature latine, le français, l'histoire, la géographie, la philosophie. En 1681 il est nommé évêque de Meaux, il se consacre jusqu'à sa mort (en 1704) à son épiscopat et à la défense de la religion catholique. Il lutte contre le protestantisme, condamne le quiétisme de Fénelon et de Mme Guyon.*

SERMON

.*Panégyrique de saint François d'Assise*.

1652

Les panégyriques sont des sermons dans lesquels l'auteur célèbre les mérites d'un saint et tire de sa vie des exemples afin d'illustrer la leçon qu'il veut donner. Dans le ***Panégyrique de saint Françoise d'Assise*** *Bossuet montre que le partage des biens de ce monde est injuste et que les riches ont tort de mépriser les pauvres :*

Je dis donc, ô riches du siècle, que vous avez tort de traiter les pauvres avec un mépris si injurieux. Afin que vous le sachiez, si nous voulions monter à l'origine des choses, nous trouverions peut-être qu'ils n'auraient pas moins de droit que vous aux biens que vous possédez. La nature ou plutôt, pour parler plus chrétiennement, Dieu, le père commun des hommes, a donné dès le commencement un droit égal à tous ses enfants sur toutes les choses dont ils ont besoin pour la conservation de leur vie. Aucun de nous ne se peut vanter d'être plus avantagé que les autres dans la nature, mais l'insatiable désir d'amasser n'a pas permis que cette belle fraternité pût durer longtemps dans le monde. Il a fallu venir au partage et à la propriété, qui a produit toutes les querelles et tous les procès : de là est né ce mot de mien et de tien, cette parole si froide, dit l'admirable saint Jean Chrysostome ; de là, cette grande diversité de conditions, les uns vivant dans l'affluence de toutes choses, les autres languissant dans une extrême indigence.

PREMIER POINT

.*Sermon sur la mort*.

1662

Prononcé au Louvre en 1662, pendant le Carême, devant la Cour, le ***Sermon sur la mort*** *évoque la misère de l'homme et la mort toujours présente aux yeux de l'homme. Mais si l'homme est « méprisable en tant qu'il passe », il est « infiniment estimable en tant qu'il aboutit à l'éternité ». Le sermon se termine par une réflexion sur la grandeur de l'homme ressuscité.*

Le premier point du sermon que nous donnons ici rappelle que l'homme sur terre n'est rien, que la mort anéantit le corps périssable :

C'est une entreprise hardie que d'aller dire aux hommes qu'ils sont peu de chose. Chacun est jaloux de ce qu'il est, et on aime mieux être aveugle que de connaître son faible ; surtout les grandes fortunes veulent être traitées délicatement ; elles ne prennent pas plaisir qu'on remarque leur défaut : elles veulent que, si on le voit, du moins on le cache.

Et toutefois, grâce à la mort, nous en pouvons parler avec liberté. Il n'est rien de si grand dans le monde qui ne reconnaisse en soi-même beaucoup de bassesse à le considérer par cet endroit-là. Vive l'Éternel ! ô grandeur humaine, de quelque côté que je t'envisage, sinon en tant que tu viens de Dieu et que tu dois être rapportée à Dieu, car, en cette sorte, je découvre en toi un rayon de la Divinité qui attire justement mes respects ; mais, en tant que tu es purement humaine, je le dis encore une fois, de quelque côté que je t'envisage, je ne vois rien en toi que je considère, parce que, de quelque endroit que je te tourne, je trouve toujours la mort en face, qui répand tant d'ombres de toutes parts sur ce que l'éclat du monde voulait colorer, que je ne sais plus sur quoi appuyer ce nom auguste de grandeur, ni à quoi je puis appliquer un si beau titre.

Convainquons-nous, Chrétiens, de cette importante vérité par un raisonnement invincible. L'accident ne peut pas être plus noble que la substance ; ni l'accessoire plus considérable que le principal ; ni le bâtiment plus solide que le fonds sur lequel il est élevé ; ni enfin ce qui est attaché à notre être plus grand ni plus important que notre être même. Maintenant, qu'est-ce que notre être ? Pensons-y bien, Chrétiens : qu'est-ce notre être ? Dites-le-nous, ô Mort ; car les hommes superbes ne m'en croiraient pas. Mais, ô Mort, vous êtes muette, et vous ne parlez qu'aux yeux. Un grand roi vous va prêter sa voix, afin que vous vous fassiez entendre aux oreilles, et que vous portiez dans les cœurs des vérités plus articulées.

Voici la belle méditation dont David s'entretenait sur le trône et au milieu de sa cour. Sire, elle est digne de votre audience : *Ecce mensurabiles posuisti dies meos, et substantia mea tanquam nihilum ante te :* O éternel roi des siècles ! vous êtes toujours à vous-même, toujours en vous-même ; votre être éternellement permanent ni ne s'écoule, ni ne se change, ni ne se mesure ; *et voici que vous avez fait mes jours mesurables, et ma substance n'est rien devant vous.* Non, ma substance n'est rien devant vous, et tout l'être qui se mesure n'est rien, parce que ce qui se mesure a son terme, et lorsqu'on est venu à ce terme, un dernier point détruit tout, comme si jamais il n'avait été. Qu'est-ce que cent ans, qu'est-ce que mille ans, puisqu'un seul moment les efface ? Multipliez vos jours, comme les cerfs, que la fable ou l'histoire de la nature fait vivre durant tant de siècles ; durez autant que ces grands chênes sous lesquels nos ancêtres se sont reposés, et qui donneront encore de l'ombre à notre postérité : entassez dans cet espace, qui paraît immense, honneurs, richesses, plaisirs : que vous profitera cet amas, puisque le dernier souffle de la mort, tout faible, tout languissant, abattra tout à coup cette vaine pompe avec la même facilité qu'un château de cartes, vain amusement des enfants ? que vous servira d'avoir tant écrit dans ce livre, d'en avoir rempli toutes les pages de beaux caractères, puisque enfin une seule rature doit tout effacer ? Encore une rature laisserait-elle quelques traces du moins d'elle-même ; au lieu que ce dernier moment, qui effacera d'un seul trait toute votre vie, s'ira perdre lui-même avec tout le reste dans ce grand gouffre du néant. Il n'y aura plus sur la terre aucun vestige de ce que nous sommes : la chair changera de nature ; le corps prendra un autre nom ; « même celui de cadavre ne lui demeurera pas longtemps : il deviendra, dit Tertullien, un je ne sais quoi qui n'a plus de nom dans aucune langue » : tant il est vrai que tout meurt en lui, jusqu'à ces termes funèbres par lesquels on exprimait ses malheureux restes.

Qu'est-ce donc que ma substance, ô grand Dieu ? J'entre dans la vie pour en sortir bientôt ; je viens me montrer comme les autres ; après, il faudra disparaître. Tout nous appelle à la mort : la nature, comme si elle était presque envieuse du bien qu'elle nous a fait, nous déclare souvent et nous fait signifier qu'elle ne peut pas nous laisser longtemps ce peu de matière qu'elle nous prête, qui ne doit pas demeurer dans les mêmes mains, et qui doit être éternellement dans le commerce : elle en a besoin pour d'autres formes, elle la redemande pour d'autres ouvrages.

Cette recrue continuelle du genre humain, je veux dire les enfants qui naissent, à mesure qu'ils croissent et qu'ils s'avancent, semblent nous pousser de l'épaule, et nous dire : Retirez-vous, c'est maintenant notre tour. Ainsi comme nous en voyons passer d'autres devant nous, d'autres nous verront passer, qui doivent à leurs successeurs le même spectacle. O Dieu ! encore une fois, qu'est-ce que de nous ? Si je jette la vue devant moi, quel espace infini où je ne suis pas ! si je la retourne en arrière, quelle suite effroyable où je ne suis plus ! et que j'occupe peu de place dans cet abîme immense du temps ! Je ne suis rien ; un si petit intervalle n'est pas capable de me distinguer du néant : on ne m'a envoyé que pour faire nombre : encore n'avait-on que faire de moi, et la pièce n'en aurait pas été moins jouée, quand je serais demeuré derrière le théâtre.

Encore, si nous voulons discuter les choses dans une considération plus subtile, ce n'est pas toute l'étendue de notre vie qui nous distingue du néant ; et vous savez, Chrétiens, qu'il n'y a jamais qu'un moment qui nous en sépare. Maintenant nous en tenons un ; maintenant il périt ; et avec lui nous péririons tous, si, promptement et sans perdre de temps, nous n'en saisissions un autre semblable, jusqu'à ce qu'enfin il en viendra un auquel nous ne pourrons arriver, quelque effort que nous fassions pour nous y étendre, et alors nous tomberons tout à coup, manque de soutien. O fragile appui de notre être ! ô fondement ruineux de notre substance !

Ha ! vraiment l'homme passe de même qu'une ombre, ou de même qu'une image en figure ; et comme lui-même n'est rien de solide, il ne poursuit aussi que des choses vaines, l'image du bien, et non le bien même...

Que la place est petite que nous occupons en ce monde ! si petite certainement et si peu considérable, qu'il me semble que toute ma vie n'est qu'un songe. Je doute quelquefois, avec Arnobe, si je dors ou si je veille : *Vigilemus aliquando, an ipsum vigilare, quod dicitur, somni sit perpetui portio ?* Je ne sais si ce que j'appelle veiller n'est peut-être pas une partie un peu plus excitée d'un sommeil profond ; et si je vois des choses réelles, ou si je suis seulement troublé par des fantaisies et par de vains simulacres. « *Prœterit figura hujus mundi.* La figure de ce monde passe, et ma substance n'est rien devant Dieu. »

PREMIER POINT

ORAISON

.Oraison funèbre d'Henriette-Anne d'Angleterre.

1670

Henriette-Anne Stuart est élevée par sa mère en France dans une certaine pauvreté jusqu'au jour où son frère monte sur le trône et qu'elle-même épouse le frère du Roi. Elle meurt brutalement à 26 ans. Bossuet qui fut son directeur de conscience prononce, en la Basilique de Saint-Denis son oraison funèbre :

"Madame se meurt ! Madame est morte !"

Je n'ai rien fait pour Madame, quand je vous ai représenté tant de belles qualités qui la rendaient admirable au monde, et capable des plus hauts desseins où une princesse puisse s'élever. Jusqu'à ce que je commence à vous raconter ce qui l'unit à Dieu, une si illustre princesse ne paraîtra dans ce discours que comme un exemple le plus grand qu'on se puisse proposer, et le plus capable de persuader aux ambitieux qu'ils n'ont aucun moyen de se distinguer, ni par leur naissance, ni par leur grandeur, ni par leur esprit, puisque la mort, qui égale tout, les domine de tous côtés avec tant d'empire, et que, d'une main si prompte et si souveraine, elle renverse les têtes les plus respectées.

Considérez, Messieurs, ces grandes puissances que nous regardons de si bas. Pendant que nous tremblons sous leur main, Dieu les frappe pour nous avertir. Leur élévation en est la cause ; et il les épargne si peu qu'il ne craint pas de les sacrifier à l'instruction du reste des hommes. Chrétiens, ne murmurez pas si Madame a été choisie pour nous donner une telle instruction. Il n'y a rien ici de rude pour elle, puisque, comme vous le verrez par la suite, Dieu la sauve par le même coup qui nous instruit. Nous devrions être assez convaincus de notre néant ; mais s'il faut des coups de surprise à nos cœurs enchantés de l'amour du monde, celui-ci est assez grand et assez terrible. O nuit désastreuse ! ô nuit effroyable, où retentit tout à coup, comme un éclat de tonnerre, cette étonnante nouvelle : Madame se meurt ! Madame est morte ! Qui de nous ne se sentit frappé à ce coup, comme si quelque tragique accident avait désolé sa famille ? Au premier bruit d'un mal si étrange, on accourut à Saint-Cloud de toutes parts ; on trouve tout consterné, excepté le cœur de cette princesse. Partout on entend des cris ; partout on voit la douleur et le désespoir, et l'image de la mort. Le roi, la reine, Monsieur, toute la cour, tout le peuple, tout est abattu, tout est désespéré ; et il me semble que je vois l'accomplissement de cette parole du prophète : « Le roi pleurera, le prince sera désolé, et les mains tomberont au peuple de douleur et d'étonnement. »

Mais et les princes et les peuples gémissaient en vain. En vain Monsieur, en vain le roi même tenait Madame serrée par de si étroits embrassements. Alors ils pouvaient dire l'un et l'autre avec saint Ambroise : *Stringebam brachia sed jam amiseram quam tenebam :* « Je serrais les bras, mais j'avais déjà perdu ce que je tenais. » La princesse leur échappait parmi des embrassements si tendres, et la mort plus puissante nous l'enlevait entre ces royales mains. Quoi donc, elle devait périr si tôt ! Dans la plupart des hommes, les changements se font peu à peu, et la mort les prépare ordinairement à son dernier coup. Madame cependant a passé du matin au soir, ainsi que l'herbe des champs. Le matin elle fleurissait ; avec quelles grâces, vous le savez : le soir nous la vîmes séchée ; et ces fortes expressions par lesquelles l'Écriture sainte exagère l'inconstance des choses humaines devaient être pour cette princesse si précises et si littérales.

PREMIÈRE PARTIE

Charles Perrault

PARIS 1628 – PARIS 1703.

Avec ses frères Nicolas (futur théologien) et Claude (il sera l'auteur de la colonnade du Louvre), Charles Perrault compose, encore au collège, une ***Enéide travestie,*** *et en 1653* Les ***Murs de Troie ou l'origine du burlesque*** *(avec Sorel et Scarron – en attendant Boileau – le burlesque ou l'anti-préciosité est à la mode). Avocat en 1651, il travaille auprès de Colbert avec un troisième frère, Pierre, premier commis du ministre. En 1686 il publie une épopée chrétienne,* ***Saint Paulin.*** *En 1671 il entre à l'Académie, et ouvre six ans plus tard la querelle des Anciens et des Modernes : le progrès esthétique est fonction du progrès technique, donc les Modernes sont supérieurs. La Fontaine, La Bruyère, Racine, et Boileau contre-attaquent. Pérrault répond avec plusieurs ouvrages dont le* ***Parallèle des Anciens et des Modernes.***

CONTES

.Histoires ou contes du temps passé, avec des moralités. Contes de ma mère l'Oye.

1697

.LE MAITRE CHAT OU LE CHAT BOTTÉ.

Un Meunier ne laissa pour tous biens à trois enfants qu'il avait, que son Moulin, son Ane, et son Chat. Les partages furent bientôt faits, ni le Notaire, ni le Procureur n'y furent point appelés. Ils auraient eu bientôt mangé tout le pauvre patrimoine. L'aîné eut le Moulin, le second eut l'Ane, et le plus jeune n'eut que le Chat. Ce dernier ne pouvait se consoler d'avoir un si pauvre lot : « Mes frères, disait-il, pourront gagner leur vie honnêtement en se mettant ensemble ; pour moi, lorsque j'aurai mangé mon chat, et que je me serai fait un manchon de sa peau, il faudra que je meure de faim. » Le Chat qui entendait ce

*Perrault fit paraître cet ouvrage, le seul de ses écrits qui ait atteint la célébrité (mais quelle gloire universelle !), sous le nom de son fils. Ce qui distingue Perrault des autres conteurs, c'est la concision et sobriété, non qu'il n'y ait pas d'ornements, mais ils sont tous parfaitement appropriés à la marche vive du récit. Cette rigoureuse mesure semble caractériser l'art populaire du conte, c'est pourquoi Perrault est au fond le premier folkloriste. Les huit contes du temps passé sont tous célèbres (****Le Petit Chaperon rouge ; La Barbe-Bleue ; Le Petit Poucet ; La Belle au bois dormant ; Le Chat botté****) ; l'on connaît moins les contes en vers (****Griselidis ; Les Souhaits ridicules ; Peau d'âne*** *– c'est la version en prose que l'on a retenue). Le « Maître Chat » n'est-il pas le symbole de la bonne fortune ?*

discours, mais qui n'en fit pas semblant, lui dit d'un air posé et sérieux : « Ne vous affligez point, mon maître, vous n'avez qu'à me donner un Sac, et me faire faire une paire de Bottes pour aller dans les broussailles, et vous verrez que vous n'êtes pas si mal partagé que vous croyez. » Quoique le Maître du chat ne fît pas grand fond là-dessus, il lui avait vu faire tant de tours de souplesse, pour prendre des Rats et des Souris, comme quand il se pendait par les pieds, ou qu'il se cachait dans la farine pour faire le mort, qu'il ne désespéra pas d'en être secouru dans sa misère. Lorsque le chat eut ce qu'il avait demandé, il se botta bravement, et mettant son sac à son cou, il en prit les cordons avec ses deux pattes de devant, et s'en alla dans une garenne où il y avait grand nombre de lapins. Il mit du son et des lasserons dans son sac, et s'étendant comme s'il eût été mort, il attendit que quelque jeune lapin, peu instruit encore des ruses de ce monde, vînt se fourrer dans son sac pour manger ce qu'il y avait mis. A peine fut-il couché, qu'il eut contentement ; un jeune étourdi de lapin entra dans son sac et le maître chat tirant aussitôt les cordons le prit et le tua sans miséricorde. Tout glorieux de sa proie, il s'en alla chez le Roi et demanda à lui parler. On le fit monter à l'Appartement de sa Majesté, où étant entré il fit une grande révérence au Roi, et lui dit : « Voilà, Sire, un Lapin de Garenne que Monsieur le Marquis de Carabas (c'était le nom qu'il lui prit en gré de donner à son Maître) m'a chargé de vous présenter de sa part. – Dis à ton Maître, répondit le Roi, que je le remercie, et qu'il me fait plaisir. » Une autre fois, il alla se cacher dans un blé, tenant toujours son sac ouvert ; et lorsque deux Perdrix y furent entrées, il tira les cordons, et les prit toutes deux. Il alla ensuite les présenter au Roi, comme il avait fait le Lapin de garenne. Le Roi reçut encore avec plaisir les deux Perdrix, et lui fit donner pour boire. Le chat continua ainsi pendant deux ou trois mois à porter de temps en temps au Roi du Gibier de la chasse de son Maître. Un jour qu'il sut que le Roi devait aller à la promenade sur le bord de la rivière avec sa fille, la plus belle Princesse du monde, il dit à son Maître : « Si vous voulez suivre mon conseil, votre fortune est faite : vous n'avez qu'à vous baigner dans la rivière à l'endroit que je vous montrerai, et ensuite me laisser faire. » Le Marquis de Carabas fit ce que son chat lui conseillait, sans savoir à quoi cela serait bon. Dans le temps qu'il se baignait, le Roi vint à passer, et le Chat se mit à crier de toute sa force : « Au secours, au secours, voilà Monsieur le Marquis de Carabas qui se noie ! » A ce cri le Roi mit la tête à la portière, et reconnaissant le Chat qui lui avait apporté tant de fois du Gibier, il ordonna à ses Gardes qu'on allât vite au secours de Monsieur le Marquis de Carabas. Pendant qu'on retirait le pauvre Marquis de la rivière, le Chat s'approcha du Carrosse, et dit au Roi que dans le temps que son Maître se baignait, il était venu des Voleurs qu'on avaient emporté ses habits, quoiqu'il eût crié au voleur de toute sa force ; le drôle les avait cachés sous une grosse pierre. Le Roi ordonna aussitôt aux Officiers de sa Garde-robe d'aller quérir un de ses plus beaux habits pour Monsieur le Marquis de Carabas. Le Roi lui fit mille caresses, et comme les beaux habits qu'on venait de lui donner relevaient sa bonne mine (car il était beau, et bien fait de sa personne), la fille du Roi le trouva fort à son gré, et le Comte de Carabas ne lui eut pas jeté deux ou trois regards fort respectueux, et un peu tendres, qu'elle en devint amoureuse à la folie. Le Roi voulut qu'il montât dans son Carrosse, et qu'il fût de la promenade. Le Chat ravi de voir que son dessein commençait à réussir, prit les devants, et ayant rencontré des Paysans qui fauchaient un Pré, il leur dit : « *Bonnes gens qui fauchez, si vous ne dites au Roi que le pré que vous fauchez appartient à Monsieur le Marquis de Carabas, vous serez tous hachés menu comme chair à pâté.* » Le Roi ne manqua pas à demander aux Faucheurs à qui était ce Pré qu'ils fauchaient. « C'est à Monsieur le Marquis de Carabas », dirent-ils tous ensemble, car la menace du Chat leur avait fait peur. « Vous avez là un bel héritage, dit le Roi au Marquis de Carabas. – Vous voyez, Sire, répondit le Marquis, c'est un pré qui ne manque point de rapporter abondamment toutes les années. » Le maître chat, qui allait toujours devant, rencontra des Moissonneurs, et leur dit : « *Bonnes gens qui moissonnez, si vous ne dites pas que tous ces blés appartiennent à Monsieur le Marquis de Carabas, vous serez tous hachés menu comme chair à pâté.* » Le Roi, qui passa un moment après, voulut savoir à qui appartenaient tous les blés qu'il voyait. « C'est à Monsieur le Marquis de Carabas », répondirent les Moissonneurs, et le Roi s'en réjouit encore avec le Marquis. Le Chat, qui allait devant le Carosse, disait toujours la même chose à tous ceux qu'il rencontrait ; et le Roi était étonné des grands biens de Monsieur le Marquis de Carabas. Le maître Chat arriva enfin dans un beau Château dont le Maître était un Ogre, le plus riche qu'on ait jamais vu, car toutes les terres par où le Roi avait passé étaient de la dépendance de ce Château. Le Chat, qui eut soin de s'informer qui était cet Ogre, et ce qu'il savait faire, demanda à lui parler, disant qu'il n'avait pas voulu passer si près de son Château, sans avoir l'honneur de lui faire la révérence. L'Ogre le reçut aussi civilement que le peut

"Vous serez tous hachés comme chair à pâté"

un Ogre, et le fit reposer. « On m'a assuré, dit le Chat, que vous aviez le don de vous changer en toute sorte d'Animaux, que vous pouviez par exemple vous transformer en Lion, en Éléphant ? – Cela est vrai, répondit l'Ogre brusquement, et pour vous le montrer, vous m'allez voir devenir Lion. » Le Chat fut si effrayé de voir un Lion devant lui, qu'il gagna aussitôt les gouttières, non sans peine et sans péril, à cause de ses bottes qui ne valaient rien pour marcher sur les tuiles. Quelque temps après, le Chat, ayant vu que l'Ogre avait quitté sa première forme, descendit, et avoua qu'il avait eu bien peur. « On m'a assuré encore, dit le Chat, mais je ne saurais le croire, que vous aviez aussi le pouvoir de prendre la forme des plus petits Animaux, par exemple, de vous changer en un Rat, en une souris ; je vous avoue que je tiens cela tout à fait impossible. – Impossible ? repris l'Ogre, vous allez voir », et en même temps il se changea en une Souris, qui se mit à courir sur le plancher. Le Chat ne l'eut pas plus tôt aperçue qu'il se jeta dessus, et la mangea. Cependant le Roi, qui vit en passant le beau Château de l'Ogre, voulut entrer dedans. Le Chat, qui entendit le bruit du Carrosse qui passait sur le pont-levis, courut au-devant, et dit au Roi : « Votre Majesté soit la bienvenue dans le Château de Monsieur le Marquis de Carabas. – Comment, Monsieur le Marquis, s'écria le Roi, ce Château est encore à vous ! il ne se peut rien de plus beau que cette cour et que tous ces Bâtiments qui l'environnent ; voyons les dedans, s'il vous plaît. » Le Marquis donna la main à la jeune Princesse, et suivant le Roi qui montait le premier, ils entrèrent dans une grande Salle où ils trouvèrent une magnifique collation que l'Ogre avait fait préparer pour ses amis qui le devaient venir voir ce même jour-là, mais qui n'avaient pas osé entrer, sachant que le Roi y était. Le Roi charmé des bonnes qualités de Monsieur le Marquis de Carabas, de même que sa fille qui en était folle, et voyant les grands biens qu'il possédait, lui dit, après avoir bu cinq ou six coups : « Il ne tiendra qu'à vous, Monsieur le Marquis, que vous ne soyez mon gendre. » Le Marquis, faisant de grandes révérences, accepta l'honneur que lui faisait le Roi ; et dès le même jour épousa la Princesse. Le Chat devint Grand Seigneur, et ne courut plus après les souris, que pour se divertir.

MORALITÉ

Quelque grand que soit l'avantage
De jouir d'un riche héritage
Venant à nous de père en fils,
Aux jeunes gens pour l'ordinaire,
L'industrie et le savoir-faire
Valent mieux que des biens acquis.

AUTRE MORALITÉ

Si le fils d'un Meunier, avec tant de vitesse,
Gagne le cœur d'une Princesse,
Et s'en fait regarder avec des yeux mourants,
C'est que l'habit, la mine et la jeunesse,
Pour inspirer de la tendresse,
N'en sont pas des moyens toujours indifférents.

Marie-Magdeleine Pioche de la Verone, comtesse de La Fayette, dite

Madame de La Fayette

PARIS 1634 – PARIS 1693.

Fille d'un gentilhomme de petite noblesse, Madame de La Fayette reçoit une éducation soignée. A vingt et un ans elle épouse le comte de La Fayette dont elle a deux fils. Elle se consacre à la vie mondaine et littéraire : se lie avec Madame de Sévigné, rencontre Racine, Corneille, Boileau, etc. Elle fait la connaissance de La Rochefoucauld : leur étroite amitié reste mystérieuse, Madame de Sévigné écrira d'elle « Nulle passion ne peut surpasser la force d'une telle liaison... » Madame de La Fayette écrit diverses œuvres : deux romans précieux **La Princesse de Montpensier** *(1662) et* **Zaïde** *(1670), une nouvelle* **La Comtesse de Tende** *(publiée en 1724). Son chef-d'œuvre* **La Princesse de Clèves** *a un immense succès (1678). La Rochefoucauld meurt en 1680. Elle compose des* **Mémoires de la Cour de France pour les années 1688 et 1689** *(publiées en 1731) et meurt d'une maladie du cœur en 1693.*

ROMAN

•La Princesse de Clèves•

publié en 1678

Dans **La Princesse de Clèves** *Madame de La Fayette analyse la passion, cette « inclinaison qui nous entraîne malgré nous » ; son héroïne refuse la passion et veut que « triomphe l'indifférence ». Cette maxime de La Rochefoucauld précise l'esprit de ce roman : « la même fermeté qui sert à résister à l'amour sert aussi à le rendre violent et durable... »*

Mademoiselle de Chartres riche et belle héritière arrive à la Cour de Henri II, épouse par raison le prince de Clèves qui l'aime de passion. La princesse rencontre le duc de Nemours : l'amour naît entre eux. La princesse résiste à ses sentiments. Elle avoue à son mari sa passion pour un autre. Les amants s'abandonnent – chacun de son côté – aux rêveries de l'amour ; le prince meurt de chagrin ; la princesse se retire dans ses terres. Les amants se parlent pour la première et dernière fois à cœur ouvert. La princesse refuse de revoir celui qu'elle aime et renonce au monde.

La princesse rencontre le duc au bal de la Cour :

Elle passa tout le jour des fiançailles chez elle à se parer, pour se trouver le soir au bal et au festin royal qui se faisait au Louvre. Lorsqu'elle arriva, l'on admira sa beauté et sa parure ; le bal commença et, comme elle dansait avec M. de Guise, il se fit un assez grand bruit vers la porte de la salle, comme de quelqu'un qui entrait et à qui on faisait place. Madame de Clèves acheva de danser, et pendant qu'elle cherchait des yeux quelqu'un qu'elle avait dessein de prendre, le Roi lui cria de prendre celui qui arrivait. Elle se tourna et vit un homme qu'elle crut d'abord ne pouvoir être que M. de Nemours, qui passait par-dessus quelque siège pour arriver où l'on dansait. Ce prince était fait d'une sorte qu'il était difficile de n'être pas surprise de le voir quand on ne l'avait jamais vu, surtout ce soir-là, où le soin qu'il avait pris de se parer augmentait encore l'air brillant qui était dans sa personne ; mais il était difficile aussi de voir Madame de Clèves pour la première fois sans avoir un grand étonnement.

Monsieur de Nemours fut tellement surpris de sa beauté que, lorsqu'il fut proche d'elle, et qu'elle lui fit la révérence, il ne put s'empêcher de donner des marques de son admiration. Quand ils commencèrent à danser, il s'éleva dans la salle un murmure de louanges. Le Roi et les Reines se souvinrent qu'ils ne s'étaient jamais vus, et trouvèrent quelque chose de singulier de les voir danser ensemble sans se connaître. Ils les appelèrent quand ils eurent fini sans leur donner le loisir de parler à personne et leur demandèrent s'ils n'avaient pas bien envie de savoir qui ils étaient, et s'ils ne s'en doutaient point.

« Pour moi, Madame, dit Monsieur de Nemours, je n'ai pas d'incertitude ; mais comme Madame de Clèves n'a pas les mêmes raisons pour deviner qui je suis que celles que j'ai pour la reconnaître, je voudrais bien que Votre Majesté eût la bonté de lui apprendre mon nom.

– Je crois, dit Madame la Dauphine, qu'elle le sait aussi bien que vous savez le sien.

– Je vous assure, Madame, reprit Madame de Clèves, qui paraissait un peu embarrassée, que je ne devine pas si bien que vous pensez.

– Vous devinez fort bien, répondit Madame la Dauphine ; et il y a même quelque chose d'obligeant pour Monsieur de Nemours à ne vouloir pas avouer que vous le connaissez sans l'avoir jamais vu. »

La Reine les interrompit pour faire continuer le bal ; Monsieur de Nemours prit la Reine Dauphine. Cette princesse était d'une parfaite beauté et avait paru telle aux yeux de Monsieur de Nemours avant qu'il allât en Flandre ; mais, de tout le soir, il ne put admirer que Madame de Clèves.

1re PARTIE

La princesse veut rester fidèle à son mari qu'elle estime, mais la passion pour le duc l'entraîne malgré elle : elle s'interroge sur ses sentiments.

Quand elle pensait qu'elle s'était reproché comme un crime, le jour précédent, de lui avoir donné des marques de sensibilité que la seule compassion pouvait avoir fait naître et que, par son aigreur, elle lui avait fait paraître des sentiments de jalousie qui étaient des preuves certaines de passion, elle ne se reconnaissait plus elle-même. Quand elle pensait encore que Monsieur de Nemours voyait bien qu'elle connaissait son amour, qu'il voyait bien aussi que, malgré cette connaissance, elle ne l'en traitait pas plus mal en présence même de son mari, qu'au contraire elle ne l'avait jamais regardé si favorablement, qu'elle était cause que Monsieur de Clèves l'avait envoyé quérir et qu'ils venaient de passer une après-dînée ensemble en particulier, elle trouvait qu'elle était d'intelligence avec Monsieur de Nemours, qu'elle trompait le mari du monde qui méritait le moins d'être trompé, et elle était honteuse de paraître si peu digne d'estime aux yeux même de son amant. Mais, ce qu'elle pouvait moins supporter que tout le reste, était le souvenir de l'état où elle avait passé la nuit, et les cuisantes douleurs que lui avait causées la pensée que Monsieur de Nemours aimait ailleurs et qu'elle était trompée.

Elle avait ignoré jusqu'alors les inquiétudes mortelles de la défiance et de la jalousie ; elle n'avait pensé qu'à se défendre d'aimer Monsieur de Nemours et elle n'avait point encore commencé à craindre qu'il en aimât une autre. Quoique les soupçons que lui avait donnés cette lettre fussent effacés, ils ne laissèrent pas de lui ouvrir les yeux sur le hasard d'être trompée et de lui donner des impressions de défiance et de jalousie qu'elle n'avait jamais eues. Elle fut étonnée de n'avoir point encore pensé combien il était peu vraisemblable qu'un homme comme Monsieur de Nemours, qui avait toujours fait paraître tant de légèreté parmi les femmes, fût capable d'un attachement sincère et durable. Elle trouva qu'il était presque impossible qu'elle pût être contente de sa passion. « Mais quand je le pourrais être, disait-elle, qu'en veux-je faire ? Veux-je la souffrir ? Veux-je y répondre ? Veux-je m'engager dans une galanterie ? Veux-je manquer à Monsieur de Clèves ? Veux-je me manquer à moi-même ? Et veux-je enfin m'exposer aux cruels repentirs et aux mortelles douleurs que donne l'amour ? Je suis vaincue et surmontée par une inclination qui m'entraîne malgré moi. Toutes mes résolutions sont inutiles ; je pensai hier tout ce que je pense aujourd'hui et je fais aujourd'hui tout le contraire de ce que je résolus hier. Il faut m'arracher de la présence de Monsieur de Nemours ; il faut m'en aller à la campagne, quelque bizarre que puisse paraître mon voyage ; et si Monsieur de Clèves s'opiniâtre à l'empêcher ou à en vouloir savoir les raisons, peut-être lui ferai-je le mal, et à moi-même aussi, de les lui apprendre. »

3e PARTIE

Dans un pavillon, au fond du parc, la princesse avoue au prince son amour pour un autre. Par un concours de circonstances le duc de Nemours égaré au cours d'une partie de chasse surprend la conversation des époux :

Je vous supplie de me laisser ici. Si vous y pouviez demeurer, j'en aurais beaucoup de joie, pourvu que vous y demeurassiez seul, et que vous voulussiez bien n'y avoir point ce nombre infini de gens qui ne vous quittent quasi jamais.

– Ah ! Madame ! s'écria Monsieur de Clèves, votre air et vos paroles me font voir que vous avez des raisons pour souhaiter d'être seule, que je ne sais point et je vous conjure de me les dire. »

Il la pressa longtemps de lui apprendre sans pouvoir l'y obliger ; et, après qu'elle se fut défendue d'une manière qui augmentait toujours la curiosité de son mari, elle demeura dans un profond silence, les yeux baissés ; puis tout d'un coup, prenant la parole et le regardant :

– Ne me contraignez point, lui dit-elle, à vous avouer une chose que je n'ai pas la force de vous avouer, quoique j'en aie eu plusieurs fois le dessein. Songez seulement que la prudence ne veut pas qu'une femme de mon âge, et maîtresse de sa conduite, demeure exposée au milieu de la cour.

– Que me faites-vous envisager, Madame, s'écria Monsieur de Clèves. Je n'oserais vous le dire de peur de vous offenser.

Madame de Clèves ne répondit point ; et son silence achevant de confirmer son mari dans ce qu'il avait pensé :

– Vous ne me dites rien, reprit-il, et c'est me dire que je ne me trompe pas.

– Eh bien, Monsieur, lui répondit-elle en se jetant à ses genoux, je vais vous faire un aveu que l'on n'a jamais fait à son mari ; mais l'innocence de ma conduite et de mes intentions m'en donne la force. Il est vrai que j'ai des raisons de m'éloigner de la cour et que je veux éviter les périls où se trouvent quelquefois les personnes de mon âge. Je n'ai jamais donné nulle marque de faiblesse et je ne craindrais pas d'en laisser paraître si vous me laissiez la liberté de me retirer de la cour ou si j'avais encore Madame de Chartres pour aider à me conduire. Quelque dangereux que soit le parti que je prends, je le prends avec joie pour me conserver digne d'être à vous. Je vous demande mille pardons, si j'ai des sentiments qui vous déplaisent, du moins je ne vous déplairai jamais par mes actions. Songez que pour faire ce que je fais, il faut avoir plus d'amitié et plus d'estime pour un mari que l'on en a jamais eu ; conduisez-moi, ayez pitié de moi, et aimez-moi encore, si vous pouvez.

Monsieur de Clèves était demeuré, pendant tout ce discours, la tête appuyée sur ses mains, hors de lui-même, et il n'avait pas songé à faire relever sa femme. Quand elle eut cessé de parler, qu'il jeta les yeux sur elle, qu'il la vit à ses genoux le visage couvert de larmes et d'une beauté si admirable, il pensa mourir de douleur, et l'embrassant en la relevant :

– Ayez pitié de moi vous-même, Madame, lui dit-il, j'en suis digne ; et pardonnez si, dans les premiers moments d'une affliction aussi violente qu'est la mienne, je ne réponds pas, comme je dois, à un procédé comme le vôtre. Vous me paraissez plus digne d'estime et d'admiration que tout ce qu'il y a jamais eu de femmes au monde ; mais aussi je me trouve le plus malheureux homme qui ait jamais été. Vous m'avez donné de la passion dès le premier moment que je vous ai vue ; vos rigueurs et votre possession n'ont pu l'éteindre : elle dure encore ; je n'ai jamais pu vous donner de l'amour, et je vois que vous craignez d'en avoir pour un autre. Et qui est-il, Madame, cet homme heureux qui vous donne cette crainte ? Depuis quand vous plaît-il ? Qu'a-t-il fait pour vous plaire ? Quel chemin a-t-il trouvé pour aller à votre cœur ?

Je m'étais consolé en quelque sorte de ne l'avoir pas touché par la pensée qu'il était incapable de l'être. Cependant un autre fait ce que je n'ai pu faire. J'ai tout ensemble la jalousie d'un mari et celle d'un amant ; mais il est impossible d'avoir celle d'un mari après un procédé comme le vôtre. Il est trop noble pour ne me pas donner une sûreté entière ; il me console même comme votre amant. La confiance et la sincérité que vous avez pour moi sont d'un prix infini : vous m'estimez assez pour croire que je n'abuserai pas de cet aveu. Vous avez raison, Madame, je n'en abuserai pas et je ne vous en aimerai pas moins. Vous me rendez malheureux par la plus grande marque de fidélité que jamais une femme ait donnée à son mari. Mais, Madame, achevez et apprenez-moi qui est celui que vous voulez éviter.

– Je vous supplie de ne me le point demander, répondit-elle ; je suis résolue de ne vous le pas dire et je crois que la prudence ne veut pas que je vous le nomme.

– Ne craignez point, Madame, reprit Monsieur de Clèves, je connais trop le monde pour ignorer que la considération d'un mari n'empêche pas que l'on ne soit amoureux de sa femme. On doit haïr ceux qui le sont et non pas s'en plaindre ; et encore une fois, Madame, je vous conjure de m'apprendre ce que j'ai envie de savoir.

– Vous m'en presseriez inutilement, répliqua-t-elle ; j'ai de la force pour taire ce que je crois ne pas devoir dire. L'aveu que je vous ai fait n'a pas été par faiblesse, et il faut plus de courage pour avouer cette vérité que pour entreprendre de la cacher.

Monsieur de Nemours ne perdait pas une parole de cette conversation ; et ce que venait de dire Madame de Clèves ne lui donnait guère moins de jalousie qu'à son mari. Il était si éperdument amoureux d'elle qu'il croyait que tout le monde avait les mêmes sentiments. Il était véritable aussi qu'il avait plusieurs rivaux ; mais il s'en imaginait encore davantage, et son esprit s'égarait à chercher celui dont Madame de Clèves voulait parler. Il avait cru bien des fois qu'il ne lui était pas désagréable et il avait fait ce jugement sur des choses qui lui parurent si légères dans ce moment qu'il ne put s'imaginer qu'il eût donné une passion qui devait être bien violente pour avoir recours à un remède si extraordinaire. Il était si transporté qu'il ne savait quasi ce qu'il voyait, et il ne pouvait pardonner à Monsieur de Clèves de ne pas presser sa femme de lui dire ce nom qu'elle lui cachait.

3e PARTIE

Nicolas Boileau

PARIS 1636 – PARIS 1711.

Nicolas Boileau-Despréaux est le quinzième enfant d'un magistrat. Son enfance est pénible : atteint de la pierre il subit une opération qui le rend difforme et fera de lui un homme mysogyne, amer et janséniste. Après ses études, il abandonne le droit et la théologie pour se consacrer à la littérature. Il compose ***les Satires*** *(1661-1705), les* ***Épîtres*** *(1668-1695),* ***l'Art Poétique*** *(1674),* ***le Lutrin*** *(1674) et obtient de son vivant le titre de juge suprême de la littérature classique française. Il dénonce le mauvais goût et veut former le goût classique ; il a le don de reconnaître les talents de ses contemporains : La Fontaine, Molière, Racine et Corneille. Il les admire et leur donne ses conseils. En 1677 il est nommé, avec son ami Racine, historiographe du roi. Mais en 1693 lors de la fameuse querelle des Anciens et des Modernes il attaque Perrault ; il se voit de plus en plus raillé par « les Modernes » auxquels se rallie la majorité de l'opinion. Boileau vieillit dans la solitude et l'amertume.*

POÉSIE DIDACTIQUE

•L'Art Poétique•

1671

L'Art Poétique est un traité en vers, influencé par Horace, composé de quatre Chants ; il énonce les règles de la poésie. Le ***Chant I,*** *dont nous présentons ici deux extraits, expose l'art des vers en général : quiconque se destine au métier de poète doit s'assurer de sa vocation, savoir bien sa grammaire, se corriger sans cesse, suivre la raison.*

Le ***Chant II*** *définit les genres poétiques : l'idylle, l'élégie, l'ode, le sonnet, le rondeau, la ballade, le madrigal, etc.*

Le ***Chant III*** *aborde l'épopée, la tragédie et la comédie.*

Le ***Chant IV*** *présente la morale et les devoirs de l'écrivain.*

•CHANT PREMIER•

C'est en vain qu'au Parnasse un téméraire auteur
Pense de l'art des vers atteindre la hauteur :
S'il ne sent point du ciel l'influence secrète,
Si son astre en naissant ne l'a formé poète,
Dans son génie étroit il est toujours captif ;
Pour lui Phébus est sourd, et Pégase est rétif.
(...)
Quelque sujet qu'on traite, ou plaisant, ou sublime,
Que toujours le bon sens s'accorde avec la rime :
L'un l'autre vainement ils semblent se haïr ;
La rime est une esclave et ne doit qu'obéir,
Lorsqu'à la bien chercher d'abord on s'évertue,
L'esprit à la trouver aisément s'habitue ;
Au joug de la raison sans peine elle fléchit
Et, loin de la gêner, la sert et l'enrichit.

Mais lorsqu'on la néglige, elle devient rebelle ;
Et pour la rattraper le sens court après elle.
Aimez donc la raison : que toujours vos écrits
Empruntent d'elle seule et leur lustre et leur prix,
La plupart, emportés d'une fougue insensée,
Toujours loin du droit sens vont chercher leur pensée :
Ils croiraient s'abaisser, dans leurs vers monstrueux,
S'ils pensaient ce qu'un autre a pu penser comme eux.
Évitons ces excès : laissons à l'Italie
De tous ces faux brillants l'éclatante folie.
Tout doit tendre au bon sens : mais pour y parvenir
Le chemin est glissant et pénible à tenir ;
Pour peu qu'on s'en écarte, aussitôt on se noie.
La raison pour marcher n'a souvent qu'une voie.
Durant les premiers ans du Parnasse françois,
Le caprice tout seul faisait toutes les lois.
La rime, au bout des mots assemblés sans mesure,
Tenait lieu d'ornements, de nombre et de césure.
Villon sut le premier, dans ces siècles grossiers,
Débrouiller l'art confus de nos vieux romanciers.
Marot bientôt après fit fleurir les ballades,
Tourna des triolets, rima des mascarades,
A des refrains réglés asservit les rondeaux
Et montra pour rimer des chemins tout nouveaux.
Ronsard, qui le suivit, par une autre méthode,
Réglant tout, brouilla tout, fit un art à sa mode,
Et toutefois longtemps eut un heureux destin.
Mais sa muse, en français parlant grec et latin,
Vit dans l'âge suivant, par un retour grotesque,
Tomber de ces grands mots le faste pédantesque.
Ce poète orgueilleux, trébuché de si haut,
Rendit plus retenus Desportes et Bertaut.
Enfin Malherbe vint, et, le premier en France,
Fit sentir dans les vers une juste cadence,
D'un mot mis en sa place enseigna le pouvoir,
Et réduisit la muse aux règles du devoir.
Par ce sage écrivain la langue réparée
N'offrit plus rien de rude à l'oreille épurée.
Les stances avec grâce apprirent à tomber,
Et le vers sur le vers n'osa plus enjamber.
Tout reconnut ses lois ; et ce guide fidèle
Aux auteurs de ce temps sert encor de modèle.
Marchez donc sur ses pas ; aimez sa pureté,
Et de son tour heureux imitez la clarté.
Si le sens de vos vers tarde à se faire entendre,
Mon esprit aussitôt commence à se détendre ;
Et, de vos vains discours prompt à se détacher,
Ne suit point un auteur qu'il faut toujours chercher.
Il est certains esprits dont les sombres pensées
Sont d'un nuage épais toujours embarrassées ;
Le jour de la raison ne le saurait percer.
Avant donc que d'écrire apprenez à penser.
Selon que notre idée est plus ou moins obscure,
L'expression la suit, ou moins nette, ou plus pure.
Ce que l'on conçoit bien s'énonce clairement,
Et les mots pour le dire arrivent aisément.
Surtout qu'en vos écrits la langue révérée
Dans vos plus grands excès vous soit toujours sacrée.
En vain vous me frappez d'un son mélodieux,
Si le terme est impropre ou le tour vicieux :
Mon esprit n'admet point un pompeux barbarisme,
Ni d'un vers ampoulé l'orgueilleux solécisme.
Sans la langue, en un mot, l'auteur le plus divin
Est toujours, quoi qu'il fasse, un méchant écrivain.
Travaillez à loisir, quelque ordre qui vous presse,
Et ne vous piquez point d'une folle vitesse :
Un style si rapide, et qui court en rimant,
Marque moins trop d'esprit que peu de jugement,
J'aime mieux un ruisseau qui, sur la molle arène,
Dans un pré plein de fleurs lentement se promène,
Qu'un torrent débordé qui, d'un cours orageux,
Roule, plein de gravier, sur un terrain fangeux.
Hâtez-vous lentement, et, sans perdre courage,
Vingt fois sur le métier remettez votre ouvrage :
Polissez-le sans cesse et le repolissez ;
Ajoutez quelquefois, et souvent effacez.
C'est peu qu'en un ouvrage où les fautes fourmillent
Des traits d'esprits semés de temps en temps pétillent.
Il faut que chaque chose y soit mise en son lieu ;
Que le début, la fin répondent au milieu ;
Que d'un art délicat les pièces assorties
N'y forment qu'un seul tout de diverses parties,
Que jamais du sujet le discours s'écartant
N'aille chercher trop loin quelque mot éclatant.

Louis XIV

SAINT-GERMAIN-EN-LAYE 1638 –
VERSAILLES 1715.

Le siècle de Louis XIV est le « grand siècle », et ce roi fut dit « premier client des artistes ». Il a su protéger Corneille, Molière, Racine, Boileau, etc., Mansart, Le Nôtre, des peintres et des musiciens. Le sarcastique Voltaire lui a reconnu sans marchander cette qualité royale de savoir reconnaître et encourager le mérite. Autour du roi, en bonne partie à cause de son influence, « les arts et les lettres florissaient ».

.Mémoires.

1661 – 1710

*Ces **Mémoires** se présentent comme des **Instructions au Dauphin.** « Mon fils », sont les premiers mots. Au devoir de père, se joint celui de roi : être conscient de ses actions et de leurs suites. Il ne s'agissait pas pour le roi de se justifier après coup, puisqu'il commença de brûler ses papiers un soir de 1714 quand le maréchal de Noailles le supplia d'épargner le reste. Ces **Mémoires** sont inachevés et concernent les années 1662, 1666, 1667, 1668, à quoi s'ajoutent les **Réflexions sur le métier de roi** (1679), les **Instructions au duc d'Anjou** (1700), et un **Projet de harangue** de 1710.*

RÉFLEXIONS SUR LE MÉTIER DE ROI

Les rois sont souvent obligés à faire des choses contre leur inclination et qui blessent leur bon naturel. Ils doivent aimer à faire plaisir, et il faut qu'ils châtient souvent et perdent des gens à qui naturellement ils veulent du bien. L'intérêt de l'État doit marcher le premier. On doit forcer son inclination et ne se pas mettre en état de se reprocher, dans quelque chose d'important, qu'on pouvait faire mieux, mais que quelques intérêts particuliers en ont empêché et ont détourné les vues qu'on devait avoir pour la grandeur, le bien et la puissance de l'État.

Souvent il y a des endroits qui font peine ; il y en a de délicats qu'il est difficile à démêler ; on a des idées confuses. Tant que cela est, on peut demeurer sans se déterminer ; mais dès que l'on s'est fixé l'esprit à quelque chose et qu'on croit voir le meilleur parti, il le faut prendre : c'est ce qui m'a fait réussir souvent dans ce que j'ai fait. Les fautes que j'ai faites et qui m'ont donné des peines infinies, ont été par complaisance, et pour me laisser aller trop nonchalamment aux avis des autres.

Rien n'est si dangereux que la faiblesse, de quelque nature qu'elle soit. Pour commander aux autres, il faut s'élever au-dessus d'eux ; et après avoir entendu ce qui vient de tous les endroits, on se doit déterminer par le jugement qu'on doit faire sans préoccupation et pensant toujours à ne rien ordonner ni exécuter qui soit indigne de soi, du caractère qu'on porte, ni de la grandeur de l'État.

Les princes qui ont de bonnes intentions et quelque connaissance de leurs affaires, soit par expérience, soit par étude, et une grande application à se rendre capables, trouvent tant de différentes choses par lesquelles ils se peuvent faire connaître, qu'ils doivent avoir un soin particulier et une application universelle à tout.

"Quand on a l'État en vue, on travaille pour soi. Le bien de l'un fait la gloire de l'autre"

Il faut se garder contre soi-même, prendre garde à son inclination et être toujours en garde contre son naturel. Le métier de roi est grand, noble et délicieux, quand on se sent digne de bien s'acquitter de toutes les choses auxquelles il engage ; mais il n'est pas exempt de peines, de fatigues, d'inquiétudes. L'incertitude désespère quelquefois ; et quand on a passé un temps raisonnable à examiner une affaire, il faut se déterminer et prendre le parti qu'on croit le meilleur.

Quand on a l'État en vue, on travaille pour soi. Le bien de l'un fait la gloire de l'autre. Quand le premier est heureux, élevé et puissant, celui qui en est cause en est glorieux, et par conséquent doit plus goûter que ses sujets, par rapport à lui et à eux, tout ce qu'il y a de plus agréable dans la vie.

Quand on s'est mépris, il faut réparer la faute le plus tôt qu'il est possible, et que nulle considération en empêche, pas même la bonté.

En 1671, un ministère mourut qui avait une charge de secrétaire d'État, ayant le département des Étrangers. Il était homme capable, mais non pas sans défauts : il ne laissait pas de remplir ce poste, qui est très important. Je fus quelque temps à penser à qui je ferais avoir sa charge ; et après avoir bien examiné, je trouvai qu'un homme qui avait longtemps servi dans les ambassades était celui qui la remplirait le mieux. Je l'envoyai quérir : mon choix fut approuvé de tout le monde, ce qui n'arrive pas toujours. Je le mis en possession de la charge à son retour. Je ne le connaissais que de réputation et par les commissions dont je l'avais chargé, qu'il avait bien exécutées. Mais l'emploi que je lui ai donné s'est trouvé trop grand et trop étendu pour lui. J'ai souffert plusieurs années de sa faiblesse, de son opiniâtreté et de son inapplication. Il m'en a coûté des choses considérables, je n'ai pas profité de tous les avantages que je pouvais avoir, et tout cela par complaisance et bonté. Enfin il a fallu que je lui ordonnasse de se retirer, parce que tout ce qui passait par lui, perdait de la grandeur et de la force qu'on doit avoir en exécutant les ordres d'un roi de France qui n'est pas malheureux. Si j'avais pris le parti de l'éloigner plus tôt, j'aurais évité les inconvénients qui me sont arrivés et je ne me reprocherais pas que ma complaisance pour lui a pu nuire à l'État. J'ai fait ce détail pour faire voir un exemple de ce que j'ai dit ci-devant.

Jean Racine

LA FERTÉ-MILON 1639 – PARIS 1699.

Après une formation janséniste à Port-Royal, Racine fréquente des milieux plus libres et se tourne vers la littérature : il compose deux tragédies : ***La Thébaïde*** *– qui peint la cruauté des hommes –, et* ***Alexandre*** *– qui découvre la faiblesse des grands hommes. Ces deux œuvres ont un grand succès. Il rompt avec Port-Royal : le janséniste, Nicole, ayant dénoncé le danger moral que représentent les dramaturges. Le succès de Racine va s'amplifiant :* ***Andromaque*** *(1667),* ***Les Plaideurs*** *(1668),* ***Britannicus*** *(1669),* ***Bérénice*** *(1670),* ***Bajazet*** *(1672). Racine a créé un nouveau tragique, celui de l'homme accablé par le destin ; ses héros sont faibles et hésitants. Il est élu à l'Académie française et compose* ***Mithridate*** *(1673),* ***Iphigénie*** *(1674), et* ***Phèdre*** *(1677) : l'amour tragique de Racine apparaît comme un état de souffrance qui se transforme en jalousie, en haine et en meurtre. En 1677 il obtient, avec son ami Boileau, la charge d'historiographe du roi. Racine revient à la religion et se rapproche de Port-Royal. C'est à la demande de Mme de Maintenon qu'il compose ses deux dernières pièces :* ***Esther*** *et* ***Athalie,*** *pour les demoiselles de Saint-Cyr. Il partage, ensuite, son temps entre son méthier d'historiographe et la défense de Port-Royal. Il meurt chrétiennement en 1699.*

THÉÂTRE, TRAGÉDIE

.Andromaque.

1667

Pyrrhus, roi d'Epire, garde en captivité la princesse troyenne Andromaque et son fils Astyanax. Oreste survient : il est chargé par les Grecs de réclamer Astyanax, il veut aussi tenter sa chance auprès d'Hermione (fiancée officielle de Pyrrhus) qu'il aime. Pyrrhus aime Andromaque et veut sauver son fils ; mais devant le refus d'Andromaque, il se décide à épouser Hermione qui l'aime et à livrer Astyanax. Pour sauver son fils, Andromaque se résout à épouser Pyrrhus. A cette nouvelle, Hermione ordonne à Oreste d'assassiner Pyrrhus. Oreste obéit. Hermione le maudit et se tue sur le corps de Pyrrhus. Oreste sombre dans la folie. Andromaque triomphe et soulève le peuple d'Epire contre les Grecs.

Andromaque repousse avec horreur les avances de Pyrrhus. Celui-ci n'hésite pas à exercer sur elle un odieux chantage : il livrera Astyanax si elle refuse de l'épouser :

CÉPHISE.

Je vous l'avais prédit, qu'en dépit de la Grèce
De votre sort encor vous seriez la maîtresse.

ANDROMAQUE.

Hélas ! de quel effet tes discours sont suivis ?
Il ne me restait plus qu'à condamner mon fils.

CÉPHISE.

Madame, à votre époux, c'est être assez fidèle :
Trop de vertu pourrait vous rendre criminelle ;
Lui-même il porterait votre âme à la douceur.

ANDROMAQUE.

Quoi, je lui donnerais Pyrrhus pour successeur ?

CÉPHISE.

Ainsi le veut son fils, que les Grecs vous ravissent.
Pensez-vous qu'après tout ses mânes en rougissent ?
Qu'il méprisât, Madame, un roi victorieux,
Qui vous fait remonter au rang de vos aïeux ;
Qui foule aux pieds pour vous vos vainqueurs en [colère,
Qui ne se souvient plus qu'Achille était son père,
Qui dément ses exploits et les rend superflus ?

ANDROMAQUE.

Dois-je les oublier, s'il ne s'en souvient plus ?
Dois-je oublier Hector privé de funérailles,
Et traîné sans honneur autour de nos murailles ?
Dois-je oublier son père à mes pieds renversé,
Ensanglantant l'autel qu'il tenait embrassé ?
Songe, songe, Céphise, à cette nuit cruelle
Qui fut pour tout un peuple une nuit éternelle ;
Figure-toi Pyrrhus les yeux étincelants,
Entrant à la lueur de nos palais brûlants ;
Sur tous mes frères morts se faisant un passage,
Et de sang tout couvert échauffant le carnage ;
Songe aux cris des vainqueurs, songe aux cris des [mourants,
Dans la flamme étouffés, sous le fer expirants ;
Peins-toi dans ces horreurs Andromaque éperdue :
Voilà comment Pyrrhus vint s'offrir à ma vue,
Voilà par quels exploits il sut se couronner,
Enfin voilà l'époux que tu me veux donner.
Non, je ne serai point complice de ses crimes ;
Qu'il nous prenne, s'il veut, pour dernières victimes.
Tous mes ressentiments lui seraient asservis.

CÉPHISE.

Eh bien, allons donc voir expirer votre fils :
On n'attend plus que vous. Vous frémissez, Madame ?

ANDROMAQUE.

Ah ! de quel souvenir viens-tu frapper mon âme !
Quoi, Céphise, j'irai voir expirer encor
Ce fils, ma seule joie, et l'image d'Hector ?
Ce fils que de sa flamme il me laissa pour gage ?
Hélas ! je m'en souviens, le jour que son courage
Lui fit chercher Achille, ou plutôt le trépas,
Il demanda son fils, et le prit dans ses bras :
Chère épouse, dit-il en essuyant mes larmes,
J'ignore quel succès le sort garde à mes armes ;
Je te laisse mon fils pour gage de ma foi :
S'il me perd, je prétends qu'il me retrouve en toi.
Si d'un heureux hymen la mémoire t'est chère,
Montre au fils à quel point tu chérissais le père.
Et je puis voir répandre un sang si précieux ?
Et je laisse avec lui périr tous ses aïeux ?
Roi barbare, faut-il que mon crime l'entraîne ?
Si je te hais, est-il coupable de ma haine ?
T'a-t-il de tous les siens reproché le trépas ?
S'est-il plaint à tes yeux des maux qu'il ne sent pas ?
Mais cependant, mon fils, tu meurs si je n'arrête
Le fer que le cruel tient levé sur ta tête.
Je l'en puis détourner, et je t'y vais offrir ?
Non, tu ne mourras point, je ne le puis souffrir.
Allons trouver Pyrrhus. Mais non, chère Céphise,
Va le trouver pour moi.

CÉPHISE.

Que faut-il que je dise ?

ANDROMAQUE.

Dis-lui que de mon fils l'amour est assez fort...
Crois-tu que dans son cœur il ait juré sa mort ?
L'amour peut-il si loin pousser sa barbarie ?

CÉPHISE.

Madame, il va bientôt revenir en furie.

ANDROMAQUE.

Eh bien, va l'assurer...

CÉPHISE.

De quoi ? de votre foi ?

ANDROMAQUE.

Hélas ! pour la promettre est-elle encore à moi ?
O cendres d'un époux ! ô Troyens ! ô mon père !
O mon fils, que tes jours coûtent cher à ta mère !
Allons.

ACTE III, SCÈNE 8

Pyrrhus annonce à Hermione son mariage avec Andromaque. Hermione affecte une indifférence ironique :

PYRRHUS.

Je rends grâces au ciel que votre indifférence
De mes heureux soupirs m'apprenne l'innocence.
Mon cœur, je le vois bien, trop prompt à se gêner,
Devait mieux vous connaître et mieux s'examiner.
Mes remords vous faisaient une injure mortelle ;
Il faut se croire aimé pour se croire infidèle.
Vous ne prétendiez point m'arrêter dans vos fers :
Je crains de vous trahir, peut-être je vous sers.
Nos cœurs n'étaient point faits dépendants l'un de [l'autre.
Je suivais mon devoir, et vous cédiez au vôtre :
Rien ne vous engageait à m'aimer en effet.

HERMIONE.

Je ne t'ai point aimé, cruel ? Qu'ai-je donc fait ?
J'ai dédaigné pour toi les vœux de tous nos princes ;
Je t'ai cherché moi-même au fond de tes provinces ;
J'y suis encor, malgré tes infidélités,
Et malgré tous mes Grecs honteux de mes bontés.
Je leur ai commandé de cacher mon injure ;
J'attendais en secret le retour d'un parjure ;
J'ai cru que tôt ou tard, à ton devoir rendu,
Tu me rapporterais un cœur qui m'était dû.
Je t'aimais inconstant ; qu'aurais-je fait fidèle ?
Et même en ce moment où ta bouche cruelle
Vient si tranquillement m'annoncer le trépas,
Ingrat, je doute encor si je ne t'aime pas.
Mais, Seigneur, s'il le faut, si le ciel en colère
Réserve à d'autres yeux la gloire de vous plaire,
Achevez votre hymen, j'y consens ; mais du moins
Ne forcez pas mes yeux d'en être les témoins.
Pour la dernière fois je vous parle peut-être :
Différez-le d'un jour, demain vous serez maître...
Vous ne répondez point ? Perfide, je le voi,
Tu comptes les moments que tu perds avec moi.
Ton cœur, impatient de revoir ta Troyenne,
Ne souffre qu'à regret qu'un autre t'entretienne.
Tu lui parles du cœur, tu la cherches des yeux.
Je ne te retiens plus, sauve-toi de ces lieux :
Va lui jurer la foi que tu m'avais jurée ;
Va profaner des dieux la majesté sacrée :
Ces dieux, ces justes dieux n'auront pas oublié
Que les mêmes serments avec moi t'ont lié.
Porte aux pieds des autels ce cœur qui m'abandonne ;
Va, cours ; mais crains encor d'y trouver Hermione.

ACTE IV, SCÈNE 5

Hermione a ordonné à Oreste de tuer Pyrrhus. Elle erre dans le palais :

HERMIONE, *seule.*

Où suis-je ? Qu'ai-je fait ? Que dois-je faire encore ?
Quel transport me saisit ? Quel chagrin me dévore ?
Errante, et sans dessein, je cours dans ce palais.
Ah ! ne puis-je savoir si j'aime, ou si je hais ?
Le cruel ! de quel œil il m'a congédiée !
Sans pitié, sans douleur au moins étudiée.
L'ai-je vu se troubler et me plaindre un moment ?
En ai-je pu tirer un seul gémissement ?
Muet à mes soupirs, tranquille à mes alarmes,
Semblait-il seulement qu'il eût part à mes larmes ?
Et je le plains encore ! Et pour comble d'ennui
Mon cœur, mon lâche cœur s'intéresse pour lui ?
Je tremble au seul penser du coup qui le menace ?
Et prête à me venger, je lui fais déjà grâce ?
Non, ne révoquons point l'arrêt de mon courroux :
Qu'il périsse. Aussi bien il ne vit plus pour nous.
Le perfide triomphe, et se rit de ma rage :
Il pense voir en pleurs dissiper cet orage ;
Il croit que toujours faible et d'un cœur incertain,
Je parerai d'un bras les coups de l'autre main.
Il juge encor de moi par ses bontés passées.
Mais plutôt le perfide a bien d'autres pensées :
Triomphant dans le temple, il ne s'informe pas
Si l'on souhaite ailleurs sa vie, ou son trépas.
Il me laisse, l'ingrat ! cet embarras funeste.
Non, non, encore un coup, laissons agir Oreste.
Qu'il meure, puisque enfin il a dû le prévoir,
Et puisqu'il m'a forcée enfin à le vouloir.
A le vouloir ? Hé quoi ? C'est donc moi qui l'ordonne ?
Sa mort sera l'effet de l'amour d'Hermione ?
Ce prince, dont mon cœur se faisait autrefois,
Avec tant de plaisir, redire les exploits,
A qui même en secret je m'étais destinée
Avant qu'on eût conclu ce fatal hyménée,
Je n'ai donc traversé tant de mers, tant d'États,
Que pour venir si loin préparer son trépas,
L'assassiner, le perdre ? Ah ? devant qu'il expire...

ACTE V, SCÈNE 1

Britannicus

Inspiré de Tacite, ***Britannicus*** *est une peinture réaliste et cruelle de la cour de Néron. Le jeune empereur utilise son pouvoir pour se débarrasser à la fois de sa mère, l'ambitieuse Agrippine, et de son demi-frère Britannicus, qui aime et est aimé de Junie que Néron désire ardemment.*

Néron a fait enlever Junie, la fiancée de Britannicus. Néron se confie à Narcisse, ancien esclave qui cherche à faire fortune en créant entre lui et Néron une complicité criminelle :

NÉRON.

Narcisse, c'en est fait, Néron est amoureux.

NARCISSE.

Vous ?

NÉRON.

Depuis un moment, mais pour toute ma vie.
J'aime, que dis-je, aimer ? j'idolâtre Junie !

NARCISSE.

Vous l'aimez ?

NÉRON.

Excité d'un désir curieux,
Cette nuit je l'ai vue arriver en ces lieux,
Triste, levant au ciel ses yeux mouillés de larmes,
Qui brillaient au travers des flambeaux et des armes,
Belle, sans ornements, dans le simple appareil
D'une beauté qu'on vient d'arracher au sommeil.
Que veux-tu ? Je ne sais si cette négligence,
Les ombres, les flambeaux, les cris et le silence,
Et le farouche aspect de ses fiers ravisseurs,
Relevaient de ses yeux les timides douceurs.

Quoi qu'il en soit, ravi d'une si belle vue,
J'ai voulu lui parler, et ma voix s'est perdue :
Immobile, saisi d'un long étonnement,
Je l'ai laissé passer dans son appartement.
J'ai passé dans le mien. C'est là que, solitaire,
De son image en vain j'ai voulu me distraire.
Trop présente à mes yeux, je croyais lui parler,
J'aimais jusqu'à ses pleurs que je faisais couler.
Quelquefois, mais trop tard, je lui demandais grâce ;
J'employais les soupirs, et même la menace.
Voilà comme, occupé de mon nouvel amour,
Mes yeux, sans se fermer, ont attendu le jour.
Mais je m'en fais peut-être une trop belle image ;
Elle m'est apparue avec trop d'avantage :
Narcisse, qu'en dis-tu ?

NARCISSE.

Quoi, Seigneur ? croira-t-on
Qu'elle ait pu si longtemps se cacher à Néron ?

NÉRON.

Tu le sais bien, Narcisse. Et soit que sa colère
M'imputât le malheur qui lui ravit son frère,
Soit que son cœur, jaloux d'une austère fierté,
Enviât à nos yeux sa naissante beauté,
Fidèle à sa douleur, et dans l'ombre enfermée,
Elle se dérobait même à sa renommée.
Et c'est cette vertu, si nouvelle à la cour,
Dont la persévérance irrite mon amour.
Quoi, Narcisse ? Tandis qu'il n'est point de Romaine
Que mon amour n'honore et ne rende plus vaine,
Qui dès qu'à ses regards elle ose se fier,
Sur le cœur de César ne les vienne essayer,
Seule dans son palais la modeste Junie
Regarde leurs honneurs comme une ignominie,
Fuit, et ne daigne pas peut-être s'informer
Si César est aimable ou bien s'il sait aimer ?
Dis-moi : Britannicus l'aime-t-il ?

NARCISSE.

Quoi ! s'il l'aime,
Seigneur ?

NÉRON.

Si jeune encor, se connaît-il lui-même ?
D'un regard enchanteur connaît-il le poison ?

NARCISSE.

Seigneur, l'amour toujours n'attend pas la raison.
N'en doutez point, il l'aime. Instruit par tant de [charmes,
Ses yeux sont déjà faits à l'usage des larmes.
A ses moindres désirs il sait s'accommoder,
Et peut-être déjà sait-il persuader.

NÉRON.

Que dis-tu ? Sur son cœur il aurait quelque empire ?

NARCISSE.

Je ne sais. Mais, Seigneur, ce que je puis vous dire,
Je l'ai vu quelquefois s'arracher de ces lieux,
Le cœur plein d'un courroux qu'il cachait à vos yeux,
D'une cour qui le fuit pleurant l'ingratitude,
Las de votre grandeur et de sa servitude,
Entre l'impatience et la crainte flottant ;
Il allait voir Junie, et revenait content.

NÉRON.

D'autant plus malheureux qu'il aura su lui plaire,
Narcisse, il doit plutôt souhaiter sa colère,
Néron impunément ne sera pas jaloux.

NARCISSE.

Vous ? Et de quoi, Seigneur, vous inquiétez-vous ?
Junie a pu le plaindre et partager ses peines :
Elle n'a vu couler de larmes que les siennes.
Mais aujourd'hui, Seigneur, que ses yeux dessillés
Regardant de plus près l'éclat dont vous brillez,
Verront autour de vous les rois sans diadème,
Inconnus dans la foule, et son amant lui-même,
Attachés sur vos yeux s'honorer d'un regard
Que vous aurez sur eux fait tomber au hasard ;
Quand elle vous verra, de ce degré de gloire,
Venir en soupirant avouer sa victoire
Maître, n'en doutez point, d'un cœur déjà charmé,
Commandez qu'on vous aime, et vous serez aimé.

NÉRON.

A combien de chagrins il faut que je m'apprête !
Que d'importunités !...

ACTE III, SCÈNE 2

Néron vient de surprendre Britannicus aux pieds de Junie. Britannicus et Néron s'affrontent :

NÉRON.

Prince, continuez des transports si charmants.
Je conçois vos bontés par ses remerciements,
Madame ; à vos genoux je viens de le surprendre.
Mais il aurait aussi quelque grâce à me rendre :
Ce lieu le favorise, et je vous y retiens
Pour lui faciliter de si doux entretiens.

BRITANNICUS.

Je puis mettre à ses pieds ma douleur ou ma joie
Partout où sa bonté consent que je la voie ;
Et l'aspect de ces lieux où vous la retenez
N'a rien dont mes regards doivent être étonnés.

NÉRON.

Et que vous montrent-ils qui ne vous avertisse
Qu'il faut qu'on me respecte et que l'on m'obéisse ?

BRITANNICUS.

Ils ne nous ont pas vu l'un et l'autre élever,
Moi pour vous obéir, et vous pour me braver ;
Et ne s'attendaient pas, lorsqu'ils nous virent naître,
Qu'un jour Domitius me dût parler en maître.

NÉRON.

Ainsi par le destin nos vœux sont traversés :
J'obéissais alors, et vous obéissez.
Si vous n'avez appris à vous laisser conduire,
Vous êtes jeune encore, et l'on peut vous instruire.

BRITANNICUS.

Et qui m'en instruira ?

NÉRON.

Tout l'empire à la fois,
Rome.

BRITANNICUS.

Rome met-elle au nombre de vos droits
Tout ce qu'a de cruel l'injustice et la force,
Les emprisonnements, le rapt et le divorce ?

NÉRON.

Rome ne porte point ses regards curieux
Jusque dans des secrets que je cache à ses yeux.
Imitez son respect.

BRITANNICUS.

On sait ce qu'elle en pense.

NÉRON.

Elle se tait du moins : imitez son silence.

BRITANNICUS.

Ainsi Néron commence à ne se plus forcer.

NÉRON.

Néron de vos discours commence à se lasser.

BRITANNICUS.

Chacun devait bénir le bonheur de son règne.

NÉRON.

Heureux ou malheureux, il suffit qu'on me craigne.

BRITANNICUS.

Je connais mal Junie, ou de tels sentiments
Ne mériteront pas ses applaudissements.

NÉRON.

Du moins, si je ne sais le secret de lui plaire,
Je sais l'art de punir un rival téméraire.

BRITANNICUS.

Pour moi, quelque péril qui me puisse accabler,
Sa seule inimté peut me faire trembler.

NÉRON.

Souhaitez-la : c'est tout ce que je vous puis dire.

BRITANNICUS.

Le bonheur de lui plaire est le seul où j'aspire.

NÉRON.

Elle vous l'a promis, vous lui plairez toujours.

BRITANNICUS.

Je ne sais pas du moins épier ses discours.
Je la laisse expliquer sur tout ce qui me touche,
Et ne me cache point pour lui fermer la bouche.

NÉRON.

Je vous entends. Hé bien, gardes !

ACTE III, SCÈNE 8

Agrippine, Sénèque et Burrhus réussissent à dissuader Néron de tuer Britannicus. Narcisse informe alors Néron de ses préparatifs d'empoisonnement ; Néron lui apprend qu'il a renoncé à son projet :

NARCISSE.

Je me garderai bien de vous en détourner,
Seigneur ; mais il s'est vu tantôt emprisonner :
Cette offense en son cœur sera longtemps nouvelle.
Il n'est point de secrets que le temps ne révèle :
Il saura que ma main lui devait présenter
Un poison que votre ordre avait fait apprêter.
Les Dieux de ce dessein puissent-ils le distraire !
Mais peut-être il fera ce que vous n'osez faire.

NÉRON.

On répond de son cœur ; et je vaincrai le mien.

NARCISSE.

Et l'hymen de Junie en est-il le lien ?
Seigneur, lui faites-vous encor ce sacrifice ?

NÉRON.

C'est prendre trop de soin.Quoi qu'il en soit, Narcisse,
Je ne le compte plus parmi mes ennemis.

NARCISSE.

Agrippine, Seigneur, se l'était bien promis :
Elle a repris sur vous son souverain empire.

NÉRON.

Quoi donc ? Qu'a-t-elle dit ? Et que voulez-vous dire ?

NARCISSE.

Elle s'en est vantée assez publiquement.

NÉRON.

De quoi ?

NARCISSE.

Qu'elle n'avait qu'à vous voir un moment :
Qu'à tout ce grand éclat, qu'à ce courroux funeste,
On verrait succéder un silence modeste ;
Que vous-même à la paix souscririez le premier,
Heureux que sa bonté daignât tout oublier.

NÉRON.

Mais, Narcisse, dis-moi, que veux-tu que je fasse ?
Je n'ai que trop de pente à punir son audace ;
Et, si je m'en croyais, ce triomphe indiscret
Serait bientôt suivi d'un éternel regret.
Mais de tout l'univers quel sera le langage ?
Sur les pas des tyrans veux-tu que je m'engage,
Et que Rome, effaçant tant de titres d'honneur,
Me laisse pour tout nom celui d'empoisonneur ?
Ils mettront ma vengeance au rang des parricides.

NARCISSE.

Et prenez-vous, Seigneur, leurs caprices pour guides ?
Avez-vous prétendu qu'ils se tairaient toujours ?
Est-ce à vous de prêter l'oreille à leurs discours ?
De vos propres désirs perdez-vous la mémoire ?
Et serez-vous le seul que vous n'oserez croire ?

Mais, Seigneur, les Romains ne vous sont points connus.
Non, non, dans leurs discours ils sont plus retenus.
Tant de précaution affaiblit votre règne :
Ils croiront, en effet, mériter qu'on les craigne.
Au joug depuis longtemps ils se sont façonnés.
Ils adorent la main qui les tient enchaînés
Vous les verrez toujours ardents à vous complaire.
Leur prompte servitude a fatigué Tibère.
Moi-même, revêtu d'un pouvoir emprunté,
Que je reçus de Claude avec la liberté,
J'ai cent fois, dans le cours de ma gloire passée,
Tenté leur patience, et ne l'ai point lassée.
D'un empoisonnement vous craignez la noirceur ?
Faites périr le frère, abandonnez la sœur ;
Rome, sur ses autels prodiguant les victimes,
Fussent-ils innocents, leur trouvera des crimes ;
Vous verrez mettre au rang des jours infortunés
Ceux où jadis la sœur et le frère sont nés.

NÉRON.

Narcisse, encore un coup, je ne puis l'entreprendre.
J'ai promis à Burrhus, il a fallu me rendre.
Je ne veux point encore, en lui manquant de foi,
Donner à sa vertu des armes contre moi.
J'oppose à ses raisons un courage inutile ;
Je ne l'écoute point avec un cœur tranquille.

NARCISSE.

Burrhus ne pense pas, Seigneur, tout ce qu'il dit :
Son adroite vertu ménage son crédit ;
Ou plutôt ils n'ont tous qu'une même pensée :
Ils verraient par ce coup leur puissance abaissée ;
Vous seriez libre alors, Seigneur, et devant vous
Ces maîtres orgueilleux fléchiraient comme nous.
Quoi donc ! ignorez-vous tout ce qu'ils osent dire ?
« Néron, s'ils en sont crus, n'est point né pour l'empire ;
Il ne dit, il ne fait que ce qu'on lui prescrit :
Burrhus conduit son cœur, Sénèque son esprit.
Pour toute ambition, pour vertu singulière,
Il excelle à conduire un char dans la carrière,
A disputer des prix indignes de ses mains,
A se donner lui-même en spectacle aux Romains,
A venir prodiguer sa voix sur un théâtre,
A réciter des chants qu'il veut qu'on idolâtre,
Tandis que des soldats, de moments en moments,
Vont arracher pour lui les applaudissements. »
Ah ! ne voulez-vous pas les forcer à se taire ?

NÉRON.

Viens, Narcisse. Allons voir ce que nous devons faire.

ACTE IV, SCÈNE 4

Basho

JAPON, 1644 – 1694.

Bashô, fils samourai, passe une enfance heureuse dans l'entourage du daïmyo local. Il reçoit la même éducation de lettré que le fils de ce seigneur, dont il devient l'ami intime. La mort prématurée de son compagnon change brutalement sa destinée à l'âge de seize ans : elle le plonge dans une douleur si grande qu'il se retire dans un monastère.
Il mène alors une vie également partagée entre la méditation, les études et la poésie. Mystique, épris d'humilité, ce moine, adepte du boudhisme zen eut une immense renommée de son vivant. Les Japonais l'admirent toujours beaucoup.
Le génie de Bashô s'exprime dans le haïku, l'épigramme japonais.
Le haïku est un poème très court puisqu'il ne comporte que trois vers, successivement de cinq, sept et cinq syllabes. De ce tableau en trois coups de brosse, où sont exigées brièveté, puissance de suggestion et concentration surgissent des chefs-d'œuvre d'évocation et de tendresse et un amour de la nature d'une intensité jamais égalée.

POÉSIE

.Haïku.

Vanité de la gloire militaire : Bashô compose ces vers devant un champ de bataille fameux.

Ah ! les herbes du printemps !
Traces du rêve
Des nombreux guerriers !

Une leçon de modestie :

Un jour que Bashô se promenait avec son maître boudhiste, ce dernier lui reprocha de se livrer à un art aussi frivole que l'épigramme « Ainsi, lui dit-il, vous pourriez faire des vers sur cette guimauve qui est au bord du chemin, mais vous ne sauriez en tirer une morale utile. » Bashô répondit par ce haïku : si la fleur ne s'était pas mise en avant, sur le chemin, elle n'aurait pas été dévorée par le cheval.

Ces vers sont devenus un proverbe.
Au bord du chemin
La guimauve en arbre, par le cheval
A été mangée

La fraternité boudhique envers les animaux
Moineau, mon ami !
Ne mange pas l'abeille
Qui se joue sur les fleurs !

Réveille-toi, réveille-toi !
Je ferai de toi mon ami,
O papillon qui dors !

Bashô et son élève cheminaient dans la campagne quand ce dernier observant une libellule improvisa ces vers : A une libellule rouge – Enlevez-les ailes : – Un piment !

Le maître n'approuva pas cette idée brillante, mais cruelle et improvisa cette inversion :

A un piment
Ajoutez des ailes :
Une libellule rouge !

La paix d'un monastère japonais :

Ah ! Le vieil étang !
Et le bruit de l'eau
Où saute la grenouille !

Évocation du printemps :

Oh ! L'alouette
Qui ne cesse de chanter
Toute la longue journée !

Beauté de la lune :

Les nuages, de temps en temps,
Nous font reposer le cou,
Tandis que nous contemplons la lune !

Un adieu mélancolique à un ami :

Qu'elle doit bientôt mourir,
A son aspect il ne paraît pas,
La voix de la cigale !

Toute une famille de vieillards s'est assemblée pour visiter les tombeaux des ancêtres que les survivants rejoindront bientôt. En trois vers, un tableau magistral :

Toute la famille,
Sur le bâton (appuyée), en cheveux blancs,
Visitant les tombeaux !

Derniers vers de Bashô sur son lit de mort :

Tombé malade en voyage,
En rêve sur une plaine déserte
Je me promène !

Jean de La Bruyère

PARIS 1645 – VERSAILLES 1696.

Jean de La Bruyère fait son droit, devient avocat mais ne plaide guère. Il mène une existence solitaire et sans éclat. Il consacre son temps à la réflexion, commence à traduire les ***Caractères*** *du philosophe grec Théophraste. Connu pour ses sentiments religieux il attire l'attention de Bossuet qui le fait nommer en 1684 précepteur du petit-fils de Condé, le duc Louis de Bourbon. La Bruyère est ainsi introduit dans le milieu de la haute noblesse et peut observer les « mœurs de ce siècle ». En 1688 il publie* ***Les Caractères de Théophraste traduits du grec avec Les Caractères ou les Mœurs de ce Siècle.*** *Le succès est immédiat, les éditions se succèdent. En 1693 La Bruyère est élu à l'Académie française et dans son* ***Discours*** *de réception il prend parti pour les Anciens. Il soutient Bossuet contre Fénelon et le quiétisme (****Dialogues sur le Quiétisme*** *– 1696). Il meurt subitement à 51 ans d'une crise d'apoplexie.*

MAXIMES ET PORTRAITS

Les Caractères ou les Mœurs de ce Siècle

1688

Les ***Caractères*** *sont l'ouvrage unique de La Bruyère si l'on excepte quelques* ***Dialogues sur le Quiétisme*** *et son* ***Discours.*** *Dès la première parution en 1688 le succès est triomphal. Huit rééditions se succèdent jusqu'en 1696, chacune comporte de nombreux ajouts. L'ouvrage regroupe des réflexions, des maximes et des portraits. Le propos est de donner un tableau satirique de la société française de cette fin du XVII*[e] *siècle et d'analyser les singularités de l'homme, ses contradictions, ses passions. Plus qu'à l'essence de l'homme La Bruyère s'attache aux caractères individuels ou sociaux. Ses portraits moraux ou satiriques font l'originalité de son œuvre et son succès – ses contemporains cherchaient à mettre des noms derrière eux. Dans cette galerie prennent place diverses professions (financiers avides, littérateurs envieux, prêtres mondains) et divers types humains éternels (le riche, le pauvre, l'égoïste, la femme, l'avare...). La Bruyère se moque des ridicules, dénonce avec amertume les injustices ; son pessimisme est pourtant tempéré d'indulgence et de pitié, la foi chrétienne soutient son espérance.*

PORTRAIT DU DISTRAIT

Ménalque descend son escalier, ouvre sa porte pour sortir, il la referme : il s'aperçoit qu'il est en bonnet de nuit ; et venant à mieux s'examiner, il se trouve rasé à moitié, il voit que son épée est mise du côté droit, que ses bras sont rabattus sur ses talons, et que sa chemise est par-dessus ses chausses. S'il marche dans les places, il se sent tout d'un coup rudement frappé à l'estomac ou au visage ; il ne soupçonne point ce que ce peut être, jusqu'à ce qu'ouvrant les yeux et se réveillant, il se trouve ou devant un limon de charrette, ou derrière un long ais de menuiserie que porte un ouvrier sur ses épaules. On l'a vu une fois heurter du front contre celui d'un aveugle, s'embarrasser dans ses jambes, et tomber avec lui chacun de son côté à la renverse. Il lui est arrivé plusieurs fois de se trouver tête pour tête à la rencontre d'un prince et sur son passage, se reconnaître à peine, et n'avoir que le loisir de se coller à un mur pour lui faire place. Il cherche, il brouille, il crie, il s'échauffe, il appelle ses valets l'un après l'autre : *on lui perd tout, on lui égare tout ;* il demande ses gants, qu'il a dans ses mains, semblable à cette femme qui prenait le temps de demander son masque lorsqu'elle l'avait sur son visage. Il entre à l'appartement, et passe sous un lustre où sa perruque s'accroche et demeure suspendue : tous les courtisans regardent et rient ; Ménalque regarde aussi et rit plus haut que les autres, il cherche des yeux dans toute l'assemblée où est celui qui montre ses oreilles, et à qui il manque une perruque. S'il va par la ville, après avoir fait quelque chemin, il se croit égaré, il s'émeut, et il demande où il est à des passants, qui lui disent précisément le nom de sa rue ; il entre ensuite dans sa maison, d'où il sort précipitamment, croyant qu'il s'est trompé. Il descend du Palais, et trouvant au bas du grand degré un carrosse qu'il prend pour le sien, il se met dedans : le cocher touche et croit ramener son maître dans sa maison ; Ménalque se jette hors de la portière, traverse la cour, monte l'escalier, parcourt l'antichambre, la chambre, le cabinet ; tout lui est familier, rien ne lui est nouveau ; il s'assit, il se repose, il est chez soi. Le maître arrive ; celui-ci se lève pour le recevoir ; il le traite fort civilement, le prie de s'asseoir, et croit faire les honneurs de sa chambre ; il parle, il rêve, il reprend la parole : le maître de la maison s'ennuie, et demeure étonné ; Ménalque ne l'est pas moins, et ne dit pas ce qu'il en pense : il a affaire à un fâcheux, à un homme oisif, qui se retirera à la fin, il l'espère, et il prend patience : la nuit arrive qu'il est à peine détrompé. Une autre fois il rend visite à une femme, et se persuadant bientôt que c'est lui qui la reçoit, il s'établit dans son fauteuil, et ne songe nullement à l'abandonner : il trouve ensuite que cette dame fait ses visites longues, il attend à tous les moments qu'elle se lève et le laisse en liberté ; mais comme cela tire en longueur, qu'il a faim, et que la nuit est déjà avancée, il la prie à souper : elle rit, et si haut, qu'elle le réveille. Lui-même se marie le matin, l'oublie le soir, et découche la nuit de ses noces ; et quelques années après il perd sa femme, elle meurt entre ses bras, il assiste à ses obsèques, et le lendemain, quand on lui vient dire qu'on a servi, il demande si sa femme est prête et si elle est avertie. C'est lui encore qui entre dans une église, et prenant l'aveugle qui est collé à la porte pour un pilier, et sa tasse pour le bénitier, y plonge la main, la porte à son front, lorsqu'il entend tout d'un coup le pilier qui parle, et qui lui offre ses oraisons. Il s'avance dans la nef, il croit voir un prie-Dieu, il se jette lourdement dessus : la machine plie, s'enfonce, et fait des efforts pour crier ; Ménalque est surpris de se voir à genoux sur les jambes d'un fort petit homme, appuyé sur son dos, les deux bras passés sur ses épaules, et ses deux mains jointes et étendues qui lui prennent le nez et lui ferment la bouche ; il se retire confus et va s'agenouiller ailleurs. Il tire un livre pour faire sa prière, et c'est sa pantoufle qu'il a prise pour ses Heures, et qu'il a mise dans sa poche avant que de sortir ; il n'est pas hors de l'église qu'un homme de livrée court après lui, le joint, lui demande en riant s'il n'a point la pantoufle de Monseigneur ; Ménalque lui montre la sienne, et lui dit : *Voilà toutes les pantoufles que j'ai sur moi ;* il se fouille néanmoins et tire celle de l'évêque de** qu'il vient de quitter, qu'il a trouvé malade auprès de son feu, et dont, avant de prendre congé de lui, il a ramassé la pantoufle, comme l'un de ses gants qui était à terre : ainsi Ménalque s'en retourne chez soi avec une pantoufle de moins [...]

« DE L'HOMME »

PORTRAIT DE L'ÉGOISTE

Gnathon ne vit que pour soi, et tous les hommes ensemble sont à son égard comme s'ils n'étaient point. Non content de remplir à une table la première place, il occupe lui seul celle de deux autres ; il oublie que le repas est pour lui et pour toute la compagnie ; il se rend maître du plat, et fait son propre de chaque service : il ne s'attache à aucun des mets, qu'il n'ait achevé d'essayer de tous ; il voudrait pouvoir les savourer tous tout à la fois. Il ne se sert à table que de ses mains ; il manie les viandes, les remanie, démembre, déchire, et en use de manière qu'il faut que les conviés, s'ils veulent manger, mangent ses restes. Il ne leur épargne aucune de ces malpropretés dégoûtantes, capables d'ôter l'appétit aux plus affamés ; le jus et les sauces lui dégouttent du menton et de la barbe ; s'il enlève un ragoût de dessus un plat, il le répand en chemin dans un autre plat et sur la nappe ; on le suit à la trace. Il mange haut et avec grand bruit ; il roule les yeux en mangeant ; la table est pour lui un râtelier ; il écure ses dents, et il continue à manger. Il se fait quelque part où il se trouve, une manière d'établissement, et ne souffre pas d'être plus pressé au sermon ou au théâtre que dans sa chambre. Il n'y a dans un carrosse que les places du fond qui lui conviennent ; dans toute autre, si on veut l'en croire, il pâlit et tombe en faiblesse. S'il fait un voyage avec plusieurs, il les prévient dans les hôtelleries, et il sait toujours se conserver dans la meilleure chambre le meilleur lit. Il tourne tout à son usage ; ses valets, ceux d'autrui, courent dans le même temps pour son service. Tout ce qu'il trouve sous sa main lui est propre, hardes, équipages. Il embarrasse tout le monde, ne se contraint pour personne, ne plaint personne, ne connaît de maux que les siens, que sa réplétion, et sa bile, ne pleure point la mort des autres, n'appréhende que la sienne, qu'il rachèterait volontiers de l'extinction du genre humain.

« DE L'HOMME »

Giton a le teint frais, le visage plein et les joues pendantes, l'œil fixe et assuré, les épaules larges, l'estomac haut, la démarche ferme et délibérée. Il parle avec confiance ; il fait répéter celui qui l'entretient, et il ne goûte que médiocrement tout ce qu'il lui dit. Il déploie un ample mouchoir, et se mouche avec grand bruit ; il crache fort loin, et il éternue fort haut. Il dort le jour, il dort la nuit, et profondément ; il ronfle en compagnie. Il occupe à table et à la promenade plus de place qu'un autre. Il tient le milieu en se promenant avec ses égaux ; il s'arrête, et l'on s'arrête ; il continue de marcher, et l'on marche ; tous se règlent sur lui. Il interrompt, il redresse ceux qui ont la parole : on ne l'interrompt pas ; on l'écoute aussi longtemps qu'il veut parler ; on est de son avis, on croit les nouvelles qu'il débite. S'il s'assied, vous le voyez s'enfoncer dans un fauteuil, croiser les jambes l'une sur l'autre, froncer le sourcil, abaisser son chapeau sur ses yeux pour ne voir personne, ou le relever ensuite, et découvrir son front par fierté et par audace. Il est enjoué, grand rieur, impatient, présomptueux, colère, libertin, politique, mystérieux sur les affaires du temps ; il se croit des talents et de l'esprit. Il est riche.

Phédon a les yeux creux, le teint échauffé, le corps sec et le visage maigre ; il dort peu, et d'un sommeil fort léger ; il est abstrait, rêveur, et il a avec de l'esprit l'air d'un stupide : il oublie de dire ce qu'il sait, ou de parler d'événements qui lui sont connus ; et s'il le fait quelquefois, il s'en tire mal, il croit peser à ceux à qui il parle, il conte brièvement, mais froidement ; il ne se fait pas écouter, il ne fait point rire. Il applaudit, il sourit à ce que les autres lui disent, il est de leur avis ; il court, il vole pour leur rendre de petits services. Il est complaisant, flatteur, empressé ; il est mystérieux dans ses affaires, quelquefois menteur ; il est superstitieux, scrupuleux, timide. Il marche doucement et légèrement, il semble craindre de fouler la terre : il marche les yeux baissés, et il n'ose les lever sur ceux qui passent. Il n'est jamais du nombre de ceux qui forment un cercle pour discourir ; il se met derrière celui qui parle, recueille furtivement ce qui se dit, et il se retire si on le regarde. Il n'occupe point de lieu, il ne tient point de place ; il va les épaules serrées, le chapeau abaissé sur ses yeux pour n'être point vu ; il se replie et se renferme dans son manteau ; il n'y a point de rues ni de galeries si embarrassées et si remplies de monde, où il ne trouve moyen de passer sans effort, et de se couler sans être aperçu. Si on le prie de s'asseoir, il se met à peine sur le bord d'un siège ; il parle bas dans la conversation, et il articule mal ; libre néanmoins sur les affaires publiques, chagrin contre le siècle, médiocrement prévenu des ministres et du ministère. Il n'ouvre la bouche que pour répondre ; il tousse, il se mouche sous son chapeau, il crache presque sur soi, et il attend qu'il soit seul pour éternuer, ou si cela lui arrive, c'est à l'insu de la compagnie : il n'en coûte à personne ni salut ni compliment. Il est pauvre.

« DES BIENS DE FORTUNE »

Le chapitre ***Des biens de fortune*** *se termine par un diptyque opposant le riche éternel et le pauvre de toujours :*

Tout est dit, et l'on vient trop tard depuis plus de sept mille ans qu'il y a des hommes, et qui pensent. Sur ce qui concerne les mœurs, le plus beau et meilleur est enlevé ; l'on ne fait que glaner après les anciens et les habiles d'entre les modernes.

« DES OUVRAGES DE L'ESPRIT »

Si les femmes veulent seulement être belles à leurs propres yeux et se plaire à elles-mêmes, elles peuvent sans doute, dans la manière de s'embellir, dans le choix des ajustements et de la parure, suivre leur goût et leur caprice ; mais si c'est aux hommes qu'elles désirent de plaire, si c'est pour eux qu'elles se fardent ou qu'elles s'enluminent, j'ai re-

Une part importante des ***Caractères*** *est consacrée à des réflexions de toutes sortes.*

La première que nous donnons ici est tirée « Des ouvrages de l'esprit », la seconde « Des femmes », les suivantes « De l'homme », chapitre capital qui dévoile la condition humaine dans ce qu'elle a de plus essentiel.

“Tout est dit, et l'on vient trop tard depuis plus de sept mille ans qu'il y a des hommes, et qui pensent”

cueilli les voix, et je leur prononce, de la part de tous les hommes ou de la plus grande partie, que le blanc et le rouge les rend affreuses et dégoûtantes ; que le rouge seul les vieillit et les déguise ; qu'ils haïssent autant à les voir avec de la céruse sur le visage, qu'avec de fausses dents en la bouche, et des boules de cire dans les mâchoires ; qu'ils protestent sérieusement contre tout l'artifice dont elles usent pour se rendre laides ; et que bien loin d'en répondre devant Dieu, il semble au contraire qu'il leur ait réservé ce dernier et infaillible moyen de guérir des femmes.

Si les femmes étaient telles naturellement qu'elles le deviennent par artifice, qu'elles perdissent en un moment toute la fraîcheur de leur teint, qu'elles eussent le visage aussi allumé et aussi plombé qu'elles se le font par le rouge et par la peinture dont elles se fardent, elles seraient inconsolables.

« DES FEMMES »

“L'ennui est entré dans le monde par la paresse”

Ne nous emportons point contre les hommes en voyant leur dureté, leur ingratitude, leur injustice, leur fierté, l'amour d'eux-mêmes, et l'oubli des autres : ils sont ainsi faits, c'est leur nature, c'est ne pouvoir supporter que la pierre tombe ou que le feu s'élève.

Si la pauvreté est la mère des crimes, le défaut d'esprit en est le père. (Ed. 4.)

La vie est courte et ennuyeuse : elle se passe toute à désirer ; l'on remet à l'avenir son repos et ses joies, à cet âge souvent où les meilleurs biens ont déjà disparu, la santé et la jeunesse. Ce temps arrive, qui nous surprend encore dans les désirs : on en est là, quand la fièvre nous saisit et nous éteint ; si l'on eût guéri, ce n'était que pour désirer plus longtemps.

Il y a des maux effroyables et d'horribles malheurs où l'on n'ose penser, et dont la seule vue fait frémir ; s'il arrive que l'on y tombe, l'on se trouve des ressources que l'on ne se connaissait point, l'on se roidit contre son infortune, et l'on fait mieux qu'on ne l'espérait.

Il ne faut quelquefois qu'une jolie maison dont on hérite, qu'un beau cheval ou un joli chien dont on se trouve le maître, qu'une tapisserie, qu'une pendule, pour adoucir une grande douleur, et pour faire moins sentir une grande perte. (Ed. 4.)

Si la vie est misérable, elle est pénible à supporter ; si elle est heureuse, il est horrible de la perdre. L'un revient à l'autre.

Nous cherchons notre bonheur hors de nous-mêmes, et dans l'opinion des hommes, que nous connaissons flatteurs, peu sincères, sans équité, plein d'envie, de caprices et de préventions : quelle bizarrerie !

Une grande âme est au-dessus de l'injure, de l'injustice, de la douleur, de la moquerie ; et elle serait invulnérable, si elle ne souffrait par la compassion.

Tout le monde dit d'un fat qu'il est un fat ; personne n'ose le lui dire à lui-même : il meurt sans le savoir, et sans que personne se soit vengé.

L'ennui est entré dans le monde par la paresse, elle a beaucoup de part dans la recherche que font les hommes des plaisirs, du jeu, de la société ; celui qui aime le travail a assez de soi-même.

« DE L'HOMME »

Comme Pascal, comme La Rochefoucauld, La Bruyère aime les maximes qui réussissent à enfermer dans une formule saisissante une observation profonde :

“Les hommes commencent par l'amour, finissent par l'ambition, et ne se trouvent souvent dans une assiette plus tranquille que lorsqu'ils meurent”

Le temps, qui fortifie les amitiés, affaiblit l'amour.

L'on veut faire tout le bonheur, ou si cela ne se peut ainsi, tout le malheur de ce qu'on aime.

Il faut rire avant que d'être heureux, de peur de mourir sans avoir ri.

Les hommes commencent par l'amour, finissent par l'ambition, et ne se trouvent souvent dans une assiette plus tranquille que lorsqu'ils meurent.

« DU CŒUR »

De tous les moyens de faire sa fortune, le plus court et le meilleur est de mettre les gens à voir clairement leurs intérêts à vous faire du bien.

Il n'y a au monde que deux manières de s'élever, ou par sa propre industrie, ou par l'imbécillité des autres.

« DES BIENS DE LA FORTUNE »

La mort n'arrive qu'une fois et se fait sentir à tous les moments de la vie : il est plus dur de l'appréhender que de la souffrir.

L'on espère de vieillir, et l'on craint la vieillesse ; c'est-à-dire l'on aime la vie, et l'on fuit la mort.

Les jeunes gens, à cause des passions qui les amusent, s'accommodent mieux de la solitude que les vieillards.

« DE L'HOMME »

QUATRIÈME PARTIE

LES GRANDS TEXTES MODERNES

DU XVIIIe SIÈCLE AU DÉBUT DU XXe SIÈCLE

Gotfried Wilhem Leibniz

LEIPZIG 1646 – HANOVRE 1716.

Professeur de philosophie morale et de droit, le père de Leibniz mourant en 1652 laisse à son fils le soin d'assurer lui-même son éducation ; c'est ainsi que Leibniz apprend seul le latin. Il étudie les scolastiques, et à quinze ans se demande s'il doit dans sa philosophie conserver les formes substantielles d'Aristote. Il est reçu docteur en philosophie en 1664, et en droit en 1666 ; c'est alors qu'il étudie les mathématiques. Il publie divers travaux, de logique, de droit, de théologie, de physique, et de diplomatie. De 1672 à 1676, Leibniz est envoyé en mission à Paris. Il rencontre Arnauld, Malebranche, etc., va rendre visite à Spinoza, à maints savants à Londres, etc. Il projette la réalisation de plusieurs machines, dont un sous-marin. En 1676, il découvre les principes du calcul infinitésimal. Il est appelé cette même année à la cour de Hanovre comme Bibliothécaire. Il poursuit ses travaux philosophiques et mathématiques, d'historiographie, de réunion des Églises, fonde la première revue scientifique allemande et l'Académie de Berlin. L'œuvre immense de Leibniz n'est pas totalement éditée. On ne s'intéresse plus aujourd'hui qu'à ses œuvres de philosophie, qu'il écrivit en latin et en français. Les principales sont : le ***Discours de métaphysique*** *(1686) ;* ***Système nouveau de la nature et de la communication des substances*** *(1695) ;* ***Nouveaux Essais sur l'entendement humain*** *(1703) ;* ***Théodicée*** *(1707) ;* ***Monadologie*** *(1714).*

PHILOSOPHIE

.Essais de théodicée sur la bonté de Dieu, la liberté de l'homme et l'origine du mal.

1710

Ce livre rédigé en français en 1707 répond aux critiques que Bayle avait adressées à l'optimisme de Leibniz. Dieu est infiniment bon, sage et puissant. S'il n'avait pas créé le meilleur des mondes possibles, ce serait ou qu'il n'y a pas pensé, ou qu'il ne l'a pas voulu, ou qu'il ne l'a pas pu. Mais alors il aurait manqué de sagesse, de bonté, ou de puissance, ce qui ne se peut pas étant contradictoire avec les perfections infinies de Dieu. Il

Dieu est la première raison des choses : car celles qui sont bornées, comme tout ce que nous voyons et expérimentons, sont contingentes et n'ont rien en elles qui rende leur existence nécessaire ; étant manifeste que le temps, l'espace et la matière, unies et uniformes en elles-mêmes, et indifférentes à tout, pouvaient recevoir de tout autres mouve-

faut donc que ce monde, tel qu'il est, soit le meilleur des mondes possibles. Cela dit en posant que tout progresse et que le progrès est sans fin.

L'on voit que **Candide** *de Voltaire, qui passe pour une critique de l'optimisme leibnizien, est loin de s'attaquer effectivement aux arguments propres à Leibniz.*

"La puissance va à l'être, la sagesse ou l'entendement au vrai, et la volonté au bien"

ments et figures, et dans un autre ordre. Il faut donc chercher la raison de l'existence du monde, qui est l'assemblage entier des choses contingentes : et il faut la chercher dans la substance qui porte la raison de son existence avec elle, et laquelle par conséquent est nécessaire et éternelle. Il faut aussi que cette cause soit intelligente : car ce monde qui existe étant contingent, et une infinité d'autres mondes étant également possibles et également prétendants à l'existence, pour ainsi dire, aussi bien que lui, il faut que la cause du monde ait eu égard ou relation à tous ces mondes possibles, pour en déterminer un. Et cet égard ou rapport d'une substance existante à de simples possibilités, ne peut être autre chose que l'entendement qui en a les idées ; et en déterminer une, ne peut être autre chose que l'acte de la volonté qui choisit. Et c'est la puissance de cette substance, qui en rend la volonté efficace. La puissance va à l'être, la sagesse ou l'entendement au vrai, et la volonté au bien. Et cette cause intelligente doit être infinie de toutes les manières, et absolument parfaite en puissance, en sagesse et en bonté, puisqu'elle va à tout ce qui est possible. Et comme tout est lié, il n'y a pas lieu d'en admettre plus d'une. Son entendement est la source des essences, et sa volonté est l'origine des existences. Voilà en peu de mots la preuve d'un Dieu unique avec ses perfections, et par lui l'origine des choses.

Or cette suprême sagesse, jointe à une bonté qui n'est pas moins infinie qu'elle, n'a pu manquer de choisir le meilleur. Car comme un moindre mal est une espèce de bien ; de même un moindre bien est une espèce de mal, s'il fait obstacle à un bien plus grand ; et il y aurait quelque chose à corriger dans les actions de Dieu, s'il y avait moyen de mieux faire. Et comme dans les Mathématiques, quand il n'y a point de maximum ni de minimum, rien enfin de distingué, tout se fait également ; ou quand cela ne se peut, il ne se fait rien du tout : on peut dire de même en matière de parfaite sagesse, qui n'est pas moins réglée que les Mathématiques, que s'il n'y avait pas le meilleur (optimum) parmi tous les mondes possibles, Dieu n'en aurait produit aucun. J'appelle monde toute la suite et toute la collection de toutes les choses existantes, afin qu'on ne dise point que plusieurs mondes pouvaient exister en différents temps et différents lieux. Car il faudrait les compter tous ensemble pour un monde, ou si vous voulez, pour un univers. Et quand on remplirait tous les temps, tous les lieux, il demeure toujours vrai qu'on les aurait pu remplir d'une infinité de manières, et qu'il y a une infinité de mondes possibles, dont il faut que Dieu ait choisi le meilleur, puisqu'il ne fait rien sans agir suivant la suprême raison.

Quelque adversaire ne pouvant répondre à cet argument, répondra peut-être à la conclusion par un argument contraire, en disant que le monde aurait pu être sans le péché et sans les souffrances : mais je nie qu'alors il aurait été meilleur. Car il faut savoir que tout est lié dans chacun des mondes possibles : l'univers, quel qu'il puisse être, est tout d'une pièce, comme un Océan ; le moindre mouvement y étend son effet à quelque distance que ce soit, quoique cet effet devienne moins sensible à proportion de la distance ; de sorte que Dieu y a tout réglé par avance une fois pour toutes ayant prévu les prières, les bonnes et les mauvaises actions, et tout le reste ; et chaque chose a contribué idéalement avant son existence à la résolution qui a été prise sur l'existence de toutes les choses. De sorte que rien ne peut être changé dans l'univers (non plus que dans un nombre) sauf son essence, ou si vous voulez, son individualité numérique. Ainsi, si le moindre mal qui arrive dans le Monde y manquait, ce ne serait plus ce Monde ; qui tout compté, tout rabattu, a été le meilleur par le créateur qui l'a choisi.

PREMIÈRE PARTIE, PARAGRAPHES 7 A 10

Daniel Defoë

LONDRES 1660 – ROPEMAKER'S ALLEY 1731.

Malgré ses origines modestes – son père est d'abord fabricant de chandelles, puis boucher – Daniel Defoë peut faire de bonnes études au séminaire. Il entre dans le commerce, voyage pour son travail en Europe, puis en 1683 ouvre une mercerie. Il s'intéresse à la politique, favorise l'accession au trône de Guillaume d'Orange et publie des œuvres satiriques. A la mort de Guillaume d'Orange il est emprisonné et exposé au pilori. Ruiné il exerce une activité de mercenaire, devient agent secret en Écosse pour Harley et Godolphin qui voulaient favoriser l'unité. Il a soixante ans quand il publie son premier livre important : ***Robinson Crusoë****. Il écrit ensuite d'excellents romans d'aventures dans lesquels il exalte Dieu et montre sans cesse l'action imparable de la Providence :* ***La Vie, Les aventures et les pirateries du capitaine Singleton, Heurs et Malheurs de la fameuse Moll Flanders, Colonel Jack...***

ROMAN

.Robinson Crusoë.

1719

Le navire qui portait Robinson Crusoë, du Brésil en Guinée, a échoué sur un banc de sable, pendant une terrible tempête, en face d'une île inconnue. Tout l'équipage a péri : Robinson est le seul survivant. Il aborde l'île. Avec une énergique volonté, il essaie de tirer parti de la situation, il s'installe. Sa persévérance triomphe peu à peu de tous les obstacles.

Robinson « rencontre » Vendredi qui deviendra son fidèle serviteur :

Alors je me figurais même que si je m'emparais de deux ou trois sauvages, j'étais capable de les gouverner de façon à m'en faire des esclaves, à me les assujettir complètement et à leur ôter à jamais tout moyen de me nuire. Je me complaisais dans cette idée, mais toujours rien ne se présentait : toutes mes volontés, tous mes plans n'aboutissaient à rien, car il ne venait point de sauvages.

Un an et demi environ après que j'eus conçu ces idées, et que par une longue réflexion j'eus en quelque manière décidé qu'elles demeuraient sans résultat faute d'occasion, je fus surpris un matin, de très bonne heure, en ne voyant pas moins de cinq canots tous ensemble au rivage sur mon côté de l'île. Les sauvages à qui ils appartenaient étaient déjà à terre et hors de ma vue. Le nombre de ces canots rompait toutes mes mesures ; car, n'ignorant pas qu'ils venaient toujours quatre ou six, quelquefois plus, dans chaque embarcation, je ne savais que penser de cela, ni quel plan dresser pour attaquer moi seul vingt ou trente hommes. Aussi demeurai-je dans mon château embarrassé et abattu. Cependant, dans la même attitude que j'avais prise autrefois, je me préparai à repousser une attaque ; j'étais tout prêt à agir si quelque chose se fût présenté. Ayant attendu longtemps et longtemps prêté l'oreille pour écouter s'il se faisait quelque bruit, je m'impatientai enfin ; et, laissant mes deux fusils au pied de mon échelle, je montai jusqu'au sommet du rocher, en deux escalades, comme d'ordinaire. Là, posté de façon à ce que ma tête ne parût point au-dessus de la cime, pour qu'en aucune manière on ne pût m'apercevoir, j'observai à l'aide de mes lunettes d'approche qu'ils étaient au moins au nombre de trente, qu'ils avaient allumé un feu et préparé leur nourriture : quel aliment était-ce et comment l'accommodait-il, c'est ce que je ne pus savoir ; mais je les vis tous danser autour du feu, et, suivant leur coutume, avec je ne sais combien de figures et de gesticulations barbares.

Tandis que je regardais ainsi, j'aperçus par ma longue-vue deux misérables qu'on tirait des pirogues, où sans doute ils avaient été mis en réserve, et qu'alors on faisait sortir pour être massacrés. J'en vis aussitôt tomber un assommé, je pense, avec un casse-tête ou un sabre de bois, selon l'usage de ces nations. Deux ou trois de ces meurtriers se mirent incontinent à l'œuvre et le dépecèrent pour leur cuisine, pendant que l'autre victime demeurait là en attendant qu'ils fussent prêts pour elle. En ce moment même la nature inspira à ce pauvre malheureux, qui se voyait un peu en liberté, quelque espoir de sauver sa vie ; il s'élança, et se prit à courir avec une incroyable vitesse, le long des sables, droit vers moi, j'entends vers la partie de la côte où était mon habitation.

Je fus horriblement effrayé – il faut que je l'avoue – quand je le vis enfiler ce chemin, surtout quand je m'imaginai le voir poursuivi par toute la troupe. Je crus alors qu'une partie de mon rêve allait se vérifier, et qu'à coup sûr il se réfugierait dans mon bocage ; mais je ne comptais pas du tout que le dénouement serait le même, c'est-à-dire que les autres sauvages ne l'y pourchasseraient pas et ne l'y trouveraient point. Je demeurai toutefois à mon poste, et bientôt je recouvrai quelque peu mes esprits lorsque je reconnus qu'ils n'étaient que trois hommes à sa poursuite. Je retrouvai surtout du courage en voyant qu'il les surpassait excessivement à la course et gagnait du terrain sur eux, de manière que s'il pouvait aller de ce train une demi-heure encore il était indubitable qu'il leur échapperait.

Il y avait entre eux et mon château la crique dont j'ai souvent parlé dans la première partie de mon histoire, quand je fis le sauvetage du navire, et je prévis qu'il faudrait nécessairement que le pauvre infortuné la passât à la nage ou qu'il fût pris. Mais lorsque le sauvage échappé eut atteint jusque-là, il ne fit ni une ni deux, malgré la marée haute, il s'y plongea ; il gagna l'autre rive en une trentaine de brassées ou environ, et se reprit à courir avec une force et une vitesse sans pareilles. Quand ses trois ennemis arrivèrent à la crique, je vis qu'il n'y en avait que deux qui sussent nager. Le troisième s'arrêta sur le bord, regarda sur l'autre côté et n'alla pas plus loin. Au bout de quelques instants il s'en retourna pas à pas ; et, d'après ce qui advint, ce fut très heureux pour lui.

Toutefois j'observai que les deux qui savaient nager mirent à passer la crique deux fois plus de temps que n'en avait mis le malheureux qui les fuyait. – Mon esprit conçut alors avec feu, et irrésistiblement, que l'heure était venue de m'acquérir un serviteur, peut-être un camarade ou un ami, et que j'étais manifestement appelé par la Providence à sauver la vie de cette pauvre créature. Aussitôt je descendis en toute hâte par mes échelles, je pris les deux fusils que j'y avais laissés au pied, comme je l'ai dit tantôt, et, remontant avec la même précipitation, je m'avançai vers la mer. Ayant coupé au plus court et par un chemin tout en pente, je pus me précipiter entre les poursuivants et le poursuivi, et j'appelai le fuyard. Il se retourna et fut peut-être d'abord tout aussi effrayé de moi que d'eux ; mais je lui fis signe de la main de revenir, et en même temps je m'avançai lentement vers les deux qui accouraient. Tout à coup je me précipitai sur le premier, et je l'assommai avec la crosse de mon fusil. Je ne me souciais pas de faire feu, de peur que la détonation ne fût entendue des autres, quoique à cette distance cela ne se pût guère ; d'ailleurs, comme ils n'auraient pu apercevoir la fumée, ils n'auraient pu aisément savoir d'où cela provenait. Ayant donc assommé celui-ci, l'autre qui le suivait s'arrêta comme s'il eût été effrayé. J'allai à grands pas vers lui ; mais quand je m'en fus approché, je le vis armé d'un arc, et prêt à décocher une flèche contre moi. Placé ainsi dans la nécessité de tirer le premier, je le fis et le tuai du coup.

Le pauvre sauvage échapppé avait fait halte ; mais bien qu'il vît ses deux ennemis mordre la poussière, il était pourtant si épouvanté du feu et du bruit de mon arme, qu'il demeura pétrifié, n'osant aller ni en avant ni en arrière. Il me parut cependant plutôt disposé à s'enfuir encore qu'à s'approcher. Je l'appelai de nouveau et lui fis signe de venir, ce qu'il comprit facilement. Il fit alors quelques pas et s'arrêta, puis s'avança un peu plus et s'arrêta encore ; et je m'aperçus qu'il tremblait comme s'il eût été fait prisonnier et sur le point d'être tué comme ses deux ennemis. Je lui fis signe encore de venir à moi, et je lui donnai toutes les marques d'encouragement que je pus imaginer. De plus près en plus près il se risqua, s'agenouillant à chaque dix ou douze pas pour me témoigner sa reconnaissance de lui avoir sauvé la vie. Je lui souriais, je le regardais aimablement et l'invitais toujours à s'avancer. Enfin il s'approcha de moi ; puis, s'agenouillant encore, baisa la terre, mit sa tête sur la terre, prit mon pied et mit mon pied sur sa tête ; ce fut, il me semble, un serment juré d'être à jamais mon esclave. Je le relevai, je lui fis des caresses et le rassurai par tout ce que je pus. Mais la besogne n'était pas achevée ; car je m'aperçus alors que le sauvage que j'avais assommé n'était pas tué, mais seulement étourdi, et qu'il commençait à se remettre. Je le montrai du doigt à mon sauvage, en lui faisant remarquer qu'il n'était pas mort. Sur ce il me dit quelques mots, qui, bien que je ne les comprisse pas, me furent bien doux à entendre ; car c'était le premir son de voix humaine, la mienne exceptée, que j'eusse ouï depuis vingt-cinq ans. Mais l'heure de m'abandonner à de pareilles réflexions n'était pas venue : le sauvage abasourdi avait recouvré assez de force pour se mettre sur son séant, et je m'apercevais que le mien commençait à s'en effrayer. Quand je vis cela je pris mon second fusil et couchai en joue notre homme, comme si j'eusse voulu tirer sur lui. Là-dessus, mon sauvage, car dès lors je pouvais l'appeler ainsi, me demanda que je lui prêtasse mon sabre, qui pendait nu à mon côté ; je le lui donnai : il ne l'eut pas plus tôt, qu'il courut à son ennemi et d'un seul coup lui trancha la tête si adroitement qu'il n'y a pas en Allemagne un bourreau qui l'eût fait ni plus vite ni mieux. Je trouvai cela étrange pour un sauvage, que je supposais avec raison n'avoir jamais vu auparavant d'autres sabres que les sabres de bois de sa nation. Toutefois il paraît, comme je l'appris plus tard, que ces sabres sont si affilés, sont si pesants et d'un bois si dur, qu'ils peuvent d'un seul coup abattre une tête ou un bras. Après cet exploit il revint à moi, riant en signe de triomphe, et avec une foule de gestes que je ne compris pas il déposa à mes pieds mon sabre et la tête du sauvage.

Mais ce qui l'intrigua beaucoup, ce fut de savoir comment de si loin j'avais pu tuer l'autre Indien, et, me le montrant du doigt, il me fit des signes pour que je l'y laisse aller. Je lui répondis donc du mieux que je pus que je le lui permettais. Quand il s'en fut approché, il le regarda et demeura là comme un ébahi ; puis, le tournant tantôt d'un côté et tantôt d'un autre, il examina la blessure. La balle avait frappé juste dans la poitrine et avait fait un trou d'où peu de sang avant coulé ; sans doute il s'était épanché intérieurement, car il était bien mort. Enfin il lui prit son arc et ses flèches et s'en revint. Je me mis alors en devoir de partir et je l'invitai à me suivre, en lui donnant à entendre qu'il en pourrait survenir d'autres en plus grand nombre.

Sur ce il me fit signe qu'il voulait enterrer les deux cadavres, pour que les autres, s'ils accouraient, ne pussent les voir. Je le lui permis, et il se jeta à l'ouvrage. En un instant, il eut creusé avec ses mains un trou dans le sable assez grand pour y ensevelir le premier, qu'il y traîna et qu'il recouvrit ; il en fit de même pour l'autre. Je pense qu'il ne mit pas plus d'un quart d'heure à les enterrer tous les deux. Je le rappelai alors, et l'emmenai, non dans mon château, mais dans la caverne que j'avais plus avant dans l'île. Je fis ainsi mentir cette partie de mon rêve, qui lui donnait mon bocage pour abri.

Là je lui offris du pain, une grappe de raisin et de l'eau, dont je vis qu'il avait vraiment besoin à cause de sa course. Lorsqu'il se fut restauré, je lui fis signe d'aller se coucher et de dormir, en lui montrant un tas de paille de riz avec une couverture dessus, qui me servait quelquefois de lit. La pauvre créature se coucha donc et s'endormit.

C'était un grand beau garçon, svelte, et bien tourné et à mon estime d'environ vingt-six ans. Il avait un bon maintien, l'aspect ni arrogant ni farouche et quelque chose de très mâle dans la face ; cependant il avait aussi toute l'expression douce et molle d'un Européen, surtout quand il souriait. Sa chevelure était longue et noire, et non pas crépue comme de la laine. Son front était haut et large, ses yeux vifs et pleins de feu. Son teint n'était pas noir, mais très basané, sans rien avoir cependant de ce ton jaunâtre, cuivré et nauséabond des Brésiliens, des Virginiens et autres naturels de l'Amérique ; il approchait plutôt d'une légère couleur d'olive foncée, plus agréable en soi que facile à décrire. Il avait le visage rond et potelé, le nez petit et non pas aplati comme ceux des Nègres, la bouche belle, les lèvres minces, les dents fines, bien rangées et blanches comme ivoire.

Après avoir sommeillé plutôt que dormi environ une demi-heure, il s'éveilla et sortit de la caverne pour me rejoindre ; car j'étais allé traire mes chèvres, parquées dans l'enclos près de là. Quand il m'aperçut il vint à moi en courant, et se jeta à terre avec toutes les marques possibles d'une humble reconnaissance, qu'il manifestait par une foule de grotesques gesticulations. Puis il posa sa tête à plat sur la terre, prit l'un de mes pieds et le

“D'abord je lui fis savoir que son nom serait Vendredi, c'était le jour où je lui avais sauvé la vie, et je l'appelai ainsi en mémoire de ce jour”

posa sur sa tête, comme il avait déjà fait ; puis il m'adressa tous les signes imaginables d'assujettissement, de servitude et de soumission, pour me donner à connaître combien était grand son désir de s'attacher à moi pour la vie. Je le comprenais en beaucoup de choses, et je lui témoignais que j'étais fort content de lui.

En peu de temps je commençai à lui parler et à lui apprendre à me parler. D'abord je lui fis savoir que son nom serait Vendredi, c'était le jour où je lui avais sauvé la vie, et je l'appelai ainsi en mémoire de ce jour. Je lui enseignai également à m'appeler maître, à dire oui et non, et je lui appris ce que ces mots signifiaient. – Je lui donnai ensuite du lait dans un pot de terre ; j'en bus le premier, j'y trempai mon pain et lui donnai un gâteau pour qu'il fît de même : il s'en accommoda aussitôt et me fit signe qu'il trouvait cela fort bon.

Je demeurai là toute la nuit avec lui ; mais dès que le jour parut je lui fis comprendre qu'il fallait me suivre et que je lui donnerais des vêtements ; il parut charmé de cela, car il était absolument nu. Comme nous passions par le lieu où il avait enterré les deux hommes, il me le désigna exactement et me montra les marques qu'il avait faites pour le reconnaître, en me faisant signe que nous devrions les déterrer et les manger. Là-dessus je parus fort en colère ; je lui exprimai mon horreur en faisant comme si j'allais vomir à cette pensée, et je lui enjoignis de la main de passer outre, ce qu'il fit sur-le-champ avec une grande soumission. Je l'emmenai alors sur le sommet de la montagne, pour voir si les ennemis étaient partis ; et, braquant ma longue-vue, je découvris parfaitement la place où ils avaient été, mais aucune apparence d'eux ni de leurs canots. Il était donc positif qu'ils étaient partis et qu'ils avaient laissé derrière eux leurs deux camarades sans faire aucune recherche.

Mais cette découverte ne me satisfait pas : ayant alors plus de courage et conséquemment plus de curiosité, je pris mon Vendredi avec moi, je lui mis une épée à la main, sur le dos l'arc et les flèches dont je le trouvai très adroit à se servir ; je lui donnai aussi à porter un fusil pour moi ; j'en pris deux moi-même, et nous marchâmes vers le lieu où avaient été les sauvages, car je désirais en avoir de plus amples nouvelles. Quand j'y arrivai mon sang se glaça dans mes veines, et mon cœur défaillit à un horrible spectacle. C'était vraiment chose terrible à voir, du moins pour moi, car cela ne fit rien à Vendredi. La place était couverte d'ossements humains, la terre teinte de sang ; çà et là étaient des morceaux de chair mangés à moitié, déchirés et rôtis, en un mot toutes les traces d'un festin de triomphe qu'ils avaient fait là après une victoire sur les ennemis. Je vis trois crânes, cinq mains, les os de trois ou quatre jambes, des os de pieds et une foule d'autres parties du corps. Vendredi me fit entendre par ses signes que les sauvages avaient amené quatre prisonniers pour les manger, que trois l'avaient été, et, en se désignant lui-même, qu'il était le quatrième ; qu'il y avait eu une grande bataille entre eux et un roi leur voisin – dont, ce semble, il était le sujet –, qu'un grand nombre de prisonniers avaient été faits, et conduits en différents lieux par ceux qui les avaient pris dans la déroute, pour être mangés, ainsi que l'avaient été ceux débarqués par ces misérables.

Je commandai à Vendredi de ramasser ces crânes, ces os, ces tronçons et tout ce qui restait, de les mettre en un morceau et de faire un grand feu dessus pour les réduire en cendres. Je m'aperçus qu'il avait encore un violent appétit pour cette chair, et que son naturel était encore cannibale ; mais je lui montrai tant d'horreur à cette idée, à la moindre apparence de cet appétit, qu'il n'osa pas le découvrir : car je lui avais fait parfaitement comprendre que s'il le manifestait je le tuerais.

Lorsqu'il eut fait cela, nous nous en retournâmes à notre château, et là je me mis à travailler avec mon serviteur Vendredi. Avant tout je lui donnai une paire de caleçons de toile que j'avais tirée du coffre du pauvre canonnier dont il a été fait mention, et que j'avais trouvée dans le bâtiment naufragé : avec un léger changement, elle lui alla très bien. Je lui fabriquai ensuite une casaque de peau de chèvre aussi bien que me le permit mon savoir : j'étais devenu alors un assez bon tailleur ; puis je lui donnai un bonnet très commode et assez *fashionable*, que j'avais fait avec une peau de lièvre.

Ceci me donna souvent occasion d'observer, et avec étonnement, que si toutefois il avait plu à Dieu, dans sa sagesse et dans le gouvernement des œuvres de ses mains, de détacher un grand nombre de ses créatures du bon usage auquel sont applicables leurs facultés et les puissances de leur âme, il leur avait pourtant accordé les mêmes sentiments d'amitié et d'obligeance, les mêmes passions, le même ressentiment pour les outrages, le même sens de gratitude, de sincérité, de fidélité, enfin toutes les capacités pour faire et recevoir le bien, qui nous ont été données à nous-mêmes ; et que, lorsqu'il plaît à Dieu de leur envoyer l'occasion d'exercer leurs facultés, ces créatures sont aussi disposées, même mieux disposées que nous, à les appliquer au bon usage pour lequel elles leur ont été départies. Je devenais parfois très mélancolique lorsque je réfléchissais au médiocre emploi que généralement nous faisons de toutes ces facultés, quoique notre intelligence soit éclairée par ce flambeau de l'instruction, l'Esprit de Dieu, et que notre entendement soit agrandi par la connaissance de sa parole. Pourquoi, me demandais-je, plaît-il à Dieu de cacher cette connaissance salutaire à tant de millions d'âmes qui, à en juger par ce pauvre sauvage, en auraient fait un meilleur usage que nous ?

De là j'étais quelquefois entraîné si loin que je m'attaquais à la souveraineté de la Providence, et que j'accusais en quelque sorte sa justice d'une disposition assez arbitraire pour cacher la lumière aux uns, la révéler aux autres, et cependant attendre de tous les mêmes devoirs. Mais aussitôt je coupais court à ces pensées et les réprimais par cette conclusion : que nous ignorons selon quelle lumière et quelle loi seront condamnées ces créatures ; que Dieu étant par son essence infiniment saint et équitable, si elles étaient condamnées à ne le point connaître, c'était pour avoir péché contre cette lumière qui, comme dit l'Écriture, était une loi pour elles, et selon des règles que leur propre conscience aurait reconnues être justes, bien que le principe n'en fût point manifeste pour nous ; qu'enfin nous sommes tous « comme l'argile entre les mains du potier, à qui nul vase n'a droit de dire : Pourquoi m'as-tu fait ainsi ? »

Jonathan Swift

DUBLIN 1667 – DUBLIN 1745.

*Après avoir été pendant plusieurs années secrétaire de son parent sir William Temple, Swift entre dans les ordres et en 1694 est nommé pasteur. Il se mêle à des querelles politiques et publie des pamphlets retentissants : **la Bataille des livres, le Conte du Tonneau, les Lettres d'un drapier.** En 1713 il est nommé doyen de Saint-Patrick à Dublin où il écrit diverses œuvres dont ses célèbres **Voyages de Gulliver.** Homme sage, il conquiert l'estime, puis l'admiration des Irlandais. Quand il meurt en 1745 tout Dublin porte le deuil.*

ROMAN SATIRIQUE

.Les Voyages de Gulliver.

écrit en 1720, publié en 1726

*Roman divertissant et satirique, **Les Voyages de Gulliver** se composent de quatre parties : les quatre voyages de Gulliver. Après des études de médecine, Gulliver s'embarque comme chirurgien à bord d'un navire. Celui-ci donne sur un écueil. Gulliver est jeté sur un rivage inconnu : l'île de Lilliput. Le héros va s'initier aux mœurs de ce royaume dont les habitants mesurent six pouces. Il apprend que le royaume est divisé par des luttes intestines : Swift nous donne là une continuelle satire de l'Angleterre du XVIIIe siècle. Guerres civiles et comportements humains apparaissent dérisoires.*

Dans son second voyage Gulliver aborde sur une île habitée par des géants : ce qui paraissait dérisoire à Lilliput est ici dramatique et Gulliver risque à chaque pas sa vie.

Un troisième voyage conduit Gulliver à l'île volante de Laputa : là, la métaphysique, les sciences, les arts et l'industrie apparaissent comme des élucubrations de l'esprit humain. Enfin Gulliver relate son dernier voyage au pays des Houyhnhnm, une île où le cheval est le maître de l'homme. La satire se fait ici plus pessimiste.

PREMIER VOYAGE : L'ILE DE LILLIPUT

Les partis politiques et religieux à Lilliput :

Quinze jours après que j'eus obtenu ma liberté, *Keldresal,* secrétaire d'État pour le département des affaires particulières, se rendit chez moi, suivi d'un seul domestique. Il ordonna que son carrosse l'attendît à quelque distance, et me pria de lui donner un entretien d'une heure. Je lui offris de me coucher, afin qu'il pût être de niveau à mon oreille ; mais il aima mieux que je le tinsse dans ma main pendant la conversation. Il commença par me faire des compliments sur ma liberté, et me dit qu'il pouvait se flatter d'y avoir un peu contribué. Puis il ajouta que, dans l'intérêt que la cour y avait, je ne l'eusse pas si tôt obtenue ; car, dit-il, quelque florissant que notre État paraisse aux étrangers, nous avons deux grands fléaux à combattre : une faction puissante au dedans, et au dehors l'invasion dont nous sommes menacés par un ennemi formidable. A l'égard du premier, il faut que vous sachiez que, depuis plus de soixante et dix lunes, il y a eu deux partis opposés dans cet empire, sous les noms de *Tramecksan* et *Slamecksan,* termes empruntés des *hauts* et *bas talons* de leurs souliers, par lesquels ils se distinguent. On prétend, il est vrai, que les *hauts talons* sont les plus conformes à notre ancienne constitution ; mais, quoi qu'il en soit, Sa Majesté a résolu de ne se servir que des *bas talons* dans l'administration du gouvernement et dans toutes les charges qui sont à la disposition de la couronne. Vous pouvez même remarquer que les talons de Sa Majesté impériale sont plus bas, au moins d'un *drurr,* que ceux d'aucun de sa cour. (Le *drurr* est environ la quatorzième partie d'un pouce.)

La haine des deux partis, continua-t-il, est à un tel degré, qu'ils ne mangent ni ne boivent ensemble, et qu'ils ne se parlent point. Nous comptons que les *Tramecksans* ou *hauts talons* nous surpassent en nombre ; mais l'autorité est en nos mains. Hélas ! nous appréhendons que Son Altesse impériale, l'héritier apparent de la couronne, n'ait quelque penchant aux *hauts talons ;* au moins nous pouvons facilement voir qu'un de ses talons est plus haut que l'autre, ce qui le fait un peu clocher dans sa démarche.

Or, au milieu de ces dissenssions intestines, nous sommes menacés d'une invasion de la part de l'île de Blefuscu, qui est l'autre grand empire de l'univers, presque aussi grand et aussi puissant que celui-ci ; car, pour ce qui est de ce que nous avons entendu dire qu'il y a d'autres empires, royaumes et États dans le monde, habités par des créatures humaines aussi grosses et aussi grandes que vous, nos philosophes en doutent beaucoup, et aiment mieux conjecturer que vous êtes tombé de la lune ou d'une des étoiles, parce qu'il est certain qu'une centaine de mortels de votre grosseur consommeraient dans peu de temps tous les fruits et tous les bestiaux des États de Sa Majesté. D'ailleurs, nos historiens, depuis six mille lunes, ne font mention d'aucunes autres régions que des deux grands empires de Lilliput et de Blefuscu. Ces deux formidables puissances ont, comme j'allais vous dire, été engagées pendant trente-six lunes dans une guerre très opiniâtre, dont voici le sujet : tout le monde convient que la manière primitive de casser les œufs avant que nous les mangions, est de les casser au gros bout ; mais l'aïeul de Sa Majesté régnante, pendant qu'il était enfant, sur le point de manger un œuf, eut le malheur de se couper un des doigts ; sur quoi l'empereur son père donna un arrêt pour ordonner à tous ses sujets, sous de griëves peines, de casser leurs œufs par le petit bout. Le peuple fut si irrité de cette loi, que nos historiens racontent qu'il y eut, à cette occasion, six révoltes, dans lesquelles un empereur perdit la vie et un autre la couronne. Ces dissensions intestines furent toujours fomentées par les souverains de Blefuscu, et, quand les soulèvements furent réprimés, les coupables se réfugièrent dans cet empire. On suppute que onze mille hommes ont, à différentes époques, aimé mieux souffrir la mort que de se soumettre à la loi de casser leurs œufs par le petit bout. Plusieurs centaines de gros volumes ont été écrits et publiés sur cette matière ; mais les livres des *gros-boutiens* ont été défendus depuis longtemps, et tout leur parti a été déclaré, par les lois, incapable de posséder des charges. Pendant la suite continuelle de ces troubles, les empereurs de Blefuscu ont souvent fait des remontrances, par leurs ambassadeurs, nous accusant de faire un crime en violant un précepte fondamental de notre grand prophète *Lustrogg,* dans le cinquante-quatrième chapitre du *Brundecral* (ce qui est leur Alcoran). Cependant cela a été jugé n'être qu'une interprétation du sens du texte, dont voici les mots : *Que tous les fidèles casseront leurs œufs au bout le plus commode.* On doit, à mon avis, laisser décider à la conscience de chacun quel est le bout le plus commode, où, au moins, c'est à l'autorité du souverain magistrat d'en décider. Or, les *gros-boutiens* exilés ont trouvé tant de crédit dans la cour de l'empereur de Blefuscu, et tant de secours et d'appui dans notre pays même, qu'une guerre très sanglante a régné entre les deux empires pendant trente-six lunes à ce sujet, avec différents succès. Dans cette guerre, nous avons perdu 40 vaisseaux de ligne et un bien plus grand nombre de petits vaisseaux, avec 30.000 de nos meilleurs matelots et soldats ; l'on compte que la perte de l'ennemi n'est pas moins considérable. Quoi qu'il en soit, on arme à présent une flotte très redoutable, et on se prépare à faire une descente sur nos côtes. Or, sa Majesté impériale, mettant sa confiance en votre valeur, et ayant une haute idée de vos forces, m'a commandé de vous faire ce détail au sujet de ses affaires, afin de savoir quelles sont vos dispositions à son égard.

Je répondis au secrétaire que je le priais d'assurer l'empereur de mes très humbles respects, et de lui faire savoir que j'étais prêt à sacrifier ma vie pour défendre sa personne sacrée et son empire contre toutes les entreprises et invasions de ses ennemis. Il me quitta fort satisfait de ma réponse.

... Ensuite, le roi s'attacha à me questionner sur l'administration des finances, et me dit qu'il croyait que je m'étais mépris sur cet article, parce que je n'avais fait monter les impôts qu'à cinq ou six millions par an ; que cependant, la dépense de l'État allait beaucoup plus loin et excédait beaucoup la recette.

Il ne pouvait, dit-il, concevoir comment un royaume osait dépenser au-delà de son revenu et manger son bien comme un particulier. Il me demanda quels étaient nos créanciers, et où nous trouverions de quoi les payer ; si nous gardions à leur égard les lois de la nature, de la raison et de l'équité. Il était étonné du détail que je lui avais fait de nos guerres et des frais excessifs qu'elles exigeaient. Il fallait certainement, disait-il, que nous fussions un peuple bien inquiet et bien querelleur, ou que nous eussions de bien mauvais voisins. Qu'avez-vous à démêler, ajoutait-il, hors de vos îles ? Devez-vous y avoir d'autres affaires que celles de votre commerce ? devez-vous songer à faire des conquêtes ? et ne vous suffit-il pas de bien garder vos ports et vos côtes ? Ce qui l'étonna fort, ce fut d'apprendre que nous entretenions une armée dans le sein de la paix et au milieu d'un peuple libre. Il dit que, si nous étions gouvernés de notre propre consentement, il ne pouvait s'imaginer de qui nous avions peur, et contre qui nous avions à nous battre. Il demanda si la maison d'un particulier ne serait pas mieux défendue par lui-même, par ses enfants et par ses domestiques, que par une troupe de fripons et de coquins tirés au hasard de la lie du peuple, avec un salaire bien petit, et qui pourraient gagner cent fois plus en nous coupant la gorge.

Il rit beaucoup de ma bizarre arithmétique (comme il lui plut de l'appeler), lorsque j'avais supputé le nombre de notre peuple en calculant les différentes sectes qui sont parmi nous à l'égard de la religion et de la politique.

Il était extrêmement étonné du récit que je lui avait fait de notre histoire du dernier siècle ; ce n'était, selon lui, qu'un enchaînement horrible de conjurations, de rébellions, de meurtres, de massacres, de révolutions, d'exils, et des plus énormes effets que l'avarice, l'esprit de faction, l'hypocrisie, la perfidie, la cruauté, la rage, la folie, la haine, l'envie, la malice et l'ambition pouvaient produire.

Sa Majesté, dans une autre audience, prit la peine de récapituler la substance de tout ce que j'avais dit, compara les questions qu'elle m'avait faites avec les réponses que j'avais données ; puis, me prenant dans ses mains et me flattant doucement, s'exprima dans ces mots, que je n'oublierai jamais, non plus que la manière dont elle les prononça :

SECOND VOYAGE : L'ILE BROBDINGNAG

Gulliver aborde sur une île habitée par des géants. Il expose au Roi les mœurs et la politique de l'Angleterre.

« Mon petit ami *Grildrig*, vous avez fait un panégyrique très extraordinaire de votre pays : vous avez fort bien prouvé que l'ignorance, la paresse et le vice peuvent être quelquefois les seules qualités d'un homme d'État ; que les lois sont éclaircies, interprétées et appliquées le mieux du monde par des gens dont les intérêts et la capacité les portent à les corrompre, à les brouiller et à les éluder. Je remarque parmi vous une constitution de gouvernement qui, dans son origine, a peut-être été supportable, mais que le vice a tout à fait défigurée. Il ne me paraît pas même, par tout ce que vous m'avez dit, qu'une seule vertu soit requise pour parvenir à aucun rang ou à aucune charge parmi vous. Je vois que les hommes n'y sont point ennoblis par leur vertu ; que les prêtres n'y sont point avancés par leur piété ou leur science, les soldats par leur conduite ou leur valeur, les juges par leur intégrité, les sénateurs par l'amour de leur patrie, ni les hommes d'État par leur sagesse. Pour vous (continua le roi), qui avez passé la plupart de votre vie dans les voyages, je veux croire que vous n'êtes pas infecté des vices de votre pays ; mais, par tout ce que vous m'avez raconté d'abord et par les réponses que je vous ai obligé de faire à mes objections, je juge que la plupart de vos compatriotes sont la plus pernicieuse race d'insectes que la nature ait jamais souffert ramper sur la surface de la terre. »

"Je remarque parmi vous une constitution de gouvernement qui, dans son origine, a peut-être été supportable, mais que le vice a tout à fait défigurée"

... Mais il faut excuser un roi qui vit entièrement séparé du reste du monde, et qui, par conséquent, ignore les mœurs et les coutumes des autres nations. Ce défaut de connaissance sera toujours la cause de plusieurs préjugés et d'une certaine manière bornée de penser, dont le pays de l'Europe est exempt. Il serait ridicule que les idées de vertu et de vice d'un prince étranger et isolé fussent proposées pour des règles et pour des maximes à suivre.

Pour confirmer ce que je viens de dire et pour faire voir les effets malheureux d'une éducation bornée, je rapporterai ici une chose qu'on aura peut-être de la peine à croire. Dans la vue de gagner les bonnes grâces de Sa Majesté, je lui donnai avis d'une découverte faite depuis trois ou quatre cents ans, qui était une certaine petite poudre noire qu'une seule petite étincelle pouvait allumer en un instant, de telle manière qu'elle était capable de faire sauter en l'air des montagnes avec un bruit et un fracas plus grands que celui du tonnerre ; qu'une quantité de cette poudre étant mise dans un tube de bronze ou de fer, selon la grosseur, poussait une balle de plomb ou un boulet de fer avec une si grande violence et tant de vitesse, que rien n'était capable de soutenir sa force ; que les boulets, ainsi poussés et chassés d'un tube de fonte par l'inflammation de cette petite poudre, rompaient, renversaient, culbutaient les bataillons et les escadrons, abattaient les plus fortes murailles, faisaient sauter les plus grosses tours, coulaient à fond les plus gros vaisseaux ; que cette poudre, mise dans un globe de fer lancé avec une machine, brûlait et écrasait les maisons, et jetait de tous côtés des éclats qui foudroyaient tout ce qui se rencontrait ; que je savais la composition de cette poudre merveilleuse, où il n'entrait que des choses communes et à bon marché, et que je pourrais apprendre le même secret à ses sujets, si Sa Majesté le voulait ; que, par le moyen de cette poudre, Sa Majesté briserait les murailles de la plus forte ville de son royaume, si elle se soulevait jamais et osait lui résister ; que je lui offrais ce petit présent comme un léger tribut de ma reconnaissance.

Le roi, frappé de la description que je lui avais faite des effets terribles de ma poudre, paraissait ne pouvoir comprendre comment un insecte impuissant, faible, vil et rampant, avait imaginé une chose effroyable, dont il osait parler d'une manière si familière, qu'il semblait regarder comme des bagatelles le carnage et la désolation que produisait une invention si pernicieuse. « Il fallait, disait-il, que ce fût un mauvais génie, ennemi de Dieu et de ses ouvrages, qui en eût été l'auteur. » Il protesta que, quoique rien ne lui fît plus de plaisir que les nouvelles découvertes, soit dans la nature, soit dans les arts, il aimerait mieux perdre sa couronne que de faire usage d'un si funeste secret, dont il me défendit, sous peine de la vie, de faire part à aucun de ses sujets : effet pitoyable de l'ignorance et des bornes de l'esprit d'un prince sans éducation. Ce monarque, orné de toutes les qualités qui gagnent la vénération, l'amour et l'estime des peuples, d'un esprit fort et pénétrant, d'une grande sagesse, d'une profonde science, doué de talents admirables pour le gouvernement, et presque adoré de son peuple, se trouve sottement gêné par un scrupule excessif et bizarre, dont nous n'avons jamais eu d'idée en Europe, et laisse échapper une occasion qu'on lui met entre les mains de se rendre le maître absolu de la vie, de la liberté et des biens de tous ses sujets ! Je ne dis pas ceci dans l'intention de rabaisser les vertus et les lumières de ce prince, auquel je n'ignore pas néanmoins que ce récit fera tort dans l'esprit d'un lecteur anglais ; mais je m'assure que ce défaut ne venait que d'ignorance, ces peuples n'ayant pas encore réduit la politique en art, comme nos esprits sublimes de l'Europe.

QUATRIÈME VOYAGE : L'ILE DES HOUYHNHNM

Un autre naufrage a jeté Gulliver dans une île où le cheval est le maître de l'homme. Celui-ci, dégradé et asservi est devenu un yahou. Le cheval incarne toutes les vertus familiales, ignore le vice et la politique.

Comme j'ai passé trois années entières dans ce pays-là, le lecteur attend de moi, sans doute, qu'à l'exemple de tous les autres voyageurs, je fasse un ample récit des habitants de ce pays, c'est-à-dire des Houyhnhnms, et que j'expose en détail leurs usages, leurs mœurs, leurs maximes, leurs manières. C'est aussi ce que je vais tâcher de faire, mais en peu de mots.

Comme les Houyhnhnms, qui sont les maîtres et les animaux dominants dans cette contrée, sont tous nés avec une grande inclination pour la vertu, et n'ont pas même l'idée du mal par rapport à une créature raisonnable, leur principale maxime est de cultiver et de perfectionner leur raison et de la prendre pour guide dans toutes leurs actions. Chez eux, la raison ne produit point de problèmes comme parmi nous, et ne forme point d'arguments également vraisemblables pour et contre. Tout ce qu'ils disent porte la conviction dans l'esprit, parce qu'ils n'avancent rien d'obscur, rien de douteux, rien qui soit déguisé ou défiguré par les passions et par l'intérêt.

C'était une chose admirable que la bonne philosophie de ce cheval : Socrate ne raisonna jamais plus sensément. Si nous suivions ces maximes, il y aurait assurément, en Europe, moins d'erreurs qu'il n'y en a. Mais alors, que deviendraient nos bibliothèques ? que deviendraient la réputation de nos savants et le négoce de nos libraires ? La république des lettres ne serait que celle de la raison, et il n'y aurait, dans les universités, d'autres écoles que celles du bon sens.

Les Houyhnhnms s'aiment les uns les autres, s'aident, se soutiennent et se soulagent réciproquement ; ils ne se portent point envie ; ils ne sont point jaloux du bonheur de leurs voisins ; ils n'attentent point sur la liberté et sur la vie de leurs semblables ; ils se croieraient malheureux si quelqu'un de leur espèce l'était.

Ils ne médisent point les uns des autres ; la satire ne trouve chez eux ni principe ni objet ; les supérieurs n'accablent point les inférieurs du poids de leur rang et de leur autorité ; leur conduite sage, prudente et modérée ne produit jamais le murmure ; la dépendance est un lien et non un joug, et la puissance, toujours soumise aux lois de l'équité, est révérée sans être redoutable.

Je jouissais d'une santé parfaite et d'une paix d'esprit inaltérable. Je ne me voyais exposé ni à l'inconstance ou à la trahison des amis, ni aux pièges invisibles des ennemis cachés. Je n'étais point tenté d'aller faire honteusement ma cour à un grand seigneur pour avoir l'honneur de sa protection et de sa bienveillance. Je n'étais point obligé de me précautionner contre la fraude et l'oppression ; il n'y avait point là d'espion et de délateur gagé, ni de *lord mayor* crédule, politique, étourdi et malfaisant. Là, je ne craignais point de voir mon honneur flétri par des accusations absurdes, et ma liberté honteusement ravie par des complots indignes et par des ordres surpris. Il n'y avait point, en ce pays-là, de médecins pour m'empoisonner, de procureurs pour me ruiner, ni d'auteurs pour m'ennuyer. Je n'étais point environné de railleurs, de rieurs, de médisants, de censeurs, de calomniateurs, d'escrocs, de filous, de mauvais plaisants, de joueurs, d'impertinents nouvellistes, d'esprits forts, d'hypocondriaques, de babillards, de disputeurs, de gens de parti, de séducteurs, de faux savants. Là, point de marchands trompeurs, point de faquins, point de précieux ridicules, point d'esprits fades, point de damoiseaux, point de petits-maîtres, point de fats, point de traîneurs d'épée, point d'ivrognes, point de pédants. Mes oreilles n'étaient point souillées de discours licencieux et impies ; mes yeux n'étaient point blessés par la vue d'un maraud enrichi et élevé, et par celle d'un honnête homme abandonné à sa vertu comme à sa mauvaise destinée.

J'avais l'honneur de m'entretenir souvent avec messieurs les Houyhnhnms qui venaient au logis, et mon maître avait la bonté de souffrir que j'entrasse toujours dans la salle pour profiter de leur conversation. La compagnie me faisait quelquefois des questions, auxquelles j'avais l'honneur de répondre. J'accompagnais aussi mon maître dans ses visites, mais je gardais toujours le silence, à moins qu'on ne m'interrogeât. Je faisais le personnage d'auditeur avec une satisfaction infinie ; tout ce que j'entendais était utile et agréable, et toujours exprimé en peu de mots, mais avec grâce ; la plus exacte bienséance était observée sans cérémonie ; chacun disait et entendait ce qui pouvait lui plaire. On ne s'interrompait point, on ne s'assommait point de récits longs et ennuyeux, on ne discutait point, on ne chicanait point.

Ils avaient pour maxime que, dans une compagnie, il est bon que le silence règne de temps en temps, et je crois qu'ils avaient raison. Dans cet intervalle, et pendant cette espèce de trêve, l'esprit se remplit d'idées nouvelles, et la conversation en devient ensuite plus animée et plus vive. Leurs entretiens roulaient d'ordinaire sur les avantages et les agréments de l'amitié, sur les devoirs de la justice, sur la bonté, sur l'ordre, sur les opérations admirables de la nature, sur les anciennes traditions, sur les conditions et les bornes de la vertu, sur les règles invariables de la raison, quelquefois sur les délibérations de la prochaine assemblée du parlement, et souvent sur le mérite de leurs poètes et sur les qualités de la bonne poésie.

Je puis dire sans vanité que je fournissais quelquefois moi-même à la conversation, c'est-à-dire que je donnais lieu à de fort beaux raisonnements ; car mon maître les entretenait de temps en temps de mes aventures et de l'histoire de mon pays, ce qui leur faisait faire des réflexions fort peu avantageuses à la race humaine, et que, pour cette raison, je ne rapporterai point. J'observai seulement que mon maître paraissait mieux connaître la nature des yahous qui sont dans les autres parties du monde, que je ne la connaissais moi-même. Il découvrait la source de tous nos égarements, il approfondissait la matière de nos vices et de nos folies et devinait une infinité de choses dont je ne lui avais jamais parlé. Cela ne doit point paraître incroyable, il connaissait à fond les yahous de son pays, en sorte qu'en leur supposant un certain petit degré de raison, il supputait de quoi ils étaient capables avec ce surcroît, et son estimation était toujours juste.

Louis de Rouvroy, duc de

Saint-Simon

PARIS 1675 – PARIS 1755.

*Louis de Rouvroy entre aux mousquetaires en 1691. A dix-neuf ans naît en lui le projet de ses **Mémoires.** Ayant pris part aux campagnes d'Allemagne, il quitte l'armée en 1702. Il n'aime ni Louis XIV, ni ne grand Dauphin ; mais il s'attache au jeune duc de Bourgogne (dont la mort en 1712 le désespère), et à Philippe d'Orléans, qui deviendra Régent. Profond catholique, il fait de nombreuses retraites à Trappe, auprès de l'abbé de Rancé (ce Rancé dont Chateaubriand écrivit la vie). Il est ambassadeur d'Espagne deux ans, et à son retour en 1723 quitte la vie publique. Gabrielle de Lorge, son épouse qu'il adore, meurt en 1734 ; ses fils en 1746 et 1754 ; sa fille est infirme. Ses **Mémoires,** œuvre d'une vie, comptent plus de huit mille cinq cents personnages. Il est en outre l'auteur de nombre d'essais, dont le **Projet de gouvernement,** et le **Parallèle des trois rois.** La première édition véritablement complète des **Mémoires** ne fut publiée qu'en 1856.*

MÉMOIRES, HISTOIRE

.Mémoires.

1694 – 1752

*Composés de 1694 à 1752, les **Mémoires** couvrent donc la même période ; cependant ce n'est qu'à partir de 1702 que Saint-Simon donne des détails sur la vie à la Cour de Louis XIV. L'on est là tout à fait dans l'esprit des chroniqueurs : l'histoire est immédiate, et l'auteur ne tente jamais de ces synthèses commandées par telle ou telle conception du monde comme on en pratique aujourd'hui immanquablement. C'est ainsi qu'il donne pour origine de la guerre de la Ligue d'Ausbourg cette anecdote :*

La guerre de 1688 eut une étrange origine, dont l'anecdote, également certaine et curieuse, est si propre à caractériser le Roi et Louvois, son ministre, qu'elle doit tenir place ici. Louvois, à la mort de Colbert, avait eu sa surintendance des bâtiments. Le petit Trianon de porcelaine, fait autrefois pour Mme de Montespan, ennuyait le Roi, qui voulait partout des palais. Il s'amusait fort à ses bâtiments. Il avait aussi le compas dans l'œil, pour la justesse, les proportions, la symétrie ; mais le goût n'y répondait pas, comme on le verra ailleurs. Ce château ne faisait presque que sortir de terre, lorsque le Roi s'aperçut d'un défaut à une croisée qui s'achevait de former, dans la longueur du rez-de-chaussée. Louvois, qui naturellement était brutal, et de plus gâté jusqu'à souffrir difficilement d'être repris par son maître, disputa fort et ferme, et maintint que la croisée était bien. Le Roi tourna le dos, et s'alla promener ailleurs dans le bâtiment. Le lendemain il trouva Le Nôtre, bon architecte, mais fameux par le goût des jardins, qu'il a commencé à introduire en France et dont il a porté la perfection au plus haut point. Le Roi lui demanda s'il avait été à Trianon ; il répondit que non. Le Roi lui expliqua ce qui l'avait choqué, et lui dit d'y aller. Le lendemain même question, même réponse ; le jour d'après, autant. Le Roi vit bien qu'il n'osait s'exposer à trouver qu'il eût tort, ou à blâmer Louvois. Il se fâcha, et lui ordonna de se trouver le lendemain à Trianon lorsqu'il y irait, et où il ferait trouver Louvois aussi. Il n'y eut plus moyen de reculer. Le Roi les trouva le lendemain tous deux à Trianon. Il y fut d'abord question de la fenêtre. Louvois disputa ; Le Nôtre ne disait mot. Enfin le Roi lui ordonna d'aligner, de mesurer, et de dire après ce qu'il aurait trouvé. Tandis qu'il travaillait, Louvois, en furie de cette vérification, grondait tout haut, et soutenait avec aigreur que cette fenêtre était en tout pareille aux autres ; le Roi se taisait et attendait, mais il souffrait. Quand tout fut bien examiné, il demanda à Le Nôtre ce qui en était, et Le Nôtre à balbutier. Le Roi se mit en colère et lui commanda de parler net. Alors Le Nôtre avoua que le Roi avait raison, et dit ce qu'il avait trouvé de défaut. Il n'eut pas plus tôt achevé, que le Roi, se tournant à Louvois, lui dit qu'on ne pouvait tenir à ses opiniâtretés ; que, sans la sienne à lui, on aurait bâti de travers, et qu'il aurait fallu tout abattre aussitôt que le bâtiment aurait été achevé. En un mot, il lui lava fortement la tête. Louvois, outré de la sortie et de ce que courtisans, ouvriers et valets en avaient été témoins, arrive chez lui furieux. Il y trouva Saint-Pouenge, Villacerf, le chevalier de Nogent, les deux Tilladets, quelques autres féaux intimes, qui furent bien alarmés de le voir en cet état. « C'en est fait, leur dit-il, je suis perdu avec le Roi, à la façon dont il vient de me traiter pour une fenêtre. Je n'ai de ressources qu'une guerre qui le détourne de ses bâtiments et qui me rende nécessaire ; et par... ! il l'aura. » En effet, peu de mois après il tint parole, et, malgré le Roi et les autres puissances, il la rendit générale.

Saint-Simon est grandement admiré pour son style (par exemple par Stendhal, et Marcel Proust). Il excelle dans les portraits. Voici celui de Fénelon écrit en 1715 à l'occasion de sa mort :

Ce prélat était un grand homme maigre, bien fait, pâle, avec un grand nez, des yeux dont le feu et l'esprit sortaient comme un torrent, et une physionomie telle que je n'en ait point vu qui ressemblât, et qui ne se pouvait oublier, quand on ne l'aurait vue qu'une fois. Elle rassemblait tout, et les contraires ne s'y combattaient pas. Elle avait de la gravité et de la galanterie, du sérieux et de la gaieté ; elle sentait également le docteur, l'évêque et le grand seigneur ; ce qui y surnageait, ainsi que dans toute sa personne, c'était la finesse, l'esprit, les grâces, la décence, et surtout la noblesse. Il fallait effort pour cesser de le regarder. Tous ses portraits sont parlants, sans toutefois avoir pu attraper la justesse de l'harmonie qui frappait dans l'original, et la délicatesse de chaque caractère que ce visage rassemblait. Ses manières y répondaient dans la même proportion, avec une aisance qui en donnait aux autres, et cet air et de ce bon goût qu'on ne tient que de l'usage de la meilleure compagnie et du grand monde, qui se trouvait répandu de soi-même dans toutes ses conversations ; avec cela une éloquence naturelle, douce, fleurie ; une politesse insinuante, mais noble et proportionnée, une éloquence facile, nette, agréable ; un air de clarté et de netteté pour se faire entendre dans les matières les plus embarrassées et les plus dures ; avec cela un homme qui ne voulait jamais avoir plus d'esprit que ceux à qui il parlait, qui se mettait à la portée de chacun sans le faire jamais sentir, qui les mettait à l'aise et qui semblait enchanter, de façon qu'on ne pouvait le quitter, ni s'en défendre, ni ne pas chercher à le retrouver.

C'est ce talent si rare, et qu'il avait au dernier degré, qui lui tint tous ses amis si entièrement attachés toute sa vie, malgré sa chute, et qui, dans leur dispersion, les réunissait pour se parler de lui, pour le regretter, pour le désirer, pour se tenir de plus en plus à lui, comme les Juifs pour Jérusalem, et soupirer après son retour, et l'espérer toujours, comme ce malheureux peuple attend encore et soupire après le Messie. C'est aussi par cette autorité de prophète qu'il s'était acquise sur les siens, qu'il s'était accoutumé à une domination qui, dans sa douceur, ne voulait point de résistance. Aussi n'aurait-il pas longtemps souffert de compagnon s'il fût revenu à la cour et entré dans le conseil, qui fut toujours son grand but ; et, une fois ancré et hors des besoins des autres, il eût été bien dangereux, non seulement de lui résister, mais de n'être pas toujours pour lui dans la souplesse et dans l'admiration.

Retiré dans son diocèse, il y vécut avec la piété et l'application d'un pasteur, avec l'art et la magnificence d'un homme qui n'a renoncé à rien, qui se ménage tout le monde et toutes choses. Jamais homme n'a eu plus que lui la passion de plaire, et au valet autant qu'au maître ; jamais homme ne l'a portée plus loin, avec une application plus suivie, plus constante, plus universelle ; jamais homme n'y a plus entièrement réussi.

En 1706, le duc de Vendôme, de la famille royale, est commandant des armées d'Italie. Il vient à la cour, « mais avant de voir arriver un homme qui va prendre un ascendant si incroyable, et dont, jusqu'ici, je n'ai parlé qu'en passant, il est bon de le faire connaître davantage, et d'entrer même dans des détails qui ont de quoi surprendre, et que le peindront d'après nature » :

Il était d'une taille ordinaire pour la hauteur, un peu gros, mais vigoureux, fort et alerte ; un visage fort noble et l'air haut, de la grâce naturelle dans le maintien et dans la parole, beaucoup d'esprit naturel, qu'il n'avait jamais cultivé, une énonciation facile, soutenue d'une hardiesse naturelle, qui se tourna depuis en audace la plus effrénée ; beaucoup de connaissance du monde, de la cour, des personnages successifs, et, sous une apparente incurie, un soin et une adresse continuelle à en profiter en tout genre ; surtout admirable courtisan, et qui sut tirer avantage jusque de ses plus grands vices ; à l'abri du faible du Roi pour sa naissance ; poli par art, mais avec un choix et une mesure avare, insolent à l'excès dès qu'il crut le pouvoir oser impunément, et, en même temps, familier et populaire avec le commun par une affectation qui voilait sa vanité et le faisait aimer du vulgaire ; au fond, l'orgueil même, et un orgueil qui voulait tout, qui dévorait tout. A mesure que son rang s'éleva et que sa faveur augmenta, sa hauteur, son peu de ménagement, son opiniâtreté jusqu'à l'entêtement, tout cela crût à proportion, jusqu'à se rendre inutile toute espèce d'avis, et se rendre inaccessible qu'à un nombre très petit de familiers, et à ses valets. La louange, puis l'admiration, enfin l'adoration, furent le canal unique par lequel on pût approcher ce demi-dieu, qui soutenait des thèses ineptes sans que personne osât, non pas contredire, mais ne pas approuver.

Il connut et abusa plus que personne de la bassesse du Français. Peu à peu il accoutuma les subalternes, puis, de l'un à l'autre, toute son armée, à ne l'appeler plus que *Monseigneur* et *Votre Altesse*. En moins de rien, cette gangrène gagna jusqu'aux lieutenants généraux et aux gens les plus distingués, dont pas un, comme des moutons à l'exemple les uns des autres, n'osa plus lui parler autrement, et qui, d'usage ayant passé en droit, y auraient hasardé l'insulte, si quelqu'un d'eux se fût avisé de lui parler autrement. Ce qui est prodigieux à qui a connu le Roi galant aux dames une si longue partie de sa vie, dévot l'autre, souvent avec importunité pour autrui, et, dans toutes ces deux parties de sa vie, plein d'une juste, mais d'une singulière horreur pour tous les habitants de Sodome, et jusqu'au moindre soupçon de ce vice, M. de Vendôme y fut plus salement plongé toute sa vie que personne, et si publiquement, que lui-même n'en faisait pas plus de façon que de la plus légère et de la plus ordinaire galanterie, sans que le Roi, qui l'avait toujours su, l'eût jamais trouvé mauvais, ni qu'il en eût été moins bien avec lui. Ce scandale le suivit toute sa vie à la cour, à Anet, aux armées. Ses valets et des officiers subalternes satisfirent toujours cet horrible goût, étaient connus pour tels, et, comme tels, étaient courtisés des familiers de M. de Vendôme et de ce qui voulait s'avancer auprès de lui. (...) Sa paresse était à un point qui ne se peut concevoir : il a pensé être enlevé plus d'une fois pour s'être opiniâtré dans un logement plus commode, mais trop éloigné, et risqué les succès de ses campagnes, donné même des avantages considérables à l'ennemi, par ne se pouvoir résoudre à quitter un camp où il se trouvait logé à son aise. Il voyait peu à l'armée par lui-même ; il s'en fiait à ses familiers, que très souvent encore il n'en croyait pas. Sa journée, dont il ne pouvait troubler l'ordre ordinaire, ne lui permettait guère de faire autrement. Sa saleté était extrême ; il en tirait vanité : les sots le trouvaient un homme simple. Il était plein de chiens et de chiennes dans son lit, qui y faisaient leurs petits à ses côtés. Lui-même ne s'y contraignait de rien. Une de ses thèses était que tout le monde en usait de même, mais n'avait pas la bonne foi d'en convenir comme lui. Il le soutint un jour à Mme la princesse de Conti, la plus propre personne du monde et la plus recherchée dans sa propreté.

Il se levait assez tard à l'armée, se mettait sur sa chaise percée, y faisait ses lettres et y donnait ses ordres du matin. Qui avait affaire à lui, c'est-à-dire pour les officiers généraux et les gens distingués, c'était le temps de lui parler. Il avait accoutumé l'armée à cette infamie. Là, il déjeunait à fonds, et souvent avec deux ou trois familiers, rendait d'autant, soit en mangeant, soit en écoutant, ou en donnant ses ordres ; et toujours avec force spectateurs debout. Il faut passer ces honteux détails pour le bien connaître. Il rendait beaucoup ; quand le bassin était plein à répandre, on le tirait et on le passait sous le nez de toute la compagnie pour l'aller vider, et souvent plus d'une fois. Les jours de barbe, le même bassin dans lequel il venait de se soulager servait à lui faire la barbe. C'était une simplicité de mœurs, selon lui, digne des premiers Romains, et qui condamnait tout le faste et le superflu des autres. Tout cela fini, il s'habillait, puis jouait gros jeu au piquet ou à l'hombre ; ou, s'il fallait absolument monter à cheval pour quelque chose, c'en était le temps. L'ordre donné au retour, tout était fini chez lui. Il soupait avec ses familiers largement : il était grand mangeur, d'une gourmandise extraordinaire, ne se connaissait à aucun mets, aimait fort le poisson, et mieux le passé et souvent le puant, que le bon. La table se prolongeait en thèses, en disputes, et, par-dessus tout, louanges, éloges, hommages toute la journée et de toutes parts.

Il n'aurait pardonné le moindre blâme à personne : il voulait passer pour le premier capitaine de son siècle, et parlait indécemment du prince Eugène et de tous les autres ; la moindre contradiction eût été un crime. Le soldat et le bas officier l'adoraient pour sa familiarité avec eux et la licence qu'il tolérait pour s'en gagner les cœurs, dont il se dédommageait par une hauteur sans mesure avec tout ce qui était élevé en grade ou en naissance. Il traitait à peu près de même ce qu'il y avait de plus grand en Italie, qui avait si souvent affaire à lui.

C'est ce qui fit la fortune du fameux Alberoni. Le duc de Parme eut à traiter avec M. de Vendôme : il lui envoya l'évêque de Parme, qui se trouva bien surpris d'être reçu par M. de Vendôme sur sa chaise percée... Il en fut si indigné que, toutefois sans mot dire, il s'en retourna à Parme sans finir ce qu'il l'avait amené, et déclara à son maître qu'il n'y retournerait de sa vie après ce qui lui était arrivé. Alberoni était fils d'un jardinier, qui, se sentant de l'esprit, avait pris un petit collet, pour, sous une figure d'abbé, aborder où son sarrau de toile eût été sans accès. Il était bouffon : il plut à M. de Parme comme un bas valet dont on s'amuse : en s'en amusant il lui trouva de l'esprit, et qu'il pouvait n'être pas incapable d'affaires. Il ne crut pas que la chaise percée de M. de Vendôme demandât un autre envoyé ; il le chargea d'aller continuer et finir ce que l'évêque de Parme avait laissé à achever.

Alberoni, qui n'avait point de morgue à garder, et qui savait très bien quel était Vendôme, résolut de lui plaire à quelque prix que ce fût pour venir à bout de sa commission au gré de son maître, et de s'avancer par là auprès de lui. Il traita donc avec M. de Vendôme sur sa chaise percée, égaya son affaire par des plaisanteries qui firent d'autant mieux rire le général qu'il l'avait préparé par force louanges et hommages. Vendôme en usa avec lui comme il avait fait avec l'évêque, il se torcha le cul devant lui. A cette vue, Alberoni s'écria : *O culo di angelo !* et courut le baiser. Rien n'avança plus ses affaires que cette infâme bouffonnerie.

En 1711 meurt de la petite vérole à Meudon le Grand Dauphin, appelé Monseigneur, fils aîné de Louis XIV. Saint-Simon est du parti de son fils, le duc de Bourgogne, qui par la mort de son père devient l'héritier présomptif. A la nouvelle de cette mort, Saint-Simon qui est à Versailles se rend à l'appartement de la duchesse de Bourgogne ; il y a du monde :

Tous les assistants étaient des personnages vraiment expressifs ; il ne fallait qu'avoir des yeux, sans aucune connaissance de la cour, pour distinguer les intérêts peints sur les visages, ou le néant de ceux qui n'étaient de rien : ceux-ci tranquilles à eux-mêmes, les autres pénétrés de douleur ou de gravité et d'attention sur eux-mêmes pour cacher leur élargissement et leur joie.

Mon premier mouvement fut de m'informer à plus d'une fois, de ne croire qu'à peine au spectacle et aux paroles, ensuite de craindre trop peu de cause pour tant d'alarme, enfin de retour sur soi-même par la considération de la misère commune à tous les hommes, et que moi-même je me trouverais un jour aux portes de la mort. La joie, néanmoins, perçait à travers les réflexions momentanées de religion et d'humanité par lesquelles j'essayais de me rappeler ; ma délivrance particulière me semblait si grande et si inespérée, qu'il me semblait, avec une évidence encore plus parfaite que la vérité, que l'État gagnait tout en une telle perte. Parmi ces pensées, je sentais malgré moi un reste de crainte que le malade en réchappât, et j'en avais une extrême honte.

Enfoncé de la sorte en moi-même, je ne laissai pas de mander à Mme de Saint-Simon qu'il était à propos qu'elle vînt, et de percer de mes regards clandestins chaque visage, chaque maintien, chaque mouvement, d'y délecter ma curiosité, d'y nourrir les idées que je m'étais formées de chaque personnage, qui ne m'ont jamais guère trompé, et de tirer de justes conjectures de la vérité de ces premiers élans dont on est si rarement maître, et qui par là, à qui connaît la carte et les gens, deviennent des indications sûres des liaisons et des sentiments les moins visibles en tous autres temps rassis. (...)

Dans la chambre et par tout l'appartement, on lisait apertement sur les visages. Monseigneur n'était plus ; on le savait, on le disait ; nulle contrainte ne retenait plus à son égard, et ces premiers moments étaient ceux des premiers mouvements peints au naturel, et pour lors affranchis de toute politique, quoique avec sagesse, par le trouble, l'agitation, la surprise, la foule, le spectacle confus de cette nuit si rassemblée.

Les premières pièces offraient les mugissements contenus des valets, désespérés de la perte d'un maître si fait exprès pour eux, et pour les consoler d'une autre qu'ils ne prévoyaient qu'avec transissement, et qui, par celle-ci, devenait la leur propre. Parmi eux s'en remarquaient d'autres des plus éveillés de gens principaux de la cour, qui étaient accourus aux nouvelles, et qui montraient bien à leur air, de quelle boutique ils étaient balayeurs.

Plus avant commençait la foule des courtisans de toute espèce. Le plus grand nombre, c'est-à-dire les sots, tiraient des soupirs de leurs talons, et, avec des yeux égarés et secs, louaient Monseigneur, mais toujours de la même louange, c'est-à-dire de bonté, et plaignaient le roi de la perte d'un si bon fils. Les plus fins d'entre eux, ou les plus considérables, s'inquiétaient déjà de la santé du roi ; ils se savaient bon gré de conserver tant de jugement parmi ce trouble, et n'en laissaient pas douter par la fréquence de leurs répétitions. D'autres, vraiment affligés, et de cabale frappée, pleuraient amèrement, ou se contenaient avec un effort aussi aisé à remarquer que les sanglots. Les plus forts de ceux-là, ou les plus politiques, les yeux fichés à terre, et reclus en des coins méditaient profondément aux suites d'un événement si peu attendu, et bien davantage sur eux-mêmes. Parmi ces diverses sortes d'affligés point ou peu de propos, de conversation nulle, quelque exclamation parfois échappée à la douleur, et parfois répondue, par une douleur voisine un mot en un quart d'heure, des yeux sombres ou hagards, des mouvements de mains moins rares qu'involontaires, immobilité du reste presque entière ; les simples curieux et peu soucieux presque nuls, hors les sots qui avaient le caquet en partage ; les questions et le redoublement du désespoir des affligés, et l'importunité pour les autres. Ceux qui déjà regardaient cet événement comme favorable avaient beau pousser la gravité jusqu'au maintien chagrin et austère ; le tout n'était qu'un voile clair, qui n'empêchait pas de bons yeux de remarquer et de distinguer tous leurs traits. Ceux-ci se tenaient aussi tenaces en place que les plus touchés, en garde contre l'opinion, contre la curiosité, contre leur satisfaction, contre leurs mouvements ; mais leurs yeux suppléaient au peu d'agitation de leurs corps. Des changements de posture, comme des gens peu assis ou mal debout ; un certain soin de s'éviter les uns les autres, même de se rencontrer des yeux ; les accidents momentanés qui arrivaient de ces rencontres ; un je ne sais quoi de plus libre en toute la personne, à travers le soin de se tenir et de se composer ; un vif, une sorte d'étincelant autour d'eux, les distinguait malgré qu'ils en eussent.

En 1717, le tsar Pierre le Grand, souverain « éclairé » et réformateur de la Russie, séjourne à Paris. Saint-Simon le peint :

C'était un fort grand homme, très bien fait, assez maigre, le visage assez de forme ronde ; un grand front ; de beaux sourcils ; le nez assez court sans rien de trop, gros par le bout ; les lèvres assez grosses ; le teint rougeâtre et brun ; de beaux yeux noirs, grands, vifs, perçants, bien fendus ; le regard majestueux et gracieux quand il y prenait garde, sinon sévère et farouche, avec un tic qui ne revenait pas souvent, mais qui lui démontait les yeux et toute la physionomie, et qui donnait de la frayeur.

Cela durait un moment avec un regard égaré et terrible, et se remettait aussitôt. Tout son air marquait son esprit, sa réflexion et sa grandeur, et ne manquait pas d'une certaine grâce. Il ne portait qu'un col de toile, une perruque ronde, brune, comme sa poudre, qui ne touchait pas ses épaules, un habit brun juste au corps, uni, à boutons d'or, veste, culotte, bas, point de gants ni de manchettes, l'étoile de son ordre sur son habit et le cordon par-dessous, son habit souvent déboutonné tout à fait, son chapeau sur une table et jamais sur sa tête, même dehors. Dans cette simplicité, quelque mal voituré et accompagné qu'il pût être, on ne s'y pouvait méprendre à l'air de grandeur qui lui était naturel.

Ce qu'il buvait et mangeait en deux repas réglés est inconcevable, sans compter ce qu'il avalait de bière, de limonade et d'autres sortes de boissons entre les repas, toute sa suite encore davantage ; une bouteille ou deux de bière, autant et quelquefois davantage de vin, des vins de liqueur après, à la fin du repas des eaux-de-vie préparées, chopine et quelquefois pinte. C'était à peu près l'ordinaire de chaque repas. Sa suite à sa table en avalait davantage, et ils mangeaient tous à l'avenant à onze heures du matin et à huit du soir. Quand la mesure n'était pas plus forte, il n'y paraissait pas. Il y avait un prêtre aumônier qui mangeait à la table du tsar, plus fort de moitié que pas un, dont le tsar, qui l'aimait, s'amusait beaucoup. Le prince Kurakin allait tous les jours à l'hôtel de Lesdiguières, mais il demeura logé chez lui.

Le tsar entendait bien le français, et, je crois, l'aurait parlé s'il eût voulu ; mais, par grandeur, il avait toujours un interprète. Pour le latin et bien d'autres langues, il les parlait très bien. Il eut chez lui une salle des gardes du roi, dont il ne voulut presque jamais être suivi dehors. Il ne voulut point sortir de l'hôtel de Lesdiguières, quelque curiosité qu'il eût, ni donner aucun signe de vie, qu'il n'y eût reçu la visite du roi.

Le samedi matin, lendemain de son arrivée, le régent alla voir le tsar. Ce monarque sortit de son cabinet, fit quelques pas au-devant de lui, l'embrassa avec un grand air de supériorité, lui montra la porte de son cabinet, et, se tournant à l'instant sans nulle civilité, y entra. Le régent l'y suivit, et le prince Kurakin après lui, pour leur servir d'interprète. Ils trouvèrent deux fauteuils vis-à-vis l'un de l'autre ; le tsar s'assit en celui du haut, le régent dans l'autre. La conversation dura près d'une heure, sans parler d'affaires, après quoi le tsar sortit de son cabinet, le régent après lui, qui, avec une profonde révérence médiocrement rendue, le quitta au même endroit où il l'avait trouvé en entrant.

Pierre Carlet de Chamblain de

Marivaux

PARIS 1688 – PARIS 1763.

Dès l'âge de 18 ans, Marivaux fait jouer à Limoges sa première pièce : **Le Père prudent et équitable.** *Puis il étudie le droit ; adhère au groupe des* **Modernes** *et collabore à leur journal* **Le Nouveau Mercure.** *En 1717 il épouse Mlle Colombe Bologne. Il parodie les romans précieux dans ses premières œuvres :* **Pharsamon ou les Folies amoureuses, Les Aventures de xxx ou les Effets surprenants de la sympathie ;** *il compose deux comédies pour les Italiens, et une tragédie,* **La Mort d'Annibal** *pour le Théâtre français. En 1720 il est ruiné par la banqueroute de Law et devient un homme de Lettres professionnel. Il excelle dans trois domaines, le journalisme, le théâtre, et le roman. Il écrit des articles pour* **Le Spectateur français, l'Indigent Philosophe, Le Cabinet du Philosophe.** *Il compose de nombreuses pièces de théâtre dont les principales sont* **La Double Inconstance** *(1723),* **Le Jeu de l'amour et du hasard** *(1730) et* **Les Fausses Confidences** *(1737). Enfin il écrit deux romans,* **La Vie de Marianne** *(1731) et* **Le Paysan parvenu** *(1736). Sa vie est celle d'un auteur célèbre. Sa fille unique entre au couvent en 1745 ; après la mort de sa femme il se lie avec Mlle de Saint-Jean et finit sa vie à ses côtés.*

THÉATRE

Marivaux crée la comédie de sentiment. Lorsqu'il entreprend d'écrire, on n'accorde pas encore le libre choix du mariage aux enfants, mais l'on commence à blâmer certaines unions artificielles. Marivaux étudie la naissance de l'amour. Bien souvent les obstacles ne sont pas extérieurs, mais se trouvent intériorisés : « J'ai guetté dans le cœur humain toutes les niches différentes où peut se cacher l'amour lorsqu'il craint de se montrer, et chacune de mes comédies a pour objet de le faire sortir d'une de ses niches » écrit Marivaux.

.Le Jeu de l'amour et du hasard.

1730

Cette comédie des méprises repose sur une inversion. Le père de Dorante et le père de Silvia ont décidé le mariage de leurs enfants. Silvia et Dorante échangent leurs vêtements avec leurs serviteurs (Lisette et Arlequin). Silvia, déguisée en Lisette, méprise celui qu'elle croit être Dorante (Arlequin) et aime celui qu'elle croit être Arlequin-Bourguignon (Dorante). Quiproquos s'enchevêtrent jusqu'au dénouement final : l'amour et le hasard rejoignent la prédestination.

Lisette et Arlequin se prennent mutuellement pour des personnes de qualité, se plaisent. Arlequin fait sa cour :

"Eh bien, Monsieur, je vous aime, Eh bien, Madame, je me meurs"

ARLEQUIN.

A propos de mon amour, quand est-ce que le vôtre lui tiendra compagnie ?

LISETTE.

Il faut espérer que cela viendra.

ARLEQUIN.

Et croyez-vous que cela vienne ?

LISETTE.

La question est vive ; savez-vous bien que vous m'embarrassez ?

ARLEQUIN.

Que voulez-vous ? Je brûle, et je crie au feu.

LISETTE.

S'il m'était permis de m'expliquer si vite...

ARLEQUIN.

Je suis du sentiment que vous le pouvez en conscience.

LISETTE.

La retenue de mon sexe ne le veut pas.

ARLEQUIN.

Ce n'est donc pas la retenue d'à présent, qui donne bien d'autres permissions.

LISETTE.

Mais que me demandez-vous ?

ARLEQUIN.

Dites-moi un petit brin que vous m'aimez ; tenez, je vous aime, moi ; faites l'écho ; répétez, Princesse.

LISETTE.

Quel insatiable ! Eh bien, Monsieur, je vous aime.

ARLEQUIN.

Eh bien, Madame, je me meurs ; mon bonheur me confond, j'ai peur d'en courir les champs. Vous m'aimez, cela est admirable.

LISETTE.

J'aurais lieu à mon tour d'être étonnée de la promptitude de votre hommage. Peut-être m'aimerez-vous moins quand nous nous connaîtrons mieux.

ARLEQUIN.

Ah ! Madame, quand nous serons là, j'y perdrai beaucoup, il y aura bien à décompter.

LISETTE.

Vous me croyez plus de qualités que je n'en ai.

ARLEQUIN.

Et vous, Madame, vous ne savez pas les miennes, et je ne devrais vous parler qu'à genoux.

LISETTE.

Souvenez-vous qu'on n'est pas les maîtres de son sort.

ARLEQUIN.

Les pères et mères font tout à leur tête.

LISETTE.

Pour moi, mon cœur vous aurait choisit, dans quelque état que vous eussiez été.

ARLEQUIN.

Il a beau jeu pour me choisir encore.

LISETTE.

Puis-je me flatter que vous soyez de même à mon égard ?

ARLEQUIN.

Hélas ! quand vous ne seriez que Perrette ou Margot ; quand je vous aurais vue, le martinet à la main, descendre à la cave, vous auriez toujours été ma Princesse.

LISETTE.

Puissent de si beaux sentiments être durables !

ARLEQUIN.

Pour les fortifier de part et d'autre, jurons-nous de nous aimer toujours, en dépit de toutes les fautes d'orthographe que vous aurez faites sur mon compte.

LISETTE.

J'ai plus d'intérêt à ce serment-là que vous, et je le fais de tout mon cœur.

ARLEQUIN *se met à genoux.*

Votre bonté m'éblouit, et je me prosterne devant elle.

LISETTE.

Arrêtez-vous ; je ne saurais vous souffrir dans cette posture-là, je serais ridicule de vous y laisser ; levez-vous.

ACTE II, SCÈNE 5

De leur côté, Silvia et Dorante se prennent mutuellement pour des domestiques. Ils sont surpris de trouver tant de distinction l'un chez l'autre ; Silvia ne veut pas admettre l'inclination qu'elle éprouve pour Dorante, qui se fait appeler Bourguignon :

DORANTE.

Lisette, quelque éloignement que tu aies pour moi, je suis forcé de te parler, je crois que j'ai à me plaindre de toi.

SILVIA.

Bourguignon, ne nous tutoyons plus, je t'en prie.

DORANTE.

Comme tu voudras.

SILVIA.

Tu n'en fais pourtant rien.

DORANTE.

Ni toi non plus, tu me dis : je t'en prie.

SILVIA.

C'est que cela m'est échappé.

DORANTE.

Eh bien, crois-moi, parlons comme nous pourrons ; ce n'est pas la peine de nous gêner pour le peu de temps que nous avons à nous voir. (...)

SILVIA.

Venons à ce que tu voulais me dire ; tu te plaignais de moi quand tu es entré, de quoi était-il question ?

DORANTE.

De rien, d'une bagatelle, j'avais envie de te voir, et je crois que je n'ai pris qu'un prétexte.

SILVIA, *à part.*

Que dire à cela ? Quand je m'en fâcherais, il n'en serait ni plus ni moins.

DORANTE.

Ta maîtresse en partant a paru m'accuser de t'avoir parlé au désavantage de mon maître.

SILVIA.

Elle se l'imagine, et si elle t'en parle encore, tu peux le nier hardiment, je me charge du reste.

DORANTE.

Eh, ce n'est pas cela qui m'occupe !

SILVIA.

Si tu n'as que cela à me dire, nous n'avons plus que faire ensemble.

DORANTE.

Laissez-moi du moins le plaisir de te voir.

SILVIA.

Le beau motif qu'il me fournit là ! J'amuserai la passion de Bourguignon ! Le souvenir de tout ceci me fera bien rire un jour.

DORANTE.

Tu me railles, tu as raison, je ne sais ce que je dis, ni ce que je te demande. Adieu.

SILVIA.

Adieu, tu prends le bon parti... Mais, à propos de tes adieux, il me reste encore une chose à savoir : vous partez, m'as-tu dit, cela est-il sérieux ?

DORANTE.

Pour moi, il faut que je parte, ou que la tête me tourne.

SILVIA.

Je ne t'arrêtais pas pour cette réponse-là, par exemple.

DORANTE.

Et je n'ai fait qu'une faute, c'est de n'être pas parti dès que je t'ai vue.

SILVIA, *à part.*

J'ai besoin à tout moment d'oublier que je l'écoute.

DORANTE.

Si tu savais, Lisette, l'état où je me trouve...

SILVIA.

Oh ! il n'est pas si curieux à savoir que le mien, je t'en assure. [...]

DORANTE.

Il est donc bien vrai que tu ne me hais, ni ne m'aimes, ni ne m'aimeras ?

SILVIA.

Sans difficulté.

DORANTE.

Sans difficulté ! Qu'ai-je donc de si affreux ?

SILVIA.

Rien, ce n'est pas là ce qui te nuit.

DORANTE.

Eh bien, chère Lisette, dis-le moi cent fois, que tu ne m'aimeras point.

SILVIA.

Oh, je te l'ai assez dit, tâche de me croire.

DORANTE.

Il faut que je le croie ! Désespère une passion dangereuse, sauve-moi des effets que j'en crains ; tu ne me hais, ni ne m'aimes, ni ne m'aimeras ! accable mon cœur de cette certitude-là. J'agis de bonne foi, donne-moi du secours contre moi-même, il m'est nécessaire, je te le demande à genoux. *(Il se jette à genoux. Dans ce moment, M. Orgon et Mario entrent et ne disent mot.)*

SILVIA.

Ah, vous y voilà ! il ne manquait plus que cette façon-là à mon aventure ; que je suis malheureuse ! c'est ma facilité qui le place là ; lève-toi donc Bourguignon, je t'en conjure ; il peut venir quelqu'un. Je dirai ce qu'il te plaira, que me veux-tu ? je ne te hais point, lève-toi, je t'aimerais si je pouvais, tu ne me déplais point, cela doit te suffire.

DORANTE.

Quoi ! Lisette, si je n'étais pas ce que je suis, si j'étais riche, d'une condition honnête, et que je t'aimasse autant que je t'aime, ton cœur n'aurait point de répugnance pour moi ?

SILVIA.

Assurément.

DORANTE.

Tu ne me haïrais pas, tu me souffrirais ?

SILVIA.

Volontiers, mais lève-toi.

DORANTE.

Tu parais le dire sérieusement ; et si cela est, ma raison est perdue.

ACTE II, SCÈNE 9

Dorante est maintenant le seul qui ignore les rapports réels des personnages. Silvia s'efforce d'obtenir de Dorante qu'il l'épouse en la prenant pour une suivante :

DORANTE.

Peux-tu douter encore que je ne t'adore ?

SILVIA.

Non, et vous me le répétez si souvent que je vous crois, mais pourquoi m'en persuadez-vous ? que voulez-vous que je fasse de cette pensée-là, Monsieur ? Je vais vous parler à cœur ouvert. Vous m'aimez, mais votre amour n'est pas une chose bien sérieuse pour vous. Que de ressources n'avez-vous pas pour vous en défaire ! La distance qu'il y a de vous à moi, mille objets que vous allez trouver sur votre chemin, l'envie qu'on aura de vous rendre sensible, les amusements d'un homme de votre condition, tout va vous ôter cet amour dont vous m'entretenez impitoyablement. Vous en rirez peut-être au sortir d'ici, et vous aurez raison. Mais moi, Monsieur, si je m'en ressouviens, comme j'en ai peur, s'il m'a frappée, quel secours aurai-je contre l'impression qu'il m'aura faite ? Qui est-ce qui me dédommagera de votre perte ? Qui voulez-vous que mon cœur mettre à votre place ? Savez-vous bien que, si je vous aimais, tout ce qu'il y a de plus grand dans le monde ne me toucherait plus ? Jugez donc de l'état où je resterais ; ayez la générosité de me cacher votre amour. Moi qui vous parle, je me ferais un scrupule de vous dire que je vous aime, dans les dispositions où vous êtes ; l'aveu de mes sentiments pourrait exposer votre raison, et vous voyez bien aussi que je vous les cache.

DORANTE.

Ah ! ma chère Lisette, que viens-je d'entendre ? tes paroles ont un feu qui me pénètre ; je t'adore, je te respecte. Il n'est ni rang, ni naissance, ni fortune qui ne disparaisse devant une âme comme la tienne ; j'aurais honte que mon orgueil tînt encore contre toi ; et mon cœur et ma main t'appartiennent.

SILVIA.

En vérité, ne mériteriez-vous pas que je les prisse ? Ne faut-il pas être bien généreuse pour vous dissimuler le plaisir qu'ils me font ? Et croyez-vous que cela puisse durer ?

DORANTE.

Vous m'aimez donc ?

SILVIA.

Non, non : mais si vous me le demandez encore, tant pis pour vous.

DORANTE.

Vos menaces ne me font point de peur. [...] Ne consentez-vous pas d'être à moi ?

SILVIA.

Quoi ! vous m'épouserez malgré ce que vous êtes, malgré la colère d'un père, malgré votre fortune ?

DORANTE.

Mon père me pardonnera dès qu'il vous aura vue ; ma fortune nous suffit à tous deux ; et le mérite vaut bien la naissance : ne disputons point, car je ne changerai jamais.

SILVIA.

Il ne changera jamais ! Savez-vous bien que vous me charmez, Dorante ?

DORANTE.

Ne gênez donc plus votre tendresse, et laissez-la répondre...

SILVIA.

Enfin, j'en suis venue à bout ; vous... vous ne changerez jamais ?

DORANTE.

Non, ma chère Lisette.

SILVIA.

Que d'amour !

ACTE III, SCÈNE 8

.Les Fausses Confidences.

1737

Par amour-propre deux jeunes gens Araminte – jeune femme riche – et Dorante – jeune homme pauvre mais de bonne condition ne veulent pas reconnaître leur amour. Ils en appellent à la raison, « mais la raison n'est pas ce qui règle l'amour » et l'Amour triomphe.

Pour obliger Araminte à se révéler, Dubois – ancien valet de Dorante et de connivence avec lui – se livre à une « fausse confidence » où se mêlent vérité et stratégie :

ARAMINTE.

Qu'est-ce que c'est donc que cet air étonné que tu as marqué, ce me semble, en voyant Dorante ? D'où vient cette attention à le regarder ?

DUBOIS.

Ce n'est rien, sinon que je ne saurais plus avoir l'honneur de servir Madame, et qu'il faut que je lui demande mon congé.

ARAMINTE, *surprise.*

Quoi ! seulement pour avoir vu Dorante ici ?

DUBOIS.

Savez-vous à qui vous avez affaire ?

ARAMINTE.

Au neveu de Monsieur Rémy, mon procureur.

DUBOIS.

Eh ! par quel tour d'adresse est-il connu de Madame ? comment a-t-il fait pour arriver jusqu'ici ?

ARAMINTE.

C'est Monsieur Rémy qui me l'a envoyé pour intendant.

DUBOIS.

Lui, votre intendant ! Et c'est Monsieur Rémy qui vous l'envoie : hélas ! le bon homme, il ne sait pas qui il vous donne ; c'est un démon que ce garçon-là.

ARAMINTE.

Mais que signifient tes exclamations ? Explique-toi : est-ce que tu le connais ?

DUBOIS.

Si je le connais, Madame ! si je le connais ! Ah vraiment oui ; et il me connaît bien aussi. N'avez-vous pas vu comme il se détournait de peur que je ne le visse ?

ARAMINTE.

Il est vrai ; et tu me surprends à mon tour. Serait-il capable de quelque mauvaise action, que tu saches ? Est-ce que ce n'est pas un honnête homme ?

DUBOIS.

Lui ! il n'y a point de plus brave homme dans toute la terre ; il a, peut-être, plus d'honneur à lui tout seul que cinquante honnêtes gens ensemble. Oh ! c'est une probité merveilleuse ; il n'a peut-être pas son pareil.

ARAMINTE.

Eh ! de quoi peut-il donc être question ? D'où vient que tu m'alarmes ? En vérité, j'en suis toute émue.

DUBOIS.

Son défaut, c'est là. *(Il se touche le front.)* C'est à la tête que le mal tient.

ARAMINTE.

A la tête ?

DUBOIS.

Oui, il est timbré, mais timbré comme cent.

ARAMINTE.

Dorante ! il m'a paru de très bon sens. Quelle preuve as-tu de sa folie ?

DUBOIS.

Quelle preuve ? Il y a six mois qu'il est tombé fou ; il y a six mois qu'il extravague d'amour, qu'il en a la cervelle brûlée, qu'il en est comme perdu ; je dois bien le savoir, car j'étais à lui, je le servais ; et c'est ce qui m'a obligé de le quitter, et c'est ce qui me force de m'en aller encore ; ôtez cela, c'est un homme incomparable.

ARAMINTE, *un peu boudant.*

Oh bien ! il fera ce qu'il voudra ; mais je ne le garderai pas : on a bien affaire d'un esprit renversé ; et peut-être encore, je gage, pour quelque objet qui n'en vaut pas la peine ; car les hommes ont des fantaisies...

DUBOIS.

Ah ! vous m'excuserez ; pour ce qui est de l'objet, il n'y a rien à dire. Malepeste ! sa folie est de bon goût.

ARAMINTE.

N'importe, je veux le congédier. Est-ce que tu la connais, cette personne ?

DUBOIS.

J'ai l'honneur de la voir tous les jours ; c'est vous, Madame.

ARAMINTE.

Moi, dis-tu ?

DUBOIS.

Il vous adore ; il y a six mois qu'il n'en vit point, qu'il donnerait sa vie pour avoir le plaisir de vous contempler un instant. Vous avez dû voir qu'il a l'air enchanté, quand il vous parle.

ARAMINTE.

Il y a bien en effet quelque petite chose qui m'a paru extraordinaire. Eh ! juste ciel ! le pauvre garçon, de quoi s'avise-t-il ?

DUBOIS.

Vous ne croiriez pas jusqu'où va sa démence ; elle le ruine, elle lui coupe la gorge. Il est bien fait, d'une figure passable, bien élevé et de bonne famille ; mais il n'est pas riche ; et vous saurez qu'il n'a tenu qu'à lui d'épouser des femmes qui l'étaient, et de fort aimables, ma foi, qui offraient de lui faire sa fortune et qui auraient mérité qu'on la leur fît à elles-mêmes : il y en a une qui n'en saurait revenir, et qui le poursuit encore tous les jours ; je le sais, car je l'ai rencontrée.

ARAMINTE, *avec négligence.*

Actuellement ?

DUBOIS.

Oui, Madame, actuellement, une grande brune très piquante, et qu'il fuit. Il n'y a pas moyen ; Monsieur refuse tout. « Je les tromperais, me disait-il ; je ne puis les aimer, mon cœur est parti. » Ce qu'il disait quelquefois la larme à l'œil ; car il sent bien son tort.

ARAMINTE.

Cela est fâcheux ; mais où m'a-t-il vue, avant que de venir chez moi, Dubois ?

DUBOIS.

Hélas ! Madame, ce fut un jour que vous sortîtes de l'Opéra, qu'il perdit la raison ; c'était un vendredi, je m'en ressouviens ; oui, un vendredi ; il vous vit descendre l'escalier, à ce qu'il me raconta, et vous suivit jusqu'à votre carrosse ; il avait demandé votre nom, et je le trouvai qui était comme extasié ; il ne remuait plus.

ARAMINTE.

Quelle aventure !

DUBOIS.

J'eus beau lui crier : Monsieur ! Point de nouvelles, il n'y avait personne au logis. A la fin, pourtant, il revint à lui avec un air égaré ; je le jetai dans une voiture, et nous retournâmes à la maison. J'espérais que cela se passerait, car je l'aimais : c'est le meilleur maître ! Point du tout, il n'y avait plus de ressource : ce bon sens, cet esprit jovial, cette humeur charmante, vous aviez tout expédié ; et dès le lendemain nous ne fîmes plus tous deux, lui, que rêver à vous, que vous aimer ; moi, d'épier depuis le matin jusqu'au soir où vous alliez.

ARAMINTE.

Tu m'étonnes à un point !...

DUBOIS.

Je me fis même ami d'un de vos gens qui n'y est plus, un garçon fort exact, et qui m'instruisait, et à qui je payais bouteille. C'est à la Comédie qu'on va, me disait-il ; et je courais faire mon rapport, sur lequel, dès quatre heures, mon homme était à la porte. C'est chez Madame celle-ci, c'est chez Madame celle-là ; et sur cet avis, nous allions toute la soirée habiter la rue, ne vous déplaise, pour voir Madame entrer et sortir, lui dans un fiacre, et moi derrière, tous deux morfondus et gelés ; car c'était dans l'hiver ; lui, ne s'en souciant guère ; moi, jurant par-ci par-là pour me soulager.

ARAMINTE.

Est-il possible ?

DUBOIS.

Oui, Madame. A la fin, ce train de vie m'ennuya ; ma santé s'altérait, la sienne aussi. Je lui fis accroire que vous étiez à la campagne, il le crut, et j'eus quelque repos. Mais n'alla-t-il pas, deux jours après, vous rencontrer aux Tuileries, où il avait été s'attrister de votre absence. Au retour il était furieux, il voulut me battre, tout bon qu'il est ; moi, je ne le voulus point, et je le quittai. Mon bonheur ensuite m'a mis chez Madame, où, à force de se démener, je le trouve parvenu à votre intendance, ce qu'il ne troquerait pas contre la place de l'empereur.

ARAMINTE.

Y a-t-il rien de si particulier ? Je suis lasse d'avoir des gens qui me trompent, que je me réjouissais de l'avoir, parce qu'il a de la probité ; ce n'est pas que je sois fâchée, car je suis bien au-dessus de cela.

ACTE I, SCÈNE 14

ROMANS

Les romans de Marivaux sont ensemble romans psychologiques et romans de mœurs.

.La Vie de Marianne.

1731 – 1741

Ce roman inachevé raconte la vie et les aventures de Marianne, jeune orpheline de quinze ans, abandonnée, sans argent à Paris. Peu après son arrivée à Paris, elle se blesse à la cheville en voulant éviter un carrosse. Mais ce carrosse est celui d'un jeune homme rencontré peu avant, Valville :

Enfin on me porta chez Valville, c'était le nom du jeune homme en question, qui fit ouvrir une salle où l'on me mit sur un lit de repos.

J'avais besoin de secours, je sentais beaucoup de douleur à mon pied, et Valville envoya sur-le-champ chercher un chirurgien, qui ne tarda pas à venir. Je passe quelques petites excuses que je lui fis dans l'intervalle sur l'embarras que je lui causais ; excuses communes que tout le monde sait faire, et auxquelles il répondit à la manière ordinaire.

Ce qu'il y eut pourtant de particulier entre nous deux, c'est que je lui parlai de l'air d'une personne qui sent qu'il y a bien autre chose sur le tapis que des excuses, et qu'il me répondit d'un ton qui me préparait à voir entamer la matière.

Nos regards même l'entamaient déjà ; il n'en jetait pas un sur moi qui ne signifiât : *Je vous aime,* et moi je ne savais que faire des miens, parce qu'ils lui en auraient dit autant.

Nous en étions, lui et moi, à ce muet entretien de nos cœurs, quand nous vîmes entrer le chirurgien, qui sur le récit que lui fit Valville de mon accident, débuta par dire qu'il fallait voir mon pied.

A cette proposition, je rougis d'abord par un sentiment de pudeur ; et puis, en rougissant pourtant, je songeai que j'avais le plus joli petit pied du monde ; que Valville allait le voir ; que ce ne serait point ma faute, puisque la nécessité voulait que je le montrasse devant lui. Ce qui était une bonne fortune pour moi, bonne fortune honnête et faite à souhait, car on croyait qu'elle me faisait de la peine : on tâchait de m'y résoudre, et j'allais en avoir le profit immodeste, en conservant tout le mérite de la modestie, puisqu'il me venait d'une aventure dont j'étais innocente. C'était ma chute qui avait tort.

Combien dans le monde y a-t-il d'honnêtes gens qui me ressemblent, et qui, pour pouvoir garder une chose qu'ils aiment, ne fondent pas mieux leur droit d'en jouir que je faisais le mien dans cette occasion-là !

On croit souvent avoir la conscience délicate, non pas à cause des sacrifices qu'on lui fait, mais à cause de la peine qu'on prend avec elle pour s'exempter de lui en faire.

Ce que je dis là peint surtout beaucoup de dévots, qui voudraient bien gagner le ciel sans rien perdre à la terre, et qui croient avoir de la piété, moyennant les cérémonies pieuses qu'ils font toujours avec eux-mêmes, et dont ils bercent leur conscience. Mais n'admirez-vous pas, au reste, cette morale que mon pied amène ?

Je fis quelque difficulté de le montrer, et je ne voulais ôter que le soulier ; mais ce n'était pas assez. Il faut absolument que je voie le mal, disait le chirurgien, qui y allait tout uniment ; je ne saurais rien dire sans cela ; et là-dessus une femme de charge, que Valville avait chez lui, fut sur-le-champ appelée pour me déchausser ; ce qu'elle fit pendant que Valville et le chirurgien se retirèrent un peu à quartier.

Quand mon pied fut en état, voilà le chirurgien qui l'examine et qui le tâte. Le bon homme, pour mieux juger du mal, se baissait beaucoup, parce qu'il était vieux, et Valville en conformité de geste, prenait insensiblement la même attitude, et se baissait beaucoup aussi, parce qu'il était jeune ; car il ne connaissait rien à mon mal, mais il se connaissait à mon pied, et m'en paraissait aussi content que je l'avais espéré.

Pour moi, je ne disais mot, et ne donnais aucun signe des observations clandestines que je faisais sur lui ; il n'aurait pas été modeste de paraître soupçonner l'attrait qui l'attirait, et d'ailleurs j'aurais tout gâté si je lui avais laissé apercevoir que je comprenais ses petites façons ; cela m'aurait obligé moi-même d'en faire davantage, et peut-être aurait-il rougi des siennes ; car le cœur est bizarre, il y a des moments où il est confus et choqué d'être pris sur le fait quand il se cache ; cela l'humilie. Et ce que je dis là, je le sentais par instinct.

J'agissais donc en conséquence ; de sorte qu'on pouvait bien croire que la présence de Valville m'embarrassait un peu, mais simplement à cause qu'il me voyait, et non pas à cause qu'il aimait à me voir.

.Le Paysan parvenu.

1734 – 1735

***Le Paysan parvenu** a pour thème le déplacement des conditions et le déclassement, thème que l'on a vu dans **le Bourgeois gentilhomme** de Molière et que l'on trouvera dans **le Paysan perverti** de Restif de La Bretonne. Joli garçon, le paysan Jacob fait fortune à Paris car les femmes mûres le trouvent irrésistible, et qu'il est sans scrupules. Jacob va épouser une vieille fille, Mlle Habert, mais il reçoit les avances d'une veuve qui a le même âge que sa « fiancée » :*

Je me retirai plein d'une agréable émotion.

« Est-ce que vous aviez dessein de l'aimer ? » me direz-vous. Je n'avais aucun dessein déterminé ; j'étais seulement charmé de me trouver au gré d'une grande dame, j'en pétillais d'avance, sans savoir à quoi cela aboutirait, sans songer à la conduite que je devais tenir. De vous dire que cette dame me fût indifférente, non ; de vous dire que je l'aimais, je ne crois pas non plus. Ce que je sentais pour elle ne pouvait guère s'appeler de l'amour ; car je n'aurais pas pris garde à elle, si elle n'avait pas pris garde à moi ; et de ses attentions même, je ne m'en serais point soucié, si elle n'avait pas été une personne de distinction.

Ce n'était donc point elle que j'aimais ; c'était son rang, qui était très grand par rapport à moi.

Je voyais une femme de condition d'un certain air, qui avait apparemment des valets, un équipage et qui me trouvait aimable, qui me permettait de lui baiser la main, et qui ne voulait pas qu'on le sût ; une femme enfin qui nous tirait, mon orgueil et moi, du néant où nous étions encore ; car avant ce temps-là m'étais-je estimé quelque chose ? Avais-je senti ce que c'était qu'amour-propre ?

Il est vrai que j'allais épouser Mlle Habert ; mais c'était une petite bourgeoise, qui avait débuté par me dire que j'étais autant qu'elle, qui ne m'avait pas donné le temps de m'enorgueillir de sa conquête, et qu'à son bien près je regardais comme mon égale.

N'avais-je pas été son cousin ? Le moyen, après cela, de voir une distance sensible entre elle et moi ?

Mais ici la distance était énorme ; je ne la pouvais pas mesurer, je me perdais en y songeant ; cependant c'était de cette distance-là qu'on venait à moi ou que je me trouvais tout d'un coup porté jusqu'à une personne qui n'aurait seulement pas dû savoir si j'étais au monde. Oh ! voyez s'il n'y avait pas là de quoi me tourner la tête, de quoi me donner des mouvements approchant de ceux de l'amour ?

J'aimais donc par respect et par étonnement pour mon aventure, par ivresse de vanité, par tout ce qu'il vous plaira, par le cas infini que je faisais des appas de cette dame ; car je n'avais rien vu de si beau qu'elle, à ce que je m'imaginais alors ; elle avait pourtant cinquante ans, mais je ne m'en ressouvenais plus, je ne lui désirais rien ; eût-elle eu vingt ans de moins, elle ne m'aurait pas paru en valoir mieux ; c'était une déesse, et les déesses n'ont point d'âge.

De sorte que je m'en retournai pénétré de joie, bouffi de gloire et plein de mes folles exagérations, sur le mérite de la dame.

Il ne me vint pas un moment en pensée que mes sentiments fissent tort à ceux que je devais à Mlle Habert ; rien dans mon esprit n'avait changé pour elle, et j'allais la revoir aussi tendrement qu'à l'ordinaire ; j'étais ravi d'épouser l'une et de plaire à l'autre, et on sent fort bien deux plaisirs à la fois.

TROISIÈME PARTIE

♦

Charles-Louis de Secondat, baron de la Brède et de

Montesquieu

CHATEAU DE LA BRÈDE PRÈS DE BORDEAUX 1689 – PARIS 1755.

D'abord élevé avec les paysans de la Brède, Montesquieu après le collège étudie le droit à Bordeaux. Il est avocat en 1708. Conseiller au parlement de Bordeaux en 1714, il se marie l'année suivante avec une calviniste. En 1716 il est reçu à l'Académie de Bordeaux, et hérite de son oncle une charge de président à mortier au Parlement. Sa première communication à l'Académie est une dissertation ***Sur la politique des Romains en matière de religion.*** *Il s'attache à différents problèmes de sciences physiques ou naturelles. En 1721, les* ***Lettres persanes*** *paraissent sans nom d'auteur. En raison du succès de l'ouvrage, Montesquieu réside à Paris, mais sans perdre de vue l'administration de ses terres. Il vend sa charge en 1726 ; l'Académie française le reçoit en 1728 ; la même année il part pour l'Autriche, l'Italie, l'Allemagne, les Pays-Bas, l'Angleterre (où il est initié à la franc-maçonnerie). Il ne cesse pas de prendre des notes (****Voyages ; Mes pensées ;*** *etc.). En 1734 paraît* ***Considérations sur les causes de la grandeur des Romains et de leur décadence.*** *Son chef-d'œuvre est publié en 1748. Le succès est considérable ; mais la Sorbonne condamne l'ouvrage.*

CONTE PHILOSOPHIQUE

.Lettres persanes.

1721

Deux Persans, Rica et Usbeck, visitent l'Europe. Montesquieu parafait le procédé du regard « candide » ou naïf (le **Candide** *de Voltaire est de 1759), et compose ainsi une œuvre qui suscite l'étonnement par l'anti-exotisme. Mais il est vrai qu'il cède aussi à la mode des « turqueries » en introduisant une intrigue au sérail, laquelle oblige Rica et Usbeck à regagner leur patrie. Rica et Usbeck correspondent entre eux durant leur voyage, ainsi qu'avec leurs amis demeurés en Perse. Les lettres vont des dernières années du règne de Louis XIV (février 1711) aux premiers temps de la Régence (1720). Les* **Lettres persanes** *sont donc un « tableau des mœurs », une peinture sociale dans laquelle Montesquieu n'a pas hésité à souligner maints pour les rendre plus remarquables. Se souvenant encore des* **Mille et une nuits,** *Montesquieu a su faire habilement usage du procédé des histoires dans l'histoire, l'adaptant à sa vision historique et politique. Il donne ainsi, avec l'épisode des* **Troglodytes,** *une vigueur nouvelle au mythe de l'âge d'or, peignant une première nature innoncente et heureuse sur laquelle Rousseau s'attendrira ; seulement, différence essentielle d'avec Rousseau, chez Montesquieu la nature est sociale.*

A un ami en Perse, Usbeck conte l'histoire des Troglodytes, qui furent d'abord un méchant peuple. Montesquieu se montre là peu favorable aux fables des évolutionnistes sur l'aspect et la condition des premiers hommes : avec l'homme tout l'humain est déjà là, à commencer par les vices, qui ne demandent pas d'efforts :

Il y avait en Arabie un petit peuple, appelé Troglodyte, qui descendait de ces anciens Troglodytes qui, si nous en croyons les historiens, ressemblaient plus à des bêtes qu'à des hommes. Ceux-ci n'étaient pas si contrefaits : ils n'étaient point velus comme des ours ; ils ne sifflaient point ; ils avaient deux yeux ; mais ils étaient si méchants et si féroces qu'il n'y avait parmi eux aucun principe d'équité ni de justice.

Ils avaient un roi d'origine étrangère, qui, voulant corriger la méchanceté de leur naturel, les traitait sévèrement. Mais ils conjurèrent contre lui, le tuèrent et exterminèrent toute la famille royale.

Le coup étant fait, ils s'assemblèrent pour choisir un gouvernement, et, après bien des dissensions, ils créèrent des magistrats. Mais, à peine les eurent-ils élus, qu'ils leur devinrent insupportables, et ils les massacrèrent encore.

Ce peuple, libre de ce nouveau joug, ne consulta plus que son naturel sauvage ; tous les particuliers convinrent qu'ils n'obéiraient plus à personne ; que chacun veillerait uniquement à ses intérêts, sans consulter ceux des autres. Cette résolution unanime flattait extrêmement tous les particuliers.

LETTRE 11

Les Troglodytes périssent par leur propre injustice :

De tant de familles, il n'en resta que deux qui échappèrent aux malheurs de la Nation. Il y avait dans ce pays deux hommes bien singuliers : ils avaient de l'humanité ; ils connaissaient la justice ; ils aimaient la vertu. Autant liés par la droiture de leur cœur que par la corruption de celui des autres, ils voyaient la désolation générale et ne la ressentaient que par la pitié ; c'était le motif d'une union nouvelle.

Ils travaillaient, avec une sollicitude commune, pour l'intérêt commun ; ils n'avaient de différends que ceux qu'une douce et tendre amitié faisait naître ; et, dans l'endroit du pays le plus écarté, séparés de leurs compatriotes indignes de leur présence, ils menaient une vie heureuse et tranquille. La terre semblait produire d'elle-même, cultivée par ces vertueuses mains.

Ils aimaient leurs femmes, et ils en étaient tendrement chéris. Toute leur attention était d'élever leurs enfants à la vertu. Ils leur représentaient sans cesse les malheurs de leurs compatriotes et leur mettaient devant les yeux cet exemple si triste ; ils leur faisaient surtout sentir que l'intérêt des particuliers se trouve toujours dans l'intérêt commun ; que vouloir s'en séparer, c'est vouloir se perdre ; que la vertu n'est point une chose qui doive nous coûter ; qu'il ne faut point la regarder comme un exercice pénible ; et que la justice pour autrui est une charité pour nous.

Ils eurent bientôt la consolation des pères vertueux, qui est d'avoir des enfants qui leur ressemblent. Le jeune peuple qui s'éleva sous leurs yeux s'accrut par d'heureux mariages : le nombre augmenta ; l'union fut toujours la même, et la vertu, bien loin de s'affaiblir dans la multitude, fut fortifiée, au contraire, par un plus grand nombre d'exemples.

Qui pourrait représenter ici le bonheur de

ces Troglodytes ? Un peuple si juste devait être chéri des dieux. Dès qu'il ouvrit les yeux pour les connaître, il apprit à les craindre, et la Religion vint adoucir dans les mœurs ce que la Nature y avait laissé de trop rude.

LETTRE 12

Rica, de son côté,
écrit ceci à son ami de Perse :

Le roi de France est le plus puissant prince de l'Europe. Il n'a point de mines d'or comme le roi d'Espagne, son voisin ; mais il a plus de richesses que lui, parce qu'il les tire de la vanité de ses sujets, plus inépuisable que les mines. On lui a vu entreprendre ou soutenir de grandes guerres, n'ayant d'autres fonds que des titres d'honneur à vendre, et par un prodige de l'orgueil humain, ses troupes se trouvaient payées ; ses places, munies, et ses flottes, équipées.

D'ailleurs ce roi est un grand magicien ; il exerce son empire sur l'esprit même de ses sujets ; il les fait penser comme il veut. S'il n'a qu'un million d'écus dans son trésor, et qu'il en ait besoin de deux, il n'a qu'à leur persuader qu'un écu en vaut deux, et ils le croient. S'il a une guerre difficile à soutenir, et qu'il n'ait point d'argent, il n'a qu'à leur mettre dans la tête qu'un morceau de papier est de l'argent, et ils en sont aussitôt convaincus. Il va même jusqu'à leur faire croire qu'il les guérit de toutes sortes de maux en les touchant, tant est grande la force et la puissance qu'il a sur les esprits.

Ce que je te dis de ce prince ne doit pas t'étonner : il y a un autre magicien, plus fort que lui, qui n'est pas moins maître de son esprit qu'il l'est lui-même de celui des autres. Ce magicien s'appelle *le Pape*. Tantôt il lui fait croire que trois ne sont qu'un, que le pain qu'on mange n'est pas du pain, ou que le vin qu'on boit n'est pas du vin, et mille autres choses de cette espèce. [...]

J'ai ouï raconter du Roi des choses qui tiennent du prodige, et je ne doute pas que tu ne balances à les croire.

On dit que, pendant qu'il faisait la guerre à ses voisins, qui s'étaient tous ligués contre lui, il avait dans son royaume un nombre innombrable d'ennemis invisibles qui l'entouraient. On ajoute qu'il les a cherchés pendant plus de trente ans, et que, malgré les soins infatigables de certains dervis qui ont sa confiance, il n'en a pu trouver un seul. Ils vivent avec lui ; ils sont à sa cour, dans sa capitale, dans ses troupes, dans ses tribunaux ; et cependant on dit qu'il aura le chagrin de mourir sans les avoir trouvés. On dirait qu'ils existent en général, et qu'ils ne sont plus rien en particulier : c'est un corps, mais point de membres. Sans doute que le Ciel veut punir ce prince de n'avoir pas été assez modéré envers les ennemis qu'il a vaincus, puisqu'il lui en donne d'invisibles, et dont le génie et le destin sont au-dessus du sien.

Je continuerai à t'écrire, et je t'apprendrai des choses bien éloignées du caractère et du génie persan. C'est bien la même Terre qui nous porte tous deux ; mais les hommes du pays où je vis et ceux du pays où tu es sont des hommes bien différents.

LETTRE 24

De Rica à son ami de Perse :

Les habitants de Paris sont d'une curiosité qui va jusqu'à l'extravagance. Lorsque j'arrivai, je fus regardé comme si j'avais été envoyé du Ciel : vieillards, hommes, femmes, enfants, tous voulaient me voir. Si je sortais, tout le monde se mettait aux fenêtres ; si j'étais aux Tuileries, je voyais aussitôt un cercle se former autour de moi : les femmes mêmes faisaient un arc-en-ciel, nuancé de mille couleurs qui m'entourait ; si j'étais aux spectacles, je trouvais d'abord cent lorgnettes dressées contre ma figure : enfin jamais homme n'a tant été vu que moi. Je souriais quelquefois d'entendre des gens qui n'étaient presque jamais sortis de leur chambre, qui disaient entre eux : « Il faut avouer qu'il a l'air bien persan. » Chose admirable ! Je trouvais de mes portraits partout ; je me voyais multiplié dans toutes les boutiques, sur toutes les cheminées, tant on craignait de ne m'avoir pas assez vu.

"Ah ! ah ! Monsieur est Persan ? C'est une chose bien extraordinaire ! Comment peut-on être Persan ?"

Tant d'honneurs ne laissent pas d'être à charge : je ne me croyais pas un homme si curieux et si rare ; et, quoique j'aie très bonne opinion de moi, je ne me serais jamais imaginé que je dusse troubler le repos d'une grande ville où je n'étais point connu. Cela me fit résoudre à quitter l'habit persan et à en endosser un à l'européenne, pour voir s'il resterait encore dans ma physionomie quelque chose d'admirable. Cet essai me fit connaître ce que je valais réellement : libre de tous les ornements étrangers, je me vis apprécié au plus juste. J'eus sujet de me plaindre de mon tailleur, qui m'avait fait perdre en un instant l'attention et l'estime publique : car j'entrai tout à coup dans un néant affreux. Je demeurais quelquefois une heure dans une compagnie sans qu'on m'eût regardé, et qu'on m'eût mis en occasion d'ouvrir la bouche. Mais si quelqu'un, par hasard, apprenait à la compagnie que j'étais Persan, j'entendais aussitôt autour de moi un bourdonnement : « Ah ! ah ! Monsieur est Persan ? C'est une chose bien extraordinaire ! Comment peut-on être Persan ? »

LETTRE 30

ESSAI PHILOSOPHIQUE ET POLITIQUE

.De l'Esprit des lois ou du rapport que les lois doivent avoir avec la constitution de chaque gouvernement, les mœurs, le climat, la religion, le commerce, etc..

1748

Les lois d'une nation nécessairement résultent d'un ordre de relations. Cependant, la faillibilité de l'homme d'un côté, sa positive liberté de l'autre, font qu'en aucune nation ce système de lois soit une mécanique : la contingence et le génie humain s'y rencontrent. L'esprit géométrique n'est pas propre à cette étude, elle exige une grande finesse.

Montesquieu traite premièrement des lois en général ; il y a un ordre qui témoigne d'une intelligence ; « il y a donc une raison primitive » :

Ceux qui ont dit *qu'une fatalité aveugle a produit tous les effets que nous voyons dans le monde,* ont dit une grande absurdité, car quelle plus grande absurdité qu'une fatalité aveugle qui aurait produit des êtres intelligents ?

Il y a donc une raison primitive ; et les lois sont les rapports qui se trouvent entre elle et les différents êtres, et les rapports de ces divers être entre eux. (...)

Les êtres particuliers intelligents peuvent avoir des lois qu'ils ont faites ; mais ils en ont aussi qu'ils n'ont pas faites. Avant qu'il y eût des êtres intelligents, ils étoient possibles ; ils avoient donc des rapports possibles, et par conséquent des lois possibles. Avant qu'il y eût des lois faites, il y avoit des rapports de justice possibles. Dire qu'il n'y a rien de juste ni d'injuste que ce qu'ordonnent ou défendent les lois positives, c'est dire qu'avant qu'on eût tracé de cercle, tous les rayons n'étoient pas égaux.

Il faut donc avouer des rapports d'équité antérieurs à la loi positive qui les établit : comme, par exemple, que, supposé qu'il y eût des sociétés d'hommes, il seroit juste de se conformer à leurs lois ; que, s'il y avoit des êtres intelligents qui eussent reçu quelque bienfait d'un autre être, ils devroient en avoir de la reconnoissance ; que, si un être intelligent avoit créé un être intelligent, le créé devroit rester dans la dépendance qu'il a eue dès son origine ; qu'un être intelligent, qui a fait du mal à un être intelligent, mérite de recevoir le même mal, et ainsi du reste.

Mais il s'en faut bien que le monde intelligent soit aussi bien gouverné que le monde physique. Car quoique celui-là ait aussi des lois qui, par leur nature, sont invariables, il ne les suit pas constamment comme le monde physique suit les siennes. La raison en est que les êtres particuliers intelligents sont bornés par leur nature, et par conséquent sujets à l'erreur ; et, d'un côté, il est de leur nature qu'ils agissent par eux-mêmes. Ils ne suivent donc pas constamment leurs lois primitives ; et celles mêmes qu'ils se donnent, ils ne les suivent pas toujours.

PRÉFACE

S'il y a des lois de la nature, il n'y a pas d'état de nature, c'est ce que dit la 94e *des* ***Lettres persannes.***

« Je n'ai jamais ouï parler du droit public qu'on ait commencé par rechercher soigneusement quelle est l'origine des Sociétés, ce qui me paraît ridicule. Si les hommes n'en formaient point, s'ils se quittaient et se fuyaient les uns les autres, il faudrait en demander la raison et chercher pourquoi ils se tiennent séparés. Mais ils naissent tous liés les uns aux autres ; un fils est né auprès de son père, et il s'y tient : voilà la Société et la cause de la Société. »

Les lois de la nature s'induisent, mais les lois positives se constatent :

La loi, en général, est la raison humaine, en tant qu'elle gouverne tous les peuples de la terre ; et les lois politiques et civiles de chaque nation ne doivent pas être que les cas particuliers où s'applique cette raison humaine.

Elles doivent être tellement propres au peuple pour lequel elles sont faites, que c'est un très grand hasard si celles d'une nation peuvent convenir à une autre.

Il faut qu'elles se rapportent à la nature et au principe du gouvernement qui est établi, ou qu'on veut établir ; soit qu'elles le forment, comme font les lois politiques ; soit qu'elles le maintiennent, comme font les lois civiles.

Elles doivent être relatives au *physique* du pays ; au climat glacé, brûlant ou tempéré ; à la qualité du terrain, à sa situation, à sa grandeur ; au genre de vie des peuples, laboureurs, chasseurs ou pasteurs ; elles doivent se rapporter au degré de liberté que la constitution peut souffrir ; à la religion des habitants, à leurs inclinations, à leurs richesses, à leur nombre, à leur commerce, à leurs mœurs, à leurs manières. Enfin elles ont des rapports entre elles ; elles en ont avec leur origine, avec l'objet du législateur, avec l'ordre des choses sur lesquelles elles sont établies. C'est dans toutes ces vues qu'il faut les considérer.

C'est ce que j'entreprends de faire dans cet ouvrage. J'examinerai tous ces rapports : ils forment tous ensemble ce que l'on appelle l'ESPRIT DES LOIS. LIVRE 1, CHAPITRE 3

Selon Montesquieu, il y a trois espèces de gouvernement ; tout gouvernement, s'il n'est pas une espèce simple, étant un composé – en des proportions qui peuvent fortement varier – de deux ou des trois espèces. Chaque gouvernement se définit par : 1° sa nature ; 2° son principe :

Il y a cette différence entre la nature du gouvernement et son principe, que sa nature est ce qui le fait être tel, et son principe ce qui le fait agir. L'une est sa structure particulière, et l'autre les passions humaines qui le font mouvoir.

LIVRE 3, CHAPITRE 1

J'ai dit que la nature du gouvernement républicain est que le peuple en corps, ou de certaines familles, y aient la souveraine puissance ; celle du gouvernement monarchique, que le prince y ait la souveraine puissance, mais qu'il l'exerce selon des lois établies ; celle du gouvernement despotique, qu'un seul y gouverne selon ses volontés et ses caprices. Il ne m'en faut pas davantage pour trouver leurs trois principes ; ils en dérivent naturellement. Je commencerai par le gouvernement républicain, et je parlerai d'abord du démocratique.

LIVRE 3, CHAPITRE 2

Principe de la démocratie :

Il ne faut pas beaucoup de probité pour qu'un gouvernement monarchique ou un gouvernement despotique se maintienne ou se soutienne. La force des lois dans l'un, le bras du prince toujours levé dans l'autre, règlent ou contiennent tout. Mais, dans un état populaire, il faut un ressort de plus, qui est la VERTU.

Ce que je dis est confirmé par le corps entier de l'histoire et est très conforme à la nature des choses. Car il est clair que dans une monarchie, où celui qui fait exécuter les lois se juge au-dessus des lois, on a besoin de moins de vertu que dans un gouvernement populaire, où celui qui fait exécuter les lois sent qu'il y est soumis lui-même et qu'il en portera le poids.

Il est clair encore que le monarque qui, par mauvais conseil ou par négligence, cesse de faire exécuter les lois, peut aisément réparer le mal : il n'a qu'à changer de Conseil, ou se corriger de cette négligence même. Mais lorsque, dans un gouvernement populaire, les lois ont cessé d'être exécutées, comme cela ne peut venir que de la corruption de la république, l'État est déjà perdu.

Ce fut un assez beau spectacle, dans le siècle passé, de voir les efforts impuissants des Anglais pour établir parmi eux la démocratie. Comme ceux qui avaient part aux affaires n'avaient point de vertu, que leur ambition était irritée par le succès de celui

A chaque gouvernement correspond donc une passion qui est son ressort principal. Le principe de la démocratie est la ***vertu****, c'est-à-dire l'amour de la patrie, ou, ce qui revient au même, l'amour de l'égalité. « Ce n'est point une vertu morale, ni une vertu chrétienne, c'est la vertu* ***politique*** *», écrit Montesquieu dans son* ***Avertissement.***

qui avait le plus osé, que l'esprit d'une faction n'était réprimé que par l'esprit d'une autre, le gouvernement changeait sans cesse ; le peuple étonné cherchait la démocratie et ne la trouvait nulle part. Enfin, après bien des mouvements, des chocs et des secousses, il fallut se reposer dans le gouvernement même qu'on avait proscrit.

Quand Sylla voulut rendre à Rome la liberté, elle ne put plus la recevoir ; elle n'avait plus qu'un faible reste de vertu, et, comme elle en eut toujours moins, au lieu de se réveiller après César, Tibère, Caïus, Claude, Néron, Domitien, elle fut toujours plus esclave ; tous les coups portèrent sur les tyrans, aucun sur la tyrannie.

Les politiques grecs, qui vivaient dans le gouvernement populaire, ne reconnaissaient d'autre force qui pût les soutenir que celle de la vertu. Ceux d'aujourd'hui ne nous parlent que de manufactures, de commerce, de finances, de richesses et de luxe même.

Lorsque cette vertu cesse, l'ambition entre les cœurs qui peuvent la recevoir, et l'avarice entre dans tous. Les désirs changent d'objets : ce qu'on aimait, on ne l'aime plus ; on était libre avec les lois, on veut être libre contre elles ; chaque citoyen est comme un esclave échappé de la maison de son maître ; ce qui était *maxime,* on l'appelle *rigueur ;* ce qui était *règle,* on l'appelle *gêne ;* ce qui y était *attention,* on l'appelle *crainte.* C'est la frugalité qui y est l'avarice, et non pas le désir d'avoir. Autrefois le bien des particuliers faisait le trésor public ; mais pour lors le trésor public devient le patrimoine des particuliers. La république est une dépouille ; et sa force n'est plus que le pouvoir de quelques citoyens et la licence de tous. (...)

LIVRE 3, CHAPITRE 3

*La vertu politique n'est pas le principe du gouvernement monarchique, mais **l'honneur** :*

Le gouvernement monarchique suppose, comme nous avons dit, des prééminences, des rangs, et même une noblesse d'origine. La nature de l'HONNEUR est de demander des préférences et des distinctions ; il est donc, par la chose même, placé dans ce gouvernement.

L'ambition est pernicieuse dans une république. Elle a de bons effets dans la monarchie ; elle donne la vie à ce gouvernement ; et on y a cet avantage, qu'elle n'y est pas dangereuse, parce qu'elle y peut être sans cesse réprimée.

Vous diriez qu'il en est comme du système de l'univers, où il y a une force qui éloigne sans cesse du centre tous les corps, et une force de pesanteur qui les y ramène. L'honneur fait mouvoir toutes les parties du corps politique ; il les lie par son action même ; et il se trouve que chacun va au bien commun, croyant aller à ses intérêts particuliers.

Il est vrai que, philosophiquement parlant, c'est un honneur faux qui conduit toutes les parties de l'État ; mais cet honneur faux est aussi utile au public, que le vrai le serait aux particuliers qui pourraient l'avoir.

Et n'est-ce pas beaucoup d'obliger les hommes à faire toutes les actions difficiles, et qui demandent de la force, sans autre récompense que le bruit de ces actions ?

LIVRE 3, CHAPITRE 7

Principe du gouvernement despotique :

Comme il faut de la vertu dans une république, et dans une monarchie de l'honneur, il faut de la CRAINTE dans un gouvernement despotique : pour la vertu, elle n'y est point nécessaire, et l'honneur y serait dangereux.

Le pouvoir immense du prince y passe tout entier à ceux à qui il le confie. Des gens capables de s'estimer beaucoup eux-mêmes seraient en état d'y faire des révolutions. Il faut donc que la crainte y abatte tous les courages et y éteigne jusqu'au moindre sentiment d'ambition.

Un gouvernement modéré peut, tant qu'il veut, et sans péril, relâcher ses ressorts ; il se maintient par ses lois et par sa force même. Mais lorsque, dans le gouvernement despotique, le prince cesse un moment de lever le bras, quand il ne peut pas anéantir à l'instant ceux qui ont les premières places, tout est perdu ; car le ressort du gouvernement, qui est la crainte, n'y étant plus, le peuple n'a plus de protecteur. (...)

LIVRE 3, CHAPITRE 9

François-Marie Arouet, dit

Voltaire

PARIS 1694 – PARIS 1778.

Au sortir du collège Louis-le-Grand où enseignent les jésuites, Voltaire entend se consacrer à la littérature et non pas étudier le droit. Ses épigrammes contre le poète La Motte et contre le Régent lui valent un premier séjour à la Bastille, séjour qu'il met à profit pour achever sa tragédie ***Œdipe.*** *Le succès de son poème contre la Ligue, fait de lui un poète de cour ; l'on joue trois de ses pièces au mariage de Louis XV. Mais une dispute avec le cardinal de Rohan ruine cette carrière, le conduit de nouveau à la Bastille, puis en exil en Angleterre. A son retour en 1729, Voltaire donne plusieurs tragédies, et publie les* ***Lettres philosophiques*** *(1734) ce qui le contraint à un exil en Lorraine où il demeure chez Mme du Chatelet jusqu'en 1744. Il écrit de nombreuses pièces, s'occupe de sciences physiques, et commence le* ***Siècle de Louis XIV*** *et l'****Essai sur les mœurs.*** *Le ministre d'Argenson le rappelle à Versailles. Voltaire y reste trois ans et n'y réussit guère ; en 1750 il part pour Berlin où l'invite Frédéric II. Là, il publie le* ***Siècle de Louis XIV,*** *et écrit* ***Micromégas.*** *Brouillé avec Frédéric II, il passe deux ans en Alsace, puis s'installe aux environs de Genève. C'est l'époque de l'engagement en faveur de l'****Encyclopédie,*** *ce qui vaut à Voltaire l'inimitié des Genevois et la brouille avec Rousseau ; mais il écrit* ***Candide*** *(1759). C'est enfin Ferney, en 1760, où Voltaire restera jusqu'aux derniers temps. Il entretient une immense correspondance, défend la famille Calas, poursuit la rédaction de ses contes philosophiques, rédige le* ***Dictionnaire philosophique,*** *de nouvelles tragédies, et par son organisation rend opulente la petite ville de Ferney. Son retour à Paris en 1778 est triomphal.*

CONTE PHILOSOPHIQUE

.Candide.

1759

Par la vivacité de son allure, qui permet à l'auteur de ne jamais s'attarder mais de passer et juger, **Candide** *est un conte ; et un conte philosophique parce que l'on y assiste à une réfutation par railleries et objections de l'optimisme leibnitzien. Cependant Pangloss n'est pas Leibnitz, il n'en est qu'une grossière caricature, de sorte que* **Candide** *s'oppose seulement à un optimisme niais jamais professé. D'ailleurs* **Candide** *n'est pas entièrement contraire à l'optimisme, et en tous cas n'est pas pessimiste, le « il faut cultiver notre jardin » de la fin ne rend pas un son triste. L'ironie de Voltaire n'est pas amère comme celle de Swift, et la finesse d'esprit séduit.*

Candide est chassé du paradisiaque château parce qu'il aime Cunégonde, ce qui lui fait dire : « Hélas ! je l'ai connu cet amour, ce souverain des cœurs, cette âme de notre âme ; il ne m'a jamais valu qu'un baiser et vingt coups de pied au cul. »

"Remarquez bien que les nez ont été faits pour porter des lunettes ; aussi avons-nous des lunettes"

Il y avait en Westphalie, dans le château de monsieur le baron de Thunder-ten-tronckh, un jeune garçon à qui la nature avait donné les mœurs les plus douces. Sa physionomie annonçait son âme. Il avait le jugement assez droit, avec l'esprit le plus simple ; c'est, je crois, pour cette raison qu'on le nommait Candide. Les anciens domestiques de la maison soupçonnaient qu'il était le fils de la sœur de monsieur le Baron, et d'un bon et honnête gentilhomme du voisinage, que cette demoiselle ne voulut jamais épouser parce qu'il n'avait pu prouver que soixante et onze quartiers, et que le reste de son arbre généalogique avait été perdu par l'injure du temps.

Monsieur le Baron était un des plus puissants seigneurs de la Westphalie, car son château avait une porte et des fenêtres. Sa grande salle même était ornée d'une tapisserie. Tous les chiens de ses basses-cours composaient une meute dans le besoin ; ses palefreniers étaient ses piqueurs ; le vicaire du village était son grand aumônier. Ils l'appelaient tous Monseigneur, et ils riaient quant il faisait des contes.

Madame la Baronne, qui pesait environ trois cent cinquante livres, s'attirait par là une très grande considération et faisait les honneurs de la maison avec une dignité qui la rendait encore plus respectable. Sa fille Cunégonde, âgée de dix-sept ans, était haute en couleur, fraîche, grasse, appétissante. Le fils du baron paraissait en tout digne de son père. Le précepteur Pangloss était l'oracle de la maison, et le petit Candide écoutait ses leçons avec toute la bonne foi de son âge et de son caractère.

Pangloss enseignait la métaphysico-théologo-cosmolo-nigologie. Il prouvait admirablement qu'il n'y a point d'effet sans cause, et que, dans ce meilleur des mondes possibles, le château de Monseigneur le Baron était le plus beau des châteaux, et Madame la meilleure des baronnes possibles.

« Il est démontré, disait-il, que les choses ne peuvent être autrement : car tout étant fait pour une fin, tout est nécessairement pour la meilleure fin. Remarquez bien que les nez ont été faits pour porter des lunettes ; aussi avons-nous des lunettes. Les jambes sont visiblement instituées pour être chaussées, et nous avons des chausses. Les pierres ont été formées pour être taillées et pour en faire des châteaux ; aussi Monseigneur a un très beau château : le plus grand baron de la province doit être le mieux logé ; et les cochons étant faits pour être mangés, nous mangeons du porc toute l'année. Par conséquent, ceux qui ont avancé que tout est bien ont dit une sottise : il fallait dire que tout est au mieux. »

Candide écoutait attentivement, et croyait innocemment : car il trouvait mademoiselle Cunégonde extrêmement belle, quoiqu'il ne prît jamais la hardiesse de le lui dire. Il concluait qu'après le bonheur d'être né baron de Thunder-ten-tronckh, le second degré du bonheur était d'être mademoiselle Cunégonde ; le troisième, de la voir tous les jours ; et le quatrième, d'entendre maître Pangloss, le plus grand philosophe de la province, et par conséquent de toute la terre.

Un jour, Cunégonde, en se promenant auprès du château, dans le petit bois qu'on appelait parc, vit entre les broussailles le docteur Pangloss qui donnait une leçon de physique expérimentale à la femme de chambre de sa mère, petite brune très jolie très docile. Comme mademoiselle Cunégonde avait beaucoup de dispositions pour les sciences, elle observa, sans souffler, les expériences réitérées dont elle fut témoin ; elle vit clairement la raison suffisante du docteur, les effets et les causes et s'en retourna toute agitée, toute pensive, toute remplie du désir d'être savante, songeant qu'elle pourrait bien être la raison suffisante du jeune Candide, qui pouvait aussi être la sienne.

Elle rencontra Candide en revenant du château et rougit ; Candide rougit aussi ; elle lui dit bonjour d'une voix entrecoupée, et Candide lui parla sans savoir ce qu'il disait. Le lendemain, après le dîner, comme on sortait de table, Cunégonde et Candide se trouvèrent derrière un paravent ; Cunégonde laissa tomber son mouchoir ; Candide le ramassa ; elle lui prit innocemment la main ; le jeune homme baisa innocemment la main de la jeune demoiselle avec une vivacité, une sensibilité, une grâce toute particulière ; leurs bouches se rencontrèrent, leurs yeux s'enflammèrent, leurs genoux tremblèrent, leurs mains s'égarèrent. Monsieur le baron de Thunder-ten-tronkh passa auprès du paravent, et voyant cette cause et cet effet, chassa Candide du château à grands coups de pied dans le derrière ; Cunégonde s'évanouit : elle fut souffletée par Madame la baronne dès qu'elle fut revenue à elle-même ; et tout fut consterné dans le plus beau et le plus agréable des châteaux possibles.

CHAPITRE 1

Candide est enrôlé de force dans l'armée des Bulgares ; battu, accusé de désertion, il échappe de peu à la mort et assiste à la guerre que le roi des Bulgares entreprend contre le roi des Abares :

Rien n'était si beau, si leste, si brillant, si bien ordonné que les deux armées. Les trompettes, les fifres, les hautbois, les tambours, les canons, formaient une harmonie telle qu'il n'y en eut jamais en enfer. Les canons renversèrent d'abord à peu près six mille hommes de chaque côté ; ensuite la mousqueterie ôta du meilleur des mondes environ neuf à dix mille coquins qui en infectaient la surface. La baïonnette fut aussi la raison suffisante de la mort de quelques milliers d'hommes. Le tout pouvait bien se monter à une trentaine de mille âmes. Candide, qui tremblait comme un philosophe, se cacha du mieux qu'il put pendant cette boucherie héroïque.

Enfin, tandis que les deux rois faisaient chanter des *Te Deum* chacun dans son camp, il prit le parti d'aller raisonner ailleurs des effets et des causes. Il passa par-dessus des tas de morts et de mourants, et gagna d'abord un village voisin ; il était en cendres ; c'était un village abare que les Bulgares avaient brûlé, selon les lois du droit public. Ici des vieillards criblés de coups regardaient mourir leurs femmes égorgées, qui tenaient leurs enfants à leurs mamelles sanglantes ; là des filles, éventrées après avoir assouvi les besoins naturels de quelques héros, rendaient les derniers soupirs ; d'autres à demi-brûlées, criaient qu'on achevât de leur donner la mort. Des cervelles étaient répandues sur la terre à côté de bras et de jambes coupés.

Candide s'enfuit au plus vite dans un autre village : il appartenait à des Bulgares, et les héros abares l'avaient traité de même. Candide, toujours marchant sur des membres palpitants, ou à travers des ruines, arriva enfin hors du théâtre de la guerre, portant quelques petites provisions dans son bissac, et n'oubliant jamais mademoiselle Cunégonde. Ses provisions lui manquèrent quand il fut en Hollande ; mais ayant entendu dire que tout le monde était riche dans ce pays-là, et qu'on y était chrétien, il ne douta pas qu'on ne le traîtât aussi bien qu'il l'avait été dans le château de monsieur le Baron, avant qu'il en eût été chassé pour les beaux yeux de mademoiselle Cunégonde.

Il demanda l'aumône à plusieurs graves personnages, qui lui répondirent tous que, s'il continuait à faire ce métier, on l'enfermerait dans une maison de correction pour lui apprendre à vivre.

Il s'adressa ensuite à un homme qui venait de parler tout seul une heure de suite sur la charité dans une grande assemblée. Cet orateur, le regardant de travers, lui dit : « Que venez-vous faire ici ? y êtes-vous pour la bonne cause ? – Il n'y a point d'effet sans cause, répondit modestement Candide ; tout est enchaîné nécessairement, et arrangé pour le mieux. Il a fallu que je fusse chassé d'auprès de mademoiselle Cunégonde, que j'aie passé par les baguettes, et il faut que je demande mon pain, jusqu'à ce que je puisse en gagner ; tout cela ne pouvait être autrement. – Mon ami, lui dit l'orateur, croyez-vous que le pape soit l'Antéchrist ? – Je ne l'avais pas encore entendu dire, répondit Candide ; mais qu'il le soit ou qu'il ne le soit pas, je manque de pain. – Tu ne mérites pas d'en manger, dit l'autre ; va, coquin ; va, misérable, ne m'approche de ta vie. » La femme de l'orateur ayant mis la tête à la fenêtre, et avisant un homme qui doutait que le pape fût antéchrist, lui répandit sur le chef un plein... O ciel ! à quel excès se porte le zèle de la religion dans les dames !

Un homme qui n'avait point été baptisé, un bon anabaptiste, nommé Jacques, vit la manière cruelle et ignominieuse dont on traitait ainsi un de ses frères, un être à deux pieds sans plumes, qui avait une âme ; il l'emmena chez lui, le nettoya, lui donna du pain et de la bière, lui fit présent de deux florins, et voulut même lui apprendre à travailler dans ses manufactures aux étoffes de Perse qu'on fabrique en Hollande. Candide, se prosternant devant lui, s'écriait : « Maître Pangloss me l'avait bien dit que tout est au mieux dans ce monde, car je suis infiniment plus touché de votre extrême générosité que de la dureté de ce monsieur à manteau noir, et de madame son épouse ».

Le lendemain, en se promenant, il rencontra un gueux tout couvert de pustules, les yeux morts, le bout du nez rongé, la bouche de travers, les dents noires, et parlant de la gorge, tourmenté d'une toux violente, et crachant une dent à chaque effort.

Ce gueux c'est Pangloss ; cette maladie qui le ronge, il la tient de Paquette, la suivante de la baronne. Le château du baron est rasé, ses occupants sont morts, dont Cunégonde après que les soldats l'on violée « autant qu'on peut l'être ».

Candide et Pangloss sont maintenant à Lisbonne, un tremblement de terre vient de détruire en partie la ville.

Après le tremblement de terre qui avait détruit les trois quarts de Lisbonne, les sages du pays n'avaient pas trouvé un moyen plus efficace pour prévenir une ruine totale que de donner au peuple un bel autoda-fé ; il était décidé par l'université de Coïmbre que le spectacle de quelques personnes brûlées à petit feu, en grande cérémonie, est un secret infaillible pour empêcher la terre de trembler.

On avait en conséquence saisi un Biscayen convaincu d'avoir épousé sa commère, et deux Portugais qui en mangeant un poulet en avaient arraché le lard : on vint lier après le dîner le docteur Pangloss et son disciple Candide, l'un pour avoir parlé, et l'autre pour avoir écouté avec un air d'approbation : tous deux furent menés séparément dans des appartements d'une extrême fraîcheur, dans lesquels on n'était jamais incommodé du soleil ; huit jours après ils furent tous deux revêtus d'un *san-benito,* et on orna leurs têtes de mitres de papier : la mitre et le *san-benito* de Candide étaient peints de flammes renversées et de diables qui n'avaient ni queues ni griffes ; mais les diables de Pangloss portaient griffes et queues, et les flammes étaient droites. Ils marchèrent en procession ainsi vêtus, et entendirent un sermon très pathétique, suivi d'une belle musique en faux-bourdon. Candide fut fessé en cadence, pendant qu'on chantait ; le Biscayen et les deux hommes qui n'avaient point voulu manger de lard furent brûlés, et Pangloss fut pendu, quoique ce ne soit pas la coutume. Le même jour la terre trembla de nouveau avec un fracas épouvantable.

Candide, épouvanté, interdit, éperdu, tout sanglant, tout palpitant, se disait à lui-même : « Si c'est ici le meilleur des mondes possibles, que sont donc les autres ? Passe encore si je n'étais que fessé, je l'ai été chez les Bulgares. Mais, ô mon cher Pangloss ! le plus grand des philosophes, faut-il vous avoir vu pendre sans que je sache pourquoi ! O mon cher anabaptiste ! le meilleur des hommes, faut-il que vous ayez été noyé dans le port ! O Mlle Cunégonde ! la perle des filles, faut-il qu'on vous ait fendu le ventre ! »

Il s'en retournait se soutenant à peine, prêché, fessé, absous et béni, lorsqu'une vieille l'aborda et lui dit : « Mon fils, prenez courage, suivez-moi. »

CHAPITRE 6

Candide et Pangloss sont sauvés par Cunégonde, car elle avait échappé au massacre. Un Juif et le Grand Inquisiteur veulent ravir Cunégonde, Candide les tue : « Comment avez-vous fait, vous qui êtes si doux, pour tuer en deux minutes un juif et un prélat ? » lui demande Cunégonde. « Ma belle demoiselle, quand on est amoureux, jaloux, et fouetté par l'Inquisition, on ne se connaît plus », répond Candide. Tous s'embarquent pour l'Amérique. L'Inquisition les poursuit. Candide se sépare de Cunégonde et se réfugie au Paraguay. Il y retrouve le frère de Cunégonde devenu jésuite ; au cours d'une querelle Candide le tue. Dans sa fuite il découvre par hasard l'Eldorado :

« Voilà pourtant, dit Candide, un pays qui vaut mieux que la Westphalie. » Il mit pied à terre avec Cacambo auprès du premier village qu'il rencontra. Quelques enfants du village, couverts de brocarts d'or tout déchirés, jouaient au palet à l'entrée du bourg ; nos deux hommes de l'autre monde s'amusèrent à les regarder : leurs palets étaient d'assez larges pièces rondes, jaunes, rouges, vertes, qui jetaient un éclat singulier. Il prit envie aux voyageurs d'en ramasser quelques-uns ; c'était de l'or, c'étaient des émeraudes, des rubis, dont le moindre aurait été le plus grand ornement du trône du Mogol. « Sans doute, dit Cacambo, ces enfants sont les fils du roi du pays qui jouent au petit palet. » Le magister du village parut dans ce moment pour les faire rentrer à l'école. « Voilà, dit Candide, le précepteur de la famille royale. »

Les petits gueux quittèrent aussitôt le jeu, en laissant à terre leurs palets et tout ce qui avait servi à leurs divertissements. Candide les ramasse, court au précepteur, et les lui présente humblement, lui faisant entendre par signe que Leurs Altesses Royales avaient oublié leur or et leurs pierreries. Le magister du village, en souriant, les jeta par terre, regarda un moment la figure de Candide avec beaucoup de surprise, et continua son chemin.

Les voyageurs ne manquèrent pas de ramasser l'or, les rubis et les émeraudes. « Où sommes-nous ? s'écria Candide ; il faut que les enfants des rois de ce pays soient bien élevés, puisqu'on leur apprend à mépriser l'or et les pierreries. » Cacambo était aussi surpris que Candide. Ils approchèrent enfin de la première maison du village ; elle était bâtie comme un palais d'Europe. Une foule de monde s'empressait à la porte, et encore plus dans le logis. Une musique très agréable se faisait entendre, et une odeur délicieuse de cuisine se faisait sentir. Cacambo s'approcha de la porte, et entendit qu'on parlait péruvien ; c'était sa langue maternelle ; car tout le monde sait que Cacambo était né au Tucuman, dans un village où l'on ne connaissait que cette langue. « Je vous servirai d'interprète, dit-il à Candide ; entrons, c'est ici un cabaret. »

Aussitôt deux garçons et deux filles de l'hôtellerie, vêtus de drap d'or, et les cheveux noués avec des rubans, les invitent à se mettre à la table de l'hôte. On servit quatre potages garnis chacun de deux perroquets, un contour bouilli qui pesait deux cents livres, deux singes rôtis d'un goût excellent, trois cents colibris dans un plat, et six cents oiseaux-mouches dans un autre ; des ragoûts exquis, des pâtisseries délicieuses ; le tout dans des plats d'une espèce de cristal de roche. Les garçons et les filles de l'hôtellerie versaient plusieurs liqueurs faites de canne de sucre.

Les convives étaient pour la plupart des marchands et des voituriers, tous d'une politesse extrême, qui firent quelques questions à Cacambo avec la discrétion la plus circonspecte, et qui répondirent aux siennes d'une manière à le satisfaire.

Quand le repas fut fini, Cacambo crut, ainsi que Candide, bien payer son écot en jetant sur la table de l'hôte deux de ces larges pièces d'or qu'il avait ramassées ; l'hôte et l'hôtesse éclatèrent de rire, et se tinrent longtemps les côtés. Enfin ils se remirent : « Messieurs, dit l'hôte, nous voyons bien que vous êtes des étrangers ; nous ne sommes pas accoutumés à en voir. Pardonnez-nous si nous nous sommes mis à rire quand vous nous avez offert en paiement les cailloux de nos grands chemins. Vous n'avez pas sans doute de la monnaie du pays, mais il n'est pas nécessaire d'en avoir pour dîner ici. Toutes les hôtelleries établies pour la commodité du commerce sont payées par le gouvernement. Vous avez fait mauvaise chère ici, parce que c'est un pauvre village ; mais partout ailleurs vous serez reçus comme vous méritez de l'être. » Cacambo expliquait à Candide tous les discours de l'hôte, et Candide les écoutait avec la même admiration et le même égarement que son ami Cacambo les rendait. « Quel est donc ce pays, disaient-ils l'un et l'autre, inconnu à tout le reste de la terre, et où toute la nature est d'une espèce si différente de la nôtre ? C'est probablement le pays où tout va bien ; car il faut absolument qu'il y en ait de cette espèce. Et quoi qu'en dit maître Pangloss, je me suis souvent aperçu que tout allait mal en Westphalie. »

CHAPITRE 17

Avec son valet Cacambo, Candide qui veut rejoindre Cunégonde quitte l'Eldorado sur des moutons chargés d'or (ce n'est que la « boue du pays »). Ils perdent tous ces moutons ou lamas en divers accidents, et parviennent démunis à la ville de Surinam en Guyanne hollandaise :

En approchant de la ville, ils rencontrèrent un nègre étendu par terre, n'ayant plus que la moitié de son habit, c'est-à-dire d'un caleçon de toile bleue ; il manquait à ce pauvre homme la jambe gauche et la main droite. « Eh ! mon Dieu ! dit Candide en hollandais, que fais-tu là, mon ami, dans l'état horrible où je te vois ? – J'attends mon maître, monsieur Vanderdendur, le fameux négociant, répondit le nègre. – Est-ce monsieur Vanderdendur, dit Candide, qui t'a traité ainsi ? – Oui, Monsieur, dit le nègre, c'est l'usage. On nous donne un caleçon de toile pour tout vêtement deux fois l'année. Quand nous travaillons aux sucreries, et que la meule nous attrape le doigt, on nous coupe la main ; quand nous voulons nous enfuir, on nous coupe la jambe ; je me suis trouvé dans les deux cas. C'est à ce prix que vous mangez du sucre en Europe. Cependant, lorsque ma mère me vendit dix écus patagons sur la côte de Guinée, elle me disait : « Mon cher enfant, bénis nos fétiches, adore-les toujours, ils te feront vivre heureux, tu as l'honneur d'être esclave de nos seigneurs les blancs, et tu fais par là la fortune de ton père et de ta mère. » Hélas ! je ne sais pas si j'ai fait leur fortune, mais ils n'ont pas fait la mienne. Les chiens, les singes et les perroquets sont mille fois moins malheureux que nous. Les fétiches hollandais qui m'ont converti me disent tous les dimanches que nous sommes tous enfants d'Adam, blancs et noirs. Je ne suis pas généalogiste ; mais si ces prêcheurs disent vrai, nous sommes tous cousins issus de germains. Or vous m'avouerez qu'on ne peut pas en user avec ses parents d'une manière plus horrible.

– O Pangloss ! s'écria Candide, tu n'avais

pas deviné cette abomination ; c'en est fait, il faudra qu'à la fin je renonce à ton optimisme. – Qu'est-ce qu'optimisme ? disait Cacambo. – Hélas ! dit Candide, c'est la rage de soutenir que tout est bien quand on est mal. » Et il versait des larmes en regardant son nègre, et en pleurant, il entra dans Surinam.

CHAPITRE 19

Avec le philosophe Martin, son nouveau compagnon, un pessimiste absolu, Candide regagne l'Europe. Après Paris, Londres, Venise, ils parviennent à Constantinople, y retrouvent Pangloss, Cunégonde, son frère que Candide n'avait pas bien tué, et dont on se débarrasse aussitôt. Cunégonde est enlaidie, mais Candide l'épouse malgré tout. Tous demeurent là et forment une petite communauté. Voltaire achève son conte par une apologie du travail et une « turquerie ».

“Le travail éloigne de nous trois grand maux ; l'ennui, le vice et le besoin”

Il y avait dans le voisinage un derviche très fameux, qui passait pour le meilleur philosophe de la Turquie ; ils allèrent le consulter ; Pangloss porta la parole, et lui dit : « Maître, nous venons vous prier de nous dire pourquoi un aussi étrange animal que l'homme a été formé.

– De quoi te mêles-tu ? dit le derviche, est-ce là ton affaire ? – Mais, mon révérend père, dit Candide, il y a horriblement de mal sur la terre. – Qu'importe, dit le derviche, qu'il y ait du mal ou du bien ? Quand Sa Hautesse envoie un vaisseau en Égypte, s'embarrasse-t-elle si les souris qui sont dans le vaisseau sont à leur aise ou non ? – Que faut-il donc faire ? dit Pangloss. – Te taire, dit le derviche. – Je me flattais, dit Pangloss, de raisonner un peu avec vous des effets et des causes, du meilleur des mondes possibles, de l'origine du mal, de la nature de l'âme et de l'harmonie préétablie. » Le derviche, à ces mots, leur ferma la porte au nez.

Pendant cette conversation, la nouvelle s'était répandue qu'on venait d'étrangler à Constantinople deux visirs du banc et le muphti, et qu'on avait empalé plusieurs de leurs amis. Cette catastrophe faisait partout un grand bruit pendant quelques heures. Pangloss, Candide et Martin, en retournant à la petite métairie, rencontrèrent un bon vieillard qui prenait le frais à sa porte sous un berceau d'orangers. Pangloss, qui était aussi curieux que raisonneur, lui demanda comment se nommait le muphti qu'on venait d'étrangler. « Je n'en sais rien, répondit le bonhomme, et je n'ai jamais su le nom d'aucun muphti ni d'aucun visir. J'ignore absolument l'aventure dont vous me parlez ; je présume qu'en général ceux qui se mêlent des affaires publiques périssent quelquefois misérablement, et qu'ils le méritent ; mais je ne m'informe jamais de ce qu'on fait à Constantinople ; je me contente d'y envoyer vendre les fruits du jardin que je cultive. » Ayant dit ces mots, il fit entrer les étrangers dans sa maison : ses deux filles et ses deux fils leur présentèrent plusieurs sortes de sorbets qu'ils faisaient eux-mêmes, du kaïmac piqué d'écorces de cédrat confit, des oranges, des citrons, des limons, des ananas, des pistaches, du café de Moka qui n'était point mêlé avec le mauvais café de Batavia et des îles. Après quoi les deux filles de ce bon musulman parfumèrent les barbes de Candide, de Pangloss et de Martin.

« Vous devez avoir, dit Candide au Turc, une vaste et magnifique terre ? – Je n'ai que vingt arpents, répondit le Turc ; je les cultive avec mes enfants : le travail éloigne de nous trois grands maux : l'ennui, le vice et le besoin. »

Candide, en retourant dans sa métairie, fit de profondes réflexions sur le discours du Turc. Il dit à Pangloss et à Martin : « Ce bon vieillard me paraît s'être fait un sort bien préférable à celui des six rois avec qui nous avons eu l'honneur de souper. – Les grandeurs, dit Pangloss, sont fort dangereuses, selon le rapport de tous les philosophes : car enfin Eglon, roi des Moabites, fut assassiné par Aod ; Absalon fut pendu par les cheveux et percé de trois dards ; le roi Nadab, fils de Jéroboam, fut tué par Baasa ; le roi Ela, par Zambri ; Ochosias, par Jéhu ; Athalia, par Joïada ; les rois Joachim, Jéchonias, Sédécias, furent esclaves. Vous savez comment périrent Crésus, Astyage, Darius, Denys de Syracuse, Pyrrhus, Persée, Annibal, Jugurtha, Arioviste, César, Pompée, Néron, Othon, Vitellius, Domitien, Richard II d'Angleterre, Edouard II, Henri VI, Richard III, Marie Stuart, Charles Ier, les trois Henri de France, l'empereur Henri IV ? Vous savez... – Je sais aussi, dit Candide, qu'il faut cultiver notre jardin. – Vous avez raison, dit Pangloss : car quand l'homme fut mis dans le jardin d'Éden, il y fut mis *ut operaretur eum,* pour qu'il travaillât ; ce qui prouve que l'homme n'est pas né pour le repos. – Travaillons sans raisonner, dit Martin ; c'est le seul moyen de rendre la vie supportable. »

“Travaillons sans raisonner, dit Martin ; c'est le seul moyen de rendre la vie supportable”

Toute la petite société entra dans ce louable dessein ; chacun se mit à exercer ses talents. Le petite terre rapporta beaucoup. Cunégonde était à la vérité bien laide ; mais elle devint une excellente pâtissière ; Paquette broda ; la vieille eut soin du linge. Il n'y eut pas jusqu'à frère Giroflée qui ne rendît service ; il fut un très bon menuisier, et même devint honnête homme ; et Pangloss disait quelquefois à Candide : « Tous les événements sont enchaînés dans le meilleur des mondes possibles ; car enfin, si vous n'aviez pas été chassé d'un beau château à grands coups de pied dans le derrière pour l'amour de mademoiselle Cunégonde, si vous n'aviez pas été mis à l'Inquisition, si vous n'aviez pas couru l'Amérique à pied, si vous n'aviez pas donné un bon coup d'épée au baron, si vous n'aviez pas perdu tous vos moutons du bon pays d'Eldorado, vous ne mangeriez pas ici des cédrats confits et des pistaches. – Cela est bien dit, répondit Candide, mais il faut cultiver notre jardin.

CONCLUSION

"Mais il faut cultiver notre jardin"

PHILOSOPHIE

.Dictionnaire philosophique.

1764 – 1769

*Après plusieurs éditions le Dictionnaire comporte finalement 614 articles. La composition est plus hasardeuse que rigoureuse, et l'on peut considérer l'ouvrage comme une collection de petits pamphlets de propagande voltairienne. L'on voit, à l'article **Anthropophages** particulièrement, l'antisémitisme du tolérant Voltaire. Son renom n'a pas peu contribué à transmettre la fable du sacrifice rituel chez les Juifs.*

ANTHROPOPHAGES

Nous avons parlé de l'amour. Il est dur de passer de gens qui se baisent à gens qui se mangent. Il n'est que trop vrai qu'il y a eu des anthropophages ; nous en avons trouvé en Amérique ; il y en a peut-être encore, et les cyclopes n'étaient pas les seuls dans l'antiquité qui se nourrissaient quelquefois de chair humaine. Juvénal rapporte chez les Égyptiens, ce peuple si sage, si renommé pour ses lois, ce peuple si pieux qui adorait des crocodiles et des oignons, les Tintirites mangèrent un de leurs ennemis tombé entre leurs mains ; il ne fait pas ce conte sur un ouï-dire, ce crime fut commis presque sous ses yeux ; il était alors en Égypte, et à peu de distance de Tintire. Il cite, à cette occasion, les Gascons et les Sagontins qui se nourrirent autrefois de la chair de leurs compatriotes.

En 1725 on amena quatre sauvages du Mississippi à Fontainebleau, j'eus l'honneur de les entretenir ; il y avait parmi eux une dame du pays, à qui je demandai si elle avait mangé des hommes ; elle me répondit très naïvement qu'elle en avait mangé. Je parus un peu scandalisé ; elle s'excusa en disant qu'il valait mieux manger son ennemi mort que de le laisser dévorer aux bêtes, et que les vainqueurs méritaient d'avoir la préférence. Nous tuons en bataille rangée ou non rangée nos voisins, et pour la plus vile récompense nous travaillons à la cuisine des corbeaux et des vers. C'est là qu'est l'horreur, c'est là qu'est le crime ; qu'importe quand on est tué d'être mangé par un soldat, ou par un corbeau ou un chien ?

Nous respectons plus les morts que les vivants. Il aurait fallu respecter les uns et les autres. Les nations qu'on nomme policées ont eu raison de ne pas mettre leurs ennemis vaincus à la broche ; car s'il était permis de manger ses voisins, on mangerait bientôt ses compatriotes ; ce qui serait un grand inconvénient pour les vertus sociales. Mais les nations policées ne l'ont pas toujours été ; toutes ont été longtemps sauvages ; et dans le nombre infini de révolutions que ce globe a éprouvées, le genre humain a été tantôt nombreux, tantôt très rare. Il est arrivé aux hommes ce qui arrive aujourd'hui aux éléphants, aux lions, aux tigres dont l'espèce a beaucoup diminué. Dans les temps où une contrée était peu peuplée d'hommes, ils avaient peu d'art, ils étaient chasseurs. L'habitude de se nourrir de ce qu'ils avaient tué fit aisément qu'ils traitèrent leurs ennemis comme leurs cerfs et leurs sangliers. C'est la superstition qui a fait immoler des victimes humaines, c'est la nécessité qui les a fait manger.

Quel est le plus grand crime, ou de s'assembler pieusement pour plonger un couteau dans le cœur d'une jeune fille ornée de bandelettes, à l'honneur de la Divinité, ou de manger un vilain homme qu'on a tué à son corps défendant ?

Cependant nous avons beaucoup plus d'exemples de filles et de garçons sacrifiés, que de filles et de garçons mangés : presque toutes les nations connues ont sacrifié des garçons et des filles. Les Juifs en immolaient. Cela s'appelait l'anathème ; c'était un véritable sacrifice, et il est ordonné au vingt-neuvième chapitre du *Lévitique* de ne point épargner les âmes vivantes qu'on aura vouées ; mais il ne leur est prescrit en aucun endroit d'en manger, on les en menace seulement ; et Moïse, comme nous avons vu, dit aux Juifs que, s'ils n'observent pas ses cérémonies, non seulement ils auront la gale, mais que les mères mangeront leurs enfants. Il est vrai que du temps d'Ézéchiel les Juifs devaient être dans l'usage de manger de la chair humaine, car il leur prédit, au chapitre XXXIX, que Dieu leur fera manger non seulement les chevaux de leurs ennemis, mais encore les cavaliers et les autres guerriers. Cela est positif. Et, en effet, pourquoi les Juifs n'auraient-ils pas été anthropophages ? C'eût été la seule chose qui eût manqué au peuple de Dieu pour être le plus abominable peuple de la terre.

J'ai lu dans des anecdotes de l'histoire d'Angleterre du temps de Cromwell qu'une chandelière de Dublin vendait d'excellentes chandelles faites avec de la graisse d'Anglais. Quelque temps après un de ses chalands se plaignit à elle de ce que sa chandelle n'était plus si bonne. « Hélas ! dit-elle, c'est que les Anglais nous ont manqué ce mois-ci. » Je demande qui était le plus coupable, ou ceux qui égorgeaient des Anglais, ou cette femme qui faisait des chandelles avec leur suif ?

Au ***Discours sur l'origine de l'inégalité****, Voltaire répondit par des sarcasmes. Après la publication du* ***Poème sur le désastre de Lisbonne*** *de Voltaire, Rousseau s'éleva en faveur de la Providence. A cause de l'article* ***Genève*** *dans l'****Encyclopédie****, Rousseau se brouille avec le parti des « philosophes ». Voltaire s'en prendra encore à Rousseau après la publication de l'****Emile*** *; et c'est Rousseau que vise cet article :*

HOMME

Quelques mauvais plaisants ont abusé de leur esprit jusqu'au point de hasarder le paradoxe étonnant que l'homme est originairement fait pour vivre seul comme un loup-cervier, et que c'est la société qui a dépravé la nature. Autant vaudrait-il dire que, dans la mer, les harengs sont originairement faits pour nager isolés, et que c'est par un excès de corruption qu'ils passent en troupe de la mer Glaciale sur nos côtes ; qu'anciennement les grues volaient en l'air chacune à part, et que par une violation du droit naturel elles ont pris le parti de voyager en compagnie.

Chaque animal a son instinct ; et l'instinct de l'homme, fortifié par la raison, le porte à la société comme au manger et au boire. Loin que le besoin de la société ait dégradé l'homme, c'est l'éloignement de la société qui le dégrade. Quiconque vivrait absolument seul, perdrait bientôt la faculté de penser et de s'exprimer ; il serait à charge à lui-même ; il ne parviendrait qu'à se métamorphoser en bête. L'excès d'un orgueil impuissant, qui s'élève contre l'orgueil des autres, peut porter une âme mélancolique à fuir les hommes. C'est alors qu'elle s'est dépravée. Elle s'en punit elle-même. Son orgueil fait son supplice ; elle se ronge dans la solitude du dépit secret d'être méprisée et oubliée ; elle s'est mise dans le plus horrible esclavage pour être libre. (...)

Le même auteur, ennemi de la société, semblable au renard sans queue, qui voulait que tous ses confrères se coupassent la queue, s'exprime ainsi d'un style magistral :

« Le premier qui, ayant enclos un terrain, s'avisa de dire : *Ceci est à moi,* et trouva des gens assez simples pour le croire, fut le vrai fondateur de la société civile. Que de crimes, de guerres, de meurtres, que de misères et d'horreurs n'eût point épargnés au genre humain celui qui, arrachant les pieux ou comblant le fossé, eût crié à ses semblables : *Gardez-vous d'écouter cet imposteur ; vous êtes perdus si vous oubliez que les fruits sont à tous, et que la terre n'est à personne !* »

Ainsi, selon ce beau philosophe, un voleur, un destructeur aurait été le bienfaiteur du genre humain ; et il aurait fallu punir un honnête homme qui aurait dit à ses enfants : « Imitons notre voisin, il a enclos son champ, les bêtes ne viendront plus le ravager ; son terrain deviendra plus fertile ; travaillons le nôtre comme il a travaillé le sien, il nous aidera et nous l'aiderons. Chaque famille cultivant son enclos, nous serons mieux nourris, plus sains, plus paisibles, moins malheureux. Nous tâcherons d'établir une justice distributive qui consolera notre pauvre espèce, et nous vaudrons mieux que les renards et les fouines à qui cet extravagant veut nous faire ressembler. »

Ce discours ne serait-il pas plus sensé et plus honnête que celui du fou sauvage qui voulait détruire le verger du bonhomme ?

Antoine François Prévost d'Exiles, dit

l'Abbé Prévost

HESDIN 1697 – COURTEUIL 1763.

Après de brillantes études au collège des jésuites d'Hesdin, Antoine François Prévost prend l'habit de novice en 1713. Quatre ans plus tard il s'engage dans l'armée du roi, revient au monastère, s'éprend d'une jeune fille et retourne au métier des armes. En 1720 il entre chez les bénédictins, est ordonné prêtre, enseigne la théologie. Mais il s'enfuit une nouvelle fois, se réfugie en Angleterre, puis en Hollande. Sa famille ne lui pardonne pas ses diverses liaisons ; seul et sans argent il commence à écrire un vaste ouvrage : les ***Mémoires et Aventures d'un Homme de Qualité*** *dont le huitième et dernier volume contient l'histoire de Manon Lescaut. En 1773 il revient en Angleterre et fonde à Londres un journal* ***Le Pour et le Contre*** *qui veut s'expliquer sur tout sans prendre parti pour rien. Il revient enfin en France grâce à de hautes protections et reprend l'habit de prêtre. Toujours pauvre il compose diverses œuvres, en 1742 on le considère enfin comme « le premier romancier de son temps ». Il peut dès lors vivre très correctement à Passy et continue de publier de nombreuses œuvres. Mais seule l'****Histoire du Chevalier Des Grieux et de Manon Lescaut*** *a immortalisé son auteur.*

ROMAN

.Histoire du Chevalier Des Grieux et de Manon Lescaut.

1731

Il était six heures du soir. On vint m'avertir, un moment après mon retour, qu'une dame demandait à me voir. J'allai au parloir sur-le-champ. Dieux ! quelle apparition surprenante ! j'y trouvai Manon. C'était elle, mais plus aimable et plus brillante que je ne l'avais jamais vue. Elle était dans sa dix-huitième année. Ses charmes surpassaient tout ce qu'on peut décrire. C'était un air si fin, si doux, si engageant, l'air de l'Amour même. Toute sa figure me parut un enchantement.

Un jeune homme de famille noble, Des Grieux, tombe amoureux d'une jeune fille, Manon Lescaut. Tous deux fuient à Paris. Manon ne conçoit pas le bonheur sans luxe. Quand l'argent vient à manquer elle se vend à des hommes riches. Pour qu'elle ne le trahisse plus, Des Grieux apprend à tricher au jeu. A la suite de multiples aventures Manon est condamnée à l'exil en Louisiane. Des Grieux la suit. Manon renonce à l'argent, consciente finalement de son amour pour Des Grieux ; tout semble pouvoir s'apaiser. Mais le gouverneur veut « réserver » Manon pour son neveu. Des Grieux provoque en duel son rival et croit l'avoir tué. Les amants fuient dans le désert. Manon meurt d'épuisement, Des Grieux est fou de chagrin.

Après l'infidélité vénale de Manon pour un riche fermier, Des Grieux désespéré entre au séminaire de Saint-Sulpice. Un an plus tard Manon vient le reconquérir :

Je demeurai interdit à sa vue, et ne pouvant conjecturer quel était le dessein de cette visite, j'attendais, les yeux baissés et avec tremblement, qu'elle s'expliquât. Son embarras fut, pendant quelque temps, égal au mien, mais, voyant que mon silence continuait, elle mit la main devant ses yeux, pour cacher quelques larmes. Elle me dit, d'un ton timide, qu'elle confessait que son infidélité méritait ma haine ; mais que, s'il était vrai que j'eusse jamais eu quelque tendresse pour elle, il y avait eu, aussi, bien de la dureté à laisser passer deux ans sans prendre soin de s'informer de son sort, et qu'il y en avait beaucoup encore à la voir dans l'état où elle était en ma présence, sans lui dire une parole. Le désordre de mon âme, en l'écoutant, ne saurait être exprimé.

Elle s'assit. Je demeurai debout, le corps à demi tourné, n'osant l'envisager directement. Je commençai plusieurs fois une réponse, que je n'eus pas la force d'achever. Enfin, je fit un effort pour m'écrier douloureusement : Perfide Manon ! Ah ! perfide ! perfide ! Elle me répéta, en pleurant à chaudes larmes, qu'elle ne prétendait point justifier sa perfidie. Que prétendez-vous donc ? m'écriai-je encore. Je prétends mourir, répondit-elle, si vous ne me rendez votre cœur, sans lequel il est impossible que je vive. Demande donc ma vie, infidèle ! repris-je en versant moi-même des pleurs, que je m'efforçai en vain de retenir. Demande ma vie, qui est l'unique chose qui me reste à te sacrifier ; car mon cœur n'a jamais cessé d'être à toi. A peine eus-je achevé ces derniers mots, qu'elle se leva avec transport pour venir m'embrasser. Elle m'accabla de mille caresses passionnées. Elle m'appela par tous les noms que l'amour invente pour exprimer ses plus vives tendresses. Je n'y répondais encore qu'avec langueur. Quel passage, en effet, de la situation tranquille où j'avais été, aux mouvements tumultueux que je sentais renaître ! J'en étais épouvanté. Je frémissais, comme il arrive lorsqu'on se trouve la nuit dans une campagne écartée : on se croit transporté dans un nouvel ordre de choses ; on y est saisi d'une horreur secrète, dont on ne se remet qu'après avoir considéré longtemps tous les environs.

Nous nous assîmes l'un près de l'autre. Je pris ses mains dans les miennes. Ah ! Manon, lui dis-je en la regardant d'un œil triste, je ne m'étais pas attendu à la noire trahison dont vous avez payé mon amour. Il vous était bien facile de tromper un cœur dont vous étiez la souveraine absolue, et qui mettait toute sa félicité à vous plaire et à vous obéir. Dites-moi maintenant si vous en avez trouvé d'aussi tendres et d'aussi soumis. Non, non, la Nature n'en fait guère de la même trempe que le mien. Dites-moi, du moins, si vous l'avez quelquefois regretté. Quel fond dois-je faire sur ce retour de bonté qui vous ramène aujourd'hui pour le consoler ? Je ne vois que trop que vous êtes plus charmante que jamais ; mais au nom de toutes les peines que j'ai souffertes pour vous, belle Manon, dites-moi si vous serez plus fidèle.

Elle me répondit des choses si touchantes sur son repentir, et elle s'engagea à la fidélité par tant de protestations et de serments, qu'elle m'attendrit à un degré inexprimable. Chère Manon ! lui dis-je, avec un mélange profane d'expressions amoureuses et théologiques, tu es trop adorable pour une créature. Je me sens le cœur emporté par une délectation victorieuse. Tout ce qu'on dit de la liberté à Saint-Sulpice est une chimère. Je vais perdre ma fortune et ma réputation pour toi, je le prévois bien ; je lis ma destinée dans tes beaux yeux ; mais de quelles pertes ne serai-je pas consolé par ton amour ! Les faveurs de la fortune ne me touchent point ; la gloire me paraît une fumée ; tous mes projets de la vie ecclésiastique étaient de folles imaginations ; enfin tous les biens différents que ceux que j'espère avec toi sont des biens méprisables, puisqu'ils ne sauraient tenir un moment, dans mon cœur, contre un seul de tes regards.

En lui promettant néanmoins un oubli général de ses fautes, je voulus être informé de quelle manière elle s'était laissée séduire par B... Elle m'apprit que, l'ayant vue à sa fenêtre, il était devenu passionné pour elle ; qu'il avait fait sa déclaration en fermier général, c'est-à-dire en lui marquant dans une lettre que le payement serait proportionné aux faveurs ; qu'elle avait capitulé d'abord, mais sans autre dessein que de tirer de lui quelque somme considérable qui pût servir à nous faire vivre commodément ; qu'il l'avait éblouie par de si magnifiques promesses, qu'elle s'était laissée ébranler par degrés ; que je devais juger pourtant de ses remords par la douleur dont elle m'avait laissé voir des témoignages, la veille de notre séparation ; que, malgré l'opulence dans laquelle il l'avait entretenue, elle n'avait jamais goûté de bonheur avec lui, non seulement parce qu'elle n'y trouvait point, me dit-elle, la délicatesse de mes sentiments et l'agrément de mes manières, mais parce qu'au milieu même des plaisirs qu'il lui procurait sans cesse, elle portait, au fond du cœur, le souvenir de mon amour, et le remords de son infidélité. Elle me parla de Tiberge et de la confusion extrême que sa visite lui avait causée. Un coup d'épée dans le cœur, ajouta-t-elle, m'aurait moins ému le sang. Je lui tournai le dos, sans pouvoir soutenir un moment sa présence. Elle continua de me raconter par quels moyens elle avait été instruite de mon séjour à Paris, du changement de ma condition, et de mes exercices de Sorbonne. Elle m'assura qu'elle avait été si agitée, pendant la dispute, qu'elle avait eu beaucoup de peine, non seulement à retenir ses larmes, mais ses gémissements mêmes et ses cris, qui avaient été plus d'une fois sur le point d'éclater. Enfin, elle me dit qu'elle était sortie de ce lieu la dernière, pour cacher son désordre, et que, ne suivant que le mouvement de son cœur et l'impétuosité de ses désirs, elle était venue droit au séminaire, avec la résolution d'y mourir si elle ne me trouvait pas disposé à lui pardonner.

Où trouver un barbare qu'un repentir si vif et si tendre n'eût pas touché ? Pour moi, je sentis, dans ce moment, que j'aurais sacrifié pour Manon tous les évêchés du monde chrétien. Je lui demandai quel nouvel ordre elle jugeait à propos de mettre dans nos affaires. Elle me dit qu'il fallait sur-le-champ sortir du séminaire, et remettre à nous arranger dans un lieu plus sûr. Je consentis à toutes ses volontés sans réplique. En entra dans son carrosse, pour aller m'attendre au coin de la rue. Je m'échappai un moment après, sans être aperçu du portier. Je montai avec elle. Nous passâmes à la friperie. Je repris les galons et l'épée. Manon fournit aux frais, car j'étais sans un sou ; et dans la crainte que je ne trouvasse de l'obstacle à ma sortie de Saint-Sulpice, elle n'avait pas voulu que je retournasse un moment à ma chambre pour y prendre mon argent. Mon trésor, d'ailleurs, était médiocre, et elle assez riche des libéralités de B... pour mépriser ce qu'elle me faisait abandonner.

PREMIÈRE PARTIE

Le père de Des Grieux et un vieillard dupé par les deux amants font déporter Manon en Louisiane avec un convoi de filles publiques.

Des Grieux soudoie les gardes de l'escorte pour qu'ils arrêtent un moment le chariot :

Figurez-vous ma pauvre maîtresse enchaînée par le milieu du corps, assise sur quelques poignées de paille, la tête appuyée languissamment sur un côté de la voiture, le visage pâle et mouillé d'un ruisseau de larmes qui se faisaient un passage au travers de ses paupières, quoiqu'elle eût continuellement les yeux fermés. Elle n'avait pas même eu la curiosité de les ouvrir lorsqu'elle avait entendu le bruit de ses gardes, qui craignaient d'être attaqués. Son linge était sale et dérangé, ses mains délicates exposées à l'injure de l'air ; enfin, tout ce composé charmant, cette figure capable de ramener l'univers à l'idolâtrie, paraissait dans un désordre et un abattement inexprimables. J'employai quelque temps à la considérer, en allant à cheval à côté du chariot. J'étais si peu à moi-même que je fus sur le point, plusieurs fois, de tomber dangereusement. Mes soupirs et mes exclamations fréquentes m'attirèrent d'elle quelques regards. Elle me reconnut, et je remarquai que, dans le premier mouvement, elle tenta de se précipiter hors de la voiture pour venir à moi ; mais, étant retenue par sa chaîne, elle retomba dans sa première attitude. (...)

Manon parla peu. Il semblait que la honte et la douleur eussent altéré les organes de sa voix ; le son en était faible et tremblant. Elle me remercia de ne l'avoir pas oubliée, et de la satisfaction que je lui accordais, dit-elle en soupirant, de me voir du moins encore une fois et de me dire le dernier adieu. Mais, lorsque je l'eus assurée que rien n'était capable de me séparer d'elle et que j'étais disposé à la suivre jusqu'à l'extrémité du monde pour prendre soin d'elle, pour la servir, pour l'aimer et pour attacher inséparablement ma misérable destinée à la sienne, cette pauvre fille se livra à des sentiments si tendres et si douloureux, que j'appréhendai quelque chose pour sa vie d'une si violente émotion. Tous les mouvements de son âme semblaient se réunir dans ses yeux. Elle les tenait fixés sur moi. Quelquefois elle ouvrait la bouche, sans avoir la force d'achever quelques mots qu'elle commençait. Il lui en échappait néanmoins quelques-uns. C'étaient des marques d'admiration sur mon amour, de tendres plaintes de son excès, des doutes qu'elle pût être assez heureuse pour m'avoir inspiré une passion si parfaite, des instances pour me faire renoncer au dessein de la suivre et chercher ailleurs un bonheur digne de moi, qu'elle me disait que je ne pouvais espérer avec elle.

En dépit du plus cruel de tous les sorts, je trouvais ma félicité dans ses regards et dans la certitude que j'avais de son affection. J'avais perdu, à la vérité, tout ce que le reste des hommes estime ; mais j'étais maître du cœur de Manon, le seul bien que j'estimais. Vivre en Europe, vivre en Amérique, que m'importait-il en quel endroit vivre, si j'étais sûr d'y être heureux en y vivant avec ma maîtresse ?

Tout l'univers n'est-il pas la patrie de deux amants fidèles ? Ne trouvent-ils pas, l'un dans l'autre, père, mère, parents, amis, richesses et félicité ?

DEUXIÈME PARTIE

Des Grieux et Manon se sont enfuis dans le désert, mais Manon est bientôt vaincue par la fatigue et la souffrance :

Ses soupirs fréquents, son silence à mes interrogations, le serrements de ses mains, dans lesquelles elle continuait de tenir les miennes, me firent connaître que la fin de ses malheurs approchait.

N'exigez point de moi que je vous décrive mes sentiments, ni que je vous rapporte ses dernières expressions. Je la perdis ; je reçus d'elle des marques d'amour, au moment même qu'elle expirait. C'est tout ce que j'ai la force de vous apprendre de ce fatal et déplorable événement.

Mon âme ne suivit pas la sienne. Le Ciel ne me trouva point, sans doute, assez rigoureusement puni. Il a voulu que j'aie traîné, depuis, une vie languissante et misérable. Je renonce volontairement à la mener jamais plus heureuse.

Je demeurai, plus de vingt-quatre heures, la bouche attachée sur le visage et sur les mains de ma chère Manon. Mon dessein était d'y mourir ; mais je fis réflexion, au commencement du second jour, que son corps serait exposé, après mon trépas, à devenir la pâture des bêtes sauvages. Je formai la résolution de l'enterrer et d'attendre la mort sur la fosse. J'étais déjà si proche de ma fin, par l'affaiblissement que le jeûne et la douleur m'avaient causé, que j'eus besoin de quantité d'efforts pour me tenir debout. Je fus obligé de recourir aux liqueurs fortes que j'avais apportées. Elles me rendirent autant de force qu'il en fallait pour le triste office que j'allais exécuter. Il ne m'était pas difficile d'ouvrir la terre, dans le lieu où je me trouvais. C'était une campagne couverte de sable. Je rompis mon épée, pour m'en servir à creuser, mais j'en tirai moins de secours que de mes mains. J'ouvris une large fosse. J'y plaçai l'idole de mon cœur, après avoir pris soin de l'envelopper de tous mes habits, pour empêcher le sable de la toucher. Je ne la mis dans cet état qu'après l'avoir embrassée mille fois, avec toute l'ardeur du plus parfait amour. Je m'assis encore près d'elle. Je la considérai longtemps. Je ne pouvais me résoudre à fermer la fosse. Enfin, mes forces recommençant à s'affaiblir, et craignant d'en manquer tout à fait avant la fin de mon entreprise, j'ensevelis pour toujours, dans le sein de la terre, ce qu'elle avait porté de plus parfait et de plus aimable. Je me couchai ensuite sur la fosse, le visage tourné vers le sable ; et, fermant les yeux avec le dessein de ne les ouvrir jamais, j'invoquai le secours du Ciel et j'attendis la mort avec impatience.

Ce qui vous paraîtra difficile à croire, c'est que, pendant tout l'exercice de ce lugubre ministère, il ne sortit point une larme de mes yeux ni un soupir de ma bouche. La consternation profonde où j'étais et le dessein déterminé de mourir avaient coupé le cours à toutes les expressions du désespoir et de la douleur. Aussi, ne demeurai-je pas longtemps dans la posture où j'étais sur la fosse, sans perdre le peu de connaissance et de sentiment qui me restait.

DEUXIÈME PARTIE

Chansons XVIIIe siècle

.LA BERGÈRE.

.I.

Il était un' bergère,
Et ron, ron, ron, petit patapon,
Il était un' bergère,
Qui gardait ses moutons,
Ron, ron,
Qui gardait ses moutons.

.2.

Elle fit un fromage,
Et ron, ron, ron, petit patapon,
Elle fit un fromage
Du lait de ses moutons,
Ron, ron,
Du lait de ses moutons.

.3.

Le chat qui la regarde,
Et ron, ron, ron, petit patapon,
Le chat qui la regarde
D'un petit air fripon,
Ron, ron,
D'un petit air fripon.

.4.

Si tu y mets la patte,
Et ron, ron, ron, petit patapon,
Si tu y mets la patte,
Tu auras du bâton,
Ron, ron,
Tu auras du bâton.

.5.

Il n'y mit pas la patte,
Et ron, ron, ron, petit patapon,
Il n'y mit pas la patte,
Il y mit le menton,
Ron, ron,
Il y mit le menton.

.6.

La bergère en colère,
Et ron, ron, ron, petit patapon.
La bergère en colère,
A tué son chaton,
Ron, ron,
A tué son chaton.

.CADET ROUSSELLE.

Cette très célèbre chanson daterait des années 1780-1790. Elle servit aux royalistes de Provence de chant de ralliement pendant la Terreur Blanche. Elle fut composée d'après la chanson « Jean de Nivelle » (XVIe siècle) – personnage fictif que cite La Fontaine dans ***Le Faucon et le chapon****, reprenant le proverbe :* ***C'est le chien de Jean de Nivelle, il s'enfuit quand on l'appelle*** *; mais il faut peut-être dire* ***ce chien de Jean Nivelle****, car il s'agit peut-être du seigneur de Montmorency (sous Louis XI) qui s'enfuit en Flandres et fut traité de chien. Quoiqu'il en soit, l'on voit que de Jean de Nivelle à Cadet Rousselle, l'invention populaire s'est donnée libre cours.*

Cadet Rousselle a trois maisons,
Qui n'ont ni poutres ni chevrons.
C'est pour loger les hirondelles,
Que direz-vous d'Cadet Rousselle,
Ah ! Ah ! Ah ! oui vraiment,
Cadet Rouselle est bon enfant.

Cadet Rousselle a trois habits,
Deux jaunes, l'autre en papier gris,
Il met celui-là quand il gèle,

Ou quand il pleut, ou quand il grêle,
Ah ! Ah ! Ah ! oui vraiment,
Cadet Rousselle est bon enfant.

Cadet Rousselle a trois beaux yeux,
L'un r'garde à Caen, l'autre à Bayeux.
Comme il n'a pas la vu' bien nette,
Le troisième, c'est sa lorgnette.
Ah ! Ah ! Ah ! oui vraiment,
Cadet Rousselle est bon enfant.

Cadet Rousselle a une épé',
Très longue, mais toute rouillée.
On dit qu'ell' ne cherche querelle
Qu'aux moineaux et qu'aux hirondelles.
Ah ! Ah ! Ah ! oui vraiment,
Cadet Rousselle est bon enfant.

Cadet Rousselle a trois garçons,
L'un est voleur, l'autre est fripon,
Le troisième est un peu ficelle,
Il ressemble à Cadet Rousselle.
Ah ! Ah ! Ah ! oui vraiment,
Cadet Rousselle est bon enfant.

Cadet Rousselle a trois gros chiens,
L'un court au lièvr', l'autre au lapin.
L' troisièm' s'enfuit quand on l'appelle,
Comm' le chien de Jean Nivelle.
Ah ! Ah ! Ah ! oui vraiment,
Cadet Rousselle est bon enfant.

Cadet Rousselle a trois beaux chats,
Qui n'attrapent jamais les rats.
Le troisièm' n'a pas de prunelles,
Il monte au grenier sans chandelle.
Ah ! Ah ! Ah ! oui vraiment,
Cadet Rousselle est bon enfant.

Cadet Rousselle a marié,
Ses trois filles dans trois quartiers.
Les deux premier's ne sont pas belles,
La troisièm' n'a pas de cervelle.
Ah ! Ah ! Ah ! oui vraiment,
Cadet Rousselle est bon enfant.

Cadet Rousselle a trois deniers,
C'est pour payer ses créanciers.
Quand il a montré ses ressources.
Il les resserre dans sa bourse.
Ah ! Ah ! Ah ! oui vraiment,
Cadet Rousselle est bon enfant.

Cadet Rousselle ne mourra pas,
Car avant de sauter le pas,
On dit qu'il apprend l'orthographe,
Pour fair' lui-mêm' son épitaphe.
Ah ! Ah ! Ah ! oui vraiment,
Cadet Rousselle est bon enfant.

.MALBROUGH S'EN VA T'EN GUERRE.

1702

John Churchill, duc de Malbrough, chef de la coalition contre louis XIV.

Malbrough s'en va t'en guerre,
Mironton, mironton, mirontaine,
Malbrough s'en va t'en guerre,
Ne sait quand reviendra.

Il reviendra z-à Pâques,
Mironton, mironton, mirontaine,
Il reviendra z-à Pâques,
Ou à la Trinité.

La Trinité se passe,
Mironton, mironton, mirontaine,
La Trinité se passe,
Malbrough ne revient pas.

Madame monte à sa tour
Mironton, mironton, mirontaine,
Madame à sa tour monte,
Si haut qu'elle peut monter.

Ell' voit venir son page,
Mironton, mironton, mirontaine,
Ell' voit venir son page,
Tout de noir habillé.

« Beau page, mon beau page,
Mironton, mironton, mirontaine,
Beau page, mon beau page,
Quelles nouvelles apportez ? »

« Aux nouvelles que j'apporte,
Mironton, mironton, mirontaine,
Aux nouvelles que j'apporte,
Vos beaux yeux vont pleurer.

Quittez vos habits roses,
Mironton, mironton, mirontaine,
Quittez vos habits roses,
Et vos satins brochés.

Monsieur Malbrough est mort,
Mironton, mironton, mirontaine,
Monsieur Malbrough est mort,
Est mort et enterré.

J' l'ai vu porter en terre,
Mironton, mironton, mirontaine,
J' l'ai vu porter en terre,
Par quatre-z-officiers.

L'un portait sa cuirasse,
Mironton, mironton, mirontaine,
L'un portait sa cuirasse,
L'autre son bouclier.

L'un portait son grand sabre,
Mironton, mironton, mirontaine,
L'un portait son grand sabre,
L'autre ne portait rien.

A l'entour de sa tombe,
Mironton, mironton, mirontaine,
A l'entour de sa tombe,
Romarins on planta.

Sur la plus haute branche,
Mironton, mironton, mirontaine,
Sur la plus haute branche,
Un rossignol chanta.

On vit voler son âme,
Mironton, mironton, mirontaine,
On vit voler son âme,
Au travers des lauriers.

Chacun mit ventre à terre,
Mironton, mironton, mirontaine,
Chacun mit ventre à terre,
Et puis se releva.

Pour chanter la victoire,
Mironton, mironton, mirontaine,
Pour chanter la victoire
Que Malbrough remporta.

La cérémonie faite,
Mironton, mironton, mirontaine,
La cérémonie faite.
Chacun s'en fut coucher.

Les uns avec leurs femmes,
Mironton, mironton, mirontaine,
Les uns avec leurs femmes,
Et les autres tout seuls !

J' n'en dis pas davantage,
Mironton, mironton, mirontaine,
J' n'en dis pas davantage,
Car en voilà z'assez ! »

•LA CARMAGNOLE•

1792

Ce nom désigne une veste étroite, à revers très courts, garnie de plusieurs rangées de boutons, que portaient les fédérés marseillais.

•1•

Que faut-il aux Républicains,
Que faut-il aux Républicains ?
Il faut du fer, du cœur, du pain,
Il faut du fer, du cœur, du pain !
Du fer pour l'étranger,
Du cœur pour le danger,
Et du pain pour nos frères,
Vive le son, vive le son,
Et du pain pour nos frères,
Vive le son du canon.

Dansons la Carmagnole,
Y'a pas de croquignoles,
Y'en a chez la Mariole
Mais ce n'est pas pour nous
You !

Dansons la Carmagnole
Y'a pas de pain chez nous,
Y'en a chez la Mariole,
Mais ce n'est pas pour nous
You !

Dansons la Carmagnole
Y'a pas de feu chez nous,
Y'en a chez la Mariole,
Mais ce n'est pas pour nous
You !

Dansons la Carmagnole,
Y'a pas de vin chez nous,
Y'en a chez la Mariole,
Mais ce n'est pas pour nous
You !

•LE BON ROI DAGOBERT•

Cette chanson daterait de l'Ancien Régime. Dagobert fut le meilleur roi mérovingien, saint Eloi fut réellement son ministre ; pourtant, paradoxalement, les Royalistes se moquèrent de l'Empereur déchu sous ce nom de Dagobert, digne d'une meilleure mémoire. La moquerie d'ailleurs est si indirecte qu'elle n'a pu qu'être convenue.

Dans un autre esprit, Charles Péguy a su prolonger cette chanson.

Le bon roi Dagobert
a mis sa culotte à l'envers ;
Le grand saint Éloi
Lui dit : ô mon roi,
Votre Majesté
Est mal culottée ;
– C'est vrai, lui dit le roi,
Je vais la remettre à l'endroit.

Comme il la remettait,
Un peu trop il se découvrait ;
Le grand saint Éloi
Lui dit : ô mon roi,
Vous avez la peau
Plus noir' qu'un corbeau ;
– C'est vrai, lui dit le roi,
La rein' l'a bien plus noir' que moi.

Le bon roi Dagobert
Ses bas étaient mangés des vers ;
Le grand saint Éloi
Lui dit : ô mon roi,
Vos deux bas cadets
Font voir vos mollets ;
– C'est vrai, lui dit le roi
Les tiens sont bons, donne-les moi.

Le bon roi Dagobert
Portait manteau court en hiver ;
Le grand saint Éloi
Lui dit : ô mon roi,
Votre majesté
Est tout écourtée ;
– C'est vrai, lui dit le roi,
Fais-moi rallonger de deux doigts.

Le bon roi Dagobert
Avait un beau justaucorps vert ;
Le grand saint Éloi
Lui dit : ô mon roi,
Votre habit paré
Au coude est percé ;
– C'est vrai, lui dit le roi,
Le tien est bon, prête-le moi.

Le bon roi Dagobert
Faisait peu sa barbe en hiver ;
Le grand saint Éloi
Lui dit : ô mon roi,
Il faut du savon
Pour votre menton ;
– C'est vrai, lui dit le roi,
As-tu deux sous ? prête-les moi.

Le bon roi Dagobert,
Sa perruque était de travers ;
Le grand saint Éloi
Lui dit : ô mon roi,
Votre perruquier
Vous a mal coiffé ;
– C'est vrai, lui dit le roi,
Je prends ta tignasse pour moi.

Le bon roi Dagobert,
Son chapeau le coiffait en cerf ;
Le grand saint Éloi
Lui dit : ô mon roi,
La corne au milieu
Vous siérait bien mieux ;
– C'est vrai, lui dit le roi,
J'avais pris modèle sur toi.

Le bon roi Dagobert
Voulait s'embarquer sur la mer ;
Le grand saint Éloi
Lui dit : ô mon roi,
Votre Majesté
Se fera noyer ;
– C'est vrai, lui dit le roi,
On pourra crier : *le roi boit.*

Le bon roi Dagobert
Chassait dans la plaine d'Anvers ;
Le grand saint Éloi
Lui dit : ô mon roi,
Votre Majesté
Est tout essoufflée :
– C'est vrai, lui dit le roi,
Un lapin courait après moi.

Le roi faisait des vers
Mais il les faisait de travers ;
Le grand saint Éloi
Lui dit : ô mon roi,
Laissez aux oisons
Faire des chansons ;
– C'est vrai, lui dit le roi,
C'est toi qui les feras pour moi.
Le bon roi Dagobert

Allait à la chasse au pivert ;
Le grand saint Éloi
Lui dit : ô mon roi,
La chasse aux coucous

Vaudrait mieux pour vous ;
– C'est vrai, lui dit le roi,
Je vais tirer, prends garde à toi.

Le bon roi Dagobert
Voulait conquérir l'univers ;
Le grand saint Éloi
Lui dit : ô mon roi,
Voyager si loin
Donne du tintouin ;
– C'est vrai, lui dit le roi,
Il vaut mieux demeurer chez moi.

Le bon roi Dagobert
Se battait à tort à travers ;
Le grand saint Éloi
Lui dit : ô mon roi,
Votre Majesté
Se fera tuer ;
– C'est vrai, lui dit le roi,
Mets-toi bien vite devant moi.

Le bon roi Dagobert
Avait un grand sabre de fer ;
Le grand saint Éloi
Lui dit : ô mon roi,
Votre Majesté
Pourrait se blesser ;
– C'est vrai, lui dit le roi,
Qu'on me donne un sabre en bois.

Le roi faisait la guerre
Mais il la faisait en hiver ;
Le grand saint Éloi
Lui dit : ô mon roi,
Votre Majesté
Se fera geler ;
— C'est vrai, lui dit le roi,
Je m'en vais retourner chez moi.

Le bon roi Dagobert
Mangeait en glouton du dessert ;
Le grand saint Éloi
Lui dit : ô mon roi,
Vous êtes gourmand,
Ne mangez pas tant ;
– C'est vrai, lui dit le roi,
Je ne le suis pas tant que toi.

Le bon roi Dagobert
Avait un vieux fauteuil de fer ;
Le grand saint Éloi
Lui dit : ô mon roi,
Votre vieux fauteuil
M'a donné dans l'œil ;
– C'est vrai, lui dit le roi,
Fais-le vite emporter chez toi.

Le bon roi Dagobert
Ayant bu, allait de travers ;
Le grand saint Éloi
Lui dit : ô mon roi,
Votre Majesté
Va tout de côté,
– C'est vrai, lui dit le roi,
Quand t'es gris, marches-tu plus droit.

Quand Dagobert mourut,
Le diable aussitôt accourut ;
Le grand saint Éloi
Lui dit : ô mon roi,
Satan va passer,
Faut vous confesser ;
– Hélas, dit le bon roi,
Ne pourrais-tu mourrir pour moi.

Georges Louis Leclerc, comte de Buffon

*MONTBARD 1707 —
PARIS 1788.*

Après des études au collège des jésuites à Dijon, Buffon est licencié en droit. Il voyage et écrit des mémoires de mathématiques, de physique et d'économie rurale. Il traduit les écrits de Newton et définit les méthodes des sciences expérimentales. A 26 ans il est nommé membre adjoint de l'Académie des Sciences et en 1739 intendant du Jardin du Roi. Il élabore le plan de son ***Histoire naturelle générale et particulière*** *qui comprendra trente-six volumes et demeurera inachevée. Dès 1744, Buffon adopte une règle de vie stricte : il passe quatre mois à Paris où il se consacre à ses tâches officielles et huit mois à Montbard où il travaille à son* ***Histoire*** *dès cinq heures du matin : « Le génie n'est qu'une grande aptitude à la patience ; j'ai passé cinquante ans à mon bureau », dira-t-il. En 1749 il publie les trois premiers tomes de son* ***Histoire naturelle (de la manière d'étudier l'histoire naturelle ; de la théorie de la terre ; des animaux et des hommes)****, les volumes se suivent régulièrement jusqu'en 1789. Buffon est entouré de l'admiration générale, il est reçu à l'Académie française en 1753, voit sa statue orner le jardin du roi, Rousseau baise le seuil de son cabinet de travail. Buffon meurt en 1788 : plus de vingt mille personnes suivent son enterrement.*

SCIENCES

.Histoire naturelle générale et particulière.

1749 à 1789

Le seul et vrai moyen d'avancer la science est de travailler à la description et à l'histoire des différentes choses qui en font l'objet.

Les choses par rapport à nous ne sont rien en elles-mêmes, elles ne sont encore rien lorsqu'elles ont un nom ; mais elles commencent à exister pour nous lorsque nous leur connaissons des rapports, des propriétés ; ce n'est même que par ces rapports que nous pouvons leur donner une définition ; or la définition, telle qu'on la peut faire par une phrase, n'est encore que la représentation très imparfaite de la chose, et nous ne pouvons jamais bien définir une

*L'****Histoire naturelle*** *publiée par l'Imprimerie royale de 1749 à 1789 est avec l'****Encyclopédie*** *la plus grande entreprise de librairie du XVIII*[e] *siècle. Cette œuvre comprend 36 volumes répartis comme suit :*

- *Histoire des quadrupèdes (15 volumes — 1749 à 1767)*
- *Histoire des oiseaux (9 volumes — 1770 à 1783)*
- *Histoire des minéraux (5 volumes — 1783 à 1788)*
- *Supplément (7 volumes — 1774 à 1789)*
  où l'on trouve le ***Discours sur le Style*** *prononcé en 1753 par Buffon à l'occasion de sa réception à l'Académie française.*

Buffon définit dans son ***Premier Discours*** *la méthode descriptive et inductive qu'il adopte pour son* ***Histoire*** *:*

chose sans la décrire exactement. C'est cette difficulté de faire une bonne définition, que l'on retrouve à tout moment dans toutes les méthodes, dans tous les abrégés qu'on a tâché de faire pour soulager la mémoire ; aussi doit-on dire que dans les choses naturelles il n'y a rien de bien défini que ce qui est exactement décrit ; or, pour décrire exactement, il faut avoir vu, revu, examiné, comparé la chose qu'on veut décrire, et tout cela sans préjugé, sans idée de système ; sans quoi la description n'a plus le caractère de la vérité, qui est le seul qu'elle puisse comporter. Le style même de la description doit être simple, net et mesuré ; il n'est pas susceptible d'élévation, d'agréments, encore moins d'écarts, de plaisanterie ou d'équivoque ; le seul ornement qu'on puisse lui donner, c'est de la noblesse dans l'expression, du choix et de la propriété dans les termes.

Dans le grand nombre d'auteurs qui ont écrit sur l'Histoire naturelle, il y en a fort peu qui aient bien décrit. Représenter naïvement et nettement les choses, sans les charger ni les diminuer, et sans y rien ajouter de son imagination, est un talent d'autant plus louable qu'il est moins brillant et qu'il ne peut être senti que d'un petit nombre de personnes capables d'une certaine attention nécessaire pour suivre les choses jusque dans les petits détails : rien n'est plus commun que des ouvrages embarrassés d'une nombreuse et sèche nomenclature, de méthodes ennuyeuses et peu naturelles dont les auteurs croient se faire un mérite ; rien de si rare que de trouver de l'exactitude dans les descriptions, de la nouveauté dans les faits, de la finesse dans les observations...

La description exacte et l'histoire fidèle de chaque chose est, comme nous l'avons dit, le seul but qu'on doive se proposer d'abord. (...)

L'histoire doit suivre la description, et doit uniquement rouler sur les rapports que les choses naturelles ont entre elles et avec nous : l'histoire d'un animal doit être non pas l'histoire de l'individu, mais celle de l'espèce entière de ces animaux ; elle doit comprendre leur génération, le temps de la prégnation, celui de l'accouchement, le nombre des petits, les soins des pères et des mères, leur espèce d'éducation, leur instinct, les lieux de leur habitation, leur nourriture, la manière dont ils se la procurent, leurs mœurs, leurs ruses, leur chasse, ensuite les services qu'ils peuvent nous rendre, et toutes les utilités ou les commodités que nous pouvons en tirer ; et lorsque dans l'intérieur du corps de l'animal il y a des choses remarquables, soit par la conformation, soit pour les usages qu'on en peut faire, on doit les ajouter ou à la description ou à l'histoire ; mais ce serait un objet étranger à l'Histoire naturelle que d'entrer dans un examen anatomique trop circonstancié, ou du moins ce n'est pas son objet principal, et il faut réserver ces détails pour servir de mémoires sur l'anatomie comparée.

PREMIER DISCOURS :
DE LA MANIÈRE D'ÉTUDIER
ET DE TRAITER L'HISTOIRE NATURELLE

Les descriptions animalières de Buffon montrent son anthropocentrisme : toute la nature animale est faite pour être apprivoisée.

LE CHEVAL

La plus noble conquête que l'homme ait jamais faite, est celle de ce fier et fougueux animal qui partage avec lui les fatigues de la guerre et la gloire des combats ; aussi intrépide que son maître, le cheval voit le péril et l'affronte, il se fait au bruit des armes, il l'aime, il le cherche et s'anime de la même ardeur : il partage aussi ses plaisirs, à la chasse, aux tournois, à la course, il brille, il étincelle ; mais docile autant que courageux, il ne se laisse point emporter à son feu, il sait réprimer ses mouvements, non seulement il fléchit sous la main de celui qui le guide, mais il semble consulter ses désirs, et obéissant toujours aux impressions qu'il en reçoit, il se précipite, se modèle ou s'arrête, et n'agit que pour y satisfaire : c'est une créature qui renonce à son être pour n'exister que par la volonté d'un autre, qui sait même la prévenir, qui, par la promptitude et la précision de ses mouvements l'exprime et l'exécute, qui sent autant qu'on le désire, et ne rend qu'autant qu'on veut, qui se livrant sans réserve, ne se refuse à rien, sert de toutes ses forces, s'excède et même meurt pour mieux obéir.

Voilà le cheval dont les talents sont développés, dont l'art a perfectionné les qualités naturelles, qui dès le premier âge a été soigné et ensuite exercé, dressé au service de l'homme ; c'est par la perte de sa liberté que commence son éducation, et c'est par la contrainte qu'elle s'achève : l'esclavage ou la domesticité de ces animaux est même si universelle, si ancienne, que nous ne les voyons que rarement dans leur état naturel, ils sont toujours couverts de harnais dans leurs travaux, on ne les délivre jamais de tous leurs liens, même dans les temps de repos, et si on les laisse quelquefois errer en liberté dans les pâturages, ils y portent toujours les marques de la servitude, et souvent les empreintes cruelles du travail et de la douleur ; la bouche est déformée par les plis que le mors a produits, les flancs sont entamés par des plaies, ou sillonnés de cicatrices faites par l'éperon ; la corne des pieds est traversée par des clous, l'attitude du corps est encore gênée par l'impression subsistante des entraves habituelles, on les en délivrerait en vain, ils n'en seraient pas plus libres : ceux même dont l'esclavage est le plus doux, qu'on ne nourrit, qu'on n'entretient que pour le luxe et la magnificence, et dont les chaînes dorées servent moins à leur parure qu'à la vanité de leur maître, sont encore plus déshonorés par l'élégance de leur toupet, par les tresses de leurs crins, par l'or et la soie dont on les couvre, que par les fers qui sont sous leurs pieds.

HISTOIRE DES QUADRUPÈDES

Buffon distingue sept époques de la nature :
- *une comète, heurtant la masse solaire en fusion, aurait détaché la terre et les planètes ;*
- *la terre, en se refroidissant, devient solide ;*
- *l'eau se condense, le globe est couvert par les mers ;*
- *les eaux se retirent, le globe est secoué ;*
- *les grands animaux apparaissent ;*
- *les continents se séparent ;*
- *enfin l'âge de l'homme apparaît, « lorsque la puissance de l'homme a secondé celle de la nature » :*

Ce n'est que depuis environ trente siècles que la puissance de l'homme s'est réunie à celle de la Nature et s'est étendue sur la plus grande partie de la terre ; les trésors de sa fécondité jusqu'alors étaient enfouis, l'homme les a mis au grand jour ; ses autres richesses, encore plus profondément enterrées, n'ont pu se dérober à ses recherches et sont devenues le prix de ses travaux : partout, lorsqu'il s'est conduit avec sagesse, il a suivi les leçons de la Nature, profité de ses exemples, employé ses moyens, et choisi dans son immensité tous les objets qui pouvaient lui servir ou lui plaire. Par son intelligence les animaux ont été apprivoisés, subjugués, domptés, réduits à lui obéir à jamais ; par ses travaux, les marais ont été desséchés, les fleuves contenus, leurs cataractes effacées, les forêts éclaircies, les landes cultivées ; par sa réflexion, les temps ont été comptés, les espaces mesurés, les mouvements célestes reconnus, combinés, représentés, le ciel et la terre comparés, l'univers agrandi, et le Créateur dignement adoré ; par son art émané de la science, les mers ont été traversées, les montagnes franchies, les peuples rapprochés, un nouveau monde découvert, mille autres terres isolées sont devenues son domaine ; enfin la face entière de la terre porte aujourd'hui l'empreinte de la puissance de l'homme, laquelle, quoique subordonnée à celle de la Nature, souvent a fait plus qu'elle, ou du moins l'a si merveilleusement secondée que c'est à l'aide de nos mains qu'elle s'est développée dans toute son étendue, et qu'elle est arrivée par degrés au point de perfection et de magnificence où nous la voyons aujourd'hui...

Au moyen de la greffe, l'homme a, pour ainsi dire, créé des espèces secondaires qu'il peut propager et multiplier à son gré : le bouton ou la petite branche qu'il joint au sauvageon renferme cette qualité individuelle qui ne peut se transmettre par la graine, et qui n'a besoin que de se développer pour produire les mêmes fruits que l'individu dont on les a séparés pour les unir au sauvageon, lequel ne leur communique aucune de ses mauvaises qualités, parce qu'il n'a pas contribué à leur formation, qu'il n'est pas une mère, mais une simple nourrice qui ne sert qu'à leur développement par la nutrition. Dans les animaux, la plupart des qualités qui paraissent individuelles ne laissent pas de se transmettre et de se propager par la même voie que les propriétés scientifiques ; il était donc plus facile à l'homme d'influer sur la nature des animaux que sur celle des végétaux. Les races dans chaque espèce d'animal ne sont que des variétés constantes qui se perpétuent par la génération, au lieu que dans les espèces végétales il n'y a point de races, point de variétés assez constantes pour être perpétuées par la reproduction. Dans les seules espèces de la poule et du pigeon, l'on a fait naître très récemment de nouvelles races en grand nombre, qui toutes peuvent se propager d'elles-mêmes ; tous les jours, dans les autres espèces, on relève, on ennoblit les races en les croisant ; de temps en temps on acclimate, on civilise quelques espèces étrangères ou sauvages. Tous ces exemples modernes et récents prouvent que l'homme n'a connu que tard l'étendue de sa puissance, et que même il ne la connaît pas encore assez ; elle dépend en entier de l'exercice de son intelligence ; ainsi, plus il observera, plus il cultivera la Nature, plus il aura de moyens pour se la soumettre et de facilités pour tirer de son sein des richesses nouvelles, sans diminuer les trésors de son inépuisable fécondité.

Et que ne pourrait-il pas sur lui-même, je veux dire sur sa propre espèce, si la volonté était toujours dirigée par l'intelligence ? Qui sait jusqu'à quel point l'homme pourrait perfectionner sa nature, soit au moral, soit au physique ?

LES ÉPOQUES DE LA NATURE

Jean-Jacques Rousseau

GENÈVE 1712 – ERMENONVILLE 1778.

Fils d'un horloger protestant, Jean-Jacques Rousseau a une jeunesse aventureuse. Il essaie divers métiers sans persévérer dans aucun, et vit durant quelques années une vie de vagabond. En 1728 il rencontre, à Annecy, Mme de Warens, il se convertit au catholicisme par amour pour elle. Il la quitte en 1740 pour se rendre à Paris. Il compose de la musique et tâche de mener une vie mondaine. C'est en 1749, lorsqu'il voit Diderot, prisonnier à Vincennes, qu'il est frappé d'une « illumination » qui l'amène à concevoir l'idée fondamentale de son œuvre : l'homme n'est naturellement ni bon ni méchant, c'est la société le développement de la civilisation qui le corrompt. En 1750 il participe au concours de l'Académie de Dijon. Il s'agit de savoir si l'essor des arts et des sciences contribue au progrès moral. Rousseau rédige son ***Discours sur les sciences et les arts****, remporte le premier prix, et devient célèbre. Il oriente son œuvre vers une critique méthodique de la vie sociale sans pourtant prêcher un retour à la nature. En 1746 il rencontre Thérèse Levasseur, servante illettrée, qui lui donne 5 enfants. Il les abandonnera. En 1755 il rédige* ***Le Discours sur l'origine et les fondements de l'inégalité parmi les hommes****. Les hommes sont par nature solitaires, oisifs, ni bons, ni mauvais ; la nature subvient directement à leurs besoins ; ils sont libres et égaux de manière absolue mais en puissance seulement. Rousseau y analyse le passage de l'état de nature à l'état de société dans lequel les hommes perdent leurs droits naturels. Il cherche et pense trouver une solution individuelle dans son* ***Emile ou De l'Education*** *(1762), et une solution politique dans son* ***Contrat social*** *(1762). Il faut des lois qui garantissent les droits naturels des hommes. En 1761 il a composé un roman épistolaire* ***Julie ou La Nouvelle Héloïse*** *dans lequel il exalte la nature : il met en scène des âmes sensibles et droites dans un cadre rustique. La doctrine de Rousseau, selon laquelle la religion est l'expression, non d'une révélation surnaturelle, mais d'instincts profonds, paraît dangereuse à l'Eglise.* ***L'Emile*** *est condamné par le Parlement en 1762. Rousseau quitte la France, s'exile en Suisse, puis en Angleterre. Il rédige ses* ***Confessions*** *(1765-1770). Il revient en France, où, se jugeant seul parmi les hommes, il compose les* ***Rêveries du promeneur solitaire*** *(1776-1778). Il se livre à l'analyse intérieure et exalte la nature. La fin de sa vie se déroule paisiblement chez des amis, M. et Mme Girardin.*

PHILOSOPHIE

.Discours sur l'origine et les fondements de l'inégalité parmi les hommes.

1755

En décrivant l'état de nature des hommes, Rousseau veut dévoiler l'essence de l'homme et ses droits naturels :

"Ce qui fait que la Bête ne peut s'écarter de la règle qui lui est prescrite même quand il lui serait avantageux de le faire, et que l'homme s'en écarte souvent à son préjudice"

Seul, oisif, et toujours voisin du danger, l'homme sauvage doit aimer à dormir, et avoir le sommeil léger, comme les animaux, qui, pensant peu, dorment, pour ainsi dire, tout le temps qu'ils ne pensent point. Sa propre conservation faisant presque son unique soin, ses facultés les plus exercées doivent être celles qui ont pour objet principal l'attaque et la défense, soit pour subjuguer sa proie, soit pour se garantir d'être celle d'un autre animal ; au contraire, les organes qui ne se perfectionnent que par la mollesse et la sensualité doivent rester dans un état de grossièreté qui excluent en lui toute espèce de délicatesse ; et, ses sens se trouvant partagés sur ce point, il aura le toucher et le goût d'une rudesse extrême, la vue, l'ouïe et l'odorat de la plus grande subtilité. Tel est l'état animal en général, et c'est aussi, selon le rapport des voyageurs, celui de la plupart des peuples sauvages. Ainsi il ne faut point s'étonner que les Hottentots du cap de Bonne-Espérance découvent à la simple vue des vaisseaux en haute mer d'aussi loin que les Hollandais avec des lunettes ; ni que les sauvages de l'Amérique sentissent les Espagnols à la piste comme auraient pu faire les meilleurs chiens ; ni que toutes ces nations barbares supportent sans peine leur nudité, aiguisent leur goût à force de piment, et boivent les liqueurs européennes comme de l'eau.

Je n'ai considéré jusqu'ici que l'homme physique ; tâchons de le regarder maintenant par le côté métaphysique et moral.

Je ne vois dans tout animal qu'une machine ingénieuse, à qui la nature a donné des sens pour se remonter elle-même, et pour se garantir, jusqu'à un certain point, de tout ce qui tend à la détruire ou à la déranger. J'aperçois précisément les mêmes choses dans la machine humaine, avec cette différence que la nature seule fait tout dans les opérations de la bête, au lieu que l'homme concourt aux siennes en qualité d'agent libre. L'une choisit ou rejette par instinct, et l'autre par un acte de liberté ; ce qui fait que la bête ne peut s'écarter de la règle qui lui est prescrite, même quand il lui serait avantageux de le faire, et que l'homme s'en écarte souvent à son préjudice. C'est ainsi qu'un pigeon mourrait de faim près d'un bassin rempli des meilleures viandes, et un chat sur des tas de fruits ou de grains, quoique l'un et l'autre pût très bien se nourrir de l'aliment qu'il dédaigne, s'il était avisé d'en essayer ; c'est ainsi que les hommes dissolus se livrent à des excès qui leur causent la fièvre et la mort, parce que l'esprit déprave les sens, et que la volonté parle encore quand la nature se tait.

Tout animal a des idées, puisqu'il a des sens ; il combine même ses idées jusqu'à un certain point : et l'homme ne diffère à cet égard de la bête que du plus ou moins ; quelques philosophes ont même avancé qu'il y a plus de différence de tel homme à tel homme, que de tel homme à telle bête. Ce n'est donc pas tant l'entendement qui fait parmi les animaux la distinction spécifique de l'homme que sa qualité d'agent libre. La nature commande à tout animal, et la bête obéit. L'homme éprouve la même impression, mais il se reconnaît libre d'acquiescer ou de résister ; et c'est surtout dans la conscience de cette liberté que se montre la spiritualité de son âme ; car la physique explique en quelque manière le mécanisme des sens et la formation des idées, mais dans la puissance de vouloir ou plutôt de choisir, et dans le sentiment de cette puissance, on ne trouve que des actes purement spirituels, dont on n'explique rien par les lois de la mécanique.

Mais, quand les difficultés qui environnent toutes ces questions laisseraient quelque lieu de disputer sur cette différence de l'homme et de l'animal, il y a une autre qualité très spécifique qui les distingue, et sur laquelle il ne peut y avoir de contestation ; c'est la faculté de se perfectionner, faculté qui, à l'aide des circonstances, développe successivement toutes les autres, et réside parmi nous tant dans l'espèce que dans l'individu ; au lieu qu'un animal est au bout de quelques mois ce qu'il sera toute sa vie, et son espèce au bout de mille ans ce qu'elle était la première année de ces mille ans.

Julie ou La Nouvelle Héloïse

1761

Ce roman épistolaire se passe à Vevey, au bord du Léman. Saint-Preux, précepteur de Julie, est amoureux de son élève qui répond à ses sentiments, mais le baron d'Etanges refuse de donner sa fille à un roturier. Julie épouse un ami de son père, M. de Wolmar. Pour chercher l'oubli, Saint-Preux voyage autour du monde pendant plusieurs années. Quand il revient, il est toujours épris de Julie. M. de Wolmar leur laisse une entière liberté de se voir. Ils résistent à cette ultime tentation. Julie meurt en voulant sauver son fils qui se noie. Saint-Preux est désespéré.

Julie épouse M. de Wolmar. Saint-Preux part à Paris où il découvre un univers corrompu :

Ainsi, de quelque sens qu'on envisage les choses, tout n'est ici que babil, jargon, propos sans conséquence. Sur la scène comme dans le monde, on a beau écouter ce qui se dit, on n'apprend rien de ce qui se fait, et qu'a-t-on besoin de l'apprendre ? Sitôt qu'un homme a parlé, s'informe-t-on de sa conduite ? N'a-t-il pas tout fait ? N'est-il pas jugé ? L'honnête homme d'ici n'est point celui qui fait de bonne actions, mais celui qui dit de belle choses ; et un seul propos inconsidéré, lâché sans réflexion, peut faire à celui qui le tient un tort irréparable que n'effaceraient pas quarante ans d'intégrité. En un mot, bien que les œuvres des hommes ne ressemblent guère à leurs discours, je vois qu'on ne les peint que par leurs discours, sans égard à leurs œuvres ; je vois aussi que dans une grande ville la société paraît plus douce, plus facile, plus sûre même que parmi des gens moins étudiés ; mais les hommes y sont-ils en effet plus humains, plus modérés, plus justes ? Je n'en sais rien. Ce ne sont encore là que des apparences ; et sous ces dehors si ouverts et si agréables, les cœurs sont peut-être plus cachés, plus enfoncés en dedans que les nôtres. Etranger, isolé, sans affaires, sans liaisons, sans plaisirs, et ne voulant m'en rapporter qu'à moi, le moyen de pouvoir prononcer ?

Cependant je commence à sentir l'ivresse où cette vie agitée et tumultueuse plonge ceux qui la mènent, et je tombe dans un étourdissement semblable à celui d'un homme aux yeux duquel on fait passer rapidement une multitude d'objets. Aucun de ceux qui me frappent n'attache mon cœur, mais tous ensemble en troublent et suspendent les affections, au point d'en oublier quelques instants ce que je suis et à qui je suis. Chaque jour en sortant de chez moi j'enferme mes sentiments sous la clef, pour en prendre d'autres qui se prêtent aux frivoles objets qui m'attendent. Insensiblement je juge et raisonne comme j'entends juger et raisonner tout le monde. Si quelquefois j'essaye de secouer les préjugés et de voir les choses comme elles sont, à l'instant je suis écrasé d'un certain verbiage qui ressemble beaucoup à du raisonnement. On me prouve avec évidence qu'il n'y a que le demi-philosophe qui regarde à la réalité des choses ; que le vrai sage ne les considère que par les apparences ; qu'il doit prendre les préjugés pour principes, les bienséances pour les lois, et que la plus sublime sagesse consiste à vivre comme les fous.

Forcé de changer ainsi l'ordre de mes affections morales, forcé de donner un prix à des chimères, et d'imposer silence à la nature et à la raison, je vois ainsi défigurer ce divin modèle que je porte au dedans de moi, et qui servait à la fois d'objet à mes désirs et de règle à mes actions ; je flotte de caprice en caprice ; et mes goûts étant sans cesse asservis à l'opinion, je ne puis être sûr un seul jour de ce que j'aimerai le lendemain.

Confus, humilié, consterné, de sentir dégrader en moi la nature de l'homme, et de me voir ravalé si bas de cette grandeur intérieure où nos cœurs enflammés s'élevaient réciproquement, je reviens le soir, pénétré d'une secrète tristesse, accablé d'un dégoût mortel, et le cœur vide et gonflé comme un ballon rempli d'air. Ô amour ! ô purs sentiments que je tiens de lui !... Avec quel charme je rentre en moi-même ! Avec quel transport j'y retrouve encore mes premières affections et ma première dignité ! Combien je m'applaudis d'y revoir briller dans tout son éclat l'image de la vertu, d'y contempler la tienne, ô Julie, assise sur un trône de gloire et dissipant d'un souffle tous ces prestiges ! Je sens respirer mon âme oppressée, je crois avoir recouvré mon existence et ma vie, et je reprends avec mon amour tous les sentiments sublimes qui le rendent digne de son objet.

DEUXIÈME PARTIE, LETTRE 17

Plusieurs années ont passé. M. de Wolmar pense qu'il serait bon que Julie et Saint-Preux se revoient afin que leur amour se transforme en amitié. Les deux amoureux seuls, émus, vont se promener en barque sur le lac :

Après le souper, nous fûmes nous asseoir sur la grève en attendant le moment du départ. Insensiblement la lune se leva, l'eau devint plus calme, et Julie me proposa de partir. Je lui donnai la main pour entrer dans le bâteau ; et, en m'asseyant à côté d'elle, je ne songeai plus à quitter sa main. Nous gardions un profond silence. Le bruit égal et mesuré des rames m'excitait à rêver. Le chant assez gai des bécassines, me retraçant les plaisirs d'un autre âge, au lieu de m'égayer, m'attristait. Peu à peu je sentis augmenter la mélancolie dont j'étais accablé. Un ciel serein, la fraîcheur de l'air, les doux rayons de la lune, le frémissement argenté dont l'eau brillait autour de nous, le concours des plus agréables sensations, la présence même de cet objet chéri, rien ne put détourner de mon cœur mille réflexions douloureuses.

Je commençai par me rappeler une promenade semblable faite autrefois avec elle durant le charme de nos premières amours. Tous les sentiments délicieux qui remplissaient alors mon âme s'y retraçèrent pour l'affliger ; tous les événements de notre jeunesse, nos études, nos entretiens, nos lettres, nos rendez-vous, nos plaisirs, ces foules de petits objets qui m'offraient l'image de mon bonheur passé ; tout revenait, pour augmenter ma misère présente, prendre place en mon souvenir. C'en est fait, disais-je en moi-même, ces temps, ces temps heureux ne sont plus ; ils ont disparu pour jamais. Hélas ! ils ne reviendront plus ; et nous vivons, et nous sommes ensemble, et nos cœurs sont toujours unis ! Il me semblait que j'aurais porté plus patiemment sa mort ou son absence, et que j'avais moins souffert tout le temps que j'avais passé loin d'elle. Quand je gémissais dans l'éloignement, l'espoir de la revoir soulageait mon cœur ; je me flattais qu'un instant de sa présence effacerait toutes mes peines ; j'envisageais au moins dans les possibles un état moins cruel que le mien. Mais se trouver auprès d'elle, mais la voir, la toucher, lui parler, l'aimer, l'adorer, et, presque en la possédant encore, la sentir perdue à jamais pour moi ; voilà ce qui me jetait dans des accès de fureur et de rage qui m'agitèrent par degrés jusqu'au désespoir. Bientôt je commençai de rouler dans mon esprit des projets funestes, et dans un transport dont je frémis en y pensant, je fus violemment tenté de la précipiter avec moi dans les flots, et d'y finir dans ses bras ma vie et mes longs tourments. Cette horrible tentation devint à la fin si forte que je fus obligé de quitter brusquement sa main pour passer à la pointe du bateau.

Là, mes vives agitations commencèrent à prendre un autre cours ; un sentiment plus doux s'insinua peu à peu dans mon âme ; l'attendrissement surmonta le désespoir, je me mis à verser des torrents de larmes ; et cet état comparé à celui dont je sortais n'était pas sans quelque plaisir : je pleurai fortement, longtemps, et fus soulagé. Quand je me trouvai bien remis, je revins auprès de Julie, je repris sa main.

QUATRIÈME PARTIE, LETTRE 17

En voulant sauver son fils de la noyade, Julie a contracté une maladie. Elle se tourne vers la religion. Quand elle meurt, elle n'a jamais cessé d'aimer Saint-Preux et espère leur union dans le Ciel :

« Voyez donc, continuait-elle, à quelle félicité je suis parvenue. J'en avais beaucoup, j'en attendais davantage. La prospérité de ma famille, une bonne éducation pour mes enfants, tout ce qui m'était cher rassemblé autour de moi ou prêt à l'être. Le présent, l'avenir, me flattaient également, la jouissance et l'espoir se réunissaient pour me rendre heureuse. Mon bonheur monté par degrés était au comble ; il ne pouvait plus que déchoir ; il était venu sans être attendu, il se fût enfui quand je l'aurais cru durable. Qu'eût fait le sort pour me soutenir à ce point ? Un état permanent est-il fait pour l'homme ? Non, quand on a tout acquis, il faut perdre, ne fût-ce que le plaisir de la possession qui s'use par elle. Mon père est déjà vieux ; mes enfants sont dans l'âge tendre où la vie est encore mal assurée : que de pertes pouvaient m'affliger, sans qu'il ne restât plus rien à pouvoir acquérir ! L'affection maternelle augmente sans cesse, la tendresse filiale diminue, à mesure que les enfants vivent plus loin de leur mère. En avançant en âge, les miens se seraient plus séparés de moi. Ils auraient vécu dans le monde ; ils m'auraient pu négliger. Vous en voulez envoyer un en Russie ; que de pleurs son départ m'aurait coûtés ! Tout se serait détaché de moi peu à peu, et rien n'eût suppléé aux pertes que j'aurais faites. Combien de fois j'aurais pu me trouver dans l'état où je vous laisse. Enfin n'eût-il pas fallu mourir ? Peut-être mourir la dernière de tous ! Peut-être seule et abandonnée. Plus on vit, plus on aime à vivre, même sans jouir de rien ; j'aurais eu l'ennui de la vie et la terreur de la mort, suite ordinaire de la vieillesse. Au lieu de cela, mes derniers instants sont encore agréables, et j'ai de la vigueur pour mourir ; si même on peut appeler mourir que laisser vivant ce qu'on aime. Non, mes amis, non, mes enfants, je ne vous quitte pas, pour ainsi dire, je reste avec vous ; en vous laissant tous unis, mon esprit, mon cœur, vous demeurent. Vous me verrez sans cesse entre vous ; vous vous sentirez sans cesse environnés de moi... Et puis nous nous rejoindrons, j'en suis sûre ; le bon Wolmar lui-même ne m'échappera pas. Mon retour à Dieu tranquillise mon âme et m'adoucit un moment pénible ; il me promet pour vous le même destin qu'à moi. Mon sort me suit et s'assure. Je fus heureuse, je le suis, le vais l'être : mon bonheur est fixé, je l'arrache à la fortune ; il n'a plus de bornes que l'éternité. »

SIXIÈME PARTIE, LETTRE 11

PHILOSOPHIE

.Emile ou De l'Education.

1762

Alors qu'il a abandonné ses cinq enfants, Rousseau écrit un traité de pédagogie : **Emile***. Il veut élaborer un système d'éducation capable de donner à l'homme le goût de la pureté morale perdue. Il défend une éducation naturelle, défiante à l'égard des livres, qui amène l'enfant à trouver les règles morales dans sa conscience.*

Rousseau condamne les livres qui « n'apprennent qu'à parler de ce que l'on ne sait pas ». Il conteste fortement l'usage que l'on fait des **Fables** *de La Fontaine.*

Suivez les enfants apprenant leurs fables et vous verrez que, quand il sont en état d'en faire l'application, ils en font presque toujours une contraire à l'intention de l'auteur, et qu'au lieu de s'observer sur le défaut dont on les veut guérir ou préserver, ils penchent à aimer le vice avec lequel on tire parti des défauts des autres. Dans la fable précédente, les enfants se moquent du corbeau, mais ils s'affectionnent tous au renard ; dans la fable qui suit, vous croyez leur donner la cigale pour exemple ; et point du tout, c'est la fourmi qu'ils choisiront. On n'aime point à s'humilier : ils prendront toujours le beau rôle ; c'est le choix de l'amour-propre, c'est un choix très naturel. Or, quelle horrible leçon pour l'enfance ! Le plus odieux de tous les monstres serait un enfant avare et dur, qui saurait ce qu'on lui demande et ce qu'il refuse. La fourmi fait plus encore, elle lui apprend à railler dans ses refus.

Dans toutes les fables où le lion est un des personnages, comme c'est d'ordinaire le plus brillant, l'enfant ne manque point de se faire lion ; et quand il préside à quelque partage, bien instruit par son modèle, il a grand soin de s'emparer de tout. Mais quand le moucheron terrasse le lion, c'est une autre affaire ; alors l'enfant n'est plus lion, il est moucheron. Il apprend à tuer un jour à coups d'aiguillon ceux qu'il n'oserait attaquer de pied ferme.

Dans la fable du loup maigre et du chien gras, au lieu d'une leçon de modération qu'on prétend donner, il en prend une de licence. Je n'oublierai jamais d'avoir vu beaucoup pleurer une petite fille qu'on avait désolée avec cette fable tout en lui prêchant toujours la docilité. On eut peine à savoir la cause de ses pleurs : on la sut enfin. La pauvre enfant s'ennuyait d'être à la chaîne, elle se sentait le cou pelé ; elle pleurait de n'être pas le loup.

Ainsi donc la morale de la première fable citée est pour l'enfant une leçon de la plus basse flatterie ; celle de la seconde, une leçon d'inhumanité ; celle de la troisième, une leçon d'injustice ; celle de la quatrième, une leçon de satire ; celle de la cinquième, une leçon d'indépendance. Cette dernière leçon, pour être superflue à mon élève, n'en est pas plus convenable aux vôtres. Quand vous leur donnez des préceptes qui se contredisent, quel fruit espérez-vous de vos soins ? Mais peut-être, à cela près, toute cette morale qui me sert d'objection contre les fables fournit-elle autant de raisons de les conserver. Il faut une morale en paroles et une en actions dans la société, et ces deux morales ne se ressemblent point. La première est dans le catéchisme, où on la laisse ; l'autre est dans les fables de La Fontaine pour les enfants, et dans ses contes pour les mères. Le même auteur suffit à tout.

Composons, monsieur de La Fontaine. Je promets, quant à moi, de vous lire, avec choix, de vous aimer, de m'instruire dans vos fables ;

car j'espère ne pas me tromper sur leur objet ; mais, pour mon élève, permettez que je ne lui en laisse pas étudier une seule jusqu'à ce que vous m'ayez prouvé qu'il est bon pour lui d'apprendre des choses dont il ne comprendra pas le quart ; que, dans celles qu'il pourra comprendre, il ne prendra jamais le change, et qu'au lieu de se corriger sur la dupe, il ne se formera pas sur le fripon.

LIVRE II

*Pourtant il est un livre qui est, selon Rousseau, utile en ce qu'il montre les « besoin naturels de l'homme et les moyens de pourvoir à ces mêmes besoins », **Robinson Crusoé** de Daniel Defoë :*

Robinson Crusoé dans son île, seul, dépourvu de l'assistance de ses semblables et des instruments de tous les arts, pourvoyant cependant à sa subsistance, à sa conservation, et se procurant même une sorte de bien-être, voilà un objet intéressant pour tout âge, et qu'on a mille moyens de rendre agréable aux enfants. Voilà comment nous réalisons l'île déserte qui me servait d'abord de comparaison. Cet état n'est pas, j'en conviens, celui de l'homme social ; vraisemblablement il ne doit pas être celui d'Émile : mais c'est sur ce même état qu'il doit apprécier tous les autres. Le plus sûr moyen de s'élever au-dessus des préjugés et d'ordonner ses jugements sur les vrais rapports des choses, est de se mettre à la place d'un homme isolé, et de juger de tout comme cet homme en doit juger lui-même eu égard à sa propre utilité.

Ce roman, débarrassé de tout son fatras, commençant au naufrage de Robinson près de son île, et finissant à l'arrivée du vaisseau qui vient l'en tirer, sera tout à la fois l'amusement et l'instruction d'Émile durant l'époque dont il est ici question. Je veux que le tête lui en tourne, qu'il s'occupe sans cesse de son château, de ses chèvres, de ses plantations ; qu'il apprenne en détail, non dans des livres, mais sur les choses, tout ce qu'il faut savoir en pareil cas ; qu'il pense être Robinson lui-même ; qu'il se voie habillé de peaux, portant un grand bonnet, un grand sabre, tout le grotesque équipage de la figure, au parasol près dont il n'aura pas besoin. Je veux qu'il s'inquiète des mesures à prendre, si ceci ou cela venait à lui manquer, qu'il examine la conduite de son héros, qu'il cherche s'il n'a rien omis, s'il n'y avait rien de mieux à faire ; qu'il marque attentivement ses fautes, et qu'il en profite pour n'y pas tomber lui-même en pareil cas ; car ne doutez point qu'il ne projette d'aller faire un établissement semblable ; c'est le vrai château en Espagne de cet heureux âge, où l'on ne connaît d'autre bonheur que le nécessaire et la liberté.

Quelle ressource que cette folie pour un homme habile, qui n'a su la faire naître qu'afin de la mettre à profit ! L'enfant, pressé de se faire un magasin pour son île, sera plus ardent pour apprendre que le maître pour enseigner. Il voudra savoir tout ce qui est utile, et ne voudra savoir que cela ; vous n'aurez plus besoin de le guider, vous n'aurez qu'à le retenir.

LIVRE III

PHILOSOPHIE-POLITIQUE

.Le Contrat social.

1762

Rousseau veut trouver les règles d'un régime politique légitime, c'est-à-dire conforme aux droits naturels de l'homme, en tenant compte de la nature humaine et de l'essence des lois positives :

Je veux chercher si, dans l'ordre civil, il peut y avoir quelque règle d'administration légitime et sûre, en prenant les hommes tels qu'ils sont, et les lois telles qu'elles peuvent être. Je tâcherai d'allier toujours, dans cette recherche, ce que le droit permet avec ce que l'intérêt prescrit, afin que la justice et l'utilité ne se trouvent point divisées.

J'entre en matière sans prouver l'importance de mon sujet. On me demandera si je suis prince ou législateur pour écrire sur la politique. Je réponds que non, et c'est pour cela que j'écris sur la politique. Si j'étais prince ou législateur, je ne perdrais pas mon temps à dire ce qu'il faut faire ; je le ferais, ou je me tairais.

LIVRE I

Rousseau constate ensuite que l'homme libre par nature est partout asservi :

L'homme est né libre, et partout il est dans les fers. Tel se croit le maître des autres, qui ne laisse pas d'être plus esclave qu'eux. Comment ce changement s'est-il fait ? Je l'ignore. Qu'est-ce qui peut le rendre légitime. Je crois pouvoir résoudre cette question.

Si je ne considérais que la force et l'effet qui en dérive, je dirais : « Tant qu'un peuple est contraint d'obéir et qu'il obéit, il fait bien ; sitôt qu'il peut secouer le joug, et qu'il le secoue, il fait encore mieux : car, recouvrant sa liberté par le même droit qui la lui a ravie, ou il est fondé à la reprendre, ou on ne l'était point à la lui ôter. » Mais l'ordre social est un droit sacré qui sert de base à tous les autres. Cependant, ce droit ne vient point de la nature ; il est donc fondé sur des conventions. Il s'agit de savoir quelles sont ces conventions. Avant d'en venir là, je doit établir ce que je viens d'avancer.

LIVRE I, CHAPITRE 1

"L'homme est né libre, et partout il est dans les fers."

***Le pacte social** est un libre engagement. « C'est le peuple qui compose le genre humain », écrit Rousseau dans **Émile**. Tout pouvoir appartient au peuple et doit être exercé par lui. Par le **pacte social**, l'individu renonce à sa liberté absolue et naturelle (qu'il avait perdue dans l'état social), mais il accède à la « liberté civile » définie par les lois qui doivent être l'œuvre de tous :*

Je suppose les hommes parvenus à ce point où les obstacles qui nuisent à leur conservation dans l'état de nature l'emportent par leur résistance sur les forces que chaque individu peut employer pour se maintenir dans cet état. Alors cet état primitif ne peut plus subsister, et le genre humain périrait s'il ne changeait sa manière d'être.

Or comme les hommes ne peuvent engendrer de nouvelles forces, mais seulement unir et diriger celles qui existent, ils n'ont plus d'autre moyen pour se conserver que de former par agrégation une somme de forces qui puisse l'emporter sur la résistance, de les mettre en jeu par un seul mobile et de les faire agir de concert.

Cette somme de forces ne peut naître que du concours de plusieurs : mais la force et la liberté de chaque homme étant les premiers instruments de sa conservation, comment les engagera-t-il sans se nuire, et sans négliger les soins qu'il se doit ? Cette difficulté ramenée à mon sujet peut s'énoncer en ces termes.

« Trouver une forme d'association qui défende et protège de toute la force commune la personne et les biens de chaque associé, et par laquelle chacun s'unissant à tous n'obeisse pourtant qu'à lui-même et reste aussi libre qu'auparavant ». Tel est le problème fondamental dont le contrat social donne la solution.

Les clauses de ce contrat sont tellement déterminées par la nature de l'acte que la moindre modification les rendrait vaines et de nul effet ; en sorte que, bien qu'elles n'aient peut-être jamais été formellement énoncées, elles sont partout les mêmes, partout tacitement admises et reconnues ; jusqu'à ce que, le pacte social étant violé, chacun rentre alors dans ses premiers droits et reprenne sa liberté naturelle, en perdant la liberté conventionnelle pour laquelle il y renonça.

Les clauses bien entendues se réduisent toutes à une seule, savoir l'aliénation totale de chaque associé avec tous ses droits à toute la communauté. Car premièrement, chacun se donnant tout entier, la condition est égale pour tous, et la condition étant égale pour tous, nul n'a intérêt de la rendre onéreuse aux autres.

De plus, l'aliénation se faisant sans réserve, l'union est aussi parfaite qu'elle peut l'être et nul associé n'a plus rien à réclamer : car s'il restait quelques droits aux particuliers, comme il n'y aurait aucun supérieur commun qui pût prononcer entre eux et le public, chacun étant en quelque point son propre juge prétendrait bientôt l'être en tous, l'état de nature subsisterait et l'association deviendrait nécessairement tyrannique ou vaine.

Enfin chacun se donnant à tous ne se donne à personne, et comme il n'y a pas un associé sur lequel on n'acquière le même droit qu'on lui cède sur soi, on gagne l'équivalent de tout ce qu'on perd, et plus de force pour conserver ce qu'on a.

Si donc on écarte du pacte social ce qui n'est pas de son essence, on trouvera qu'il se réduit aux termes suivants : *Chacun de nous met en commun sa personne et toute sa puissance sous la suprême direction de la volonté générale ; et nous recevons en corps chaque membre comme partie indivisible du tout.*

A l'instant, au lieu de la personne particulière de chaque contractant, cet acte d'association produit un corps moral et collectif composé d'autant de membres que l'assemblée a de voix, lequel reçoit de ce même acte son unité, son moi commun, sa vie et sa volonté. Cette personne publique qui se forme ainsi par l'union de toutes les autres prenait autrefois le nom de Cité, et prend maintenant celui de République ou de corps politique,

"Chacun de nous met en commun sa personne et toute sa puissance sous la suprême direction de la volonté générale ; et nous recevons en corps chaque membre comme partie indivisible du tout"

lequel est appelé par ses membres Etat quand il est passif, Souverain quand il est actif, Puissance en le comparant à ses semblables. A l'égard des associés ils prennent collectivement le nom de peuple, et s'appellent en particulier Citoyens, comme participant à l'autorité souveraine, et Sujets comme soumis aux lois de l'Etat. Mais ces termes se confondent souvent et se prennent l'un pour l'autre ; il suffit de les savoir distinguer quand ils sont employés dans toute leur précision.

LIVRE I, CHAPITRE 6

MÉMOIRES

.Les Confessions.

écrites entre 1765 et 1770 ; publiées en 1782

***Les Confessions** racontent l'existence de Rousseau depuis sa naissance jusqu'en 1765. Rousseau analyse ses premières lectures :*

"Je sentis avant de penser : c'est le sort commun de l'humanité."

Je sentis avant de penser : c'est le sort commun de l'humanité. Je l'éprouvai plus qu'un autre. J'ignore ce que je fis jusqu'à cinq ou six ans ; je ne sais comment j'appris à lire ; je ne me souviens que de mes premières lectures et de leur effet sur moi : c'est le temps d'où je date sans interruption la conscience de moi-même. Ma mère avait laissé des romans. Nous nous mîmes à les lire après souper, mon père et moi. Il n'était question d'abord que de m'exercer à la lecture par des livres amusants ; mais bientôt l'intérêt devint si vif, que nous lisions tour à tour sans relâche, et passions les nuits à cette occupation. Nous ne pouvions jamais quitter qu'à la fin du volume. Quelquefois mon père, entendant le matin les hirondelles, disait tout honteux : « Allons nous coucher ; je suis plus enfant que toi. »

En peu de temps, j'acquis, par cette dangereuse méthode, non seulement une extrême facilité à lire et à m'entendre, mais une intelligence unique à mon âge sur les passions. Je n'avais aucune idée des choses, que tous les sentiments m'étaient déjà connus. Je n'avais rien conçu, j'avais tout senti.

LIVRE I

Rousseau est laquais chez la comtesse de Vercellis. Il vole un ruban et accuse de ce vol une cuisinière :

L'on jugea qu'il importait de vérifier lequel était le fripon des deux. On la fit venir ; l'assemblée était nombreuse, le comte de la Roque y était. Elle arrive, on lui montre le ruban, je la charge effrontément ; elle reste interdite, se tait, me jette un regard qui aurait désarmé les démons, et auquel mon barbare cœur résiste. Elle nie enfin avec assurance, mais sans emportement, m'apostrophe, m'exhorte à rentrer en moi-même, à ne pas déshonorer une fille innocente qui ne m'a jamais fait de mal ; et moi, avec une impudence infernale, je confirme ma déclaration, et lui soutiens en face qu'elle m'a donné le ruban. La pauvre fille se mit à pleurer, et ne me dit que ces mots : « Ah ! Rousseau, je vous croyais un bon caractère. Vous me rendez bien malheureuse ; mais je ne voudrais pas être à votre place. » Voilà tout. Elle continua de se défendre avec autant de simplicité que de fermeté, mais sans se permettre jamais contre moi la moindre invective. Cette modération, comparée à mon ton décidé, lui fit tort. Il ne semblait pas naturel de supposer d'un côté une audace aussi diabolique, et de l'autre une aussi angélique douceur. On ne parut pas se décider absolument, mais les préjugés étaient pour moi. Dans le tracas où l'on était, on ne se donna pas le temps d'approfondir la chose ; et le comte de la Roque, en nous renvoyant tous deux, se contenta de dire que la conscience du coupable vengerait assez l'innocent. Sa prédiction n'a pas été vaine ; elle ne cesse pas un seul jour de s'accomplir.

LIVRE II

Apologie de Rousseau par Rousseau :

Deux choses presque inalliables s'unissent en moi sans que j'en puisse concevoir la manière : un tempérament très ardent, des passions vives, impétueuses, et des idées lentes à naître, embarrassées et qui ne se présentent jamais qu'après coup. On dirait que mon cœur et mon esprit n'appartiennent pas au même individu. Le sentiment, plus prompt que l'éclair, vient remplir mon âme ; mais au lieu de m'éclairer, il me brûle et m'éblouit. Je sens tout et je ne vois rien. Je suis emporté, mais stupide ; il faut que je sois de sang-froid pour penser. Ce qu'il y a d'étonnant est que j'ai cependant le tact assez sûr, de la pénétration, de la finesse même, pourvu qu'on m'attende : je fais d'excellents impromptus à loisir, mais sur le temps je n'ai jamais rien fait ni dit qui vaille. Je ferais une fort jolie conversation par la poste, comme on dit que les Espagnols jouent aux échecs. Quand je lus le trait d'un duc de Savoie qui se retourna, faisant route, pour crier : *A votre gorge, marchand de Paris,* je dis : « Me voilà. »

Cette lenteur de penser, jointe à cette vivacité de sentir, je ne l'ai pas seulement dans la conversation, je l'ai même seul et quand je travaille. Mes idées s'arrangent dans ma tête avec la plus incroyable difficulté : elles y circulent sourdement, elles y fermentent jusqu'à m'émouvoir, m'échauffer, me donner des palpitations ; et, au milieu de toute cette émotion, je ne vois rien nettement, je ne saurais écrire un seul mot, il faut que j'attende. Insensiblement, ce grand mouvement s'apaise, ce chaos se débrouille, chaque chose vient se mettre à sa place, mais lentement, et après une longue et confuse agitation. N'avez-vous point vu quelquefois l'opéra en Italie ?

Dans les changements de scène, il règne sur ces grands théâtres un désordre désagréable et qui dure assez longtemps ; toutes les décorations sont entremêlées, on voit de toutes parts un tiraillement qui fait peine, on croit que tout va renverser ; cependant peu à peu tout s'arrange, rien ne manque, et l'on est tout surpris de voir succéder à ce long tumulte un spectacle ravissant. Cette manœuvre est à peu près celle qui se fait dans mon cerveau quand je veux écrire. Si j'avais su premièrement attendre, et puis rendre dans leur beauté les choses qui s'y sont ainsi peintes, peu d'auteurs m'auraient surpassé.

De là vient l'extrême difficulté que je trouve à écrire. Mes manuscrits, raturés, barbouillés, mêlés, indéchiffrables, attestent la peine qu'ils m'ont coûtée. Il n'y en a pas un qu'il ne m'ait fallu transcrire quatre ou cinq fois avant de le donner à la presse. Je n'ai jamais pu rien faire la plume à la main, vis-à-vis d'une table et de mon papier : c'est à la promenade, au milieu des rochers et des bois, c'est la nuit dans mon lit, et durant mes insomnies, que j'écris dans mon cerveau ; l'on peut juger avec quelle lenteur, surtout pour un homme absolument dépourvu de mémoire verbale, et qui de la vie n'a pu retenir six vers par cœur.

Il y a telle de mes périodes que j'ai tournée et retournée cinq ou six nuits dans ma tête avant qu'elle fût en état d'être mise sur le papier. De là vient encore que je réussis mieux aux ouvrages qui demandent du travail qu'à ceux qui veulent être faits avec une certaine légèreté, comme les lettres, genre dont je n'ai jamais pu prendre le ton, et dont l'occupation me met au supplice. Je n'écris point de lettres sur les moindres sujets qui ne me coûtent des heures de fatigue, ou si je veux écrire de suite ce qui me vient, je ne sais ni commencer ni finir ; ma lettre est un long et confus verbiage ; à peine m'entend-on quand on la lit.

Non seulement les idées me coûtent à rendre, elles me coûtent même à recevoir. J'ai étudié les hommes et je me crois assez bon observateur : cependant je ne sais rien voir de ce que je vois ; je ne vois bien que ce que je me rappelle, et je n'ai de l'esprit que dans mes souvenirs. De tout ce qu'on dit, de tout ce qu'on fait, de tout ce qui se passe en ma présence, je ne sens rien, je ne pénètre rien. Le signe extérieur est tout ce qui me frappe. Mais ensuite tout cela me revient : je me rappelle le lieu, le temps, le ton, le regard, le geste, la circonstance ; rien ne m'échappe. Alors, sur ce qu'on a fait ou dit, je trouve ce qu'on a pensé, et il est rare que je me trompe.

Si peu maître de mon esprit, seul avec moi-même, qu'on juge de ce que je dois être dans la conversation, où, pour parler à propos, il faut penser à la fois et sur-le-champ à mille choses. La seule idée de tant de convenances, dont je suis sûr d'oublier au moins quelqu'une, suffit pour m'intimider. Je ne comprends pas même comment on ose parler dans un cercle : car à chaque mot il faudrait passer en revue tous les gens qui sont là ; il faudrait connaître tous leurs caractères, savoir leurs histoires, pour être sûr de ne rien dire qui puisse offenser quelqu'un. Là-dessus, ceux qui vivent dans le monde ont un grand avantage : sachant mieux ce qu'il faut taire, ils sont plus sûrs de ce qu'ils disent ; encore leur échappe-t-il souvent des balourdises. Qu'on juge de celui qui tombe là des nues : il lui est presque impossible de parler une minute impunément. Dans le tête-à-tête, il y a un autre inconvénient que je trouve pire, la nécessité de parler toujours : quand on vous parle il faut répondre, et si l'on ne dit mot il faut relever la conversation.

Cette insupportable contrainte m'eût seule dégoûté de la société. Je ne trouve point de gêne plus terrible que l'obligation de parler sur-le-champ et toujours. Je ne sais si ceci tient à ma mortelle aversion pour tout assujettissement ; mais c'est assez qu'il faille absolument que je parle pour que je dise une sottise infailliblement.

Ce qu'il y a de plus fatal est qu'au lieu de savoir me taire quand je n'ai rien à dire, c'est alors que, pour payer plus tôt ma dette, j'ai la fureur de vouloir parler. Je me hâte de balbutier promptement des paroles sans idées, trop heureux quand elles ne signifient rien du tout. En voulant vaincre ou cacher mon ineptie, je manque rarement de la montrer.

LIVRE III

Denis Diderot

LANGRES 1713 - PARIS 1784.

Fils d'un coutelier aisé, Denis Diderot est élevé chez les jésuites. On le destine malgré lui à la carrière ecclésiastique. Il poursuit ses études à Paris, est reçu maître ès arts en 1732, et mène alors ce qu'il est convenu de nommer une « vie de bohème », vivant de quelques métiers : précepteur, clerc de notaire, traducteur. Il se lie avec Rousseau. ***Les Pensées philosophiques****, en faveur de la religion naturelle, paraissent en 1745 ; le livre est condamné. En 1747, Diderot est chargé avec d'Alembert de la direction de l'****Encyclopédie****, il consacrera vingt-cinq années à cette tâche. Sa* ***Lettre sur les aveugles à l'usage de ceux qui voient*** *lui vaut une détention de quelques mois à Vincennes. En 1754 il rencontre Sophie Volland, de leur « liaison douce » nait une admirable correspondance. Le Parlement de Paris condamne en 1759 l'****Encyclopédie*** *et* ***De L'Esprit****. Diderot se brouille avec Rousseau ; il écrit en 1759 son premier* ***Salon****, huit autres suivront jusqu'en 1781. En juin 1773 (année du* ***Supplément au voyage de Bougainville*** *; du* ***Paradoxe sur le comédien*** *; de* ***Jacques le fataliste****), Diderot part pour la Russie à l'appel de l'impératrice Catherine et y demeure une année. Son dernier livre est un* ***Essai sur les règnes de Claude et de Néron et sur les mœurs et les écrits de Sénèque*** *(1782). Sophie Volland meurt en février 1784, Diderot en juillet.*

PHILOSOPHIE

.Lettre sur les aveugles.

1749

Si la matière est sensible, l'hypothèse de Dieu comme intelligence séparée est inutile. L'homme est un accident résultant de l'évolution de la matière. Diderot questionne un aveugle-né : nos connaissances dépendent de nos sens, un aveugle n'a ni la même morale ni la même métaphysique qu'un voyant :

Comme de toutes les démonstrations extérieures qui réveillent en nous la commisération et les idées de la douleur, les aveugles ne sont affectés que par la plainte, je les soupçonne, en général, d'inhumanité. Quelle différence y a-t-il pour un aveugle, entre un homme qui urine et un homme qui, sans se plaindre, verse son sang ? Nous-mêmes, ne cessons-nous pas de compatir lorsque la distance ou la petitesse des objets produit le même effet sur nous que la privation de la vue sur les aveugles ? Tant nos vertus dépendent de notre manière de sentir et du degré auquel les choses extérieures nous affectent ! Aussi je ne doute point que, sans la crainte du châtiment, bien des gens n'eussent moins

"Qu'un être qui aurait un sens de plus que nous trouverait notre morale imparfaite, pour ne rien dire de pis !"

de peine à tuer un homme à une distance où ils ne le verraient gros que comme une hirondelle, qu'à égorger un bœuf de leurs mains. Si nous avons de la compassion pour un cheval qui souffre, et si nous écrasons une fourmi sans aucun scrupule, n'est-ce pas le même principe qui nous détermine ? Ah ! que la morale des aveugles est différente de la nôtre ! Que celle d'un sourd différerait encore de celle d'un aveugle, et qu'un être qui aurait un sens de plus que nous trouverait notre morale imparfaite, pour ne rien dire de pis !

Notre métaphysique ne s'accorde pas mieux avec la leur. Combien de principes pour eux qui ne sont que des absurdités pour nous, et réciproquement ! Je pourrais entrer là-dessus dans un détail qui vous amuserait sans doute, mais que de certaines gens, qui voient du crime à tout, ne manqueraient pas d'accuser d'irréligion ; comme s'il dépendait de moi de faire apercevoir aux aveugles les choses autrement qu'ils ne les aperçoivent. Je me contenterai d'observer une chose dont je crois qu'il faut que tout le monde convienne : c'est que ce grand raisonnement, qu'on tire des merveilles de la nature, est bien faible pour des aveugles. La facilité que nous avons de créer, pour ainsi dire, de nouveaux objets par le moyen d'une petite glace, est quelque chose de plus incompréhensible pour eux que des astres qu'ils ont été condamnés à ne voir jamais. Ce globe lumineux qui s'avance d'orient en occident les étonne moins qu'un petit feu qu'ils ont la commodité d'augmenter ou de diminuer : comme ils voient la matière d'une manière beaucoup plus abstraite que nous ils sont moins éloignés de croire qu'elle pense.

Si un homme qui n'a vu que pendant un jour ou deux se trouvait confondu chez un peuple d'aveugles, il faudrait qu'il prît le parti de se taire, ou celui de passer pour un fou. Il leur annoncerait tous les jours quelque nouveau mystère qui n'en serait un que pour eux, et que les esprits forts se sauraient bon gré de ne pas croire. Les défenseurs de la religion ne pourraient-ils par tirer un grand parti d'une incrédulité si opiniâtre, si juste même, à certains égards, et cependant si peu fondée ? Si vous vous prêtez pour un instant à cette supposition, elle vous rappellera, sous des traits empruntés, l'histoire et les persécutions de ceux qui ont eu le malheur de rencontrer la vérité dans des siècles de ténèbres, et l'imprudence de la déceler à leurs aveugles contemporains, entre lesquels ils n'ont point eu d'ennemis plus cruels que ceux qui, par leur état et leur éducation, semblaient devoir être les moins éloignés de leurs sentiments.

Diderot prête ensuite la parole au mathématicien aveugle Saunderson, professeur à l'université de Cambridge. L'on appelle au chevet de Saunderson sur le point de mourir « un ministre fort habile, M. Gervaise Holmes : ils eurent ensemble un entretien sur l'existence de Dieu ». Saunderson objecte principalement la privation dont il est la victime sans justice, lorsque le ministre lui parle des merveilles de la nature : « Eh, Monsieur, laissez-là tout ce beau spectacle, qui n'a jamais été fait pour moi ! » Dans la nature l'existence des monstres réfute définitivement la croyance en un Dieu providentiel.

« S'il n'y avait jamais eu d'êtres informes, vous ne manqueriez pas de prétendre qu'il n'y en aura jamais, et que je me jette dans les hypothèses chimériques ; mais l'ordre n'est pas si parfait, continua Saunderson, qu'il ne paraisse encore de temps en temps des productions monstrueuses. » Puis, se tournant en face du ministre, il ajouta : « Voyez-moi bien, monsieur Holmes, je n'ai point d'yeux. Qu'avions-nous fait à Dieu, vous et moi, l'un pour avoir cet organe, l'autre pour en être privé ? »

Saunderson avait l'air si vrai et si pénétré en prononçant ces mots, que le ministre et le reste de l'assemblée ne purent s'empêcher de partager sa douleur, et se mirent à pleurer amèrement sur lui. L'aveugle s'en aperçut. « Monsieur Holmes, dit-il au ministre, la bonté de votre cœur m'était bien connue, et je suis très sensible à la preuve que vous m'en donnez dans ces derniers moments : mais si je vous suis cher, ne m'enviez pas en mourant la consolation de n'avoir jamais affligé personne. »

Puis reprenant un ton un peu plus ferme, il ajouta : « Je conjecture donc que, dans le commencement où la matière en fermentation faisait éclore l'univers, mes semblables étaient fort communs. Mais pourquoi n'assurerais-je pas des mondes ce que je crois des animaux ? Combien de mondes estropiés, manqués se sont dissipés, se reforment et se dissipent peut-être à chaque instant dans des espaces éloignés, où je ne touche point, et où vous ne voyez pas, mais où le mouvement continue et continuera de combiner des amas de matière, jusqu'à ce qu'ils aient obtenu quelque arrangement dans lequel ils puissent persévérer ? O philosophes ! transportez-vous donc avec moi sur les confins de cet univers, au-delà du point où je touche, et où vous voyez des êtres organisés ; promenez-vous sur ce nouvel océan, et cherchez à travers ses agitations irrégulières quelques vestiges de cet être intelligent dont vous admirez ici la sagesse !

« Mais à quoi bon vous tirer de votre élément ? Qu'est-ce que ce monde, monsieur Holmes ? un composé sujet à des révolutions, qui toutes indiquent une tendance continuelle à la destruction ; une succession rapide d'êtres qui s'entre-suivent, se poussent et disparaissent ; une symétrie passagère ; un ordre momentané. Je vous reprochais tout à l'heure d'estimer la perfection des choses par votre capacité ; et je pourrais vous accuser ici d'en mesurer la durée sur celle de vos jours. Vous jugez de l'existence successive du monde, comme la mouche éphémère de la vôtre. Le monde est éternel pour vous, comme vous êtes éternel pour l'être qui ne vit qu'un instant : encore l'insecte est-il plus raisonnable que vous. Quelle suite prodigieuse de générations d'éphémères atteste votre éternité ! Quelle tradition immense ! Cependant nous passerons tous, sans qu'on puisse assigner ni l'étendue réelle que nous occupions, ni le temps précis que nous aurons duré. Le temps, la matière et l'espace ne sont peut-être qu'un point. »

ROMAN

.Le neveu de Rameau.

Écrit en 1762, corrigé en 1773 et 1774, publié en 1823.

*Le « philosophe » (Diderot) et le neveu de Rameau dialoguent dans le café de la Régence au Palais-Royal. Rameau n'est que « le neveu » : il est en somme le type de **l'artiste raté** ; s'il a des talents, il est sans génie ; si l'on lui trouve du génie, l'on doit convenir qu'il n'a pas de talent. Quoiqu'il en soit, il le vend : c'est un « nécessiteux », il doit plaire ou faire sa cour. De là cet effrayant gâchis de qualités, qui constitue le drame de maints artistes. L'exercice est étourdissant d'agilité : l'énergie du style persuade à plein ; c'est ce que Goethe admira, qui traduisit cet ouvrage.*

Un après-dîner, j'étais là, regardant beaucoup, parlant peu et écoutant le moins que je pouvais, lorsque je fus abordé par un des plus bizarres personnages de ce pays où Dieu n'en a pas laissé manquer. C'est un composé de hauteur et de bassesse, de bon sens et de déraison. Il faut que les notions de l'honnête et du déshonnête soient bien étrangement brouillées dans sa tête, car il montre ce que la nature lui a donné de bonnes qualités, sans ostentation, et ce qu'il en a reçu de mauvaises, sans pudeur. Au reste, il est doué d'une organisation forte, d'une chaleur d'imagination singulière, et d'une vigueur de poumons peu commune. Si vous le rencontrez jamais et que son originalité ne vous arrête pas, ou vous mettrez vos doigts dans vos oreilles, ou vous vous enfuirez. Dieux, quels terribles poumons ! Rien ne dissemble plus de lui que lui-même. Quelquefois, il est maigre et hâve comme un malade au dernier degré de la consomption ; on compterait ses dents à travers ses joues ; on dirait qu'il a passé plusieurs jours sans manger, ou qu'il sort de la Trappe. Le mois suivant, il est gras et replet comme s'il n'avait pas quitté la table d'un financier, ou qu'il eût été renfermé dans un couvent de Bernardins. Aujourd'hui, en linge sale, en culotte déchirée, couvert de lambeaux, presque sans souliers, il va la tête basse, il se dérobe, on serait tenté de l'appeler pour lui donner l'aumône. Demain, poudré, chaussé, frisé, bien vêtu, il marche la tête haute, il se montre, et vous le prendriez au peu près pour un honnête homme. Il vit au jour la journée, triste ou gai, selon les circonstances. Son premier soin, le matin, quand il est levé, est de savoir où il dînera ; après dîner, il pense où il ira souper. La nuit amène aussi son inquiétude. Ou il regagne à pied un petit grenier qu'il habite, à moins que l'hôtesse, ennuyée d'attendre son loyer, ne lui en ait redemandé la clef ; ou il se rabat dans une taverne du faubourg où il attend le jour, entre un morceau de pain et un pot de bière. Quand il n'a pas six sols dans sa poche, ce qui lui arrive quelquefois, il a recours soit à un fiacre de ses amis, soit au cocher d'un grand seigneur qui lui donne un lit sur de la paille, à côté de ses chevaux. Le matin, il a encore une partie de son matelas dans ses cheveux. Si la saison est douce, il arpente toute la nuit le Cours ou les Champs-Élysées. Il reparaît avec le jour à la ville, habillé de la veille pour le lendemain, et du lendemain quelquefois pour le reste de la semaine. Je n'estime pas ces originaux-là ; d'autres en font leurs connaissances familières, même leurs amis. Ils m'arrêtent une fois l'an, quand je les rencontre, parce que leur caractère tranche avec celui des autres, et qu'ils rompent cette fastidieuse uniformité que notre éducation, nos conventions de société, nos bienséances d'usage ont introduite. S'il en paraît un dans une compagnie, c'est un grain de levain qui fermente et qui restitue à chacun une portion de son individualité naturelle. Il secoue, il agite, il fait approuver ou blâmer, il fait sortir la vérité, il fait connaître les gens de bien, il démasque les coquins ; c'est alors que l'homme de bon sens écoute et démêle son monde. (...)

S'il est question de musique, le « neveu » reproduit tout un théâtre.

Il entassait et brouillait ensemble trente airs italiens, français, tragiques, comiques, de toutes sortes de caractères. Tantôt avec une voix de basse-taille il descendait jusqu'aux enfers, tantôt s'égosillant et contrefaisant le fausset, il déchirait le haut des airs ; imitant de la démarche, du maintien, du geste, les différents personnages chantants ; successivement furieux, radouci, impérieux, ricaneur. Ici c'est une jeune fille qui pleure, et il en rend toute la minauderie ; là, il est prêtre, il est roi, il est tyran ; il menace, il commande, il s'emporte ; il est esclave, il obéit ; il s'apaise, il se désole, il se plaint, il rit ; jamais hors de ton, de mesure, du sens des paroles et du caractère de l'air.

Tous les pousse-bois avaient quitté leurs échiquiers et s'étaient rassemblés autour de lui ; les fenêtres du café étaient occupées en dehors par les passants qui s'étaient arrêtés au bruit. On faisait des éclats de rire à entrouvrir le plafond. Lui n'apercevait rien, il continuait, saisi d'une aliénation d'esprit, d'un enthousiasme si voisin de la folie qu'il est incertain qu'il en revienne, s'il ne faudra pas le jeter dans un fiacre et le mener droit aux Petites-Maisons. En chantant un lambeau des *Lamentations* d'Ioumelli, il répétait avec une précision, une vérité et une chaleur incroyables les plus beaux endroits de chaque morceau ; ce beau récitatif obligé où le prophète peint la désolation de Jérusalem, il l'arrosa d'un torrent de larmes qui en arrachèrent à tous les yeux. Tout y était, et la délicatesse du chant, et la force de l'expression, et la douleur. Il insistait sur les endroits où le musicien s'était particulièrement montré comme un grand maître. S'il quittait la partie du chant, c'était pour prendre celle des instruments qu'il laissait subitement pour revenir à celle de la voix, entrelaçant l'une à l'autre de manière à conserver les liaisons et l'unité de tout ; s'emparant de nos âmes et les tenant suspendues dans la situation la plus singulière que j'ai jamais éprouvée... Admirais-je ? Oui, j'admirais ! Étais-je touché de pitié ? J'étais touché de pitié ; mais une teinte de ridicule était fondue dans ces sentiments et les dénaturait.

Mais vous vous seriez échappé en éclats de rire à la manière dont il contrefaisait les différents instruments. Avec des joues renflées et bouffies, et un son rauque et sombre, il rendait les cors et les bassons ; il prenait un son éclatant et nasillard pour les hautbois ; précipitant sa voix avec une rapidité incroyable pour les instruments à cordes dont il cherchait les sons les plus approchés ; il sifflait les petites flûtes, il roucoulait les traversières, criant, chantant, se démenant comme un forcené, faisant lui seul les danseurs, les danseuses, les chanteurs, les chanteuses, tout un orchestre, tout un théâtre lyrique, et se divisant en vingt rôles divers, courant, s'arrêtant avec l'air d'un énergumène, étincelant des yeux, écumant de la bouche. Il faisait une chaleur à périr ; et la sueur qui suivait les plis de son front et la longueur de ses joues, se mêlait à la poudre de ses cheveux, ruisselait et sillonnait le haut de son habit. Que ne lui vis-je pas faire ? Il pleurait, il riait, il soupirait ; il regardait ou attendri, ou tranquille, ou furieux ; c'était une femme qui se pâme de douleur ; c'était un malheureux livré à tout son désespoir ; un temple qui s'élève ; des oiseaux qui se taisent au soleil couchant ; des eaux qui murmurent dans un lieu solitaire et frais, ou qui descendent en torrent du haut des montagnes ; un orage, une tempête, la plainte de ceux qui vont périr, mêlée au sifflement des vents, au fracas du tonnerre. C'était la nuit avec ses ténèbres ; c'était l'ombre et le silence, car le silence même se peint par des sons. Sa tête était tout à fait perdue. Épuisé de fatigue, tel qu'un homme qui sort d'un profond sommeil ou d'une longue distraction, il resta immobile, stupide, étonné. (...)

*La société joue constamment **l'opéra des gueux**.*

LUI (...)

Que diable d'économie ! des hommes qui regorgent de tout tandis que d'autres, qui ont un estomac importun comme eux, une faim renaissante comme eux, et pas de quoi se mettre sous la dent. Le pis c'est la posture contrainte où nous tient le besoin. L'homme nécessiteux ne marche pas comme un autre, il saute, il rampe, il se tortille, il se traîne, il passe sa vie à prendre et à exécuter des positions.

MOI.

Qu'est-ce que des positions ?

LUI.

Aller le demander à Noverre. Le monde en offre bien plus que son art n'en peut imiter.

MOI.

Et vous voilà aussi, pour me servir de votre expression, ou de celle de Montaigne, perché sur l'épicycle de Mercure et considérant les différentes pantomines de l'espèce humaine.

LUI.

Non, non, vous dis-je ; je suis trop lourd pour m'élever si haut. J'abandonne aux grues le séjour des brouillards. Je vais terre à terre. Je regarde autour de moi, et je prends mes positions, ou je m'amuse des positions que je vois prendre aux autres. Je suis excellent pantomime comme vous en allez juger.
(Puis il se met à sourire, à contrefaire l'homme admirateur, l'homme suppliant, l'homme complaisant ; il a le pied droit en avant, le gauche en arrière, le dos courbé, la tête relevée, le regard comme attaché sur d'autres yeux, la bouche entrouverte, les bras portés vers quelque objet ; il attend un ordre, il le reçoit, il part comme un trait, il revient, il est exécuté, il en rend compte. Il est attentif à tout ; il ramasse ce qui tombe, il place un oreiller ou un tabouret sous des pieds ; il tient une soucoupe ; il approche une chaise ; il ouvre une porte ; il ferme une fenêtre, il tire des rideaux ; il observe le maître et la maîtresse ; il est immobile, les bras pendants, les jambes parallèles ; il écoute, il cherche à lire sur des visages, et il ajoute : « Voilà ma pantomime, à peu près la même que celle des flatteurs, des courtisans, des valets et des gueux. »
Les folies de cet homme, les contes de l'abbé Galiani, les extravagances de Rabelais m'ont quelquefois fait rêver pronfondément. Ce sont trois magasins où je me suis pourvu de masques ridicules que je place sur le visage des plus graves personnages, et je vois Pantalon dans un prélat, un satyre dans un président, un pourceau dans un cénobite, une autruche dans un ministre, une oie dans son premier commis.)

"J'abandonne aux grues le séjour des brouillards."

MOI.

Mais à votre compte, dis-je à mon homme, il y a bien des gueux dans ce monde-ci, et je ne connais personne qui ne sache quelques pas de votre danse.

LUI.

Vous avez raison. Il n'y a dans tout un royaume qu'un homme qui marche, c'est le souverain ; tout le reste prend des positions.

MOI.

Le souverain ? Encore y a-t-il quelque chose à dire. Et croyez-vous qu'il ne se trouve pas de temps en temps à côté de lui un petit pied, un petit chignon, un petit nez qui lui fasse faire un peu de la pantomime ? Quiconque a besoin d'un autre est indigent et prend une position. Le roi prend une position devant sa maîtresse et devant Dieu ; il fait son pas de pantomime. Le ministre fait le pas de courtisant, de flatteur, de valet ou de gueux devant son roi. La foule des ambitieux danse vos positions, en cent manières plus viles les unes que les autres, devant le ministre. L'abbé de condition, en rabat et en manteau long, au moins une fois la semaine, devant le dépositaire de la feuille des bénéfices. Ma foi, ce que vous appelez la pantomime des gueux est le grand branle de la terre.

PHILOSOPHIE

.Le Rêve de d'Alembert.

1769

*Que dit le matérialisme ? **Deus sive natura** ; Dieu, autrement dit la Nature. La nature est un grand corps vivant, elle est le tout. Nous voici en plein panthéisme, mais ce dieu qu'est la nature est essentiellement **corps** : plutôt maladroit en général, il n'est bon et sage qu'en certaines de ces parties, à savoir quelques hommes philosophes.*

Voyez-vous cet œuf ? c'est avec cela qu'on renverse toutes les écoles de théologie et tous les temples de la terre. Qu'est-ce que cet œuf ? une masse insensible avant que le germe y soit introduit ; et après que le germe y est introduit, qu'est-ce encore ? une masse insensible, car ce germe n'est lui-même qu'un

"Voyez-vous cet œuf ? c'est avec cela qu'on renverse toutes les écoles de théologie et tous les temples de la terre."

fluide inerte et grossier. Comment cette masse passera-t-elle à une autre organisation, à la sensibilité, à la vie ? par la chaleur. Qu'y produira la chaleur ? le mouvement. Quels seront les effets successifs du mouvement ? Au lieu de me répondre, asseyez-vous, et suivons-les de l'œil de moment en moment. D'abord c'est un point qui oscille, un filet qui s'étend et qui se colore ; de la chair qui se forme ; un bec, des bouts d'ailes, des yeux, des pattes qui paraissent ; une matière jaunâtre qui se dévide et produit des intestins ; c'est un animal. Cet animal se meut, s'agite, crie ; j'entends ses cris à travers la coque ; il se couvre de duvet ; il voit. La pesanteur de sa tête, qui oscille, porte sans cesse son bec contre la paroi intérieure de sa prison ; la voilà brisée ; il en sort, il marche, il vole, il s'irrite, il fuit, il approche, il se plaint, il souffre, il aime, il désire, il jouit ; il a toutes vos affections ; toutes vos actions, il les fait. Prétendrez-vous, avec Descartes, que c'est une pure machine imitative ? Mais les petits enfants se moqueront de vous, et les philosophes vous répliqueront que si c'est là une machine, vous en êtes une autre. Si vous avouez qu'entre l'animal et vous il n'y a de différence que dans l'organisation, vous montrerez du sens et de la raison, vous serez de bonne foi ; mais on en conclura contre vous qu'avec une matière inerte, disposée d'une certaine manière, imprégnée d'une autre matière inerte, de la chaleur et du mouvement, on obtient de la sensibilité, de la vie, de la mémoire, de la conscience, des passions, de la pensée. Il ne vous reste qu'un de ces deux partis à prendre ; c'est d'imaginer dans la masse inerte de l'œuf un élément caché qui en attendait le développement pour manifester sa présence, ou de supposer que cet élément imperceptible s'y est insinué à travers la coque dans un instant déterminé du développement. Mais qu'est-ce que cet élément ? Occupait-il de l'espace, ou n'en occupait-il point ? Comment est-il venu, ou s'est-il échappé, sans se mouvoir ? Où était-il ? Que faisait-il là ou ailleurs ? A-t-il été créé à l'instant du besoin ? Existait-il ? Attendait-il un domicile ? Était-il homogène ou hétérogène à ce domicile ? Homogène, il était matériel ; hététogène, on ne conçoit ni son inertie avant le développement, ni son énergie dans l'animal développé. Écoutez-vous, et vous aurez pitié de vous-même ; vous sentirez que, pour ne pas admettre une supposition simple qui explique tout, la sensibilité, propriété générale de la matière, ou produit de l'organisation, vous renoncez au sens commun, et vous précipitez dans un abîme de mystères, de contradictions et d'absurdités.

ROMAN

Jacques le fataliste

1773

Le libre arbitre a écrit Descartes, en quelque façon nous rend semblable à Dieu en nous faisant maître de nous-même. Si Dieu garantit la liberté de l'homme, doit-on être fataliste quand on est athée ? Et comment vivre en fataliste ? Sans rien faire ? C'est impossible, et agir c'est de toute façon agir en se croyant libre...

Jacques et son maître chevauchent. Pour se désennuyer le maître demande à Jacques de lui conter ses amours. Le récit commence, mais sans cesse est différé par divers événements, histoires, digressions et autres interruptions. Diderot avoue ici sa dette au roman de Laurence Sterne (1713-1768) ***Vie et opinions de Tristram Shandy****, publié de 1760 à 1767. Jacques est le véritable héros, et la maître doit se résigner au rôle (renversé) de famulus. Ainsi débute le roman :*

Comment s'étaient-ils rencontrés ? Par hasard, comme tout le monde. Comment s'appelaient-ils ? Que vous importe ? D'où venaient-ils ? Du lieu le plus prochain. Où allaient-ils ? Est-ce que l'on sait où l'on va ? Que disaient-il ? Le maître ne disait rien ; et Jacques disait que son capitaine disait que tout ce qui nous arrive de bien et de mal ici-bas était écrit là-haut. (...)

Jacques commença l'histoire de ses amours. C'était l'après-dîner : il faisait un temps lourd ; son maître s'endormit. La nuit les surprit au milieu des champs ; les voilà fourvoyés. Voilà le maître dans une colère terrible et tombant à grands coups de fouet sur son valet, et le pauvre diable disant à chaque coup : « Celui-là était apparemment encore écrit là-haut... »

Vous voyez, lecteur, que je suis en beau chemin, et qu'il ne tiendrait qu'à moi de vous faire attendre un an, deux ans, trois ans, le récit des amours de Jacques, en le séparant de son maître et en leur faisant courir à chacun tous les hasards qu'il me plairait. Qu'est-ce qui m'empêcherait de marier le maître et de le faire cocu ? d'embarquer Jacques pour les îles ? d'y conduire son maître ? de les ramener tous les deux en France sur le même vaisseau ? Qu'il est facile de faire des contes ! Mais ils en seront quittes l'un et l'autre pour une mauvaise nuit, et vous pour ce délai.

L'aube du jour parut. Les voilà remontés sur leurs bêtes et poursuivant leur chemin. — Et où allaient-ils ? — Voilà la seconde fois que vous me faites cette question, et la seconde fois que je vous réponds : Qu'est-ce que cela vous fait ? Si j'entame le sujet de leur voyage, adieu les amours de Jacques... ils allèrent quelque temps en silence. Lorsque chacun fut un peu remis de son chagrin, le maître dit à son valet : Eh bien, Jacques où en étions-nous de tes amours ? (...)

JACQUES.

Trois bandits sortent d'entre les broussailles qui bordaient le chemin, se jettent sur moi, me renversent à terre, me fouillent, et sont étonnés de me trouver aussi peu d'argent que j'en avais. Ils avaient compté sur une meilleure proie ; témoins de l'aumône que j'avais faite au village, ils avaient imaginé que celui qui peut se dessaisir aussi lestement d'un demi-louis devait en avoir encore une vingtaine. Dans la rage de voir leur espérance trompée et de s'être exposés à avoir les os brisés sur un échafaud pour une poignée de sous marqués, si je les dénonçais, s'ils étaient pris et que les reconnusse, ils balancèrent un moment s'ils ne m'assassineraient pas. Heureusement ils entendirent du bruit ; ils s'enfuirent, et j'en fus quitte pour quelques contusions que je me fis en tombant et que je reçus tandis qu'on me volait. Les bandits éloignés, je me retirai ; je regagnai le village comme je pus : j'y arrivai à deux heures de nuit, pâle, défait, la douleur de mon genou fort accrue et souffrant, en différents endroits, des coups que j'avais remboursés. Le docteur... Mon maître, qu'avez-vous ? Vous serrez les dents, vous vous agitez comme si vous étiez en présence d'un ennemi.

LE MAÎTRE.

J'y suis, en effet ; j'ai l'épée à la main ; je fonds sur tes voleurs et je te venge. Dis-moi comment celui qui a écrit le grand rouleau a pu écrire que telle serait la récompense d'une action généreuse ? Pourquoi moi, qui ne suis qu'un misérable composé de défauts, je prends ta défense, tandis que lui qui t'a vu tranquillement attaqué, renversé, maltraité, foulé aux pieds, lui qu'on dit être l'assemblage de toute perfection !...

JACQUES.

Mon maître, paix, paix : ce que vous dites là sent le fagot en diable.

LE MAÎTRE.

Qu'est-ce que tu regardes ?

Si tout est écrit au Ciel, à quoi bon s'efforcer ? « C'est que (dit Jacques), faute de savoir ce qui est écrit là-haut, on ne sait ni ce qu'on veut ni ce qu'on fait, et qu'on suit sa fantaisie qu'on appelle raison, ou sa raison qui n'est souvent qu'une dangereuse fantaisie qui tourne tantôt bien, tantôt mal. » Jacques renonce à maîtriser, et se résigne : il accepte sa condition, et ainsi en fait à sa tête...

JACQUES.

Je regarde s'il n'y a personne autour de nous qui vous ait entendu... Le docteur me tâta le pouls et me trouva de la fièvre. Je me couchai sans parler de mon aventure, rêvant sur mon grabat, ayant affaire à deux âmes... Dieu ! quelles âmes ! n'ayant pas le sou, et pas le moindre doute que le lendemain, à mon réveil, on n'exigeât le prix dont nous étions convenus par jour.

En cet endroit, le maître jeta ses bras autour du cou de son valet, en s'écriant : Mon pauvre Jacques, que vas-tu faire ? Que vas-tu devenir ? Ta position m'effraie.

JACQUES.

Mon maître, rassurez-vous, me voilà.

LE MAÎTRE.

Je n'y pensais pas ; j'étais à demain, à côté de toi, chez le docteur, au moment où tu t'éveilles, et où l'on vient te demander de l'argent.

JACQUES.

Mon maître, on ne sait de quoi se réjouir, ni de quoi s'affliger dans la vie. Le bien amène le mal, le mal amène le bien. Nous marchons dans la nuit au-dessous de ce qui est écrit là-haut, également insensés dans nos souhaits, dans notre joie, et dans notre affliction. Quand je pleure, je trouve souvent que je suis un sot.

LE MAÎTRE.

Et quand tu ris ?

JACQUES.

Je trouve encore que je suis un sot ; cependant, je ne puis m'empêcher de pleurer ni de rire : et c'est ce qui me fait enrager. J'ai cent fois essayé... Je ne fermai pas l'œil de la nuit...

LE MAÎTRE.

Non, non, dis-moi ce que tu as essayé.

JACQUES.

De me moquer de tout. Ah ! si j'avais pu y réussir.

LE MAÎTRE.

A quoi cela t'aurait-il servi ?

JACQUES.

A me délivrer de souci, à n'avoir plus besoin de rien, à me rendre parfaitement maître de moi, à me trouver aussi bien la tête contre une borne, au coin de la rue, que sur un bon oreiller. Tel je suis quelquefois ; mais le diable est que cela ne dure pas, et que dur et ferme comme un rocher dans les grandes occasions, il arrive souvent qu'une petite contradiction, une bagatelle me déferre ; c'est à se donner des soufflets. J'y ai renoncé ; j'ai pris le parti d'être comme je suis ; et j'ai vu, en y pensant un peu, que cela revenait presque au même, en ajoutant : Qu'importe comme on soit ? C'est une autre résignation plus facile et plus commode.

Jacques Jérôme Casanova de Seingalt dit

Casanova

VENISE 1725 – CHÂTEAU DE DUX EN BOHÈME 1798.

Casanova est le fils d'un acteur et de la fille d'un cordonnier. Il fait des études de théologie à Padoue, puis entre au séminaire à Venise : on l'en chasse pour libertinage. Dès lors c'est une errance aventureuse en Europe que sa vie : plaisirs (et les dures peines qu'ils exigent), intrigues, escroqueries, bonnes fortunes et bassesses, indélicatesses et secrets, fastes et dettes ; à Constantinople, Paris, Lyon (où il est initié à la franc-maçonnerie), Dresde, Prague, Vienne, etc. Il regagne Venise en 1755, l'Inquisition le condamne à cinq ans de détention dans la prison dite « les plombs », il s'en évade avec beaucoup d'art et de courage, et regagne Paris. Il devient un familier du duc de Choiseul, fonde une manufacture d'étoffes, puis une loterie que l'Etat apprécie vivement, etc. ; Madrid, Moscou, Londres, Munich, etc. Côtoyant les grands et les pires, Casanova retrouve Venise en 1744. Il écrit une cantate, un roman historique, une ***Histoire des troubles de Pologne****, se fait impresario, crée une revue de critique dramatique ; s'étant fait indicateur pour l'Inquisition afin d'assurer sa tranquillité, il doit pourtant de nouveau s'enfuir : Trieste, Paris , et enfin le château de Dux en Bohème, où le comte de Waldstein-Wartenberg l'accueille par charité ; il vit là d'humiliantes dernières années, écrivant cependant un roman,* ***Icosameron ou Histoire d'Edouard et d'Elisabeth****, une* ***Histoire de ma fuite des « Plombs » de Venise****, et l'****Histoire de ma vie****.*

MÉMOIRES

.Histoire de ma vie, ou Mémoires de Casanova.

1789-1792, publiée en 1826

*La préface de Casanova à ses **Mémoires** est de 1797 :*

« Cultiver le plaisir des sens fut toujours ma principale affaire : je n'en eus jamais de plus importante. Me sentant né pour le beau sexe, je l'ai toujours aimé et m'en suis fait aimer tant que j'ai pu. J'ai aussi aimé la bonne chère avec transport, et j'ai toujours été passionné pour tous les objets qui ont excité ma curiosité.

J'ai eu des amis qui m'ont fait du bien, et le bonheur de pouvoir en toute occasion leur donner des preuves de ma reconnaissance. J'ai eu aussi de détestables ennemis qui m'ont persécuté, et que je n'ai pas exterminés parce qu'il n'a pas été en mon pouvoir de le faire. Je ne leur eusse jamais pardonné, si je n'eusse oublié le mal qu'ils m'ont fait. L'homme qui oublie une injure ne la pardonne pas, il oublie ; car le pardon part d'un sentiment héroïque, d'un cœur noble, d'un esprit généreux, tandis que l'oubli vient d'une faiblesse de mémoire, ou d'une nonchalance, amie d'une âme pacifique, et souvent d'un besoin de calme et de tranquillité ; car la haine, à la longue, tue le malheureux qui se plaît à la nourrir.

Si l'on me nomme sensuel, on aura tort, car la force de mes sens ne m'a jamais fait négliger mes devoirs quand j'en ai eu. Par la même raison on n'aurait jamais dû traiter Homère d'ivrogne :

Laudibus arguitur vini vinosus Homerus.

J'ai aimé les mets au haut goût : le pâté de macaroni fait par un bon cuisinier napolitain, l'ogliopotrida des Espagnols, la morue de Terre-Neuve bien gluante, le gibier au fumet qui confine et les fromages dont la perfection se manifeste quand les petits êtres qui s'y forment commencent à devenir visibles. Quant aux femmes, j'ai toujours trouvé suave l'odeur de celles que j'ai aimées.

Quels goûts dépravés ! dira-t-on : quelle honte de se les reconnaître et de ne pas en rougir ! Cette critique me fait rire ; car, grâce à mes gros goûts, je me crois plus heureux qu'un autre, puisque je suis convaincu qu'ils me rendent suceptible de plus de plaisir. Heureux ceux qui, sans nuire à personne, savent s'en procurer, et insensés ceux qui s'imaginent que le Grand-Être puisse jouir des douleurs, des peines et des abstinences qu'ils lui offrent en sacrifice, et qu'il ne chérisse que les extravagants qui se les imposent. Dieu ne peut exiger de ses créatures que l'exercice des vertus dont il a placé le germe dans leur âme, et il ne nous a rien donné qu'à dessein de nous rendre heureux : amour-propre, ambition d'éloges, sentiment d'émulation, force, courage, et un pouvoir dont rien ne peut nous priver : c'est celui de nous tuer, si, après un calcul juste ou faux, nous avons le malheur d'y trouver notre compte. C'est la plus forte preuve de notre liberté morale que le sophisme a tant combattue. Cette faculté cependant est en horreur à toute la nature ; et c'est avec raison que toutes les religions doivent la proscrire.

Un prétendu esprit fort me dit un jour que je ne pouvais me dire philosophe et admettre la révélation. Mais, si nous n'en doutons pas en physique, pourquoi ne l'admettrions-nous pas en matière de religion ? Il ne s'agit que de la forme. L'esprit parle à l'esprit et non pas aux oreillles. Les principes de tout ce que nous savons ne peuvent qu'avoir été révélés à ceux qui nous les ont communiqués par le grand et suprême principe qui les contient tous. L'abeille qui fait sa ruche, l'hirondelle qui fait son nid, la fourmi qui construit sa cave et l'araignée qui ourdit sa toile, n'auraient jamais rien fait sans une révélation préalable et éternelle. Ou nous devons croire que la chose est ainsi, ou convenir que la matière pense. Mais comme nous n'osons pas faire tant d'honneur à la matière, tenons-nous en à la révélation.

Ce grand philosophe qui, après avoir étudié la nature, crut pouvoir chanter victoire en la reconnaissant pour Dieu, mourut trop tôt. S'il avait vécu quelque temps de plus, il serait allé beaucoup plus loin et son voyage n'aurait pas été long ; se trouvant dans son auteur, il n'aurait plus pu le nier : *in eo movemur et sumus.* Il l'aurait trouvé inconcevable, et ne s'en serait plus inquiété.

Dieu, grand principe de tous les principes et qui n'eut jamais de principe, pourrait-il lui-même se concevoir, si pour cela il avait besoin de connaître son propre principe ?

O heureuse ignorance ! Spinoza, le vertueux Spinoza, mourut avant de parvenir à la posséder. Il serait mort savant et en droit de prétendre à la récompense de ses vertus, s'il avait supposé son âme immortelle.

Il est faux qu'une prétention de récompense ne convienne pas à la véritable vertu et qu'elle porte atteinte à sa pureté ; car, tout au contraire, elle sert à la soutenir, l'homme étant trop faible pour vouloir n'être vertueux que pour se plaire à lui seul. Je tiens pour fabuleux cet Amphiaraüs qui *vir bonus esse quam videri malebat*. Je crois enfin qu'il n'y a point d'honnête homme au monde sans quelque prétention ; et je vais parler de la mienne.

Je prétends à l'amitié, à l'estime et à la reconnaissance de mes lecteurs : à leur reconnaissance, si la lecture de mes Mémoires les instruit à leur fait plaisir ; à leur estime, si, me rendant justice, ils me trouvent plus de qualités que de défauts, et à leur amitié dès qu'ils m'en auront trouvé digne par la franchise et la bonne foi avec lesquelles je me livre à leur jugement sans nul déguisement et tel que je suis.

Ils trouveront que j'ai toujours aimé la vérité avec tant de passion, que souvent j'ai commencé par mentir afin de parvenir à la faire entrer dans des têtes qui n'en connaissaient pas les charmes. Ils ne m'en voudront pas lorsqu'ils me verront vider la bourse de mes amis pour fournir à mes caprices, car ces amis avaient des projets chimériques, et en leur en faisant espérer la réussite, j'espérais moi-même de les en guérir en les désabusant. Je les trompais pour les rendre sages, et je ne me croyais pas coupable, car je n'agissais point par esprit d'avarice. J'employais à payer mes plaisirs des sommes destinées à parvenir à des possessions que la nature rend impossibles. Je me croirais coupable, si aujourd'hui je me trouvais riche ; mais je n'ai rien, j'ai tout jeté, et cela me console et me justifie. C'était un argent destiné à des folies : je n'en ai point détourné l'usage en le faisant servir aux miennes.

Si, dans l'espoir que j'ai de plaire, je me trompais, j'avoue que j'en serais fâché, mais non pas assez pour me repentir d'avoir écrit, car rien ne pourra faire que je ne me sois amusé. Cruel ennui ! ce ne peut être que par oubli que les auteurs des peines de l'enfer ne t'y ont point placé.

Je dois avouer cependant que je ne puis me défendre de la crainte des sifflets : elle est trop naturelle pour que j'ose me vanter d'y être insensible ; et je suis bien loin de me consoler par l'idée que lorsque ces Mémoires paraîtront j'aurai cessé de vivre. Je ne puis penser sans horreur à contracter quelque obligation avec la mort, que je déteste ; heureuse ou malheureuse, la vie est le seul bien que l'homme possède, et ceux qui ne l'aiment pas n'en sont pas dignes. Si on lui préfère l'honneur, c'est parce que l'infamie la flétrit ; et si, dans l'alternative, il arrive parfois qu'on se tue, la philosophie doit se taire.

O mort ! cruelle mort ! loi fatale que la nature doit réprouver, puisque tu ne tends qu'à sa destruction. Cicéron dit que la mort nous délivre des peines ; mais ce grand philosophe enregistre la dépense sans tenir aucun compte de la recette. Je ne me souviens pas si, quand il écrivait ses *Tusculanes*, sa Tullie était morte. La mort est un monstre qui chasse du grand théâtre un spectateur attentif avant qu'une pièce qui l'intéresse infiniment soit finie. Cette raison doit suffire pour la faire détester.

On ne trouvera pas dans ces Mémoires toutes mes aventures ; j'ai omis celles qui auraient pu déplaire aux personnes qui y eurent part, car elles y feraient mauvaise figure. Malgré ma réserve, on ne me trouvera parfois que trop indiscret, et j'en suis fâché. Si avant ma mort je deviens sage et que j'en aie le temps, je brûlerai tout : maintenant je n'en ai pas le courage.

Si quelquefois on trouve que je peins certaines scènes amoureuses avec trop de détails, qu'on se garde de me blâmer, à moins qu'on ne me trouve un mauvais peintre puisqu'on ne saurait faire un reproche à ma vieille âme de ne savoir plus jouir que par réminiscence. La vertu, au reste, pourra sauter tous les tableaux dont elle serait blessée ; c'est un avis que je crois devoir lui donner ici. Tant pis pour ceux qui ne liront pas ma préface ! ce ne sera point ma faute, car chacun doit savoir qu'une préface est à un ouvrage ce que l'affiche est à une comédie : on doit la lire.

"La mort est un monstre qui chasse du grand théâtre un spectateur attentif avant qu'une pièce qui l'intéresse infiniment soit finie."

Je n'ai pas écrit ces Mémoires pour la jeunesse qui, pour se garantir des chutes, a besoin de la passer dans l'ignorance, mais bien pour ceux qui, à force d'avoir vécu, sont devenus inaccessibles à la séduction, et qui, à force d'avoir demeuré dans le feu, sont devenus salamandres. Les vrais vertus n'étant qu'habitude, j'ose dire que les vrais vertueux sont ceux qui les exercent sans se donner la moindre peine. Ces gens-là n'ont point l'idée de l'intolérance, et c'est pour eux que j'ai écrit.

J'ai écrit en français et non en italien, parce que la langue française est plus répandue que la mienne, et les puristes qui me critiqueront pour trouver dans mon style des tournures de mon pays auront raison, si cela les empêche de me trouver clair. Les Grecs goûtèrent Théophraste malgré ses phrases d'Érèse, et les Romains leur Tite-Live malgré sa patavinité. Si j'intéresse, je puis, ce me semble, aspirer à la même indulgence. Toute l'Italie, au reste, goûte Algarotti, quoique son style soit pétri de gallicismes.

Une chose digne de remarque, c'est que de toutes les langues vivantes qui figurent dans la république des lettres, la langue française est la seule que ses présidents aient condamnée à ne pas s'enrichir aux dépens des autres, tandis que les autres, toutes plus riches qu'elle en fait de mots, la pillent, tant dans ses mots que dans ses tournures, chaque fois qu'elles s'aperçoivent que par ces emprunts elles peuvent ajouter à leur beauté. Il faut dire aussi que ceux qui la mettent le plus à contribution sont les premiers à publier sa pauvreté, comme s'ils prétendaient par là justifier leurs déprédations. On dit que cette langue étant parvenue à posséder toutes les beautés dont elle est susceptible, — et on est forcé de convenir qu'elles sont nombreuses, — le moindre trait étranger l'enlaidirait ; mais je crois pouvoir avancer que cette sentence a été prononcée avec prévention, car, quoique cette langue soit la plus claire, la plus logique de toutes, il serait téméraire d'affirmer qu'elle ne puisse point aller au-delà de ce qu'elle est. On se souvient encore que du temps de Lulli toute la nation portait le même jugement sur sa musique : Rameau vint et tout changea. Le nouvel élan que ce peuple a pris peut le conduire sur des voies non encore aperçues, et de nouvelles beautés, de nouvelles perfections peuvent naître de nouvelles combinaisons et de nouveaux besoins.

Pierre-Augustin Caron de

Beaumarchais

PARIS 1732 – PARIS 1799.

Fils d'un horloger, Beaumarchais manifeste très jeune un goût vif pour la musique et les lettres. Il obtient le titre d'horloger du roi à 22 ans, devient contrôleur de la maison du roi à Versailles un an plus tard, et se fait également maître de harpe des filles de Louis XV.

Enfin il devient financier et fait fortune. Il achète une charge de secrétaire du roi qui lui confère la noblesse. Après une période difficile où se succèdent des procès scandaleux, dont il sort finalement vainqueur, il devient agent secret pour la cour. Il écrit deux drames bourgeois : ***Eugénie*** *(1767) et les* ***Deux Amis*** *(1770) ; compose son célèbre* ***Barbier de Séville*** *(1775) qui sera représenté au Trianon : la Reine Marie-Antoinette jouera le rôle de Rosine. Il écrit en 1778* ***Le Mariage de Figaro*** *que la censure ne laissera jouer qu'en 1784 : Beaumarchais triomphe. Il entreprend un opéra* ***Tarare****, c'est Salieri qui en compose la musique ; l'opéra est représenté en 1787 avec succès. Beaumarchais modifiera le livret selon les circonstances politiques : en 1787 son héros défend la monarchie absolue, en 1790 il prône la monarchie constitutionnelle, en 1795 il est républicain. La Révolution laisse Beaumarchais tranquille. Il écrit une suite au Mariage :* ***La Mère coupable*** *(1792). Il se lance dans un trafic d'armes pour le gouvernement français, mais apprend, lors d'un de ses voyages, qu'il est porté sur la liste des émigrés, que ses biens sont confisqués. Il se réfugie à Hambourg où il vit misérablement ; il ne peut regagner Paris qu'en 1796. Il meurt trois ans après.*

THÉÂTRE, COMÉDIE

Le Barbier de Séville ou la Précaution inutile

1775

Le comte Almaviva s'est épris de Rosine sequestrée par son tuteur Bartholo qui a l'intention de l'épouser. Le comte retrouve son ancien valet Figaro, installé à Séville comme barbier ; celui-ci accepte d'aider le comte à duper Bartholo et à épouser Rosine.

Le comte se promène devant la maison de Bartholo espérant voir Rosine quand il rencontre son ancien valet Figaro :

"Aux vertus qu'on exige dans un domestique, Votre Excellence connaît-elle beaucoup de maîtres qui fussent dignes d'être valets ?"

LE COMTE.

Que fais-tu à Séville ? Je t'avais autrefois recommandé dans les bureaux pour un emploi.

FIGARO.

Je l'ai obtenu, monseigneur, et ma reconnaissance...

LE COMTE.

Appelle-moi Lindor. Ne vois-tu pas, à mon déguisement, que je veux être inconnu ?

FIGARO.

Je me retire.

LE COMTE.

Au contraire. J'attends ici quelque chose ; et deux hommes qui jasent sont moins suspects qu'un seul qui se promène. Ayons l'air de jaser. Eh bien, cet emploi ?

FIGARO.

Le Ministre, ayant égard à la recommandation de Votre Excellence, me fit nommer sur-le-champ garçon apothicaire.

LE COMTE.

Dans les hôpitaux de l'armée ?

FIGARO.

Non ; dans les haras d'Andalousie.

LE COMTE, *riant.*

Beau début !

FIGARO.

Le poste n'était pas mauvais ; parce qu'ayant le district des pansements et des drogues, je vendais souvent aux hommes de bonnes médecines de cheval...

LE COMTE.

Qui tuaient les sujets du Roi !

FIGARO.

Ah ! ah ! il n'y a point de remède universel : mais qui n'ont pas laissé de guérir quelquefois des Galiciens, des Catalans, des Auvergnats.

LE COMTE.

Pourquoi donc l'as-tu quitté ?

FIGARO.

Quitté ? C'est bien lui-même ; on m'a desservi auprès des puissances.

L'envie aux doigts crochus,
au teint pâle et livide...

LE COMTE.

Oh grâce ! grâce, ami ! Est-ce que tu fais aussi des vers ? Je t'ai vu là griffonnant sur ton genou, et chantant dès le matin.

FIGARO.

Voilà précisément la cause de mon malheur, Excellence. Quand on a rapporté au Ministre que je faisais, je puis dire assez joliment, des bouquets à Chloris, que j'envoyais des énigmes aux journaux, qu'il courait des madrigaux de ma façon ; en un mot, quand il a su que j'étais imprimé tout vif, il a pris la chose au tragique, et m'a fait ôter mon emploi, sous prétexte que l'amour des Lettres est incompatible avec l'esprit des affaires.

LE COMTE.

Puissamment raisonné ! et tu ne lui fis pas représenter...

FIGARO.

Je me crus trop heureux d'en être oublié ; persuadé qu'un grand nous fait assez de bien quand il ne nous fait pas de mal.

LE COMTE.

Tu ne dis pas tout. Je me souviens qu'à mon service tu étais un assez mauvais sujet.

FIGARO.

Eh ! mon Dieu, Monseigneur, c'est qu'on veut que le pauvre soit sans défaut.

LE COMTE.

Paresseux, dérangé...

FIGARO.

Aux vertus qu'on exige dans un domestique,

Votre Excellence connaît-elle beaucoup de maîtres qui fussent dignes d'être valets ?

LE COMTE, *riant.*

Pas mal. Et tu t'es retiré en cette ville ?

FIGARO.

Non, pas tout de suite. (...) De retour à Madrid, je voulus essayer de nouveau mes talents littéraires, et le théâtre me parut un champ d'honneur...

LE COMTE.

Ah ! miséricorde !

FIGARO, *pendant sa réplique, le comte regarde avec attention du côté de la jalousie.*

En vérité, je ne sais comment je n'eus pas le plus grand succès, car j'avais rempli le parterre des plus excellents travailleurs ; des mains... comme des battoirs ; j'avais interdit les gants, les cannes, tout ce qui ne produit que des applaudissement sourds ; et, d'honneur, avant la pièce, le café m'avait paru dans les meilleures dispositions pour moi. Mais les efforts de la cabale...

LE COMTE.

Ah ! la cabale ! monsieur l'auteur tombé !

FIGARO.

Tout comme un autre : pourquoi pas ? Ils m'ont sifflé ; mais si jamais je puis les rassembler... (...)

LE COMTE.

Ta joyeuse colère me réjouit. Mais tu ne me dis pas ce qui t'a fait quitter Madrid.

FIGARO.

C'est mon bon ange, Excellence, puisque je suis assez heureux pour retrouver mon ancien maître. Voyant à Madrid que la république des lettres était celle des loups, toujours armés les uns contre les autres, et que livrés au mépris où ce risible acharnement les conduit, tous les insectes, les moustiques, les cousins, les critiques, les maringouins, les envieux, les feuillistes, les libraires, les censeurs, et tout ce qui s'attache à la peau des malheureux gens de lettres, achevaient de déchiqueter et sucer le peu de substance qui leur restait ; fatigué d'écrire, ennuyé de moi, dégoûté des autres, abîmé de dettes et léger d'argent ; à la fin, convaincu que l'utile revenu du rasoir est préférable aux vains honneurs de la plume, j'ai quitté Madrid ; et, mon bagage en sautoir, parcourant philosphiquement les deux Castilles, la Manche, l'Estramadure, la Sierra-Morena, l'Andalousie, accueilli dans une ville, emprisonné dans l'autre, et partout supérieur aux événements ; loué par ceux-ci, blâmé par ceux-là, aidant au bon temps, supportant le mauvais, me moquant des sots, bravant les méchants, riant de ma misère et faisant la barbe à tout le monde, vous me voyez enfin établi dans Séville, et prêt de nouveau à servir Votre Excellence en tout ce qu'il lui plaira m'ordonner.

LE COMTE.

Qui t'a donné une philosophie aussi gaie ?

FIGARO.

L'habitude du malheur. Je me presse de rire de tout, de peur d'être obligé d'en pleurer.

ACTE I, SCÈNE 2

"Je me presse de rire de tout, de peur d'être obligé d'en pleurer."

BARTHOLO, DON BAZILE ; FIGARO, caché dans le cabinet, paraît de temps en temps, et les écoute.

BARTHOLO, *continue.*

Ah ! Don Bazile, vous veniez donner à Rosine sa leçon de musique ?

BAZILE.

C'est ce qui presse le moins.

BARTHOLO.

J'ai passé chez vous sans vous trouver.

BAZILE.

J'étais sorti pour vos affaires. Apprenez une nouvelle assez fâcheuse.

BARTHOLO.

Pour vous ?

BAZILE.

Non, pour vous, Le Comte Almaviva est en cette ville.

Bazile espionne le comte Almaviva pour Bartholo ; il informe ce dernier :

BARTHOLO.

Parlez bas. Celui qui faisait chercher Rosine dans tout Madrid ?

BAZILE.

Il loge à la grande place et sort tous les jours déguisé.

BARTHOLO.

Il n'en faut point douter, cela me regarde. Et que faire ?

BAZILE.

Si c'était un particulier, on viendrait à bout de l'écarter.

BARTHOLO.

Qui, en s'embusquant le soir, armé, cuirassé...

BAZILE.

Bone Deus ! Se compromettre ! Susciter une méchante affaire, à la bonne heure, et, pendant la fermentation, calomnier à dire d'experts ; *concedo*.

BARTHOLO.

Singulier moyen de se défaire d'un homme !

BAZILE.

La calomnie, Monsieur ? Vous ne savez guère ce que vous dédaignez ; j'ai vu les plus honnêtes gens près d'en être accablés. Croyez qu'il n'y a pas de plate méchanceté, pas d'horreurs, pas de conte absurde, qu'on ne fasse adopter aux oisifs d'une grande ville, en s'y prenant bien : et nous avons ici des gens d'une adresse !... D'abord un bruit léger, rasant le sol comme hirondelle avant l'orage, *pianissimo*, murmure et file, et sème en courant le trait empoisonné. Telle bouche le recueille, et *piano piano* vous le glisse en l'oreille adroitement. Le mal est fait, il germe, il rampe, il chemine, et *rinforzando* de bouche en bouche il va le diable ; puis tout à coup, ne sais comment, vous voyez calomnie se dresser, siffler, s'enfler, grandir à vue d'œil ; elle s'élance, étend son vol, tourbillonne, enveloppe, arrache, entraîne, éclate et tonne, et devient, grâce au Ciel, un cri général, un *crescendo* public, un *chorus* universel de haine et de proscription. Qui diable y résisterait ?

BARTHOLO.

Mais quel radotage me faites-vous donc là, Bazile ? Et quel rapport de *pianocrescendo* peut-il avoir à ma situation ?

BAZILE.

Comment, quel rapport ? Ce qu'on fait partout, pour écarter son ennemi, il faut le faire ici pour empêcher le vôtre d'approcher.

BARTHOLO.

D'approcher ? Je prétends bien épouser Rosine avant qu'elle apprenne seulement que ce Comte existe.

BAZILE.

En ce cas, vous n'avez pas un instant à perdre.

BARTHOLO.

Et à qui tient-il, Bazile ? Je vous ai chargé de tous les détails de cette affaire.

BAZILE.

Oui. Mais vous avez lésiné sur les frais, et, dans l'harmonie du bon ordre, un mariage inégal, un jugement inique, un passe-droit évident, sont des dissonances qu'on doit toujours préparer et sauver par l'accord parfait de l'or.

BARTHOLO, *lui donnant de l'argent.*

Il faut en passer par où vous voulez ; mais finissons.

BAZILE.

Cela s'appelle parler. Demain tout sera terminé ; c'est à vous d'empêcher que personne aujourd'hui, ne puisse instruire la pupille.

ACTE II, SCÈNE 8

.Le Mariage de Figaro ou la Folle Journée.

1785

***Le Mariage de Figaro** se présente comme une suite du Barbier : le comte a épousé Rosine, Figaro est le domestique du comte. Il va épouser Suzanne, la camériste de la comtesse. Mais des difficultés se présentent que doit résoudre Figaro : d'une part il s'est engagé auprès de Marceline, ancienne maîtresse de Bartholo, à lui rembourser une somme d'argent, ou, à défaut, à l'épouser ; il n'a pas d'argent. D'autre part le comte désire Suzanne. Mozart s'inspirera de la pièce de Beaumarchais pour son opéra bouffe **Les Noces de Figaro**.*

Marceline veut se faire épouser par Figaro, pour cela elle fait jouer un billet que celui-ci a signé jadis. L'affaire passe devant le tribunal du comte Almaviva. Marceline est soutenue par Bartholo qui cherche à se venger de Figaro, et par le comte qui veut courtiser Suzanne :

DOUBLE-MAIN, *en prend un troisième.*
Bartholo et Figaro se lèvent.

« Barbe-Agar-Raab-Madeleine-Nicole-Marceline de Verte-Allure, fille majeure (*Marceline se lève et salue*) ; contre Figaro... » Nom de baptême en blanc.

FIGARO.

Anonyme.

BRID'OISON.

A-anonyme ! Qué-el patron est-ce là ?

FIGARO.

C'est le mien.

DOUBLE-MAIN, *écrit.*

Contre *Anonyme Figaro.* Qualités ?

FIGARO.

Gentilhomme.

LE COMTE.

Vous êtes gentilhomme ? (*Le greffier écrit.*)

FIGARO.

Si le Ciel l'eût voulu, je serais le fils d'un prince.

LE COMTE, *au greffier.*

Allez.

L'HUISSIER, *glapissant.*

Silence ! messieurs.

DOUBLE-MAIN, *lit.*

« ... Pour cause d'opposition faite au mariage dudit Figaro par ladite de Verte-Allure. Le docteur Bartholo plaidant pour la demanderesse, et ledit Figaro pour lui-même, si la cour le permet, contre le vœu de l'usage et la jurisprudence du siège. »

FIGARO.

L'usage, maître Double-Main, est souvent un abus. Le client un peu instruit sait toujours mieux sa cause que certains avocats qui, suant à froid, criant à tue-tête, et connaissant tout, hors le fait, s'embarrassent aussi peu de ruiner le plaideur que d'ennuyer l'auditoire et d'endormir messieurs : plus boursouflés après que s'ils eussent composé l'*Oratio pro Murena*. Moi, je dirai le fait en peu de mots. Messieurs...

DOUBLE-MAIN.

En voilà beaucoup d'inutiles, car vous n'êtes par demandeur, et n'avez que la défense. Avancez, docteur, et lisez la promesse.

FIGARO.

Oui, promesse !

BARTHOLO, *mettant ses lunettes.*

Elle est précise.

BRID'OISON.

I-il faut la voir.

DOUBLE-MAIN.

Silence donc, messieurs !

L'HUISSIER, *glapissant.*

Silence !

BARTHOLO, *lit.*

« Je soussigné reconnais avoir reçu de damoiselle, etc. Marceline de Verte-Allure, dans le château d'Aguas-Frescas, la somme de deux mille piastres fortes cordonnées ; laquelle somme je lui rendrai à sa réquisition, dans ce château ; et je l'épouserai, par forme de reconnaissance, etc. Signé *Figaro*, tout court. » Mes conclusions sont au paiement du billet et à l'exécution de la promesse, avec dépens. (*Il plaide.*) Messieurs... jamais cause plus intéressante ne fut soumise au jugement de la cour ; et, depuis Alexandre le Grand, qui promit mariage à la belle Thalestris...

LE COMTE, *interrompant.*

Avant d'aller plus loin, avocat, convient-on de la validité du titre ?

BRID'OISON *à Figaro.*

Qu'oppo... qu'opposez-vous à cette lecture ?

FIGARO.

Qu'il y a, messieurs, malice, erreur, ou distraction dans la manière dont on a lu la pièce : car il n'est pas dit dans l'écrit : « laquelle somme je lui rendrai, ET je l'épouserai », mais « laquelle somme je lui rendrai, OU je l'épouserai », ce qui est bien différent.

LE COMTE.

Y a-t-il ET dans l'acte, ou bien OU ?

BARTHOLO.

Il y a ET.

FIGARO.

Il y a OU.

BRID'OISON.

Dou-ouble-Main, lisez vous-même.

DOUBLE-MAIN, *prenant le papier.*

Et c'est le plus sûr ; car souvent les parties déguisent en lisant. (*Il lit.*) « E.e.e.e. Damoiselle e.e.e. de Verte-Allure e.e.e. Ha ! laquelle somme je lui rendrai à sa réquisition, dans ce château... ET... OU... ET... OU... » Le mot est si mal écrit... il y a un pâté.

BRID'OISON.

Un pâ-âté ? je sais ce que c'est.

BARTHOLO, *plaidant.*

Je soutiens, mois, que c'est la conjonction copulative ET qui lie les membres corrélatifs de la phrase ; je paierai la demoiselle, ET je l'épouserai.

FIGARO, *plaidant.*

Je soutiens, moi, que c'est la conjonction alternative OU qui sépare lesdits membres : je paierai la donzelle, OU je l'épouserai. A pédant, pédant et demi. Qu'il s'avise de parler latin, j'y suis Grec, je l'extermine.

LE COMTE.

Comment juger pareille question ?

BARTHOLO.

Pour la trancher, messieurs, et ne plus chicaner sur un mot, nous passons qu'il y ait OU.

FIGARO.

J'en demande acte.

BARTHOLO.

Et nous y adhérons. Un si mauvais refuge ne sauvera pas le coupable. Examinons le titre en ce sens. (*Il lit.*) « Laquelle somme je lui rendrai dans ce château, *où* je l'épouserai. » C'est ainsi qu'on dirait, messieurs : « vous vous ferez saigner dans ce lit, *où* vous resterez chaudement » ; c'est *dans lequel*. « Il prendra deux grains de rhubarbe, *où* vous mêlerez un peu de tamarin » ; *dans lesquels* on mêlera. Ainsi » château *où* je l'épouserai », messieurs, c'est « château *dans lequel*... »

FIGARO.

Point du tout : la phrase est dans le sens de celle-ci : « *ou* la maladie vous tuera, *ou* ce sera le medecin » ; *ou bien* le médecin ; c'est incontestable. Autre exemple : « *ou* vous n'écrirez rien qui plaise, *ou* les sots vous dénigreront » ; *ou bien* les sots ; le sens est clair ; car, audit cas, *sots* ou *méchants* sont le substantif qui gouverne. Maître Bartholo croit-il donc que j'aie oublié ma syntaxe ? Ainsi, je la paierai dans ce château, *virgule*, ou je l'épouserai...

BARTHOLO, *vite.*

Sans virgule.

FIGARO, *vite.*

Elle y est. C'est *virgule*, messieurs, ou bien je l'épouserai.

BARTHOLO, *regardant le papier, vite.*

Sans virgule, messieurs.

FIGARO, *vite.*

Elle y était, messieurs. D'ailleurs, l'homme qui épouse est-il tenu de rembourser ?

BARTHOLO, *vite.*

Oui ; nous nous marions séparés de biens.

FIGARO, *vite.*

et nous de corps, dès que le mariage n'est pas quittance. (*Les juges se lèvent et opinent tout bas.*)

BARTHOLO.

Plaisant acquittement !

DOUBLE-MAIN.

Silence, messieurs !

L'HUISSIER, *glapissant.*

Silence !

BARTHOLO.

Un pareil fripon appelle cela payer ses dettes.

FIGARO.

Est-ce votre cause, avocat, que vous plaidez ?

BARTHOLO.

Je défends cette demoiselle.

FIGARO.

Continuez à déraisonner, mais cessez d'injurier. Lorsque, craignant l'emportement des plaideurs, les tribunaux ont toléré qu'on appelât des tiers, ils n'ont pas entendu que ces défenseurs modérés deviendraient impunément des insolents privilégiés. C'est dégrader le plus noble institut.

(Les juges continuent d'opiner tout bas.)

ANTONIO, *à Marceline, montrant les juges.*

Qu'ont-ils tant à balbucifier ?

MARCELINE.

On a corrompu le grand juge ; il corrompt l'autre, et je perds mon procès.

BARTHOLO, *bas, d'un ton sombre.*

J'en ai peur.

FIGARO, *gaiement.*

Courage, Marceline !

DOUBLE-MAIN, *se lève ; à Marceline.*

Ah ! c'est trop fort ! je vous dénonce ; et, pour l'honneur du tribunal, je demande qu'avant faire droit sur l'autre affaire, il soit prononcé sur celle-ci.

LE COMTE, *s'assied.*

Non, greffier, je ne prononcerai point sur mon injure personnelle ; un juge espagnol n'aura point à rougir d'un excès digne au plus des tribunaux asiatiques : c'est assez des autres abus. J'en vais corriger un second, en vous motivant mon arrêt : tout juge qui s'y refuse est un grand ennemi des lois. Que peut requérir la demanderesse ? mariage à défaut de paiement ; les deux ensemble impliqueraient.

DOUBLE-MAIN.

Silence ! messieurs !

L'HUISSIER, *glapissant.*

Silence !

LE COMTE.

Que nous répond le défendeur ? qu'il veut garder sa personne ; à lui permis.

FIGARO, *avec joie.*

J'ai gagné !

LE COMTE.

Mais comme le texte dit : « laquelle somme je paierai à sa première réquisition, ou bien j'épouserai, etc. », la cour condamne le défendeur à payer deux mille piastres fortes à la demanderesse, ou bien à l'épouser dans le jour. (*Il se lève.*)

FIGARO, *stupéfait.*

J'ai perdu.

◆

Donatien Alphonse François

marquis de Sade

PARIS 1740 – CHARENTON-SAINT-MAURICE 1814.

En 1750, Sade entre chez les jésuites du collège d'Harcourt. De 1755 à 1763, il est officier et prend part à la Guerre de Sept ans. En 1763 il se marie : il aura deux fils et une fille. Cinq mois après son mariage, Sade est emprisonné à Vincennes : il passera plus de trente ans en prison et dans les hôpitaux psychiatriques pour divers « crimes » de libertinage (dont la rédaction d'ouvrages pornographiques) sous trois régimes. La Révolution le libère (il est alors à la Bastille), puis l'accuse de modérantisme : il échappe de peu à la guillotine. Le Consulat l'interne à l'hospice de Charenton, Sade y organise jusqu'en 1808 des représentations théâtrales.

Sade prononce les conclusions de l'athéisme que prône le Siècle des Lumières, mais sans la moindre retenue morale. En parfaite aveugle la Nature ignore tout du bien et du mal, et l'existence (des plus forts, du moins) n'est heureuse qu'en suivant la nature... Sade est l'auteur d'une douzaine de romans, d'une soixantaine de contes, d'une vingtaine de pièces de théâtre, et d'un bon nombre d'opuscules divers. ***Justine ou les malheurs de la vertu*** *(1791) ;* ***La Philosophie dans le boudoir*** *(1795) ;* ***Aline et Valcour*** *(1795) ;* ***Les Crimes de l'amour*** *(1800) ;* ***Les Cent vingt journées de Sodome*** *(édition posthume de 1931-1935) sont ses ouvrages les plus célèbres.*

ROMAN PHILOSOPHIQUE

Justine ou les malheurs de la vertu

1791

Toutes les infamies s'acharnent sur Justine, incarnation de la vertu : « offrir partout le vice triomphant et la vertu victime de ses sacrifices » dit Sade du projet de cette œuvre. A Justine (dans le roman son nom est déguisé en Thérèse) qui réprouve les vices du comte de Bressac au nom de la religion chrétienne, celui-ci répond :

« Si toutes les productions de la nature sont des effets résultatifs des lois qui la captivent ; si son action et sa réaction perpétuelles supposent le mouvement nécessaire à son essence, que devient le souverain Maître que lui prêtent gratuitement les sots ? Voilà ce que te disait ton sage instituteur, chère fille. Que sont donc les religions, d'après cela, sinon le frein dont la tyrannie du plus fort voulut captiver le plus faible ? Rempli de ce dessein, il osa dire à celui qu'il prétendait dominer

“S'il est suprême, s'il est juste, s'il est bon, ce Dieu dont vous me parlez, sera-ce par des énigmes et des farces qu'il voudra m'apprendre à le servir et à le connaître ?”

qu'un Dieu forgeait les fers dont la cruauté l'entourait ; et celui-ci, abruti par sa misère, crut indistinctement tout ce que voulut l'autre. Les religions, nées de ces fourberies, peuvent-elles donc mériter quelque respect ? En est-il une seule, Thérèse, qui ne porte l'emblème de l'imposture et de la stupidité ? Que vois-je dans toutes ? Des mystères qui font frémir la raison, des dogmes outrageant la nature, et des cérémonies grotesques qui n'inspirent que la dérision et le dégoût. Mais si, de toutes, une mérite plus particulièrement notre mépris et notre haine, ô Thérèse, n'est-ce pas cette loi barbare du Christianisme dans laquelle nous sommes tous deux nés ? En est-il une plus odieuse ?... une qui soulève autant et le cœur et l'esprit ?

Comment des hommes raisonnables peuvent-ils encore ajouter quelque croyance aux paroles obscures, aux prétendus miracles du vil instituteur de ce culte effrayant ? Exista-t-il jamais un bateleur plus fait pour l'indignation publique ! Qu'est-ce qu'un Juif lépreux qui, né d'une catin et d'un soldat, dans le plus chétif coin de l'univers, ose se faire passer pour l'organe de celui qui, dit-on, a créé le monde ! Avec des prétentions aussi relevées, tu l'avoueras, Thérèse, il fallait au moins quelques titres. Quels sont-ils, ceux de ce ridicule ambassadeur ? Que va-t-il faire pour prouver sa mission ? La terre va-t-elle changer de face ; les fléaux qui l'affligent vont-ils s'anéantir ; le soleil va-t-il l'éclairer nuit et jour ? Les vices ne la souilleront-ils plus ? N'allons-nous voir enfin régner que le bonheur ?... Point, c'est par des tours de passe-passe, par des gambades et par des calembours que l'envoyé de Dieu s'annonce à l'univers ; c'est dans la société respectable de manœuvres, d'artisans et de filles de joie que le ministre du Ciel vient manifester sa grandeur ; c'est en s'enivrant avec les uns, couchant avec les autres, que l'ami d'un Dieu, Dieu lui-même, vient soumettre à ses lois le pécheur endurci ; c'est en n'inventant pour ses farces que ce qui peut satisfaire ou sa luxure ou sa gourmandise, que le faquin prouve sa mission ; quoi qu'il en soit, il fait fortune ; quelques plats satellites se joignent à ce fripon ; une secte se forme ; les dogmes de cette canaille parviennent à séduire quelques Juifs : esclaves de la puissance romaine, ils devaient embrasser avec joie une religion qui, les dégageant de leurs fers, ne les assouplissait qu'au frein religieux. Leur motif se devine, leur indocilité se dévoile ; on arrête les séditieux ; leur chef périt, mais d'une mort beaucoup trop douce sans doute pour son genre de crime, et par un impardonnable défaut de réflexion, on laisse disperser les disciples de ce malotru, au lieu de les égorger avec lui. Le fanatisme s'empare des esprit, des femmes crient, des fous se débattent, des imbéciles croient et voilà le plus méprisable des êtres, le plus maladroit fripon, le plus lourd imposteur qui eût encore paru, le voilà Dieu, le voilà fils de Dieu égal à son père ; voilà toutes ses rêveries consacrées, toutes ses paroles devenues des dogmes, et ses balourdises des mystères ! Le sein de son fabuleux Père s'ouvre pour le recevoir, et ce Créateur, jadis simple, le voilà devenu triple pour complaire à ce fils digne de sa grandeur ! Mais de saint Dieu en restera-t-il là ? Non, sans doute, c'est à de bien plus grandes faveurs que va se prêter sa céleste puissance. A la volonté d'un prêtre c'est-à-dire d'un drôle couvert de mensonges et de crimes, ce grand Dieu créateur de tout ce que nous voyons va s'abaisser jusqu'à descendre dix ou douze millions de fois par matinée dans un morceau de pâte, qui, devant être digérée par les fidèles, va se transmuer bientôt au fond de leurs entrailles, dans les excréments les plus vils, et cela pour la satisfaction de ce tendre fils, inventeur odieux de cette impiété monstrueuse, dans un souper de cabaret. Il l'a dit, il faut que cela soit. Il a dit : « Ce pain que vous voyez sera ma chair ; vous le digérerez comme tel ; or je suis Dieu, donc Dieu sera digéré par vous, donc le Créateur du ciel et de la terre se changera, parce que je l'ai dit, en la matière la plus vile qui puisse s'exhaler du corps de l'homme, et l'homme mangera Dieu, parce que Dieu est bon et qu'il est tout-puissant. » Cependant ces inepties s'étendent ; on attribue leur accroissement à leur réalité, à leur grandeur, à leur sublimité, à la puissance de celui qui les introduit, tandis que les causes les plus simples doublent leur existence, tandis que le crédit acquis par l'erreur ne trouva jamais que des filous d'une part et des imbéciles de l'autre. Elle arrive enfin sur le trône, cette infâme religion, et c'est un empereur faible, cruel, ignorant et fanatique qui, l'enveloppant du bandeau royal, en souille ainsi les deux bouts de la terre. O Thérèse, de quel poids doivent être ces raisons sur un esprit examinateur et philosophe ? Le sage peut-il voir autre chose dans ce ramas de fables épouvantables, que le fruit de l'imposture de quelques hommes et de la fausse crédulité d'un plus grand nombre ? Si Dieu avait voulu que nous eussions une religion quelconque, et qu'il fût réellement puissant, ou, pour mieux dire, s'il y avait réellement un Dieu, serait-ce par des moyens aussi absurdes qu'il nous eût fait part de ses ordres ? Serait-ce par l'organe d'un bandit méprisable qu'il nous eût montré comment il fallait le servir ? S'il est suprême, s'il est puissant, s'il est juste, s'il est bon, ce Dieu dont vous me parlez, sera-ce par des énigmes et des farces qu'il voudra m'apprendre à le servir et à le connaître ? Souverain moteur des astres et du cœur de l'homme, ne peut-il nous instruire en se servant des uns, ou nous convaincre en se gravant dans l'autre ? Qu'il imprime un jour en traits de feu, au centre du Soleil, la loi qui peut lui plaire et qu'il veut nous donner ; d'un bout de l'univers à l'autre, tous les hommes la lisant, la voyant à la fois, deviendront coupables s'ils ne la suivent pas alors. Mais n'indiquer ses désirs que dans un coin ignoré de l'Asie ; choisir pour sectateur le peuple le plus fourbe et le plus visionnaire ; pour substitut, le plus vil artisan, le plus absurde et le plus fripon ; embrouiller si bien la doctrine, qu'il est impossible de la comprendre ; en absorber la connaissance chez un petit nombre d'individus ; laisser les autres dans l'erreur, et les punir d'y être restés... Eh ! non, Thérèse, non, non, toutes ces atrocités-là ne sont pas faites pour nous guider : j'aimerais mieux mourir mille fois que de les croire.

.La philosophie dans le boudoir.

1795

L'ouvrage porte en sous-titre : ***ou les instituteurs immoraux****. Il s'agit en effet de l'immorale éducation d'une jeune fille par des dissertations entrelardées d'exercices pratiques. Le soir venu, l'éducation étant accomplie, la jeune fille torture atrocement sa vertueuse mère sous les encouragements de ses instituteurs. Dolmancé, « l'homme le plus corrompu, le plus dangereux », expose à Madame de Saint-Ange devant la jeune Eugénie les désirs fondamentaux qui constituent l'appétit sexuel des hommes :*

« Si votre Eugénie pourtant désire quelques analyses des goûts de l'homme dans l'acte du libertinage, pour les examiner plus sommairement nous les réduirons à trois : ***la sodomie, les fantaisies sacrilèges et les goûts cruels.*** *La première passion est universelle aujourd'hui (...).*

Profaner les reliques, les images de saints, l'hostie, le crucifix, tout cela ne doit être, aux yeux du philosophe, que ce que serait la dégradation d'une statue païenne. Une fois qu'on a voué ces exécrables babioles au mépris, il faut les y laisser, sans s'en occuper davantage ; il n'est bon de conserver de tout cela que le blasphème, non qu'il ait plus de réalité, car dès l'instant où il n'y a plus de Dieu, à quoi sert-il d'insulter son nom ? Mais c'est qu'il est essentiel de prononcer des mots forts ou sales, dans l'ivresse du plaisir, et que ceux du blasphème servent bien l'imagination. Il n'y faut rien épargner ; il faut orner ces mots du plus grand luxe d'expressions ; il faut qu'ils scandalisent le plus possible ; car il est très doux de scandaliser : il existe là un petit triomphe pour l'orgueil qui n'est nullement à dédaigner ; je vous l'avoue, mesdames, c'est une de mes voluptés secrètes : il est peu de plaisirs moraux plus actifs sur mon imagination. Essayez-le, Eugénie, et vous verrez ce qu'il en résulte. Étalez surtout une prodigieuse impiété, lorsque vous vous trouvez avec des personnes de votre âge qui végètent encore dans les ténèbres de la superstition ; affichez la débauche et le libertinage ; affectez de vous mettre *en fille*, de leur laisser voir votre gorge ; si vous allez avec elles dans les lieux secrets, troussez-vous avec indécence ; laissez-leur voir avec affectation les plus secrètes parties de votre corps ; exigez la même chose d'elles ; séduisez-les, sermonnez-les, faites-leur voir le ridicule de leurs préjugés ; mettez-les ce qui s'appelle *à mal* ; jurez comme un homme avec elles ; si elles sont plus jeunes que vous, prenez-les de force, amusez-vous-en et corrompez-les, soit par des exemples, soit par des conseils, soit par tout ce que vous pourrez croire, en un mot, de plus capable de les pervertir ; soyez de même extrêmement libre avec les hommes ; affichez avec eux l'irréligion et l'impudence : loin de vous effrayer des libertés qu'ils prendront, accordez-leur mystérieusement tout ce qui peut les amuser sans vous compromettre ; mais, puisque l'honneur chimérique des femmes tient à leurs prémices antérieures, rendez-vous plus difficile sur cela ; une fois mariée, prenez des laquais, point d'amant, ou payez quelques gens sûrs : de ce moment tout est à couvert ; plus d'atteinte à votre réputation, et sans qu'on ait jamais pu vous suspecter, vous avez trouvé l'art de faire tout ce qui vous a plu. Poursuivons :

Les plaisirs de la cruauté sont les troisièmes que nous nous sommes promis d'analyser. Ces sortes de plaisirs sont aujourd'hui très communs parmi les hommes et voici l'argument dont il se servent pour les légitimer. Nous voulons être émus, disent-ils, c'est le but de tout homme qui se livre à la volupté, et nous voulons l'être par les moyens les plus actifs. En partant de ce point, il ne s'agit pas de savoir si nos procédés plairont ou déplairont à l'objet qui nous sert, il s'agit seulement d'ébranler la masse de nos nerfs par le choc le plus violent possible ; or, il n'est pas douteux que la douleur affectant bien plus vivement que le plaisir, les chocs résultatifs sur nous de cette sensation produite sur les autres seront essentiellement d'une vibration plus vigoureuse, retentiront plus énergiquement en nous, mettront dans une circulation plus violente les esprits animaux qui, se déterminant sur les basses régions par le mouvement de rétrogradation qui leur est essentiel alors, embraseront aussitôt les organes de la volupté et les disposeront au plaisir. Les effets du plaisir sont toujours trompeurs dans les femmes ; il est d'ailleurs très difficile qu'un homme laid ou vieux les produise. Y parviennent-ils ? ils sont faibles, et les chocs beaucoup moins nerveux. Il faut donc préférer la douleur, dont les effets ne peuvent tromper et dont les vibrations sont plus actives. Mais, objecte-t-on aux hommes entichés de cette manie, cette douleur afflige le prochain ; est-il charitable de faire du mal aux autres pour se délecter soi-même ? Les coquins vous répondent à cela qu'accoutumés, dans l'acte du plaisir, à se compter pour tout et les autres pour rien, ils sont persuadés qu'il est tout simple, d'après les impulsions de la nature, de préférer ce qu'ils sentent à ce qu'ils ne sentent point. Que nous font, osent-ils dire, les douleurs occasionnées sur le prochain ? Les ressentons-nous ? Non ; au contraire, nous venons de démontrer que de leur production résulte une sensation délicieuse pour nous. A quel titre ménagerions-nous donc un individu qui ne nous touche en rien ? A quel titre lui éviterions-nous une douleur qui ne nous coûtera jamais une larme, quand il est certain que de cette douleur va naître un très grand plaisir pour nous ? Avons-nous jamais éprouvé une seule impulsion de la nature qui nous conseille de préférer les autres à nous, et chacun n'est-il pas pour soi dans le monde ? Vous nous parlez d'une voix chimérique de cette nature, qui nous dit de ne pas faire aux autres ce que nous ne voudrions pas qu'il nous fût fait ; mais cet absurde conseil ne nous est jamais venu que des hommes, et d'hommes faibles. L'homme puissant ne s'avisera jamais de parler un tel langage. Ce furent les premiers chrétiens qui, journellement persécutés pour leur imbécile système, criaient à qui voulait l'entendre : « Ne nous brûlez pas, ne nous écorchez pas ! *La nature dit qu'il ne faut pas faire aux autres ce que nous ne voudrions pas qu'il nous fût fait.* » Imbéciles ! Comment la nature, qui nous conseille toujours de nous délecter, qui n'imprime jamais en nous d'autres mouvements, d'autres inspirations, pourrait-elle, le moment d'après, par une inconséquence sans exemple, nous assurer qu'il ne faut pourtant pas nous aviser de nous délecter si cela peut faire de la peine aux autres ? Ah ! croyons-le, croyons-le, Eugénie, la nature, notre mère à tous, ne nous parle jamais que de nous ; rien n'est égoïste comme sa voix, et ce que nous y reconnaissons de plus clair est l'immuable et saint conseil qu'elle nous donne de nous délecter, n'importe aux dépens de qui. Mais les autres, vous dit-on à cela, peuvent se venger... A la bonne heure, le plus fort seul aura raison. Eh bien, voilà l'état primitif de guerre et de destruction perpétuelles pour lequel sa main nous créa, et dans lequel seul il lui est avantageux que nous soyons.

Voilà, ma chère Eugénie, comme raisonnent ces gens-là, et moi j'y ajoute, d'après mon expérience et mes études, que la cruauté, bien loin d'être un vice, est le premier sentiment qu'imprime en nous la nature. L'enfant brise son hochet, mord le téton de sa nourrice, étrangle son oiseau, bien avant que d'avoir l'âge de raison. La cruauté est empreinte dans les animaux, chez lesquels, ainsi que je crois vous l'avoir dit, les lois de la nature se lisent bien plus énergiquement que chez nous ; elle est chez les sauvages bien plus rapprochée de la nature que chez l'homme civilisé : il serait donc absurde d'établir qu'elle est une suite de la dépravation.

Pierre Ambroise François Choderlos de

Laclos

AMIENS 1741 –
TARENTE (ITALIE) 1803.

Laclos est officier de carrière dans l'artillerie (lieutenant en 1762). Il mène d'abord une vie de garnison (Toul, Strasbourg, Grenoble - où il aurait pris les modèles des ***Liaisons****), écrit des vers (poèmes galants, contes érotiques). Nommé capitaine en 1779, il part à l'île d'Aix où il a de nombreux loisirs ; il relit Rousseau (****La Nouvelle Héloïse****). Le roman* ***Les Liaisons dangereuses*** *(on ne lit de lui que ce texte aujourd'hui) paraît en 1782, avec un très grand succès, mais de scandale. Pour avoir critiqué Vauban, il doit quitter l'armée en 1788. Il devient alors secrétaire du duc d'Orléans. Pendant la Révolution son rôle grandit, mais il est plusieurs fois arrêté. En 1800, il est nommé général de brigade à l'armée du Rhin par Bonaparte, puis part en Italie avec le futur empereur. Laclos pensait à un autre roman qui eût été celui des liaisons heureuses, qui eût rendu populaire « cette vérité qu'il n'existe de bonheur qu'en famille ».*

ROMAN

.Les Liaisons dangereuses.

1782

Comme ***La Nouvelle Héloïse*** *de Rousseau,* ***Les Liaisons dangereuses*** *est un roman par lettres. Le libertin Valmont est invité par son ancienne maîtresse (Madame de Merteuil) à séduire la jeune Cécile qui aime Danceny ami de Valmont. Par jeu, Valmont s'applique à séduire la vertueuse Madame de Tourvel. Séduite par Valmont, mais ayant dû avorter, Cécile entrera au couvent. Valmont, amoureux de Madame de Tourvel, qui lui a cédé, l'abandonne pour complaire à Mme de Merteuil qui l'a mis au défi. Les libertins rompent le silence : Danceny tue Valmont en duel. Mme de Merteuil s'enfuit, rejetée par tous et atteinte de la petite vérole. Mme de Tourvel meurt.*

A Mme de Merteuil, Valmont écrit sa victorieuse « prise » de Mme de Tourvel :

LETTRE CXXV

LE VICOMTE DE VALMONT
A LA MARQUISE DE MERTEUIL

La voilà donc vaincue, cette femme superbe qui avait osé croire qu'elle pourrait me résister ! Oui, mon amie, elle est à moi, entièrement à moi ; et depuis hier, elle n'a plus rien à m'accorder.

Je suis encore trop plein de mon bonheur, pour pouvoir l'apprécier : mais je m'étonne du charme inconnu que j'ai ressenti. Serait-il donc vrai que la vertu augmentât le prix d'une femme, jusque dans le moment même de sa faiblesse ? Mais reléguons cette idée puérile avec les contes de bonnes femmes. Ne rencontre-t-on pas presque partout une résistance plus ou moins bien feinte au premier triomphe ? et ai-je trouvé nulle part le charme dont je parle ? ce n'est pourtant pas non plus celui de l'amour ; car enfin, si j'ai eu quelquefois, auprès de cette femme étonnante, des moments de faiblesse qui ressemblaient à cette passion pusillanime, j'ai toujours su les vaincre et revenir à mes principes. Quand même la scène d'hier m'aurait, comme je le crois, emporté un peu plus loin que je ne comptais ; quand j'aurais, un moment, partagé le trouble et l'ivresse que je faisais naître, cette illusion passagère serait dissipée à présent : et cependant le même charme subsiste. J'aurais même, je l'avoue, un plaisir assez doux à m'y livrer, s'il ne me causait quelque inquiétude. Serai-je donc, à mon âge, maîtrisé comme un écolier, par un sentiment involontaire et inconnu ? Non : il faut, avant tout, le combattre et l'approfondir.

Peut-être, au reste, en ai-je déjà entrevu la cause ! Je me plais au moins dans cette idée, et je voudrais qu'elle fût vraie.

Dans la foule des femmes auprès desquelles j'ai rempli jusqu'à ce jour le rôle et les fonctions d'amant, je n'en avais encore rencontré aucune qui n'eût, au moins, autant d'envie de se rendre, que j'en avais de l'y déterminer ; je m'étais même accoutumé à appeler prudes celles qui ne faisaient que la moitié du chemin, par opposition à tant d'autres, dont la défense provocante ne couvre jamais qu'imparfaitement les premières avances qu'elles ont faites.

Ici, au contraire, j'ai trouvé une première prévention défavorable, et fondée depuis sur les conseils et les rapports d'une femme haineuse, mais clairvoyante ; une timidité naturelle et extrême, que fortifiait une pudeur éclairée ; un attachement à la vertu, que la religion dirigeait, et qui comptait déjà deux années de triomphe ; enfin des démarches éclatantes, inspirées par ces différents motifs, et qui toutes n'avaient pour but que de se soustraire à mes poursuites.

Ce n'est donc pas, comme dans mes autres aventures, une simple capitulation plus ou moins avantageuse, et dont il est plus facile de profiter que de s'enorgueillir ; c'est une victoire complète, achetée par une campagne pénible, et décidée par de savantes manœuvres. Il n'est donc pas surprenant que ce succès, dû à moi seul, m'en devienne plus précieux ; et le surcroît de plaisir que j'ai éprouvé dans mon triomphe, et que je ressens encore, n'est que la douce impression du sentiment de la gloire. Je chéris cette façon de voir, qui me sauve l'humiliation de penser que je puisse dépendre en quelque manière de l'esclave même que je me serais asservie ; que je n'aie pas en moi seul la plénitude de mon bonheur ; et que la faculté de m'en faire jouir dans toute son énergie, soit réservée à telle ou telle femme, exclusivement à toute autre.

Ces réflexions sensées régleront ma conduite dans cette importante occasion ; et vous pouvez être sûre que je ne me laisserai pas tellement enchaîner, que je ne puisse toujours briser ces nouveaux liens, en me jouant et à ma volonté. (...)

Il était six heures du soir quand j'arrivai chez la belle recluse ; car, depuis son retour, sa porte était restée fermée à tout le monde. Elle essaya de se lever quand on m'annonça ; mais ses genoux tremblants ne lui permirent pas de rester dans cette situation : elle se rassit sur-le-champ. Comme le domestique qui m'avait introduit eut quelque service à faire dans l'appartement, elle en parut impatientée. Nous remplîmes cet intervalle par les compliments d'usage. Mais pour ne rien perdre d'un temps dont tous les moments étaient précieux, j'examinais soigneusement le local ; et dès lors, je marquai de l'œil le théâtre de ma victoire. J'aurais pu en choisir un plus commode : car, dans cette même chambre, il se trouvait une ottomane. Mais je remarquai qu'en face d'elle était un portrait du mari ; et j'eus peur, je l'avoue, qu'avec une femme si singulière, un seul regard que le hasard dirigerait de ce côté, ne détruisît en un moment l'ouvrage de tant de soins. Enfin nous restâmes seuls et j'entrai en matière.

Après avoir exposé, en peu de mots, que le Père Anselme avait dû informer des motifs de ma visite, je me suis plaint du traitement rigoureux que j'avais éprouvé ; et j'ai particulièrement appuyé sur *le mépris* qu'on m'avait témoigné. On s'en est défendu, comme je m'y attendais ; (...)

Je jugeai devoir animer un peu cette scène languissante ; ainsi, me levant avec l'air du dépit : « Votre fermeté, dis-je alors, me rend « toute la mienne. Hé bien, oui Madame, nous « serons séparés ; séparés même plus que « vous ne pensez : et vous vous féliciterez à « loisir de votre ouvrage. » Un peu surprise de ce ton de reproche, elle voulut répliquer. « La résolution que vous avez prise, dit-elle... « – N'est que l'effet de mon désespoir, repris- « je avec emportement. Vous avez voulu que « je sois malheureux ; je vous prouverai que « vous avez réussi au-delà même de vos sou- « haits. – Je désire votre bonheur, répondit- « elle. » Et le son de la voix commençait à annoncer une émotion assez forte. Aussi me précipitant à ses genoux, et du ton dramatique que vous me connaissez : « Ah ! cruelle, « me suis-je écrié, peut-il exister pour moi « un bonheur que vous ne partagiez pas ? Où « donc le trouver loin de vous ? Ah ! jamais !

« jamais ! » J'avoue qu'en me livrant à ce point j'avais beaucoup compté sur le secours des larmes : mais soit mauvaise disposition, soit peut-être seulement l'effet de l'attention pénible et continuelle que je mettais à tout, il me fut impossible de pleurer.

Par bonheur, je me ressouvins que pour subjuguer une femme, tout moyen était également bon ; et qu'il suffisait de l'étonner par un grand mouvement, pour que l'impression en restât profonde et favorable. Je suppléai donc, par la terreur, à la sensibilité qui se trouvait en défaut ; et pour cela, changeant seulement l'inflexion de ma voix, et gardant la même posture : « Oui, continuai-je, j'en fais « le serment à vos pieds, vous posséder ou « mourir. » En prononçant ces dernières paroles, nos regards se rencontrèrent. Je ne sais ce que la timide personne vit ou crut voir dans les miens ; mais elle se leva d'un air effrayé, et s'échappa de mes bras dont je l'avais entourée. Il est vrai que je ne fis rien pour la retenir : car j'avais remarqué plusieurs fois que les scènes de désespoir, menées trop vivement, tombaient dans le ridicule dès qu'elles devenaient longues ou ne laissaient que des ressources vraiment tragiques, et que j'étais fort éloigné de vouloir prendre. Cependant, tandis qu'elle se dérobait à moi, j'ajoutai d'un ton bas et sinistre, mais de façon qu'elle pût m'entendre : «Hé bien ! la mort ! »

Je me relevais alors ; et gardant un moment le silence, je jetais sur elle, comme au hasard, des regards farouches, qui, pour avoir l'air d'être égarés, n'en étaient pas moins clairvoyants et observateurs. Le maintien mal assuré, la respiration haute, la contraction de tous les muscles, les bras tremblants et à demi élevés, tout me prouvait assez que l'effet était tel que j'avais voulu le produire : mais, comme en amour rien ne se finit que de très près, et que nous étions alors assez loin l'un de l'autre, il fallait avant tout se rapprocher. Ce fut pour y parvenir, que je passai le plus tôt possible à une apparente tranquillité, propre à calmer les effets de cet état violent, sans en affaiblir l'impression.

Ma transition fut : « Je suis bien malheu-« reux. J'ai voulu vivre pour votre bonheur, « et je l'ai troublé. Je me dévoue pour votre « tranquillité, et je la trouble encore. » (...)

Ici l'amante craintive céda entièrement à sa tendre inquiétude. « Mais, Monsieur de « Valmont, qu'avez-vous, et que voulez-vous « dire ? la démarche que vous faites aujour-« d'hui n'est-elle pas volontaire ? n'est-ce pas « le fruit de vos propres réflexions ? et ne « sont-ce pas elles qui vous ont fait approu-« ver vous-même le parti nécessaire que j'ai « suivi par devoir ? – Hé bien ! ai-je repris, ce « parti a décidé le mien. – Et quel est-il ? – Le « seul qui puisse, en me séparant de vous, « mettre un terme à mes peines. – Mais, ré-« pondez-moi, quel est-il ? » Là, je la pressai de mes bras, sans qu'elle se défendit aucunement ; et jugeant, par cet oubli des bienséances, combien l'émotion était forte et puissante : « Femme adorable, lui dis-je en « risquant l'enthousiasme, vous n'avez pas « l'idée de l'amour que vous inspirez, vous « ne saurez jamais jusqu'à quel point vous « fûtes adorée, et de combien ce sentiment « m'était plus cher que l'existence ! Puissent « tous vos jours être fortunés et tranquilles ; « puissent-ils s'embellir de tout le bonheur « dont vous m'avez privé ! Payez au moins ce « vœu sincère par un regret, par une larme ; « et croyez que le dernier de mes sacrifices « ne sera pas le plus pénible à mon cœur. « Adieu. »

Tandis que je parlais ainsi, je sentais son cœur palpiter avec violence ; j'observais l'altération de sa figure ; je voyais surtout les larmes la suffoquer, et ne couler cependant que rares et pénibles. Ce ne fut qu'alors que je pris le parti de feindre de m'éloigner ; aussi me retenant avec force : « Non, écoutez-« moi, dit-elle vivement. – Laissez-moi, ré-« pondis-je. – Vous m'écouterez, je le veux. – « Il faut vous fuir, il le faut ! – Non ! s'écria-t-« elle... » A cet dernier mot elle se précipita, ou plutôt tomba évanouie entre mes bras. Comme je doutais encore d'un si heureux succès, je feignis un grand effroi : mais tout en m'effrayant, je la conduisais, ou la portais, vers le lieu précédemment désigné pour le champ de ma gloire ; et en effet, elle ne revient à elle que soumise et déjà livrée à son heureux vainqueur.

Jusque-là, ma belle amie, vous me trouverez, je crois, une pureté de méthode qui vous fera plaisir ; et vous verrez que je ne me suis écarté en rien des vrais principes de cette guerre, que nous avons remarqué souvent être si semblable à l'autre. Jugez-moi donc comme Turenne ou Frédéric. J'ai forcé à combattre l'ennemi qui ne voulait que temporiser ; je me suis donné, par de savantes manœuvres, le choix du terrain et celui des dispositions ; j'ai su inspirer la sécurité à l'ennemi, pour le joindre plus facilement dans sa retraite ; j'ai su y faire succéder la terreur, avant d'en venir au combat ; je n'ai rien mis au hasard, que par la considération d'un grand avantage en cas de succès, et la certitude des ressources en cas de défaite ; enfin, je n'ai engagé l'action qu'avec une retraite assurée, par où je pusse couvrir et conserver tout ce que j'avais conquis précédemment. C'est, je crois, tout ce qu'on peut faire ; mais je crains, à présent, de m'être amolli comme Annibal dans les délices de Capoue. Voilà ce qui s'est passé depuis. (...)

Figurez-vous une femme assise, d'une raideur immobile, et d'une figure invariable ; n'ayant l'air ni de penser ni d'écouter, ni d'entendre ; dont les yeux fixes laissent échapper des larmes assez continues, mais qui coulent sans effort. Telle était Mme de Tourvel pendant mes discours ; mais si j'essayais de ramener son attention vers moi par une caresse, par le geste même le plus innocent, à cette apparente apathie succédaient aussitôt la terreur, la suffocation, les convulsions, les sanglots, et quelques cris par intervalle, mais sans un mot articulé.

Ces crises revinrent plusieurs fois, et toujours plus fortes ; la dernière même fut si violente, que j'en fus entièrement découragé, et craignis un moment d'avoir remporté une victoire inutile. Je me rabattis sur les lieux communs d'usage ; et dans le nombre se trouva celui-ci : « Et vous êtes dans le déses- « poir, parce que vous avez fait mon bon- « heur ? » A ce mot, l'adorable femme se tourna vers moi ; et sa figure, quoique encore un peu égarée, avait pourtant déjà repris son expression céleste. « Votre bonheur ? » me dit-elle. Vous devinez ma réponse. « Vous « êtes donc heureux ? » Je redoublai les protestations. « Et heureux par moi ! » J'ajoutai les louanges et les tendres propos. Tandis que je parlais, tous ses membres s'assouplirent ; elle retomba avec mollesse, appuyée sur son fauteuil ; et m'abandonnant une main que j'avais osé prendre : « Je sens, dit-elle, « que cette idée me console et me soulage. »

Vous jugez qu'ainsi remis sur la voie, je ne la quittai plus ; c'était réellement la bonne, et peut-être la seule. Aussi, quand je voulus tenter un second succès, j'éprouvai d'abord quelque résistance, et ce qui s'était passé auparavant me rendait circonspect ; mais ayant appelé à mon secours cette même idée de mon bonheur, j'en ressentis bientôt les favorables effets : « Vous avez raison, me dit la « tendre personne ; je ne puis plus supporter « mon existence, qu'autant qu'elle servira à « vous rendre heureux. Je m'y consacre tout « entière : dès ce moment je me donne à vous, « et vous n'éprouverez de ma part ni refus, « ni regrets. » Ce fut avec cette candeur naïve ou sublime qu'elle me livra sa personne et ses charmes et qu'elle augmenta mon bonheur en le partageant. L'ivresse fut complète et réciproque ; et, pour la première fois, la mienne survécut au plaisir. Je ne sortis de ses bras que pour tomber à ses genoux, pour lui jurer un amour éternel ; et, il faut tout avouer, je pensais ce que je disais. Enfin, même après nous être séparés, son idée ne me quittait point, et j'ai eu besoin de me travailler pour m'en distraire. (...)

Adieu, comme autrefois... Oui, *adieu, mon ange ! je t'envoie tous les baisers de l'amour.* (...) *Paris, ce 29 octobre 17***

Gabriel Honoré Victor Riqueti, comte de

Mirabeau

BIGNON 1749 – PARIS 1791.

La jeunesse de Mirabeau est assez dissolue pour que son père le fasse enfermer à plusieurs reprises. Calonne lui confie une mission secrète en Prusse. La noblesse le rejetant, Mirabeau est élu par le Tiers Etat à Aix. Il demande la convocation des Etats Généraux. Mirabeau est royaliste, mais opposé à la monarchie absolue. S'il veut la suppression des privilèges, il est aussi légaliste et contre la violence. Il a l'instinct des combinaisons et le goût du double-jeu. Le roi négocie avec Mirabeau, mais cette alliance qui pouvait réussir se brise avec sa mort. Lorsque les révolutionnaires découvrent au moment du procès du roi la correspondance que Mirabeau entretenait avec la cour, ils brisent son buste qui paraît la salle du procès, voilent son effigie et ôtent son corps du Panthéon. « Voyez ce Mirabeau qui a tant marqué la révolution, écrit Joseph de Maistre, au fond, c'était le roi de la halle. »

POLITIQUE

.Discours.

1789-1791

Réunis dans la salle du Jeu de Paume les députés ont fait le serment de ne pas se séparer avant d'avoir donné une Constitution à la France. Au cours de la séance du 23 juin, dans son discours le roi décrète illégale la décision du Tiers Etat de se constituer en Assemblée nationale et ordonne la séparation. Après son départ plusieurs membres du clergé demeurent avec tous les députés du Tiers. Mirabeau prend la parole et rappelle aux députés leur serment. Le marquis de Dreux-Brézé vient redire « les intentions du roi ». Mirabeau se lève alors et dit indigné :

"Nous ne quitterons nos places que par la puissance des baïonnettes"

« Oui, Monsieur, nous avons entendu les intentions qu'on a suggérées au roi ; et vous, qui ne sauriez être son organe auprès des Etats généraux ; vous, qui n'avez ici ni place, ni droit de parler, vous n'êtes pas fait pour nous rappeler son discours. Cependant, pour éviter toute équivoque et tout délai, je déclare que si l'on vous a chargé de nous faire sortir d'ici, vous devez demander des ordres pour employer la force ; car nous ne quitterons nos places que par la puissance des baïonnettes. »

23 JUIN 1789

La banqueroute menace, ce qui ne déplaît pas aux anticapitalistes, Mirabeau soutient Necker dans son projet de lever une contribution exceptionnelle d'un quart du revenu et combat victorieusement la proposition d'ajournement :

« Mes amis, écoutez un mot, un seul mot.

Deux siècles de déprédations et de brigandages ont creusé le gouffre où le royaume est près de s'engloutir. Il faut le combler, ce gouffre effroyable. Eh bien ! voici la liste des propriétaires français. Choisissez parmi les plus riches, afin de sacrifier moins de citoyens ; mais choisissez ; car ne faut-il pas qu'un petit nombre périsse pour sauver la masse du peuple ? Allons, ces deux milles notables possèdent de quoi combler le *déficit*. Ramenez l'ordre dans vos finances, la paix et la prospérité dans le royaume... Frappez, immolez sans pitié ces tristes victimes ! précipitez-les dans l'abîme : il va se refermer... Vous reculez d'horreur... Hommes inconséquents ! hommes pusillanimes ! Eh ! ne voyez-vous donc pas qu'en décrétant la banqueroute, ou, ce qui est plus odieux encore, en la rendant inévitable sans la décréter, vous vous souillez d'un acte mille fois plus criminel, et, chose inconcevable, gratuitement criminel ? Car enfin cet horrible sacrifice ferait du moins disparaître le *déficit*. Mais croyez-vous, parce que vous n'aurez pas payé, que vous ne devrez plus rien ? Croyez-vous que les milliers, les millions d'hommes qui perdront en un instant, par l'explosion terrible ou par ses contrecoups, tout ce qui faisait la consolation de leur vie, et peut-être leur unique moyen de la sustenter, vous laisseront paisiblement jouir de votre crime ?

Contemplateurs stoïques des maux incalculables que cette catastrophe vomira sur la France, impassibles égoïstes qui pensez que ces convulsions du désespoir et de la misère passeront comme tant d'autres, et d'autant plus rapidement qu'elles seront plus violentes, êtes-vous bien sûrs que tant d'hommes sans pain vous laisseront tranquillement savourer les mets dont vous n'aurez voulu diminuer ni le nombre ni la délicatesse ?... Non, vous périrez, et dans la conflagration universelle que vous ne frémissez pas d'allumer, la perte de votre honneur ne sauvera pas une seule de vos détestables jouissances.

Voilà où nous marchons... J'entends parler de patriotisme, d'élan de patriotisme, d'évocation de patriotisme. Ah ! ne prostituez pas ces mots de patrie et de patriotisme. Il est donc bien magnanime l'effort de donner une portion de son revenu pour sauver tout ce qu'on possède ! Eh ! messieurs, ce n'est là que de la simple arithmétique, et celui qui hésitera ne peut désarmer l'indignation que par le mépris que doit inspirer sa stupidité. Oui, messieurs, c'est la prudence la plus ordinaire, la sagesse la plus triviale ; c'est votre intérêt le plus grossier que j'invoque. Je ne vous dis plus, comme autrefois : donnerez-vous les premiers aux nations le spectacle d'un peuple assemblé pour manquer à la foi publique ? Je ne vous dis plus : eh ! quels titres avez-vous à la liberté, quels moyens vous resteront pour la maintenir si, dès votre premier pas, vous surpassez les turpitudes des gouvernements les plus corrompus, si le besoin de votre concours et de votre surveillance n'est pas le garant de votre Constitution ? Je vous dis : Vous serez tous entraînés dans la ruine universelle, et les premiers intéressés au sacrifice que le gouvernement vous demande, c'est vous-mêmes.

Votez donc ce subside extraordinaire, et puisse-t-il être suffisant ! Votez-le, parce que, si vous avez des doutes sur les moyens (doutes vagues et non éclairés), vous n'en avez pas sur sa nécessité et sur notre impuissance à le remplacer, immédiatement du moins. Votez-le parce que les circonstances publiques ne souffrent aucun retard et que nous serions comptables de tout délai. Gardez-vous de demander du temps ; le malheur n'en accorde jamais... Ah ! messieurs, à propos d'une ridicule motion du Palais-Royal, d'une risible insurrection qui n'eut jamais d'importance que dans les imaginations faibles ou les desseins pervers de quelques hommes de mauvaise foi, vous avez entendu naguère ces mots forcenés : « Catilina est aux portes de Rome et l'on délibère ! » Et certes, il n'y avait autour de nous ni Catilina, ni périls, ni factions, ni Rome... mais aujourd'hui la banqueroute, la hideuse banqueroute est là ; elle menace de consumer, vous, vos propriétés, votre honneur, et vous délibérez !...

Lorenzo Da Ponte

VITTORIO VENETO 1749 — NEW YORK 1838.

Si l'on connaît bien la vie de Mozart devenue quasi légendaire, celle du librettiste qui lui a fourni le texte de ses plus grands opéras est plus ignorée du grand public.
Fils d'un peaussier juif, Emanuele Conegliano est remarqué dès son plus jeune âge par l'évêque de Ceneda qui veut faire de lui un prêtre. Il le baptise en 1763, lui donne son propre nom — Lorenzo Da Ponte — et s'occupe de son éducation et de son entretien.
De fait, Da Ponte est ordonné prêtre en 1773 mais il n'exercera jamais son sacerdoce. Il enseigne dans plusieurs séminaires et mène la vie dissolue d'un libertin. C'est d'ailleurs son aventure avec une grande dame vénitienne (à qui il fait un enfant) qui le force à quitter son poste d'enseignant. Il se réfugie à Venise puis à Dresde et enfin à Vienne ou il est engagé comme librettiste, « Poeta dei teatri imperiali » en 1782. C'est là qu'il fait la connaissance de Mozart pour qui il écrit les livrets de ses trois plus fameux opéras : ***Les noces de Figaro*** *en 1786,* ***Don Giovanni*** *en 1787 et* ***Cosi fan tutte*** *en 1790.*
Ensuite, faute de commande, il est contraint de reprendre sa vie aventureuse ; Triestre, Paris Londres... En 1805, il emmigre à New York et y enseigne l'italien. Assagi, marié et père de quatre enfants, il meurt en 1833 à l'âge de quatre vingt neuf ans.
On ne connaît pas précisément les relations qu'entretinrent Mozart et Da Ponte. Mais on peut supposer qu'il s'agit d'un réel travail d'équipe : la qualité exceptionnelle du texte de Da Ponte inspirant à Mozart ses plus beaux morceaux et Mozart faisant certainement modifier le texte de Da Ponte pour mieux l'adapter à sa musique.

OPÉRA

. Don Giovanni.

1787

Devant le succès remporté par Les noces de Figaro l'année précédente, le théâtre de Prague passe commande à Mozart d'un nouvel opéra. Il leur donnera Don Giovanni.

Certes, le sujet n'était pas neuf. Le théologien Tierso de Molina avait le premier mis en scène cette vieille légende espagnole en 1630. Dom Juan fut repris plus tard par Molière et Goldoni. En cette même année 1787 il fut utilisé par Bertati pour un opéra en un acte de Gazzaniga. Mais jamais le mythe n'avait atteint l'intensité dramatique obtenue par Da Ponte et Mozart.

L'AIR DU CATALOGUE

Don Giovanni séduit Donna Anna, la fille du commandeur. Son père le surprend, provoque le libertin en duel. Don Giovanni le tue et se sauve avec son valet Leporello. Ils rencontrent Donna Elvira la femme de Don Giovanni qu'il a abandonnée. Leporello lui dresse le catalogue des conquêtes de son mari. Cette scène est à juste titre célèbre ; les tournures musicales employées par Mozart correspondant exactement aux divers types de femmes décrites par le valet.

DONNA ELVIRA.

Ce scélérat m'a trompé, m'a trahi...

LEPORELLO.

Eh ! Consolez-vous ;
Vous n'êtes pas, ne fûtes pas et ne serez pas ni la première, ni la dernière.
Regardez ce livre, il n'est pas petit
Et pourtant plein des noms de ses maîtresses ;
Chaque village, chaque bourgade, chaque région est témoin de ses conquêtes féminines.
Chère Madame, ce catalogue est celui des belles qu'aiment mon maître :
Un catalogue que j'ai dressé moi-même ;
Regardez, lisez-le avec moi.
En Italie, six cent trente, en Allemagne, deux cent trente et une, cent pour la France, en Turquie quatre vingt onze. Mais en Espagne elles sont déjà mille et trois.
Certaines d'entre elles sont paysannes, soubrettes, bourgeoises, d'autres baronnes, marquises, princesses ; il y a des femmes de tout rang, de toute allure, de tout âge. Chez la blonde, il apprécit la gentillesse,
Chez la brune, la constance,
Chez la pâle, la douceur ;
En hiver il préfère la grassouillette, en été la maigrelette ;
La grande est majestueuse, la petite est toujours gracieuse ;
S'il fait la conquête des vieilles, c'est pour le plaisir d'allonger sa liste ;
Mais sa passion prédominante c'est la jeune débutante ;
Peu lui importe qu'elle soit riche, laide ou belle ;
Pourvu qu'elle porte un jupon ;
Vous savez maintenant comment il se conduit.

DONNA ELVIRA.

C'est donc de cette manière que me trompe ce scélérat.
Voilà comment il me rend l'amour que je lui porte ?
Ah, je me vengerai de lui qui a trompé mon cœur
Avant qu'il ne m'échappe
S'en revienne
Puis reparte
Je sens dans ma poitrine monter la vengeance, la fureur et le dépit.

ACTE I, SCÈNE 2

Dom Juan en plein travail. Il arrive dans un village le jour où l'on va célébrer les noces de deux paysans : Zerlina et Masetto. Dom Juan ne va pas résister à la tentation de séduire la jeune fille et de la détourner de son fiancé. Que l'entreprise paraisse difficile ne fait qu'attirer sa ferveur.

DON GIOVANNI.

Nous voici enfin débarrassés de ce nigaud, ma Zerlinette.

Qu'en dites vous, ma belle, ne l'avons nous pas bien congédié ?

ZERLINA.

Mais, Monsieur, c'est mon fiancé...

DON GIOVANNI.

Qui ? Lui ? Comment, un honnête homme, un noble chevalier comme moi pourrait souffrir qu'un si beau visage, qu'un si charmant minois soient profanés par un bouseux ?

ZERLINA.

Mais, Monsieur, je lui ai promis de l'épouser.

DON GIOVANNI.

Une telle parole ne vaut rien. Vous n'êtes pas faite pour être une paysanne. Ces yeux si enchanteurs, ces lèvres si belles, ces petits doigts blancs comme un lys et parfumés comme une rose méritent un autre destin.

ZERLINA.

Ah, je ne veux...

DON GIOVANNI.

Qu'est ce que tu ne veux pas ?

ZERLINA.

Être trompée. Je sais que vous autres, chevaliers, êtes rarement honnêtes et sincères avec les femmes.

DON GIOVANNI.

Voilà bien une imposture colportée par le peuple ! La noblesse a l'honnêteté inscrite dans ses yeux. Allons, ne perdons pas de temps, à cet instant même je veux t'épouser.

ZERLINA.

Vous ?

DON GIOVANNI.

Bien sûr, moi ! Voici mon château, nous y serons seuls, et là nous nous marierons, ma toute belle.

Là, nous nous donnerons la main, là tu me diras oui. Viens, c'est n'est pas loin ; allons y vite, ma bien aimée.

ZERLINA.

Je veux et ne veux pas. Mon cœur bat un peu... De bonheur ? pour tout dire, je ne sais pas encore ; je peux me tromper.

DON GIOVANNI.

Viens, mon bel amour.

ZERLINA.

Masetto me fait pitié.

DON GIOVANNI.

Je te ferai changer de condition.

ZERLINA.

Vite... je me sens fléchir.

DON GIOVANNI ET ZERLINA.

Allons y, allons y, mon amour, assouvissons notre innocent amour !

ACTE I, SCÈNE 3

Par bonheur, Donna Elvira survient, sauvant in extremis l'honneur de l'innocente fiancée !

LE FESTIN, MORT DE DON GIOVANNI

Un soir, dans un cimetière, Dom Juan aperçoit le tombeau du commandeur, surmonté de sa statue. Par défit, il l'invite à souper. Poursuivant la plaisanterie jusqu'au bout, il lui prépare un festin. Soudain, Leporello pousse un cri d'épouvante.

Dans cette scène Dom Juan prend toute sa dimension. Il n'est plus seulement un fripon qui s'amuse des femmes mais « une âme d'airain », un héros d'un rare courage prêt à affronter les flammes de l'enfer pour défendre jusqu'au bout ses idéaux.

LEPORELLO.

Ah !

DON GIOVANNI.

Quels cris infernaux ! Leporello, que se passe-t-il ?

LEPORELLO.

Ah !... Monsieur... par pitié... ne bougez pas d'ici... L'homme... de... marbre... l'homme... blanc... ah, maître... j'ai froid... j'étouffe... si vous voyiez... cette... figure... si vous entendiez ses pas... ta ta ta ta !

DON GIOVANNI.

Je n'y comprends rien, imbécile
Tu es complètement fou en vérité.
(On frappe à la porte)

LEPORELLO.

Ah ! Mon dieu !

DON GIOVANNI.

Quelqu'un frappe. Va ouvrir.

LEPORELLO.

Je tremble...

DON GIOVANNI.

Ouvre, te dis-je.

LEPORELLO.

Ah !

DON GIOVANNI.

Fou ! Pour dissiper mon doute, je vais moi même aller ouvrir.
(Il va ouvrir)

LEPORELLO.

Je ne veux plus le voir
Je préfère me cacher
(Il se cache sous la table. Don Giovanni ouvre. La statue du Commandeur entre)

LE COMMANDEUR.

Don Giovanni, tu m'as invité à diner, je suis venu.

DON GIOVANNI.

Je n'y avais pas vraiment cru
Mais je vais faire ce que je peux.
Leporello, fais immédiatement dresser une autre table.

LEPORELLO,
sortant sa tête de sous la table.

Ah ! Maître... nous sommes condamnés...

DON GIOVANNI, *furieux.*

Va, te dis-je.
(Leporello se prépare à sortir)

LE COMMANDEUR.

Attends un peu.
Ceux qui se repaissent des nourritures célestes n'ont que faire des nourritures terrestres.
D'autres soucis plus graves, d'autres raisons m'ont conduit en ces lieux.

DON GIOVANNI.

Alors, parle
Qu'as-tu à demander
Que veux-tu ?

LEPORELLO.

Il me semble que j'attrape la fièvre...
Mes membres se dérobent.

LE COMMANDEUR.

Je vais parler
Écoute bien car je n'ai pas beaucoup de temps.

DON GIOVANNI.

Parle, parle
Je suis toute ouïe.

LE COMMANDEUR.

Tu m'as invité à diner.
Je te retourne la politesse.
Réponds-moi
Veux-tu venir diner avec moi ?

LEPORELLO,
de loin, toujours tremblant.

Il n'a pas le temps... excusez le.

DON GIOVANNI.

Jamais je ne supporterai d'être accusé de lâcheté.

LE COMMANDEUR.

Décide-toi

DON GIOVANNI.

Je me suis déjà décidé.

LE COMMANDEUR.

Viendras-tu ?

LEPORELLO, *à Don Giovanni*

Dites lui non.

DON GIOVANNI.

Mon cœur est ferme,
Je n'ai pas peur,
J'irai.

LE COMMANDEUR.

Donne moi ta main en gage.

DON GIOVANNI,
lui tendant la main.

La voilà... AAAHHHHH !

LE COMMANDEUR.

Que se passe-t-il ?

DON GIOVANNI.

J'ai ressenti un tel froid !

LE COMMANDEUR.

Repends-toi, change de vie
C'est l'occasion ultime.

DON GIOVANNI,
voulant de dégager, en vain.

Non, non, je ne me repentirai pas.
Va-t-en loin de moi.

LE COMMANDEUR.

Repends-toi, scélérat.

DON GIOVANNI.

Non, vieillard prétentieux.

LE COMMANDEUR.

Repends-toi.

DON GIOVANNI.

Non.

LE COMMANDEUR ET LEPORELLO.

Si.

DON GIOVANNI.

Non.

LE COMMANDEUR.

Ah, trop tard.
(Il disparait. Le tonnerre retentit, des flammes aparaissent).

DON GIOVANNI.

Quelle terreur... je sens... qu'on assaille... mon âme... je suis entrainé dans un gouffre horrible !...

LE CHŒUR,
sous terre, d'une voix profonde.

C'est encore trop peu au vu de tous tes crimes
Viens
Le pire t'attend encore.

DON GIOVANNI.

Mon âme se déchire !...
Mon corps se consume !...
Quel tourment !...
Hélas ! Quelle torture !
Quel enfer !... Quelle terreur !...

LEPORELLO.

Quel visage désespéré !...
Quels gestes de damné !...
Quels cris ! Quelles lamentations !
Comme il me fait peur !

LE CHŒUR.

C'est encore trop peu au vu de tous tes crimes.
Viens
Le pire t'attend encore.

ACTE II, SCÈNE 5

Johann Wolfgang Goethe

FRANCFORT-SUR-LE-MAIN 1749 – WEIMAR 1832.

Goethe étudie le droit et la médecine à Leipzig et à Strasbourg. Il devient avocat auprès de la cour impériale de Justice. Sa vie sera longue et glorieuse. Il traitera presque tous les genres, en poésie et en prose : lyrisme, théâtre, épopée, roman. Très jeune il écrit un poème en prose en l'honneur de Joseph II, compose diverses poésies lyriques, une comédie en alexandrins et entreprend son drame : ***Goetz****. Il publie en 1774 son roman* ***Werther****. Il voyage beaucoup, sa vie amoureuse se révèle très diversifiée, elle le sera toute sa vie durant. En 1779 il compose* ***Iphigénie en Tauride*** *et de nombreux poèmes lyriques. Il rencontre Christiane Vulpuis, en 1788, qui lui donnera cinq enfants (seul l'aîné survivra) et qu'il épousera en 1806. Il devient, en 1791 directeur du théâtre de Weimar ; traduit en 1793* ***Le Roman de Renart****. Il publie* ***Les Affinités électives*** *et l'œuvre de sa vie :* ***Faust*** *; c'est en 1829 qu'aura lieu la première représentation de* ***Faust I*** *au théâtre de Weimar. Il recevra en 1830 la traduction de cette œuvre par Gérard de Nerval. Il termine un second Faust en 1831 se meurt un an plus tard. A la fois romantique et classique, poète, romancier et philosophe, il réunit « l'esprit de géométrie et l'esprit de finesse. »*

POÉSIES LYRIQUES

.PETITE ROSE DES BOIS.

1773

Un enfant vit une petite rose, une rosette dans les bois ; elle était jeune et belle comme l'aurore. Il courut vite pour la voir de plus près, puis la regarda avec une grande joie.

Rosette, rosette, rosette rouge, petite rose des bois !

L'enfant dit : « Je veux te cueillir, petite rose des bois ! »

La rose répondit : « Je te piquerai, que tu penseras éternellement à moi, et je ne le souffrirai pas. »

Rosette, rosette, rosette rouge, petite rose des bois !

Et le fol enfant cueillit la petite rose des bois ; la rose se défendit, piqua fort ; mais hélas ! ses cris ne purent la sauver, elle dut se résigner.

Rosette, rosette, rosette rouge, petite rose des bois !

.LE ROI DE THULÉ.

1774

*C'est la ballade chantée par Marguerite, dans **Faust.***

Il était un roi dans Thulé, très fidèle jusqu'au tombeau, auquel en mourant sa femme donna une coupe en or.

Rien pour lui ne valait cette coupe ; il la vidait à tout festin, et ses yeux se fondaient en larmes aussi souvent qu'il y buvait.

Et lorsqu'il se sentit mourir, il compta les villes de son royaume, donna à ses héritiers tout, excepté la coupe.

Il préside le festin royal, ses chevaliers autour de lui, dans la haute salle de ses ancêtres, en son château sur la mer.

Or, le vieux compagnon se lève, boit le dernier coup de la vie, et jette la coupe sacrée au sein des flots.

Il la vit tomber, se remplir, s'enfoncer dans l'abîme ; ses yeux alors s'appesantirent, et plus jamais il ne but.

"Qui chevauche si tard par la pluie et le vent ? C'est le père avec son enfant"

.A LA LUNE.

1788

Tu répands de nouveau sur le bois et la vallée ta lueur discrète et voilée et je sens sous ton influence mon âme se dégager soudain.

Ton doux regard s'étend sur ma prairie, comme l'œil d'un ami sur mon destin.

Mon cœur ressent le moindre écho du temps serein ou troublé ; je chemine entre la joie et la douleur, dans la solitude.

Coule, coule, ruisseau chéri ! jamais plus je n'aurai de joie : ainsi passèrent jeux et baisers, ainsi la foi jurée !

Une fois cependant je le possédai, ce bien précieux, que jamais, pour son martyre, hélas ! on n'oublie.

Murmure, doux ruisseau, le long de la vallée, sans repos ni trêve ; murmure et chuchote à ma voix tes mélodies.

Que dans une nuit d'hiver, furieux, tu débordes, ou que tu fécondes de jeunes bourgeons dans leur éclat printanier.

Heureux qui se ferme au monde sans haine, et garde en son cœur un ami.

Des biens que l'homme ignore ou ne sait pas apprécier, cheminent dans la nuit à travers le labyrinthe du cœur.

.LE ROI DES AULNES.

1781

*Cette ballade s'inspire de **La Fille du Roi des Aulnes**, traduite du danois. C'est la description des hallucinations d'un enfant : ce dernier voit des personnages dont il redoute l'approche et meurt du coup imaginaire dont il est frappé.*

Qui chevauche si tard par la pluie et le vent ? C'est le père avec son enfant. Il le tient serré dans ses bras, il le presse et le garde au chaud.

– Mon fils, pourquoi te cacher le visage ? – Père, ne vois-tu pas le roi des Aulnes ? le roi des Aulnes avec sa couronne et son manteau ? – Mon fils, c'est une traînée de brouillard.

« Cher enfant, allons ! viens avec moi, nous jouerons ensemble à de si beaux jeux ! Tant de fleurs émaillent mes rivages, ma mère a tant de voiles d'or ! »

– Père, père ! eh quoi ! tu n'entends pas ce que le roi des Aulnes me promet tout bas ? – Sois en paix, reste en paix, mon enfant, c'est le vent qui chuchote dans les feuilles sèches.

« Veux-tu, gentil enfant, veux-tu venir avec moi ? Mes filles te gâteront à l'envi ; mes filles mènent la danse nocturne ; elles te berceront, et danseront, et t'endormiront à leurs chants. »

– Père, père ! eh quoi ! ne vois-tu pas là-bas les filles du roi des Aulnes à cette place sombre ? – Mon fils, mon fils, je le vois bien, ce sont les vieux saules qui pâlissent au loin.

« Je t'aime, ta douce figure me plaît, et si tu résistes, j'emploie la force ! » – Père, père ! voilà qu'il me saisit ! Le roi des Aulnes m'a fait du mal !

Le père frissonne, il pousse son cheval ; il serre dans ses bras l'enfant qui suffoque, il arrive chez lui à grand'peine ; dans ses bras l'enfant était mort.

Werther

1774

Ce roman est inspiré par la passion que Goethe éprouva pour Charlotte Buff, rencontrée à Wetzlar, mais déjà fiancée à son ami Kestner ; à cette histoire, Goethe donne un dénouement dramatique, qui lui fut suggéré par le suicide d'un autre ami, Jérusalem. Le roman est écrit sous forme de lettres que l'auteur suppose adressées par Werther à un de ses amis, Guillaume.

PREMIÈRE RENCONTRE DE WERTHER ET DE CHARLOTTE

Nos jeunes gens avaient arrangé un bal à la campagne, et je consentis par complaisance à être de la partie. Je choisis pour ma compagne une jolie fille d'ici, d'un bon caractère, mais qui n'avait d'ailleurs rien de piquant ; il fut arrêté que j'aurais une voiture, que je conduirais ma danseuse et sa tante au lieu de l'assemblée, et que nous prendrions en chemin Charlotte S... « Vous allez faire la connaissance d'une belle personne, me dit ma compagne, lorsque, au travers d'un bois éclairci et bien percé, notre voiture nous conduisait à la maison de chasse. – N'allez pas en devenir amoureux ! ajouta la tante. – Pourquoi cela ? – Elle est déjà promise à un fort galant homme, que la mort de son père a obligé de faire un voyage, pour aller mettre ses affaires en ordre, et pour solliciter un emploi important. » J'appris ces particularités avec assez d'indifférence.

Le soleil allait bientôt se coucher derrière la montagne, lorsque notre voiture s'arrêta à l'entrée de la cour. Il faisait extrêmement chaud, et les dames témoignèrent leur inquiétude à cause d'un orage qui semblait se former dans le nuages grisâtres et sombres qui bordaient l'horizon. Je dissipai leur crainte en affectant une grande connaissance du temps, quoique je commençasse moi-même à me douter que notre partie en serait dérangée.

J'avais mis pied à terre. Une servante qui vint à la porte nous pria d'attendre un moment, que mademoiselle Lotte ne tarderait pas à venir. Je traversai la cour pour me rendre à cette jolie maison ; je montai le perron, et lorsque j'entrai dans l'appartement, mes yeux furent frappés du plus touchant spectacle que j'aie vu de ma vie. Six enfants, depuis l'âge de deux ans, jusqu'à onze, s'empressaient dans la première salle autour d'une jeune fille de taille moyenne, mais bien prise et vêtue d'une simple robe blanche garnie de nœuds de couleur de rose. Elle tenait un pain bis dont elle coupait à chacun de ces enfants un morceau proportionné à son âge ou à son appétit. Elle le donnait d'un air si gracieux ! tandis que ceux-ci lui disaient du ton le plus simple : *Grand merci*, en lui tendant leur petite main avant même que le morceau fût coupé. Enfin, contents d'avoir leur goûter, ils s'en allaient à la porte de la cour, les uns en sautant, les autres d'une manière plus posée, selon qu'ils étaient d'un caractère plus ou moins vif, pour voir les étrangers et la voiture qui devait emmener leur chère Lotte. « Je vous demande pardon, me dit-elle, de vous avoir donné la peine de monter et de faire attendre ces dames. Occupée de m'habiller et des petits soins de ménage qu'exige mon absence, j'avais oublié de donner à goûter à mes enfants, et ils ne veulent pas que personne autre que moi leur coupe leur pain. » Je lui fis un banal compliment qui ne signifiait rien. Mon âme tout entière, attachée sur sa figure, ravie du son de sa voix, de ses manières, je n'eus que le temps de prévenir ma défaite, lorsqu'elle courut dans sa chambre pour y prendre ses gants et son éventail. Pendant ce temps-là, les enfants me regardaient de côté à une certaine distance ; je m'avançai vers le plus jeune, qui avait la physionomie la plus heureuse. Il reculait pour m'éviter, lorsque Lotte, qui parut à la porte, lui dit : « Louis, donne la main à ton cousin ! » Il me la donna franchement, et, malgré sa petite mine barbouillée, je ne pus m'empêcher de le baiser de tout mon cœur. « Cousin ? dis-je ensuite à Lotte en lui tendant la main, croyez-vous que je sois digne du bonheur de vous être allié ? – Oh ! me dit-elle avec un sourire malin, notre cousinage est si étendu, et je serais bien fâchée que vous fussiez le moins bon de la famille. » En sortant, elle recommanda à Sophie, l'aînée des sœurs après elle, une fille âgée de onze ans environ, d'avoir l'œil sur les enfants, et de saluer le papa à son retour de la promenade. D'un autre côté, elle ordonna aux enfants d'obéir à Sophie comme à elle-même, ce que plusieurs lui promirent expressément ; mais une petite blondine, qui pouvait avoir six ans, et qui faisait l'entendue, lui dit : « Ce n'est pourtant pas toi, chère Lotte, nous aimerions mieux que ce fût toi ! » Les deux plus âgés des garçons étaient grimpés derrière la voiture, et Lotte leur permit, à ma prière, de nous accompagner ainsi jusqu'à l'entrée du bois, après leur avoir fait promettre de bien se tenir et de ne pas se faire de niches.

Nous avions eu à peine le temps de nous arranger, et les dames de se faire les compliments d'usage, de se communiquer leurs remarques sur leur ajustement, et surtout sur leurs chapeaux, enfin de passer en revue toutes les personnes qui devaient composer l'assemblée, lorsque Lotte fit arrêter le cocher et descendre ses frères. Ils la prièrent de leur donner encore une fois sa main à baiser. Le premier la lui baisa avec toute la tendresse d'un jeune homme de quinze ans ; pour l'autre, il le fit avec autant de vivacité que d'étourderie. Elle les chargea de mille caresses pour les enfants restés à la maison, et nous continuâmes notre route.

« Avez-vous achevé, lui dit la tante, le livre que je vous ai prêté en dernier lieu ? – Non, il ne me plaît pas, vous pouvez le reprendre. Le précédent ne valait pas mieux. » Je fus bien surpris, lorsque lui ayant demandé quels étaient ces livres, elle me répondit que c'étaient des œuvres de ... Je trouvai beaucoup de caractère dans tout ce qu'elle dit ; dans chaque mot je découvris de nouveaux charmes, chaque trait de son visage semblait lancer de nouveaux éclairs de génie, et insensiblement je m'aperçus qu'elle les lâchait avec d'autant plus de satisfaction, qu'elle voyait bien que pas un n'était perdu pour moi.

... La conversation tomba sur le plaisir de la danse. « Si cette passion est un défaut, dit Lotte, j'avoue franchement que je suis bien coupable. Et quand j'ai quelque chose dans la tête, je cours à mon clavecin, d'accord ou non, je joue une contredanse, et tout va le mieux du monde. »

Pendant qu'elle parlait, je repaissais ma vue de ses beaux yeux noirs ; avec quel charme ses lèvres vermeilles et la fraîcheur de ses joues attiraient toute mon âme ! comment, occupé tout entier de la noblesse, de la majesté de ses pensées, il m'arrivait souvent de ne point entendre les expressions qu'elle employait pour les rendre ! c'est ce que tu peux te figurer, puisque tu me connais. Bref, lorsque nous nous arrêtâmes devant la maison de plaisance, je descendis tout rêveur de la voiture, j'étais même si égaré dans l'espèce de monde fantatisque que mon imagination formait autour de moi, que je fis à peine attention à la musique qui se faisait entendre de la salle illuminée et dont l'harmonie venait au-devant de nous.

PREMIÈRE PARTIE

LA SÉPARATION

Le 3 septembre.

Il faut que je parte ! Je te remercie, Guillaume, d'avoir fixé mes incertitudes. Voilà quinze jours que je pense à la quitter. Il le faut ! Elle est encore une fois à la ville chez une amie. Et Albert... Et... Je partirai.

Le 18 septembre.

Quelle nuit ! Guillaume, à présent je puis tout supporter. Je ne la verrai plus. Oh ! que ne puis-je te sauter au cou, mon bon ami, et t'exprimer, en versant un torrent de larmes, tous les mouvements qui assaillent mon cœur ! Je suis assis, je cherche avec avidité à respirer l'air, je tâche de me tranquilliser, j'attends le jour, et les chevaux doivent être prêts au lever du soleil.

Hélas ! elle dort d'un sommeil tranquille, et ne pense pas qu'elle ne me reverra jamais. Je me suis arraché d'auprès d'elle, et pendant un entretien de deux heures, j'ai eu assez de force pour n'avoir point trahi mon projet. Et quel entretien ! grand Dieu !

Albert m'avait promis de se trouver au jardin avec Lotte aussitôt après le souper. J'étais debout sur la terrasse sous les grands marronniers, et je regardais le soleil, que je voyais pour la dernière fois se coucher au-delà de la riante vallée et du fleuve paisible. Je m'y étais si souvent trouvé avec elle ; nous avions tant de fois contemplé ensemble ce magnifique spectacle, et maintenant... j'allais au hasard dans cette allée, que j'aimais tant ! Une secrète sympathie m'y avait si souvent retenu, avant que je connusse Lotte ! Et quel plaisir lorsque, au commencement de notre liaison, nous nous découvrîmes réciproquement notre inclination pour ce réduit, qui est vraiment un des sites les plus enchantés que j'aie jamais vus !

Vous découvrez d'abord à travers les marronniers la perspective la plus étendue... Ah ! je m'en souviens, je te l'ai, je pense, déjà beaucoup écrit : des hêtres élevés forment une allée qui s'obscurcit insensiblement à mesure qu'on approche d'un bosquet où elle aboutit, jusqu'à ce que tout se termine à une petite enceinte, où l'on éprouve tous les charmes de la solitude. Je sens encore l'espèce de saisissement que je sentis lorsque, le soleil étant au plus haut de son cours, j'y entrais pour la première fois. J'eus un pressentiment vague et confus de la félicité et de la douleur dont ce lieu devait être pour moi le théâtre.

Il y avait une demi-heure que je m'entretenais de ces douces et cruelles pensées des adieux, du retour, lorsque je les entendis monter sur la terrasse ; je courus au-devant d'eux. Je lui pris la main en frissonnant et la baisai. Nous étions sur la terrasse, lorsque la lune parut derrière les buissons qui couvrent les collines. Nous parlions de diverses choses, et nous approchions insensiblement du sombre bosquet. Lotte y entra et s'assit ; Albert se plaça d'un côté, moi de l'autre ; mais mon trouble ne me permit pas de rester en place ; je me levai, je me tins debout devant elle, je fis quelques tours, et me rassis ; c'était un état violent. Elle nous fit remarquer le bel effet de la lune qui, au bout des hêtres, éclairait tout la terrasse ; tableau splendide, d'autant plus brillant que nous étions environnés d'une obscurité profonde. Nous gardâmes quelque temps le silence ; elle le rompit par ces mots : « Jamais, non, jamais, je ne me promène au clair de lune, que je ne me rappelle ceux que j'ai perdus, que je ne sois frappée du sentiment de la mort et de l'avenir. Oui, nous serons encore, continua-t-elle avec un accent solennel, mais, Werther, nous retrouverons-nous ? nous reconnaîtrons-nous ? Quel pressentiment avez-vous là-dessus ? qu'en pensez-vous ? que dites-vous ? – Lotte, lui dis-je en lui tendant la main, et sentant mes larmes prêtes à couler, nous nous reverrons ! En cette vie et en l'autre, nous nous reverrons !... »

Je ne pus en dire davantage... Guillaume, fallait-il qu'elle me fit cette question au moment où j'avais le cœur plein de cette séparation cruelle ? (...)

Elle se leva, je me sentis ému, troublé, je restais assis et tenais sa main. « Il faut rentrer, dit-elle, il est temps ! » Elle voulait retirer sa main ; je la retins avec plus de force ! « Nous nous reverrons, m'écriai-je, nous nous retrouverons, sous quelque forme que ce puisse être, nous nous reconnaîtrons. Je vous laisse, continuai-je, je vous laisse volontiers ; mais si je croyais que ce fût pour jamais, je ne pourrais supporter cette idée. Adieu, Lotte, Adieu, Albert. Nous nous reverrons... – Demain, je pense », dit-elle en plaisantant. Je sentis ce demain ! Hélas ! elle ne savait pas, lorsqu'elle retirait sa main de la mienne... Ils descendirent l'allée ; je me levai, les suivis de l'œil au clair de lune, me jetai à terre, répandis un torrent de larmes. Je me relevai, je courus sur la terrasse ; je regardai en bas, et je vis encore, vers la porte du jardin, sa robe blanche briller dans l'ombre des hauts tilleuls ; j'étendis les bras. Tout avait disparu.

DEUXIÈME PARTIE

THÉÂTRE, DRAME

Faust I

1808

Faust est le nom d'un magicien assez mal connu du XVe siècle ; sa légende s'est cristallisée dans un livre anonyme du XVIe siècle : Faust, qui a vendu son âme au Diable, multiplie les prodiges durant sa vie. L'heure approche où il doit payer de son âme les satisfactions terrestres. Il veut se repentir, ne le peut et est voué à l'Enfer. Goethe travaille à son œuvre ***Faust*** *toute sa vie. Le prologue révèle toute la portée de l'œuvre : Dieu et Méphistophélès dialoguent sur le destin de Faust, c'est-à-dire celui de l'âme humaine.*

Les deux interlocuteurs posent le problème du Bien et du Mal. Dieu a voulu l'homme libre et lui a donné le désir du bonheur. Méphisto, « l'esprit qui toujours nie » est cette puissance qui toujours veut le mal et fait, malgré lui, toujours le bien. Faust va signer un pacte avec le Diable. Il rajeunit, part avec Méphisto au sabbat des sorcières où il rencontre Marguerite. A la fin du Faust II, Dieu arrachera Faust aux griffes de Satan. C'est le poète Gérard de Nerval qui traduisit ***Faust*** *en français (1830).*

FAUST DANS SON CABINET D'ÉTUDE

(La nuit, dans une chambre à voûte élevée, étroite, gothique, Faust, inquiet, est assis devant son pupitre.)

FAUST, *seul.*

Philosophie, hélas ! jurisprudence, médecine, et toi aussi, triste théologie !... je vous ai étudiées à fond avec ardeur et patience : et maintenant me voici là, pauvre fou, tout aussi sage que devant. Je m'intitule, il est vrai, *maître, docteur*, et, depuis dix ans, je promène çà et là mes élèves par le nez. – Et je vois bien que nous ne pouvons rien connaître !... Voilà ce qui me brûle le sang ! J'en sais plus, il est vrai, que tout ce qu'il y a de sots, de docteurs, de maîtres, d'écrivains et de moines au monde ! Ni scrupule, ni doute ne me tourmentent plus ! Je ne crains rien du diable, ni de l'enfer ; mais aussi toute joie m'est enlevée. Je ne crois pas savoir rien de bon, en effet, ni pouvoir rien enseigner aux hommes pour les améliorer et les convertir. Aussi n'ai-je ni bien, ni argent, ni honneur, ni domination dans le monde : un chien ne voudrait pas de la vie à ce prix ! Il ne me reste désormais qu'à me jeter dans la magie. Oh ! si la force de l'esprit et de la parole me dévoilait les secrets que j'ignore, et si je n'étais plus obligé de dire péniblement ce que je ne sais pas ; si enfin je pouvais connaître tout ce que le monde cache en lui-même, et, sans m'attacher davantage à des mots inutiles, voir ce que la nature contient de secrète énergie et de semences éternelles ! Astre à la lumière argentée, lune silencieuse, daigne pour la dernière fois jeter un regard sur ma peine !... J'ai si souvent, la nuit, veillé près de ce pupitre ! C'est alors que tu m'apparaissais sur un amas de livres et de papiers, mélancolique amie ! Ah ! que ne puis-je, à ta douce clarté, gravir les hautes montagnes, errer dans les cavernes avec les esprits, danser sur le gazon pâle des prairies, oublier toutes les misères de la science, et me baigner rajeuni dans la fraîcheur de ta rosée !

Hélas ! et je languis encore dans mon cachot ! Misérable trou de muraille, où la douce lumière du ciel ne peut pénétrer qu'avec peine à travers ces vitrages peints, à travers cet amas de livres poudreux et vermoulus, et de papiers entassés jusqu'à la voûte. Je n'aperçois autour de moi que verres, boîtes, instruments, meubles pourris, héritage de mes ancêtres... Et c'est là ton monde, et cela s'appelle un monde !... Au lieu de la nature vivante dans laquelle Dieu t'a créé, tu n'es environné que de fumée et de moisissure, dépouilles d'animaux et ossements de morts !

Délivre-toi ! Lance-toi dans l'espace ! Ce livre mystérieux, tout écrit de la main de Nostradamus, ne suffit-il pas pour te conduire ? Tu pourras connaître alors le cours des astres ; alors, si la nature daigne t'instruire, l'énergie de l'âme te sera communiquée comme un esprit à un autre esprit. C'est en vain que, par un sens aride, tu voudrais ici t'expliquer les signes divins... Esprits qui planez près de moi, répondez-moi, si vous m'entendez ! (*Il ouvre le livre, et considère le signe du macrocosme.*) Ah ! quelle extase à cette vue s'empare de tout mon être ! Je crois sentir une vie nouvelle, sainte et bouillante, circuler dans mes nerfs et dans mes veines. Sont-ils tracés par la main d'un Dieu, ces caractères qui apaisent les douleurs de mon âme, enivrent de joie mon pauvre cœur et dévoilent autour de moi les forces mystérieuses de la nature ? Suis-je moi-même un dieu ? Tout me devient si clair. Dans ces simples traits, le monde révèle à mon âme tout le mouvement de sa vie, toute l'énergie de sa création. Déjà je reconnais la vérité des paroles du sage : « Le monde des esprits n'est point fermé ; ton sens est assoupi, ton cœur est mort. Lève-toi, disciple, et va baigner infatigablement ton sein mortel dans les rayons pourpres de l'aurore ! » (*Il regarde le signe.*) Comme tout se meut dans l'univers ! Comme les puissances célestes montent et descendent en se passant de mains en mains les seaux d'or ! Du ciel à la terre, elles répandent une rosée qui rafraîchit le sol aride, et l'agitation de leurs ailes remplit les espaces sonores d'une ineffable harmonie. Quele spectacle ! Mais hélas ! ce n'est qu'un spectacle ! Où te saisir, nature infinie ? Ne pourrai-je donc aussi presser tes mamelles, où le ciel et la terre demeurent suspendus. Je voudrais m'abreuver de ce lait intarissable... mais il coule partout, il inonde tout, et, moi, je languis vainement après lui ! (*Il ferme le livre avec dépit, et considère le signe de l'Esprit de la terre.*) Comme ce signe opère différemment sur moi ! Esprit de la terre, tu te rapproches ; déjà je sens mes forces s'accroître ; déjà je pétille comme une liqueur nouvelle ; je me sens le courage de me risquer dans le monde, d'en supporter les peines et les prospérités ; de lutter contre l'orage, et de ne point pâlir des craquements de mon vaisseau. Des nuages s'entassent au-dessus de moi ! – La lune cache sa lumière... la lampe s'éteint ! elle fume !... Des rayons ardents se meuvent autour de ma tête. Il tombe de la voûte un frisson qui me saisit et m'oppresse. Je sans que tu t'agites autour de moi. Esprit que j'ai invoqué ! Ah ! comme mon sein se déchire ! mes sens s'ouvrent à des impressions nouvelles ! Tout mon cœur s'abandonne à toi !... Parais ! parais ! m'en coutât-il la vie !

(Il saisit le livre, et prononce les signes mystérieux de l'Esprit. Il s'allume une flamme rouge, l'Esprit apparaît dans la flamme.)

L'ESPRIT.

Qui m'appelle ?

FAUST.

Effroyable vision !

L'ESPRIT.

Tu m'as évoqué. Ton souffle agissait sur ma sphère et m'en tirait avec violence. Et maintenant...

FAUST.

Ah ! je ne puis soutenir ta vue !

L'ESPRIT.

Tu aspirais si fortement vers moi ! Tu voulais me voir et m'entendre. Je cède au désir de ton cœur. – Me voici ! Quel misérable effroi saisit ta nature surhumaine ! Qu'as-tu fait de ce haut désir, de ce cœur qui créait un monde en soi-même, qui le portait et le fécondait, n'ayant pas assez de l'autre, et ne tendant qu'à nous égaler, nous autres esprits ? Faust, où es-tu ? Toi qui m'attirais ici de toute ta force et de toute ta voix, est-ce bien toi-même, que l'effroi glace jusque dans les sources de la vie et prosterne devant moi comme un lâche insecte qui rampe ?

FAUST.

Pourquoi te céderais-je, fantôme de flamme ? Je suis Faust, je suis ton égal.

L'ESPRIT.

Dans l'océan de la vie, et dans la tempête de l'action, je monte et je descends, je vais et je viens ! Naissance et tombe ! Mer éternelle, trame changeante, vie énergique, dont j'ourdis, au métier bourdonnant du temps, les tissus impérissables, vêtements animés de Dieu !

FAUST.

Esprit créateur, qui ondoies autour du vaste univers, combien je me sens près de toi !

L'ESPRIT.

Tu est l'égal de l'esprit que tu conçois, mais tu n'es pas égal à moi !
(Il disparaît.)

FAUST, *tombant à la renverse.*

Pas à toi !... A qui donc ?... Moi ! l'image de Dieu ! Pas seulement à toi ! (*On frappe.*) O mort ! Je m'en doute ; c'est mon serviteur. Et voilà tout l'éclat de ma félicité réduit à rien !... Faut-il qu'une vision aussi sublime se trouve anéantie par un misérable valet !

FAUST ET MÉPHISTOPHÉLÈS

Cabinet d'étude.

FAUST, MÉPHISTOPHÉLÈS.

FAUST.

On frappe ? Entrez ! Qui vient m'importuner encore ?

MÉPHISTOPHÉLÈS.

C'est moi.

FAUST.

Entrez !

MÉPHISTOPHÉLÈS.

Tu dois le dire trois fois.

FAUST.

Entrez donc !

MÉPHISTOPHÉLÈS.

Tu me plais ainsi ; nous allons nous accorder, j'espère. Pour dissiper ta mauvaise humeur, me voici en jeune seigneur avec l'habit écarlate brodé d'or, le petit manteau de satin raide, la plume de coq au chapeau, une épée longue et bien affilée ; et je te donnerai le conseil court et bon d'en faire autant, afin de pouvoir, affranchi de tes chaînes, goûter ce que c'est que la vie.

FAUST.

Sous quelque habit que ce soit, je n'en sentirai pas moins les misères de l'existence humaine. Je suis trop vieux pour jouer encore, trop jeune pour être sans désirs. Qu'est-ce que le monde peut m'offrir de bon ? *Tout doit te manquer, tu dois manquer de tout* ! Voilà l'éternel refrain qui tinte aux oreilles de chacun de nous, et ce que, toute notre vie, chaque heure nous répète, d'une voix cassée. C'est avec effroi que, le matin, je me réveille ; je devrais répandre des larmes amères, en voyant ce jour qui dans sa course n'accomplira pas un de mes vœux ; pas un seul ! Ce jour, qui, par des tourments intérieurs, énervera jusqu'au sentiment de chaque plaisir, qui, sous mille contrariétés, paralysera les inspirations de mon cœur agité. Il faut aussi, dès que la nuit tombe, m'étendre d'un mouvement convulsif sur ce lit où nul repos ne viendra me soulager, où des rêves affreux m'épouvanteront. Le dieu qui réside en mon sein peut émouvoir profondément tout mon être ; mais lui, qui gouverne toutes mes forces, ne peut rien déranger autour de moi. Et voilà pourquoi la vie m'est un fardeau, pourquoi je désire la mort, et j'abhorre l'existence.

MÉPHISTOPHÉLÈS.

Et pourtant la mort n'est jamais un hôte très bien venu.

"Je suis trop vieux pour jouer encore, trop jeune pour être sans désirs"

FAUST.

O heureux celui à qui, dans l'éclat du triomphe, elle ceint des tempes d'un laurier sanglant, celui qu'après l'ivresse d'une danse ardente, elle vient surprendre dans les bras du sommeil ! Oh ! que ne puis-je, devant la puissance du grand Esprit, me voir transporté, ravi, et ensuite anéanti !

MÉPHISTOPHÉLÈS.

Et quelqu'un cependant n'a pas avalé cette nuit une certaine liqueur brune...

FAUST.

L'espionnage est ton plaisir, à ce qu'il paraît ?

MÉPHISTOPHÉLÈS.

Je n'ai pas la science universelle, et cependant j'en sais beaucoup.

FAUST.

Eh bien ! puisque des sons bien doux et bien connus m'ont arraché à l'horreur de mes sensations, en m'offrant, avec l'image de temps plus joyeux, les aimables sentiments de l'enfance..., je maudis tout ce que l'âme environne d'attraits et de prestiges, tout ce qu'en ces tristes demeures elle voile d'éclat et de mensonge ! Maudite soit d'abord la haute opinion dont l'esprit s'enivre lui-même ! Maudite soit la splendeur des vaines apparences qui assiègent nos sens ! Maudit soit ce qui nous séduit dans nos rêves, illusions de gloire et d'immortalité ! Maudits soient tous les objets dont la possession nous flatte, femme ou enfant, valet ou charrue ! Maudit soit Mammon, quand, par l'appât de ses trésors, il nous pousse à des entreprises audacieuses, ou quand, par des jouissances oisives, il nous entoure de voluptueux coussins ! Maudite soit toute exaltation de l'amour ! Maudite soit l'espérance ! Maudite la foi, et maudite, avant tout, la patience !

CHŒUR D'ESPRITS *invisible.*

Hélas ! Hélas ! tu l'as détruit, l'heureux monde ! tu l'as écrasé de ta main puissante ; il est en ruine ! Un demi-dieu l'a renversé !... Nous emportons ses débris dans le néant, et nous pleurons sur sa beauté perdue ! Oh ! le plus grand des enfants de la terre ! relève-le, reconstruis-le dans ton cœur ! recommence le cours d'une existence nouvelle, et nos chants résonneront encore pour accompagner tes travaux.

MÉPHISTOPHÉLÈS.

Ceux-là sont les petits d'entre les miens. Ecoute comme ils te conseillent sagement le plaisir et l'activité ! Ils veulent t'entraîner dans le monde, t'arracher à cette solitude, où se figent et l'esprit et les sucs qui servent à l'alimenter.

Cesse donc de te jouer de cette tristesse qui, comme un vautour, dévore ta vie. En si mauvaise compagnie que tu sois, tu pourras sentir que tu est homme avec les hommes, cependant on ne songe pas pour cela à t'encanailler. Je ne suis pas moi-même un des premiers ; mais, si tu veux, uni à moi, diriger tes pas dans la vie, je m'accommoderai volontiers de t'appartenir sur-le-champ. Je me fais ton compagnon, ou, si cela t'arrange mieux, ton serviteur et ton esclave.

FAUST.

Et quelle obligation devrai-je remplir en retour ?

MÉPHISTOPHÉLÈS.

Tu auras le temps de t'occuper de cela.

FAUST.

Non, non ! Le diable est un égoïste, et ne fait point pour l'amour de Dieu ce qui est utile à autrui. Exprime clairement ta condition ; un pareil serviteur porte malheur à une maison.

MÉPHISTOPHÉLÈS.

Je veux *ici* m'attacher à ton service, obéir sans fin ni cesse à ton moindre signe ; mais, quand nous nous reverrons *là-dessous,* tu devras me rendre la pareille.

FAUST.

Le *dessous* ne m'inquiète guère ; mets d'abord en pièces ce monde-ci et l'autre peut arriver ensuite. Mes plaisirs jaillissent de cette terre, et ce soleil éclaire mes peines ; que je m'affranchisse une fois de ces dernières, arrive après ce qui pourra ! Je n'en veux point apprendre davantage. Peu m'importe que dans l'avenir, on aime ou haïsse, et que ces sphères aient aussi un dessus et un dessous.

MÉPHISTOPHÉLÈS.

Dans un tel esprit, tu peux te hasarder : engage-toi : tu verras ces jours-ci tout ce que mon art peut procurer de plaisir ; je te donnerai ce qu'aucun homme n'a pu même encore entrevoir.

FAUST.

Et qu'as-tu à donner, pauvre démon ? L'esprit d'un homme en ses hautes inspirations fut-il jamais conçu par tes pareils ? Tu n'as que des aliments qui ne rassasient pas : de l'or pâle, qui sans cesse s'écoule des mains comme le vif argent ; un jeu auquel on ne gagne jamais ; l'honneur ! belle divinité qui s'évanouit comme un météore. Fais-moi voir un fruit qui ne pourrisse pas avant de tomber, et des arbres qui tous les jours se couvrent d'une verdure nouvelle.

MÉPHISTOPHÉLÈS.

Une pareille entreprise n'a rien qui m'étonne ; je puis t'offrir de tels trésors. Oui, mon bon ami, le temps est venu aussi où nous pouvons être heureux en toute sécurité.

FAUST.

Si jamais, étendu sur un lit de plume, j'y goûte vraiment la plénitude du repos, qu'il en soit fait de moi à l'instant ! Si tu peux me flatter au point que je me plaise à moi-même, si tu peux m'abuser par des jouissances, que ce soit pour moi le dernier jour ! Je t'offre le pari !

MÉPHISTOPHÉLÈS.

Tope !

FAUST.

C'est entendu ! Si je dis à l'instant : « Arrête-toi, tu es si beau ! » alors, tu peux m'entourer de liens ! alors, je consens à m'anéantir ! alors, la cloche des morts peut résonner ! alors, tu es libre de ton service... Que l'heure sonne, que l'aiguille tombe, que le temps n'existe plus pour moi !

MÉPHISTOPHÉLÈS.

Penses-y bien, nous ne l'oublierons pas.

FAUST.

Tu as tout à fait raison ; je ne me suis pas frivolement engagé, et, puisque je suis constamment esclave, qu'importe que ce soit de toi ou de tout autre ?

MÉPHISTOPHÉLÈS.

Je vais donc, aujourd'hui même, à la table de M. le docteur, remplir mon rôle de valet. Un mot encore : pour l'amour de la vie ou de la mort, je te demande une couple de lignes.

FAUST.

Il te faut aussi un écrit, pédant ? Ne sais-tu pas ce que c'est qu'un homme, ni ce que la parole a de valeur ? N'est-ce pas assez que la mienne, doive, pour l'éternité, disposer de mes jours ? Quand le monde s'agite de tous les orages, crois-tu qu'un simple mot d'écrit soit une obligation assez puissante ?... Cependant, une telle chimère nous tient toujours au cœur, et qui pourrait s'en affranchir ? Heureux qui porte sa foi pure au fond de son cœur, il n'aura regret d'aucun sacrifice ! Mais un parchemin écrit et cacheté est un épouvantail pour tout le monde, le serment va expirer sous la plume ; et l'on ne reconnaît que l'empire de la cire et du parchemin. Esprit malin, qu'exiges-tu de moi ? airain, marbre, parchemin, papier ? Faut-il écrire avec un style, un burin ou une plume ? Je t'en laisse le choix libre.

"Le sang est un suc tout particulier"

MÉPHISTOPHÉLÈS.

A quoi bon tout ce bavardage ? Pourquoi t'emporter avec tant de chaleur ? Il suffira du premier papier venu. Tu te serviras, pour signer ton nom, d'une petite goutte de sang.

FAUST.

Si cela t'est absolument égal, ceci restera une plaisanterie.

MÉPHISTOPHÉLÈS.

Le sang est un suc tout particulier.

l'Encyclopédie

COLLECTIF 1751-1772

L'idée est celle d'un dictionnaire universel. Le libraire (ou éditeur) Le Breton se propose d'abord de faire traduire de l'anglais la **Cyclopaedia** *de Chambers, et confie la tâche à Diderot qui élargit le projet en collaboration avec d'Alembert. L'on dressera « le tableau général des efforts de l'esprit humain dans tous les genres et dans tous les siècles », à la gloire de ceux qui s'affairent « aux sciences et aux arts », c'est-à-dire à la gloire des hommes utiles et contre les oisifs et improductifs. C'est bien là l'esprit de progrès, comme mise à jour et production de toutes les commodités qui se trouvent dans la nature, comme marche de l'humanité dans le but d'être, suivant l'expression de Descartes, « comme maîtres et possesseurs de la nature ». L'***Encyclopédie** *est une entreprise de vulgarisation : inévitable donc qu'elle soit par endroits naïve. C'est encore une œuvre militante : inévitable aussi qu'en promouvant le nouvel esprit des « Lumières » elle ne soit pas injuste parfois envers l'ancien savoir. Ainsi Diderot dans sa critique du témoignage reste-t-il en deçà des rigoureux critères de la théologie thomiste. Si une belle part est faite aux « arts mécaniques », à la technique (Diderot visite maints ateliers, et plusieurs volumes de planches descriptives seront publiés), c'est sans rien voir de l'exploitation industrielle qui menace artisans et ouvriers.*

L'Encyclopédie a été attaquée pour l'athéisme qui s'y montrait. L'article **Certitude**, *rédigé par Diderot et l'abbé de Prades dans le deuxième volume (1752), est attaqué vivement par les jésuites et les jansénistes, à la suite de quoi le Conseil d'Etat interdit les deux premiers volumes. Cependant, l'appui de Malesherbes (et la protection de madame de Pompadour) font que chaque année verra paraître un volume jusqu'en 1757. A travers attaques, difficultés multiples, querelles (Rousseau rompt sa collaboration en 1757), les derniers volumes sont imprimés en 1765 ; Diderot commente : « Le grand et maudit ouvrage est fini ! »*

DISCOURS PRÉLIMINAIRE

1750

*Le **Prospectus** de l'**Encyclopédie** est distribué en novembre 1750, et le premier volume paraît en 1751 où se lit en tête ce texte dû à d'Alembert (1717-1783). D'Alembert rédige aussi les articles suivants : **Beau ; Collège ; Copernic ; Expérimental ; Fortune** etc. ; et l'article **Genève** où il déplore le préjugé des pasteurs contre les spectacles, auquel Rousseau répondra par sa démission et une **Lettre à d'Alembert sur les spectacles**. En 1759, fatigué par les attaques dont l'**Encyclopédie** est la cible, croyant l'entreprise vouée à l'échec, d'Alembert abandonne la direction de l'ouvrage sans cesser de l'appuyer moralement.*

Descartes et les philosophes anglais sont les initiateurs de la véritable méthode scientifique. Les connaissances humaines forment un système parfaitement unifié :

L'ouvrage que nous commençons (et que nous désirons de finir) a deux objets : comme *Encyclopédie*, il doit exposer autant qu'il est possible l'ordre et l'enchaînement des connaissances humaines ; comme *Dictionnaire raisonné des sciences, des arts et des métiers*, il doit contenir sur chaque science et sur chaque art, soit libéral, soit mécanique, les principes généraux qui en sont la base, et les détails les plus essentiels qui en font le corps et la substance. Ces deux points de vue, d'*Encyclopédie* et de *Dictionnaire raisonné*, formeront donc le plan et la division de notre Discours préliminaire. Nous allons les envisager, les suivre l'un après l'autre, et rendre compte des moyens par lesquels on a tâché de satisfaire à ce double objet.

Pour peu qu'on ait réfléchi sur la liaison que les découvertes ont entre elles, il est facile de s'apercoir que les sciences et les arts se prêtent mutuellement des secours, et qu'il y a par conséquent une chaîne qui les unit. Mais s'il est souvent difficile de réduire à un petit nombre de règles ou de notions générales chaque science ou chaque art en particulier, il ne l'est pas moins de renfermer dans un système qui soit un les branches infiniment variées de la science humaine.

Le premier pas que nous ayons à faire dans cette recherche, est d'examiner, qu'on nous permette ce terme, la généalogie et la filiation de nos connaissances, les causes qui ont dû les faire naître et les caractères qui les distinguent ; en un mot, de remonter jusqu'à l'origine et à la génération de nos idées. Indépendamment des secours que nous tirerons de cet examen pour l'énumération encyclopédique des sciences et des arts, il ne saurait être déplacé à la tête d'un Dictionnaire raisonné des connaissances humaines.

D'ALEMBERT

AUTORITÉ POLITIQUE

1751

*Diderot est le grand maître d'œuvre de l'**Encyclopédie**. Des nombreux articles dont il est l'auteur citons : **Ame ; Crédulité ; Croire ; Droit naturel ; Encyclopédie ; Hobbisme ou philosophie de Hobbes ; Humaine espèce ; Intolérance ; Irréligieux ; Jésuite ; Machiavélisme ; Métaphysique** ; etc., etc. L'article sur l'autorité politique doit beaucoup aux idées du philosophe anglais Locke (1637-1704).*

Aucun homme n'a reçu de la nature le droit de commander aux autres. La liberté est un présent du ciel, et chaque individu de la même espèce a le droit d'en jouir aussitôt qu'il jouit de la raison. Si la nature a établi quelque *autorité*, c'est la puissance paternelle : mais la puissance paternelle a ses bornes ; et dans l'état de nature elle finirait aussitôt que les enfants seraient en état de se conduire. Toute autre *autorité* vient d'une autre origine que la nature. Qu'on examine bien et on la fera toujours remonter à l'une de ces deux sources : ou la force et la violence de celui qui s'en est emparé, ou le consentement de ceux qui s'y sont soumis par un contrat fait ou supposé entre eux et celui à qui ils ont déféré l'*autorité*.

La puissance qui s'acquiert par la violence n'est qu'une usurpation et ne dure qu'autant que la force de celui qui commande l'emporte sur celle de ceux qui obéissent ; en sorte que si ces derniers deviennent à leur tour les plus forts, et qu'ils secouent le joug, ils le font avec autant de droit et de justice que l'autre qui le leur avait imposé. La même loi qui a fait l'*autorité* la défait alors : c'est la loi du plus fort.

Quelquefois l'*autorité* qui s'établit par la violence change de nature : c'est lorsqu'elle continue et se maintient du consentement exprès de ceux qu'on a soumis : mais elle rentre par là dans la seconde espèce dont je vais parler ; et celui qui se l'était arrogée devenant alors prince cesse d'être tyran.

La puissance qui vient du consentement des peuples suppose nécessairement des conditions qui en rendent l'usage légitime utile à la société, avantageux à la république, et qui la fixent et la restreignent entre des limites ; car l'homme ne peut ni de doit se donner entièrement et sans réserve à un autre homme, parce qu'il a un maître supérieur au-dessus de tout, à qui seul il appartient tout entier. C'est Dieu dont le pouvoir est toujours immédiat sur la créature, maître aussi jaloux qu'absolu, qui ne perd jamais de ses droits et ne les communique point. Il permet pour le bien commun et le maintien de la société que les hommes établissent entre eux un ordre de subordination, qu'ils obéissent à l'un d'eux ; mais il veut que ce soit par raison et avec mesure, et non pas aveuglément et sans réserve, afin que la créature ne s'arroge pas les droits du créateur. Toute autre soumission est le véritable crime d'idolâtrie. Fléchir le genou devant un homme ou devant une image n'est qu'une cérémonie extérieure, dont le vrai Dieu qui demande le cœur et l'esprit ne se soucie guère, et qu'il abandonne à l'institution des hommes pour en faire, comme il leur conviendra, des marques d'un culte civil et politique, ou d'un culte de religion. Ainsi ce ne sont pas ces cérémonies en elles-mêmes, mais l'esprit de leur établissement qui en rend la pratique innocente ou criminelle.

Un Anglais n'a point de scrupule à servir le roi le genou en terre ; le cérémonial ne signifie que ce qu'on a voulu qu'il signifiât ; mais livrer son cœur, son esprit et sa conduite sans aucune réserve à la volonté et au caprice d'une pure créature, en faire l'unique et le dernier motif de ses actions, c'est assurément un crime de lèse-majesté divine au premier chef. (...)

Le prince tient de ses sujets même l'*autorité* qu'il a sur eux ; et cette *autorité* est bornée par les lois de la nature et de l'État. Les lois de la nature et de l'État sont les conditions sous lesquelles ils se sont soumis, ou sont censés s'être soumis à son gouvernement. L'une de ces conditions est que, n'ayant de pouvoir et d'*autorité* sur eux que par leur choix et de leur consentement, il ne peut jamais employer cette *autorité* pour casser l'acte ou le contrat par lequel elle lui a été déférée : il agirait dès lors contre lui-même, puisque son *autorité* ne peut subsister que par le titre qui l'a établie. Qui annule l'un détruit l'autre. Le prince ne peut donc pas disposer de son pouvoir et de ses sujets sans le consentement de la nation et indépendamment du choix marqué dans le contrat de soumission. S'il en usait autrement, tout serait nul, et les lois le relèveraient des promesses et des serments qu'il aurait pu faire, comme un mineur qui aurait agi sans connaissance de cause puisqu'il aurait prétendu disposer de ce qu'il n'avait qu'en dépôt et avec clause de substitution, de la même manière que s'il l'avait eu en toute propriété et sans aucune condition. (...)

Les conditions de ce pacte sont différentes dans les différents États. Mais partout la nation est en droit de maintenir envers et contre tout le contrat qu'elle a fait ; aucune puissance ne peut le changer ; et quand il n'a plus lieu, elle rentre dans le droit et dans la pleine liberté d'en passer un nouveau avec qui et comme il lui plaît. C'est ce qui arriverait en France si, par le plus grand des malheurs, la famille entière régnante venait à s'éteindre jusque dans ses moindres rejetons : alors le sceptre et la couronne retourneraient à la nation. (...)

DIDEROT

BAS

1751

*L'**Encyclopédie** constitue une véritable apologie du travail. La moitié des volumes consiste en planches descriptives des « arts mécaniques ». Les auteurs croyaient innover et tracer une voie nouvelle, ils ne faisaient que confirmer ce grand mouvement européen d'appropriation de la nature et d'exaltation de l'utile, et contribuer à l'essor de l'esprit capitaliste en favorisant l'organisation du travail qui lui est indispensable. Diderot, dans l'article **Art**, écrit ceci qui fait songer à la **Parabole** de Saint-Simon :*

« Distribution des Arts en libéraux et en mécaniques. En examinant les productions des arts, on s'est aperçu que les unes étaient plus l'ouvrage de l'esprit que de la main, et qu'au contraire d'autres étaient plus l'ouvrage de la main que de l'esprit. Telle est en *partie* l'origine de la prééminence que l'on a accordée à certains *arts* sur d'autres, et de la distribution qu'on a faite des *arts* en *arts libéraux* et en *arts mécaniques*. Cette distinction, quoique bien fondée, a produit un mauvais effet, en avilissant des gens très estimables et très utiles, et en fortifiant en nous je ne sais quelle paresse naturelle, qui ne nous portait déjà que trop à croire que donner une application constante et suivie à des expériences et à des objets particuliers, sensibles et matériels, c'était déroger à la dignité de l'esprit humain ; et que de pratiquer ou même d'étudier les *arts mécaniques*, c'était s'abaisser à des choses dont la recherche est laborieuse, la méditation ignoble, l'exposition difficile, le commerce déshonorant, le nombre inépuisable, et la valeur minutielle. Préjugé qui tendait à remplir les villes d'orgueilleux raisonneurs et de contemplateurs inutiles, et les campagnes de petits tyrans ignorants, oisifs et dédaigneux. (...)

Mettez dans un des côtés de la balance les avantages réels des sciences les plus sublimes et des *arts* les plus honorés, et dans l'autre côté ceux des *arts mécaniques*, et vous trouverez que l'estime qu'on a faite des uns et celle qu'on a faite des autres n'on pas été distribuées dans le juste rapport de ces avantages, et qu'on a bien plus loué les hommes occupés à faire croire que nous étions heureux, que les hommes occupés à faire que nous le fussions en effet. Quelle bizarrerie dans nos jugements ! Nous exigeons qu'on s'occupe utilement, et nous méprisons les hommes utiles.

Diderot ne voit dans la machine aucune menace contre l'homme : elle est comparable à un raisonnement et ce qu'elle produit à sa conclusion :

BAS, c'est la partie de notre vêtement qui sert à nous couvrir les jambes : elle se fait de laine, de peau, de toile, de drap, de fil, de filoselle, de soie ; elle se tricote à l'aiguille ou au métier.

Voici la description du *bas* au métier, et la manière de s'en servir. Nous avertissons, avant que de commencer, que nous citerons ici deux sortes de planches : celles du métier à *bas*, qui sont relatives à la machine ; et celles du *bas* au métier, qui ne concernent que la main-d'œuvre.

Le métier à faire des bas est une des machines les plus compliquées et les plus conséquentes que nous ayons ; on peut la regarder comme un seul et unique raisonnement, dont la fabrication de l'ouvrage est la conclusion ; aussi règne-t-il entre ses parties une si grande dépendance, qu'en retrancher une seule, ou altérer la forme de celles qu'on juge les moins importantes, c'est nuire à tout le mécanisme.

Elle est sortie des mains de son inventeur presque dans l'état de perfection où nous la voyons ; et comme cette circonstance doit ajouter beaucoup à l'admiration, j'ai préféré le métier tel qu'il était anciennement, au métier tel que nous l'avons, observant seulement d'indiquer leurs petites différences à mesure qu'elles se présenteront.

On conçoit, après ce que je viens de dire de la liaison et de la forme des parties du métier à *bas*, qu'on se promettrait en vain quelque connaissance de la machine entière, sans entrer dans le détail et la description de ces parties : mais elles sont en si grand nombre, qu'il semble que cet ouvrage doive excéder les bornes que nous nous sommes prescrites, et dans l'étendue du discours, et dans la quantité des planches. D'ailleurs, par où entamer ce discours ? Comment faire exécuter ces planches ? La liaison des parties demanderait qu'on dît et qu'on montrât tout à la fois ; ce qui n'est possible, ni dans le discours, où les choses se suivent nécessairement, ni dans les planches, où les parties se couvrent les unes les autres.

Ce sont apparemment ces difficultés qui ont détourné l'utile et ingénieux auteur du *Spectacle de la nature*, d'insérer cette machine admirable parmi celles dont il nous a donné la description ; il a senti qu'il fallait tout dire ou rien ; que ce n'était point ici un de ces mécanismes dont on pût donner des idées claires et nettes, sans un grand attirail de planches et de discours ; et nous sommes restés sans aucun secours de sa part.

Que le lecteur, loin de s'étonner de la longueur de cet article, soit bien persuadé que nous n'avons rien épargné pour le rendre plus court comme nous espérons qu'il s'en apercevra, lorsqu'il considérera que nous avons renfermé dans l'espace de quelques pages l'énumération et la description des parties, leur mécanisme et la main-d'œuvre de l'ouvrier. La main-d'œuvre est fort peu de chose ; la machine fait presque tout d'elle-même ; son mécanisme en est d'autant plus parfait et plus délicat. Mais il faut renoncer à l'intelligence de ce mécanisme, sans une grande connaissance des parties ; or j'ose assurer que dans un métier, tel que ceux que les ouvriers appellent un quarante-deux, on n'en compterait pas moins de deux mille cinq cents, et par-delà, entre lesquelles on en trouverait à la vérité beaucoup de semblables : mais si ces parties semblables sont moins embarrassantes pour l'esprit que les autres, en ce qu'elles ont le même jeu, elles sont très incommodes pour les yeux dans les figures, où elles ne manquent jamais d'en cacher d'autres.

Pour surmonter ces obstacles, nous avons cru devoir suivre ici une espèce d'analyse, qui consiste à distribuer la machine entière en plusieurs assemblages particuliers ; représenter au-dessous de chaque assemblage les parties qu'on n'y apercevait pas distinctement ; assembler successivement ces assemblages les uns avec les autres, et former ainsi peu à peu la machine entière. On passe de cette manière d'un assemblage simple à un composé, de celui-ci à un plus composé, et l'on arrive sans obscurité ni fatigue à la connaissance d'un tout fort compliqué.

Pour cet effet nous divisons le métier à bas en deux parties ; le fût ou les parties en bois qui soutiennent le métier, et qui servent dans la main-d'œuvre ; et le métier même, ou les parties en fer, et autres qui le composent.

Nous nous proposons de traiter chacune séparément. Mais avant que d'entrer dans ce détail, nous rapporterons le jugement que faisait de cette machine un homme qui a très bien senti le prix des inventions modernes. Voici comment M. Perrault s'en exprime dans un ouvrage, qui plaira d'autant plus, qu'on aura moins de préjugés : « Ceux qui ont assez de génie, non pas pour inventer de semblables choses, mais pour les comprendre, tombent dans un profond étonnement à la vue des ressorts presque infinis dont la machine à bas est composée, et du grand nombre de ses divers et extraordinaires mouvements. Quand on voit tricoter des bas, on admire la souplesse et la dextérité des mains de l'ouvrier, quoiqu'il ne fasse qu'une seule maille à la fois ; qu'est-ce donc quand on voit une machine qui forme des centaines de mailles à la fois, c'est-à-dire, qui fait en un moment tous les divers mouvements que les mains ne font qu'en plusieurs heures ? Combien de petit ressorts tirent la soie à eux, puis la laissent aller pour la reprendre, et la faire passer d'une maille dans l'autre d'une manière inexplicable ? et tout cela sans que l'ouvrier qui remue la machine y comprenne rien, en sache rien, et même y songe seulement : en quoi on la peut comparer à la plus excellente machine que Dieu ait faite.

Il est bien fâcheux et bien injuste, ajoute M. Perrault, qu'on ne sache point les noms de ceux qui ont imaginé des machines si merveilleuses pendant qu'on nous force d'apprendre ceux des inventeurs de mille autres machines qui se présentent si naturellement à l'esprit, qu'il suffirait d'être venus les premiers au monde pour les imaginer » (...)

DIDEROT

PHILOSOPHE

1765

Dumarsais (1676-1756), l'auteur du ***Traité des tropes*** *– ouvrage capital sur la rhétorique – est vraisemblablement le rédacteur de cet article que Diderot a revu. « Nous avons vu que l'****Encyclopédie*** *ne pouvait être que la tentative d'un siècle philosophe et que ce siècle était arrivé », écrit Diderot à l'article* ***Encyclopédie****.*

Le philosophe forme ses principes sur une infinité d'observations particulières. Le peuple adopte le principe sans penser aux observations qui l'on produit : il croit que la maxime existe, pour ainsi dire, par elle-même ; mais le philosophe prend la maxime dès sa source ; il en examine l'origine ; il en connaît la propre valeur, et n'en fait que l'usage qui lui convient.

De cette connaissance que les principes ne naissent que des observations particulières, le philosophe en conçoit de l'estime pour la science des faits ; il aime à s'instruire des détails et de tout ce qui ne se devine point ; ainsi, il regarde comme une maxime très opposée au progrès des lumières de l'esprit que de se borner à la seule méditation et de croire que l'homme ne tire la vérité que de son propre fonds... La vérité n'est pas pour le philosophe une maîtresse qui corrompe son imagination, et qu'il croie trouver partout ; il se contente de la pouvoir démêler où il peut l'apercevoir. Il ne la confond point avec la vraisemblance ; il prend pour vrai ce qui est vrai, pour faux ce qui est faux, pour douteux ce qui est douteux, et pour vraisemblable ce qui n'est que vraisemblable. Il fait plus, et c'est ici une grande perfection du philosophe, c'est que lorsqu'il n'a point de motif pour juger, il sait demeurer indéterminé. (...)

L'esprit philosophique est donc un esprit d'observation et de justesse, qui rapporte tout à ses véritables principes ; mais ce n'est pas l'esprit seul que le philosophe cultive, il porte plus loin son attention et ses soins.

L'homme n'est point un monstre qui ne doive vivre que dans les abîmes de la mer ou au fond d'une forêt ; les seules nécessités de la vie lui rendent le commerce des autres nécessaire ; et dans quelque état où il puisse

“Le philosophe est donc un honnête homme qui agit en tout par raison, et qui joint à un esprit de réflexion et de justesse les mœurs et les qualités sociables”

se trouver, ses besoins et le bien-être l'engagent à vivre en société. Ainsi, la raison exige de lui qu'il étudie, et qu'il travaille à acquérir les qualités sociables.

Notre philosophe ne se croit pas en exil dans ce monde, il ne croit point être en pays ennemi ; il veut jouir en sage économe des biens que la nature lui offre ; il veut trouver du plaisir avec les autres ; et pour en trouver il en faut faire : ainsi il cherche à convenir à ceux avec qui le hasard ou son choix le font vivre ; et il trouve en même temps ce qui lui convient : c'est un honnête homme qui veut plaire et se rendre utile.

La plupart des grands, à qui les dissipations ne laissent pas assez de temps pour méditer, sont féroces envers ceux qu'ils ne croient pas leurs égaux. Les philosophes ordinaires qui méditent trop, ou plutôt qui méditent mal, le sont envers tout le monde ; ils fuient les hommes, et les hommes les évitent : mais notre philosophe qui sait se partager entre la retraite et le commerce des hommes est plein d'humanité. C'est le Chrémès de Térence qui sent qu'il est un homme, et que la seule humanité intéresse à la mauvaise ou à la bonne fortune de son voisin. (...)

Il serait inutile de remarquer ici combien le philosophe est jaloux de tout ce qui s'appelle honneur et probité. La société civile est, pour ainsi dire, une divinité pour lui sur la terre ; il l'encense, il l'honore par la probité, par une attention exacte à ses devoirs, et par un désir sincère de n'en être pas un membre inutile ou embarrassant. Les sentiments de probité entrent autant dans la constitution mécanique du philosophe que les lumières de l'esprit. Plus vous trouverez de raison dans un homme, plus vous trouverez en lui de probité. Au contraire, où règnent le fanatisme et la superstition, règnent les passions et l'emportement. Le tempérament du philosophe, c'est d'agir par esprit d'ordre ou par raison ; comme il aime extrêmement la société, il lui importe bien plus qu'au reste des hommes de disposer tous ses ressorts à ne produire que des effets conformes à l'idée d'honnête homme. (...)

Cet amour de la société si essentiel au philosophe fait voir combien est véritable la remarque de l'empereur Antonin : « Que les peuples seront heureux quand les rois seront philosophes, ou quand les philosophes seront rois ! »

Le *philosophe* est donc un honnête homme qui agit en tout par raison, et qui joint à un esprit de réflexion et de justesse les mœurs et les qualités sociables. Entez un souverain sur un *philosophe* d'une telle trempe, et vous aurez un parfait souverain. (...)

On voit encore par tout ce que nous venons de dire, combien s'éloignent de la juste idée du *philosophe* ces indolents, qui, livrés à une méditation paresseuse, négligent le soin de leurs affaires temporelles, et de tout ce qui s'appelle *fortune*. Le vrai *philosophe* n'est point tourmenté par l'ambition, mais il veut avoir les commodités de la vie ; il lui faut, outre le nécessaire précis, un honnête superflu nécessaire à un honnête homme, et par lequel seul on est heureux : c'est le fond des bienséances et des agréments. Ce sont de faux philosophes qui ont fait naître ce préjugé, que le plus exact nécessaire lui suffit, par leur indolence et par des maximes éblouissantes.

DUMARSAIS

Philippe François Nazaire Fabre, dit

Fabre d'Eglantine

LIMOUX 1755 – PARIS 1794.

Fils d'un drapier, Fabre est professeur chez les frères de la Doctrine chrétienne. Il remporte un prix de poésie, quitte alors l'habit ecclésiastique, et commence à vingt ans une vie errante. Il fait jouer à Paris diverses pièces dont ***Le Philinte de Molière ou la Suite du Misanthrope*** *(1790). Comme il s'enthousiasme pour la révolution et qu'il intrigue, il dirige deux journaux, fonde le Club des Cordeliers, est membre de la Commune de Paris, puis secrétaire de Danton, et député de Paris à la Convention. Il vote la mort du roi. Arrêté en octobre 1793, il est guillotiné avec les partisans de Danton.*

.L'HOSPITALITÉ.

1780

"Il pleut, il pleut, bergère"

Il pleut, il pleut bergère,
Presse tes blancs moutons ;
Allons sous ma chaumière,
Bergère, vite, allons ;
J'entends sous le feuillage
L'eau qui tombe à grand bruit ;
Voici, voici l'orage ;
Voilà l'éclair qui luit.
Entends-tu le tonnerre ?
Il roule en approchant ;
Prends un abri, bergère,
A ma droite en marchant ;
Je vois notre cabane...
Et, tiens, voici venir
Ma mère et ma sœur Anne
Qui vont l'étable ouvrir.
Bonsoir, bonsoir, ma mère ;
Ma sœur Anne, bonsoir ;
J'amène ma bergère,
Près de vous pour ce soir.
Va te sécher, ma mie,
Auprès de nos tisons ;
Sœur, fais-lui compagnie,
Entrez, petits moutons.
Soignons bien, ô ma mère !
Son tant joli troupeau ;
Donnez plus de litière
A son petit agneau.
C'est fait : allons près d'elle.
Eh bien, donc, te voilà ?
En corset, qu'elle est belle !
Ma mère, voyez-là !
Soupons : prends cette chaise ;
Tu seras près de moi ;
Ce flambeau de mélèze
Brûlera devant toi.
Goûte de ce laitage ;
Mais, tu ne manges pas ?
Tu te sens de l'orage ;
Il a lassé tes pas.
Eh bien ! voilà ta couche,
Dors-y jusques au jour ;
Laisse-moi sur ta bouche
Prendre un baiser d'amour.
Ne rougis pas, bergère ;
Ma mère et moi, demain,
Nous irons chez ton père
Lui demander ta main.

Maximilien Robespierre

ARRAS 1758 – PARIS 1794.

L'avocat d'Arras Robespierre est élu député. En 1790, il est président des jacobins. Il fonde un journal : ***Le Défenseur de la Constitution****. En 1791, il est élu député de Paris ; il combat les Girondins. Entré au Comité de Salut public, il lutte pour le pouvoir et élimine les partisans de Danton après les hébertistes. Robespierre s'élève contre l'athéisme et instaure la fête de l'Être suprême. Il a donné à ses adversaires les armes pour l'abattre en accordant au Comité de Salut public le droit de faire comparaître devant le Tribunal révolutionnaire les députés. Il est guillotiné.*

POLITIQUE

.Discours.

1789-1794

Ce rapport Sur Les Principes du Gouvernement révolutionnaire *fut présenté le 25 décembre 1793 au nom du Comité de Salut public.*

Le gouvernement révolutionnaire a besoin d'une activité extraordinaire, précisément parce qu'il est en guerre. Il est soumis à des règles moins uniformes et moins rigoureuses, parce que les circonstances où il se trouve sont orageuses et mobiles, et surtout parce qu'il est forcé à déployer sans cesse des ressources nouvelles et rapides pour des dangers nouveaux et pressants.

Le gouvernement constitutionnel s'occupe principalement de la liberté civile ; et le gouvernement révolutionnaire, de la liberté publique. Sous le régime constitutionnel, il suffit presque de protéger les individus contre l'abus de la puissance publique ; sous le régime révolutionnaire, la puissance publique elle-même est obligée de se défendre contre toutes les factions qui l'attaquent.

Le gouvernement révolutionnaire doit aux

La théorie du gouvernement révolutionnaire est aussi neuve que la révolution qui l'a amené. Il ne faut pas la chercher dans les livres des écrivains politiques, qui n'ont point prévu cette révolution, ni dans les lois des tyrans, qui contents d'abuser de leur puissance, s'occupent peu d'en rechercher la légitimité ; aussi ce mot n'est-il pour l'aristocratie qu'un sujet de terreur ou un texte de calomnie ; pour les tyrans, qu'un scandale ; pour bien des gens, qu'une énigme ; il faut l'expliquer à tous, pour rallier au moins les bons citoyens aux principes de l'intérêt public.

La fonction du gouvernement est de diriger les forces morales et physiques de la nation vers le but de son institution.

Le but du gouvernement constitutionnel est de conserver la République ; celui du gouvernement révolutionnaire est de la fonder.

La Révolution est la guerre de la liberté contre ses ennemis : la Constitution est le régime de la liberté victorieuse et paisible.

bons citoyens toute la protection nationale ; il ne doit aux ennemis du peuple que la mort.

Ces notions suffisent pour expliquer l'origine et la nature des lois que nous appelons révolutionnaires. Ceux qui les nomment arbitraires ou tyranniques sont des sophistes stupides ou pervers qui cherchent à confondre les contraires ; ils veulent soumettre au même régime la paix et la guerre, la santé et la maladie, ou plutôt ils ne veulent que la résurrection de la tyrannie et la mort de la patrie. S'ils invoquent l'exécution littérale des adages constitutionnels, ce n'est que pour les violer impunément. Ce sont de lâches assassins qui, pour égorger sans péril la République au berceau, s'efforcent de la garotter avec des maximes vagues, dont ils savent bien se dégager eux-mêmes. (...)

*Ce discours **Sur Les Rapports des idées religieuses et morales avec les principes républicains et sur les fêtes nationales**, prononcé au nom du Comité de Salut public le 7 mai 1794, est un vibrant éloge de la révolution, une décision de rupture à l'égard de l'athéisme et le programme détaillé des Fêtes nationales où la morale est érigée en religion. « Le fondement unique de la société civile c'est la morale », dit Robespierre, or n'est-ce pas avilir la vertu que la réduire en « vile poussière » avec la mort ? La vertu exige l'immortalité : « L'idée de l'Être suprême et de l'immortalité de l'âme est un rappel continuel à la justice » ; « Un grand homme, un véritable héros s'estime trop lui-même pour se complaire dans l'idée de son anéantissement. Un scélérat méprisable à ses propres yeux, horrible à ceux d'autrui, sent que la nature ne peut lui faire de plus beau présent que le néant. » Il ne s'agit pas de rétablir l'empire des prêtres : « Laissons les prêtres et retournons à la divinité » ; mais d'attacher « la morale à des bases éternelles et sacrées. »*

“Rassemblez les hommes, vous les rendrez meilleurs”

Rassemblez les hommes, vous les rendrez meilleurs ; car les hommes rassemblés cherchent à se plaire, et ils ne pourront se plaire que par les choses qui les rendent estimables. Donnez à leur réunion un grand motif moral et politique, et l'amour des choses honnêtes entrera avec le plaisir dans tous les cœurs, car les hommes ne se voient pas sans plaisir.

L'homme est le plus grand objet qui soit dans la nature, et le plus magnifique de tous les spectacles c'est celui d'un grand peuple assemblé. On ne parle jamais sans enthousiasme des fêtes nationales de la Grèce ; cependant elles n'avaient guère pour objet que des jeux où brillaient la force des corps, l'adresse, ou tout au plus le talent des poètes et des orateurs ; mais la Grèce était là ; on voyait un spectacle plus grand que les jeux ; c'étaient les spectacteurs eux-mêmes, c'était le peuple vainqueur de l'Asie, que les vertus républicaines avaient élevé quelquefois audessus de l'humanité ; on voyait les grands hommes qui avaient sauvé et illustré la patrie ; les pères montraient à leurs fils Miltiade, Aristide, Epaminondas, Timoléon, dont la seule présence était une leçon vivante de magnanimité, de justice et de patriotisme.

Combien il serait facile au peuple français de donner à ses assemblées un objet plus étendu et un plus grand caractère ! Un système de fêtes nationales bien entendu serait à la fois le plus doux lien de fraternité et le plus puissant moyen de régénération.

Ayez des fêtes générales et plus solennelles pour toute la République ; ayez des fêtes particulières et pour chaque lieu qui soient des jours de repos, et qui remplacent ce que les circonstances ont détruit.

Que toutes tendent à réveiller les sentiments généreux qui font le charme et l'ornement de la vie humaine, l'enthousiasme de la liberté, l'amour de la patrie, le respect des lois. Que la mémoire des tyrans et des traîtres y soit vouée à l'exécration ; que celle des héros de la liberté et des bienfaiteurs de l'humanité y reçoive le juste tribut de la reconnaissance publique ; qu'elles puisent leur intérêt et leurs noms même dans les événements immortels de notre révolution et dans les objets les plus sacrés et les plus chers au cœur de l'homme ; qu'elles soient embellies et distinguées par les emblèmes analogues à leur objet particulier. Invitons à nos fêtes et la nature et toutes les vertus ; que toutes soient célébrées sous les auspices de l'Être suprême ; qu'elles lui soient consacrées ; qu'elles s'ouvrent et qu'elles finissent par un hommage à sa puissance et à sa bonté.

Tu donneras à ton nom à l'une des plus belles fêtes, ô toi, fille de la nature ! Mère du bonheur et de la gloire ! toi, seule légitime souveraine du Monde, détrônée par le crime, toi à qui le Peuple français a rendu ton empire, et qui lui donnes en échange une Patrie et des mœurs, auguste Liberté ! tu partageras nos sacrifices avec ta compagne immortelle, la douce et sainte Égalité. Nous fêterons l'Humanité, l'humanité avilie et foulée aux pieds par les ennemis de la République française. Ce sera un beau jour, que celui où nous célébrerons la fête du genre humain ; c'est le banquet fraternel et sacré, où, du sein de la victoire, le Peuple français invitera la famille immense dont seul il défend l'honneur et les imprescriptibles droits ! Nous célébrerons aussi tous les grands hommes, de quelque temps et de quelque pays que ce soit, qui ont affranchi leur Patrie du joug des tyrans, ou qui ont fondé la liberté par de sages lois. Vous ne serez point oubliés, illustres martyrs de la République française ! Vous ne serez point oubliés, héros morts en combattant pour elle ! Qui pourrait oublier les héros de ma patrie ? La France leur doit sa liberté, l'Univers leur devra la sienne. Que l'Univers célèbre bientôt leur gloire en jouissant de leurs bienfaits ! Combien de traits héroïques, confondus dans la foule héroïque des grandes actions que la liberté a comme prodiguées parmi nous ! Combien de noms dignes d'être inscrits dans les fastes de l'Histoire, demeurent ensevelis dans l'obscurité ! Mânes inconnus et révérés, si vous échappez à la célébrité, vous n'échapperez point à notre tendre reconnaissance !

Qu'ils tremblent, tous les tyrans armés contre la liberté, s'il en existe encore alors ! Qu'ils tremblent le jour où les Français viendront sur vos tombeaux jurer de vous imiter. (...)

Georges Jacques Danton

ARCIS-SUR-AUBE 1759 – PARIS 1794.

L'avocat Danton fonde en 1790 le Club des Cordeliers. L'Assemblée législative le nomme ministre de la justice en 1792, et le Tribunal extraordinaire est créé. Après que les massacres de septembre se sont produits, Danton en revendique la responsabilité. Son secrétaire, Fabre d'Eglantine, en tous cas en a une part. Elu député, il siège à la Montagne et vote la mort du roi. En 1793 il est à la tête du Comité de Salut public et organise la « Terreur ». Mais par un revirement assez brusque, on le voit devenir le principal des Indulgents, et aller jusqu'à demander l'ouverture des prisons. Robespierre lutte contre lui, et l'issue est très prévisible ; cependant Danton refuse de quitter sa patrie. Devant le Tribunal révolutionnaire Saint-Just l'accuse de vénalité et de trahison. « Tu montreras ma tête au peuple », dit Danton au bourreau, elle en vaut la peine. »

POLITIQUE

.Discours.

1789-1794 ; Publiés en 1910

L'armée ennemie encercle Verdun. La Patrie est en danger. L'Assemblée veut se replier sur la Loire. Danton demande qu'on ordonne la mobilisation de tous les citoyens, et qu'on prononce la peine de mort contre ceux qui se refusent à la patrie.

Il est bien satisfaisant, Messieurs, pour les ministres d'un peuple libre, d'annoncer à ses représentants que la patrie va être sauvée. Tout s'émeut, tout s'ébranle, tout brûle de combattre, tout se lève en France d'un bout de l'empire à l'autre.

Vous savez que Verdun n'est point encore au pouvoir de l'ennemi. Vous savez que la garnison a juré de mourir plutôt que de se rendre.

Une partie du peuple va se porter aux frontières ; une autre va creuser des retranchements et la troisième, avec des piques, défendra l'intérieur de nos villes.

Paris va seconder ces grands efforts. Tandis que nos ministres se concertaient avec les généraux, une grande nouvelle nous est arrivée. Les commissaires de la Commune proclament de nouveau, en cet instant, le danger de la patrie, avec plus d'éclat qu'il ne le fut. Tous les citoyens de la capitale vont se rendre au Champs-de-Mars, se partager en trois divisions : les uns vont voler à l'ennemi, ce sont

“De l’audace, encore de l’audace, toujours de l’audace”

tous ceux qui ont des armes ; les autres travailleront aux retranchements, tandis que la troisième division restera et présentera un énorme bataillon hérissé de piques. C’est en ce moment, Messieurs, que vous pouvez déclarer que la capitale a bien mérité de la France entière ; c’est en ce moment que l’Assemblée Nationale va devenir un véritable comité de guerre ; c’est à vous à favoriser ce grand mouvement et à adopter les mesures que nous allons vous proposer avec cette confiance qui convient à la puissance d’une nation libre.

Nous vous demandons de ne point être contrariés dans nos opérations. Nous demandons que vous concouriez avec nous à diriger ce mouvement sublime du peuple en nommant des commissaires qui nous seconderont dans ces grandes mesures. Nous demandons qu’à quarante lieues du point où se fait la guerre les citoyens qui ont des armes soient tenus de marcher à l’ennemi ; ceux qui resteront s’armeront de piques. Nous demandons que quiconque refusera de servir de sa personne ou de remettre ses armes soit puni de mort. – Il faut des mesures sévères ; nul, quand la patrie est en danger, nul ne peut refuser son service sans être déclaré infâme et traître à la patrie. Prononcez la peine de mort contre tout citoyen qui refusera de marcher ou de céder son arme à son concitoyen plus généreux que lui, ou contrariera directement ou indirectement les mesures prises pour le salut de l’Etat.

Le tocsin qui sonne va se propager dans toute la France. Ce n’est point un signal d’alarme, c’est la charge sur les ennemis de la patrie. Pour les vaincre, Messieurs, il nous faut de l’audace, encore de l’audace, toujours de l’audace, et la France est sauvée !

2 SEPTEMBRE 1792

Claude-Henri de Rouvroy, comte de

Saint-Simon

PARIS 1760 – PARIS 1825.

L'économiste Saint-Simon fait partie de la famille du célèbre auteur des ***Mémoires****. La vie de Saint-Simon est celle d'un mystique des sciences allant d'échec en échec. Ses ouvrages -* ***Lettres d'un habitant de Genève à ses contemporains*** *(1802),* ***De la Réorganisation de la société européenne*** *(1814) esquissent une religion nouvelle fondée sur les sciences. Il crée les revues* ***L'Industrie*** *(1818) et* ***L'Organisateur*** *(1819) qui publie la fameuse « Parabole » où Saint-Simon démontre l'inutilité des classes dirigeantes et la nécessité des travailleurs. Le saint-simonisme est une doctrine de l'efficacité : il faut mettre fin au désordre social par l'organisation scientifique et industrielle d'un monde meilleur. La société est essentiellement économique. Dans ces diverses tentatives, Saint-Simon a dissipé toute sa fortune et se voit réduit à la misère, il tente de se tuer en 1823. Ses amis Augustin Thierry et Auguste Comte le soutiennent jusqu'à sa mort, deux ans plus tard.*

ÉCONOMIE POLITIQUE

LA PARABOLE

dans le journal ***l'Organisateur***
(première livraison, 1819)

Saint Simon suppose d'une part que la France ait perdu les hommes « les plus capables dans les sciences, dans les beaux-arts et dans les arts et métiers » ; il examine ce qui en résulterait. Il suppose ensuite que la France ait perdu la noblesse et en déduit les effets :

Comme ces hommes sont les Français les plus essentiellement producteurs, ceux qui donnent les produits les plus importants, ceux qui dirigent les travaux les plus utiles à la nation, et qui la rendent productive dans les sciences, dans les beaux-arts et dans les arts et métiers, ils sont réellement la fleur de la société française, ils sont de tous les Français les plus utiles à leur pays, ceux qui lui procurent le plus de gloire, qui hâtent le plus sa civilisation ainsi que sa prospérité : la nation deviendrait un corps sans âme à l'instant où elle les perdrait ; elle tomberait immédiatement dans un état d'infériorité vis-à-vis des nations dont elle est aujourd'hui la rivale, et elle continuerait à rester subalterne à leur égard tant qu'elle n'aurait pas réparé cette perte, tant qu'il ne lui aurait pas repoussé une tête. Il faudrait à la France au moins une génération entière pour réparer ce malheur, car les hommes qui se distinguent dans les travaux d'une utilité positive sont de véritables anomalies, et la nature n'est pas prodigue d'anomalies, surtout de celles de cette espèce.

Passons à une autre supposition. Admettons que la France conserve tous les hommes de génie qu'elle possède dans les sciences, dans les beaux-arts et dans les arts et métiers, mais qu'elle ait le malheur de perdre, le même jour, Monsieur, frère du roi, Mgr le duc d'Angoulême, Mgr le duc de Berry, Mgr le duc d'Orléans, Mgr le duc de Bourbon, Mme la duchesse d'Angoulême, Mme la duchesse de Berry, Mme la duchesse d'Orléans, Mme la duchesse de Bourbon et Mlle de Condé.

Qu'elle perde en même temps tous les grands officiers de la couronne, tous les ministres d'État, avec ou sans département, tous les conseillers d'État, tous les maîtres de requêtes, tous ses maréchaux, tous ses cardinaux, archevêques, évêques, grands vicaires et chanoines, tous les préfets et sous-préfets, tous les employés dans les ministères, tous les juges, et en sus de cela, les dix mille propriétaires les plus riches parmi ceux qui vivent noblement.

Cet accident affligerait certainement les Français, parce qu'ils sont bons, parce qu'ils ne sauraient voir avec indifférence la disparition subite d'un aussi grand nombre de leurs compatriotes. Mais cette perte des trente mille individus réputés les plus importants de l'État ne leur causerait de chagrin que sous un rapport purement sentimental, car il n'en résulterait aucun mal politique pour l'État.

Rouget de L'Isle

LONS-LE-SAUNIER 1760 – CHOISY-LE-ROI 1836.

*Claude Joseph Rouget de L'Isle entre à l'Ecole Militaire en 1777. Il fréquente beaucoup l'Opéra et se lie avec Beaumarchais. Il écrit chansons et livrets d'opéra, collabore avec Grétry. L'on joue à Strasbourg – où Rouget est envoyé – l'**Hymne à la liberté** qu'il a composé en 1791. En 1792 c'est la guerre, le soir du 25 avril le capitaine Rouget rime le **Chant de guerre pour l'armée du Rhin**. C'est d'abord la garde nationale qui le joue, puis les Fédérés marseillais allant vers Paris, on l'appelle alors la **Marche des Marseillais**. On chante **La Marseillaise** lors de l'attaque des Tuileries. C'est l'hymne de la République depuis le 17 octobre 1792, et le chant national depuis le 14 juillet 1795. Quant à Rouget, il est destitué pour n'avoir pas prêter le nouveau serment. Suspect, il est arrêté sous la Terreur, et le 9 thermidor le délivre. Louis-Philippe lui accorde une pension pour **La Marseillaise**.*

"Allons, enfants de la patrie Le jour de gloire est arrivé"

1792

•LA MARSEILLAISE•

Allons, enfants de la patrie
Le jour de gloire est arrivé.
Contre nous de la tyrannie
L'étendard sanglant est levé.
Entendez-vous dans les campagnes
Mugir ces féroces soldats ?
Ils viennent jusque dans vos bras
Egorgez vos fils, vos compagnes !

(Refrain.)

Aux armes, citoyens ! Formez vos bataillons !
Marchez, qu'un sang impur abreuve vos sillons !

Quoi ! des cohortes étrangères
Feraient la loi dans nos foyers ?
Quoi, ces phalanges mercenaires
Terrasseraient nos fiers guerriers ?
Grand Dieu ! par des mains enchaînés
Nos fronts sous le joug se ploîraient,
De vils despotes deviendraient
Les moteurs de nos destinées !

(Au refrain.)

Tremblez tyrans ! Et vous, perfides,
L'opprobre de tous les partis,
Tremblez, vos projets parricides
Vont enfin recevoir leur prix ;
Tout est soldat pour vous combattre :
S'ils tombent, nos jeunes héros,
La terre en produit de nouveaux
Contre vous tout prêts à se battre.

(Au refrain.)

Français ! en guerriers magnanimes
Portez ou retenez vos coups :
Epargnez ces tristes victimes
A regret s'armant contre nous,
Mais le despote sanguinaire,
Mais les complices de Bouillé
Tous ces tigres qui sans pitié
Déchirent le sein de leur mère...

(Au refrain.)

Que veut cette horde d'esclaves
De traîtres, de rois conjurés ?
Pour qui ces ignobles entraves
Ces fers dès longtemps préparés ?
Français, pour nous, ah ! quel outrage !
Quels transports il doit exciter
C'est nous qu'on ose méditer
De rendre à l'antique esclavage ?

(Au refrain.)

(Le couplet suivant a été ajouté par l'abbé Tessoneau, et adopté par Rouget de L'Isle dans les éditions ultérieures.)

Amour sacré de la patrie
Conduis, soutiens nos bras vengeurs ;
Liberté ! Liberté chérie,
Combats avec tes défenseurs.
Sous nos drapeaux que la mitraille
Accoure à tes mâles accents,
Que tes ennemis expirant
Voient ton triomphe et notre gloire.

(Au refrain.)

(Ce couplet a été ajouté, croit-on par M.-J. Chénier.)

Nous entrerons dans la carrière
Quand nos aînés n'y seront plus ;
Nous y trouverons leur poussière
Et la trace de leurs vertus.
Bien moins jaloux de leur survivre
Que de partager leur cercueil,
Nous aurons le sublime orgueil
De les venger ou de les suivre.

(Au refrain.)

André Marie Chénier

CONSTANTINOPLE 1762 – PARIS 1794.

*Chénier revient en France en 1773. Son père était consul de France à Constantinople. Sa mère d'origine grecque lui apprend l'Antiquité. A quatorze ans Chénier traduit Anacréon et Sappho. Il voyage et mène une vie mondaine sinon « dissipée » en même temps qu'il écrit des poèmes où paraît la sensuelle grâce attique issue des lectures de l'**Anthologie palatine**. Il est quelque temps secrétaire d'ambassade à Londres. S'il est d'abord favorable à la Révolution, pour la liberté qu'elle promet et qui l'enthousiasme, il s'élève vite contre les excès dans le **Journal de Paris** qu'il a fondé avec des amis. Il s'en prend à Robespierre, aux jacobins, et défend Charlotte Corday après le meurtre de Marat. Il est arrêté ; dans la prison de Saint-Lazare il revoit ses écrits et compose les **Iambes**. Il ne daigne pas se défendre devant le Tribunal révolutionnaire qui le condamne à mort. Exécuté deux jours avant la chute de Robespierre, il récite avec son ami Roucher les premières scènes d'Andromaque jusqu'au dernier instant.*

Chénier meurt à 31 ans, il laisse une œuvre ample mais inachevée, d'ébauches et de fragments, presque entièrement inédite. La première édition en sera donnée en 1819 : ce sera une révélation pour les romantiques, Vigny, Hugo, Musset. L'on connaît ce mot de Henri de Régnier qui veut résumer l'histoire de la poésie française : « Ronsard, Chénier, Victor Hugo ». « La jeune Tarentine » est donnée comme une épigramme, une inscription gravée sur un tombeau.

POÉSIE

•LA JEUNE TARENTINE•

Pleurez, doux alcyons, ô vous, oiseaux sacrés,
Oiseaux chers à Thétis, doux alcyons, pleurez.
Elle a vécu, Myrto, la jeune Tarentine.
Un vaisseau la portait aux bords de Camarine
Là l'hymen, les chansons, les flûtes, lentement
Devaient la reconduire au seuil de son amant.
Une clef vigilante a pour cette journée
Dans le cèdre enfermé sa robe d'hyménée
Et l'or dont au festin ses bras seraient parés
Et pour ses blonds cheveux les parfums préparés.
Mais, seule sur la proue, invoquant les étoiles,
Le vent impétueux qui soufflait dans les voiles
L'enveloppe. Étonnée, et loin des matelots,
Elle crie, elle tombe, elle est au sein des flots.
Elle est au sein des flots, la jeune Tarentine.
Son beau corps a roulé sous la vague marine.
Thétis, les yeux en pleurs, dans le creux d'un rocher
Aux monstres dévorants eut soin de la cacher.
Par ses ordres bientôt les belles Néréides
L'élèvent au-dessus des demeures humides,
Le portent au rivage, et dans ce monument
L'ont, au cap du Zéphyr, déposé mollement.

Puis de loin à grands cris appelant leurs compagnes,
Et les Nymphes des bois, des sources, des montagnes,
Toutes, frappant leur sein, et traînant un long deuil,
Répétèrent : « Hélas ! » autour de son cercueil.
Hélas ! chez ton amant tu n'es point ramenée.
Tu n'as point revêtu ta robe d'hyménée.
L'or autour de tes bras n'a point serré de nœuds.
Les doux parfums n'ont point coulé sur tes cheveux.

Audendum est* : *osons, dit l'épigraphe du poème* L'Invention. *A l'imitation, stérile parce que servile, il faut substituer l'invention créatrice dans une fidélité à l'égard des anciens. La véritable tradition est un renouvellement :

•L'INVENTION.

Les coutumes d'alors, les sciences, les mœurs
Respirent dans les vers des antiques auteurs.
Leur siècle est en dépôt dans leurs nobles volumes.
Tout a changé pour nous, mœurs, sciences, coutumes.
Pourquoi donc nous faut-il, par un pénible soin,
Sans rien voir près de nous, voyant toujours bien loin,
Vivant dans le passé, laissant ceux qui commencent,
Sans penser écrivant d'après d'autres qui pensent,
Retraçant un tableau que nos yeux n'ont point vu,
Dire et dire cent fois ce que nous avons lu ?
De la Grèce héroïque et naissante et sauvage
Dans Homère à nos yeux vit la parfaite image.
Démocrite, Platon, Épicure, Thalès,
Ont de loin à Virgile indiqué les secrets
D'une nature encore à leurs yeux trop voilée.
Torricelli, Newton, Kepler et Galilée,
Plus doctes, plus heureux dans leurs puissants efforts,
A tout nouveau Virgile ont ouvert des trésors. (...)
Eh bien ! l'âme est partout ; la pensée a des ailes.
Volons, volons chez eux retrouver leurs modèles,
Voyageons dans leur âge, où, libre, sans détour,
Chaque homme ose être un homme et penser au grand [jour.
Au tribunal de Mars, sur la pourpre romaine,
Là du grand Cicéron la vertueuse haine
Écrase Céthégus, Catilina, Verrès ;
Là tonne Démosthène ; ici, de Périclès
La voix, l'ardente voix, de tous les cœurs maîtresse,
Frappe, foudroie, agite, épouvante la Grèce.
Allons voir la grandeur et l'éclat de leurs jeux.
Ciel ! la mer appelée en un bassin pompeux !
Deux flottes parcourant cette enceinte profonde,
Combattant sous les yeux des conquérants du monde.
O terre de Pélops ! avec le monde entier
Allons voir d'Épidaure un agile coursier
Couronné dans les champs de Némée et d'Élide ;
Allons voir au théâtre, aux accents d'Euripide,
D'une sainte folie un peuple furieux
Chanter : *Amour, tyran des hommes et des Dieux.*
Puis, ivres des transports qui nous viennent surprendre,
Parmi nous, dans nos vers, revenons les répandre ;
Changeons en notre miel leurs plus antiques fleurs ;
Pour peindre notre idée, empruntons leurs couleurs ;
Allumons nos flambeaux à leurs feux poétiques ;
Sur des pensers nouveaux faisons des vers antiques.

En prison Chénier aime « une jeune captive », Aimée de Coigny. Il écrit ces vers en pensant à elle et au-delà d'elle.

•LA JEUNE CAPTIVE.

« L'épi naissant mûrit de la faux respecté ;
Sans crainte du pressoir, le pampre tout l'été
Boit les doux présents de l'aurore ;
Et moi, comme lui belle, et jeune comme lui,
Quoi que l'heure présente ait de trouble et d'ennui,
Je ne veux point mourir encore.

Qu'un stoïque aux yeux secs vole embrasser la mort :
Moi je pleure et j'espère. Au noir souffle du nord
Je plie et relève ma tête.
S'il est des jours amers, il en est de si doux !

Hélas ! quel miel jamais n'a laissé de dégoûts ?
Quelle mer n'a point de tempête ?

L'illusion féconde habite dans mon sein.
D'une prison sur moi les murs pèsent en vain,
J'ai les ailes de l'espérance.
Échappée aux réseaux de l'oiseleur cruel,
Plus vive, plus heureuse, aux campagnes du ciel
Philomène chante et s'élance.

Est-ce à moi de mourir ? Tranquille je m'endors
Et tranquille je veille ; et ma veille aux remords
Ni mon sommeil ne sont en proie.
Ma bienvenue au jour me rit dans tous les yeux ;
Sur des fronts abattus, mon aspect dans ces lieux
Ranime presque de la joie.

Mon beau voyage encore est si loin de sa fin !
Je pars, et des ormeaux qui bordent le chemin
J'ai passé les premiers à peine,
Au banquet de la vie à peine commencé,
Un instant seulement mes lèvres ont pressé
La coupe en mes mains encor pleine.

Je ne suis qu'au printemps, je veux voir la moisson,
Et comme le soleil, de saison en saison,
Je veux achever mon année.
Brillante sur ma tige et l'honneur du jardin,
Je n'ai vu luire encor que les feux du matin ;
Je veux achever ma journée.

Ô mort ! tu peux attendre ; éloigne, éloigne-toi ;
Va consoler les cœurs que la honte, l'effroi,
Le pâle désespoir dévore.
Pour moi Palès encore a des asiles verts,
Les Amours des baisers, les Muses des concerts.
Je ne veux point mourir encore. »

Ainsi, triste et captif, ma lyre toutefois
S'éveillait, écoutant ces plaintes, cette voix,
Ces vœux d'une jeune captive ;
Et secourant le faix de mes jours languissants,
Aux douces lois des vers je pliai les accents
De sa bouche aimable et naïve.

Ces chants, de ma prison témoins harmonieux,
Feront à quelque amant des loisirs studieux
Chercher quelle fut cette belle.
La grâce décorait son front et ses discours,
Et comme elles craindront de voir finir leurs jours
Ceux qui les passeront près d'elle.

En prison, devant la mort, Chénier écrit ces vers véhéments :

.IAMBES.

S'il est écrit aux cieux que jamais une épée
N'étincellera dans mes mains,
Dans l'encre et l'amertume une autre arme trempée
Peut encor servir aux humains.
Justice, Vérité, si ma main, si ma bouche,
Si mes pensers les plus secrets
Ne froncèrent jamais votre sourcil farouche,
Et si les infâmes progrès,
Si la risée atroce, ou, plus atroce injure,
L'encens des hideux scélérats
Ont pénétré vos cœurs d'une longue blessure,
Sauvez-moi. Conservez un bras
Qui lance votre foudre, un amant qui vous venge.
Mourir sans vider mon carquois !
Sans percer, sans fouler, sans pétrir dans leur fange
Ces bourreaux barbouilleurs de lois !
Ces vers cadavéreux de la France asservie,
Égorgée ! O mon cher trésor,
O ma plume ! fiel, bile, horreur, dieux de ma vie !
Par vous seuls je respire encor ;
Comme la poix brûlante agitée en ses veines
Ressuscite un flambeau mourant,
Je souffre ; mais je vis. Par vous, loin de mes peines,
D'espérance un vaste torrent
Me transporte. Sans vous, comme un poison livide,
L'invisible dent du chagrin,
Mes amis opprimés, du menteur homicide
Les succès, le sceptre d'airain,
Des bons proscrits par lui la mort ou la ruine,
L'opprobre de subir sa loi,
Tout eût tari ma vie ; ou contre ma poitrine
Dirigé mon poignard. Mais quoi !
Nul ne resterait donc pour attendrir l'histoire
Sur tant de justes massacrés ?
Pour consoler leurs fils, leurs veuves, leur mémoire,
Pour que des brigands abhorrés
Frémissent aux portraits noirs de leur ressemblance,
Pour descendre jusqu'aux enfers
Nouer le triple fouet, le fouet de la vengance,
Déjà levé sur ces pervers ?
Pour cracher sur leurs noms, pour chanter leur [supplice ?
Allons, étouffe tes clameurs ;
Souffre, ô cœur gros de haine, affamé de justice.
Toi, Vertu, pleure si je meurs.

Marie-Joseph Blaise Chénier

CONSTANTINOPLE 1764 — PARIS 1811.

*Marie-Joseph Chénier est le frère puîné d'André Chénier. Il écrit des tragédies qui lui valent un certain succès (**Charles IX ou l'école des rois**, 1789). Il est membre du Club des jacobins, puis de la Convention, du Conseil des Cinq-Cents, et du Tribunat. On l'accuse de n'avoir rien fait pour aider son frère, il répond par son **Épître sur la calomnie** (1797). Son **Chant du départ**, sur une musique de Méhul, est joué le 14 juillet 1794, et au transfert des cendres de Marat au Panthéon. Il passe ensuite au répertoire de la musique militaire sous le Consulat. Napoléon l'interdit parce qu'il le juge trop révolutionnaire.*

CHANSON

• CHANT DU DÉPART •

1794

UN REPRÉSENTANT DU PEUPLE.

La victoire en chantant nous ouvre la barrière,
La liberté guide nos pas,
Et du Nord au Midi la trompette guerrière
A sonné l'heure des combats !
Tremblez ennemis de la France.
Rois ivres de sang et d'orgueil ;
Le peuple souverain s'avance,
Tyrans, descendez au cercueil !

La République nous appelle,
Sachons vaincre ou sachons périr !

Un Français doit vivre pour elle,
Pour elle un Français doit mourir !

UNE MÈRE DE FAMILLE.

De nos yeux maternels ne craignez point les larmes,
Loin de nous de lâches douleurs ;
Nous devons triompher quand vous prenez les [armes,
C'est à nous à verser des pleurs,
Nous vous avons donné la vie,
Guerriers, elle n'est plus à vous ;
Tous vos jours sont à la patrie,
Elle est votre mère avant nous.

DEUX VIEILLARDS.

Que le fer paternel arme la main des braves ;
Songez à nous au champ de Mars ;
Consacrez dans le sang des rois et des esclaves
Le fer béni par vos vieillards,
Et rapportant sous la chaumière
Des blessures et des vertus,
Venez fermer notre paupière
Quand les tyrans n'y seront plus.

UN ENFANT.

De Bara, de Viala, le sort nous fait envie :
Ils sont morts, mais ils ont vaincu ;
Le lâche, accablé d'ans, n'a point connu la vie :

Qui meurt pour le peuple a vécu.
Vous êtes vaillants, nous le sommes,
Guidez-nous contre les tyrans ;
Les républicains sont des hommes,
Les esclaves sont des enfants.

UNE ÉPOUSE.

Partez, vaillants époux, les combats sont vos fêtes,
Partez, modèle des guerriers ;
Nous cueillerons des fleurs pour en ceindre vos têtes,
Nos mains tresseront vos lauriers.
Et si le temple de Mémoire
S'ouvrait à vos mânes vainqueurs,
Nos voix chanteront votre gloire,
Nos flancs porteront vos vengeurs.

UNE JEUNE FILLE.

Et, nous, sœurs des héros, nous qui de l'hyménée
Ignorons les aimables nœuds,
Si pour s'unir un jour à notre destinée
Les citoyens forment des vœux,
Qu'ils reviennent dans nos murailles,
Beaux de gloire et de liberté,
Et que leur sang, dans les batailles,
Ait coulé pour l'égalité.

TROIS GUERRIERS.

Sur le fer, devant Dieu, nous jurons à nos pères,
A nos épouses, à nos sœurs,
A nos représentants, à nos fils, à nos mères,
D'anéantir les oppresseurs !
En tous lieux, dans la nuit profonde,
Plongeant l'infâme royauté,
Les Français donneront au monde
Et la paix et la liberté !

Anne Louise Germaine Necker, baronne de Staël-Holstein, dite

Madame de Staël

PARIS 1766 — PARIS 1817.

Fille du banquier genevois Necker Madame de Staël passe son enfance dans un milieu intelligent et mondain, elle brille dans le salon de sa mère que fréquentent de brillants esprits comme Buffon et Grimm. En 1792 elle émigre et s'installe au château de Coppet au bord du lac Léman. Elle se marie deux fois et a plusieurs liaisons retentissantes, principalement avec Benjamin Constant. Influencée par Rousseau Mme de Staël écrit deux romans ***Delphine*** *(1802) et* ***Corinne*** *(1807) qui révèlent la condition de la femme romantique, victime des préjugés sociaux et de la lâcheté des hommes. Elle voyage en Allemagne avec Benjamin Constant, s'enthousiasme pour Goethe et Schiller. Elle écrit deux essais sur le romantisme : le premier,* ***De la Littérature...*** *(1800) affirme une évolution de la littérature vers une plus grande perfection. Le second,* ***De l'Allemagne*** *(1813) analyse le romantisme allemand qu'elle aime tant et examine la philosophie allemande.*

ESSAI

. De la Littérature considérée dans ses rapports avec les institutions sociales.

1800

De la Littérature... *est d'abord une réflexion sur les conditions sociologiques et historiques de la création. Mme de Staël affirme un lien constant entre l'état des civilisations et l'évolution de l'art. La littérature est « l'expression de la société ». Ensuite elle s'appuie sur la philosophie kantienne pour exalter la littérature future fondée sur une liberté absolue.*

Mme de Staël examine la création dans ses rapports avec le climat, l'environnement et les institutions sociales :

Je me suis proposée d'examiner quelle est l'influence de la religion, des mœurs et des lois sur la littérature, et quelle est l'influence de la littérature sur la religion, les mœurs et les lois. Il existe dans la langue française, sur l'art d'écrire et sur les principes du goût, des traités qui ne laissent rien à désirer ; mais il semble que l'on n'a pas suffisamment analysé les causes morales et politiques, qui modifient l'esprit de la littérature. Il me semble que l'on n'a pas encore considéré comment les facultés humaines se sont graduellement développées par les ouvrages illustres en tout genre, qui ont été composés depuis Homère jusqu'à nos jours.

J'ai essayé de rendre compte de la marche lente, mais continuelle, de l'esprit humain dans la philosophie, et de ses succès rapides, mais interrompus, dans les arts. Les ouvrages anciens et modernes qui traitent des sujets de morale, de politique ou de science, prouvent évidemment les progrès successifs de la pensée, depuis que son histoire nous est connue. Il n'en est pas de même des beautés poétiques qui appartiennent uniquement à l'imagination. En observant les différences caractéristiques qui se trouvent entre les écrits des Italiens, des Anglais, des Allemands et des Français, j'ai cru pouvoir démontrer que les institutions politiques et religieuses avaient la plus grande part à ces diversités constantes. Enfin, en contemplant, et les ruines, et les espérances que la Révolution française a, pour ainsi dire, confondues ensemble, j'ai pensé qu'il importait de connaître quelle était la puissance que cette révolution a exercée sur les lumières, et quels effets il pourrait en résulter un jour, si l'ordre et la liberté, la morale et l'indépendance républicaine étaient sagement et politiquement combinés.

DISCOURS PRÉLIMINAIRE

De l'Allemagne

1813

Composé de quatre parties **De l'Allemagne** *est un essai sur la littérature et le romantisme allemands. Mme de Staël y analyse les mœurs germaniques, puis la littérature allemande à travers ses divers genres qui aboutit au romantisme (par opposition au classicisme français). Dans la troisième partie elle examine la philosophie allemande (celle de Kant principalement) et son influence sur la littérature. Elle conclut sur le caractère de l'âme allemande :*

Je ne me dissimule point que je vais exposer, en littérature comme en philosophie, des opinions étrangères à celles qui règnent en France ; mais soit qu'elles paraissent justes ou non, soit qu'on les adopte ou qu'on les combatte, elles donnent toujours à penser. Car nous n'en sommes pas, j'imagine, à vouloir élever autour de la France littéraire la grande muraille de la Chine, pour empêcher les idées du dehors d'y pénétrer.

Il est impossible que les écrivains allemands, ces hommes les plus instruits et les plus méditatifs de l'Europe, ne méritent pas qu'on accorde un moment d'attention à leur littérature et à leur philosophie. On oppose à l'une qu'elle n'est pas de bon goût, et à l'autre qu'elle est pleine de folies. Il se pourrait qu'une littérature ne fût pas conforme à notre législation du bon goût, et qu'elle contînt des idées nouvelles dont nous puissions nous enrichir, en les modifiant à notre manière. C'est ainsi que les Grecs nous ont valu Racine, et Shakespeare plusieurs des tragédies de Voltaire. La stérilité dont notre littérature est menacée ferait croire que l'esprit français lui-même a besoin maintenant d'être renouvelé par une sève plus vigoureuse ; et comme l'élégance de la société nous préservera toujours de certaines fautes, il nous importe surtout de retrouver la source des grandes beautés.

OBSERVATIONS GÉNÉRALES

Le nom de *romantique* a été introduit nouvellement en Allemagne, pour désigner la poésie dont les chants des troubadours ont été l'origine, celle qui est née de la chevalerie et du christianisme. Si l'on n'admet pas que le paganisme et le christianisme, le Nord et le Midi, l'antiquité et le moyen âge, la chevalerie et les institutions grecques et romaines, se sont partagé l'empire de la littérature, l'on ne parviendra jamais à juger sous un point de vue philosophique le goût antique et le goût moderne.

On prend parfois le mot classique comme synonyme de perfection. Je m'en sers ici dans une autre acception, en considérant la poésie classique comme celle des anciens, et la poésie romantique comme celle qui tient de quelque manière aux traditions chevaleresques. Cette division se rapporte également aux deux ères du monde : celle qui a été l'établissement du christianisme, et celle qui l'a suivi. (...)

Il y a dans les poèmes épiques et dans les tragédies des anciens un genre de simplicité qui tient à ce que les hommes étaient identifiés à cette époque avec la nature, et croyaient dépendre du destin comme elle dépend de la nécessité. L'homme, réfléchissant peu portait toujours l'action de son âme au dehors ; la conscience elle-même était figurée par des objets extérieurs, et les flambeaux des Furies secouaient des remords sur la tête des coupables. L'événement était tout dans l'antiquité ; le caractère tient plus de place dans les temps modernes ; et cette réflexion inquiète, qui nous dévore souvent comme le vautour de Prométhée, n'eût semblé que de la folie, au milieu des rapports clairs et prononcés qui existaient dans l'état civil et social des anciens (...)

L'homme personnifiait la nature ; des nymphes habitaient les eaux, des hamadryades les forêts : mais la nature, à son tour, s'emparait de l'homme, et l'on eût dit qu'il ressemblait au torrent, à la foudre, au volcan, tant il agissait par une impulsion involontaire, et sans que la réflexion pût en rien altérer les motifs ni les suites de ses actions. Les anciens avaient, pour ainsi dire, une âme corporelle, dont tous les mouvements étaient forts, directs et conséquents ; il n'en est pas de même du cœur humain développé par le christianisme : les modernes ont puisé dans le repentir chrétien l'habitude de se replier continuellement sur eux-mêmes... (...)

La littérature des anciens est chez les modernes une littérature transplantée : la littérature romantique ou chevaleresque est chez nous indigène, et c'est notre religion et nos institutions qui l'ont fait éclore. Les écrivains imitateurs des anciens se sont soumis aux règles du goût les plus sévères ; car, ne pouvant consulter ni leur propre nature, ni leurs propres souvenirs, il a fallu qu'ils se conformassent aux lois d'après lesquelles les chefs-d'œuvre des anciens peuvent être adaptés à notre goût, bien que toutes les circonstances politiques et religieuses qui ont donné le jour à ces chefs-d'œuvres soient changées. Mais ces poésies d'après l'antique, quelque parfaites qu'elles soient, sont rarement populaires, parce qu'elles ne tiennent, dans le temps actuel, à rien de national. (...)

Nos poètes français sont admirés par tout ce qu'il y a d'esprits cultivés chez nous et dans le reste de l'Europe ; mais ils sont tout à fait inconnus aux gens du peuple et aux bourgeois même des villes, parce que les arts en France ne sont pas, comme ailleurs, natifs, du pays même où leurs beautés se développent. (...)

La littérature romantique est la seule qui soit susceptible encore d'être perfectionnée, parce qu'ayant ses racines dans notre propre sol, elle est la seule qui puisse croître et se vivifier de nouveau : elle exprime notre religion ; elle rappelle notre histoire ; son origine est ancienne, mais non antique.

La poésie classique doit passer par les souvenirs du paganisme pour arriver jusqu'à nous : la poésie des Germains est l'ère chrétienne des beaux-arts : elle se sert de nos impressions personnelles pour nous émouvoir : le génie qui l'inspire s'adresse immédiatement à notre cœur, et semble évoquer notre vie elle-même comme un fantôme, le plus puissant et le plus terrible de tous.

DEUXIÈME PARTIE, CHAPITRE 2

"La littérature romantique est la seule qui soit susceptible encore d'être perfectionnée, parce qu'ayant ses racines dans notre sol elle est la seule qui puisse croître et se vivifier de nouveau"

Benjamin Constant

LAUSANNE 1767 – PARIS 1830.

Après des études en Angleterre et en Allemagne, Benjamin Constant de Rebecque séjourne à Paris où il rencontre en 1794 Mme de Staël avec laquelle il entretient une liaison orageuse et passionnée pendant quinze ans. Toute sa vie Benjamin Constant ne saura que faire des femmes aimées, avec quelles rompre, avec quelle se marier. Mais il a aussi une vie politique active : membre du Tribunat, il s'oppose à Bonaparte, s'exile à Coppet avec Mme de Staël ; ensuite, à partir des Cent-Jours et sous la Restauration jusqu'à sa mort il joue un rôle important à la tête du parti libéral. Il est l'auteur d'une œuvre politique importante, ***Des Réactions politiques, Des effets de la Terreur, Cours de politique constitutionnelle****, etc. Mais c'est* ***Adolphe****, roman d'analyse écrit en 1806, puis* ***Cécile****, autobiographie à peine romancée (1810) qui l'on immortalisé.* ***Le Cahier rouge*** *et ses* ***Journaux intimes*** *seront publiés après sa mort.*

ROMAN

.Adolphe.

écrit en 1806, publié en 1816

__Adolphe__ est le chef-d'œuvre de Benjamin Constant. C'est un roman d'analyse dont les thèmes centraux sont l'expérience de soi et le conflit entre le désir et l'incapacité d'aimer.

Adolphe séduit par vanité Ellénore qui lui voue un amour passionné. Adolphe est à la fois fasciné et lassé par l'amour et les sacrifices d'Ellénore. A mesure que la passion d'Ellénore grandit, Adolphe se détache d'elle. Après maintes hésitations il décide de rompre, mais la force lui manque. Ellénore apprend qu'il a promis à un ami de son père de l'abandonner. Elle en meurt, sans un reproche. Adolphe reste seul, libre mais brisé à jamais : au-delà du remords il connaît le néant du désert intérieur, « J'étais libre, en effet, je n'étais plus aimé : j'étais étranger pour tout le monde » sont les dernières paroles d'Adolphe.

Adolphe entreprend de séduire Ellénore par désœuvrement et par goût de la stratégie amoureuse. Ellénore résiste, Adolphe se grise de ses paroles et finit par se persuader qu'il est amoureux :

« Ellénore, lui écrivais-je un jour, vous ne savez pas tout ce que je souffre. Près de vous, loin de vous, je suis également malheureux. Pendant les heures qui nous séparent, j'erre au hasard, courbé sous le fardeau d'une existence que je ne sais comment supporter. La société m'importune, la solitude m'accable. Ces indifférents qui m'observent, qui ne connaissent rien de ce qui m'occupe, qui me regardent avec une curiosité sans intérêt, avec un étonnement sans pitié, ces hommes qui osent me parler d'autre chose que de vous, portent dans mon sein une douleur mortelle. Je les fuis ; mais, seul, je cherche en vain un air qui pénètre dans ma poitrine oppressée. Je me précipite sur cette terre qui devrait s'entrouvrir pour m'engloutir à jamais ; je pose ma tête sur la pierre froide qui devrait calmer la fièvre ardente qui me dévore. Je me traîne vers cette colline d'où l'on aperçoit votre maison ; je reste là, les yeux fixés sur cette retraite que je n'habiterai jamais avec vous. Et si je vous avais rencontrée plus tôt, vous auriez pu être à moi ! J'aurais serré dans mes bras la seule créature que la nature ait formée pour mon cœur, pour ce cœur qui a tant souffert parce qu'il vous cherchait et qu'il ne vous a trouvée que trop tard ! Lorsque enfin ces heures de délire sont passées, lorsque le moment arrive où je puis vous voir, je prends en tremblant la route de votre demeure. Je crains que tous ceux qui me rencontrent ne devinent les sentiments que je porte en moi ; je m'arrête ; je marche à pas lents : je retarde l'instant du bonheur, de ce bonheur que tout menace, que je me crois toujours sur le point de perdre ; bonheur imparfait et troublé, contre lequel conspirent peut-être à chaque minute et les événements funestes et les regards jaloux, et les caprices tyranniques, et votre propre volonté. Quand je touche au seuil de votre porte, quand je l'entrouve, une nouvelle terreur me saisit : je m'avance comme un coupable, demandant grâce à tous les objets qui frappent ma vue, comme si tous étaient ennemis, comme si tous m'enviaient l'heure de félicité dont je vais encore jouir. Le moindre son m'effraie, le moindre mouvement autour de moi m'épouvante, le bruit même de mes pas me fait reculer. Tout près de vous, je crains encore quelque obstacle qui se place soudain entre vous et moi. Enfin je vous vois, je vous vois et je respire, et je vous contemple et je m'arrête, comme le fugitif qui touche au sol protecteur qui doit le garantir de la mort. Mais alors même, lorsque tout mon être s'élance vers vous, lorsque j'aurais un tel besoin de me reposer de tant d'angoisses, de poser ma tête sur vos genoux, de donner un libre cours à mes larmes, il faut que je me contraigne avec violence, que même auprès de vous je vive encore d'une vie d'effort ; pas un instant d'épanchement, pas un instant d'abandon ! Vos regards m'observent. Vous êtes embarrassée, presque offensée de mon trouble. Je ne sais quelle gêne a succédé à ces heures délicieuses où du moins vous m'avouiez votre amour. Le temps s'enfuit, de nouveaux intérêts vous appellent : vous ne les oubliez jamais ; vous ne retardez jamais l'instant qui m'éloigne. »

CHAPITRE 3

Ellénore est devenue la maîtresse d'Adolphe. A mesure qu'elle l'aime davantage Adolphe se lasse. Le comte P..., ancien ami d'Ellénore, offre à celle-ci la moitié de sa fortune si elle consent à quitter Adolphe. Ellénore est décidée à refuser alors qu'Adolphe songe à la quitter :

Il m'était clair que nos liens devaient se rompre. Ils étaient douloureux pour moi, ils lui devenaient nuisibles ; j'étais le seul obstacle à ce qu'elle retrouvât un état convenable et la considération, qui, dans le monde, suit tôt ou tard l'opulence ; j'étais la seule barrière entre elle et ses enfants : je n'avais plus d'excuse à mes propres yeux. Lui céder dans cette circonstance n'était plus de la générosité, mais une coupable faiblesse. J'avais promis à mon père de redevenir libre aussitôt que je ne serais plus nécessaire à Ellénore. Il était temps enfin d'entrer dans une carrière, de commencer une vie active, d'acquérir quelques titres à l'estime des hommes, de faire un noble usage de mes facultés. Je retournai chez Ellénore, me croyant inébranlable dans le dessein de la forcer à ne pas rejeter les offres du compte de P... et pour lui déclarer, s'il le fallait, que je n'avais plus d'amour pour elle. « Chère amie, lui dis-je, on lutte quelque temps contre sa destinée, mais on finit toujours par céder. Les lois de la société sont plus fortes que les volontés des hommes ; les sentiments les plus impérieux se brisent contre la fatalité des circonstances. En vain l'on s'obstine à ne consulter que son cœur ; on est condamné tôt ou tard à écouter la raison. Je ne puis vous retenir plus longtemps dans une position également indigne de vous et de moi ; je ne le puis ni pour vous ni pour moi-même. » A mesure que je parlais sans regarder Ellénore, je sentais mes idées devenir plus vagues et ma résolution faiblir. Je voulus ressaisir mes forces, et je continuai d'une voix précipitée : « Je serai toujours votre ami ; j'aurai toujours pour vous l'affection la plus profonde. Les deux années de notre liaison ne s'effaceront pas de ma mémoire ; elles seront à jamais l'époque la plus belle de ma vie. Mais l'amour, ce transport des sens, cette ivresse involontaire, cet oubli de tous les intérêts, de tous les devoirs, Ellénore, je ne l'ai plus. » J'attendis longtemps sa réponse sans lever les yeux sur elle. Lorsque enfin je la regardai, elle était immobile ; elle contemplait tous les objets comme si elle n'en eût reconnu aucun ; je pris sa main : je la trouvai froide. Elle me repoussa. « Que me voulez-vous ? me dit-elle ; ne suis-je pas seule, seule dans l'univers, seule sans un être qui m'entende ? Qu'avez-vous encore à me dire ? ne m'avez-vous pas tout dit ? tout n'est-il pas fini, fini sans retour ? Laissez-moi, quittez-moi ; n'est-ce pas là ce que vous désirez ? » Elle voulut s'éloigner, elle chancela ; j'essayai de la retenir, elle tomba sans connaissance à mes pieds ; je la relevai, je l'embrassai, je rappelai ses sens.

« Ellénore, m'écriai-je, revenez à vous, revenez à moi ; je vous aime d'amour, de l'amour le plus tendre, je vous avais trompée pour que vous fussiez plus libre dans votre choix. » Crédulités du cœur, vous êtes inexplicables ! Ces simples paroles, démenties par tant de paroles précédentes, rendirent Ellénore à la vie et à la confiance ; elle me les fit répéter plusieurs fois : elle semblait respirer avec avidité. Elle me crut : elle s'enivra de son amour, qu'elle prenait pour le nôtre ; elle confirma sa réponse au comte de P..., et je me vis plus engagé que jamais.

CHAPITRE 4

L'entourage d'Adolphe le presse de rompre, Adolphe hésite, enfin il promet cette rupture prochaine. Ellénore apprend qu'elle va être abandonnée et meurt de douleur :

A dater de ce jour, je vis Ellénore s'affaiblir et dépérir. Je rassemblai de toutes parts des médecins autour d'elle : les uns m'annoncèrent un mal sans remède, d'autres me bercèrent d'espérances vaines ; mais la nature sombre et silencieuse poursuivait d'un bras invisible son travail impitoyable. Par moments, Ellénore semblait reprendre à la vie. On eût dit quelquefois que la main de fer qui pesait sur elle s'était retirée. Elle relevait sa tête languissante ; ses joues se couvraient de couleurs un peu plus vives ; ses yeux se ranimaient : mais tout à coup, par le jeu cruel d'une puissance inconnue, ce mieux mensonger disparaissait, sans que l'art en pût deviner la cause. Je la vis de la sorte marcher par degrés à la destruction. Je vis se graver sur cette figure si noble et si expressive les signes avant-coureurs de la mort. Je vis, spectacle humiliant et déplorable, ce caractère énergique et fier recevoir de la souffrance physique mille impressions confuses et incohérentes, comme si, dans ces instants terribles, l'âme, froissée par le corps, se métamorphosait en tous sens pour se plier avec moins de peine à la dégradation des organes.

Un seul sentiment ne varia jamais dans le cœur d'Ellénore : ce fut sa tendresse pour moi. Sa faiblesse lui permettait rarement de me parler ; mais elle fixait sur moi ses yeux en silence, et il me semblait alors que ses regards me demandaient la vie, que je ne pouvais plus lui donner. Je craignais de lui causer une émotion violente ; j'inventais des prétextes pour sortir : je parcourais au hasard tous les lieux où je m'étais trouvé avec elle ; j'arrosais de mes pleurs les pierres, le pied des arbres, tous les objets qui me retraçaient son souvenir.

Ce n'était pas les regrets de l'amour, c'était un sentiment plus sombre et plus triste ; l'amour s'identifie tellement à l'objet aimé que dans son désespoir même il y a quelque charme. Il lutte contre la réalité, contre la destinée ; l'ardeur de son désir le trompe sur ses forces, et l'exalte au milieu de sa douleur. La mienne était morne et solitaire ; je n'espérais point mourir avec Ellénore ; j'allais vivre sans elle dans ce désert du monde, que j'avais souhaité tant de fois de traverser indépendant. J'avais brisé l'être qui m'aimait ; j'avais brisé ce cœur, compagnon du mien, qui avait persisté à se dévouer à moi, dans sa tendresse infatigable ; déjà l'isolement m'atteignait. Ellénore respirait encore, mais je ne pouvais déjà plus lui confier mes pensées ; j'étais déjà seul sur la terre ; je ne vivais plus dans cette atmosphère d'amour qu'elle répandait autour de moi ; l'air que je respirais me paraissait plus rude, les visages des hommes que je rencontrais plus indifférents ; toute la nature semblait me dire que j'allais à jamais cesser d'être aimé.

Le danger d'Ellénore devint tout à coup plus imminent ; des symptômes qu'on ne pouvait méconnaître annoncèrent sa fin prochaine. (...)

Elle s'assoupit d'un sommeil assez paisible ; elle se réveilla moins souffrante ; j'étais seul dans sa chambre ; nous nous parlions de temps en temps à de longs intervalles. Le médecin qui s'était montré le plus habile dans ses conjonctures m'avait prédit qu'elle ne vivrait pas vingt-quatre heures ; je regardais tour à tour une pendule qui marquait les heures, et le visage d'Ellénore, sur lequel je n'apercevais nul changement nouveau. Chaque minute qui s'écoulait ranimait mon espérance, et je révoquais en doute les présages d'un art mensonger. Tout à coup Ellénore s'élança par un mouvement subit ; je la retins dans mes bras : un tremblement convulsif agitait tout son corps ; ses yeux me cherchaient, mais dans ses yeux se peignait un effroi vague, comme si elle eût demandé grâce à quelque objet menaçant qui se dérobait à mes regards : elle se relevait, elle retombait, on voyait qu'elle s'efforçait de fuir ; on eût dit qu'elle luttait contre une puissance physique invisible qui, lassée d'attendre le moment funeste, l'avait saisie et la retenait pour l'achever sur ce lit de mort. Elle céda enfin à l'acharnement de la nature ennemie ; ses membres s'affaissèrent, elle sembla reprendre quelque connaissance : elle me serra la main ; elle voulut pleurer, il n'y avait plus de larmes ; elle voulut parler, il n'y avait plus de voix : elle laissa tomber, comme résignée, sa tête sur le bras qui l'appuyait ; sa respiration devint plus lente ; quelques instants après elle n'était plus.

Je demeurai longtemps immobile près d'Ellénore sans vie. La conviction de sa mort n'avait pas encore pénétré dans mon âme ; mes yeux contemplaient avec un étonnement stupide ce corps inanimé. Une de ses femmes étant entrée répandit dans la maison la sinistre nouvelle. Le bruit qui se fit autour de moi me tira de la léthargie où j'étais plongé ; je me levai : ce fut alors que j'éprouvai la douleur déchirante et toute l'horreur de l'adieu sans retour. Tant de mouvement, cette activité de la vie vulgaire, tant de soins et d'agitations qui ne la regardaient plus, dissipèrent cette illusion que je prolongeais, cette illusion par laquelle je croyais encore exister avec Ellénore. Je sentis le dernier lien se rompre, et l'affreuse réalité se placer à jamais entre elle et moi. Combien elle me pesait, cette liberté que j'avais tant regrettée ! Combien elle manquait à mon cœur, cette dépendance qui m'avait révolté souvent ! Naguère toutes mes actions avaient un but ; j'étais sûr, par chacune d'elles, d'épargner une peine ou de causer un plaisir : je m'en plaignais alors ; j'étais impatienté qu'un œil ami observât mes démarches, que le bonheur d'un autre y fût attaché. Personne maintenant ne les observait ; elles n'intéressaient personne ; nul ne me disputait mon temps ni mes heures ; aucune voix ne me rappelait quand je sortais. J'étais libre, en effet, je n'étais plus aimé : j'étais étranger pour tout le monde.

CHAPITRE 10

François-René, vicomte de

Chateaubriand

SAINT-MALO 1768 – PARIS 1848.

Issu d'une famille ancienne et pauvre, François-René de Chateaubriand est un enfant orgueilleux et mélancolique, il joue sur la plage. En 1777 la famille s'installe dans le château de ses ancêtres à Combourg. Solitaire, exalté il est transporté pour sa sœur Lucile d'une tendresse amoureuse. En 1785 il obtient un brevet de sous-lieutenant au régiment de Navarre ; il part pour l'Amérique du Nord où il voyage de juillet à décembre 1791. Il revient pendant la Révolution, se marie, puis rejoint l'armée des émigrés. Blessé, il se réfugie en Angleterre de 1793 à 1800. Il y vit misérablement et travaille à son ***Essai sur les Révolutions*** *(1797). La mort de sa mère et de sa sœur Julie frappent Chateaubriand qui revient à la religion qu'il avait abandonnée : il décide de consacrer son œuvre littéraire à l'apologie de la religion. Il entreprend* ***Le Génie du Christianisme*** *(1802), compose deux romans,* ***Atala*** *(1801) et* ***René*** *(1802), il rédige* ***Les Martyrs*** *– épopée en prose sur les premiers temps du Christianisme. La religion est source de sensibilité, la nature est associée à la mélancolie. Ses ouvrages ont un succès immédiat ; Bonaparte qui voit dans la restauration religieuse un moyen de fortifier l'ordre intérieur, propose à Chateaubriand de faire carrière dans la diplomatie. Mais celui-ci démissionne en 1804, après l'exécution du duc d'Enghien. Il écrit* ***Itinéraire de Paris à Jérusalem*** *en 1811. Il prend position contre Napoléon et pour les Bourbons dans une brochure* ***De Buonaparte et des Bourbons*** *(1814). Après Waterloo, il est nommé pair de France par le Roi. Il publie alors* ***la Monarchie selon la Charte****. Comme il s'est rallié au parti des ultra-royalistes, Louis XVIII cherche à l'éloigner en le nommant ambassadeur à Berlin, puis à Londres. Charles X, suivant l'exemple de son prédécesseur, l'éloigne en le nommant ambassadeur à Rome. Après juillet 1830, Chateaubriand refuse de servir Louis-Philippe et entre dans une studieuse retraite : il compose une* ***Vie de Rancé*** *(1844). Ce prêtre du XVIIe siècle converti après une jeunesse mondaine n'est pas sans rappeler la destinée de Chateaubriand. Il complète et termine le chef-d'œuvre de sa vie : Les* ***Mémoires d'outre-tombe*** *qu'il avait commencées en 1809 et qu'il termine en 1841. Au fur et à mesure que son travail avançait il en lisait des passages dans le salon de Mme de Récamier, qui resta son amie intime jusqu'à sa mort. Il meurt en 1848 ; selon son vœu il est enterré sur l'îlot du Grand-Bé, près de Saint-Malo.*

ROMAN

Atala

1801

Tragédie de l'amour et de la foi, ce récit raconte comment, au cours d'une guerre entre deux tribus indiennes, le jeune indien Chactas est fait prisonnier et sauvé par une jeune indienne d'éducation chrétienne, Atala. Tous deux fuient dans la forêt. Ils s'aiment. Un missionnaire, qu'ils ont rencontré, veut les unir, mais Atala considère comme un engagement définitif la consécration à la Vierge que sa mère a faite sur sa personne, elle préfère la mort à l'amour.

LES FUNÉRAILLES D'ATALA

Nous convînmes que nous partirions le lendemain au lever du soleil pour enterrer Atala sous l'arche du pont naturel, à l'entrée des Bocages de la mort. Il fut aussi résolu que nous passerions la nuit en prière auprès du corps de cette sainte.

Vers le soir, nous transportâmes ses précieux restes à une ouverture de la grotte qui donnait vers le Nord. L'ermite les avait roulés dans une pièce de lin d'Europe, filé par sa mère : c'était le seul bien qui lui restât de sa patrie, et depuis longtemps il le destinait à son propre tombeau. Atala était couchée sur un gazon de sensitives des montagnes ; ses pieds, sa tête, ses épaules et une partie de son sein étaient découverts. On voyait dans ses cheveux une fleur de magnolia fanée... Ses lèvres, comme un bouton de rose cueilli depuis deux matins, semblaient languir et sourire. Dans ses joues d'une blancheur éclatante, on distinguait quelques veines bleues. Ses beaux yeux étaient fermés, ses pieds modestes étaient joints, et ses mains d'albâtre pressaient sur son cœur un crucifix d'ébène ; le scapulaire de ses vœux était passé à son cou. Elle paraissait enchantée par l'Ange de la mélancolie, et par le double sommeil de l'innocence et de la tombe. Je n'ai rien vu de plus céleste. Quiconque eût ignoré que cette jeune fille avait joui de la lumière, aurait pu la prendre pour la statue de la Virginité endormie.

La lune prêta son pâle flambeau à cette veillée funèbre. Elle se leva au milieu de la nuit, comme une blanche vestale qui vient pleurer sur le cercueil d'une compagne. Bientôt elle répandit dans les bois ce grand secret de mélancolie, qu'elle aime à raconter aux vieux chênes et aux rivages antiques des mers. De temps en temps, le religieux plongeait un rameau fleuri dans une eau consacrée, puis secouant la branche humide, il parfumait la nuit des baumes du ciel. Parfois il répétait sur un air antique quelques vers d'un vieux poète nommé Job ; il disait : « J'ai passé comme une fleur ; j'ai séché comme l'herbe des champs.

Pourquoi la lumière a-t-elle été donnée à un misérable, et la vie à ceux qui sont dans l'amertume du cœur ? »

Ainsi chantait l'ancien des hommes. Sa voix grave et un peu cadencée allait roulant dans le silence des déserts. Le nom de Dieu et du tombeau sortait de tous les échos, de tous les torrents, de toutes les forêts. Les roucoulements de la colombe de Virginie, la chute d'un torrent dans la montagne, les tintements de la cloche qui appelait les voyageurs, se mêlaient à ces chants funèbres, et l'on croyait entendre dans les Bocages de la mort le chœur lointain des décédés, qui répondait à la voix du Solitaire.

Cependant une barre d'or se forma dans l'Orient. Les éperviers criaient sur les rochers, et les martres rentraient dans le creux des ormes : c'était le signal du convoi d'Atala. Je chargeai le corps sur mes épaules ; l'ermite marchait devant moi, une bêche à la main. Nous commençâmes à descendre, de rochers en rochers ; la vieillesse et la mort ralentissaient également nos pas. A la vue du chien qui nous avait trouvés dans la forêt, et qui maintenant, bondissant de joie, nous traçait une autre route, je me mis à fondre en larmes. Souvent la longue chevelure d'Atala, jouet des brises matinales, étendait son voile d'or sur mes yeux ; souvent pliant sous le fardeau, j'étais obligé de le déposer sur la mousse, et de m'asseoir auprès, pour reprendre des forces. Enfin, nous arrivâmes au lieu marqué par ma douleur ; nous descendîmes sous l'arche du pont. O mon fils, il eût fallu voir un jeune Sauvage et un vieil ermite, à genoux l'un vis-à-vis de l'autre dans un désert, creusant avec leurs mains un tombeau pour une pauvre fille dont le corps était étendu près de là, dans la ravine desséchée d'un torrent !

Quand notre ouvrage fut achevé, nous transportâmes la beauté dans son lit d'argile. Hélas ! j'avais espéré de préparer une autre couche pour elle ! Prenant alors un peu de poussière dans ma main, et gardant un silence effroyable, j'attachai, pour la dernière fois, mes yeux sur le visage d'Atala. Ensuite je répandis la terre du sommeil sur un front de dix-huit printemps ; je vis graduellement disparaître les traits de ma sœur, et ses grâces se cacher sous le rideau de l'éternité.

.René.

1802

L'ÉLAN VERS L'INFINI

René raconte l'histoire de son enfance et de sa jeunesse mélancolique et exaltée. Il ne se trouve pas à l'aise avec les hommes et cherche la solitude.

Mais comment exprimer cette foule de sensations fugitives, que j'épouvrais dans mes promenades ? Les sons que rendent les passions dans le vide d'un cœur solitaire ressemblent au murmure que les vents et les eaux font entendre dans le silence d'un désert ; on en jouit, mais on ne peut les peindre.

L'automne me surprit au milieu de ces incertitudes : j'entrai avec ravissement dans les mois des tempêtes. Tantôt j'aurais voulu être un de ces guerriers errant au milieu des vents, des nuages et des fantômes ; tantôt j'enviais jusqu'au sort du pâtre que je voyais réchauffer ses mains à l'humble feu de broussailles qu'il avait allumé au coin d'un bois. J'écoutais ses chants mélancoliques, qui me rappelaient que dans tout pays le chant naturel de l'homme est triste, lors même qu'il exprime le bonheur. Notre cœur est un instrument incomplet, une lyre où il manque des cordes, et où nous sommes forcés de rendre les accents de la joie sur le ton consacré aux soupirs.

Le jour, je m'égarais sur de grandes bruyères terminées par des forêts. Qu'il fallait peu de choses à ma rêverie ! Une feuille séchée que le vent chassait devant moi, une cabane dont la fumée s'élevait dans la cime dépouillée des arbres, la mousse qui tremblait au souffle du Nord sur le tronc d'un chêne, une roche écartée, un étang désert où le jonc flétri murmurait ! Le clocher solitaire s'élevant au loin dans la vallée a souvent attiré mes regards ; souvent j'ai suivi des yeux les oiseaux de passage qui volaient au-dessus de ma tête. Je me figurais les bords ignorés, les climats lointains où ils se rendent ; j'aurais voulu être sur leurs ailes. Un secret instinct me tourmentait : je sentais que je n'étais moi-même qu'un voyageur, mais une voix du ciel semblait me dire : « Homme, la saison de ta migration n'est pas encore venue ; attends que le vent de la mort se lève, alors tu déploieras ton vol vers ces régions inconnues que ton cœur demande. »

« Levez-vous vite, orages désirés qui devez emporter René dans les espaces d'une autre vie ! » Ainsi disant, je marchais à grands pas, le visage enflammé, le vent sifflant dans ma chevelure, ne sentant ni pluie, ni frimas, enchanté, tourmenté, et comme possédé par le démon de mon cœur.

La nuit, lorsque l'aquilon ébranlait ma chaumière, que les pluies tombaient en torrent sur mon toit, qu'à travers ma fenêtre je voyais la lune sillonner les nuages amoncelés, comme un pâle vaisseau qui laboure les vagues, il me semblait que la vie redoublait au fond de mon cœur, que j'aurais la puissance de créer des mondes.

PHILOSOPHIE

.Génie du christianisme.

1802

*Le **Génie du christianisme** se compose de quatre parties. La première rappelle les dogmes du christianisme ; la seconde et la troisième parties – **Poétique du christianisme** et **Beaux-arts et Littérature** – sont une justification spirituelle du christianisme par l'esthétique ; La dernière partie présente le christianisme comme la source du progrès de la civilisation. Chateaubriand préfère à une apologie rationnelle et théologique du christianisme une apologie fondée sur les harmonies de la nature et les sentiments. Le christianisme prend souvent les formes d'une religion naturelle.*

La volonté de Dieu se manifeste dans le spectacle de l'univers :

La nature a ses temps de solennité, pour lesquels elle convoque des musiciens de différentes régions du globe. On voit accourir de savants artistes avec des sonates merveilleuses, de vagabonds troubadours qui ne savent chanter que des ballades à refrain, des pèlerins qui répètent mille fois les couplets de leurs longs cantiques. Le loriot siffle, l'hirondelle gazouille, le ramier gémit : le premier, perché sur la plus haute branche d'un ormeau, défie notre merle, qui ne le cède en rien à cet étranger ; la seconde, sous un toit hospitalier, fait entendre son ramage confus ainsi qu'au temps d'Évandre ; le troisième, caché dans le feuillage d'un chêne, prolonge ses roucoulements, semblables aux sons onduleux d'un cor dans les bois ; enfin le rouge-gorge répète sa petite chanson sur la porte de la grange où il a placé son gros nid de mousse. Mais le rossignol dédaigne de perdre sa voix au milieu de cette symphonie : il attend l'heure du recueillement et du repos, et se charge de cette partie de la fête qui se doit célébrer dans les ombres.

Lorsque les premiers silences de la nuit et les derniers murmures du jour luttent sur les coteaux, au bord des fleuves, dans les bois et dans les vallées ; lorsque les forêts se taisent par degrés, que pas une feuille, pas une mousse ne soupire, que la lune est dans le ciel, que l'oreille de l'homme est attentive, le premier chantre de la création entonne ses hymnes à l'Éternel. D'abord il frappe l'écho des brillants éclats du plaisir : le désordre est dans ses chants ; il saute du grave à l'aigu, du doux au fort ; il fait des pauses ; il est lent, il est vif : c'est un cœur que la joie enivre, un cœur qui palpite sous le poids de l'amour. Mais tout à coup la voix tombe, l'oiseau se tait. Il recommence ! Que ses accents sont changés ! quelle tendre mélodie. Tantôt ce sont des modulations languissantes, quoique variées ; tantôt c'est un air un peu monotone, comme celui de ces vieilles romances françaises, chefs-d'œuvre de simplicité et de mélancolie. Le chant est aussi souvent la marque de la tristesse que de la joie : l'oiseau qui a perdu ses petits chante encore ; c'est encore l'air du temps du bonheur qu'il redit, car il n'en sait qu'un ; mais, par un coup de son art, le musicien n'a fait que changer la clef, et la cantate du plaisir est devenue la complainte de la douleur.

PREMIÈRE PARTIE, V,
CHAPITRE V

Le christianisme est source du renouvellement des Beaux-Arts dans le monde moderne, comme le prouvent les églises gothiques :

Chaque chose doit être mise en son lieu, vérité triviale à force d'être répétée, mais sans laquelle, après tout, il ne peut y avoir rien de parfait. Les Grecs n'auraient pas plus aimé un temple égyptien à Athènes que les Égyptiens un temple grec à Memphis. Ces deux monuments changés de place auraient perdu leur principale beauté, c'est-à-dire leurs rapports avec les institutions et les habitudes des peuples. Cette réflexion s'applique pour nous aux anciens monuments du christianisme. Il est même curieux de remarquer que, dans ce siècle incrédule, les poètes et les romanciers, par un retour naturel vers les mœurs de nos aïeux, se plaisent à introduire dans leurs fictions des souterrains, des fantômes, des châteaux, des temples gothiques : tant ont de charmes les souvenirs qui se lient à la religion et à l'histoire de la patrie ! Les nations ne jettent pas à l'écart leurs antiques mœurs comme on se dépouille d'un vieil habit. On leur en peut arracher quelques parties, mais il en reste des lambeaux qui forment avec les nouveaux vêtements une effroyable bigarrure.

On aura beau bâtir des temples grecs, bien élégants, bien éclairés pour rassembler le *bon peuple* de saint Louis, et lui faire adorer un Dieu *métaphysique*. Il regrettera toujours ces *Notre-Dame* de Reims et de Paris, ces basiliques toutes moussues, toutes remplies des générations des décédés et des âmes de ses pères ; il regrettera toujours la tombe de quelque messieurs de Montmorency, sur laquelle il *souloit* de se mettre à genoux durant la messe, sans oublier les sacrées fontaines où il fut porté à sa naissance. C'est que tout cela est essentiellement lié à nos mœurs ; c'est qu'un monument n'est vénérable qu'autant qu'une longue histoire du passé est pour ainsi dire empreinte sous ces voûtes toutes noires de siècles. Voilà pourquoi il n'y a rien de merveilleux dans un temple qu'on a vu bâtir, et dont les échos et les dômes se sont formés sous nos yeux. Dieu est la loi éternelle ; son origine et tout ce qui tient à son culte doit se perdre dans la nuit des temps.

On ne pouvait entrer dans une église gothique sans éprouver une sorte de frissonnement et un sentiment vague de la Divinité. On se trouvait tout à coup reporté à ces temps où des cénobites, après avoir médité dans les bois de leurs monastères, se venaient prosterner à l'autel, et chanter les louanges du Seigneur dans le calme et le silence de la nuit. L'ancienne France semblait revivre : on croyait voir ces costumes singuliers, ce peuple si différent de ce qu'il est aujourd'hui, on se rappelait et les révolutions de ce peuple, et ses travaux, et ses arts. Plus ces temps étaient éloignés de nous, plus ils nous paraissaient magiques, plus ils nous remplissaient de ces pensées qui finissent toujours par une réflexion sur le néant de l'homme et la rapidité de la vie.

L'ordre gothique, au milieu de ses proportions barbares, a toutefois une beauté qui lui est particulière.

Les forêts ont été les premiers temples de la Divinité, et les hommes ont pris dans les forêts la première idée de l'architecture. Cet art a donc dû varier selon les climats. Les

Grecs ont tourné l'élégante colonne corinthienne avec son chapiteau de feuilles sur le modèle du palmier. Les énormes piliers du vieux style égyptien représentent le sycomore, le figuier oriental, le bananier et la plupart des arbres gigantesques de l'Afrique et de l'Asie.

Les forêts des Gaules ont passé à leur tour dans les temples de nos pères, et nos bois de chênes ont ainsi maintenu leur origine sacrée. Ces voûtes ciselées en feuillages, ces jambages qui appuient les murs et finissent brusquement comme des troncs brisés, la fraîcheur des voûtes, les ténèbres du sanctuaire, les ailes obscures, les passages secrets, les portes abaissées, tout retrace les labyrinthes des bois dans l'église gothique ; tout en fait sentir la religieuse horreur, les mystères et la divinité. Les deux tours hautaines, plantées à l'entrée de l'édifice, surmontent les ormes et ifs du cimetière et font un effet pittoresque sur l'azur du ciel. Tantôt le jour naissant illumine leurs têtes jumelles ; tantôt elles paraissent couronnées d'un chapiteau de nuages ; ou grossies dans une atmosphère vaporeuse. Les oiseaux eux-mêmes semblent s'y méprendre et les adopter pour les arbres de leurs forêts : des corneilles voltigent autour de leurs faîtes et se perchent sur leurs galeries. Mais tout à coup des rumeurs confusent s'échappent de la cime de ces tours et en chassent les oiseaux effrayés. L'architecte chrétien, non content de bâtir des forêts, a voulu, pour ainsi dire, en imiter les murmures ; et, au moyen de l'orgue et du bronze suspendu, il a attaché au temple gothique jusqu'au bruit des vents et des tonnerres, qui roule dans la profondeur des bois.

TROISIÈME PARTIE, I,
CHAPITRE VIII

MÉMOIRES AUTOBIOGRAPHIQUES

.Mémoires d'outre-tombe.

1809-1841

NAISSANCE DE FRANÇOIS-RENÉ

*Les **Mémoires d'outre-tombe** sont composées de 44 livres, en quatre parties, plus un supplément documentaire. Cette œuvre mêle autobiographie et mémoires : le cadre est l'époque où meurt l'Ancien Régine et où commence le monde moderne, Chateaubriand cherche à comprendre le sens de son temps par des réflexions historiques, mais c'est lui-même qui est au centre de son récit.*

*La première partie recouvre l'enfance bretonne, la jeunesse, la Révolution, le voyage américain, l'exil, le retour. La seconde partie est le récit de la vie de Chateaubriand pendant le consulat et l'empire napoléonien. La troisième partie présente une analyse de Bonaparte et de son pouvoir. Chateaubriand y décrit aussi sa vie politique et privée, ses amitiés. Un livre est consacré à Mme de Récamier. La quatrième partie présente une analyse de la politique contemporaine, de l'esprit de la monarchie de juillet, de l'évolution de la société française. Chateaubriand termine ses **Mémoires** en donnant des réflexions prophétiques sur l'avenir du monde : « Je vois les reflets d'une aurore dont je ne verrai pas se lever le soleil. Il ne me reste qu'à m'asseoir au bord de ma fosse ; après quoi, je descendrai hardiment, le crucifix à la main, dans l'éternité. »*

La maison qu'habitaient alors mes parents est située dans une rue sombre et étroite de Saint-Malo, appelée la rue des Juifs ; cette maison est aujourd'hui transformée en auberge. La chambre où ma mère accoucha domine une partie déserte des murs de la ville, et à travers les fenêtres de cette chambre on aperçoit une mer qui s'étend à perte de vue, en se brisant sur des écueils. J'eus pour parrain, comme on le voit dans mon extrait de baptême, mon frère, et pour marraine la comtesse de Plouër, fille du maréchal de Contades. J'étais presque mort quand je vins au jour. Le mugissement des vagues, soulevées par une bourrasque annonçant l'équinoxe d'automne, empêchait d'entendre mes cris : on m'a souvent conté ces détails ; leur tristesse ne s'est jamais effacée de ma mémoire. Il n'y a pas de jour où, rêvant à ce que j'ai été, je ne revoie en pensée le rocher sur lequel je suis né, la chambre où ma mère m'infligea la vie, la tempête dont le bruit berça mon premier sommeil, le frère infortuné qui me donna un nom que j'ai presque toujours traîné dans le malheur. Le ciel sembla réunir ces diverses circonstances pour placer dans mon berceau une image de mes destinées.

PREMIÈRE PARTIE, LIVRE PREMIER, CHAPITRE II

LES JEUX DE L'ENFANCE

Gesril a été mon premier ami ; tous deux mal jugés dans notre enfance, nous liâmes par l'instinct de ce que nous pouvions valoir un jour.

Deux aventures mirent fin à cette première partie de mon histoire, et produisirent un changement notable dans le système de mon éducation.

Nous étions un dimanche sur la grève, à l'*éventail* de la porte Saint-Thomas à l'heure de la marée. Au pied du château et le long du *Sillon*, de gros pieux enfoncés dans le sable protègent les murs contre la houle. Nous grimpions ordinairement au haut de ces pieux pour voir passer au-dessous de nous les premières ondulations du flux. Les places étaient prises comme de coutume ; plusieurs petites filles se mêlaient aux petits garçons. J'étais le plus en pointe vers la mer, n'ayant devant moi qu'une jolie mignonne, Hervine Magon, qui riait de plaisir et pleurait de peur. Gesril se trouvait à l'autre bout du côté de la terre. Le flot arrivait, il faisait du vent ; déjà les bonnes et les domestiques criaient : « Descendez, Mademoiselle ! descendez, Monsieur ! ». Gesril attend une grosse lame : lorsqu'elle s'engouffre entre les pilotis, il pousse l'enfant assis auprès de lui ; celui-là se renverse sur un autre ; celui-ci sur un autre : toute la file s'abat comme des moines de cartes, mais chacun est retenu par son voisin ; il n'y eut que la petite fille de l'extrémité de la ligne sur laquelle je chavirai qui, n'étant appuyée par personne, tomba. Le jusant l'entraîne ; aussitôt mille cris, toutes les bonnes retroussant leurs robes et tripotant dans la mer, chacune saisissant son magot et lui donnant une tape. Hervine fut repêchée ; mais elle déclara que François l'avait jetée bas. Les bonnes fondent sur moi ; je leur échappe ; je cours me barricader dans la cave de la maison : l'armée femelle me pourchasse. Ma mère et mon père étaient heureusement sortis. La Villeneuve défend vaillamment la porte et soufflette l'avant-garde ennemie. Le véritable auteur du mal, Gesril, me prête secours : il monte chez lui, et avec ses deux sœurs jette par les fenêtres des potées d'eau et des pommes cuites aux assaillantes. Elles levèrent le siège à l'entrée de la nuit ; mais cette nouvelle se répandit dans la ville, et le chevalier de Chateaubriand, âgé de neuf ans, passa pour un homme atroce, un reste de ces pirates dont saint Aaron avait purgé son rocher.

PREMIÈRE PARTIE, LIVRE PREMIER, CHAPITRE V

Dans sa solitude exaltée, le jeune François-René Chateaubriand imagine une femme à partir de celles qu'il a vues. Il connaît deux ans de délire en compagnie de celle qu'il a baptisée son « fantôme d'amour » :

J'avais tous les symptômes d'une passion violente ; mes yeux se creusaient ; je maigrissais ; je ne dormais plus ; j'étais distrait, triste, ardent, farouche. Mes jours s'écoulaient d'une manière sauvage, bizarre, insensée, et pourtant pleine de délices.

Au nord du château s'étendait une lande semée de pierres druidiques ; j'allais m'asseoir sur une de ces pierres au soleil couchant. La cime dorée des bois, la splendeur de la terre, l'étoile du soir scintillant à travers les nuages de rose, me ramenaient à mes songes : j'aurais voulu jouir de ce spectacle avec l'idéal objet de mes désirs. Je suivais en pensée l'astre du jour ; je lui donnais ma beauté à conduire afin qu'il la présentât radieuse avec lui aux hommages de l'univers. Le vent du soir qui brisait les réseaux tendus par l'insecte sur la pointe des herbes, l'alouette de bruyère qui se posait sur un caillou, me rappelaient à la réalité : je reprenais le chemin du manoir, le cœur serré, le visage abattu.

Les jours d'orage en été, je montais au haut de la grosse tour de l'ouest. Le roulement du tonnerre sous les combles du château, les torrents de pluie qui tombaient en grondant sur le toit pyramidal des tours, l'éclair qui sillonnait la nue et marquait d'une flamme électrique les girouettes d'airain, excitaient mon enthousiasme : comme Ismen sur les remparts de Jérusalem, j'appelais la foudre ; j'espérais qu'elle m'apporterait Armide.

Le ciel était-il serein ? je traversais le grand Mail, autour duquel étaient des prairies divisées par des haies plantées de saules. J'avais établi un siège, comme un nid, dans un de ces saules : là, isolé entre le ciel et la terre, je passais des heures avec les fauvettes ; ma nymphe était à mes côtés. J'associais également son image à la beauté de ces nuits de printemps toutes remplies de la fraîcheur de la rosée, des soupirs du rossignol et du murmure des brises.

D'autres fois, je suivais un chemin abandonné, une onde ornée de ses plantes rivulaires ; j'écoutais les bruits qui sortent des lieux infréquentés ; je prêtais l'oreille à chaque arbre ; je croyais entendre la clarté de la lune chanter dans les bois : je voulais redire ces plaisirs, et les paroles expiraient sur mes lèvres. Je ne sais comment je retrouvais encore ma déesse dans les accents d'une voix, dans les frémissement d'une harpe, dans les sons veloutés ou liquides d'un cor ou d'un harmonica.

PREMIÈRE PARTIE, LIVRE III, CHAPITRE XI

LA RETRAITE DE RUSSIE

Le 29 octobre, on touche aux fatales collines de la Moskowa : un cri de douleur et de surprise échappe à notre armée. De vastes boucheries se présentaient, étalant quarante mille cadavres diversement consommés. Des files de carcasses alignées semblaient garder encore la discipline militaire ; des squelettes détachés en avant, sur quelques mamelons écrêtés, indiquaient les commandants et dominaient la mêlée des morts. Partout armes rompues, tambours défoncés, lambeaux de cuirasses et d'uniformes, étendards déchirés, dispersés entre des troncs d'arbres coupés à quelques pieds du sol par les boulets : c'était la grande redoute de la Moskowa.

Au sein de la destruction immobile on apercait une chose en mouvement : un soldat français privé des deux jambes se frayait un passage dans des cimetières qui semblaient avoir rejeté leurs entrailles au-dehors. Le corps d'un cheval effondré par un obus avait servi de guérite à ce soldat : il y vécut en rongeant sa loge de chair ; les viandes putréfiées des morts à la portée de sa main lui tenaient lieu de charpie pour panser ses plaies et d'amadou pour emmailloter ses os. L'effrayant remords de la gloire se traînait vers Napoléon : Napoléon ne l'attendit pas.

Le silence des soldats, hâtés du froid, de la faim et de l'ennemi, était profond ; ils songeaient qu'ils seraient bientôt semblables aux compagnons dont ils apercevaient les restes. On n'entendait dans ce reliquaire que la respiration agitée et le bruit du frisson involontaire des bataillons en retraite.

Plus loin on retrouva l'abbaye de Kotloskoï transformée en hôpital ; tous les secours y manquaient : là restait encore assez de vie pour sentir la mort. Bonaparte, arrivé sur le lieu, se chauffa du bois de ses chariots disloqués. Quand l'armée reprit sa marche, les agonisants se levèrent, parvinrent au seuil de leur dernier asile, se laissèrent dévaler jusqu'au chemin, tendirent aux camarades qui les quittaient leurs mains défaillantes : ils semblaient à la fois les conjurer et les ajourner.

A chaque instant retentissait la détonation des caissons qu'on était forcé d'abandonner. Les vivandiers jetaient les malades dans les fossés. Des prisonniers russes, qu'escortaient des étrangers au service de la France, furent dépêchés par leurs gardes : tués d'une manière uniforme, leur cervelle était répandue à côté de leur tête.

TROISIÈME PARTIE, PREMIÈRE ÉPOQUE, LIVRE III, CHAPITRE V

L'expérience personnelle des hommes paraît à Chateaubriand inséparable du mouvement général de l'histoire :

Nous plantions au hasard nos tentes, dont nous étions sans cesse obligés de battre la toile afin d'en élargir les fils et d'empêcher l'eau de la traverser. Nous étions dix soldats par tente ; chacun à son tour était chargé du soin de la cuisine : celui-ci allait à la viande, celui-ci au pain, celui-ci au bois, celui-ci à la paille. Je faisais la soupe à merveille ; j'en recevais de grands compliments, surtout quand je mêlais à la ratatouille du lait et des choux, à la mode de Bretagne. J'avais appris chez les Iroquois à braver la fumée, de sorte que je me comportais bien autour de mon feu de branches vertes et mouillées. Cette vie de soldat est très amusante ; je me croyais encore parmi les Indiens. En mangeant notre gamellée sous la tente, mes camarades me demandaient des histoires de mes voyages ; ils me les payaient en beaux contes ; nous mentions tous comme un caporal au cabaret avec un conscrit qui paye l'écot.

Une chose me fatiguait, c'était de laver mon linge ; il le fallait, et souvent : car les obligeants voleurs ne m'avaient laissé qu'une chemise empruntée à mon cousin Armand, et celle que je portais sur moi. Lorsque je savonnais mes chausses, mes mouchoirs et ma chemise au bord d'un ruisseau, la tête en bas et les reins en l'air, il me prenait des étourdissements ; le mouvement des bras me causait une douleur insupportable à la poitrine. J'étais obligé de m'asseoir parmi les prêles et les cressons, et au milieu du mouvement de la guerre, je m'amusais à voir couler l'eau paisible. [...]

Une armée est ordinairement composée de soldats à peu près du même âge, de la même taille, de la même force. Bien différente était la nôtre, assemblage confus d'hommes faits, de vieillards, d'enfants descendus de leurs colombiers, jargonnant normand, breton, picard, auvergnat, gascon, provençal, languedocien. Un père servait avec ses fils, un beau-père avec son gendre, un oncle avec ses neveux, un frère avec un frère, un cousin avec un cousin. Cet arrière-ban, tout ridicule qu'il paraissait, avait quelque chose d'honorable et de touchant, parce qu'il était animé de convictions sincères ; il offrait le spectacle de la vieille monarchie et donnait une dernière représentation d'un monde qui passait. J'ai vu de vieux gentilshommes, à mine sévère, à poil gris, habit déchiré, sac sur le dos, fusil en bandoulière, se traînant avec un bâton et soutenus sous le bras par un de leurs fils ; [...] j'ai vu de jeunes blessés couchés sous un arbre, et un aumônier en redingote et en étole, à genoux à leur chevet, les envoyant à saint Louis dont ils s'étaient efforcés de défendre les héritiers. Toute cette troupe pauvre, ne recevant pas un sou des Princes, faisait la guerre à ses dépens, tandis que les décrets achevaient de la dépouiller et jetaient nos femmes et nos mères dans les cachots.

"Je vois les reflets d'une aurore dont je ne verrai pas se lever le soleil. Il ne me reste qu'à m'asseoir au bord de ma fosse ; après quoi je descendrai hardiment, le crucifix à la main, dans l'éternité"

Les vieillards d'autrefois étaient moins malheureux et moins isolés que ceux d'aujourd'hui : si, en demeurant sur la terre, ils avaient perdu leurs amis, peu de chose du reste avait changé autour d'eux ; étrangers à la jeunesse, ils ne l'étaient pas à la société. Maintenant, un traînard dans ce monde a non seulement vu mourir les hommes, mais il a vu mourir les idées : principes, mœurs, goûts, plaisirs, peines, sentiments, rien ne ressemble à ce qu'il a connu. Il est d'une race différente de l'espèce humaine au milieu de laquelle il achève ses jours.

Et pourtant, France du dix-neuvième siècle, apprenez à estimer cette vieille France qui vous valait. Vous deviendrez vieille à votre tour et l'on vous accusera, comme on nous accusait, de tenir à des idées surannées. Ce sont vos pères que vous avez vaincus ; ne les reniez pas, vous êtes sortie de leur sang. S'ils n'eussent été généreusement fidèles aux antiques mœurs, vous n'auriez pas puisé dans cette fidélité native l'énergie qui a fait votre gloire dans les mœurs nouvelles ; ce n'est, entre les deux Frances, qu'une transformation de vertu.

PREMIÈRE PARTIE, LIVRE IX, CHAPITRE X

*Les dernières lignes des **Mémoires** :*

Que l'homme est petit sur l'atome où il se meut ! Mais qu'il est grand comme intelligence ! Il sait quand le visage des astres se doit charger d'ombre, à quelle heure reviennent les comètes après des milliers d'années, lui qui ne vit qu'un instant ! Insecte microscopique inaperçu dans un pli de la robe du ciel, les globes ne lui peuvent cacher un seul de leurs pas dans la profondeur des espaces. Ces astres, nouveaux pour nous, quelles destinées éclaireront-ils ? La révélation de ces astres est-elle liée à quelque nouvelle phase de l'humanité ? Vous le saurez, races à naître ; je l'ignore et je me retire. Grâce à l'exorbitance de mes années, mon monument est achevé. Ce m'est un grand soulagement ; je sentais quelqu'un qui me poussait : le patron de la barque sur laquelle ma place est retenue m'avertissait qu'il ne me restait qu'un moment pour monter à bord. Si j'avais été le maître de Rome, je dirais, comme Sylla, que je finis mes *Mémoires* la veille de ma mort ; mais je ne conclurais pas mon récit par ces mots comme il conclut le sien : « J'ai vu en songe un de mes enfants qui me montrait Métella, sa mère, et m'exhortait à venir jouir du repos dans le sein de la félicité éternelle. » Si j'eusse été Sylla, la gloire ne m'aurait jamais pu donner le repos et la félicité. Des orages nouveaux se formeront ; on croit pressentir des calamités qui l'emporteront sur les afflictions dont nous avons été accablés ; déjà, pour retourner au champ de bataille, on songe à rebander ses vieilles blessures. Cependant, je ne pense pas que des malheurs prochains éclatent : peuples et rois sont également recrus ; des catastrophes imprévues ne fondront pas sur la France : ce qui me suivra ne sera que l'effet de la transformation générale. On touchera sans doute à des stations pénibles ; le monde ne saurait changer de face sans qu'il y ait douleur. Mais, encore un coup, ce ne seront point des révolutions à part ; ce sera la grande révolution allant à son terme. Les scènes de demain ne me regardent plus : elles appellent d'autres peintres : à vous, messieurs.

En traçant ces derniers mots, ce 16 novembre 1841, ma fenêtre, qui donne à l'ouest sur les jardins des Missions étrangères, est ouverte : il est six heures du matin ; j'aperçois la lune pâle et élargie ; elle s'abaisse sur la flèche des Invalides à peine révélée par le premier rayon doré de l'Orient : on dirait que l'ancien monde finit et que le nouveau commence. Je vois les reflets d'une aurore dont je ne verrai pas se lever le soleil. Il ne me reste qu'à m'asseoir au bord de ma fosse ; après quoi je descendrai hardiment, le crucifix à la main, dans l'éternité.

QUATRIÈME PARTIE, LIVRE XII, CHAPITRE X

1er empereur des Français

Napoléon Bonaparte

AJACCIO 1769 — SAINTE-HÉLÈNE 1821.

Cet homme de pouvoir eut, semble-t-il, premièrement des ambitions littéraires. C'est presque constant chez ce type d'homme. On lui doit un pamphlet, ***Le Souper de Beaucaire*** *; quelques nouvelles, dont* ***Clisson et Eugénie*** *; un* ***Dialogue sur l'amour*** *; un court texte* ***Sur le suicide*** *; etc.*
Cette carrière est abandonnée dès qu'il prend le commandement de l'armée d'Italie en 1796, et, en fin de compte, ses meilleurs écrits sont les Bulletins ***de la Grande Armée.***

NOUVELLES

.Le Masque prophète.

1789

Dans l'an 160 de l'hégire, Mahadi régnait à Bagdad ; ce prince, grand, généreux, éclairé, magnanime, voyait prospérer l'Empire arabe dans le sein de la paix. Craint et respecté de ses voisins, il s'occupait à faire fleurir les sciences et en accélérait les progrès lorsque la tranquillité fut troublée par Hakem, qui, du fond du Korassan, commençait à se faire des sectateurs dans toutes les parties de l'Empire. Hakem, d'une haute stature, d'une éloquence mâle et emportée, se disait l'Envoyé de Dieu ; il prêchait une morale pure qui plaisait à la multitude : l'égalité des rangs, des fortunes était le texte ordinaire de ses sermons. Le peuple se rangeant sous ses enseignes, Hakem eut une armée.

Le Calife et les grands sentirent la nécessité d'étouffer dans sa naissance une insurrection si dangereuse, mais leurs troupes furent plusieurs fois battues et Hakem acquérait tous les jours une nouvelle prépondérance.

Napoléon Bonaparte est l'auteur de trois brèves nouvelles : ***Le Comte d'Essex, Le Masque prophète, Nouvelle Corse.***

Celle que nous donnons intégralement ici a été écrite en 1789 ; l'auteur s'inspire de ***L'Histoire des Arabes*** *de Marigny.*

Cependant, une maladie cruelle, suite des fatigues de la guerre, vint défigurer le visage du prophète. Ce ne fut plus le plus beau des Arabes ; ces traits nobles et fiers, ces yeux grands et pleins de feu étaient défigurés. Hakem devint aveugle. Ce changement eût pu ralentir l'enthousiasme de ses partisans : il imagina de porter un masque d'argent.

Il parut au milieu de ses sectateurs. Hakem n'avait rien perdu de son éloquence. Son discours avait la même force. Il leur parla et les convainquit qu'il ne portait le masque que pour empêcher les hommes d'être éblouis par la lumière qui sortait de sa figure.

Il espérait plus que jamais dans le délire des peuples qu'il avait exaltés, lorsque la perte d'une bataille vint ruiner ses affaires, diminuer ses partisans et affaiblir leur croyance. Il est assiégé, la garnison est peu nombreuse. Hakem, il faut périr ou tes ennemis vont s'emparer de ta personne ! Il assemble ses sectateurs et leur dit : « Fidèles, vous que Dieu et Mahomet ont choisis pour restaurer l'Empire et regrader notre nation, pourquoi le nombre de nos ennemis vous décourage-t-il ? Écoutez : La nuit dernière, comme vous étiez tous plongés dans le sommeil, je me suis prosterné et ai dit à Dieu : « Mon père, tu m'as protégé pendant tant d'années. Moi ou les miens t'aurions-nous offensé puisque tu nous abandonnes ? » Un moment après j'ai entendu une voix qui me disait : « Hakem ! ceux seuls qui ne t'ont pas abandonné sont tes vrais amis et seuls sont élus. Ils partageront avec toi les richesses de tes superbes ennemis. Attends la nouvelle lune, fais creuser les larges fossés et tes ennemis viendront s'y précipiter comme des mouches étourdies par la fumée. »

Les fossés sont bientôt creusés, l'on en remplit un de chaux. L'on pose des cuves pleines de vins spiritueux sur le bord.

Tout cela fait, l'on sert un repas en commun, l'on boit du même vin et tous meurent avec les mêmes symptômes.

Hakem traîne leurs corps dans la chaux qui les consume, met le feu aux liqueurs et s'y précipite. Le lendemain, les troupes du Calife veulent avancer, mais s'arrêtent en voyant les portes ouvertes. L'on entre avec précaution et l'on ne trouve qu'une femme, maîtresse d'Hakem, qui lui a survécu.

Telle fut la fin d'Hakem surnommé Burkaï que ses sectateurs croient avoir été enlevé au ciel avec les siens.

Cet exemple est incroyable. Jusqu'où peut porter la fureur de l'illustration ?

CHRONIQUE MILITAIRE

.Bulletins de la Grande Armée.

1793 à 1815

Ces Bulletins couvrent une période qui va du siège de Toulon à l'abdication de 1815. Admirable d'énergie, le style est l'universel de la harangue guerrière. L'on a pu mettre en évidence d'identiques formules dans ces ***Bulletins*** *et dans certaines harangues du* ***Chou king*** *(dont l'édition est attribuée à Confucius). D'ailleurs, Napoléon — qui se regardait comme vaincu par le destin — aurait pu s'écrier comme Hiang Yu vaincu par le fondateur de la dynastie Han (ainsi que le rapporte Se-Ma Ts'ien dans ses* ***Mémoires historiques****) : « Je n'ai commis aucune faute militaire, c'est le Ciel qui me perd ! »*

APRÈS AUSTERLITZ :

"Il vous suffira de dire, 'J'étais à la bataille d'Austerlitz', pour que l'on réponde, 'Voilà un brave"

Austerlitz,
12 frimaire an XIV (3 décembre 1805).

Soldats !

Je suis content de vous. Vous avez, à la journée d'Austerlitz, justifié tout ce que j'attendais de votre intrépidité ; vous avez décoré vos aigles d'une immortelle gloire. Une armée de cent mille hommes, commandée par les empereurs de Russie et d'Autriche, a été, en moins de quatre heures, ou coupée ou dispersée. Ce qui a échappé à votre fer s'est noyé dans les lacs. Quarante drapeaux, les étendards de la garde impériale de Russie, cent vingt pièces de canon, vingt généraux, plus de trente mille prisonniers, sont le résultat de cette journée à jamais célèbre. Cette infanterie tant vantée, et en nombre supérieur, n'a pu résister à votre choc, et désormais vous n'avez plus de rivaux à redouter. Ainsi, en deux mois, cette troisième coalition a été vaincue et dissoute. La paix ne peut plus être éloignée, mais, comme je l'ai promis à mon peuple avant de passer le Rhin, je ne ferai qu'une paix qui nous donne des garanties et assure des récompenses à nos alliés.

Soldats, lorsque le peuple français plaça sur ma tête la couronne impériale, je me confiai à vous pour la maintenir toujours dans ce haut éclat de la gloire qui seul pouvait lui donner du prix à mes yeux. Mais dans le même moment nos ennemis pensaient à la détruire et à l'avilir ! Et cette couronne de fer, conquise par le sang de tant de Français, ils voulaient m'obliger à la placer sur la tête de nos plus cruels ennemis ! Projets téméraires et insensés que, le jour même de l'anniversaire du couronnement de votre Empereur, vous avez anéantis et confondus ! Vous leur avez appris qu'il est plus facile de nous braver et de nous menacer que de nous vaincre.

Soldats, lorsque tout ce qui est nécessaire pour assurer le bonheur et la prospérité de notre patrie sera accompli, je vous ramènerai en France ; là vous serez l'objet de mes plus tendres sollicitudes. Mon peuple vous reverra avec joie, et il vous suffira de dire, « J'étais à la bataille d'Austerlitz », pour que l'on réponde, « Voilà un brave ».

La retraite de Russie. L'hiver 1812 fut extrêmement rigoureux :

Molodetchna, 3 décembre 1812.
29e bulletin de la Grande Armée.

Jusqu'au 6 novembre, le temps a été parfait, et le mouvement de l'armée s'est exécuté avec le plus grand succès. Le froid a commencé le 7 ; dès ce moment, chaque nuit nous avons perdu plusieurs centaines de chevaux, qui mouraient au bivouac. Arrivés à Smolensk, nous avions déjà perdu bien des chevaux de cavalerie et d'artillerie. L'armée russe de Volhynie était opposée à notre droite. Notre droite quitta la ligne d'opération de Minsk, et prit pour pivot de ses opérations la ligne de Varsovie. L'empereur apprit à Smolenk, le 9, ce changement de ligne d'opération, et présuma ce que ferait l'ennemi. Quelque dur qu'il lui parût de se mettre en mouvement dans une si cruelle saison, le nouvel état des choses le nécessitait. Il espérait arriver à Minsk, ou du moins sur la Berezina, avant l'ennemi ; il partit le 13 de Smolensk ; le 16 il coucha à Krasnoï. Le froid, qui avait commencé le 7, s'accrut subitement, et du 14 au 15 et au 16 le thermomètre marqua 16 et 18 degrés au-dessous de glace. Les chemins furent couverts de verglas ; les chevaux de cavalerie, d'artillerie, de train, périssaient toutes les nuits, non par centaines mais par milliers, surtout les chevaux de France et d'Allemagne. Plus de trente mille chevaux périrent en peu de jours ; notre cavalerie se trouva toute à pied ; notre artillerie et nos transports se trouvaient sans attelages. Il fallut abandonner et détruire une bonne partie de nos pièces et de nos munitions de guerre et de bouche.

Cette armée, si belle le 6, était bien différente dès le 14, presque sans cavalerie, sans artillerie, sans transports. Sans cavalerie, nous ne pouvions pas nous éclairer à un quart de lieue ; cependant, sans artillerie, nous ne pouvions pas risquer une bataille et attendre de pied ferme ; il fallait marcher pour ne pas être contraints à une bataille, que le défaut de munitions nous empêchait de désirer ; il fallait occuper un certain espace pour ne pas être tournés, et cela sans cavalerie qui éclairât et liât les colonnes. Cette difficulté, jointe à un froid excessif subitement venu, rendit notre situation fâcheuse. Des hommes que la nature n'a pas trempés assez fortement pour être au-dessus de toutes les chances du sort et de la fortune parurent ébranlés, perdirent leur gaieté, leur bonne humeur, et ne rêvèrent que malheurs et catastrophes ; ceux qu'elle a créés supérieurs à tout conservèrent leur gaieté et leurs manières ordinaires, et virent une nouvelle gloire dans des difficultés différentes à surmonter.

L'ennemi, qui voyait sur les chemins les traces de cette affreuse calamité qui frappait l'armée française, chercha à en profiter. Il enveloppait toutes les colonnes par ses cosaques, qui enlevaient, comme les Arabes dans les déserts, les trains et les voitures qui s'écartaient. Cette méprisable cavalerie, qui ne fait que du bruit et n'est pas capable d'enfoncer une compagnie de voltigeurs, se rendit redoutable à la faveur des circonstances. Cependant l'ennemi eut à se repentir de toutes les tentatives sérieuses qu'il voulut entreprendre ; il fut culbuté par le vice-roi, au-devant duquel il s'était placé, et il y perdit beaucoup de monde.

Le duc d'Elchingen *(Ney)*, qui avec trois mille hommes faisait l'arrière-garde, avait fait sauter les remparts de Smolensk. Il fut cerné et se trouva dans une position critique ; il s'en tira avec cette intrépidité qui le distingue. Après avoir tenu l'ennemi éloigné de lui pendant toute la journée du 18 et l'avoir constamment repoussé, à la nuit il fit un mouvement par le flanc droit, passa le Borysthène et déjoua tous les calculs de l'ennemi. Le 19, l'armée passa le Borysthène à Orcha, et l'armée russe, fatiguée, ayant perdu beaucoup de monde, cessa là ses tentatives.

L'armée de Volhynie s'était portée, dès le 16, sur Minsk et marchait sur Borisof. Le général Dombrowski défendit la tête de pont de Borisof avec trois mille hommes. Le 23, il fut forcé et obligé d'évacuer cette position. L'ennemi passa alors la Berezina, marchant sur Bobr ; la division Lambert faisait l'avant-garde. Le 2e corps, commandé par le duc de Reggio *(Oudinot)* qui était à Tchareya, avait reçu l'ordre de se porter sur

Borisof pour assurer à l'armée le passage de la Berezina. Le 24, le duc de Reggio rencontra la division Lambert à quatre lieues de Borisof, l'attaqua, la battit, lui fit deux mille prisonniers, lui prit six pièces de canon, cinq cents voitures de bagages de l'armée de Wolhynie, et rejeta l'ennemi sur la rive droite de la Berezina. Le général Berkheim, avec le 4ᵉ de cuirassiers, se distingua par une belle charge. L'ennemi ne trouva son salut qu'en brûlant le pont, qui a plus de trois cents toises.

Cependant l'ennemi occupait tous les passages de la Berezina : cette rivière est large de quarante toises ; elle charriait assez de glaces, et ses bords sont couverts de marais de trois cents toises de long, ce qui la rend un obstacle difficile à franchir. Le général ennemi avait placé ses quatre divisions dans différents débouchés où il présumait que l'armée française voudrait passer.

Le 26, à la pointe du jour, l'Empereur, après avoir trompé l'ennemi par divers mouvements faits dans la journée du 25, se porta sur le village de Stoudienka, et fit aussitôt, malgré une division ennemie et en sa présence, jeter deux ponts sur la rivière. Le duc de Reggio passa, attaqua l'ennemi et le mena battant deux heures ; l'ennemi se retira sur la tête de pont de Borisof. Le général Legrand, officier du premier mérite, fut blessé grièvement, mais non dangereusement. Toute la journée du 26 et du 27 l'armée passa.

Le duc de Bellune, commandant le 9ᵉ corps, avait reçu ordre de suivre le mouvement du duc de Reggio, de faire l'arrière-garde et de contenir l'armée russe de la Dvina qui le suivait. La division Partouneaux faisait l'arrière-garde de ce corps. Le 27, à midi, le duc de Bellune arriva avec deux divisions au pont de Stoudienka.

La division Partouneaux partit à la nuit de Borisof. Une brigade de cette division, qui formait l'arrière-garde et qui était chargée de brûler les ponts, partit à sept heures du soir ; elle arriva entre dix et onze heures ; elle chercha se première brigade et son général de division, qui étaient partis deux heures avant et qu'elle n'avait pas rencontrés en route. Ses recherches furent vaines : on conçut alors des inquiétudes. Tout ce qu'on a pu connaître depuis, c'est que cette première brigade, partie à cinq heures, s'est égarée à six ; a pris à droite au lieu de prendre à gauche, et a fait deux ou trois lieues dans cette direction ; que, dans la nuit et transie de froid, elle s'est ralliée aux feux de l'ennemi, qu'elle les a pris pour ceux de l'armée française ; entourée ainsi, elle aura été enlevée. Cette cruelle méprise doit nous avoir fait perdre deux mille hommes d'infanterie, trois cents chevaux et trois pièces d'artillerie. Des bruits couraient que le général de division n'était pas avec sa colonne et avait marché isolément.

Toute l'armée ayant passé le 28 au matin, le duc de Bellune gardait la tête de pont sur la rive gauche ; le duc de Reggio, et derrière lui toute l'armée, était sur la rive droite.

Borisof ayant été évacué, les armées de la Dvina et de Volhynie communiquèrent ; elles concertèrent une attaque. Le 28, à la pointe du jour, le duc de Reggio fit prévenir l'Empereur qu'il était attaqué ; une demi-heure après, le duc de Bellune le fut sur la rive gauche ; l'armée prit les armes. Le duc d'Elchingen se porta à la suite du duc de Reggio, et le duc de Trévise derrière le duc d'Elchingen. Le combat devint vif : l'ennemi voulut déborder notre droite. Le général Doumerc, commandant la 5ᵉ division de cuirassiers, et qui faisait partie du 2ᵉ corps resté sur la Dvina, ordonna une charge de cavalerie aux 4ᵉ et 5ᵉ régiments de cuirassiers, au moment où la légion de la Vistule s'engageait dans les bois pour percer le centre de l'ennemi, qui fut culbuté et mis en déroute. Ces braves cuirassiers enfoncèrent successivement six carrés d'infanterie et mirent en déroute la cavalerie ennemie qui venait au secours de son infanterie : six mille prisonniers, deux drapeaux et six pièces de canon tombèrent en notre pouvoir.

De son côté, le duc de Bellune fit charger vigoureusement l'ennemi, le battit, lui fit cinq à six cents prisonniers, et le tint hors la portée du canon du pont. Le général Fournier fit une belle charge de cavalerie.

Dans le combat de la Berezina, l'armée de Volhynie a beaucoup souffert. Le duc de Reggio a été blessé ; sa blessure n'est pas dangereuse : c'est une balle qu'il a reçue dans le côté.

Le lendemain 29, nous restâmes sur le champ de bataille. Nous avions à choisir entre deux routes, celle de Minsk et celle de Vilna. La route de Minsk passe au milieu d'une forêt de marais incultes, et il eût été impossible à l'armée de s'y nourrir. La route de Vilna, au contraire, passe dans de très bons pays. L'armée, sans cavalerie, faible en munitions, horriblement fatiguée de cinquante jours de marche, traînant à sa suite ses malades et les blessés de tant de combats, avait besoin d'arriver à ses magasins. Le 30, le quartier général fut à Plechtchennitsy ; le 1ᵉʳ décembre, à Staïki ; et le 3, à Molodetchna, où l'armée a reçu ses premiers convois de Vilna.

Tous les officiers et soldats blessés, et

tout ce qui est embarras, bagages, etc. ont été dirigés sur Vilna.

Dire que l'armée a besoin de rétablir sa discipline, de se refaire, de remonter sa cavalerie, son artillerie et son matériel, c'est le résultat de ce qui vient d'être fait. Le repos est son premier besoin. Le matériel et les chevaux arrivent. Le général Bourcier a déjà plus de vingt mille chevaux de remonte dans différents dépôts. L'artillerie a déjà réparé ses pertes. Les généraux, les officiers et les soldats ont beaucoup souffert de la fatigue et de la disette. Beaucoup ont perdu leurs bagages par suite de la perte de leurs chevaux; quelques-uns par le fait des embuscades de cosaques. Les cosaques ont pris nombre d'hommes isolés, d'ingénieurs-géographes qui levaient des positions, et d'officiers blessés qui marchaient sans précaution, préférant courir des risques plutôt que de marcher posément et dans des convois.

Les rapports des officiers généraux commandant les corps feront connaître les officiers et les soldats qui se sont le plus distingués, et les détails de tous ces mémorables événements.

Dans tous ces mouvements, l'Empereur a toujours marché au milieu de sa Garde, la cavalerie commandée par le maréchal duc d'Istrie, et l'infanterie commandée par le duc de Danzig. Sa Majesté a été satisfaite du bon esprit que sa Garde a montré : elle a toujours été prête à se porter partout où les circonstances l'auraient exigé; mais les circonstances ont toujours été telles que sa simple présence a suffi et qu'elle n'a pas été dans le cas de donner.

Le prince de Neuchâtel, le grand Maréchal, le grand écuyer, et tous les aides de camp et les officiers militaires de la maison de l'Empereur ont toujours accompagné sa Majesté.

Notre cavalerie était tellement démontée que l'on a dû réunir les officiers auxquels il restait un cheval pour en former quatre compagnies de cent cinquante hommes chacune. Les généraux y faisaient les fonctions de capitaine, et les colonels celles de sous-officier. Cet escadron sacré, commandé par le général Grouchy, et sous les ordres du roi de Naples, ne perdait pas de vue l'Empereur dans tous ses mouvements.

La santé de Sa Majesté n'a jamais été meilleure.

"Dans tous ces mouvements, l'Empereur a toujours marché au milieu de sa garde"

La dernière phrase s'explique par le coup d'état manqué du général Malet qui avait annoncé la mort de l'Empereur devant Moscou et prétendu s'emparer du pouvoir.

AVANT WATERLOO :

Wellington commande l'armée anglaise, Blücher l'armée prussienne. Devant le danger de leur jonction, Napoléon se porte au-devant d'elles afin de les anéantir.

Avesnes, le 14 juin 1815.

Soldats,

C'est aujourd'hui l'anniversaire de Marengo et de Friedland, qui décidèrent deux fois du destin de l'Europe. Alors, comme après Austerlitz, comme après Wagram, nous fûmes trop généreux; nous crûmes aux protestations et aux serments des princes que nous laissâmes sur le trône ! Aujourd'hui, cependant, coalisés contre nous, ils en veulent à l'indépendance et aux droits les plus sacrés de la France. Ils ont commencé la plus injuste des agressions. Marchons donc à leur rencontre : eux et nous ne sommes-nous plus les mêmes hommes ?

Soldats, à Iena, contre ces mêmes Prussiens aujourd'hui si arrogants, vous étiez un contre trois; à Montmirail, un contre six.

Que ceux d'entre vous qui ont été prisonniers des Anglais vous fassent le récit de leurs pontons et des maux affreux qu'ils ont soufferts !

Les Saxons, les Belges, les Hanovriens, les soldats de la Confédération du Rhin gémissent d'être obligés de prêter leurs bras à la cause des princes ennemis de la justice et des droits de tous les peuples. Ils savent que cette coalition est insatiable. Après avoir dévoré douze millions de Polonais, douze millions d'Italiens, un million de Saxons, six millions de Belges, elle devra dévorer les États de deuxième ordre de l'Allemagne.

Les insensés ! Un moment de prospérité les aveugle. L'oppression et l'humiliation du peuple français sont hors de leur pouvoir. S'ils entrent en France, ils y trouveront leur tombeau.

Soldats, nous avons des marches forcées à faire, des batailles à livrer, des périls à courir; mais avec de la constance, la victoire sera à nous : les droits, l'honneur et le bonheur de la patrie seront reconquis.

Pour tout Français qui a du cœur, le moment est arrivé de vaincre ou de périr !

"Pour tout Français qui a du cœur, le moment est arrivé de vaincre ou de périr !"

WATERLOO :

Laon, 20 juin 1815.
Bulletin de l'armée.

Bataille de Mont-Saint-Jean (ou de Waterloo).

A neuf heures du matin, la pluie ayant un peu diminué, le 1er corps se mit en mouvement et se plaça, la gauche à la route de Bruxelles et vis-à-vis le village de Mont-Saint-Jean, qui paraissait le centre de la position de l'ennemi. Le 2e corps appuya sa droite à la route de Bruxelles, et sa gauche à un petit bois, à portée de canon de l'armée anglaise. Les cuirassiers se portèrent en réserve derrière, et la Garde en réserve sur les hauteurs. Le 6e corps, avec la cavalerie du général Domon, sous les ordres du comte Lobau *(Mouton)*, fut destiné à se porter en arrière de notre droite, pour s'opposer à un corps prussien qui paraissait avoir échappé au maréchal Grouchy et être dans l'intention de tomber sur notre flanc droit, intention qui nous avait été connue par nos rapports et par une lettre d'un général prussien que portait une ordonnance prise par nos coureurs. Les troupes étaient pleines d'ardeur.

On estimait les forces de l'armée anglaise à quatre-vingt mille hommes ; on supposait que le corps prussien, qui pouvait être en mesure vers le soir, pouvait être de quinze mille hommes. Les forces ennemies étaient donc de plus de quatre-vingt dix mille hommes ; les nôtres étaient moins nombreuses.

A midi, tous les préparatifs étaient terminés, et le prince Jérôme, commandant une division du 2e corps, destinée à en former l'extrême gauche, se porta sous le bois dont l'ennemi occupait une partie. La canonnade s'engagea ; l'ennemi soutint par trente pièces de canon les troupes qu'il avait envoyées pour garder le bois. Nous fîmes aussi de notre côté des dispositions d'artillerie. A une heure, le prince Jérôme *(frère de Napoléon)*, fut maître de tout le bois, et toute l'armée anglaise se replia derrière un rideau. Le comte d'Erlon *(Drouet)* attaqua alors le village de Mont-Saint-Jean et fit appuyer son attaque par quatre-vingts pièces de canon. Il s'engagea là une épouvantable canonnade, qui dut beaucoup faire souffrir l'armée anglaise. Tous les coups portaient sur le plateau. Une brigade de la 1e division du comte d'Erlon s'empara du village de Mont-Saint-Jean ; une seconde brigade fut chargée par un corps de cavalerie anglaise, qui lui fit éprouver beaucoup de pertes. Au même moment, une division de cavalerie anglaise chargea la batterie du comte d'Erlon par sa droite, et désorganisa plusieurs pièces ; mais les cuirassiers du général Milhaud chargèrent cette division, dont trois régiments furent rompus et écharpés.

Il était trois heures après midi. L'Empereur fit avancer la Garde pour la placer dans la plaine, sur le terrain qu'avait occupé le 1er corps au commencement de l'action, ce corps se trouvant déjà en avant. La division prussienne, dont on avait prévu le mouvement, commença alors à s'engager avec les tirailleurs du comte Lobau, en plongeant son feu sur tout notre flanc droit. Il était convenable, avant de rien entreprendre ailleurs, d'attendre l'issue qu'aurait cette attaque. A cet effet, tous les moyens de la réserve étaient prêts à se porter au secours du comte Lobau et à écraser le corps prussien lorsqu'il se serait avancé.

Cela fait, l'Empereur avait le projet de mener une attaque par le village de Mont-Saint-Jean, dont on espérait un succès décisif ; mais, par un mouvement d'impatience si fréquent dans nos annales militaires, et qui nous a été souvent si funeste, la cavalerie de réserve, s'étant aperçue d'un mouvement rétrograde que faisaient les Anglais pour se mettre à l'abri de nos batteries, dont ils avaient déjà tant souffert, couronna les hauteurs de Mont-Saint-Jean et chargea l'infanterie. Ce mouvement, qui, fait à temps et soutenu par les réserves, devait décider de la journée, fait isolément et avant que les affaires de la droite fussent terminées, devint funeste. N'ayant aucun moyen de le contremander, l'ennemi montrant beaucoup de masses d'infanterie et de cavalerie, et les deux divisions de cuirassiers étant engagées, toute notre cavalerie courut au même moment pour soutenir ses camarades. Là, pendant trois heures, se firent de nombreuses charges qui nous valurent l'enfoncement de plusieurs carrés et six drapeaux de l'infanterie anglaise, avantage hors de proportion avec les pertes qu'éprouvait notre cavalerie par la mitraille et les fusillades. Il était impossible de disposer de nos réserves d'infanterie jusqu'à ce qu'on eût repoussé l'attaque de flanc du corps prussien. Cette attaque se prolongeait toujours et perpendiculairement sur notre flanc droit. L'Empereur y envoya le général Duhesme avec la jeune Garde et plusieurs batteries de réserve. L'ennemi fut contenu, fut repoussé et recula ; il avait épuisé ses forces et l'on n'en avait plus rien à craindre. C'est ce moment qui était celui indiqué pour une attaque sur le centre de l'ennemi.

Comme les cuirassiers souffraient par la

mitraille, on envoya quatre bataillons de la moyenne Garde pour protéger les cuirassiers, soutenir la position, et, si cela était possible, dégager et faire reculer dans la plaine une partie de notre cavalerie. On envoya deux autres bataillons pour se tenir en potence sur l'extrême gauche de la division qui avait manœuvré sur nos flancs, afin de n'avoir de ce côté aucune inquiétude ; le reste fut disposé en réserve, partie pour occuper la potence en arrière de Mont-Saint-Jean, partie sur le plateau, en arrière du champ de bataille qui formait notre position de retraite.

Dans cet état de choses, la bataille était gagnée ; nous occupions toutes les positions que l'ennemi occupait au commencement de l'action ; notre cavalerie ayant été trop tôt et mal employée, nous ne pouvions plus espérer de succès décisifs. Mais le maréchal Grouchy, ayant appris le mouvement du corps prussien, marchait sur le derrière de ce corps, ce qui nous assurait un succès éclatant pour la journée du lendemain. Après huit heures de feu et de charges d'infanterie et de cavalerie, toute l'armée voyait avec satisfaction la bataille gagnée et le champ de bataille en notre pouvoir.

Sur les huit heures et demie, les quatre bataillons de la moyenne Garde qui avaient été envoyés sur le plateau au delà de Mont-Saint-Jean pour soutenir les cuirassiers, étant gênés par la mitraille de l'ennemi, marchèrent à la baïonnette pour enlever ses batteries. Le jour finissait ; une charge faite sur leur flanc par plusieurs escadrons anglais les mit en désordre ; les fuyards repassèrent le ravin ; les régiments voisins, qui virent quelques troupes appartenant à la Garde à la débandade, crurent que c'était de la vieille Garde et s'ébranlèrent : les cris « Tout est perdu ! La Garde est repoussée ! » se firent entendre. Les soldats prétendent même que sur plusieurs points des malveillants apostés ont crié « Sauve qui peut ! » Quoi qu'il en soit, une terreur panique se répandit tout à la fois sur tout le champ de bataille ; on se précipita dans le plus grand désordre sur la ligne de communication ; les soldats, les canonniers, les caissons se pressaient pour y arriver ; la vieille Garde qui était en réserve en fut assaillie et fut elle-même entraînée.

Dans un instant l'armée ne fut plus qu'une masse confuse, toutes les armes étant mêlées, et il était impossible de reformer un corps. L'ennemi, qui s'aperçut de cette étonnante confusion, fit déboucher des colonnes de cavalerie ; le désordre augmenta ; la confusion de la nuit empêcha de rallier les troupes et de leur montrer leur erreur.

Ainsi une bataille terminée, une journée finie, de fausses mesures réparées, de plus grands succès assurés pour le lendemain, tout fut perdu par un moment de terreur panique. Les escadrons de service même, rangés à côté de l'Empereur, furent culbutés et désorganisés par ces flots tumultueux, et il n'y eut plus d'autre chose à faire que de suivre le torrent. Les parcs de réserve, les bagages qui n'avaient point repassé la Sambre, et tout ce qui était sur le champ de bataille, sont restés au pouvoir de l'ennemi. Il n'y a eu même aucun moyen d'attendre les troupes de notre droite ; on sait ce que c'est que la plus brave armée du monde, lorsqu'elle est mêlée et que son organisation n'existe plus.

L'Empereur a passé la Sambre à Charleroi le 19, à cinq heures du matin. Philippeville et Avesnes ont été données pour point de réunion. Le prince Jérôme, le général Morand et les autres généraux y ont déjà rallié une partie de l'armée. Le maréchal Grouchy, avec le corps de la droite, opère son mouvement sur la Basse Sambre.

"L'artillerie, comme à son ordinaire, s'est couverte de gloire"

La perte de l'ennemi doit avoir été grande, à en juger par les drapeaux que nous lui avons pris et par les pas rétrogrades qu'il avait faits ; la nôtre ne pourra se calculer qu'après le ralliement des troupes. Avant que le désordre éclatât, nous avions déjà éprouvé des pertes considérables, surtout dans notre cavalerie, si funestement et pourtant si bravement engagée. Malgré ces pertes, cette valeureuse cavalerie a constamment gardé la position qu'elle avait prise aux Anglais, et ne l'a abandonnée que quand le tumulte et le désordre du champ de bataille l'y ont forcée. Au milieu de la nuit et des obstacles qui encombraient la route, elle n'a pu elle-même conserver son organisation.

L'artillerie, comme à son ordinaire, s'est couverte de gloire.

Les voitures du quartier général étaient restées dans leur position ordinaire, aucun mouvement rétrograde n'ayant été jugé nécessaire. Dans le cours de la journée, elles sont tombées entre les mains de l'ennemi.

Telle a été l'issue de la bataille de Mont-Saint-Jean, glorieuse pour les armées françaises, et pourtant si funeste.

Cuvier

MONTBÉLIARD 1769 —
PARIS 1832.

D'une famille protestante, Georges Léopold Chrétien Fréderic Dagobert Cuvier fait ses études à Montbéliard puis en Allemagne à Stuttgard. Précepteur à Caen, il s'intéresse à la géologie, étudie poissons, mollusques et crustacés, et rédige plusieurs mémoires qu'il envoie à la Société d'Histoire naturelle de Paris. Cuvier collabore avec Geoffroy Saint-Hilaire, puis est nommé à la chaire d'histoire naturelle de l'École Centrale. Il publie un ***Tableau élémentaire de l'histoire naturelle des animaux****, en 1796, et est reçu à l'Académie des Sciences. Nommé suppléant, puis titulaire, de la chaire d'anatomie comparée au Museum d'Histoire naturelle, il prononce les* ***Leçons d'anatomie comparée*** *(1800-1805), où il dégage deux lois fondamentales :*
1° Toute modification d'une partie de l'organisme en affecte la totalité ;
2° Étant donnée la solidarité des parties dans l'organisme, l'on peut déduire d'une partie la configuration des autres. Dans les ***Recherches sur les ossements fossiles****, Cuvier décrit environ 160 espèces disparues, et fonde ainsi la paléontologie. En 1800, il succède à Daubenton au Collège de France. L'Académie française le reçoit en 1818, et il est fait pair de France en 1832.*

SCIENCES

•Discours sur les révolutions de la surface du globe•

1812

Ce texte apparaît d'abord en tête des **Recherches sur les ossements fossiles,** *avant d'être édité à part en 1825. Selon Cuvier le devenir du monde est divers et syncopé par des « catastrophes » ou des « déluges ». Un disciple de Cuvier en dénombrera vingt sept. Les espèces sont fixes mais disparaissent au cours de ces catastrophes pour laisser la place à de nouveaux surgissements. Cette vision de la transformation des espèces par « sauts » s'oppose tout à fait au transformismes graduels de Lamarck et de Darwin. Cuvier nie la métamorphose des espèces, s'appuyant sur le fait que l'on ne rencontre pas dans la nature actuelle « d'individus intermédiaires entre le lièvre et le lapin, entre le cerf et le daim, entre la marte et la fouine.*

LES ESPÈCES PERDUES NE SONT PAS DES VARIÉTÉS DES ESPÈCES VIVANTES

"L'espèce comprend les individus qui descendent les uns des autres ou de parents communs, et ceux qui leur ressemblent autant qu'ils se ressemblent entre eux"

Pourquoi les races actuelles, me dira-t-on, ne seraient-elles pas des modifications de ces races anciennes que l'on trouve parmi les fossiles, modifications qui auraient été produites par les circonstances locales et le changement de climat, et portées à cette extrême différence par la longue succession des années ?

Cette objection doit surtout paraître forte à ceux qui croient à la possibilité indéfinie de l'altération des formes dans les corps organisés, et qui pensent qu'avec des siècles et des habitudes toutes les espèces pourraient se changer les unes dans les autres, ou résulter d'une seule d'entre elles.

Cependant on peut leur répondre, dans leur propre système, que si les espèces ont changé par degrés, on devrait trouver des traces de ces modifications graduelles ; qu'entre le palæothérium et les espèces d'aujourd'hui l'on devrait découvrir quelques formes intermédiaires, et que jusqu'à présent cela n'est point arrivé.

Pourquoi les entrailles de la terre n'ont-elles point conservé les monuments d'une généalogie si curieuse, si ce n'est parce que les espèces d'autrefois étaient aussi constantes que les nôtres, ou du moins parce que la catastrophe qui les a détruites ne leur a pas laissé le temps de se livrer à leurs variations ?

Quant aux naturalistes qui reconnaissent que les variétés sont restreintes dans certaines limites fixées par la nature, il faut, pour leur répondre, examiner jusqu'où s'étendent ces limites, recherche curieuse, fort intéressante en elle-même sous une infinité de rapports, et dont on s'est cependant bien peu occupé jusqu'ici.

Cette recherche suppose la définition de l'espèce qui sert de base à l'usage que l'on fait de ce mot, savoir que l'espèce comprend *les individus qui descendent les uns des autres ou de parents communs, et ceux qui leur ressemblent autant qu'ils se ressemblent entre eux.* Ainsi nous n'appelons variétés d'une espèce que les races plus ou moins différentes qui peuvent en être sorties par la génération. Nos observations sur les différences entre les ancêtres et les descendants sont donc pour nous la seule règle raisonnable ; car toute autre rentrerait dans des hypothèses sans preuves.

Or, en prenant ainsi la *variété,* nous observons que les différences qui la constituent dépendent de circonstances déterminées, et que leur étendue augmente avec l'intensité de ces circonstances.

Ainsi les caractères les plus superficiels sont les plus variables ; la couleur tient beaucoup à la lumière ; l'épaisseur du poil à la chaleur ; la grandeur à l'abondance de la nourriture : mais, dans un animal sauvage, ces variétés mêmes sont fort limitées par le naturel de cet animal, qui ne s'écarte pas volontiers des lieux où il se trouve, au degré convenable, tout ce qui est nécessaire au maintien de son espèce, et qui ne s'étend au loin qu'autant qu'il y trouve aussi la réunion de ces conditions. Ainsi, quoique le loup et le renard habitent depuis la zone torride jusqu'à la zone glaciale, à peine éprouvent-ils, dans cet immense intervalle, d'autre variété qu'un peu plus ou un peu moins de beauté dans leur fourrure. J'ai comparé des crânes de renards du Nord et de renards d'Égypte avec ceux des renards de France, et je n'y ai trouvé que des différences individuelles.

Ceux des animaux sauvages qui sont retenus dans des espaces plus limités varient bien moins encore, surtout les carnassiers.

Une crinière plus fournie fait la seule différence entre l'hyène de Perse et celle du Maroc.

Les animaux sauvages herbivores éprouvent un peu plus profondément l'influence du climat, parce qu'il s'y joint celle de la nourriture, qui vient à différer quant à l'abondance et quant à la qualité. Ainsi les éléphants seront plus grands dans telle forêt que dans telle autre ; ils auront des défenses un peu plus longues dans les lieux où la nourriture sera plus favorable à la formation de la matière de l'ivoire ; il en sera de même des rennes, des cerfs, par rapport à leur bois : mais que l'on prenne les deux éléphants les plus dissemblables, et que l'on voie s'il y a la moindre différence dans le nombre ou les articulations des os, dans la structure de leurs dents, etc.

D'ailleurs les espèces herbivores à l'état sauvage paraissent plus restreintes que les carnassières dans leur dispersion, parce que l'espèce de la nourriture se joint à la température pour les arrêter.

La nature a soin aussi d'empêcher l'altération des espèces, qui pourrait résulter de leur mélange, par l'aversion mutuelle qu'elle leur a donnée. Il faut toutes les ruses, toute la puissance de l'homme pour faire contracter ces unions, même aux espèces qui se ressemblent le plus ; et quand les produits sont féconds, ce qui est très rare, leur fécondité ne va point au-delà de quelques générations, et n'aurait probablement pas lieu sans la continuation des soins qui l'ont excitée. Aussi ne voyons-nous pas dans nos bois d'individus intermédiaires entre le lièvre et le lapin, entre le cerf et le daim, entre la marte et la fouine.

Mais l'empire de l'homme altère cet ordre ; il développe toutes les variations dont le type de chaque espèce est susceptible, et en tire des produits que les espèces, livrées à elles-mêmes, n'auraient jamais donnés.

Ici le degré des variations est encore proportionné à l'intensité de leur cause, qui est l'esclavage.

Il n'est pas très élevé dans les espèces demi-domestiques, comme le chat. Des poils plus doux, des couleurs plus vives, une taille plus ou moins forte, voilà tout ce qu'il éprouve ; mais le squelette d'un chat d'Angora ne diffère en rien de constant de celui d'un chat sauvage.

Dans les herbivores domestiques, que nous transportons en toutes sortes de climats, que nous assujétissons à toutes sortes de régimes, auxquels nous mesurons diversement le travail et la nourriture, nous obtenons des variations plus grandes, mais encore toutes superficielles : plus ou moins de taille, des cornes plus ou moins longues qui manquent quelquefois entièrement ; une loupe de graisse plus ou moins forte sur les épaules, forment les différences des bœufs ; et ces différences se conservent longtemps, même dans les races transportées hors du pays où elles se sont formées quand on a soin d'en empêcher le croisement.

De cette nature sont aussi les innombrables variétés des moutons qui portent principalement sur la laine, parce que c'est l'objet auquel l'homme a donné le plus d'attention : elles sont un peu moindres, quoique encore très sensibles dans les chevaux.

En général les formes des os varient peu ; leurs connexions, leurs articulations, la forme des grandes dents molaires ne varient jamais.

Le peu de développement des défenses dans le cochon domestique, la soudure de ses ongles dans quelques-uns de ses races, sont l'extrême des différences que nous avons produites dans les herbivores domestiques.

Les effets les plus marqués de l'influence de l'homme se montrent sur l'animal dont il a fait le plus complètement la conquête, sur le chien, cette espèce tellement dévouée à la nôtre, que les individus mêmes semblent nous avoir sacrifié leur moi, leur intérêt, leur sentiment propre. Transportés par les hommes dans tout l'univers, soumis à toutes les causes capables d'influer sur leur développement, assortis dans leurs unions au gré de leurs maîtres, les chiens varient pour la couleur, pour l'abondance du poil, qu'ils perdent même quelquefois entièrement ; pour sa nature ; pour la taille qui peut différer comme un à cinq dans les dimensions linéaires, ce qui fait plus du centuple de la masse ; pour la forme des oreilles, du nez, de la queue ; pour la hauteur relative des jambes ; pour le développement progressif du cerveau dans les variétés domestiques, d'où résulte la forme même de leur tête, tantôt grêle, à museau effilé, à front plat, tantôt à museau court, à front bombé ; au point que les différences apparentes d'un mâtin et d'un barbet, d'un lévrier et d'un doguin, sont plus fortes que celles d'aucunes espèces sauvages d'un même genre naturel ; enfin, et ceci est le maximum de variation connu jusqu'à ce jour dans le règne animal, il y a des races de chiens qui ont un doigt de plus au pied de derrière avec les os du tarse correspondants, comme il y a, dans l'espèce humaine, quelques familles sexdigitaires.

Mais dans toutes ces variations les relations des os restent les mêmes, et jamais la forme des dents ne change d'une manière appréciable ; tout au plus y a-t-il quelques individus où il se développe une fausse molaire de plus, soit d'un côté, soit de l'autre.

Il y a donc, dans les animaux, des caractères qui résistent à toutes les influences, soit naturelles, soit humaines, et rien n'annonce que le temps ait, à leur égard, plus d'effet que le climat et la domesticité.

Je sais que quelques naturalistes comptent beaucoup sur les milliers de siècles qu'ils accumulent d'un trait de plume ; mais dans de semblables matières nous ne pouvons guère juger de ce qu'un long temps produirait, qu'en multipliant par la pensée ce que produit un temps moindre. J'ai donc cherché à recueillir les plus anciens documents sur les formes des animaux, et il n'en existe point qui égalent, pour l'antiquité et pour l'abondance, ceux que nous fournit l'Égypte. Elle nous offre, non seulement des images, mais les corps des animaux eux-mêmes embaumés dans ses catacombes.

J'ai examiné avec le plus grand soin les figures d'animaux et d'oiseaux gravés sur les nombreux obélisques venus d'Égypte dans l'ancienne Rome. Toutes ces figures sont, pour l'ensemble, qui seul a pu être l'objet de l'attention des artistes, d'une ressemblance parfaite avec les espèces telles que nous les voyons aujourd'hui.

Chacun peut examiner les copies qu'en donnent Kirker et Zoega : sans conserver la pureté de trait des originaux, elles offrent encore des figures très reconnaissables. On y distingue aisément l'ibis, le vautour, la chouette, le faucon, l'oie d'Égypte, le vanneau, le râle de terre, la vipère haje ou l'aspic, le céraste, le lièvre d'Égypte avec ses longues oreilles, l'hippopotame même ; et dans ces nombreux monuments gravés dans le grand ouvrage sur l'Égypte, on voit quelquefois les animaux les plus rares, l'algazel, par exemple, qui n'a été vu en Europe que depuis quelques années.

Mon savant collègue, M. Geoffroy Saint-Hilaire, pénétré de l'importance de cette recherche, a eu soin de recueillir dans les tombeaux et dans les temples de la Haute et de la Basse-Égypte le plus qu'il a pu de momies d'animaux. Il a rapporté des chats, des ibis, des oiseaux de proie, des chiens, des singes, des crocodiles, une tête de bœuf, embaumés ; et l'on n'aperçoit certainement pas plus de différence entre ces êtres et ceux que nous voyons, qu'entre les momies humaines et les squelettes d'hommes d'aujourd'hui. On pouvait en trouver entre les momies d'ibis et l'ibis, tel que le décrivaient jusqu'à ce jour les naturalistes ; mais j'ai levé tous les doutes dans un mémoire sur cet oiseau, que l'on trouvera à la suite de ce discours, et où j'ai montré qu'il est encore maintenant le même que du temps des Pharaons. Je sais bien que je ne cite là que des individus de deux ou trois mille ans ; mais c'est toujours remonter aussi haut que possible.

Il n'y a donc, dans les faits connus, rien qui puisse appuyer le moins du monde l'opinion que les genres nouveaux que j'ai découverts ou établis parmi les fossiles, non plus que ceux qui l'ont été par d'autres naturalistes, les *palæothériums*, les *anoplothériums*, les *mégalonyx*, les *mastodontes*, les *ptérodactyles*, les *ichtyosaurus*, etc., aient pu être les souches de quelques-uns des animaux d'aujourd'hui, lesquels n'en différaient que par l'influence du temps ou du climat ; et quand il serait vrai (ce que je suis loin encore de croire) que les éléphants, les rhinocéros, les élans, les ours fossiles ne diffèrent pas plus de ceux d'à présent que les races des chiens ne diffèrent entre elles, on ne pourrait pas conclure de la l'identité d'espèces, parce que les races des chiens ont été soumises à l'influence de la domesticité que ces autres animaux n'ont ni subie, ni pu subir.

Au reste, lorsque je soutiens que les bancs pierreux contiennent les os de plusieurs genres, et les couches meubles ceux de plusieurs espèces qui n'existent plus, je ne prétends pas qu'il ait fallu une création nouvelle pour produire les espèces aujourd'hui existantes ; je dis seulement qu'elles n'existaient pas dans les lieux où on les voit à présent, et qu'elles ont dû y venir d'ailleurs.

Supposons, par exemple, qu'une grande irruption de la mer couvre d'un amas de sables ou d'autres débris le continent de la Nouvelle-Hollande, elle y enfouira les cadavre des kanguroos, des phascolomes, des dasyures, des péramèles, des phalangers volants, des échidnés et des ornithorinques, et elle détruira entièrement les espèces de tous ces genres, puisqu'aucun d'eux n'existe maintenant en d'autres pays.

Que cette même révolution mette à sec les petits détroits multipliés qui séparent la Nouvelle-Hollande du continent de l'Asie, elle ouvrira un chemin aux éléphants, aux rhinocéros, aux buffles, aux chevaux, aux chameaux, aux tigres, et à tous les autres quadrupèdes asiatiques qui viendront peupler une terre où ils auront été auparavant inconnus.

Qu'ensuite un naturaliste, après avoir bien étudié toute cette nature vivante, s'avise de fouiller le sol sur lequel elle vit, il y trouvera des restes d'êtres tout différents.

Sir Walter Scott

EDIMBOURG 1771 – ABBOTSFORD 1832.

Walter Scott passe une partie de son enfance à la campagne, dans les montagnes d'Ecosse, et s'initie de bonne heure à la poésie des Highlanders. A partir de 1792 il entreprend la première de ses sept excursions annuelles dans les campagnes écossaises afin de recueillir des ballades populaires. Il écrit des ***Poésies écossaises*** *en 1802, compose* ***Sir Tristrem*** *(1804) et un poème narratif :* ***La Dame du lac*** *(1810) etc. Il publie en 1814 un roman* ***Waverley*** *(1814), le succès immédiat de cette œuvre décide Walter Scott d'écrire une série des romans d'ambiance écossaise :* ***L'Antiquaire, Le Nain noir, Le Puritain d'Ecosse****, etc. C'est en 1819 qu'il publie* ***Ivanhoe*** *dans lequel il peint la lutte entre les trois peuples breton, saxon et normand. Walter Scott atteint l'apogée de sa popularité. Il écrit* ***Quentin Durward*** *(1823) qui se situe dans la France du XVe siècle, et diverses œuvres,* ***Woodstock*** *(1826),* ***La Vie de Napoléon*** *(1827) etc. Il sera lu avec cœur par Honoré de Balzac.*

ROMAN HISTORIQUE

.Ivanhoe.

1819

Ivanhoe, fils du noble saxon Cédric aime la pupille de son père Lady Rowena qui descend du roi Alfred. Mais Cédric, qui défend le retour des saxons sur le trône d'Angleterre, veut donner Rowena au saxon de sang royal Athelstane. Irrité par l'amour des deux jeunes gens et l'attachement d'Ivanhoe pour le roi Richard Cœur de Lion, Cédric bannit son fils Ivanhoe. Richard Cœur de Lion et Ivanhoe partent pour la Croisade. En l'absence de son frère, le prince Jean cherche à s'emparer du trône. De brillants épisodes se succèdent.

Ivanhoe revient incognito et écrase dans un tournoi tous les chevaliers du prince Jean :

... En ce moment, et comme la musique orientale des tenants venait d'exécuter une de ces fanfares qui célébraient leur triomphe, une seule trompette fit entendre des sons de défi à la porte située du côté du nord. Tous les yeux se tournèrent de ce côté pour voir le nouveau champion qui allait se présenter, et dès que la barrière fut ouverte il entra dans la lice. Ce chevalier était de moyenne taille, et, autant qu'on pouvait juger d'un homme revêtu d'une armure, il paraissait plus élancé que robuste. Sa cuirasse d'acier était richement damasquinée en or ; il n'avait sur son bouclier d'autres armoiries qu'un jeune chêne déraciné, et sa devise était le mot espagnol *Desdichado*, c'est-à-dire Déshérité. Il montait un superbe cheval noir, et en traversant l'arène, il salua le prince et les dames, d'un air plein de grâce, en baissant le fer de sa lance. L'adresse avec laquelle il conduisait son cheval, quelque chose d'aimable et de courtois dans toutes ses manières, lui valurent la faveur générale ; quelques individus des classes inférieures lui témoignèrent l'intérêt qu'ils lui portaient, en criant : « Touchez le bouclier de Ralph de Vipont, du chevalier hospitalier ! c'est celui qui est le moins ferme en selle, celui dont vous aurez le meilleur marché ! »

Au milieu de ces acclamations, le nouveau champion monta sur la plate-forme, et, au grand étonnement de tous les spectateurs, alla droit au pavillon du centre et frappa fortement de sa lance le bouclier de Brian de Bois-Guilbert ; ce qui annonçait qu'il demandait le combat à outrance. Chacun fut surpris de sa présomption, mais personne ne le fut plus que l'orgueilleux templier, qui sortit aussitôt de sa tente.

– Es-tu en état de grâce ? lui demanda-t-il avec un sourire amer. As-tu entendu la messe ce matin, toi qui viens mettre ainsi ta vie en péril ?

– Je suis mieux préparé que toi à la mort, répondit le chevalier Déshérité, car c'était sous ce nom qu'il s'était fait inscrire au nombre des assaillants.

– Va donc prendre place dans la lice, et regarde le soleil pour la dernière fois, car tu dormiras ce soir dans le paradis.

– Grand merci de ta courtoisie ! Pour t'en récompenser, je te conseille de prendre un cheval frais et une lance neuve, car, sur mon honneur, tu auras besoin de l'un et de l'autre.

Après avoir parlé avec tant de confiance, il fit descendre son cheval à reculons de la plate-forme, et le força à parcourir ainsi toute l'arène jusqu'à la porte du nord, où il resta stationnaire en attendant son antagoniste. Cette preuve d'adresse dans l'art de l'équitation lui attira de nouveaux applaudissements.

Quoique courroucé de la hardiesse avec laquelle son adversaire lui avait conseillé de prendre des précautions, Bois-Guilbert ne les négligea point. Son honneur était trop intéressé à remporter la victoire pour qu'il oubliât aucun des moyens qui pouvaient la lui procurer. Il choisit un nouveau cheval, plein de feu et d'ardeur, et s'arma d'une nouvelle lance, de peur que le bois de la première ne se fût affaibli par les coups qu'il avait portés dans ses trois rencontres précédentes. Il changea aussi de bouclier, celui dont il s'était servi jusqu'alors ayant été un peu endommagé, et en prit un autre des mains de ses écuyers.

... L'impatience des spectateurs était portée au plus haut point, lorsqu'ils virent les deux champions placés en face l'un de l'autre à chaque extrémité de la lice. Presque tous les vœux étaient pour le chevalier Déshérité, mais presque personne n'espérait que le combat pût se terminer à son avantage.

Dès que les trompettes eurent donné le signal, les deux combattants s'élancèrent l'un contre l'autre avec la rapidité de l'éclair, et ils se rencontrèrent au milieu de l'arène avec un bruit semblable à celui du tonnerre. Leurs lances furent brisées en éclats, et on les crut un instant renversés tous les deux, car la violence du choc, avait fait plier leurs chevaux sur les jarrets, et leur chute ne fut prévenue que par l'adresse avec laquelle ils surent l'un et l'autre se servir de la bride et de l'éperon. Les deux rivaux de gloire se regardèrent un instant avec des yeux qui semblaient lancer le feu à travers leurs visières, et, se retirant aux extrémités de l'enceinte, ils reçurent une nouvelle lance des mains de leur écuyers.

Des acclamations unanimes annoncèrent l'intérêt que les spectateurs avaient pris à cette rencontre, la plus égale et la plus savante de cette journée. Les dames faisaient flotter leurs écharpes et leurs mouchoirs pour témoigner leur satisfaction. Mais, dès que les chevaliers eurent regagné chacun leur poste, à ces clameurs succéda un silence si profond qu'on eût cru que cette immense multitude n'osait plus même respirer.

On accorda aux combattants une pause de quelques minutes, afin qu'ils pussent reprendre haleine. Alors, le prince Jean ayant donné le signal, les trompettes sonnèrent la charge, et les deux champions partirent une seconde fois avec la même impétuosité, et se heurtèrent avec la même adresse, et la même vigueur, mais non avec la même fortune.

Dans cette seconde rencontre, le templier dirigea sa lance vers le centre du bouclier de son adversaire, et le frappa si juste et avec tant de force, que le chevalier Déshérité plia en arrière jusque sur la croupe de son cheval, mais sans perdre selle. De son côté, le champion inconnu avait, dès le commencement de sa course, menacé de sa lance le bouclier de son antagoniste, mais, changeant de but au moment même de le frapper, il la dirigea contre le casque, but plus difficile à atteindre, mais qui, lorsqu'on l'atteignait, rendait le choc irrésistible. Malgré ce désavantage, le templier soutint sa haute réputation, et si la sangle de son coursier ne se fût pas rompue, il n'aurait peut-être pas été désarçonné. Néanmoins, cheval et cavalier furent renversés et roulèrent dans la poussière.

Se dégager de ses étriers fut pour Bois-Guilbert l'affaire d'un instant. Furieux de sa disgrâce et des applaudissements universels qu'on prodiguait au vainqueur, il tira son épée et fit signe au chevalier Déshérité de se mettre en défense. Celui-ci sauta légèrement à bas de cheval et tira pareillement son épée ; mais les maréchaux du tournoi, arrivant à toute bride, les séparèrent, et leur dirent que ce genre de combat ne pouvait leur être permis en cette occasion.

– Nous nous reverrons, j'espère, dit le templier à son vainqueur, en fixant sur lui des yeux où la rage était peinte, et dans un endroit où il ne se trouvera personne pour nous séparer.

– Si cela n'arrive point, il n'y aura pas de ma faute, répondit le chevalier Déshérité ; à pied ou à cheval, à l'épée ou à la lance, je serai toujours prêt à me mesurer contre toi.

La querelle ne se serait pas bornée à ce peu de mots, si les maréchaux, croisant leurs lances entre eux, ne les eussent forcés à se séparer. Le chevalier Déshérité retourna à la porte du côté nord, et Bois-Guilbert rentra dans sa tente, où il passa le reste de la journée en proie à la rage et au désespoir.

Sans descendre de cheval, le vainqueur demanda du vin, et, ouvrant la partie inférieure de son casque, il annonça qu'il buvait à tous les cœurs véritablement anglais, et à la confusion de tout tyran étranger. Il ordonna alors à son trompette de sonner un défi aux tenants, et chargea un héraut d'armes de leur déclarer que son intention était de les combattre successivement, dans tel ordre qu'ils voudraient se présenter.

Fier de sa force et de sa taille gigantesque, Front-de-Bœuf descendit le premier dans l'arène. Son écu portait, sur un fond d'argent, une tête de taureau noir à demi effacée par les coups nombreux que ce bouclier avait déjà reçus. Sa devise était deux mots latins pleins d'arrogance. CAVE, ADSUM, c'est-à-dire : « Prends garde, me voici ! » Le chevalier Déshérité n'obtint sur lui qu'un avantage léger, mais décisif. Les deux champions rompirent également leurs lances ; mais Front-de-Bœuf ayant perdu les étriers dans le choc, fut déclaré vaincu par les maréchaux.

L'inconnu n'obtint pas moins de succès en combattant contre Philippe de Malvoisin. Il fut encore déclaré vainqueur, parce qu'il frappa si fortement de sa lance le casque de son adversaire, que les courroies qui l'attachaient se rompirent, de sorte que la tête resta à découvert.

Dans sa rencontre avec Hugues de Grantmesnil, le chevalier Déshérité montra autant de courtoisie qu'il avait fait preuve d'adresse et de vigueur dans les précédentes. Le cheval de Grantmesnil, étant jeune et fougueux, caracola et se cabra tellement dans sa course, qu'il fut impossible à son cavalier de faire usage de sa lance. L'inconnu, bien loin de tirer avantage de cet accident, leva sa lance en arrivant près de lui et la fit passer au-dessus de son casque, comme pour montrer seulement qu'il aurait pu le toucher s'il en avait eu l'intention. Faisant alors tourner son cheval, il alla reprendre son poste près de la porte du côté du nord, et chargea un héraut d'armes d'aller demander à Grantmesnil s'il voulait commencer une seconde course ; mais celui-ci répondit qu'il se reconnaissait vaincu autant par la courtoisie que par l'adresse de son antagoniste.

Ralph de Vipont compléta le triomphe de l'inconnu. Il fut renversé de son cheval avec une telle force, que le sang lui sortit par la bouche et par le nez ; ses écuyers l'emportèrent, privé de tout sentiment.

Mille acclamations longtemps prolongées accueillirent la déclaration unanime du prince et des maréchaux, que le chevalier Déshérité avait remporté l'honneur de cette journée.

Le prince Jean institue un concours entre les meilleurs archers du pays. L'archer Locksley n'est autre que Robin Hood qui représente le vieux peuple breton, et qui est mis hors la loi.

Le nombre des compétiteurs se trouva définitivement de huit. Le prince Jean descendit de son trône pour examiner de plus près ces archers d'élite, dont plusieurs portaient la livrée royale. Après avoir satisfait ainsi sa curiosité, il promena ses regards autour de l'enceinte pour chercher l'objet de son ressentiment, et il le vit debout à la même place que la veille, et avec le même air de calme et de sang-froid.

– Je me doutais bien que ton adresse ne répondait pas à ton insolence, et que tu n'étais pas un véritable partisan de l'arbalète, lui dit le prince ; tu n'oses pas à présent te mesurer avec de pareils concurrents.

– Sous votre bon plaisir, dit le yeoman, j'ai une autre raison que la crainte d'être vaincu, pour me tenir à l'écart.

– Et quelle est cette autre raison ? demanda le prince, qui, par quelque motif que peut-être il n'aurait pu lui-même expliquer, éprouvait une sorte de curiosité pénible à l'égard de celui qu'il interrogeait.

– C'est que, répondit-il, ces archers et moi nous ne sommes peut-être pas accoutumés à tirer au même but : et puis, je craindrais que Votre Grâce n'aimât pas à voir remporter un troisième prix par quelqu'un qui, sans le vouloir, a eu le malheur d'encourir son déplaisir.

– Yeoman, quel est ton nom ? demanda le prince en rougissant.

– Locksley, répondit-il.

– Eh bien ! Locksley, tu viseras à ton tour, lorsque ces archers auront déployé leur adresse. Si tu remportes le prix, j'y joindrai vingt nobles ; mais si tu le perds, je te ferai dépouiller de ton habit vert, et te ferai chasser de l'enceinte à coups de corde d'arc, pour te punir de tes fanfaronnades et de ton insolence.

– Et si je refuse d'accepter le défi à de pareilles conditions ? reprit le yeoman. Votre Grâce, soutenue comme elle l'est par tant d'hommes d'armes, peut me battre, me dépouiller de mes vêtements ; mais toute sa puissance ne saurait m'obliger à tendre mon arc, si ce n'est pas mon bon plaisir.

– Si tu refuses l'offre que je te fais, dit le prince, le prévôt brisera ton arc et tes flèches, et te chassera de l'arène comme un lâche.

– Ce n'est pas m'offrir une chance égale, grand prince, que de m'obliger à me mesurer avec les meilleurs archers des comtés de Strafford et de Leicester, au risque d'éprouver les traitements les plus indignes si je suis vaincu. Néanmoins, j'obéirai à Votre Grâce.

– Gardes, ayez l'œil sur lui, dit le prince ; je vois que le cœur lui manque, mais je ne veux pas qu'il puisse éviter l'épreuve à laquelle je désire mettre son adresse. Et vous, mes amis, du courage, soutenez votre réputation. J'ai donné ordre qu'une botte de vin et un chevreuil fussent servis pour vous dans la tente voisine, aussitôt que le prix sera remporté.

Un bouclier fut placé au bout de l'avenue qui, du côté du midi, conduisait au lieu du tournoi. On laissa une distance considérable entre ce but et l'endroit d'où les archers devaient viser. Les rangs furent tirés au sort. Chacun devait tirer trois flèches. L'ordre des jeux fut réglé par un officier subalterne, nommé le prévôt des jeux ; car les maréchaux du tournoi auraient cru déroger s'ils avaient présidé aux jeux de la yeomanrie.

Les archers, s'avançant l'un après l'autre, lancèrent leurs flèches avec autant de vigueur que d'adresse. Sur les vingt-quatre flèches qui furent tirées successivement, dix frappèrent le but, et les autres en passèrent si près, que, vu la grande distance, tous les tireurs avaient droit à des éloges. Mais celui qui s'était distingué le plus, c'était Hubert, garde-chasse au service de Malvoisin ; deux de ses flèches avaient été s'enfoncer dans le cercle tracé au milieu du bouclier, et il fut proclamé vainqueur.

– Eh bien ! Locksley, dit le prince à l'archer qu'il voulait humilier, es-tu tenté à présent de te mesurer avec Hubert, ou bien t'avoueras-tu vaincu, en remettant ton arc, tes flèches et ton baudrier au prévôt des jeux ?

– Puisqu'il n'y a pas moyen de faire autrement, répondit Locksley, je consens à tenter la fortune, à condition que, lorsque j'aurai tiré deux flèches au but que m'indiquera Hubert, il en tirera une à son tour à celui que je lui proposerai.

– Rien de plus juste, dit le prince, et je t'accorde ta demande. – Hubert, si tu l'emportes sur ce fanfaron, je remplirai de sous d'argent le cor de chasse qui est destiné au vainqueur.

– Tout homme ne peut que faire de son mieux, répondit Hubert ; mais mon bisaïeul portait un fameux arc à la bataille d'Hastings, et j'espère ne pas me montrer indigne de lui.

On changea le bouclier qui servait de but ; on en mit un autre de la même grandeur, et Hubert, qui, comme vainqueur dans la première épreuve, avait le droit de tirer le premier, fixa longtemps le but, et mesura de l'œil la distance, tandis qu'il tenait à la main l'arc recourbé et la flèche déjà posée sur la corde. A la fin, il fait un pas en avant, élève l'arc jusqu'à ce que le milieu soit presque au niveau de son front, et retire alors avec force la corde vers son oreille. Le trait part en sifflant, et s'enfonce dans le cercle intérieur tracé au milieu du bouclier, mais non pas exactement au centre.

– Vous n'avez pas fait attention au vent, Hubert, lui dit son antagoniste en tendant son arc ; autrement, vous auriez mieux réussi.

En disant ces mots, et sans même se donner la peine de viser un instant, Locksley se plaça à l'endroit indiqué, et tira sa flèche avec si peu d'attention en apparence, qu'on eût pu croire qu'il n'avait pas même regardé le but. Il parlait encore à l'instant où la flèche partit ; cependant elle frappa de deux pouces plus près du centre que celle d'Hubert.

– Par la lumière du ciel, s'écria le prince Jean en regardant Hubert, si tu as le malheur de te laisser vaincre par ce misérable, tu mérites les galères !

Hubert avait une phrase de prédilection qu'il appliquait à tout.

– Quand même Votre Altesse devrait me faire pendre, répondit-il, un homme ne peut que faire de son mieux. Cependant mon bisaïeul portait un arc...

– Malédiction sur ton bisaïeul et sur toute sa génération ! s'écria le prince en l'interrompant : bande ton arc, malheureux, et vise de ton mieux, ou malheur à toi !

Cédant à des exhortations si pressantes, Hubert reprit sa place ; et n'oubliant pas l'avis que lui avait donné son adversaire, il calcula l'effet que pouvait produire sur sa flèche le léger souffle d'air qui venait de s'élever et il la lança avec tant d'adresse, qu'elle alla frapper juste au milieu du but.

– Vive Hubert ! vive Hubert ! s'écria le peuple, prenant plus d'intérêt à un archer du pays qu'à un inconnu ; vive à jamais Hubert !

– Tu ne saurais frapper plus juste, Locksley ! dit le prince avec un sourire insultant.

– Je ferai pour lui une entaille à sa flèche, reprit Locksley ; et, visant avec un peu plus d'attention que la première fois, il laissa partir sa flèche, qui frappa droit sur celle de son adversaire, et la fendit en morceaux. Tel fut l'effet que cette adresse merveilleuse produisit sur les spectateurs, qu'ils ne purent témoigner leur étonnement par leurs acclamations ordinaires. – Ce n'est pas un homme, se disaient entre eux les archers, c'est un diable ; ce qu'il fait tient du prodige : jamais on n'a vu pareille adresse depuis qu'un arc fut tendu pour la première fois en Angleterre.

– Maintenant, dit Locksley, je demande à Votre Grâce la permission de planter un but tel que ceux dont on se sert dans le Nord ; et honneur au brave yeoman qui viendra me disputer le prix pour obtenir un sourire de la jeune fille qu'il aime le mieux !

Il fit alors quelque pas pour s'éloigner.

– Faites-moi suivre de vos gardes, si vous le désirez, dit-il au prince ; je vais seulement couper une baguette au premier saule.

Le prince Jean fit signe à quelques hommes d'armes de l'accompagner de peur qu'il ne cherchât à s'évader ; mais le peuple en témoigna, par ses cris, tant d'indignation, qu'il révoqua son ordre.

Locksley revint presque au même instant, tenant à la main une baguette de saule d'environ six pieds de long, parfaitement droite, et ayant un peu plus d'un pouce d'épaisseur. Il se mit à l'écorcer avec beaucoup de sang-froid, disant en même temps que proposer pour but à un bon tireur un bouclier aussi large que celui dont on s'était servi jusqu'alors, c'était faire injure à son adresse. Dans le pays où il était né, on aimerait tout autant prendre pour but la table ronde du roi Arthur, autour de laquelle tenaient soixante chevaliers. Un pareil but était bon pour des enfants de sept ans. – Mais, ajouta-t-il en marchant d'un air délibéré vers l'extrémité de l'avenue, et en enfonçant en terre la baguette de saule, – celui qui atteint ce but à trente pas, je le proclame bon archer, digne de porter arc et carquois devant un roi, fût-ce devant le grand Richard lui-même.

– Mon bisaïeul, dit Hubert, tira à la bataille d'Hastings certaine flèche qui lui fit bien de l'honneur ; mais il ne s'est jamais avisé de prendre un pareil but, ni moi non plus. Si cet archer touche la baguette, je me rends ; car il faudra que le diable soit dans sa peau. Après tout, un homme ne peut que faire de son mieux, et je ne tirerai pas, lorsque je suis sûr de manquer mon coup. J'aimerais autant viser le bord du couteau de notre pasteur, ou une paille de blé, ou un rayon de soleil, que cette ligne blanche et tremblante que je puis voir à peine.

– Chien de poltron ! s'écria le prince. – Et toi, Locksley, lance ta flèche : si elle touche la baguette, je conviendrai que tu es le premier archer que j'aie jamais vu ; mais avant de te donner ce titre, je veux des preuves irrécusables de ton adresse.

– Je ferai de mon mieux, comme dit Hubert, répondit Locksley ; personne ne peut faire plus.

En disant ces mots, il banda de nouveau son arc ; mais, pour cette fois, il l'examina avec beaucoup plus de soin, et il en changea la corde, qui, ayant déjà servi plusieurs fois, n'était plus parfaitement ronde. Il visa alors le but, et mesura de l'œil la distance, tandis que les spectateurs, respirant à peine, suivaient ses moindres mouvements. L'archer justifia la haute opinion qu'ils avaient conçue de son adresse : le trait fendit la baguette de saule contre laquelle il avait été lancé. L'air retentit d'acclamations, et le prince Jean lui-même parut revenir de ses injustes préventions pour admirer l'adresse de Locksley. – Ces vingt nobles, ainsi que le cor de chasse, t'appartiennent, lui dit-il, tu les as mérités. Cinquante te seront même comptés à l'instant, si tu veux entrer à notre service en qualité d'archer de notre garde ; car jamais bras plus robuste ne courba un arc, et jamais coup d'œil plus juste ne dirigea une flèche.

– Excusez-moi, grand prince, dit Locksley ; mais j'ai juré que, si je prenais jamais du service, ce serait auprès de votre royal frère le roi Richard. Ces vingt nobles, je les remets à Hubert, qui ne s'est pas moins distingué aujourd'hui que son bisaïeul ne s'était signalé à la bataille d'Hastings. Si sa modestie ne lui avait pas fait refuser le défi, je suis sûr qu'il eût touché le but aussi bien que moi.

Hubert ne reçut qu'avec une sorte de répugnance le présent de l'étranger ; et Locksley, voulant éviter de fixer plus longtemps l'attention, se mêla dans la foule et ne reparut plus.

CHAPITRE 54

Marie-Henri Beyle, dit

Stendhal

GRENOBLE 1783 – PARIS 1842.

Issu d'une famille bourgeoise, Stendhal est orphelin à sept ans et garde un mauvais souvenir de son enfance. En 1796 il suit les cours de l'Ecole centrale de Grenoble et s'éveille à l'amour qui sera, dit-il, la grande affaire de sa vie. Venu à Paris étudier les mathématiques, il y renonce, s'engage dans l'armée d'Italie (1800), démissionne deux ans plus tard. Il s'installe à Milan, écrit ***Rome, Naples et Florence*** *(1817) ; revient à Paris, publie* ***De l'Amour*** *(1822), puis* ***Racine et Shakespeare*** *(1823-25),* ***Le Rouge et le Noir*** *(1830). Il est nommé consul en Italie et entreprend diverses œuvres :* ***La Chartreuse de Parme*** *qui paraîtra en 1839, ses* ***Chroniques italiennes*** *(1837-39) ; puis* ***Lucien Leuwen, Lamiel, Le Rose et le Vert*** *qui resteront inachevés. La plus grande qualité littéraire c'est d'être « expressif » dit Stendhal. Observateur rigoureux, il révèle dans ses œuvres une sensibilité romantique mêlée à une intelligence aiguë et critique, une haine de l'hypocrisie et un culte de l'« énergie ». Comme lui-même, ses héros tendent vers le bonheur cet idéal égotiste. De nombreux écrits ne seront publiés qu'après sa mort : ses romans inachevés, son* ***Journal****, sa* ***Vie de Henri Brulard*** *, ses* ***Souvenirs d'égotisme****.*

ROMAN AUTOBIOGRAPHIQUE

.Vie de Henry Brulard.

écrit en 1835-36, publié en 1890

La vie de Henry Brulard est une autobiographie pratiquée comme un exercice de lucidité :

J'étais outré et, je pense, fort méchant et fort injuste envers mon père et l'abbé Raillane. J'avoue mais c'est un grand effort de raison, même en 1835, que je ne puis juger ces deux hommes. Ils ont empoisonné mon enfance dans toute l'énergie du mot empoisonnement. Ils avaient des visages sévères et m'ont constamment empêché d'échanger un mot avec un enfant de mon âge. Ce n'est qu'à l'époque des Écoles Centrales (admirable ouvrage de M. de Tracy) que j'ai débuté dans la société des enfants de mon âge. Mais non pas avec la gaieté et l'insouciance de l'enfance, j'y suis arrivé sournois, méchant, rempli d'idées de vengeance pour le moindre coup de poing qui me faisait l'effet d'un soufflet entre hommes, en un mot tout excepté traître.

Le grand mal de la tyrannie Raillane, c'est que je sentais mes maux. Je voyais sans cesse passer sur la Grenette des enfants de mon âge qui allaient ensemble se promener et courir, or c'est ce qu'on ne m'a pas permis une seule fois. Quand je laissais entrevoir le chagrin qui me dévorait, on me disait : « Tu monteras en voiture », et Mme Périer-Lagrange (mère de feu mon beau-frère), figure des plus tristes, me prenait dans sa voiture quand elle allait faire une promenade de santé, elle me grondait au moins autant que l'abbé Raillane, elle était sèche et dévote et avait comme l'abbé une de ces figures inflexibles qui ne rient jamais. Quel équivalent pour une promenade avec de petits polissons de mon âge ! Qui le croirait, je n'ai jamais joué aux gobilles et je n'ai eu de toupie qu'à l'intercession de mon grand-père, auquel pour ce sujet sa fille Séraphie fit une scène.

J'étais donc fort sournois, fort méchant, lorsque dans la belle bibliothèque de Claix je fis la découverte d'un *Don Quichotte* français. Ce livre avait des estampes mais il avait l'air vieux et j'abhorrais tout ce qui était vieux, car mes parents m'empêchaient de voir les jeunes et ils me semblaient extrêmement vieux. Mais enfin je pus comprendre les estampes qui me semblaient plaisantes : Sancho Pança monté sur son bât lequel est soutenu par quatre piquets, Ginès de Passamont a enlevé l'âne.

Don Quichotte me fit mourir de rire. Qu'on daigne réfléchir que depuis la mort de ma pauvre mère je n'avais pas ri, j'étais victime de l'éducation aristocratique et religieuse la plus suivie. Mes tyrans ne s'étaient pas démentis un moment. On refusait toute invitation. Je surprenais souvent les discussions dans lesquelles mon grand-père était d'avis qu'on me permît d'accepter. Ma tante Séraphie faisait opposition en termes injurieux pour moi, mon père qui lui était soumis faisait à son beau-père des réponses jésuitiques que je savais bien n'engager à rien. Ma tante Élisabeth haussait les épaules. Quand un projet de promenade avait résisté à une telle discussion, mon père faisait intervenir l'abbé Raillane pour un devoir dont je ne m'étais pas acquitté la veille et qu'il fallait faire précisément au moment de la promenade.

Qu'on juge de l'effet de *Don Quichotte* au milieu d'une si horrible tristesse ! La découverte de ce livre, lu sous le second tilleul de l'allée du côté du parterre dont le terrain s'enfonçait d'un pied, et là je m'asseyais, est peut-être la plus grande époque de ma vie.

Qui le croirait ? mon père, me voyant pouffer de rire, venait me gronder, me menaçait de me retirer le livre, ce qu'il fit plusieurs fois, et m'emmenait dans ses champs pour m'expliquer ses projets de réparations.

Troublé même dans la lecture de *Don Quichotte*, je me cachai dans les charmilles, petite salle de verdure à l'extrémité orientale du clos, enceinte de murs.

Je trouvai un Molière avec estampes, les estampes me semblèrent ridicules et je ne compris que *l'Avare*. Je trouvai les comédies de Destouches et l'une des plus ridicules m'attendrit jusqu'aux larmes. Il y avait une histoire d'amour mêlé de générosité, c'était là mon faible. C'est en vain que je cherche dans ma mémoire le titre de cette comédie inconnue même parmi les comédies inconnues de ce plat diplomate. *Le Tambour nocturne*, où se trouve une idée copiée de l'anglais, m'amusa beaucoup.

Je trouve comme fait établi dans ma tête que dès l'âge de sept ans j'avais résolu de faire des comédies comme Molière. Il n'y a pas dix ans que je me souvenais encore du comment de cette résolution.

Mon grand-père fut charmé de mon enthousiasme pour Don Quichotte que je lui racontai, car je lui disais tout à peu près, cet excellent homme de soixante-cinq ans était dans le fait mon seul camarade.

Il me prêta, mais à l'insu de sa fille Séraphie, le *Roland furieux*, traduit ou plutôt, je crois, imité de l'Arioste par M. de Tressan (dont le fils, aujourd'hui maréchal de camp, et en 1820 ultra assez plat, mais en 1788 jeune homme charmant, avait tant contribué à me faire apprendre à lire en me promettant un petit livre plein d'images qu'il ne m'a jamais donné, manque de parole qui me choqua beaucoup).

L'Arioste forma mon caractère, je devins amoureux fou de Bradamante que je me figurais une grosse fille de vingt-quatre ans avec des appas de la plus éclatante blancheur.

J'avais en horreur tous les détails bourgeois et bas qui ont servi à Molière pour faire connaître sa pensée. Ces détails me rappelaient trop ma malheureuse vie. Il n'y a pas trois jours (décembre 1835) que deux bourgeois de ma connaissance, allant donner entre eux une scène comique de petite dissimulation et de demi-dispute, j'ai fait dix pas pour ne pas entendre. J'ai horreur de ces choses-là, ce qui m'a empêché de prendre de l'expérience. Ce n'est pas un petit malheur.

Tout ce qui est bas et plat dans le genre bourgeois me rappelle Grenoble, tout ce qui me rappelle Grenoble me fait horreur, non, horreur est trop noble, mal au cœur.

Grenoble est pour moi comme le souvenir d'une abominable indigestion ; il n'y a pas de danger mais un effroyable dégoût. Tout ce qui est bas et plat sans compensation, tout ce qui est ennemi du moindre mouvement généreux, tout ce qui se réjouit du malheur de qui aime la patrie ou est généreux, voilà Grenoble pour moi.

De l'Amour

1822

Traité narratif et théorique de la passion d'amour que Stendhal divise en quatre espèces :

Je cherche à me rendre compte de cette passion dont tous les développements sincères ont un caractère de beauté.

Il y a quatre amours différents :

1° L'amour-passion, celui de la religieuse portugaise, celui d'Héloïse pour Abélard, celui du capitaine de Vésel, du gendarme de Cento.

2° L'amour-goût, celui qui régnait à Paris vers 1760, et que l'on trouve dans les mémoires et romans de cette époque, dans Crébillon, Lauzun, Duclos, Marmontel, Chamfort, Mme d'Epinay, etc., etc.

C'est un tableau où, jusqu'aux ombres, tout doit être couleur de rose, où il ne doit entrer rien de désagréable sous aucun prétexte, et sous peine de manquer d'usage, de bon ton, de délicatesse, etc. Un homme bien né sait d'avance tous les procédés qu'il doit avoir et rencontrer dans les diverses phases de cet amour ; rien n'y étant passion et imprévu, il a souvent plus de délicatesse que l'amour véritable, car il a toujours beaucoup d'esprit ; c'est une froide et jolie miniature comparée à un tableau des Carraches, et tandis que l'amour-passion nous emporte au travers de tous nos intérêts, l'amour-goût sait toujours s'y conformer. Il est vrai que, si l'on ôte la vanité à ce pauvre amour, il en reste bien peu de chose ; une fois privé de vanité, c'est un convalescent affaibli qui peut à peine se traîner.

3° L'amour-physique.

A la chasse, trouver une belle et fraîche paysanne qui fuit dans le bois. Tout le monde connaît l'amour fondé sur ce genre de plaisirs ; quelque sec et malheureux que soit le caractère, on commence par là à seize ans.

4° L'amour de vanité.

L'immense majorité des hommes, surtout en France, désire et a une femme à la mode, comme on a un joli cheval, comme chose nécessaire au luxe d'un jeune homme. La vanité plus ou moins flattée, plus ou moins piquée, fait naître des transports. Quelquefois il y a l'amour-physique, et encore pas toujours ; souvent il n'y a pas même le plaisir-physique. Une duchesse n'a jamais que trente ans pour un bourgeois, disait la duchesse de Chaulnes ; et les habitués de la cour de cet homme juste, le roi Louis de Hollande, se rappellent encore avec gaieté une jolie femme de la Haye, qui ne pouvait se résoudre à ne pas trouver charmant un homme qui était duc ou prince. Mais, fidèle au principe monarchique, dès qu'un prince arrivait à la cour, on renvoyait le duc : elle était comme la décoration du corps diplomatique.

Le cas le plus heureux de cette plate relation est celui où le plaisir physique est augmenté par l'habitude. Les souvenirs la font alors ressembler un peu à l'amour ; il y a la pique d'amour-propre et la tristesse quand on est quitté ; et les idées de roman vous prenant à la gorge, on croit être amoureux et mélancolique, car la vanité aspire à se croire une grande passion. Ce qu'il y a de sûr, c'est qu'à quelque genre d'amour que l'on doive les plaisirs, dès qu'il y a exaltation de l'âme, ils sont vifs et leur souvenir entraînant ; et dans cette passion, au contraire de la plupart des autres, le souvenir de ce que l'on a perdu paraît toujours au-dessus de ce qu'on peut attendre de l'avenir.

"Le souvenir de ce que l'on a perdu paraît toujours au-dessus de ce que l'on peut attendre de l'avenir"

Quelquefois, dans l'amour de vanité, l'habitude ou le désespoir de trouver mieux produit une espèce d'amitié la moins aimable de toutes les espèces ; elle se vante de sa sûreté, etc.

Le plaisir physique, étant dans la nature, est connu de tout le monde, mais n'a qu'un rang subordonné aux yeux des âmes tendres et passionnées. Ainsi, si elles ont des ridicules dans le salon, si souvent les gens du monde, par leurs intrigues, les rendent malheureuses, en revanche elles connaissent des plaisirs à jamais inaccessibles aux cœurs qui ne palpitent que pour la vanité ou pour l'argent.

Quelques femmes vertueuses et tendres n'ont presque pas d'idée des plaisirs physiques ; elles s'y sont rarement exposées, si l'on peut parler ainsi, et même alors les transports de l'amour-passion ont presque fait oublier les plaisirs du corps.

Il est des hommes victimes et instruments d'un orgueil infernal, d'un orgueil à l'Alfieri. Ces gens, qui peut-être sont cruels, parce que, comme Néron, ils tremblent toujours, jugeant tous les hommes d'après leur propre cœur, ces gens, dis-je, ne peuvent atteindre au plaisir physique qu'autant qu'il est accompagné de la plus grande jouissance d'orgueil possible, c'est-à-dire qu'autant qu'ils exercent des cruautés sur la compagne de leurs plaisirs. De là les horreurs de *Justine*. Ces hommes ne trouvent pas à moins le sentiment de la sûreté.

Au reste, au lieu de distinguer quatre amours différents, on peut fort bien admettre huit ou dix nuances. Il y a peut-être autant de façon de sentir parmi les hommes que de façon de voir, mais ces différences dans la nomenclature ne changent rien aux raisonnements qui suivent. Tous les amours qu'on peut voir ici-bas naissent, vivent et meurent, ou s'élèvent à l'immortalité, suivant les mêmes lois.

ROMAN

.Le Rouge et le Noir.

1830

Jeune homme « sans pain » vivement intelligent et ambitieux, Julien Sorel a pour héros Napoléon et pour maître Tartuffe ; il se hausse par les femmes, au moment de réussir échoue par amour.

Julien Sorel a 19 ans, il est engagé comme précepteur des enfants du maire M. de Rênal. Pour se prouver à lui-même son énergie il entreprend de séduire Mme de Rênal qu'il considère « comme un ennemi avec lequel il va falloir se battre » :

Il décida qu'il fallait absolument qu'elle permît ce soir-là que sa main restât dans la sienne.

Le soleil, en baissant, et rapprochant le moment décisif, fit battre le cœur de Julien d'une façon singulière. La nuit vint. Il observa, avec une joie qui lui ôta un poids immense de dessus la poitrine, qu'elle serait fort obscure. Le ciel chargé de gros nuages, promenés par un vent très chaud, semblait annoncer une tempête. Les deux amies se promenèrent fort tard. Tout ce qu'elles faisaient ce soir-là semblait singulier à Julien. Elles jouissaient de ce temps, qui, pour certaines âmes délicates, semble augmenter le plaisir d'aimer.

On s'assit enfin, madame de Rênal à côté de Julien, et madame Derville près de son amie. Préoccupé de ce qu'il allait tenter, Julien ne trouvait rien à dire. La conversation languissait.

« Serai-je aussi tremblant et malheureux au premier duel qui me viendra ? » se dit Julien, car il avait trop de méfiance et de lui et des autres pour ne pas voir l'état de son âme.

Dans sa mortelle angoisse, tous les dangers lui eussent semblé préférables. Que de fois ne désira-t-il pas voir survenir à madame de Rênal quelque affaire qui l'obligeât de rentrer à la maison et de quitter le jardin ! La violence que Julien était obligé de se faire était trop forte pour que sa voix ne fût pas profondément altérée ; bientôt la voix de madame de Rênal devint tremblante aussi, mais Julien ne s'en aperçut point. L'affreux combat que le devoir livrait à la timidité était trop pénible pour qu'il fût en état de rien observer hors lui-même. Neuf heures trois quarts venaient de sonner à l'horloge du château, sans qu'il eût encore rien osé. Julien, indigné de sa lâcheté, se dit : Au moment précis où dix heures sonneront, j'exécuterai ce que, pendant toute la journée, je me suis promis de faire ce soir, ou je monterai chez moi me brûler la cervelle.

Après un dernier moment d'attente et d'anxiété, pendant lequel l'excès de l'émotion mettait Julien comme hors de lui, dix heures sonnèrent à l'horloge qui était au-dessus de sa tête. Chaque coup de cloche fatale retentissait dans sa poitrine, et y causait comme un mouvement physique.

Enfin, comme le dernier coup de dix heures retentissait encore, il étendit la main et prit celle de madame de Rênal, qui la retira aussitôt. Julien, sans trop savoir ce qu'il faisait, la saisit de nouveau. Quoique bien ému lui-même, il fut frappé de la froideur glaciale de la main qu'il prenait ; il la serrait avec une force convulsive ; on fit un dernier effort pour la lui ôter, mais enfin cette main lui resta.

Son âme fut inondée de bonheur, non qu'il aimât madame de Rênal, mais un affreux supplice venait de cesser.

PREMIÈRE PARTIE, CHAPITRE 9

Julien et Mme de Rênal s'aiment, mais leur liaison provoque des commérages. Julien quitte Verrières, entre au séminaire. Le Supérieur lui trouve une place de secrétaire à Paris chez le marquis de la Mole. Julien utilise l'hypocrisie, gagne la faveur du marquis. Fille du marquis, Mathilde, exaltée et passionnée (son caractère est inspiré de celui de Stendhal) devine la vraie personnalité de Julien : elle voit en lui un héros. Elle l'attend :

M. Sorel ne vient point, se dit-elle encore après qu'elle eut dansé. Elle le cherchait presque des yeux lorsqu'elle l'aperçut dans un autre salon. Chose étonnante, il semblait avoir perdu ce ton de froideur impassible qui lui était si naturel ; il n'avait plus l'air anglais.

Il cause avec le comte Altamira, mon condamné à mort ! se dit Mathilde. Son œil est plein d'un feu sombre ; il a l'air d'un prince déguisé ; son regard a redoublé d'orgueil.

Julien se rapprochait de la place où elle était, toujours causant avec Altamira ; elle le regardait fixement, étudiant ses traits pour y chercher ces hautes qualités qui peuvent valoir à un homme l'honneur d'être condamné à mort.

Comme il passait près d'elle :

« Oui, disait-il au comte Altamira, Danton était un homme ! »

O ciel ! serait-il un Danton, se dit Mathilde ; mais il a une figure si noble, et ce Danton était si horriblement laid, un boucher, je crois. Julien était encore assez près d'elle, elle n'hésita pas à l'appeler ; elle avait la conscience et l'orgueil de faire une question extraordinaire pour une jeune fille.

« Danton n'était-il pas un boucher ? lui dit-elle.

– Oui, aux yeux de certaines personnes, lui répondit Julien avec l'expression du mépris le plus mal déguisé et l'œil encore enflammé de sa conversation avec Altamira, mais malheureusement pour les gens biens nés, il était avocat à Méry-sur-Seine ; c'est-à-dire, mademoiselle, ajouta-t-il d'un air méchant, qu'il a commencé comme plusieurs pairs que je vois ici. Il est vrai que Danton avait un désavantage énorme aux yeux de la beauté, il était fort laid. »

Ces derniers mots furent dits rapidement, d'un air extraordinaire et assurément fort peu poli.

Julien attendit un instant, le haut du corps légèrement penché et avec un air orgueilleusement humble. Il semblait dire : Je suis payé pour vous répondre, et je vis de ma paye. Il ne daignait pas lever l'œil sur Mathilde. Elle, avec ses beaux yeux ouverts extraordinairement et fixés sur lui, avait l'air de son esclave. Enfin, comme le silence continuait, il la regarda ainsi qu'un valet regarde son maître, afin de prendre des ordres. Quoique ses yeux rencontrassent en plein ceux de Mathilde, toujours fixés sur lui avec un regard étrange, il s'éloigna avec un empressement marqué.

Lui qui est réellement si beau, se dit enfin Mathilde sortant de sa rêverie, faire un tel éloge de la laideur ! Jamais de retour sur lui-même ! Il n'est comme Caylus ou Croisenois. Ce Sorel a quelque chose de l'air que mon père prend quand il fait si bien Napoléon au bal. Elle avait tout à fait oublié Danton. Décidément, ce soir, je m'ennuie. Elle saisit le bras de son frère, et, à son grand chagrin, le força de faire un tour dans le bal.

DEUXIÈME PARTIE, CHAPITRE 9

Entre Julien et Mathilde se développe une passion amoureuse. Julien obtient à la fois un titre de noblesse et une promesse de mariage : c'est le point culminant de l'ascension que Julien voulait délibérément pour se venger d'une société qui le méprisait. Mme de Rênal, jalouse et poussée par son confesseur, écrit au marquis pour dénoncer en Julien un ambitieux sans scrupules. Julien décide de tuer Mme de Rênal :

– Où est la lettre de madame de Rênal ? dit froidement Julien.

– La voici. Je n'ai voulu te la montrer qu'après que tu aurais été préparé.

LETTRE

« Ce que je dois à la cause sacrée de la religion et de la morale m'oblige, monsieur, à la démarche pénible que je viens accomplir auprès de vous ; une règle, qui ne peut faillir, m'ordonne de nuire en ce moment à mon prochain, mais afin d'éviter un plus grand scandale. La douleur que j'éprouve doit être surmontée par le sentiment du devoir. Il n'est que trop vrai, monsieur, la conduite de la personne au sujet de laquelle vous me demandez toute la vérité a pu sembler inexplicable ou même honnête. On a pu croire convenable de cacher ou de déguiser une partie de la réalité, la prudence le voulait aussi bien que la religion. Mais cette conduite, que vous désirez connaître, a été dans le fait extrêmement condamnable, et plus que je ne puis le dire. Pauvre et avide, c'est à l'aide de l'hypocrisie la plus consommée, et par la séduction d'une femme faible et malheureuse, que cet homme a cherché à se faire un état et à devenir quelque chose. C'est une partie de mon pénible devoir d'ajouter que je suis obligée de croire que M. J... n'as aucun principe de religion. En conscience, je suis contrainte de penser qu'un de ses moyens pour réussir dans une maison, est de chercher à séduire la femme qui a le principal crédit. Couvert par une apparence de désintéressement et par des phrases de roman, son grand et unique objet est de parvenir à disposer du maître de la maison et de sa fortune. Il laisse après lui le malheur et des regrets éternels », etc., etc., etc.

Cette lettre extrêmement longue et à demi effacée par des larmes était bien de la main de madame de Rênal ; elle était même écrite avec plus de soin qu'à l'ordinaire.

– Je ne puis blâmer M. de La Mole, dit Julien après l'avoir finie ; il est juste et prudent. Quel père voudrait donner sa fille chérie à un tel homme ! Adieu !

Julien sauta à bas du fiacre, et courut à sa chaise de poste arrêtée au bout de la rue. Mathilde, qu'il semblait avoir oubliée, fit quelques pas pour le suivre ; mais les regards des marchands qui s'avançaient sur la porte de leurs boutiques, et desquels elle était connue, la forcèrent à rentrer précipitamment au jardin.

Julien était parti pour Verrières. Dans cette route rapide, il ne put écrire à Mathilde comme il en avait le projet, sa main ne formait sur le papier que des traits illisibles.

Il arriva à Verrières un dimanche matin. Il entra chez l'armurier du pays, qui l'accabla de compliments sur sa récente fortune. C'était la nouvelle du pays.

Julien eut beaucoup de peine à lui faire comprendre qu'il voulait une paire de pistolets. L'armurier sur sa demande chargea les pistolets.

Les trois coups sonnaient ; c'est un signal bien connu dans les villages de France, et qui, après les diverses sonneries de la matinée, annonce le commencement immédiat de la messe.

Julien entra dans l'église neuve de Verrières. Toutes les fenêtres hautes de l'édifice étaient voilées avec des rideaux cramoisis. Julien se trouva à quelques pas derrière le banc de madame de Rênal. Il lui sembla qu'elle priait avec ferveur. La vue de cette femme qui l'avait tant aimé fit trembler le bras de Julien d'une telle façon, qu'il ne put d'abord exécuter son dessein. Je ne le puis, se disait-il à lui-même ; physiquement, je ne le puis.

En ce moment, le jeune clerc qui servait la messe, sonna pour l'élévation. Madame de Rênal baissa la tête qui un instant se trouva presque entièrement cachée par les plis de son châle. Julien ne la reconnaissait plus aussi bien ; il tira sur elle un coup de pistolet et la manqua ; il tira un second coup, elle tomba.

Après avoir tiré sur Mme de Rênal Julien passe aux Assises, il fait cette déclaration :

« Messieurs les jurés,

« Je n'ai point l'honneur d'appartenir à votre classe, vous voyez en moi un paysan qui s'est révolté contre la bassesse de sa fortune.

« Je ne vous demande aucune grâce, continua Julien en affermissant sa voix. Je ne me fais point illusion, la mort m'attend : elle sera juste. J'ai pu attenter aux jours de la femme la plus digne de tous les respects, de tous les hommages. Madame de Rênal avait été pour moi comme une mère. Mon crime est atroce, et il fut prémédité. J'ai donc mérité la mort, messieurs les jurés. Mais quand je serais moins coupable, je vois des hommes qui, sans s'arrêter à ce que ma jeunesse peut mériter de pitié, voudront punir en moi et décourager à jamais cette classe de jeunes gens qui, nés dans une classe inférieure et en quelque sorte opprimés par la pauvreté, ont le bonheur de se procurer une bonne éducation, et l'audace de se mêler à ce que l'orgueil des gens riches appelle la société.

« Voilà mon crime, messieurs, et il sera puni avec d'autant plus de sévérité, que, dans le fait, je ne suis point jugé par mes pairs. Je ne vois point sur les bancs des jurés quelque paysan enrichi, mais uniquement des bourgeois indignés... »

DEUXIÈME PARTIE, CHAPITRE 4

Julien est condamné à mort. Mme de Rênal et Mathilde viennent souvent le visiter dans sa prison. Julien comprend qu'il n'a jamais aimé que Mme de Rênal. Il est guillotiné. On emporte son corps au tombeau :

Mathilde suivi son amant jusqu'au tombeau qu'il s'était choisi. Un grand nombre de prêtres escortaient la bière et, à l'insu de tous, seule dans sa voiture drapée, elle porta sur ses genoux la tête de l'homme qu'elle avait tant aimé.

Arrivés ainsi vers le point le plus élevé d'une des hautes montagnes du Jura, au milieu de la nuit, dans cette petite grotte magnifiquement illuminée d'un nombre infini de cierges, vingt prêtres célébrèrent le service des morts. Tous les habitants des petits villages de montagne traversés par le convoi, l'avaient suivi, attirés par la singularité de cette étrange cérémonie.

Mathilde parut au milieu d'eux en longs vêtements de deuil, et, à la fin du service, leur fit jeter plusieurs milliers de pièces de cinq francs.

Restée seule avec Fouqué, elle voulut ensevelir de ses propres mains la tête de son amant. Fouqué faillit en devenir fou de douleur.

Par les soins de Mathilde, cette grotte sauvage fut ornée de marbres sculptés à grands frais en Italie.

Madame de Rênal fut fidèle à sa promesse. Elle ne chercha en aucune manière à attenter à sa vie ; mais trois jours après Julien, elle mourut en embrassant ses enfants.

DEUXIÈME PARTIE, CHAPITRE 45

ROMAN

La Chartreuse de Parme

1839

Le jeune Fabrice admire Napoléon contre son père et son frère qu'il méprise. Sa tante, la belle Sanseverina est ambitieuse pour son neveu qu'elle aime passionnément en secret. Fabrice va à Waterloo. De retour à Milan il est considéré comme un suspect, arrêté et détenu à la tour Farnèse où vit Clélia Conti, fille du gouverneur. Fabrice et Clélia s'aiment. A Parme la Sanseverina aimée du comte Mosca prépare l'évasion de Fabrice. Clélia épouse le marquis Crescenzi, elle a un fils. Fabrice entreprend une carrière ecclésiastique et devient coadjuteur de l'archevêque de Parme. Clélia et Fabrice se reverront une journée et jouiront d'un instant de bonheur parfait : après quoi il ne lui restera plus qu'à mourir.

Fabrice décide de rejoindre l'empereur à Waterloo, mais la guerre n'est pas cette aventure exaltante dont il avait rêvé. Il vient d'acheter un mauvais cheval et fait la connaissance d'une cantinière :

Fabrice n'avait pas fait cinq cents pas que sa rosse s'arrêta tout court : c'était un cadavre, posé en travers du sentier, qui faisait horreur au cheval et au cavalier.

La figure de Fabrice, très pâle naturellement, prit une teinte verte fort prononcée ; la cantinière, après avoir regardé le mort, dit, comme se parlant à elle-même : « Ça n'est pas de notre division. » Puis, levant les yeux sur notre héros, elle éclata de rire.

« Ha ! ha ! mon petit ! s'écria-t-elle, en voilà du nanan ! » Fabrice restait glacé. Ce qui le frappait surtout c'était la saleté des pieds de ce cadavre qui déjà était dépouillé de ses souliers, et auquel on n'avait laissé qu'un mauvais pantalon tout souillé de sang.

« Approche, lui dit la cantinière ; descends de cheval, il faut que tu t'y accoutumes ; tiens, s'écria-t-elle, il en a eu par la tête. »

Une balle, entrée à côté du nez, était sortie par la tempe opposée, et défigurait ce cadavre d'une façon hideuse ; il était resté avec un œil ouvert.

« Descends donc de cheval, petit, dit la cantinière, et donne-lui une poignée de main pour voir s'il te la rendra. »

Sans hésiter, quoique prêt à rendre l'âme de dégoût, Fabrice se jeta à bas de cheval et prit la main du cadavre qu'il secoua ferme ; puis il resta comme anéanti ; il sentait qu'il n'avait pas la force de remonter à cheval. Ce qui lui faisait horreur surtout, c'était cet œil ouvert.

La vivandière va me croire un lâche, se disait-il avec amertume ; mais il sentait l'impossibilité de faire un mouvement : il serait tombé. Ce moment fut affreux ; Fabrice fut sur le moint de se trouver mal tout à fait. La vivandière s'en aperçut, sauta lestement à bas de sa petite voiture, et lui présenta, sans mot dire, un verre d'eau-de-vie qu'il avala d'un trait ; il put remonter sur sa rosse, et continua la route sans dire une parole. La vivandière le regardait de temps à autre du coin de l'œil.

« Tu te battras demain, mon petit, lui dit-elle enfin, aujourd'hui tu resteras avec moi. Tu vois bien qu'il faut que tu apprennes le métier de soldat.

– Au contraire, je veux me battre tout de suite », s'écria notre héros d'un air sombre, qui sembla de bon augure à la vivandière. Le bruit du canon redoublait et semblait s'approcher. Les coups commençaient à former comme une basse continue ; un coup n'était séparé du coup voisin par aucun intervalle, et sur cette basse continue, qui rappelait le bruit d'un torrent lointain, on distinguait fort bien les feux de peloton.

PREMIÈRE PARTIE, CHAPITRE 3

Fabrice croise la voiture du gouverneur de la prison et sa fille Clélia : il la reconnaît pour l'avoir déjà rencontrée sur les bords du lac de Côme :

Le général remonta en voiture.

« Veux-tu rentrer chez toi, dit-il à sa fille, ou m'attendre peut-être longtemps dans la cour du palais ? il faut que j'aille rendre compte de tout ceci au souverain. »

Fabrice sortait du bureau escorté par trois gendarmes ; on le conduisait à la chambre qu'on lui avait destinée : Clélia regardait par la portière, le prisonnier était fort près d'elle. En ce moment elle répondit à la question de son père par ces mots : *Je vous suivrai*. Fabrice, entendant prononcer ces paroles tout près de lui, leva les yeux et rencontra le regard de la jeune fille. Il fut frappé surtout de l'expression de mélancolie de sa figure. Comme elle est embellie, pensa-t-il, depuis notre rencontre près de Côme ! quelle expression de pensée profonde !... On a raison de la comparer à la duchesse ; quelle physionomie angélique !... Barbone, le commis sanglant, qui ne s'était pas placé près de la voiture sans intention, arrêta d'un geste les trois gendarmes qui conduisaient Fabrice, et, faisant le tour de la voiture par-derrière, pour arriver à la portière près de laquelle était le général :

« Comme le prisonnier a fait acte de violence dans l'intérieur de la citadelle, lui dit-il, en vertu de l'article 157 du règlement, n'y aurait-il pas lieu de lui appliquer les menottes pour trois jours ?

– Allez au diable ! » s'écria le général, que cette arrestation ne laissait pas d'embarrasser. Il s'agissait pour lui de ne pousser à bout ni la duchesse ni le comte Mosca : et d'ailleurs, dans quel sens le comte allait-il prendre cette affaire ? au fond, le meurtre d'un Giletti était une bagatelle, et l'intrigue seule était parvenue à en faire quelque chose.

Durant ce court dialogue, Fabrice était superbe au milieu de ces gendarmes, c'était bien la mine la plus fière et la plus noble ; ses traits fins et délicats, et le sourire de mépris qui errait sur ses lèvres, faisaient un charmant contraste avec les apparences grossières des gendarmes qui l'entouraient. Mais tout cela ne formait pour ainsi dire que la partie extérieure de sa physionomie ; il était ravi de la céleste beauté de Clélia, et son œil trahissait toute sa surprise. Elle, profondément pensive, n'avait pas songé à retirer la tête de la portière ; il la salua avec le demi-sourire le plus respectueux ; puis, après un instant :

« Il me semble, mademoiselle, lui dit-il, qu'autrefois, près d'un lac, j'ai déjà eu l'honneur de vous rencontrer avec un accompagnement de gendarmes. »

Clélia rougit et fut tellement interdite qu'elle ne trouva aucune parole pour répondre. Quel air noble au milieu de ces êtres grossiers ! se disait-elle au moment où Fabrice lui adressa la parole. La profonde pitié, et nous dirons presque l'attendrissement où elle était plongée, lui ôtèrent la présence d'esprit nécessaire pour trouver un mot quelconque, elle s'aperçut de son silence et rougit encore davantage.

DEUXIÈME PARTIE, CHAPITRE 15

Fabrice est fait prisonnier et conduit dans la tour Farnèse. Sa cellule est une sorte de cabane en bois construite afin que les moindres mouvements du prisonnier soient entendus :

Ce fut dans l'une de ces chambres construites depuis un an, et chef-d'œuvre du général Fabio Conti, laquelle avait reçu le beau nom d'*Obéissance passive*, que Fabrice fut introduit. Il courut aux fenêtres ; la vue qu'on avait de ces fenêtres grillées était sublime : un seul petit coin de l'horizon était caché, vers le nord-ouest, par le toit en galerie du joli palais du gouverneur, qui n'avait que deux étages ; le rez-de-chaussée était occupé par les bureaux de l'état-major ; et d'abord les yeux de Fabrice furent attirés vers une des fenêtres du second étage, où se trouvaient, dans de jolies cages, une grande quantité d'oiseaux de toute sorte. Fabrice s'amusait à les entendre chanter, et à les voir saluer les derniers rayons du crépuscule du soir, tandis que les geôliers s'agitaient autour de lui. Cette fenêtre de la volière n'était pas à plus de vingt-cinq pieds de l'une des siennes, et se trouvait à cinq ou six pieds en contrebas, de façon qu'il plongeait sur les oiseaux.

Il y avait lune ce jour-là, et au moment où Fabrice entrait dans sa prison, elle se levait majestueusement à l'horizon à droite, au-dessus de la chaîne des Alpes, vers Trévise. Il n'était que huit heures et demie du soir, et à l'autre extrémité de l'horizon, au couchant, un brillant crépuscule rouge orangé dessinait parfaitement les contours du mont Viso et des autres pics des Alpes qui remontent de Nice vers le mont Cenis et Turin ; sans songer autrement à son malheur, Fabrice fut ému et ravi par ce spectacle sublime. C'est donc dans ce monde ravissant que vit Clélia Conti ! avec son âme pensive et sérieuse, elle doit jouir de cette vue plus qu'un autre ; on est ici comme dans des montagnes solitaires à cent lieues de Parme. Ce ne fut qu'après avoir passé plus de deux heures à la fenêtre, admirant cet horizon qui parlait à son âme, et souvent aussi arrêtant sa vue sur le joli palais du gouverneur que Fabrice s'écria tout à coup : « Mais ceci est-il une prison ? est-ce là ce que j'ai tant redouté ? » Au lieu d'apercevoir à chaque pas des désagréments et des motifs d'aigreur, notre héros se laissait charmer par les douceurs de la prison.

Tout à coup son attention fut violemment rappelée à la réalité par un tapage épouvantable : sa chambre de bois, assez semblable à une cage et surtout fort sonore, était violemment ébranlée ; des aboiements de chien et de petits cris aigus complétaient le bruit le plus singulier. Quoi donc ! si tôt pourrais-je m'échapper ! pensa Fabrice. Un instant après, il riait comme jamais peut-être on n'a ri dans une prison. Par ordre du général, on avait fait monter en même temps que les geôliers un chien anglais, fort méchant, préposé à la garde des prisonniers d'importance, et qui devait passer la nuit dans l'espace si ingénieusement ménagé tout autour de la cage de Fabrice. le chien et le geôlier devaient coucher dans l'intervalle de trois pieds ménagé entre les dalles de pierre du sol primitif de la chambre et le plancher en bois sur lequel le prisonnier ne pouvait faire un pas sans être entendu.

DEUXIÈME PARTIE, CHAPITRE 18

La Sanseverina qui craint pour la vie de Fabrice prépare son évasion. Fabrice s'échappe et se réfugie chez sa tante qui donne des instructions à Ludovic pour préparer une fête en l'honneur de son neveu :

« Tu vas aller à Sacca, tu diras qu'après demain est le jour de la fête d'une de mes patronnes, et, le soir qui suivra ton arrivée, tu feras illuminer mon château de la façon la plus splendide. N'épargne ni argent ni peine : songe qu'il s'agit du plus grand bonheur de ma vie. De longue main j'ai préparé cette illumination ; depuis plus de trois mois j'ai réuni dans les caves du château, tout ce qui peut servir à cette noble fête ; j'ai donné en dépôt au jardinier toutes les pièces d'artifice nécessaires pour un feu magnifique : tu le feras tirer sur la terrasse qui regarde le Pô. J'ai quatre-vingt-neuf grands tonneaux de vin dans mes caves, tu feras établir quatre-vingt-neuf fontaines de vin dans mon parc. Si le lendemain il reste une bouteille de vin qui ne soit pas bue, je dirai que tu n'aimes pas Fabrice. Quand les fontaines de vin, l'illumination et le feu d'artifice seront bien en train, tu t'esquiveras prudemment, car il est possible, et c'est mon espoir, qu'à Parme toutes ces belles choses-là paraissent une insolence.

– C'est ce qui n'est pas possible seulement, c'est sûr ; comme il est certain aussi que le fiscal Rassi, qui a signé la sentence de monsignore, en crèvera de rage. Et même... ajouta Ludovic avec timidité, si madame voulait faire plus de plaisir à son pauvre serviteur que de lui donner la moitié des arrérages de la Ricciarda, elle me permettrait de faire une petite plaisanterie à ce Rassi...

– Tu es un brave homme ! s'écria la duchesse avec transport, mais je te défends absolument de rien faire à Rassi ; j'ai le projet de le faire pendre en public, plus tard. Quant à toi, tâche de ne pas te faire arrêter à Sacca, tout serait gâté si je te perdais.

– Moi, madame ! Quand j'aurai dit que je fête une des patronnes de madame, si la police envoyait trente gendarmes pour déranger quelque chose, soyez sûre qu'avant d'être arrivés à la croix rouge qui est au milieu du village, pas un d'eux ne serait à cheval. Ils ne se mouchent pas du coude, non, les habitants de Sacca ; tous contrebandiers finis et qui adorent madame.

– Enfin, reprit la duchesse d'un air singulièrement dégagé, si je donne du vin à mes braves gens de Sacca, je veux innonder les habitants de Parme ; le même soir où mon château sera illuminé, prends le meilleur cheval de mon écurie, cours à mon palais, et ouvre le réservoir.

– Ah ! l'excellente idée qu'a madame ! s'écria Ludovic riant comme un fou, du vin aux braves gens de Sacca, de l'eau aux bourgeois de Parme qui étaient si sûrs, les misérables, que monsignore Fabrice allait être empoisonné comme le pauvre L. »

La joie de Ludovic n'en finissait point ; la duchesse regardait avec complaisance ses rires fous ; ils répétait sans cesse : « Du vin au gens de Sacca et de l'eau à ceux de Parme ! Madame sait sans doute mieux que moi que lorsqu'on vida imprudemment le réservoir, il y a une vingtaine d'années, il y eut jusqu'à un pied d'eau dans plusieurs des rues de Parme.

– Et de l'eau aux gens de Parme », répliqua la duchesse en riant.

DEUXIÈME PARTIE, CHAPITRE 22

Fabrice trouva deux ou trois idées sur l'état de l'homme malheureux pour lequel il venait solliciter les prières des fidèles. Bientôt les pensées lui arrivaient en foule. En ayant

Clélia s'est mariée. Fabrice est nommé coadjuteur de l'archevêque. Un jour Fabrice prêche dans une petite église, il voit Clélia :

l'air de s'adresser au public, il ne parlait qu'à la marquise. Il termina son discours un peu plus tôt que de coutume, parce que, quoi qu'il pût faire, les larmes le gagnaient à un tel point qu'il ne pouvait plus prononcer d'une manière intelligible. Les bons juges trouvèrent ce sermon singulier, mais égal au moins, pour la pathétique, au fameux sermon prêché aux lumières. Quant à Clélia, à peine eut-elle entendu les dix premières lignes de la prière lue par Fabrice, qu'elle regarda comme un crime atroce d'avoir pu passer quatorze mois sans le voir. En rentrant chez elle, elle se mit au lit pour pouvoir penser à Fabrice en toute liberté ; et le lendemain, d'assez bonne heure, Fabrice reçut un billet ainsi conçu :

« On compte sur votre honneur ; cherchez quatre braves de la discrétion desquels vous soyez sûr, et demain au moment où minuit sonnera à la Steccata, trouvez-vous près d'une petite porte qui porte le numéro 19, dans la rue Saint-Paul. Songez que vous pouvez être attaqué, ne venez pas seul. »

En reconnaissant ces caractères divins, Fabrice tomba à genoux et fondit en larmes. « Enfin, s'écria-t-il, après quatorze mois et huit jours ! Adieu les prédications. »

Il serait bien long de décrire tous les genres de folies auxquels furent en proie, ce jour-là, les cœurs de Fabrice et de Clélia. La petite porte indiquée dans le billet n'était autre que celle de l'orangerie du palais Crescenzi, et, dix fois dans la journée, Fabrice trouva le moyen de la voir. Il prit des armes, et seul, un peu avant minuit, d'un pas rapide, il passait près de cette porte, lorsque à son inexprimable joie, il entendit une voix bien connue, dire d'un ton très bas :

« Entre ici, ami de mon cœur. »

Fabrice entra avec précaution, et se trouva à la vérité dans l'orangerie, mais vis-à-vis une fenêtre fortement grillée et élevée, au-dessus du sol, de trois ou quatre pieds. L'obscurité était profonde, Fabrice avait entendu quelque bruit dans cette fenêtre, et il en reconnaissait la grille avec la main, lorsqu'il sentit une main passée à travers les barreaux, prendre la sienne et la porter à ses lèvres qui lui donnèrent un baiser.

« C'est moi, lui dit une voix chérie, qui suis venue ici pour te dire que je t'aime, et pour te demander si tu veux m'obéir. »

On peut juger de la réponse, de la joie, de l'étonnement de Fabrice ; après les premiers transports, Clélia lui dit :

« J'ai fait vœu à la Madone, comme tu sais, de ne jamais te revoir ; c'est pourquoi je te reçois dans cette obscurité profonde. »

DEUXIÈME PARTIE, CHAPITRE 28

Grimm

Les frères Grimm : Jacob Ludwig Karl (Hanau 1785 – Berlin 1863) et Wilhelm (Hanau 1786 – Berlin 1859) ont mené en commun leurs travaux. Ils ont ensemble étudié le droit à Marburg auprès du même maître. Jacob est nommé en 1816 bibliothécaire à Kassel, et Wilhelm l'est l'année suivante. En 1829 Jacob est nommé bibliothécaire à Göttingen, et Wilhelm le rejoint à un poste similaire en 1831. Ils sont nommés ensemble à l'Académie des Sciences de Berlin en 1841. Jacob est l'auteur d'une ***Grammaire allemande****, d'une* ***Histoire de la langue allemande****, et le maître d'œuvre d'un fondamental* ***Dictionnaire de la langue allemande*** *auquel a travaillé Wilhelm. Ils ont recueilli ensemble la matière des* ***Contes****, mais Wilhelm en est principalement l'auteur. Jacob a publié une* ***Mythologie allemande****, et Wilhelm une collection de documents sur les mythes de l'ancienne Germanie.*

CONTES

.Contes de l'enfance et du foyer.

1812 à 1822

HANS MONHÉRISSON

Il était une fois un paysan et sa femme, ils avaient du bien en quantié, mais un enfant manquait à leur bonheur. Souvent les autres paysans se moquaient d'eux et leur demandaient quand ils auraient un enfant. Le paysan finit par s'emporter, et dit à sa femme :

– Je veux un enfant, j'en veux un, quand ce serait un hérisson !

La femme se trouva enceinte et mit au monde un jour l'enfant : il était hérisson par en-haut, et homme par en-bas. La mère était épouvantée. Elle cria au père :

– C'est à cause de toi et de tes maudites paroles !

– Qu'est-ce qu'on y peut maintenant (dit l'homme), on va quand même le baptiser, mais qui c'est qui voudra être son parrain ?

– On peut pas l'appeler autrement que Hans Monhérisson, (dit la femme).

Le prêtre le baptisa. Hans Monhérisson ne pouvait être couché dans un lit normal, à cause de ses piquants. Les parents lui firent une litière derrière le fourneau, et Hans Monhérisson demeura là. La femme ne pouvait pas non plus lui donner le sein, les dards lui déchiraient la poitrine. Huit ans de suite Hans Monhérisson resta derrière le fourneau. Le père n'en pouvait plus, et il souhaitait : « Ah ! si seulement il mourait. » Mais le petit ne mourait pas, et vivait derrière le fourneau.

Un jour qu'il y avait foire en ville, le paysan se prépara d'y aller, et demanda à sa femme ce qu'elle voulait qu'il lui apporte. « Me faut bien un peu de viande, dit-elle, et j'aimerais des brioches, et puis tu sais ce qu'il manque à la maison. » Même demande à la servante, qui voulait des chaussons et une paire de bas ajourés. Le paysan interrogea également Hans Monhérisson.

– Mon père (répondit l'enfant), je veux une cornemuse.

Au retour de la foire, le paysan donna à sa femme la viande et les brioches, à la servante les chaussons et les bas ajourés, et, se penchant derrière le fourneau, la cornemuse à Hans Monhérisson.

– Mon père (dit le fils), si vous allez à la forge y faire ferrer mon coq, à cheval sur mon coq je partirai d'ici pour ne plus revenir.

Content du débarras, le père court à la forge et revient le coq ferré sous le bras. Hans Monhérisson se hisse en housse et part en avant, poussant devant lui le troupeau de ses ânes et de ses porcs jusqu'en une lointaine forêt. Lorsqu'ils furent au cœur de la forêt, le coq vola en haut d'un grand arbre, son cavalier sur le dos, s'y tint perché, et Hans Monhérisson vécut là des années, gardant ses ânes et ses cochons dont le nombre allait grossissant sans cesse, jouant durant le jour des airs pleins de beauté sur sa cornemuse.

Un jour, un roi se perdit dans cette forêt. Il fut bien étonné d'entendre une si belle musique au fond des bois. Il envoya l'un de ses serviteurs découvrir d'où elle provenait. « Qu'est-ce que j'ai vu (dit le serviteur), un drôle d'animal qui jouait de la cornemuse en haut d'un arbre, et perché sur un coq ». Le roi renvoie le serviteur demander au musicien le pourquoi de son étrange présence, et s'il peut lui indiquer le chemin qui lui permette de regagner son château. Hans Monhérisson descend alors de son perchoir, et déclare au roi qu'il lui enseignera le chemin pourvu que Sa Majesté lui signe un écrit lui accordant la première personne qu'il rencontrera en revenant chez lui.

« Signer un tel acte n'est pas s'engager lorsque l'on a affaire à Hans Monhérisson » (se dit le roi). Donc le roi écrivit et signa. Et Hans Monhérisson lui montra le chemin du retour. Le roi parvint heureusement chez lui, et sa fille, qui guettait du haut d'une tour sa revenue, fut la première à l'accueillir. Songeant à son engagement, le roi raconte à sa fille toute l'aventure, et lui décrit cet animal étrange jouant à cheval sur un coq ferré une musique ravissante ; ajoutant enfin que ce qu'il avait écrit ne le liait en rien à une aussi bizarre créature. La princesse rit beaucoup, mais n'oublia pas de dire que de toute façon elle n'y serait jamais allée.

En haut de son arbre sur son coq, Hans Monhérisson gardait ses ânes et ses porcs, jouant de bon cœur et plein d'entrain de beaux airs tirés de sa cornemuse. Voilà-t-y pas qu'un autre roi passe par là, et se perd, et entend pareillement la belle musique, et envoie un de ses serviteurs voir de quoi il retourne.

– Je garde le troupeau de mes ânes et de mes cochons » (dit Hans Monhérisson au serviteur du roi), « et vous ? que voulez-vous ? »

Le serviteur explique que le roi et sa suite sont perdus dans cette immense forêt, et qu'ils ne parviendront jamais à rentrer au palais s'il ne leur indique pas le chemin du retour, Hans Monhérisson descend de son arbre, et contre son guide demande au roi qu'il lui donne la première personne qui l'accueillera à son retour.

– Tu as ma parole (dit le roi).

Et il écrit et signe son engagement envers Hans Monhérisson qui ne manque pas de le mettre sur le bon chemin.

Puis Hans Monhérisson sur son coq chevauche en avant de la troupe du roi et mène ce monde au château. La fille unique du roi, qui était d'une grande beauté, accueillit la première son père qu'elle attendait avec impatience et inquiétude.

– Mon père, pourquoi êtes-vous resté si longtemps absent ? (demande-t-elle).

Le roi lui apprend qu'il s'était si loin perdu que sans le guide de Hans Monhérisson il n'eût jamais pu revoir son pays, et qu'à cette étrange créature il a promis la première personne qui l'accueillerait en rentrant, et qu'hélas, cette personne est la princesse, sa fille unique si tendrement aimée. Qu'elle juge de son chagrin. Sans hésiter la princesse promet à son père que par amour et respect pour lui elle suivra de bon gré le bienfaiteur de son père s'il vient la chercher. (Car Hans Monhérisson n'avait pas attendu et était reparti dans l'épaisseur des bois).

Dans ses forêts, Hans Monhérisson gardait ses ânes et ses cochons. Son troupeau avait tant grossi qu'il débordait la grande forêt. Hans Monhérisson fit dire à son père que tous au village devaient faire de la place dans les écuries et les étables, car il arrivait avec un tel troupeau qu'on pourrait bouchoyer au village pendant des ans. Mais le père s'affligea que son fils qu'il croyait mort depuis longtemps fût encore en vie.

Sur son coq, Hans Monhérisson mène au village natal la troupe de ses ânes et de ses porcs. Et tous de bouchoyer et charcuter à n'en plus finir. A la fin, Hans Monhérisson pria son père d'aller ferrer de nouveau son coq, l'assurant qu'il partirait ensuite pour ne plus jamais revenir. Le père alla à la forge, se réjouissant du départ de son fils.

A cheval sur son coq Hans Monhérisson partit pour le royaume du premier roi qui s'était perdu dans ses bois. Or ce roi avait commandé à son armée de tirer sur toute créature hérissée de dards, montée sur un coq et jouant de la cornemuse, et de la faire mourir. Lorsque la garde aperçut le coq et son cavalier, les fusils furent pointés ; mais

Hans Monhérisson éperonna son coq qui vola par-dessus la troupe et parvint sans dommage au palais où il pénétra par une fenêtre. Hans Monhérisson descendit de sa monture et somma le roi d'exécuter sa promesse, le menaçant de mort ainsi que la princesse. Le roi dut persuader sa fille de sauver leurs vies. La princesse alla se vêtir de blanc, le roi lui fit donner un carrosse richement attelé de six chevaux couverts d'or, accompagné d'une escorte et d'une troupe de serviteurs en magnifique livrée, à quoi il ajouta maints coffres de splendides vêtements et de vaisselle d'or ainsi que quantité d'autres biens. La princesse monta dans le carrosse et partit, Hans Monhérisson chevauchant sur son coq à son côté. Le roi pensait bien ne plus jamais les revoir et leur dit adieu. Ils étaient à peine sortis de la ville que Hans Monhérisson fit descendre la princesse de son carrosse, la mit nue et l'écorcha sur tout le corps de ses piquants.

– Voilà comme je paie ta fourberie et celle de ton père. Maintenant va-t-en, je ne veux certes pas de toi ! (jeta Hans Monhérisson à la princesse en larmes).

La princesse rentrant à pied au palais de son père dans cet état et cette honte.

A califourchon sur son coq, sa cornemuse sous le bras, Hans Monhérisson se rend maintenant au royaume du deuxième roi auquel il avait servi de guide. Ce roi avait ordonné à ses troupes de présenter les armes à toute créature hérissée de piquants, montée sur un coq et sonnant de la cornemuse, de lui servir d'escorte et de la mener en honneur au palais. Voici donc Hans Monhérisson au château du roi ; lorsque la princesse l'aperçoit, sa frayeur est grande, car elle n'avait idée d'une telle apparence. Cependant elle se raisonne ainsi : « Il est tel et non autre ; mon père a promis et je ne le désavouerai point ; au reste, il a sauvé mon père, et ne saurait avoir méchant cœur ». Elle accueille donc Hans Monhérisson de bonne chère, et le mariage est célébré. Hans Monhérisson paraît à la table royale, son épouse à son côté. Quand vient le moment pour les époux de se retirer dans la chambre nuptiale, la jeune fille s'inquiète et craint que les dards ne la blessent. Hans Monhérisson l'assure qu'elle ne doit redouter aucun mal ; il prie le roi de placer quatre de ses hommes dans l'antichambre de la pièce nuptiale avec ordre d'entretenir un grand feu dans la cheminée. « Devant que de gagner la couche mariale, je déposerai ma vêture de hérisson au pied du lit, que les gardes alors s'en saisissent et la jettent dans le feu en veillant à ce qu'elle soit consumée jusqu'au dernier brin.

Au onzième coup du clocher, les nouveaux mariés entrèrent dans la chambre. Hans se défit de sa vêture de bête hérissée et la laissa au pied du lit ; les gardes entrèrent, s'en saisirent et allèrent la jeter dans le feu de l'antichambre veillant bien à ce qu'elle brûlât entièrement. Le jeune époux fut alors délivré de son enchantement, mais son corps, quoique parfaitement formé, était noir comme la suie. Il demanda le médecin du roi qui le lava et le frotta d'onguents si soigneusement que sa peau apparut de la plus belle blancheur. Ce fut pour la princesse une grande joie que la beauté délicate de son époux qu'elle avait connu si affreux. Le lendemain matin, les jeunes gens se levèrent très heureux ; leur mariage fut célébré officiellement et avec éclat. Hans Monhérisson fut déclaré héritier légitime du royaume.

Quelques années plus tard, Hans Monhérisson partit avec son épouse au village des ses parents. Il alla voir son père auquel il demanda des nouvelles de son fils. Le paysan répondit qu'il n'en avait pas, qu'il avait eu un fils mais hérisson par en-haut et homme par en-bas, mais qu'il était parti depuis longtemps et qu'il n'en avait pas de nouvelles. Hans lui apprit quel il était, et enfin le père fut heureux d'avoir un enfant et partit vivre avec lui dans son royaume.

Mon conte est fini
Je m'en va aussi.

Déclaration des droits de l'homme

TEXTES JURIDIQUES

1789

*La **Déclaration des droits de l'homme et du citoyen** du 26 août 1789 est placée ensuite en tête de la Constitution de 1791. Elle constitue un événement capital de l'Histoire de France et du monde ; c'est aussi un moment important de l'histoire des idées : les droits naturels de l'homme sont définis et déclarés inaliénables par une loi écrite et positive. Cette déclaration comporte 17 articles précédés d'un préambule :*

Les représentants du peuple français, constitués en Assemblée nationale, considérant que l'ignorance, l'oubli ou le mépris des droits de l'homme sont les seules causes des malheurs publics et de la corruption des gouvernements, ont résolu d'exposer, dans une déclaration solennelle, les droits naturels, inaliénables et sacrés de l'homme, afin que cette déclaration, constamment présente à tous les membres du corps social, leur rappelle sans cesse leurs droits et leurs devoirs ; afin que les actes du pouvoir législatif et ceux du pouvoir exécutif, pouvant être à chaque instant comparés avec le but de toute institution politique, en soient plus respectés ; afin que les réclamations des citoyens, fondées désormais sur des principes simples et incontestables, tournent toujours au maintien de la Constitution et au bonheur de tous. – En conséquence, l'Assemblée nationale reconnaît et déclare, en présence et sous les auspices de l'Être suprême, les droits suivants de l'Homme et du Citoyen.

.ARTICLE PREMIER.

Les hommes naissent et demeurent libres et égaux en droits. Les distinctions sociales ne peuvent être fondées que sur l'utilité commune.

.ART. 2.

Le but de toute association politique est la conservation des droits naturels et imprescriptibles de l'homme. Ces droits sont la liberté, la propriété, la sûreté et la résistance à l'oppression.

.ART. 3.

Le principe de toute souveraineté réside essentiellement dans la Nation. Nul corps, nul individu ne peut exercer d'autorité qui n'en émane expressément.

"Les hommes naissent et demeurent libres et égaux en droits"

.ART. 4.

La liberté consiste à pouvoir faire tout ce qui ne nuit pas à autrui : ainsi, l'exercice des droits naturels de chaque homme n'a de bornes que celles qui assurent aux autres membres de la société la jouissance de ces mêmes droits. Ces bornes ne peuvent être déterminées que par la loi.

.ART. 5.

La loi n'a le droit de défendre que les actions nuisibles à la société. Tout ce qui n'est pas défendu par la loi ne peut être empêché, et nul ne peut être contraint à faire ce qu'elle n'ordonne pas.

.ART. 6.

La loi est l'expression de la volonté générale. Tous les citoyens ont droit de concourir personnellement, ou par leurs représentants à sa formation. Elle doit être la même pour tous, soit qu'elle protège, soit qu'elle punisse. Tous les citoyens, étant égaux à ses yeux, sont également admissibles à toutes dignités, places et emplois publics, selon leur capacité et sans autre distinction que celle de leurs vertus et de leurs talents.

.ART. 7.

Nul homme ne peut être accusé, arrêté ni détenu que dans les cas déterminés par la loi et selon les formes qu'elle a prescrites. Ceux qui sollicitent, expédient, exécutent ou font exécuter des ordres arbitraires doivent être punis ; mais tout citoyen appelé ou saisi en vertu de la loi doit obéir à l'instant : il se rend coupable par la résistance.

.ART. 8.

La loi ne doit établir que des peines strictement et évidemment nécessaires, et nul ne peut être puni qu'en vertu d'une loi établie et promulguée antérieurement au délit, et légalement appliquée.

.ART. 9.

Tout homme étant présumé innocent jusqu'à ce qu'il ait été déclaré coupable, s'il est jugé indispensable de l'arrêter, toute rigueur qui ne serait pas nécessaire pour s'assurer de sa personne doit être sévèrement réprimée par la loi.

.ART. 10.

Nul ne doit être inquiété pour ses opinions, même religieuses, pourvu que leur manifestation ne trouble pas l'ordre public établi par la loi.

.ART. 11.

La libre communication des pensées et des opinions est un des droits les plus précieux de l'homme ; tout citoyen peut donc parler, écrire, imprimer librement, sauf à répondre de l'abus de cette liberté dans les cas déterminés par la loi.

.ART. 12.

La garantie des droits de l'homme et du citoyen nécessite une force publique ; cette force est donc instituée pour l'avantage de tous, et non pour l'utilité particulière de ceux à qui elle est confiée.

.ART. 13.

Pour l'entretien de la force publique, et pour les dépenses d'administration, une contribution commune est indispensable ; elle doit être également répartie entre tous les citoyens, en raison de leurs facultés.

.ART. 14.

Les citoyens ont le droit de constater, par eux-mêmes ou par leurs représentants, la nécessité de la contribution publique, de la consentir librement, d'en suivre l'emploi, et d'en déterminer la quotité, l'assiette, le recouvrement et la durée.

.ART. 15.

La société a le droit de demander compte à tout agent public de son administration.

.ART. 16.

Toute société dans laquelle la garantie des droits n'est pas assurée, ni la séparation des pouvoirs déterminée, n'a point de constitution.

.ART. 17.

La propriété étant un droit inviolable et sacré, nul ne peut en être privé, si ce n'est lorsque la nécessité publique, légalement constatée, l'exige évidemment, et sous la condition d'une juste et préalable indemnité.

.Constitution du 27 octobre 1946.

En 1946, après la Seconde Guerre mondiale, la France décide de réaffirmer les droits naturels et inaliénables de l'homme contre les dictatures qui ont voulu asservir l'homme et le dégrader. Dans son préambule la Constitution redit la valeur absolue de la liberté :

PRÉAMBULE

Au lendemain de la victoire remportée par les peuples libres sur les régimes qui ont tenté d'asservir et de dégrader la personne humaine, le peuple français proclame à nouveau que tout être humain, sans distinction de race, de religion ni de croyance, possède des droits inaliénables et sacrés. Il réaffirme solennellement les droits et les libertés de l'homme et du citoyen consacrés par la Déclaration des droits de 1789 et les principes fondamentaux reconnus par les lois de la République.

Il proclame, en outre, comme particulièrement nécessaires à notre temps, les principes politiques, économiques et sociaux ci-après :

La loi garantit à la femme, dans tous les domaines, des droits égaux à ceux de l'homme.

Tout homme persécuté en raison de son action en faveur de la liberté a droit d'asile sur les territoires de la République.

Chacun a le devoir de travailler et le droit d'obtenir un emploi. Nul ne peut être lésé, dans son travail ou son emploi, en raison de ses origines, de ses opinions ou de ses croyances.

Tout homme peut défendre ses droits et ses intérêts par l'action syndicale et adhérer au syndicat de son choix.

Le droit de grève s'exerce dans le cadre des lois qui le réglementent.

Tout travailleur participe, par l'intermédiaire de ses délégués, à la détermination collective des conditions de travail ainsi qu'à la gestion des entreprises.

Tout bien, toute entreprise, dont l'exploitation a ou acquiert les caractères d'un service public national ou d'un monopole de fait, doit devenir la propriété de la collectivité.

La Nation assure à l'individu et à la famille les conditions nécessaires à leur développement.

Elle garantit à tous, notamment à l'enfant, à la mère et aux vieux travailleurs, la protection de la santé, la sécurité matérielle, le repos et les loisirs. Tout être humain qui, en raison de son âge, de son état physique ou mental, de la situation économique, se trouve dans l'incapacité de travailler a le droit d'obtenir de la collectivité des moyens convenables d'existence.

La Nation proclame la solidarité et l'égalité de tous les Français devant les charges qui résultent des calamités nationales.

La Nation garantit l'égal accès de l'enfant et de l'adulte à l'instruction, à la formation professionnelle et à la culture. L'organisation de l'enseignement public gratuit et laïque à tous les degrés est un devoir de l'État.

La République française, fidèle à ses traditions, se conforme aux règles du droit public international. Elle n'entreprendra aucune guerre dans des vues de conquête et n'emploiera jamais ses forces contre la liberté d'aucun peuple.

Sous réserve de réciprocité, la France consent aux limitations de souveraineté nécessaires à l'organisation et à la défense de la paix.

La France forme avec les peuples d'outre-mer une Union fondée sur l'égalité des droits et des devoirs, sans distinction de race ni de religion.

L'Union française est composée de nations et de peuples qui mettent en commun ou coordonnent leurs ressources et leurs efforts pour développer leurs civilisations respectives, accroître leur bien-être et assurer leur sécurité.

Fidèle à sa mission traditionnelle, la France entend conduire les peuples dont elle a pris la charge à la liberté de s'administrer eux-mêmes et de gérer démocratiquement leurs propres affaires ; écartant tout système de colonisation fondé sur l'arbitraire, elle garantit à tous l'égal accès aux fonctions publiques et l'exercice individuel ou collectif des droits et libertés proclamés ou confirmés ci-dessus.

.*Constitution du 4 octobre 1958*.

La Constitution de 1958 réaffirme son attachement aux droits de l'homme. Elle présente les caractères essentiels de la République, son emblème, son hymne, sa devise et son principe :

PRÉAMBULE

Le peuple français proclame solennellement son attachement aux Droits de l'homme et aux principes de la souveraineté nationale tels qu'ils ont été définis par la Déclaration de 1789, confirmée et complétée par le préambule de la Constitution de 1946.

En vertu de ces principes et de celui de la libre détermination des peuples, la République offre aux territoires d'outre-mer qui manifestent la volonté d'y adhérer des institutions nouvelles fondées sur l'idéal commun de liberté, d'égalité et de fraternité et conçues en vue de leur évolution démocratique.

.ARTICLE PREMIER.

La République et les peuples des territoires d'outre-mer qui, par un acte de libre détermination, adoptent la présente Constitution, instituent une Communauté.

La Communauté est fondée sur l'égalité et la solidarité des peuples qui la composent.

TITRE PREMIER

De la souveraineté

.ART. 2.

La France est une République indivisible, laïque, démocratique et sociale. Elle assure l'égalité devant la loi de tous les citoyens sans distinction d'origine, de race ou de religion. Elle respecte toutes les croyances.

L'emblème national est le drapeau tricolore, bleu, blanc, rouge.

L'hymne national est « la Marseillaise ».

La devise de la République est : « Liberté, Égalité, Fraternité. »

Son principe est : gouvernement du peuple, par le peuple et pour le peuple.

.ART. 3.

La souveraineté nationale appartient au peuple, qui l'exerce par ses représentants et par la voie du référendum.

Aucune section du peuple ni aucun individu ne peut s'en attribuer l'exercice.

Le suffrage peut être direct ou indirect dans les conditions prévues par la Constitution. Il est toujours universel, égal et secret.

Sont électeurs, dans les conditions déterminées par la loi, tous les nationaux français majeurs des deux sexes, jouissant de leurs droits civils et politiques.

.ART. 4.

Les partis et groupements politiques concourent à l'expression du suffrage. Ils se forment et exercent leur activité librement. Ils doivent respecter les principes de la souveraineté nationale et de la démocratie.

.Charte des Nations Unies et Statut de la Cour internationale de Justice.

26 juin 1945

A la fin de la Conférence des Nations Unies sur l'Organisation internationale, le 26 juin 1945, la ***Charte des Nations Unies*** *a été signée à San Francisco. Le* ***Statut de la Cour internationale de Justice*** *fait partie intégrante de la Charte. Dans son préambule, que nous donnons ici,* ***la Charte*** *affirme sa volonté de paix, la valeur qu'elle attache à la liberté et l'égalité des hommes. Ce préambule, on le rapprochera de la* ***Déclaration des Droits de l'Homme et du Citoyen*** *de 1789 et du préambule de la Constitution française du 27 octobre 1946.*

Nous, peuples des Nations Unies,

Résolus

à préserver les générations futures du fléau de la guerre qui deux fois en l'espace d'une vie humaine a infligé à l'humanité d'indicibles souffrances,

à proclamer à nouveau notre foi dans les droits fondamentaux de l'homme, dans la dignité et la valeur de la personne humaine, dans l'égalité des droits des hommes et des femmes, ainsi que des nations, grandes et petites,

à créer les conditions nécessaires au maintien de la justice et du respect des obligations nées des traités et autres sources du droit international,

à favoriser le progrès social et instaurer de meilleures conditions de vie dans une liberté plus grande,

et à ces fins

à pratiquer la tolérance, à vivre en paix l'un avec l'autre dans un esprit de bon voisinage,

à unir nos forces pour maintenir la paix et la sécurité internationales,

à accepter des principes et instituer des méthodes garantissant qu'il ne sera pas fait usage de la force des armes, sauf dans l'intérêt commun,

à recourir aux institutions internationales pour favoriser le progrès économique et social de tous les peuples,

avons décidé d'associer nos effort

pour réaliser ces desseins

En conséquence, nos gouvernements respectifs, par l'intermédiaire de leurs représentants, réunis en la ville de San Francisco, et munis de pleins pouvoirs reconnus en bonne et due forme, ont adopté la présente Charte des Nations Unies et établissent par les présentes une organisation internationale qui prendra le nom de Nations Unies.

Alphonse Marie Louis de Lamartine

MÂCON 1790 – PARIS 1869.

Poète, écrivain, orateur et homme d'Etat Lamartine grandit en liberté dans les vignes de Milly. Envoyé en Italie (1811-1812) il découvre Florence, Rome et Naples, rencontre celle qui deviendra plus tard Graziella. Comme de nombreux aristocrates au début de la Restauration, il n'arrive pas à trouver sa voie : il devient garde du corps de Louis XVIII, puis s'exile en Suisse pendant les Cent-jours ; se croit malade, éprouve des douleurs amoureuses. Il rencontre en 1816, au cours d'une cure à Aix-les-Bains, Mme Julie Charles qui devient sa maîtresse et meurt une année plus tard, après que Lamartine ait composé pour elle ***Le Lac****. Lamartine édite* ***Les Méditations poétiques*** *(1820) qui ont un immense succès. Ces poèmes oscillent entre la mélancolie et la consolation de la foi, entre l'obsession de la mort et l'appel de la Nature, confidente. En 1820 il se marie avec une jeune anglaise Elisabeth Birch, il est envoyé en Italie comme diplomate : sa vie est plus heureuse.* ***Les Nouvelles Méditations*** *(1823) révèlent ce nouveau bonheur.* ***Les Harmonies poétiques et religieuses*** *(1830) disent son admiration pour l'équilibre du monde et la beauté des paysages italiens. Cette même année il est reçu à l'Académie française. Lamartine se persuade que le poète doit s'engager : il écrit des poèmes* ***Contre la peine de mort, Ode sur les révolutions****. Il entreprend par ailleurs une « épopée de l'homme intérieur » (****Jocelyn*** *en 1836 et* ***La Chute d'un ange*** *en 1838). A la fin du règne de Louis-Philippe il passe à l'opposition qu'il soutient en composant* ***La Marseillaise de la Paix*** *et l'****Histoire des Girondins*** *(1847) – apologie des révolutionnaires modérés.*

Devenu ministre des affaires étrangères en 1848 il adresse aux nations d'Europe une déclaration de paix : le ***Manifeste aux puissances*** *et signe l'acte d'abolition de l'esclavage dans les colonies. Mais sa popularité s'effondre : il refuse de laisser se transformer la république bourgeoise en une république sociale, il refuse la substitution du drapeau rouge au drapeau tricolore et s'oppose à l'émeute de juin 1848. Dès lors il se consacre à une abondante œuvre en prose :* ***Raphaël, Graziella, Vie des grands hommes, Histoire de la Restauration*** *etc.*

POÉSIES

.Méditations poétiques.

1820

*Lamartine rencontre lors d'une cure à Aix-les-Bains en 1816 une jeune malade, Mme Julie Charles qui devient sa maîtresse. Julie Charles meurt en 1817. Dans **Le Lac** Lamartine pleure la bien-aimée perdue :*

.LE LAC.

Ainsi, toujours poussés vers de nouveaux rivages,
Dans la nuit éternelle emportés sans retour,
Ne pourrons-nous jamais sur l'océan des âges
Jeter l'ancre un seul jour ?

Ô lac ! l'année à peine a fini sa carrière,
Et près des flots chéris qu'elle devait revoir,
Regarde ! je viens seul m'asseoir sur cette pierre
Où tu la vis s'asseoir !

Tu mugissais ainsi sous ces roches profondes,
Ainsi tu te brisais sur leurs flancs déchirés,
Ainsi le vent jetait l'écume de tes ondes
Sur ses pieds adorés.

Un soir, t'en souvient-il ? nous voguions en silence ;
On n'entendait au loin, sur l'onde et sous les cieux,
Que le bruit des rameurs qui frappaient en cadence
Tes flots harmonieux.

Tout à coup des accents inconnus à la terre
Du rivage charmé frappèrent les échos :
Le flot fut attentif, et la voix qui m'est chère
Laissa tomber ces mots :

« Ô temps ! suspends ton vol, et vous, heures propices !
Suspendez votre cours.
Laissez-nous savourer les rapides délices
Des plus beaux de nos jours !

« Assez de malheureux ici-bas vous implorent,
Coulez, coulez pour eux ;
Prenez avec leurs jours les soins qui les dévorent,
Oubliez les heureux.

« Mais je demande en vain quelques moments encore,
Le temps m'échappe et fuit ;
Je dis à cette nuit : Sois plus lente ; et l'aurore
Va dissiper la nuit.

« Aimons donc, aimons donc ! de l'heure fugitive,
Hâtons-nous, jouissons !
L'homme n'a point de port, le temps n'a point de rive ;
Il coule, et nous passons ! »

Temps jaloux, se peut-il que ces moments d'ivresse,
Où l'amour à longs flots nous verse le bonheur,
S'envolent loin de nous de la même vitesse
Que les jours de malheur ?

Eh quoi ! n'en pourrons-nous fixer au moins la trace ?
Quoi ! passés pour jamais ! quoi ! tout entiers perdus !
Ce temps qui les donna, ce temps qui les efface,
Ne nous les rendra plus !

Éternité, néant, passé, sombres abîmes,
Que faites-vous des jours que vous engloutissez ?
Parlez : nous rendrez-vous ces extases sublimes
Que vous nous ravissez ?

Ô lac ! rochers muets ! grottes ! forêt obscure !
Vous, que le temps épargne ou qu'il peut rajeunir,
Gardez de cette nuit, gardez, belle nature,
Au moins le souvenir !

Qu'il soit dans ton repos, qu'il soit dans tes orages,
Beau lac, et dans l'aspect de tes riants coteaux,
Et dans ces noirs sapins, et dans ces rocs sauvages
Qui pendent sur tes eaux.

Qu'il soit dans le zéphyr qui frémit et qui passe,
Dans les bruits de tes bords par tes bords répétés,
Dans l'astre au front d'argent qui blanchit ta surface
De ses molles clartés.

Que le vent qui gémit, le roseau qui soupire,
Que les parfums légers de ton air embaumé,
Que tout ce qu'on entend, l'on voit ou l'on respire,
Tout dise : Ils ont aimé !

*Lamartine dit de **L'Automne** (écrit en 1819) : « ces vers sont une lutte entre l'instinct de tristesse qui fait accepter la mort et l'instinct de bonheur qui fait regretter la vie ». Le souvenir de Julie Charles s'estompe, Lamartine songe à une jeune Anglaise Elisabeth Birch qu'il épousera un an plus tard :*

.L'AUTOMNE.

Salut ! bois couronnés d'un reste de verdure !
Feuillages jaunissants sur les gazons épars !
Salut, derniers beaux jours ! le deuil de la nature
Convient à la douleur et plaît à mes regards !

Je suis d'un pas rêveur le sentier solitaire,
J'aime à revoir encor, pour la dernière fois,
Ce soleil pâlissant, dont la faible lumière
Perce à peine à mes pieds l'obscurité des bois !

Oui, dans ces jours d'automne où la nature expire,
A ses regards voilés, je trouve plus d'attraits,
C'est l'adieu d'un ami, c'est le dernier sourire
Des lèvres que la mort va fermer pour jamais !

Ainsi, prêt à quitter l'horizon de la vie,
Pleurant de mes longs jours l'espoir évanoui,
Je me retourne encore, et d'un regard d'envie
Je contemple ses biens dont je n'ai pas joui !

Terre, soleil, vallons, belle et douce nature,
Je vous dois une larme aux bords de mon tombeau :
L'air est si parfumé ! la lumière est si pure !
Aux regards d'un mourant le soleil est si beau !

Je voudrais maintenant vider jusqu'à la lie
Ce calice mêlé de nectar et de fiel !
Au fond de cette coupe où je buvais la vie,
Peut-être restait-il une goutte de miel ?

Peut-être l'avenir me gardait-il encore
Un retour de bonheur dont l'espoir est perdu ?
Peut-être dans la foule, une âme que j'ignore
Aurait compris mon âme, et m'aurait répondu ?...

La fleur tombe en livrant ses parfums au zéphire ;
A la vie, au soleil, ce sont là ses adieux ;
Moi, je meurs ; et mon âme, au moment qu'elle expire,
S'exhale comme un son triste et mélodieux.

.*Nouvelles Méditations*.

1823

*La vie de Lamartine devient plus heureuse. Dans **Ischia**, poème de 96 vers, il décrit une belle nuit, en baie de Naples, quand il entend la chanson d'une jeune femme qui appelle son amoureux :*

.ISCHIA.

« Viens ! l'amoureux silence occupe au loin l'espace ;
Viens du soir près de moi respirer la fraîcheur !
C'est l'heure ; à peine au loin la voile qui s'efface
Blanchit en ramenant le paisible pêcheur.

« Depuis l'heure où ta barque a fui loin de la rive,
J'ai suivi tout le jour ta voile sur les mers,
Ainsi que de son nid la colombe craintive
Suit l'aile du ramier qui blanchit dans les airs.

« Tandis qu'elle glissait sous l'ombre du rivage,
J'ai reconnu ta voix dans la voix des échos ;
Et la brise du soir, en mourant sur la plage,
Me rapportait tes chants prolongés sur les flots.

« Quand la vague a grondé sur la côte écumante,
A l'étoile des mers j'ai murmuré ton nom ;
J'ai rallumé sa lampe, et de ta seule amante
L'amoureuse prière a fait fuir l'aquilon.

« Maintenant sous le ciel tout repose ou tout aime :
La vague en ondulant vient dormir sur le bord,
La fleur dort sur sa tige, et la nature même
Sous le dais de la nuit se recueille et s'endort.

« Vois : la mousse a pour nous tapissé la vallée ;
Le pampre s'y recourbe en replis tortueux,
Et l'haleine de l'onde, à l'oranger mêlée,
De ses fleurs qu'elle effeuille embaume mes cheveux.

« A la molle clarté de la voûte sereine
Nous chanterons ensemble assis sous le jasmin,
Jusqu'à l'heure où la lune, en glissant vers Misène,
Se perd en pâlissant dans les feux du matin. »

Elle chante ; et sa voix par intervalle expire,
Et, des accords du luth plus faiblement frappés,
Les échos assoupis ne livrent au zéphire
Que des soupirs mourants, de silence coupés.

.*Harmonies poétiques et religieuses*.

1830

Analogie des paysages de la nature et des sentiments de l'homme :

.LA TRISTESSE.

L'âme triste est pareille
Au doux ciel de la nuit,
Quand l'astre qui sommeille
De la voûte vermeille
A fait tomber le bruit ;

Plus pure et plus sonore,
On y voit sur ses pas
Mille étoiles éclore,
Qu'à l'éclatante aurore
On n'y soupçonnait pas !

Des îles de lumière
Plus brillante qu'ici,
Et des mondes derrière,
Et des flots de poussière
Qui sont mondes aussi !

On entend dans l'espace
Les chœurs mystérieux
Ou du ciel qui rend grâce,
Ou de l'ange qui passe,
Ou de l'homme pieux !

Et pures étincelles
De nos âmes de feu,
Les prières mortelles
Sur leurs brûlantes ailes
Nous soulèvent un peu !

Tristesse qui m'inonde,
Coule donc de mes yeux,
Coule comme cette onde
Où la terre féconde
Voit un présent des cieux !

Et n'accuse point l'heure
Qui te ramène à Dieu !
Soit qu'il naisse ou qu'il meure,
Il faut que l'homme pleure
Ou l'exil, ou l'adieu !

Jocelyn.

1836
PREMIER ÉPISODE D'UNE « ÉPOPÉE DE L'HOMME INTÉRIEUR »

Nostalgie d'une vie naturelle et rapports entre la religion et la Révolution sont les thèmes de cette œuvre. Dans une sorte de journal en vers Jocelyn raconte sa vie : La Révolution contraint Jocelyn – jeune séminariste – à se réfugier au sommet des Alpes dans la Grotte des Aigles. Il sauve un jeune proscrit poursuivi par les révolutionnaires. Une amitié lie les deux jeunes gens. Le printemps et ses beautés arrivent :

La grotte, 6 mai 1794.
Il est des jours de luxe et de saison choisie,
Qui sont comme des fleurs précoces de la vie,
Tout bleus, tout nuancés d'éclatantes couleurs,
Tout trempés de rosée et tout fragrants d'odeurs,
Que d'une nuit d'orage on voit parfois éclore,
Qu'on savoure un instant, qu'on respire une aurore,
Et dont comme des fleurs, encor tout enivrés,
On se demande après : Les ai-je respirés ?
Tant de parfum tient-il dans ces étroits calices ?
Et dans douze moments, si courts, tant de délices ?
Aujourd'hui fut pour nous un de ces jours de choix :
Éveillés aux rayons du plus riant des mois,
A l'hymne étourdissant de la vive alouette
Qui n'a que joie et cris dans sa voix de poète,
Au mumure du lac flottant à petit pli,
Nous nous sommes levés le cœur déjà rempli,
Ne pouvant contenir l'impatient délire
Qui nous appelle à voir la nature sourire,
Et nous sommes allés, pas à pas, tout le jour,
Du printemps sur ces monts épier le retour.
La neige qui fondait au tact du rayon rose,
Avant d'aller blanchir les pentes qu'elle arrose,
Comme la stalactite au bord glacé des toits,
Distillait des rochers et des branches des bois ;
Chaque goutte en pleuvant remontait en poussière
Sur l'herbe, et s'y roulait en globe de lumière.
Tous ces prismes, frappés du feu du firmament,
Remplissaient l'œil d'éclairs et d'ébouissement ;
On eût dit mille essaims d'abeilles murmurantes
Disséminant le jour sur leurs ailes errantes,
Sur leur corset de feu, d'azur et de vermeil,
Et bourdonnant autour d'un rayon de soleil.
Puis en mille filets ces gouttes rassemblées
Allaient chercher leurs lits dans le creux des vallées,
Y couraient au hasard des pentes sur leurs flancs,
Y dépliaient leur nappe ou leurs longs rubans blancs,
Y gazouillaient en foule en mille voix légères,
Comme des vols d'oiseaux cachés sous les fougères,
Courbaient l'herbe et les fleurs comme un souffle en [glissant,
Y laissaient par flocons leur écume en passant ;
Puis la brise venait essuyer cette écume,
Comme à l'oiseau qui mue elle enlève une plume.

Jocelyn apprend bientôt que son compagnon est une femme déguisée. L'amitié se transforme en amour. Au moment de la Terreur l'évêque – condamné à mort – appelle Jocelyn et l'ordonne prêtre afin qu'il lui donne les derniers sacrements. Les jeunes gens sont désespérés. Jocelyn médite sur la signification des révolutions :

La caravane humaine un jour était campée
Dans des forêts bordant une rive escarpée,
Et, ne pouvant pousser sa route plus avant,
Les chênes l'abritaient du soleil et du vent ;
Les tentes, aux rameaux enlaçant leurs cordages,
Formaient autour des troncs des cités, des villages,
Et les hommes, épars sur des gazons épais,
Mangeaient leur pain à l'ombre et conversaient en paix.
Tout à coup, comme atteints d'une rage insensée,
Ces hommes, se levant à la même pensée,
Portent la hache au tronc, font crouler à leurs pieds
Ces dômes où les nids s'étaient multipliés ;
Et les brutes des bois, sortant de leurs repaires,
Et les oiseaux, fuyant les cimes séculaires,
Contemplaient la ruine avec un œil d'horreur,
Ne comprenaient pas l'œuvre et maudissaient du cœur
Cette race stupide acharnée à sa perte,
Qui détruit jusqu'au ciel l'ombre qui l'a couverte.
Or, pendant qu'en leur nuit les brutes des forêts
Avaient pitié de l'homme et séchaient de regrets,
L'homme, continuant son ravage sublime,
Avait jeté les troncs en arche sur l'abîme ;
Sur l'arbre de ses bords gisant et renversé,
Le fleuve était partout couvert et traversé,
Et, poursuivant en paix son éternel voyage,
La caravane avait conquis l'autre rivage.
C'est ainsi que le temps, par Dieu même conduit,
Passe pour avancer sur ce qu'il a détruit.
Esprit saint ! conduis-les, comme un autre Moïse,
Par des chemins de paix à la terre promise ! ! !...

Alfred de Vigny

LOCHES 1797 – PARIS 1863.

D'une famille noble, illustre par les armes, ruinée par la Révolution, ayant échappé de peu à la Terreur, dernier-né et enfant unique après que trois sont morts en bas âge, le jeune de Vigny vit à Paris dans une atmosphère de deuil et au collège « le temps le plus malheureux » de son existence. Il prépare l'École Polytechnique, rêve de la gloire militaire qui est alors le lot de la France, et entre en 1814 au Corps des mousquetaires rouges. Au retour de Napoléon, il escorte Louis XVIII jusqu'à Béthune. Il ne connaît ni la guerre ni la gloire, mais seulement la vie de garnison, échappant de peu à ce que Stendhal nomme la guerre « contre les trognons de choux » parlant de la répression des émeutes. Vigny écrit pour le théâtre et des poèmes, rencontre Victor Hugo et collabore à différents journaux. Nommé capitaine, il se marie en 1825 avec une riche anglaise mais se voit déçu dans ses espérances de fortune. Réformé en 1827, il publie un roman historique – ***Cinq-Mars*** *– dont le succès est considérable ; il traduit Shakespeare,* ***Roméo et Juliette, Le More de Venise****, et écrit un drame en prose :* ***La maréchale d'Ancre****, et se prend de passion pour l'actrice Marie Dorval. Cet amour ne sera pas heureux. Pour elle, Vigny écrit* ***Quitte pour la peur****, et* ***Chatterton*** *(dont la première représentation est un triomphe), drame tiré de son roman* ***Stello****. En 1835 il publie* ***Servitude et grandeur militaire*** *; puis s'enferme dans une sorte de silence, se dévouant à son épouse malade. L'Académie le reçoit en 1845.*

ROMAN

.Cinq-Mars.

1826

Le jeune marquis de Cinq-Mars conspire contre Richelieu et est protégé par le roi qui, cependant, refuse de se débarrasser de son ministre. Cinq-Mars demande alors l'appui de l'Espagne, et envoie Jacques de Laubardemont, un aventurier qui lui est dévoué, chercher le traité qui scelle l'alliance. Au passage des Pyrénées, Jacques est rejoint par ses ennemis, menés par son propre père. Acculé, réfugié dans une pauvre cabane, Jacques se jette dans le torrent lorsque les gens de Richelieu forcent l'entrée de son refuge :

Tous s'approchèrent avec précaution, arrachèrent les planches qui restaient, et se penchèrent sur l'abîme. Ils contemplèrent un spectacle étrange : l'orage était dans toute sa force, et c'était un orage des Pyrénées ; d'immenses éclairs partaient ensemble des quatre points de l'horizon, et leurs feux se succédaient si vite qu'on n'en voyait pas l'intervalle et qu'ils paraissaient immobiles et durables ; seulement la voûte flamboyante s'éteignait quelquefois tout à coup, puis reprenait ses lueurs constantes. Ce n'était plus la flamme qui semblait étrangère à cette nuit, c'était l'obscurité. L'on eût dit que, dans un ciel naturellement lumineux, il se faisait des éclipses d'un moment : tant les éclairs étaient longs et tant leurs absences étaient rapides ! Les pics allongés et les rochers blanchis se détachaient sur ce fond rouge comme des blocs de marbre sur une coupole d'airain brûlant et simulant au milieu des frimas les prodiges du volcan ; les eaux jaillissaient comme des flammes, les neiges s'écoulaient comme une lave éblouissante.

Dans leur amas mouvant se débattait un homme, et ses efforts le faisaient entrer plus avant dans le gouffre tournoyant et liquide ; ses genoux ne se voyaient déjà plus ; en vain il tenait embrassé un énorme glaçon pyramidal et transparent que les éclairs faisaient briller comme un rocher de cristal ; ce glaçon même fondait par sa base et glissait lentement sur la pente du rocher. On entendait sous la nappe de neige les bruits des quartiers de granit qui se heurtaient, en tombant à des profondeurs immenses. Cependant on aurait pu le sauver encore ; l'espace de quatre pieds à peine le séparait de Laubardemont.

« J'enfonce ! s'écria-t-il, tends-moi quelque chose, et tu auras le traité.

– Donne-le-moi, et je te tendrai ce mousquet, dit le juge.

– Le voilà, dit le spadassin, puisque le diable est pour Richelieu. »

Et, lâchant d'une main son glissant appui, il jeta un rouleau de bois dans la cabane. Laubardemont y rentra, se précipitant sur le traité comme un loup sur sa proie. Jacques avait en vain étendu son bras ; on le vit glisser lentement avec le bloc énorme et dégelé qui croulait sur lui, et s'enfoncer sans bruit dans les neiges.

« Ah ! misérable ! tu m'as trompé ! s'écria-t-il ; mais on ne m'a pas pris le traité... je te l'ai donné... entends-tu... mon père ! »

Il disparut sous la couche épaisse et blanche de la neige ; on ne vit plus à sa place que cette nappe éblouissante que sillonnait la foudre en s'y éteignant ; on n'entendit plus que les roulements du tonnerre et le sifflement des eaux qui tourbillonnaient contre les rochers ; car les hommes groupés autour d'un scélérat, dans la cabane à demi brisée, se taisaient, glacés par l'horreur, et craignaient que Dieu ne vînt à diriger la foudre.

CHAPITRE 22

Stello

1832

Vigny entend montrer par ce roman que « les parias de la société sont les poètes, les hommes d'âme et de cœur, les hommes supérieurs et honorables ». A son ami le poète Stello, le Docteur Noir raconte la mort de trois poètes : Gilbert, que la monarchie de Louis XV laissa mourir à l'hôpital ; Chatterton, qui souffrit de faim dans une mansarde en Angleterre au XVIIIe siècle ; Chénier que la Révolution guillotina. Ces récits ont pour but de guérir Stello de son spleen.

« Depuis ce matin, j'ai le spleen, et un tel spleen, que tout ce que je vois, depuis qu'on m'a laissé seul, m'est en dégoût profond. J'ai le soleil en haine et la pluie en horreur. Le soleil est si pompeux, aux yeux fatigués d'un malade, qu'il semble un insolent parvenu ; et la pluie ! ah ! de tous les fléaux qui tombent du ciel, c'est le pire à mon sens. Je crois que je vais aujourd'hui l'accuser de ce que j'éprouve. Quelle forme symbolique pourrais-je donner jamais à cette incroyable souffrance ? Ah ! j'y entrevois quelque possibilité, grâce à un savant. Honneur soit rendu au bon docteur Gall (pauvre crâne que j'ai connu) ! Il a si bien numéroté toutes les formes de la tête humaine, que l'on peut se reconnaître sur cette carte comme sur celle des départements, et que nous ne recevrons pas un coup sur le crâne sans savoir avec précision quelle faculté est menacée dans notre intelligence.

« Eh bien, mon ami, sachez donc qu'à cette heure, où une affliction secrète a tourmenté cruellement mon âme, je sens autour de mes cheveux tous les Diables de la migraine qui sont à l'ouvrage sur mon crâne pour le fendre ; ils y font l'œuvre d'Annibal aux Alpes. Vous ne les pouvez voir, vous : plût aux docteurs que je fusse de même ! Il y a un Farfadet, grand comme un moucheron, tout frêle et tout noir, qui tient une scie d'une longueur démesurée, et l'a enfoncée plus d'à moitié sur mon front ; il suit une ligne oblique qui va de la protubérance de l'*Idéalité*, n° 19, jusqu'à celle de la *Mélodie*, au-devant de l'œil gauche, n° 32 ; et là, dans l'angle du sourcil, près de la bosse de l'*Ordre*, sont blottis cinq Diablotins, entassés l'un sur l'autre comme de petites sangsues, et suspendus à l'extrémité de la scie pour qu'elle s'enfonce plus avant dans ma tête ; deux d'entre eux sont chargés de verser, dans la raie imperceptible qu'y fait leur lame dentelée, une huile bouillante qui flambe comme du punch et qui n'est pas merveilleusement douce à sentir. Je sens un autre petit Démon enragé qui me ferait crier, si ce n'était la continuelle et insupportable habitude de politesse que vous me savez. Celui-ci a élu son domicile, en roi absolu, sur la bosse énorme de la *Bienveillance*, tout au sommet du crâne ; il s'est assis, sachant devoir travailler longtemps ; il a une vrille entre ses petits bras, et la fait tourner avec une agilité si surprenante que vous me la verrez tout à l'heure sortir par le menton. Il y a deux Gnomes d'une petitesse imperceptible à tous les yeux, même au microscope que vous pourriez supposer tenu par un ciron ; et ces deux-là sont mes plus acharnés et mes plus rudes ennemis ; ils ont établi un coin de fer tout au beau milieu de la protubérance dite du *Merveilleux* : l'un tient le coin en attitude perpendiculaire, et s'emploie à l'enfoncer de l'épaule, de la tête et des bras ; l'autre, armé d'un marteau gigantesque, frappe dessus, comme sur une enclume, à tour de bras, à grands efforts de reins, à grand écartèlement des deux jambes, se renversant pour éclater de rire à chaque coup qu'il donne sur le coin impitoyable ; chacun de ces coups fait dans ma cervelle le bruit de cinq cent quatre-vingt-quatorze canons en batterie tirant à la fois sur cinq cent quatre-vingt-quatorze mille hommes qui les attaquent au pas de charge et au bruit des fusils, des tambours et des tam-tams. A chaque coup mes yeux se ferment, mes oreilles tremblent, et la plante de mes pieds frémit. – Hélas ! hélas ! mon Dieu, pourquoi avez-vous permis à ces petits monstres de s'attaquer à cette bosse du *Merveilleux* ? C'était la plus grosse sur toute ma tête, et celle qui me fit faire quelque poèmes qui m'élevaient l'âme vers le ciel inconnu, comme aussi toutes mes plus chères et secrètes folies. S'ils la détruisent, que me restera-t-il en ce monde ténébreux ? Cette protubérance toute divine me donna toujours d'ineffables consolations. Elle est comme un petit dôme sous lequel va se blottir mon âme pour se contempler et se connaître, s'il se peut, pour gémir et pour prier, pour s'éblouir intérieurement avec des tableaux purs comme ceux de Raphaël au nom d'ange, colorés comme ceux de Rubens au nom rougissant (miraculeuse rencontre !). C'était là que mon âme apaisée trouvait mille poétiques illusions dont je traçais de mon mieux le souvenir sur du papier, et voilà que cet asile est encore attaqué par ces infernales et invisibles puissances ! Redoutables enfants du chagrin, que vous ai-je fait ? – Laissez-moi, Démons glacés et agiles, qui courez sur chacun de mes nerfs en le refroidissant et glissez sur cette corde comme d'habiles danseurs ! Ah ! mon ami, si vous pouviez voir sur ma tête ces impitoyables Farfadets, vous concevriez à peine qu'il me soit possible de supporter la vie. Tenez, les voilà tous à présent réunis, amoncelés, accumulés sur la bosse de l'*Espérance*. Qu'il y a longtemps qu'ils travaillent et labourent cette montagne, jetant au vent ce qu'ils en arrachent ! Hélas ! mon ami, ils en ont fait une vallée si creuse, que vous y logeriez la main tout entière. »

En prononçant ces dernières paroles, Stello baissa la tête et la mit dans ses deux mains. Il se tut, et soupira profondément.

Le Docteur demeura aussi froid que peut l'être la statue du Czar en hiver, à Saint-Pétersbourg, et dit :

« Vous avez les *Diables bleus,* maladie qui s'appelle en anglais *Blue devils.* »

CHAPITRE 2

Servitude et grandeur militaire

1835

*Dans son **Journal**, Vigny écrit : « **Cinq-Mars, Stello, Servitude et grandeur militaires** (on l'a bien observé) sont, en effet, les chants d'une sorte de poème épique sur la désillusion ». Le soldat est un « autre paria moderne ». Le livre se compose de trois nouvelles précédées et suivies de réflexions et de souvenirs. « Ce qu'il y a de plus pur en notre temps, écrit Vigny, c'est l'âme d'un soldat ».*

Quelques jours après les troubles de juillet 1830, un grenadier vient chercher l'auteur et le conduit auprès du capitaine Renaud qui va mourir et l'a fait demander. Ce capitaine a tué un jour en Russie, sans savoir, emporté par le

Il était donc debout, à la tête du pont d'Iéna, couvert de poussière et secouant ses pieds, il regardait, vers la barrière, si rien ne gênait la sortie de son détachement, et désignait des éclaireurs pour envoyer en avant. Il n'y avait personne dans le Champ-de-Mars que deux maçons qui paraissaient dormir, couchés sur le ventre, et un petit garçon d'environ quatorze ans, qui marchait pieds nus et jouait des castagnettes avec deux morceaux de faïence cassée. Il les raclait de temps en temps sur le parapet du pont, et vint ainsi en jouant, *mouvement de la guerre, un enfant. Depuis ce jour, il porte une seule arme : la canne que cet enfant tenait. Le grenadier raconte dans quelles circonstances son chef a été blessé :*

jusques à la borne où se tenait Renaud. Le capitaine montrait en ce moment les hauteurs de Passy avec sa canne. L'enfant s'approcha de lui, le regardant avec de grands yeux étonnés, et tirant de sa veste un pistolet d'arçon, il le prit des deux mains et le dirigea vers la poitrine du capitaine. Celui-ci détourna le coup avec sa canne, et l'enfant ayant fait feu, la balle porta dans le haut de la cuisse. Le capitaine tomba assis, sans dire mot, et regarda avec pitié ce singulier ennemi. Il vit ce jeune garçon qui tenait toujours son arme des deux mains, et demeurait tout effrayé de ce qu'il avait fait. Les grenadiers étaient en ce moment appuyés tristement sur leurs fusils ; ils ne daignèrent pas faire un geste contre ce petit drôle. Les uns soulevèrent leur capitaine, les autres se contentèrent de tenir cet enfant par le bras et de l'amener à celui qu'il avait blessé. Il se mit à fondre en larmes ; et quand il vit le sang couler à flots de la blessure de l'officier sur son pantalon blanc, effrayé de cette boucherie, il s'évanouit. On emporta en même temps l'homme et l'enfant dans une petite maison proche de Passy, où tous deux étaient encore. La colonne conduite par le lieutenant, avait poursuivi sa route pour Saint-Cloud, et quatre grenadiers, après avoir quitté leurs uniformes, étaient restés dans cette maison hospitalière à soigner leur vieux commandant. L'un (celui qui me parlait) avait pris de l'ouvrage comme ouvrier armurier à Paris, d'autres comme maîtres d'armes, et apportant leur journée au capitaine, ils l'avaient empêché de manquer de soins jusqu'à ce jour. On l'avait amputé ; mais la fièvre était ardente et mauvaise ; et comme il craignait un redoublement dangereux, il m'envoyait chercher. Il n'y avait pas de temps à perdre. Je partis sur-le-champ avec le digne soldat qui m'avait raconté ces détails les yeux humides et la voix tremblante, mais sans murmure, sans injure, sans accusation, répétant seulement : C'est un grand malheur pour nous.

Le blessé avait été porté chez une petite marchande qui était veuve et qui vivait seule dans une petite boutique, et dans une rue écartée du village, avec des enfants en bas âge. Elle n'avait pas eu la crainte, un seul moment, de se compromettre, et personne n'avait eu l'idée de l'inquiéter à ce sujet. Les voisins, au contraire, s'étaient empressés de l'aider dans les soins qu'elle prenait du malade. Les officiers de santé qu'on avait appelés ne l'ayant pas jugé transportable, après l'opération, elle l'avait gardé, et souvent elle avait passé la nuit près de son lit. Lorsque j'entrai, elle vint au-devant de moi avec un air de reconnaissance et de timidité qui me firent peine. Je sentis combien d'embarras à la fois elle avait cachés par bonté naturelle et par bienfaisance. Elle était fort pâle, et ses yeux étaient rougis et fatigués. Elle allait et venait vers une arrière-boutique très étroite que j'apercevais de la porte, et je vis, à sa précipitation, qu'elle arrangeait la petite chambre du blessé et mettait une sorte de coquetterie à ce qu'un étranger la trouvât convenable. – Aussi j'eus soin de ne pas marcher vite, et je lui donnai tout le temps dont elle eut besoin. – Voyez, monsieur, il a bien souffert, allez ! me dit-elle en ouvrant la porte.

Le capitaine Renaud était assis sur un petit lit à rideaux de serge, placé dans un coin de la chambre, et plusieurs traversins soutenaient son corps. Il était d'une maigreur de squelette, et les pommettes des joues d'un rouge ardent ; la blessure de son front était noire. Je vis qu'il n'irait pas loin, et son sourire me le dit aussi. Il me tendit la main et me fit signe de m'asseoir. Il y avait à sa droite un jeune garçon qui tenait un verre d'eau gommée et le remuait avec la cuillère. Il se leva et m'apporta sa chaise. Renaud le prit, de son lit, par le bout de l'oreille et me dit doucement, d'une voix affaiblie.

– Tenez, mon cher, je vous présente mon vainqueur.

Je haussai les épaules, et le pauvre enfant baissa les yeux en rougissant. Je vis une grosse larme rouler sur sa joue.

– Allons, allons, dit le capitaine en passant la main dans ses cheveux. Ce n'est pas sa faute. Pauvre garçon ! Il avait rencontré deux hommes qui lui avaient fait boire de l'eau-de-vie, l'avaient payé, et l'avaient envoyé me tirer un coup de pistolet. Il a fait cela comme il aurait jeté une bille au coin de la borne. – N'est-ce pas, Jean ?

Et Jean se mit à trembler et prit une expression de douleur si déchirante qu'elle me toucha. Je le regardai de plus près ; c'était un fort bel enfant.

– C'était bien une bille aussi, me dit la jeune marchande. Voyez, monsieur. Et elle montrait une petite bille d'agate, grosse comme les plus fortes balles de plomb, et avec laquelle on avait chargé le pistolet de calibre qui était là.

– Il n'en faut pas plus que ça pour retrancher une jambe d'un capitaine, me dit Renaud.

– Vous ne devez pas le faire parler beaucoup, me dit timidement la marchande.

Renaud ne l'écoutait pas :

« Oui, mon cher, il ne me reste pas assez de jambe pour y faire tenir une jambe de bois. »

Je lui serrais la main sans répondre ; humilié de voir que, pour tuer un homme qui avait tant vu et tant souffert, dont la poitrine était bronzée par vingt campagnes et dix blessures, éprouvée à la glace et au feu, passée à la baïonnette et à la lance, il n'avait fallu que le soubresaut d'une de ces grenouilles des ruisseaux de Paris qu'on nomme *gamins*.

Renaud répondit à ma pensée. Il pencha sa joue sur le traversin, et, me serrant la main :

« Nous étions en guerre, me dit-il ; il n'est pas plus assassin que je ne le fus à Reims, moi. Quand j'ai tué l'enfant russe, j'étais peut-être aussi un assassin ?

CHAPITRE 9

POÉSIE

.Poèmes antiques et modernes.

1826

Ce recueil reprend les ***Poèmes*** *de 1822 (moins* ***Héléna****), et six poèmes nouveaux ; il est divisé en trois livres : un livre mystique, un livre antique, un livre moderne.*

.LE COR.

Vigny avait composé une tragédie intitulée ***Roland*** *qu'il brûla en 1832.*

.I.

J'aime le son du Cor, le soir, au fond des bois,
Soit qu'il chante les pleurs de la biche aux abois,
Ou l'adieu du chasseur que l'écho faible accueille,
Et que le vent du nord porte de feuille en feuille.

Que de fois, seul, dans l'ombre à minuit demeuré,
J'ai souri de l'entendre, et plus souvent pleuré !
Car je croyais ouïr de ces bruits prophétiques
Qui précédaient la mort des Paladins antiques.

O montagne d'azur ! ô pays adoré !
Rocs de la Frazona, cirque du Marboré,
Cascades qui tombez des neiges entraînées,
Sources, gaves, ruisseaux, torrents des Pyrénées ;

Monts gelés et fleuris, trône des deux saisons,
Dont le front est de glace et le pied de gazons !
C'est là qu'il faut s'asseoir, c'est là qu'il faut entendre
Les airs lointains d'un Cor mélancolique et tendre.

Souvent un voyageur, lorsque l'air est sans bruit,
De cette voix d'airain fait retentir la nuit ;
A ses chants cadencés autour de lui se mêle
L'harmonieux grelot du jeune agneau qui bêle.

Une biche attentive, au lieu de se cacher,
Se suspend immobile au sommet du rocher,
Et la cascade unit, dans une chute immense,
Son éternelle plainte au chant de la romance.

Ames des Chevaliers, revenez-vous encor ?
Est-ce vous qui parlez avec la voix du Cor ?
Roncevaux ! Roncevaux ! dans ta sombre vallée
L'ombre du grand Roland n'est donc pas consolée !

.II.

Tous les preux étaient morts, mais aucun n'avait fui.
Il reste seul debout, Olivier près de lui ;
L'Afrique sur les monts l'entoure et tremble encore.
« Roland, tu vas mourir, rends-toi, criait le More ;

Tous tes pairs sont couchés dans les eaux des torrents. »
Il rugit comme un tigre, et dit : « Si je me rends,
Africain, ce sera lorsque les Pyrénées
Sur l'onde avec leurs corps rouleront entraînées. »

– « Rends-toi donc, répond-il, ou meurs, car les voilà. »
Et du plus haut des monts un grand rocher roula.
Il bondit, il roula jusqu'au fond de l'abîme,
Et de ses pins, dans l'onde, il vint briser la cime.

– « Merci, cria Roland ; tu m'as fait un chemin. »
Et jusqu'au pied des monts le roulant d'une main,
Sur le roc affermi comme un géant s'élance,
Et, prête à fuir, l'armée à ce seul pas balance.

.III.

Tranquilles cependant, Charlemagne et ses preux
Descendaient la montagne et se parlaient entre eux.
A l'horizon déjà, par leurs eaux signalées,
De Luz et d'Argelès se montraient les vallées.

L'armée applaudissait. Le luth du troubadour
S'accordait pour chanter les saules de l'Adour ;
Le vin français coulait dans la coupe étrangère ;
Le soldat, en riant, parlait à la bergère.

Roland gardait les monts ; tous passaient sans effroi.
Assis nonchalamment sur un noir palefroi
Qui marchait revêtu de housses violettes
Turpin disait, tenant les saintes amulettes :

« Sire, on voit dans le ciel des nuages de feu ;
Suspendez votre marche ; il ne faut tenter Dieu.
Par Monsieur saint Denis, certes ce sont des âmes
Qui passent dans les airs sur ces vapeurs de flammes.

Deux éclairs ont relui, puis deux autres encor. »
Ici l'on entendit le son lointain du cor.
L'empereur étonné, se jetant en arrière,
Suspend du destrier la marche aventurière.

« Entendez-vous ? dit-il. – Oui, ce sont des pasteurs
Rappelant les troupeaux épars sur les hauteurs,
Répondit l'archevêque, ou la voix étouffée
Du nain vert Obéron qui parle avec sa fée. »

Et l'Empereur poursuit ; mais son front soucieux
Est plus sombre et plus noir que l'orage des cieux.
Il craint la trahison, et, tandis qu'il y songe,
Le Cor éclate et meurt, renaît et se prolonge.

« Malheur ! c'est mon neveu ! malheur ! car, si Roland
Appelle à son secours, ce doit être en mourant.
Arrière, chevaliers, repassons la montagne !
Tremble encor sous nos pieds, sol trompeur de [l'Espagne ! »

.IV.

Sur le plus haut des monts s'arrêtent les chevaux ;
L'écume les blanchit ; sous leurs pieds, Roncevaux
Des feux mourants du jour à peine se colore.
A l'horizon lointain fuit l'étendard du More.

– « Turpin, n'as-tu rien vu dans le fond du torrent ?
– J'y vois deux chevaliers : l'un mort, l'autre expirant.
Tous deux sont écrasés sous une roche noire ;
Le plus fort, dans sa main, élève un Cor d'ivoire,
Son âme en s'exhalant nous appela deux fois. »

Dieu ! que le son du Cor est triste au fond des bois !

.Les Destinées.

1864

Ce recueil de treize pièces (dont six avaient été publiées par Vigny) est posthume.
*L'idée de **La Mort du loup** vient de Byron, qui écrit dans Childe Harold : « Le loup sait mourir en silence ».*

.LA MORT DU LOUP.

.I.

Les nuages couraient sur la lune enflammée
Comme sur l'incendie on voit fuir la fumée,
Et les bois étaient noirs jusques à l'horizon.
Nous marchions, sans parler, dans l'humide gazon,
Dans la bruyère épaisse et dans les hautes brandes,
Lorsque, sous des sapins pareils à ceux des Landes,
Nous avons aperçu les grands ongles marqués
Par les loups voyageurs que nous avions traqués.
Nous avons écouté, retenant notre haleine
Et le pas suspendu. – Ni le bois ni la plaine
Ne poussaient un soupir dans les airs ; seulement
La girouette en deuil criait au firmament ;
Car le vent, élevé bien au-dessus des terres,
N'effleurait de ses pieds que les tours solitaires,
Et les chênes d'en bas, contre les rocs penchés,
Sur leurs coudes semblaient endormis et couchés.
Rien ne bruissait donc, lorsque, baissant la tête,
Le plus vieux des chasseurs qui s'étaient mis en quête
A regardé le sable en s'y couchant ; bientôt,
Lui que jamais ici l'on ne vit en défaut,
A déclaré tout bas que ces marques récentes
Annonçaient la démarche et les griffes puissantes
De deux grands loups-cerviers et de deux louveteaux.
Nous avons tous alors préparé nos couteaux,
Et, cachant nos fusils et leurs lueurs trop blanches,
Nous allions, pas à pas, en écartant les branches.
Trois s'arrêtent, et moi, cherchant ce qu'ils voyaient,
J'aperçois tout à coup deux yeux qui flamboyaient,
Et je vois au-delà quatre formes légères
Qui dansaient sous la lune au milieu des bruyères,
Comme font chaque jour, à grand bruit sous nos yeux,
Quand le maître revient, les lévriers joyeux.
Leur forme était semblable et semblable la danse ;
Mais les enfants du Loup se jouaient en silence,
Sachant bien qu'à deux pas, ne dormant qu'à demi,
Se couche dans ses murs l'homme, leur ennemi.
Le père était debout, et plus loin, contre un arbre,
Sa louve reposait, comme celle de marbre
Qu'adoraient les Romains, et dont les flancs velus
Couvaient les demi-dieux Rémus et Romulus.
Le Loup vient et s'assied, les deux jambes dressées,
Par leurs ongles crochus dans le sable enfoncées
Il s'est jugé perdu, puisqu'il était surpris,
Sa retraite coupée et tous ses chemins pris,
Alors il a saisi, dans sa gueule brûlante,
Du chien le plus hardi la gorge pantelante,
Et n'a pas desserré ses mâchoires de fer,
Malgré nos coups de feu, qui traversaient sa chair,
Et nos couteaux aigus qui, comme des tenailles,
Se croisaient en plongeant dans ses larges entrailles,
Jusqu'au dernier moment où le chien étranglé,
Mort longtemps avant lui, sous ses pieds a roulé.
Le Loup le quitte alors et puis il nous regarde.
Les couteaux lui restaient au flanc jusqu'à la garde,
Le clouaient au gazon tout baigné dans son sang ;
Nos fusils l'entouraient en sinistre croissant.
Il nous regarde encore, ensuite il se recouche,
Tout en léchant le sang répandu sur sa bouche,
Et, sans daigner savoir comment il a péri,
Refermant ses grands yeux, meurt sans jeter un cri.

.II.

J'ai reposé mon front sur mon fusil sans poudre,
Me prenant à penser, et n'ai pu me résoudre
A poursuivre sa Louve et ses fils, qui, tous trois
Avaient voulu l'attendre, et, comme je le crois,
Sans ses deux louveteaux, la belle et sombre veuve
Ne l'eût pas laissé seul subir la grande épreuve ;
Mais son devoir était de les sauver, afin

De pouvoir leur apprendre à bien souffrir la faim,
A ne jamais entrer dans le pacte des villes
Que l'homme a fait avec les animaux serviles
Qui chassent devant lui, pour avoir le coucher,
Les premiers possesseurs du bois et du rocher.

.III.

Hélas ! ai-je pensé, malgré ce grand nom d'Hommes,
Que j'ai honte de nous, débiles que nous sommes !
Comment on doit quitter la vie et tous ses maux,
C'est vous qui le savez, sublimes animaux !
A voir ce que l'on fut sur terre et ce qu'on laisse,
Seul le silence est grand ; tout le reste est faiblesse.
– Ah ! je t'ai bien compris, sauvage voyageur,
Et ton dernier regard m'est allé jusqu'au cœur !
Il disait : « Si tu peux, fais que ton âme arrive,
A force de rester studieuse et pensive,
Jusqu'à ce haut degré de stoïque fierté
Où, naissant dans les bois, j'ai tout d'abord monté.
Gémir, pleurer, prier est également lâche.
Fais énergiquement ta longue et lourde tâche
Dans la voie où le sort a voulu t'appeler,
Puis, après, comme moi, souffre et meurs sans parler. »

Jules Michelet

PARIS 1798 – HYÈRES 1874.

Michelet est le fils d'un artisan imprimeur que ruinent les lois sur la presse de l'Empire. En 1821, il est agrégé et enseigne l'histoire ; il se marie en 1824, mais peu heureusement. Il publie ses premiers travaux historiques, et en 1825 la traduction de fragments de la **Scienza nuova** *du philosophe italien Vico (1668-1744). C'est à partir de la notion chez Vico « d'âge des hommes », que Michelet concevra la figure du peuple. C'est en 1830, à la faveur des troubles, que Michelet projette d'écrire son* **Histoire de France**. *En 1831, il est nommé maître de conférences, et succède à Guizot en 1834. En 1838, il est au Collège de France et à l'Institut. Il publie une* **Histoire romaine, l'Introduction à l'histoire universelle,** *(1831) ; une traduction des* **Mémoires** *de Luther (1835) ; les* **Origines du droit français** *(1837). Vers 1841, Michelet rassemble les documents en vue de traiter la Révolution dans son* **Histoire de France**. *Il veut saisir « l'âme du peuple », et comprendre la France comme une personne. Dans cette optique il écrit* **Le Prêtre, la femme, la famille** *(1845) ;* **Le Peuple** *(1846).* **L'Histoire de la Révolution française** *paraît en 1847 et 1848. À cette époque Michelet rencontre Athénaïs Mialaret, elle sera son épouse ; cette institutrice qui a trente ans de moins que Michelet veut qu'il soit son guide spirituel ; de son côté, elle fait en sorte de tenir cette place. En 1852, Michelet est privé de sa chaire parce qu'il a refusé de prêter serment à Napoléon III. Il vit à Nantes, dans la gêne. Poursuivant son* **Histoire de la Révolution**, *il donne aussi* **Les Femmes de la Révolution**, *et* **Les Soldats de la Révolution** *(1854). Michelet en 1855 est de retour à Paris, sous l'influence d'Athénaïs Mialaret il s'est intéressé à la nature et publie* **L'Oiseau** *(1856),* **L'Insecte** *(1857),* **La Mer** *(1861),* **La Montagne** *(1868) ; et, porté par la même influence :* **L'Amour** *(1858),* **La Femme** *(1859). Dans ses dernières années, Michelet voyage en Europe avec sa femme ; c'est elle qui publie après la mort de son mari, hélas en intervenant beaucoup trop, divers manuscrits laissés inachevés dont* **Ma Jeunesse** *et* **Mon Journal.**

HISTOIRE

.Histoire de France.

1833-1867

*Dans son **Histoire de France**, Michelet s'est proposé la résurrection de la vie intégrale. Une telle entreprise réclamait une immense passion, que d'autre part Michelet s'est complu à exagérer, en quoi il est parfaitement romantique.*

PRÉFACE (1869)

"L'homme est son propre Prométhée"

La race, élément fort et dominant aux temps barbares, avant le grand travail des nations, est moins sensible, est faible, effacée presque, à mesure que chacune s'élabore, se personnifie. L'illustre M. Mill dit fort bien : « Pour se dispenser de l'étude des influences morales et sociales, ce serait un moyen trop aisé que d'attribuer les différences de caractère, de conduite, à des différences naturelles indestructibles. » Contre ceux qui poursuivent cet élément de race et l'exagèrent aux temps modernes, je dégageai de l'histoire elle-même un fait moral énorme et trop peu remarqué. C'est le puissant travail de soi sur soi, où la France, par son progrès propre, va transformant tous ses éléments bruts. De l'élément romain municipal, des tribus allemandes, du clan celtique, annulés, disparus, nous avons tiré à la longue des résultats tout autres, et contraires même, en grande partie, à tout ce qui les précéda.

La vie a sur elle-même une action de personnel enfantement, qui, de matériaux préexistants, nous crée des choses absolument nouvelles. Du pain, des fruits, que j'ai mangés, je fais du sang rouge et salé qui ne rappelle en rien ces aliments d'où je le tire. – Ainsi va la vie historique, ainsi va chaque peuple, se faisant, s'engendrant, broyant, amalgamant des éléments, qui y restent sans doute à l'état obscur et confus, mais sont bien peu de chose relativement à ce que fit le long travail de la grande âme.

La France a fait la France, et l'élément fatal de race m'y semble secondaire. Elle est la fille de sa liberté. Dans le progrès humain la part essentielle est à la force vive, qu'on appelle homme. *L'homme est son propre Prométhée...*

JEANNE D'ARC

Avec Michelet, Jeanne d'Arc devient une sainte laïque : « selon la Patrie, Jeanne d'Arc fut une sainte ».

Michelet donna en 1853 une édition séparée de son texte sur Jeanne d'Arc.

Tout le monde connaissait sa charité, sa piété. Ils voyaient bien que c'était la meilleure fille du village. Ce qu'ils ignoraient, c'est qu'en elle la vie d'en haut absorba toujours l'autre et en supprima le développement vulgaire. Elle eut, d'âme et de corps, ce don divin de rester enfant... Née sous les murs mêmes de l'église, bercée du son des cloches et nourrie de légendes, elle fut une légende elle-même, rapide et pure, de la naissance à la mort.

Elle fut une légende vivante... Mais la force de vie, exaltée et concentrée, n'en devint pas moins créatrice. La jeune fille, à son insu, créait, pour ainsi parler, et réalisait ses propres idées, elle en faisait des êtres, elle leur communiquait, du trésor de sa vie virginale, une splendide et toute-puissante existence, à faire pâlir les misérables réalités du monde.

Si poésie veut dire création, c'est là sans doute la poésie suprême. Il faut savoir par quels degrés elle en vint jusque-là, de quel humble point de départ.

Humble à la vérité, mais déjà poétique. Son village était à deux pas des grandes forêts des Vosges. De la porte de la maison de son père, elle voyait le vieux bois des chênes. Les fées hantaient ce bois ; elles aimaient surtout une certaine fontaine près d'un grand hêtre qu'on nommait l'arbre des fées, des dames. Les petits enfants y suspendaient des couronnes, y chantaient. Ces anciennes dames et maîtresses des forêts ne pouvaient plus, disait-on, se rassembler à la fontaine ; elles en avaient été exclues pour leurs péchés. Cependant l'Église se défiait toujours des vieilles divinités locales ; le curé, pour les chasser, allait chaque année dire une messe à la fontaine.

Jeanne naquit parmi ces légendes, dans ces rêveries populaires. Mais le pays offrait à côté une tout autre poésie, celle-ci, sauvage, atroce, trop réelle, hélas ! la poésie de la guerre... La guerre ! ce mot seul dit toutes les émotions ;

ce n'est pas tous les jours sans doute l'assaut et le pillage, mais bien plutôt l'attente, le tocsin, le réveil en sursaut, et dans la plaine au loin le rouge sombre de l'incendie... État terrible, mais poétique ; les plus prosaïques des hommes, les Écossais du bas pays, se sont trouvés poètes parmi les hasards du border ; de ce désert sinistre, qui semble encore maudit, ont pourtant germé les ballades, sauvages et vivaces fleurs.

Jeanne eut sa part dans ces romanesques aventures. Elle vit arriver les pauvres fugitifs, elle aida, la bonne fille, à les recevoir ; elle leur cédait son lit et allait coucher au grenier. Ses parents furent aussi une fois obligés de s'enfuir. Puis, quand le flot des brigands fut passé, la famille revint et retrouva le village saccagé, la maison dévastée, l'église incendiée.

Elles sut ainsi ce que c'était que la guerre. Elle comprit cet état anti-chrétien, elle eut horreur de ce règne du diable, où tout homme mourait en péché mortel. Elle se demanda si Dieu permettrait cela toujours, s'il ne mettrait pas un terme à ces misères, s'il n'enverrait pas un libérateur, comme il l'avait fait si souvent pour Israël, un Gédéon, une Judith ?... Elle savait que plus d'une femme avait sauvé le peuple de Dieu, que dès le commencement il avait été dit que la femme écraserait le serpent. Elle avait pu voir au portail des églises sainte Marguerite, avec saint Michel, foulant aux pieds le dragon... Si, comme tout le monde disait, la perte du royaume était l'œuvre d'une femme, d'une mère dénaturée, le salut pouvait bien venir d'une fille. C'est justement ce qu'annonçait une prophétie de Merlin ; cette prophétie, enrichie, modifiée selon les provinces, était devenue toute lorraine dans le pays de Jeanne d'Arc. C'était une pucelle des Marches de Lorraine qui devait sauver le royaume.

JEANNE AU BÛCHER

Cependant la flamme montait... Au moment où elle la toucha, la malheureuse frémit et demanda de l'eau bénite ; de l'eau, c'était apparemment le cri de la frayeur... Mais, se relevant aussitôt, elle ne nomma plus que Dieu, que ses anges et ses Saintes. Elle leur rendit témoignage : « Oui, mes voix étaient de Dieu, mes voix ne m'ont pas trompée !... » Que toute incertitude ait cessé dans les flammes, cela nous doit faire croire qu'elle accepta la mort pour la délivrance promise, qu'elle n'entendit plus le salut au sens judaïque et matériel, comme elle avait fait jusque-là, qu'elle vit clair enfin, et que, sortant des ombres, elle obtint ce qui lui manquait de lumière et de sainteté.

Cette grande parole est attestée par le témoin obligé et juré de la mort, par le dominicain qui monta avec elle sur le bûcher, qu'elle en fit descendre, mais qui d'en bas lui parlait, l'écoutait et lui tenait la croix.

Nous avons encore un autre témoin de cette mort sainte, un témoin bien grave, qui lui-même fut sans doute un saint. Cet homme, dont l'histoire doit conserver le nom, était le moine augustin déjà mentionné, frère Isambart de La Pierre ; dans le procès, il avait failli périr pour avoir conseillé la Pucelle, et néanmoins, quoique si bien désigné à la haine des Anglais, il voulut monter avec elle dans la charrette, lui fit venir la croix de la paroisse, l'assista parmi cette foule furieuse, et sur l'échafaud et au bûcher.

Vingt ans après, les deux vénérables religieux, simples moines, voués à la pauvreté et n'ayant rien à gagner ni à craindre en ce monde, déposent ce qu'on vient de lire : « Nous l'entendions, disent-ils, dans le feu, invoquer ses Saintes, son archange ; elle répétait le nom du Sauveur... Enfin, laissant tomber sa tête, elle poussa un grand cri : « Jésus ! »

« Dix mille hommes pleuraient... » Quelques Anglais seuls riaient ou tâchaient de rire. Un d'eux, des plus furieux, avait juré de mettre un fagot au bûcher ; elle expirait au moment où il le mit, il se trouva mal ; ses camarades le menèrent à une taverne, pour le faire boire et reprendre ses esprits ; mais il ne pouvait se remettre : « J'ai vu, disait-il hors de lui-même, j'ai vu de la bouche, avec le dernier soupir, s'envoler une colombe. » D'autres avaient lu dans les flammes le mot qu'elle répétait : « Jésus ! » Le bourreau alla le soir trouver frère Isambart ; il était tout épouvanté ; il se confessa, mais il ne pouvait croire que Dieu lui pardonnât jamais... Un secrétaire du roi d'Angleterre disait tout haut en revenant : « Nous sommes perdus, nous avons brûlé une sainte ! »

"Nous sommes perdus ; nous avons brûlé une sainte !"

Cette parole, échappée à un ennemi, n'en est pas moins grave. Elle restera. L'avenir n'y contredira pas. Oui, selon la Religion, selon la Patrie, Jeanne d'Arc fut une sainte.

L'EXEMPLE DE JEANNE

Quelle légende plus belle que cette incontestable histoire ? Mais il faut se garder bien d'en faire une légende, on doit en conserver pieusement tous les traits, même les plus humains, en respecter la réalité touchante et terrible.

Que l'esprit romanesque y touche, s'il ose ;

la poésie ne le fera jamais. Eh ! que saurait-elle ajouter ?... L'idée qu'elle avait, pendant tout le moyen âge, poursuivie de légende en légende, cette idée se trouva à la fin être une personne ; ce rêve, on le toucha. La Vierge secourable des batailles, que les chevaliers appelaient, attendaient d'en haut, elle fut ici-bas... En qui ? c'est la merveille. Dans ce qu'on méprisait, dans ce qui semblait le plus humble, dans une enfant, dans la simple fille des campagnes, du pauvre peuple de France... Car il y eut un peuple, il y eut une France. Cette dernière figure du passé fut aussi la première du temps qui commençait. En elle apparurent à la fois la Vierge... et déjà la Patrie.

Telle est la poésie de ce grand fait, telle en est la philosphie, la haute vérité, mais la réalité historique n'en est pas moins certaine ; elle ne fut que trop positive et trop cruellement constatée... Cette vivante énigme, cette mystérieuse créature, que tous jugèrent surnaturelle, cet ange ou ce démon, qui, selon quelques-uns, devait s'envoler un matin, il se trouva que c'était une jeune femme, une jeune fille, qu'elle n'avait point d'ailes, qu'attachée comme nous à un corps mortel, elle devait souffrir, mourir, et de quelle affreuse mort !

Mais c'est justement dans cette réalité qui semble dégradante, dans cette triste épreuve de la nature, que l'idéal se retrouve et rayonne. Les contemporains eux-mêmes y reconnurent le Christ parmi les pharisiens... Toutefois nous devons y voir encore autre chose, la passion de la Vierge, le martyre de la pureté.

Il y a eu bien des martyrs, l'histoire en cite d'innombrables, plus ou moins purs, plus ou moins glorieux. L'orgueil a eu les siens, et la haine et l'esprit de dispute. Aucun siècle n'a manqué de martyrs batailleurs, qui sans doute mouraient de bonne grâce quand ils n'avaient pu tuer... Ces fanatiques n'ont rien à voir ici. La sainte fille n'est point des leurs, elle eut un signe à part : bonté, charité, douceur d'âme.

Elle eut la douceur des anciens martyrs, mais avec une différence. Les premiers chrétiens ne restaient doux et purs qu'en fuyant l'action, en s'épargnant la lutte et l'épreuve du monde. Celle-ci fut douce dans la plus âpre lutte, bonne parmi les mauvais, pacifique dans la guerre même ; la guerre, ce triomphe du diable, elle y porta l'esprit de Dieu.

Elle prit les armes quand elle sut « la pitié qu'il y avait au royaume de France ». Elle ne pouvait voir « couler le sang français ». Cette tendresse de cœur, elle l'eut pour tous les hommes : elle pleurait après les victoires et soignait les Anglais blessés.

Pureté, douceur, bonté héroïque, que cette suprême beauté de l'âme se soit rencontrée en une fille de France, cela peut surprendre les étrangers qui n'aiment à juger notre nation que par la légèreté de ses mœurs. Disons-leur (et sans partialité, aujourd'hui que tout cela est si loin de nous) que sous cette légèreté, parmi ses folies et ses vices mêmes, la vieille France ne fut pas nommée sans cause le peuple très chrétien. C'était certainement le peuple de l'amour et de la grâce. Qu'on l'entende humainement ou chrétiennement, aux deux sens, cela sera toujours vrai.

Le sauveur de la France devait être une femme. La France était femme elle-même. Elle en avait la mobilité, mais aussi l'aimable douceur, la pitié facile et charmante, l'excellence au moins du premier mouvement. Lors même qu'elle se complaisait aux vaines élégances et aux raffinements extérieurs, elle restait au fond plus près de la nature. Le Français, même vicieux, gardait plus qu'aucun autre le bon sens et le bon cœur.

Histoire de la Révolution française

1847-1853

Cette Histoire a l'allure chez Michelet d'un vaste poème romantique en prose sur le peuple et la liberté.

La Bastille en réalité était imprenable, c'est donc un acte de foi de la part du peuple qui y court, et un miracle de la liberté que sa prise :

La Bastille ne fut pas prise, il faut le dire, elle se livra. Sa mauvaise conscience la troubla, la rendit folle et lui fit perdre l'esprit.

Les uns voulaient qu'on se rendît, les autres tiraient, surtout les Suisses, qui, cinq heures durant, sans péril, n'ayant nulle chance d'être atteints, désignèrent, visèrent à leur aise, abattirent qui ils voulaient.

Ils tuèrent quatre-vingt-trois hommes, en blessèrent quatre-vingt-huit. Vingt des morts étaient de pauvres pères de famille qui laissaient des femmes, des enfants pour mourir de faim.

La honte de cette guerre sans danger, l'horreur de verser le sang français, qui ne touchaient guère les Suisses, finirent pas faire tomber les armes des mains des invalides. Les sous-officiers, à quatre heures, prièrent, supplièrent de Launay de finir ses assassinats. Il savait ce qu'il méritait ; mourir pour mourir, il eut envie un moment de se faire sauter, idée horriblement féroce : il aurait détruit un tiers de Paris. Ses cent trente-cinq barils de poudre auraient soulevé la Bastille dans les airs, écrasé, enseveli tout le faubourg, tout le Marais, tout le quartier de l'Arsenal... Il prit la mèche d'un canon. Deux sous-officiers empêchèrent le crime, ils croisèrent la baïonnette et lui fermèrent l'accès des poudres. Il fit mine alors de se tuer et prit un couteau qu'on lui arracha.

Il avait perdu la tête et ne pouvait donner d'ordre. Quand les gardes-françaises eurent mis leurs canons en batterie, et tiré (selon quelques-uns), le capitaine des Suisses vit bien qu'il fallait traiter ; il écrivit, il passa un billet où il demandait à sortir avec les honneurs de la guerre. – Refusé. – Puis, la vie sauve. – Hullin et Elie promirent.

La difficulté était de faire exécuter la promesse. Empêcher une vengeance entassée depuis des siècles, irritée par tant de meurtres que venait de faire la Bastille, qui pouvait cela ?... Une autorité qui datait d'une heure, qui venait de la Grève à peine, qui n'était même connue que des deux petites bandes de l'avant-garde, n'était pas suffisante pour contenir cent mille hommes qui suivaient.

La foule était enragée, aveugle, ivre de son danger même. Elle ne tua cependant qu'un seul homme dans la place. Elle épargna ses ennemis les Suisses, qu'à leurs sarraux elle prenait pour des domestiques ou des prisonniers ; elle blessa, maltraita ses amis les invalides. Elle aurait voulu pouvoir exterminer la Bastille ; elle brisa à coups de pierres les deux esclaves du cadran ; elle monta aux tours pour insulter les canons ; plusieurs s'en prenaient aux pierres, et s'ensanglantaient les mains à les arracher. On alla vite aux cachots délivrer les prisonniers : deux étaient devenus fous. L'un, effarouché du bruit, voulait se mettre en défense ; il fut tout surpris quand ceux qui brisèrent sa porte se jetèrent dans ses bras en le mouillant de leurs larmes. Un autre, qui avait une barbe jusqu'à la ceinture, demanda comment se portait Louis XV ; il croyait qu'il régnait encore. A ceux qui demandaient son nom, il disait qu'il s'appelait le major de l'Immensité.

Les vainqueurs n'avaient pas fini ; ils soutenaient, dans la rue Saint-Antoine, un autre combat. En avançant vers la Grève, ils rencontraient de proche en proche des foules d'hommes qui, n'ayant pas pris part au combat, voulaient pourtant faire quelque chose, tout au moins massacrer les prisonniers. L'un fut tué dès la rue des Tournelles, un autre sur le quai. Des femmes suivaient échevelées, qui venaient de reconnaître leurs maris parmi les morts, et elles les laissaient là pour courir aux assassins ; l'une d'elles, écumante, demandait à tout le monde qu'on lui donnât un couteau.

De Launay était mené, soutenu, dans ce grand péril, par deux hommes de cœur et d'une force peu commune, Hullin et un autre. Ce dernier alla jusqu'au Petit-Antoine, et fut arraché de lui par un tourbillon de foule. Hullin ne lâcha pas prise. Conduire son homme de là à la Grève, qui est si près, c'était plus que les douze travaux d'Hercule. Ne sachant plus comment faire, et voyant qu'on ne connaissait de Launay qu'à une chose, que seul il était sans chapeau, il eut l'idée héroïque de lui mettre le sien sur la tête, et dès ce moment reçut les coups qu'on lui destinait. Il passa enfin l'Arcade-Saint-Jean ; s'il pouvait lui faire monter le perron, le lancer dans l'escalier, tout était fini. La foule le voyait bien ; aussi, de son côté, fit-elle un furieux effort. La force de géant qu'Hullin avait déployée ne lui servit plus ici. Étreint du boa énorme que la masse tourbillonnante serrait et resserrait sur lui, il perdit terre, fut poussé, repoussé, lancé sur la pierre. Il se releva par deux fois. A la seconde, il vit dans l'air, au bout d'une pique, la tête de de Launay. Une autre scène se passait dans la salle Saint-Jean. Les prisonniers étaient là, en grand danger de mort ; on s'acharnait surtout contre trois invalides qu'on croyait avoir été les canonniers de la Bastille. L'un était blessé ; le commandant de La Salle par d'incroyables efforts, en invoquant son titre de commandant, vint à bout de le sauver ; pendant qu'il le menait dehors, les deux autres furent entraînés, accrochés à la lanterne du coin de la Vannerie, en face de l'Hôtel de Ville.

Ce grand mouvement, qui semblait avoir fait oublier Flesselles, fut pourtant ce qui le perdit. Ses implacables accusateurs du Palais-Royal, peu nombreux, mais mécontents de voir la foule occupée de toute autre affaire, se tenaient près du bureau le menaçaient, le sommaient de les suivre... Il finit par leur céder, soit qu'une si longue attente de la mort lui parût pire que la mort même, soit qu'il espérât échapper dans la préoccupation universelle du grand événement du jour : « Eh bien ! messieurs, dit-il, allons au Palais-Royal. » Il n'était pas au quai, qu'un jeune homme lui cassa la tête d'un coup de pistolet.

La masse du peuple accumulé dans la salle ne demandait pas du sang ; il le voyait couler avec stupeur, dit un témoin oculaire. Il regardait bouche béante ce prodigieux spectacle, bizarre, étrange à rendre fou. Les armes du moyen âge, de tous les âges, se mêlaient ; les siècles étaient présents. Elie, debout sur une table, le casque en tête, à la main son épée faussée à trois places, semblait un guerrier romain. Il était tout entouré de prisonniers, et priai pour eux. Les gardes-françaises demandaient pour récompense la grâce des prisonniers.

LA FÊTE DE LA FÉDÉRATION, LE 14 JUILLET 1790

Ce fut un étonnant spectacle. De jour, de nuit, des hommes de toutes classes, de tout âge, jusqu'à des enfants, tous, citoyens, soldats, abbés, moines, acteurs, sœurs de Charité, belles dames, dames de la halle, tous maniaient la pioche, roulaient la brouette ou menaient le tombereau. Des enfants allaient devant, portant des lumières ; des orchestres ambulants animaient les travailleurs : eux-mêmes, en nivelant la terre, chantaient ce chant niveleur : « Ah ! ça ira ! ça ira ! ça ira ! Celui qui s'élève, on l'abaissera ! »

Le chant, l'œuvre et les ouvriers, c'était une seule et même chose, l'égalité en action. Les plus riches et les plus pauvres, tous unis dans le travail. Les pauvres pourtant, il faut le dire, donnaient davantage. C'était après leur journée, une lourde journée de juillet, que le porteur d'eau, le charpentier, le maçon du pont Louis XVI, que l'on construisait alors, allaient piocher au Champ-de-Mars. A ce moment de la moisson, les laboureurs ne se dispensèrent point de venir. Ces hommes lassés, épuisés, venaient, pour délassement, travailler encore aux lumières.

Ce travail, véritablement immense, qui d'une plaine fit une vallée entre deux collines, fut accompli, qui le croirait ? en une semaine ! Commencé précisément au 7 juillet, il finit avant le 14.

La chose fut menée d'un grand cœur, comme une bataille sacrée. L'autorité espérait, par sa lenteur calculée, entraver, empêcher la fête de l'union ; elle devenait impossible. Mais la France voulut et cela fut fait. (...)

Voilà enfin le 14 juillet, le beau jour tant désiré (...)

Au milieu du Champ-de-Mars, s'élevait l'autel de la patrie ; devant l'École militaire, les gradins où devaient s'asseoir le Roi, l'Assemblée.

Tout cela fut long encore. Les premiers qui arrivèrent pour faire bon cœur contre la pluie et dépit au mauvais temps, se mirent bravement à danser. Leurs joyeuses farandoles, se déroulant en pleine boue, s'étendent, vont s'ajoutant sans cesse de nouveaux anneaux dont chacun est une province, un département ou plusieurs pays mêlés. La Bretagne danse avec la Bourgogne, la Flandre avec les Pyrénées... Nous les avons vus commencer, ces groupes, ces danses ondoyantes, dès l'hiver de 89. La farandole immense qui s'est formée peu à peu de la France tout entière, elle s'achève au Champ-de-Mars, elle expire... Voilà l'unité !

Adieu l'époque d'attente, d'aspiration, de désir, où tous rêvaient, cherchaient ce jour !... Le voici ! Que désirons-nous ? Pourquoi ces inquiétudes ? Hélas ? l'expérience du monde nous apprend cette chose triste, étrange à dire, et pourtant vraie, que l'union trop souvent diminue dans l'unité. La volonté de s'unir, c'était déjà l'unité des cœurs, la meilleure unité peut-être.

Mais silence ! le Roi arrive, il est assis, et l'Assemblée, et la Reine dans une tribune qui plane sur tout le reste.

Lafayette et son cheval blanc arrivent jusqu'au pied du trône ; le commandant met pied à terre et prend les ordres du Roi. A l'autel, parmi deux cents prêtres portant ceintures tricolores, monte d'une allure équivoque, d'un pied boiteux, Talleyrand, évêque d'Autun : quel autre, mieux que lui doit officier, dès qu'il s'agit de serment ?

Douze cents musiciens jouaient, à peine entendus ; mais un silence se fait : quarante pièces de canon font trembler la terre. A cet éclat de la foudre, tous se lèvent, tous portent la main vers le ciel... O roi ! ô peuple ! attendez... Le ciel écoute, le soleil tout exprès perce le nuage... Prenez garde à vos serments !

Ah ! de quel cœur il jure, ce peuple ! Ah ! comme il est crédule encore !... Pourquoi donc le Roi ne lui donne-t-il pas ce bonheur de le voir jurer à l'autel ? Pourquoi jure-t-il à couvert, à l'ombre, à demi caché ? Sire, de grâce, levez haut la main, que tout le monde la voie !

Et vous, Madame, ce peuple enfant, si confiant, si aveugle, qui tout à l'heure dansait avec tant d'insouciance, entre son triste passé et son formidable avenir, ne vous fait-il pas pitié ?... Pourquoi dans vos beaux yeux bleus cette douteuse lueur ? Un royaliste l'a saisie : « Voyez-vous la magicienne ? » disait le comte de Virieu... Vos yeux ont-ils donc vu d'ici votre envoyé qui maintenant reçoit à Nice et félicite l'organisateur des massacres du Midi ?

Ou bien, dans ces masses confuses, avez-vous cru voir de loin les armées de Léopold ?

Ecoutez !... Ceci, c'est la paix, mais une paix toute guerrière. Les trois millions d'hommes armés qui ont envoyé ceux-ci, ont entre eux plus de soldats que tous les rois de l'Europe. Ils offrent la paix fraternelle, mais n'en sont pas moins prêts au combat. Déjà plusieurs départements, Seine, Charente, Gironde, bien d'autres, veulent donner, armer, défrayer chacun six mille hommes pour aller à la frontière. Tout à l'heure les Marseillais vont demander à partir, ils renouvellent le serment des Phocéens leurs ancêtres, jetant une pierre à la mer et jurant, s'ils ne sont vainqueurs, de ne revenir qu'au jour où la pierre surnagera.

VALMY

Chez Michelet l'histoire est lyrique dans la mesure où l'historien s'exalte lui-même et se chante en narrant les faits.

Les Prussiens ignoraient si parfaitement à qui ils avaient affaire, qu'ils crurent avoir pris Dumouriez, lui avoir coupé le chemin. Ils s'imaginèrent que cette armée de vagabonds, de tailleurs, de savetiers, comme disaient les émigrés, avait hâte d'aller se cacher dans Châlons, dans Reims. Ils furent un peu étonnés quand ils les virent audacieusement postés à ce moulin de Valmy. Ils supposèrent du moins que ces gens-là, qui, la plupart, n'avaient jamais entendu le canon, s'étonneraient au concert nouveau de soixante bouches à feu. Soixante leur répondirent, et tout le jour, cette armée, composée en partie de gardes nationales, supporta une épreuve plus rude qu'aucun combat : l'immobilité sous le feu. On tirait dans le brouillard au matin et, plus tard, dans la fumée. La distance néanmoins était petite. On tirait dans une masse ; peu importait de tirer juste. Cette masse vivante, d'une armée toute jeune, émue de son premier combat, d'une armée ardente et française, qui brûlait d'aller en avant, tenue là sous les boulets, les recevant par milliers, sans savoir si les siens portaient, elle subissait, cette armée, la plus grande épreuve peut-être. On a tort de rabaisser l'honneur de cette journée. Un combat d'attaque ou d'assaut aurait moins honoré la France.

Un moment, les obus des Prussiens, mieux dirigés, jetèrent de la confusion. Ils tombèrent sur deux caissons qui éclatèrent, tuèrent, blessèrent beaucoup de monde. Les conducteurs de chariots s'écartant à la hâte de l'explosion, quelques bataillons semblaient commencer à se troubler. Le malheur voulut encore qu'à ce moment un boulet vînt tuer le cheval de Kellermann et le jeter par terre. Il en remonta un autre avec beaucoup de sang-froid, raffermit les lignes flottantes.

Il était temps. Les Prussiens, laissant la cavalerie en bataille pour soutenir l'infanterie, formaient celle-ci en trois colonnes, qui marchaient vers le plateau de Valmy (vers onze heures). Kellermann voit ce mouvement, forme aussi trois colonnes en face et fait dire sur toute la ligne : « Ne pas tirer, mais attendre, et les recevoir à la baïonnette. »

Il y eut un moment de silence. La fumée se dissipait. Les Prussiens avaient descendu, ils franchissaient l'espace intermédiaire avec la gravité d'une vieille armée de Frédéric, et ils allaient monter aux Français. Brunswick dirigea sa lorgnette, et il vit un spectacle surprenant, extraordinaire. A l'exemple de Kellermann, tous les Français, ayant leurs chapeaux à la pointe des sabres, des épées, des baïonnettes, avaient poussé un grand cri... Ce cri de trente mille hommes remplissait toute la vallée : c'était comme un cri de joie, mais étonnamment prolongé ; il ne dura guère moins d'un quart d'heure ; fini, il recommençait toujours avec plus de force ; la terre en tremblait... C'était : « Vive la Nation ! »

Les Prussiens montaient, fermes et sombres. Mais tout ferme que fût chaque homme, les lignes flottaient, elles formaient par moment des vides, puis elles les remplissaient. C'est que de gauche elles recevaient une pluie de fer, qui leur venait de Dumouriez.

Brunswick arrêta ce massacre inutile et fit sonner le rappel.

Le spirituel et savant général avait très bien reconnu, dans l'amrée qu'il avait en face, un phénomène qui ne s'était guère vu depuis les guerres de religion : une armée de fanatiques, et, s'il l'eût fallu, de martyrs. Il répéta au roi ce qu'il avait toujours soutenu, contrairement aux émigrés, que l'affaire était difficile, et qu'avec les belles chances que la Prusse avait en ce moment pour s'étendre dans le Nord, il était absolument inutile et imprudent de se compromettre avec ces gens-ci.

Le roi était extrêmement mécontent, mortifié. Vers quatre ou cinq heures, il se lassa de cette éternelle canonnade qui n'avait guère de résultat que d'aguerrir l'ennemi. Il ne consulta pas Brunswick, mais dit qu'on battît la charge. Lui-même, dit-on, approcha avec son état-major, pour reconnaître de plus près ces furieux, ces sauvages. Il poussa sa courageuse et docile infanterie sous le feu de la mitraille, vers le plateau de Valmy. Et, en avançant, il reconnut la ferme attitude de ceux qui l'attendaient là-haut. Ils s'étaient déjà habitués au tonnerre qu'ils entendaient depuis tant d'heures, et ils commençaient à s'en rire. Une sécurité visible régnait dans leurs lignes. Sur toute cette jeune armée planait quelque chose, comme une lueur héroïque, où le roi ne comprit rien (sinon le retour en Prusse).

Cette lueur était la Foi.

Et cette joyeuse armée qui d'en haut le regardait, c'était déjà l'armée de la RÉPUBLIQUE.

Fondée le 20 septembre à Valmy, par la victoire, elle fut, le 21, décrétée à Paris, au sein de la Convention.

.L'Insecte.

1857

Que l'on compare cette page à ce que Fabre écrit des insectes. Michelet veut faire entendre une sorte de symphonie fantastique de la nature ; Fabre n'est que soucieux de décrire justement ce qu'il observe.

Ils dépensent magnifiquement, royalement, ces derniers jours. Et pourquoi les ménager ? ils mourront demain. Éclate donc la vie splendide ! Étincellent l'or et l'émeraude, le saphir et le rubis ! et qu'elle ruisselle elle-même, cette incandescente ardeur, torrent d'existence, torrent de lumières prodigués dans un commun et rapide écoulement !

L'espace manque dans nos musées pour étaler la variété prodigieuse, infinie, des parures dont la Nature a voulu maternellement glorifier l'hymen de l'insecte et lui paradiser ses noces. Un amateur distingué ayant eu la patience de me montrer de suite, genre par genre, espèce par espèce, son immense collection, je fus étourdi, stupéfié, comme épouvanté de la force inépuisable, j'allais dire de la furie d'invention qui déploie ici la Nature. Je succombai, je fermai les yeux et demandai grâce ; car mon cerveau se prenait, s'aveuglait, devenait obtus. Mais, elle, elle ne se lassait pas ; elle m'inondait et m'accablait d'êtres charmants, d'êtres bizarres, de monstres admirables, en ailes de feu, en cuirasses d'émeraudes, vêtus d'émaux de cent sortes, armés d'appareils étranges, aussi brillants que menaçants, les uns en acier bruni, glacé d'or, les autres à houppes soyeuses, feutrées de noir velours : tels à fins pinceaux de soie fauve sur un riche fond acajou ; celui-ci en velours grenat piqué d'or ; puis des bleus lustrés, inouïs, relevés de points veloutés ; ailleurs des rayures métalliques, alternées de velours mats.

Il en était qui semblaient dire : « Nous sommes toute la nature à nous seuls. Si elle périt, nous en jouerons la comédie, et nous simulerons tous les êtres. Car, si vous voulez des fourrures, nous voici en palatines, telles que n'en porta jamais l'impératrice de Russie ; et, si vous voulez des plumes, nous voici tout emplumés pour défier l'oiseau-mouche ; et si vous voulez des feuilles, nous sommes feuilles à s'y tromper. Le bois même, toutes les substances, il n'est rien que nous n'imitions. Prenez, je vous prie, cette branche, et tenez... c'est un insecte. »

Alors, je défaillis vraiment. je fis une humble révérence à ce peuple redoutable, je sortis de l'antre magique la tête en feu, et longtemps ces masques étincelants dansaient, tournaient, me poursuivaient, continuant sur ma rétine leur bal effréné.

Je les avais vus là pourtant sous des cadres et dans des boîtes, aussi morts que dans la nature ils furent ardents et fourmillants. Qu'eût-ce donc été de les voir dans l'animation, vivants, surtout dans les climats de feu où ils abondent et surabondent, où tout s'harmonise avec eux, où l'air, où l'eau, où la flore, imprégnés de flammes fécondes, rivalisent avec l'âpre ardeur des légions animales pour la fureur de l'amour, la production précipitée et renouvelée sans cesse par la mort impatiente ?

Comtesse de Ségur

SAINT PÉTERSBOURG 1799 – PARIS 1874.

Fille du comte Rostopchine, gouverneur de Moscou, la comtesse de Ségur passe son enfance dans cette ville. En 1817 la famille s'exile à Paris où Sophie Rostopchine épouse le comte de Ségur. Elle achète le château des Nouettes dans l'Orne qui deviendra le cadre de sa vie et de ses livres. Négligée par son mari elle s'occupe de ses fils et filles. Excellente mère, elle devient une merveilleuse grand-mère : c'est pour ses petits-enfants qu'elle compose ses charmants récits pour enfants (1856 à 1869) qui l'ont rendue célèbre :

***Les Mémoires d'un âne** (1860), la trilogie **Les Malheurs de Sophie** (1864), **Les Petites Filles modèles** (1858), **Les vacances** (1859), **Les Deux Nigauds** (1862), **Le Général Dourakine** (1866), **L'Auberge de l'Ange gardien**, etc. Tous ces petits chefs-d'œuvre ont un succès immense et immédiat. Leur renommée fait très rapidement le tour du monde. Ce succès va se perpétuer de générations en générations enfantines.*

LITTÉRATURE ENFANTINE

.Les Malheurs de Sophie.

1864

***Les Malheurs de Sophie** – ouvrage composé de 22 récits – raconte les mésaventures d'une petite fille nommée Sophie. Symbole de l'enfance insouciante, Sophie émeut et amuse par ses idées fantasques. De chacun de ces courts récits la comtesse de Ségur tire une morale accessible aux enfants : la désobéissance est punie, la bonté récompensée, le pardon apaise ceux qui veulent se corriger. En lisant **Les Petits Poissons** (4e récit) on pense à cette maxime de La Rochefoucauld : « On doit se consoler de ses fautes quand on a la force de les avouer. »*

LES PETITS POISSONS

Sophie était étourdie ; elle faisait souvent sans y penser de mauvaises choses.

Voici ce qui lui arriva un jour :

Sa maman avait des petits poissons pas plus longs qu'une épingle et pas plus gros qu'un tuyau de plume de pigeon. Mme de Réan aimait beaucoup ses petits poissons, qui vivaient dans une cuvette pleine d'eau au fond de laquelle il y avait du sable pour qu'ils pussent s'y enfoncer et s'y cacher. Tous les matins Mme de Réan portait du pain à ses petits poissons ; Sophie s'amusait à les regarder pendant qu'ils se jetaient sur les miettes de pain et qu'ils se disputaient pour les avoir.

Un jour son papa lui donna un joli petit couteau en écaille ; Sophie, enchantée de son couteau, s'en servait pour couper son pain, ses pommes, des biscuits, des fleurs, etc.

Un matin, Sophie jouait ; sa bonne lui avait donné du pain, qu'elle avait coupé en petits morceaux, des amandes, qu'elle coupait en tranches, et des feuilles de salade ; elle demande à sa bonne de l'huile et du vinaigre pour faire la salade.

« Non, répondit la bonne ; je veux bien vous donner du sel, mais pas d'huile ni de vinaigre, qui pourraient tacher votre robe. »

Sophie prit le sel, en mit sur sa salade ; il lui en restait beaucoup.

« Si j'avais quelque chose à saler ? se dit-elle. Je ne veux pas saler du pain ; il me faudrait de la viande ou du poisson... Oh ! la bonne idée ! Je vais saler les petits poissons de maman ; j'en couperai quelques-uns en tranches avec mon couteau, je salerai les autres tout entiers ; que ce sera amusant ! Quel joli plat cela fera ! »

Et voilà Sophie qui ne réfléchit pas que sa maman n'aura plus de jolis petits poissons qu'elle aime tant, que ces pauvres petits souffriront beaucoup d'être salés vivants ou d'être coupés en tranches. Sophie court dans le salon où étaient les petits poissons ; elle s'approche de la cuvette, les pêche tous, les met dans une assiette de son ménage, retourne à sa petite table, prend quelques-uns de ces pauvres petits poissons, et les étend sur un plat. Mais les poissons, qui ne se sentaient pas à l'aise hors de l'eau, remuaient et sautaient tant qu'ils pouvaient. Pour les faire tenir tranquilles, Sophie leur verse du sel sur le dos, sur la tête, sur la queue. En effet, ils restent immobiles : les pauvres petits étaient morts. Quand son assiette fut pleine, elle en prit d'autres et se mit à les couper en tranches. Au premier coup de couteau les malheureux poissons se tordaient en désespérés ; mais ils devenaient bientôt immobiles, parce qu'ils mouraient. Après le second poisson, Sophie s'aperçut qu'elle les tuait en les coupant en morceaux ; elle regarda avec inquiétude les poissons salés ; ne les voyant pas remuer, elle les examina attentivement et vit qu'ils étaient tous morts. Sophie devint rouge comme une cerise.

« Que va dire maman ? se dit-elle. Que vais-je devenir, moi, pauvre malheureuse ! Comment faire pour cacher cela ? »

Elle réfléchit un moment. Son visage s'éclaircit ; elle avait trouvé un moyen excellent pour que sa maman ne s'aperçut de rien.

Elle ramassa bien vite tous les poissons salés et coupés, les remit dans une petite assiette, sortit doucement de la chambre, et les reporta dans leur cuvette.

« Maman croira, dit-elle, qu'ils se sont battus, qu'ils se sont tous entre-déchirés et tués. Je vais essuyer mes assiettes, mon couteau, et ôter mon sel ; ma bonne n'a pas heureusement remarqué que j'avais été chercher les poissons ; elle est occupée de son ouvrage et ne pense pas à moi. » Sophie rentra sans bruit dans sa chambre, se remit à sa petite table et continua de jouer avec son ménage. Au bout de quelque temps elle se leva, prit un livre et se mit à regarder les images. Mais elle était inquiète ; elle ne faisait pas attention aux images, elle croyait toujours entendre arriver sa maman.

Tout d'un coup, Sophie tressaille, rougit ; elle entend la voix de Mme de Réan, qui appelait les domestiques ; elle l'entend parler haut comme si elle grondait ; les domestiques vont et viennent ; Sophie tremble que sa maman n'appelle sa bonne, ne l'appelle elle-même ; mais tout se calme, elle n'entend plus rien.

La bonne, qui avait aussi entendu du bruit et qui était curieuse, quitte son ouvrage et sort.

Elle rentre un quart d'heure après.

« Comme c'est heureux, dit-elle à Sophie, que nous ayons été toutes deux dans notre chambre sans en sortir ! Figurez-vous que votre maman vient d'aller voir ses poissons ; elle les a trouvés tous morts, les uns entiers, les autres coupés en morceaux. Elle a fait venir tous les domestiques pour leur demander quel était le méchant qui avait fait mourir ces pauvres petites bêtes ; personne n'a pu ou n'a voulu rien dire. Je viens de la rencontrer ; elle m'a demandé si vous aviez été dans le salon ; j'ai heureusement pu lui répondre que vous n'aviez pas bougé d'ici, que vous vous étiez amusée à faire la dînette dans votre petit ménage. « C'est singulier, dit-elle, j'aurais parié que c'est Sophie qui a fait ce beau coup. – Oh ! madame, lui ai-je répondu, Sophie n'est pas capable d'avoir fait une chose si méchante. – Tant mieux, dit votre maman, car je l'aurais sévèrement punie. C'est heureux pour elle que vous ne l'ayez pas quittée et que vous m'assuriez qu'elle ne peut pas avoir fait mourir mes pauvres poissons. – Oh ! quant à cela madame, j'en suis bien certaine », ai-je répondu. »

Sophie ne disait rien ; elle restait immobile et rouge, la tête baissée, les yeux pleins de larmes. Elle eut envie un instant d'avouer à sa bonne que c'était elle qui avait tout fait, mais le courage lui manqua. La bonne, la voyant triste, crut que c'était la mort des pauvres petits poissons qui l'affligeait.

« J'étais bien sûre, dit-elle, que vous seriez triste comme votre maman du malheur arrivé à ces pauvres petites bêtes. Mais il faut se dire que ces poissons n'étaient pas heureux dans leur prison : car enfin cette cuvette était une prison pour eux ; à présent que les voilà morts, ils ne souffrent plus. N'y pensez donc plus, et venez que je vous arrange pour aller au salon ; on va bientôt dîner. »

Sophie se laissa peigner, laver, sans dire mot ; elle entra au salon ; sa maman y était.

« Sophie, lui dit-elle, ta bonne t'a-t-elle raconté ce qui est arrivé à mes petits poissons ?

SOPHIE.

Oui, maman.

MADAME DE RÉAN.

Si ta bonne ne m'avait pas assuré que tu étais restée avec elle dans ta chambre depuis que tu m'as quittée, j'aurais pensé que c'est toi qui les as fait mourir ; tous les domestiques disent que ce n'est aucun d'eux. Mais je crois que le domestique Simon, qui était chargé de changer tous les matins l'eau et le sable de la cuvette, a voulu se débarraser de cet ennui, et qu'il a tué mes pauvres poissons pour ne plus avoir à les soigner. Aussi je le renverrai demain.

SOPHIE, *effrayée.*

Oh ! maman, ce pauvre homme ! Que deviendra-t-il avec sa femme et ses enfants ?

MADAME DE RÉAN.

Tant pis pour lui ; il ne devait pas tuer mes petits poissons, qui ne lui avaient fait aucun mal, et qu'il a fait souffrir en les coupant en morceaux.

SOPHIE.

Mais ce n'est pas lui, maman ! Je vous assure que ce n'est pas lui !

MADAME DE RÉAN.

Comment sais-tu que ce n'est pas lui ? moi je crois que c'est lui, que ce ne peut être que lui, et dès demain je le ferai partir.

SOPHIE, *pleurant et joignant les mains.*

Oh non ! maman, ne le faites pas. C'est moi qui ai pris les petits poissons et qui les ai tués.

MADAME DE RÉAN, *avec surprise.*

Toi !... quelle folie ! Toi qui aimais ces petits poissons, tu ne les aurais fait souffrir et mourir ! Je vois bien que tu dis cela pour excuser Simon...

SOPHIE.

Non, maman, je vous assure que c'est moi ; oui, c'est moi ; je ne voulais pas les tuer, je voulais seulement les saler, et je croyais que le sel ne leur ferait pas de mal. Je ne croyais pas non plus que de les couper leur fît mal, parce qu'ils ne criaient pas. Mais, quand je les ai vus morts, je les ai reportés dans leur cuvette, sans que ma bonne, qui travaillait, m'ai vu sortir ni rentrer. »

Mme de Réan resta quelques instants si étonnée de l'aveu de Sophie, qu'elle ne répondit pas. Sophie leva timidement les yeux et vit ceux de sa mère fixés sur elle, mais sans colère ni sévérité.

« Sophie, dit enfin Mme de Réan, si j'avais appris par hasard, c'est-à-dire par la permission de Dieu, qui punit toujours les méchants, ce que tu viens de me raconter, je t'aurais punie sans pitié et avec sévérité. Mais le bon sentiment qui t'a fait avouer ta faute pour excuser Simon, te vaudra ton pardon. Je ne te ferai donc pas de reproches, car je suis bien sûre que tu sens combien tu as été cruelle pour ces pauvres petits poissons en ne réfléchissant pas d'abord que le sel devait les tuer, ensuite qu'il est impossible de couper et de tuer n'importe quelle bête sans qu'elle souffre. »

Et, voyant que Sophie pleurait, elle ajouta :

« Ne pleure pas, Sophie, et n'oublie pas qu'avouer tes fautes, c'est te les faire pardonner. »

Sophie essuya ses yeux, elle remercia sa maman, mais elle resta toute la journée un peu triste d'avoir causé la mort de ses petits amis les poissons.

Honoré de Balzac

TOURS 1799 – PARIS 1850.

Balzac entreprend des études de droit, mais il s'intéresse surtout à la philosophie. Il commence d'écrire à vingt ans, mais sans succès. Il s'essaie aux affaires, échoue et se trouve couvert de dettes à trente ans. Il publie ***Les Chouans*** *et* ***Une Physiologie du mariage*** *(1829) qui ont du succès : il est désormais reçu dans les salons. Il compose deux romans philosophiques,* ***La Peau de Chagrin*** *(1831) et* ***Louis Lambert*** *(1832), dans lesquels il révèle une de ses idées principales : la Pensée, à laquelle il faut ramener les passions, peut être source de ravages si on la gaspille, ou une véritable puissance si on sait la concentrer. Il publie en 1833 et 1834 successivement* ***Eugénie Grandet*** *et* ***Le Père Goriot****. Il pense déjà assurer à son œuvre une unité :* ***La Comédie humaine*** *sera la peinture de toute une société, la création d'universaux fantastiques ou types (l'usurier Gobseck, l'avare Grandet, l'ambitieux Rastignac...) et l'analyse des passions humaines qui grandissent l'homme ou le dégradent. En 1832 il entre en relations épistolaires avec « L'Étrangère », Mme Hanska, riche polonaise. Il la rencontre l'année suivante à Neufchâtel, mais ne pourra l'épouser qu'en 1850. Ses œuvres se succèdent rapidement, Balzac travaille la nuit, devient très connu, entretient diverses liaisons et mène une vie mondaine et coûteuse : tilbury, domestiques en livrée, cannes à pommeaux extraordinaires, loge à l'Opéra, ameublement somptueux... Sa situation se complique, il doit se cacher, écrit davantage et continue de dépenser. En 1841 M. Hanska meurt, Balzac travaille pour pouvoir épouser Mme Hanska et lui assurer une existence digne d'elle.*

Cette même année il donne à l'ensemble de son œuvre le titre de ***La Comédie humaine****, se souvenant de Dante (****La Divine Comédie****). Il rédige* ***l'Avant-Propos*** *qui affirme ses convictions et ambitions littéraires. Mme Hanska accouche en 1846 d'un fils mort-né : Balzac est désespéré. En 1848 il échoue à l'Académie française n'obtenant que les voix de Lamartine et de Victor Hugo. Il est de plus en plus épuisé. Au début de l'année 1850 il part pour Kiev rejoindre Mme Hanska ; il l'épouse en mars ; ils reviennent à Paris le 21 mai dans la belle maison qu'il a si longuement préparée pour son épouse. Il est contraint de s'aliter et meurt le 18 août. Il est enterré au Père-Lachaise le 21 août ; Victor Hugo prononce son éloge funèbre. Balzac a composé 91 ouvrages et créé 2000 personnages. C'est en 1834 qu'il conçoit le procédé de retour des personnages ; en 1845 il présente le plan général de son œuvre que nous présentons ici brièvement : Balzac divise son œuvre en trois grandes parties, les* ***Études analytiques*** *(dont* ***la Physiologie du mariage****), les* ***Études Philosophiques (La Peau de chagrin, Louis Lambert*** *etc.), enfin les* ***Études de mœurs*** *qui se subdvisent elles-mêmes en six parties :* ***Scènes de la vie privée (Gobseck, Le Père Goriot****, etc...),* ***Scènes de la vie de province (Le***

Curé de Tours, Eugénie Grandet, etc..), Scènes de la vie parisienne (Splendeurs et misères des courtisanes, etc..), Scènes de la vie politique (Une Ténébreuse affaire, etc..), Scènes de la vie militaire (Les Chouans, etc...) et Scènes de la vie de campagne (Le Médecin de campagne, etc...).

ROMAN

*Dans son **Avant-Propos sur la comédie humaine** (1842) Balzac expose ses convictions philosophiques et l'ambition de son œuvre :*

"Le hasard est le plus grand romancier du monde : pour être fécond, il n'y a qu'à l'étudier"

En donnant à une œuvre entreprise depuis bientôt treize ans le titre de *La Comédie humaine*, il est nécessaire d'en dire la pensée, d'en raconter l'origine, d'en expliquer brièvement le plan, en essayant de parler de ces choses comme si je n'y étais pas intéressé...

L'idée première de *La Comédie humaine* fut d'abord chez moi comme un rêve, comme un de ces projets impossibles que l'on caresse et qu'on laisse s'envoler ; une chimère qui sourit, qui montre son visage de femme et qui déploie aussitôt ses ailes en remontant dans un ciel fantastique. Mais la chimère, comme beaucoup de chimères, se change en réalité, elle a ses commandements et sa tyrannie auxquels il faut céder.

Cette idée vint d'une comparaison entre l'Humanité et l'Animalité...

L'animal est un principe qui prend sa forme extérieure, ou, pour parler plus exactement, les différences de sa forme, dans les milieux où il est appelé à se développer. Les Espèces zoologiques résultent de ces différences. La proclamation et le soutien de ce système, en harmonie d'ailleurs avec les idées que nous nous faisons de la puissance divine, sera l'éternel honneur de Geoffroy Saint-Hilaire, le vainqueur de Cuvier sur ce point de la haute science, et dont le triomphe a été salué par le dernier article qu'écrivit le grand Gœthe.

Pénétré de ce système bien avant les débats auxquels il a donné lieu, je vis que, sous ce rapport, la Société ressemblait à la Nature. La Société ne fait-elle pas de l'homme, suivant les milieux où son action se déploie, autant d'hommes différents qu'il y a de variétés en zoologie ? Les différences entre un soldat, un ouvrier, un administrateur, un avocat, un oisif, un savant, un homme d'État, un commerçant, un marin, un poète, un pauvre, un prêtre, sont, quoique plus difficiles à saisir, aussi considérables que celles qui distinguent le loup, le lion, l'âne, le corbeau, le requin, le veau marin, la brebis, etc. Il a donc existé, il existera donc de tout temps des Espèces sociales comme il y a des Espèces zoologiques...

Ainsi l'œuvre à faire devait avoir une triple forme : les hommes, les femmes et les choses, c'est-à-dire les personnes et la représentation matérielle qu'ils donnent de leur pensée ; enfin l'homme et la vie. (...)

Le hasard est le plus grand romancier du monde : pour être fécond, il n'y a qu'à l'étudier. La Société française allait être l'historien, je ne devais être que le secrétaire. En dressant l'inventaire des vices et des vertus, en rassemblant les principaux faits des passions, en peignant les caractères, en choisissant les événements principaux de la Société, en composant des types par la réunion des traits de plusieurs caractères homogènes, peut-être pouvais-je arriver à écrire l'histoire oubliée par tant d'historiens, celle des mœurs. Avec beaucoup de patience et de courage, je réaliserais, sur la France au dix-neuvième siècle, ce livre que nous regrettons tous, que Rome, Athènes, Tyr, Memphis, la Perse, l'Inde ne nous ont malheureusement pas laissé sur leurs civilisations, et qu'à l'instar de l'abbé Barthélemy, le courageux et patient Monteil avait essayé pour le Moyen-Age, mais sous une forme peu attrayante. (...)

L'homme n'est ni bon ni méchant, il naît avec des instincts et des aptitudes ; la Société, loin de le dépraver, comme l'a prétendu Rousseau, le perfectionne, le rend meilleur ; mais l'intérêt développe aussi ses penchants mauvais. Le Christianisme, et sourtout le Catholicisme, étant, comme je l'ai dit dans LE MÉDECIN DE CAMPAGNE, un système complet de répression des tendances dépravées de l'homme, est le plus grand élément d'Ordre Social.

En lisant attentivement le tableau de la Société, moulée, pour ainsi dire, sur le vif avec tout son bien et tout son mal, il en résulte cet enseignement que si la pensée, ou la passion, qui comprend la poussée et le sentiment, est l'élément social, elle en est aussi l'élément destructeur. En ceci, la vie sociale ressemble à la vie humaine. On ne donne aux peuples de longévité qu'en modérant leur action vitale. L'enseignement, ou mieux, l'éducation par des Corps Religieux est donc le grand principe d'existence pour les peuples, le seul moyen de diminuer la somme du mal et d'augmenter la somme du bien dans toute Société. La pensée, principe des maux et des biens, ne peut être préparée, domptée, dirigée que par la religion. L'unique religion possible est le Christianisme (voir la lettre écrite de Paris dans LOUIS LAMBERT, où le jeune philosophe mystique explique, à propos de la doctrine de Swedenborg, comme il n'y a jamais eu qu'une même religion depuis l'origine du monde). Le Christianisme a créé les peuples modernes, il les conservera. De là sans doute la nécessité du principe monarchique. Le Catholicisme et la Royauté sont deux principes jumeaux. Quant aux limites dans lesquelles ces deux principes doivent être enfermés par des Institutions afin de ne pas les laisser se développer absolument, chacun sentira qu'une préface aussi succincte que doit l'être celle-ci, en saurait devenir un traité politique. Aussi ne dois-je entrer ni dans les dissensions religieuses ni dans les dissensions politiques du moment.

J'écris à la lueur de deux Vérités éternelles : la Religion, la Monarchie, deux nécessités que les événements contemporains proclament, et vers lesquelles tout écrivain de bon sens doit essayer de ramener notre pays.

"J'écris à la lueur de deux Vérités éternelles : la Religion, la Monarchie"

La Peau de Chagrin

1831

La Peau de Chagrin *fait partie des* ***Études Philosophiques****. Un jeune libertin ruiné, Raphaël de Valentin décide de se tuer ; il entre chez un antiquaire étrange qui lui fait cadeau d'une « peau de chagrin » en lui expliquant qu'elle lui permettra de réaliser ses désirs mais diminuera légèrement à chaque souhait exaucé. Quand elle sera réduite à rien, Raphaël mourra. Le jeune homme l'accepte. Raphaël déjeune avec quelques amis quand le notaire Cardot vient :*

« J'apporte six millions à l'un de vous. (Silence profond.) – Monsieur, dit-il en s'adressant à Raphaël, qui, dans ce moment, s'occupait sans cérémonie à s'essuyer les yeux avec un coin de sa serviette, madame votre mère n'était-elle pas une demoiselle O'Flaharty ?

– Oui, répondit Raphaël assez machinalement ; *Barbe-Marie*.

– Avez-vous ici, reprit Cardot, votre acte de naissance et celui de madame de Valentin ?

– Je le crois.

– Eh bien, monsieur, vous êtes seul et unique héritier du major O'Flaharty, décédé en août 1828, à Calcutta.

– C'est une fortune *incalcuttable* ! s'écria le jugeur.

– Le major ayant disposé par son testament de plusieurs sommes en faveur de quelques établissements publics, sa succession a été réclamée à la Compagnie des Indes par le gouvernement français, reprit le notaire. Elle est en ce moment liquide et palpable. Depuis quinze jours, je cherchais infructueusement les ayants cause de la demoiselle Barbe-Marie O'Flaharty ; lorsque, hier, à table... »

En ce moment, Raphaël se leva soudain en laissant échapper le mouvement brusque d'un homme qui reçoit une blessure. Il se fit comme une acclamation silencieuse ; le premier sentiment des convives fut dicté par une sourde envie, tous les yeux se tournèrent vers lui comme autant de flammes. Puis un murmure, semblable à celui d'un parterre qui se courrouce, une rumeur d'émeute commença, grossit, et chacun dit un mot pour saluer cette fortune immense apportée par le notaire. Rendu à toute sa raison par la brusque obéissance du sort, Raphaël étendit promptement sur la table la serviette avec laquelle il avait mesuré naguère la peau de chagrin. Sans rien écouter, il y superposa le talisman, et frissonna involontairement en voyant une petite distance entre le contour tracé sur le linge et celui de la peau.

« Eh bien, qu'a-t-il donc ? s'écria Taillefer, il a sa fortune à bon compte.

– « Soutiens-le Châtillon ! dit Bixiou à Émile, la joie va le tuer. »

Une horrible pâleur dessina tous les muscles de la figure flétrie de cet héritier, ses traits se contractèrent, les saillies de son visage blanchirent, les creux devinrent sombres, le masque fut livide, et les yeux se fixèrent. Il voyait la MORT. Raphaël regarda trois fois le talisman, qui jouait à l'aise dans les impitoyables lignes imprimées sur la serviette : il essayait de douter, mais un clair pressentiment anéantissait son incrédulité. Le monde lui appartenait, il pouvait tout et ne voulait plus rien. Comme un voyageur au milieu du désert, il avait un peu d'eau pour la soif et devait mesurer sa vie au nombre des gorgées. Il voyait ce que chaque désir devait lui coûter de jours.

.Eugénie Grandet.

1834

Ce drame de l'avarice et de la piété filiale fait partie des ***Scènes de la vie de province****. Une vieille maison de Saumur est imprégnée de la féroce passion du père Grandet et de l'âme mélancolique de sa fille Eugénie.*

Le père Grandet a reçu chez lui un jeune neveu, Charles, dont le père vient de se tuer, le laissant sans fortune. Charles est un dandy séduisant et sa cousine Eugénie, qui s'ennuie dans la triste maison de Saumur, se sent attirée vers lui. Pour aider son cousin, au moment où il va partir pour les îles, elle lui donne la collection de pièces d'or que son père lui a constituée peu à peu, à condition qu'elle n'en dispose jamais sans son consentement. Le drame éclate le jour où le père Grandet demande à sa fille de lui monter son trésor :

Grandet descendit l'escalier en pensant à métamorphoser promptement ses écus parisiens en bon or et à son admirable spéculation des rentes sur l'État. Il était décidé à placer ainsi ses revenus jusqu'à ce que la rente atteignît le taux de cent francs. Méditation funeste à Eugénie. Aussitôt qu'il entra, les deux femmes lui souhaitèrent une bonne année, sa fille en lui sautant au cou et le câlinant, madame Grandet gravement et avec dignité. « Ah ! ah ! mon enfant, dit-il en baisant sa fille sur les joues, je travaille pour toi, vois-tu ?... Je veux ton bonheur. Il faut de l'argent pour être heureux. Sans argent, bernique. Tiens, voilà un napoléon tout neuf, je l'ai fait venir de Paris. Nom d'un petit bonhomme, il n'y a pas un grain d'or ici. Il n'y a que toi qui as de l'or. Montre-moi ton or, fifille.

– Bah ! il fait trop froid ; déjeunons, lui répondit Eugénie.

– Hé ! bien, après, hein ? Ça nous aidera tous à digérer. Ce gros des Grassins, il nous a envoyé ça tout de même, reprit-il. Ainsi mangez, mes enfants, ça ne nous coûte rien. Il va bien des Grassins, je suis content de lui. Le merluchon rend service à Charles, et gratis encore. Il arrange très bien les affaires de ce pauvre défunt Grandet. – Ououh ! ouhouh ! fit-il la bouche pleine, après une pause, cela est bon ! Manges-en donc, ma femme ! ça nourrit au moins pour deux jours.

– Je n'ai pas faim. Je suis toute malingre, tu le sais bien.

– Ah ! ouin ! Tu peux te bourrer sans crainte de faire crever ton coffre ; tu es une La Bertellière, une femme solide. Tu es bien un petit brin jaunette, mais j'aime le jaune. »

L'attente d'une mort ignominieuse et publique est moins horrible peut-être pour un condamné que ne l'était pour madame Grandet et pour sa fille l'attente des événements qui devaient terminer ce déjeuner de famille. Plus gaiement parlait et mangeait le vieux vigneron, plus le cœur de ces deux femmes se serrait. La fille avait néanmoins un appui dans cette conjoncture : elle puisait de la force en son amour.

« Pour lui, pour lui, se disait-elle, je souffrirais mille morts. »

A cette pensée, elle jetait à sa mère des regards flamboyants de courage.

« Ote tout cela, dit Grandet à Nanon quand, vers onze heures, le déjeuner fut achevé ; mais laisse-nous la table. Nous serons plus à l'aise pour voir ton petit trésor, dit-il en regardant Eugénie. Petit, moi foi, non. Tu possèdes, valeur intrinsèque, cinq mille neuf cent cinquante-neuf francs, et quarante de ce matin, cela fait six mille francs moins un. Eh ! bien je te donnerai, moi, ce franc pour compléter la somme, parce que, vois-tu, fifille... Hé ! bien pourquoi nous écoutes-tu ? Montre-moi tes talons, Nanon, et va faire ton ouvrage, » dit le bonhomme. Nanon disparut. « Écoute, Eugénie, il faut que tu me donnes ton or. Tu ne le refuseras pas à ton pépère, ma petite fifille, hein ? » Les deux femmes étaient muettes. « Je n'ai plus d'or, moi. J'en avais, je n'en ai plus. Je te rendrai six mille francs en livres, et tu vas les placer comme je vais te le dire. Il ne faut plus penser au douzain. Quand je te marierai, ce qui sera bientôt, je te trouverai un futur qui pourra t'offrir le plus beau douzain dont on aura jamais parlé dans la province. Écoute donc, fifille. Il se présente une belle occasion : tu peux mettre tes six mille francs dans le gouvernement, et tu en auras tous les six mois près de deux cents francs d'intérêts, sans impôts, ni réparations, ni grêle, ni gelée, ni marée, ni rien de ce qui tracasse les revenus. Tu répugnes peut-être à te séparer de ton or, hein, fifille ? Apporte-le-moi tout de même. Je te ramasserai des pièces d'or, des hollandaises, des portugaises, des roupies du Mogol, des génovines, et, avec celles que je te donnerai à tes fêtes, en trois ans tu auras rétabli la moitié de ton joli petit trésor en or. Que dis-tu, fifille ? Lève donc le nez. Allons, va le chercher, le mignon. Tu devrais me baiser sur les yeux pour te dire ainsi des secrets et des mystères de vie et de mort pour les écus. Vraiment les écus vivent et grouillent comme des hommes : ça va, ça vient, ça sue, ça produit. »

Eugénie se leva, mais, après avoir fait quelques pas vers la porte, elle se retourna brusquement, regarda son père en face et lui dit : « Je n'ai plus *mon* or.

– Tu n'as plus ton or ! s'écria Grandet en se dressant sur ses jarrets comme un cheval qui entend tirer le canon à dix pas de lui.

– Non, je ne l'ai plus.

– Tu te trompes, Eugénie.

– Non.

– Par la serpette de mon père ! »

Quand le tonnelier jurait ainsi, les planchers tremblaient.

« Bon saint bon Dieu ! voilà madame qui pâlit, cria Nanon.

– Grandet, ta colère me fera mourir, dit la pauvre femme.

– Ta, ta, ta, ta, vous autres, vous ne mourez jamais dans votre famille ! – Eugénie, qu'avez-vous fait de vos pièces ? cria-t-il en fondant sur elle.

– Monsieur, dit la fille aux genoux de Mme Grandet, ma mère souffre beaucoup. Voyez, ne la tuez pas. »

Grandet fut épouvanté de la pâleur répandue sur le teint de sa femme naguère si jaune.

« Nanon, venez m'aider à me coucher, dit la mère d'une voix faible. Je meurs. »

Aussitôt Nanon donna le bras à sa maîtresse, autant en fit Eugénie, et ce ne fut pas sans des peines infinies qu'elles purent la monter chez elle, car elle tombait en défaillance de marche en marche. Grandet resta seul. Néanmoins quelques moments après, il monta sept ou huit marches, et cria : « Eugénie, quand votre mère sera couchée, vous descendrez.

– Oui, mon père. »

Elle ne tarda pas à venir, après avoir rassuré sa mère.

« Ma fille, lui dit Grandet, vous allez me dire où est votre trésor.

– Mon père si vous me faites des présents dont je ne sois pas entièrement maîtresse, reprenez-les, » répondit froidement Eugénie en cherchant le napoléon sur la cheminée et le lui présentant.

Grandet saisit vivement le napoléon et le coula dans son gousset.

« Je crois bien que je ne te donnerai plus rien. Pas seulement ça ! dit-il en faisant claquer l'ongle de son pouce sous sa maîtresse dent. Vous méprisez donc votre père, vous n'avez donc pas confiance en lui, vous ne savez donc pas ce que c'est qu'un père ! S'il n'est pas tout pour vous, il n'est rien. Où est votre or ?

– Mon père, je vous aime et vous respecte, malgré votre colère ; mais je vous ferai humblement observer que j'ai vingt-deux ans. Vous m'avez assez souvent dit que je suis majeure, pour que je le sache. J'ai fait de mon argent ce qu'il m'a plu d'en faire, et soyez sûr qu'il est bien placé..

– Où ?

– C'est un secret inviolable, dit-elle. N'avez-vous pas vos secrets ?

– Ne suis-je pas le chef de ma famille, ne puis-je savoir mes affaires ?

– C'est aussi mon affaire.

– Cette affaire doit être mauvaise, si vous ne pouvez pas la dire à votre père, mademoiselle Grandet.

– Elle est excellente, et je ne puis pas la dire à mon père.

– Au moins, quand avez-vous donné votre or ? Eugénie fit un signe de tête négatif. – Vous l'aviez encore le jour de votre fête ? Eugénie, devenue aussi rusée par amour que son père l'était par avarice, réitéra le même signe de tête. – Mais on n'a jamais vu pareil entêtement, ni vol pareil, dit Grandet d'une voix qui alla *crescendo* et qui fit graduellement retentir la maison. Comment ! ici, dans ma propre maison, chez moi, quelqu'un aura pris ton or ! le seul or qu'il y avait ! et je ne saurai pas qui ? L'or est une chose chère. Les plus honnêtes filles peuvent faire des fautes, donner je ne sais quoi, cela se voit chez les grands seigneurs et même chez les bourgeois ; mais donner de l'or, car vous l'avez donné à quelqu'un, hein ? Eugénie fut impassible. A-t-on vu pareille fille ! Est-ce moi qui suis votre père ? Si vous l'avez placé, vous en avez un reçu...

– Etais-je libre, oui ou non, d'en faire ce que bon me semblait ? Etait-ce à moi ?

– Mais tu es une enfant.

– Majeure.

Abasourdi par la logique de sa fille, Grandet pâlit, trépigna, jura ; puis trouvant enfin des paroles, il cira : – Maudit serpent de fille ! ah ! mauvaise graine, tu sais bien que je t'aime, et tu en abuses. Elle égorge son père ! Pardieu, tu auras jeté notre fortune aux pieds de ce va-nu-pieds qui a des bottes de maroquin. Par la serpette de mon père, je ne peux pas te déshériter, nom d'un tonneau ! mais je te maudis, toi, ton cousin, et tes enfants ! Tu ne verras rien de bon de tout cela, entends-tu ? Si c'était à Charles que... Mais, non, ce n'est pas possible. Quoi ! ce méchant mirliflore m'aurait dévalisé... Il regarda sa fille qui restait muette et froide. – Elle ne bougera pas, elle ne sourcillera pas, elle est plus Grandet que je ne suis Grandet. Tu n'as pas donné ton or pour rien, au moins. Voyons, dis ? Eugénie regarda son père, en lui jetant un regard ironique qui l'offensa. Eugénie, vous êtes chez moi, chez votre père. Vous devez, pour y rester, vous soumettre à ses ordres. Les prêtres vous ordonnent de m'obéir. Eugénie baissa la tête. Vous m'offensez dans ce que j'ai de plus cher, reprit-il, je ne veux vous voir que soumise. Allez dans votre chambre. Vous y demeurerez jusqu'à ce que je vous permette d'en sortir. Nanon vous y portera du pain et de l'eau. Vous m'avez entendu, marchez ! »

Eugénie fondit en larmes et se sauva près de sa mère. Après avoir fait un certain nombre de fois le tour de son jardin dans la neige, sans s'apercevoir du froid, Grandet se douta que sa fille devait être chez sa femme ; et charmé de la prendre en contravention à ses ordres, il grimpa les escaliers avec l'agilité d'un chat, et apparut dans la chambre de madame Grandet au moment où elle caressait les cheveux d'Eugénie dont le visage était plongé dans le sein maternel.

« Console-toi, ma pauvre enfant, ton père s'apaisera.

– Elle n'a plus de père, dit le tonnelier. Est-ce bien vous et moi, madame Grandet, qui avons fait une fille désobéissante comme l'est celle-là ? Jolie éducation, et religieuse surtout. Hé ! bien, vous n'êtes pas dans votre chambre. Allons, en prison, en prison, mademoiselle.

– Voulez-vous me priver de ma fille, monsieur ? dit madame Grandet en montrant un visage rougi par la fièvre.

– Si vous la voulez garder, emportez-la, videz-moi toutes deux la maison. Tonnerre, où est l'or, qu'est devenu l'or ? »

.Le Père Goriot.

1837

Le Père Goriot fait partie des ***Scènes de la vie privée****. Sur un carnet où Balzac notait, à mesure qu'ils se présentaient à son esprit, des sujets de romans, on trouve cette indication : «* ***Sujet du Père Goriot*** *: – un brave homme – pension bourgeoise – 600 francs de rente – s'étant dépouillé pour ses filles qui toutes deux ont 50 000 francs de rente, mourant comme un chien. » De cette courte note est sortie la plus puissante tragédie de la passion d'un père pour ses filles qui ait été écrite.*

Le Père Goriot, homme médiocre est grandi par l'amour qu'il porte à ses filles. Rastignac, jeune ambitieux admire son sacrifice et perçoit en même temps de quoi sont faites les fortunes à Paris.

La pension Vauquer : Mme Vauquer tient depuis 40 ans une « pension bourgeoise » entre le quartier latin et le Faubourg Saint-Marcel :

Cette salle, entièrement boisée, fut jadis peinte en une couleur indistincte aujourd'hui, qui forme un fond sur lequel la crasse a imprimé ses couches de manière à y dessiner des figures bizarres. Elle est plaquée de buffets gluants sur lesquels sont des carafes échancrées, ternies, des ronds de moiré métallique, des piles d'assiettes en porcelaine épaisse à bords bleus, fabriquées à Tournai. Dans un angle est placée une boîte à cases numérotées qui sert à garder les serviettes, ou tachées ou vineuses, de chaque pensionnaire. Il s'y rencontre de ces meubles indestructibles, proscrits partout, mais placés là comme le sont les débris de la civilisation aux Incurables. Vous y verriez un baromètre à capucin qui sort quand il pleut, des gravures exécrables qui ôtent l'appétit, toutes encadrées en bois verni à filets dorés ; un cartel en écaille incrustée de cuivre ; un poêle vert, des quinquets d'Argand où la poussière se combine avec l'huile, une longue table couverte en toile cirée assez grasse pour qu'un facétieux externe y écrive son nom en se servant de son doigt comme de style, des chaises estropiées, de petit paillassons piteux en sparterie qui se déroule toujours sans se perdre jamais, puis des chaufferettes misérables à trous cassés, à charnières défaites, dont le bois se carbonise. Pour expliquer combien ce mobilier est vieux, crevassé, pourri, tremblant, rongé, manchot, borgne, invalide, expirant, il faudrait en faire une description qui retarderait trop l'intérêt de cette histoire, et que les gens pressés ne pardonneraient pas. Le carreau rouge est plein de vallées produites par le frottement ou par les mises en couleur. Enfin, là règne la misère sans poésie ; une misère économe, concentrée, râpée. Si elle n'a pas de fange encore, elle a des taches ; si elle n'a ni trous ni haillons, elle va tomber en pourriture.

Cette pièce est dans tout son lustre au moment où, vers sept heures du matin, le chat de madame Vauquer précède sa maîtresse, saute sur les buffets, y flaire le lait que contiennent plusieurs jattes couvertes d'assiettes, et fait entendre son *rourou* matinal. Bientôt, la veuve se montre, attifée de son bonnet de tulle sous lequel pend un tour de faux cheveux mal mis ; elle marche en traînassant ses pantoufles grimacées. Sa face vieillottte, grassouillette, du milieu de laquelle sort un nez à bec de perroquet ; ses petites mains potelées, sa personne dodue comme un rat d'église, son corsage trop plein et qui flotte, sont en harmonie avec cette salle où suinte le malheur, où s'est blottie la spéculation, et dont madame Vauquer respire l'air chaudement fétide sans être écœurée. Sa figure fraîche comme une première gelée d'automne, ses yeux ridés, dont l'expression passe du sourire prescrit aux danseuses à l'amer renfrognement de l'escompteur, enfin toute sa personne explique la pension, comme la pension implique sa personne.

Rastignac s'étonne qu'une aussi jeune et belle femme, Anastasie de Restaud, vienne voir le Père Goriot. Vautrin lui apprend qu'Anastasie est la fille du Père Goriot, et comment ce dernier l'aime :

– Vous êtes encore trop jeune pour bien connaître Paris ; vous saurez plus tard qu'il s'y rencontre ce que nous nommons des *hommes à passions*. (...) Ces gens-là chaussent une idée et n'en démordent pas. Ils n'ont soif que d'une certaine eau prise à une certaine fontaine, et souvent croupie ; pour en boire, ils vendraient leurs femmes, leurs enfants ; ils vendraient leur âme au diable. Pour les uns cette fontaine est le jeu, la Bourse, une collection de tableaux ou d'insectes, la musique ; pour d'autres, c'est une femme qui sait leur cuisiner des friandises. A ceux-là, vous leur offririez toutes les femmes de la terre, ils s'en moquent, ils ne veulent que celle qui satisfait leurs passions. Souvent cette femme ne les aime pas du tout, vous les rudoie, leur vend fort cher des bribes de satisfactions ; eh bien ! mes farceurs ne se lassent pas, et mettraient leur dernière couverture au Mont-de-Piété pour lui apporter leur dernier écu.

L'amour du Père Goriot nous montre comment « la passion est toute l'humanité. Sans elle, la religion, l'histoire, le roman, l'art seraient inutiles » (Avant-propos). Le père Goriot agonise dans sa chambre de la pension Vauquer. Rastignac et Bianchon sont auprès de lui. Il ne cesse de réclamer ses filles. Celles-ci connaissent l'état de leur père, mais, prises dans le tourbillon de la vie, elles ne viendront pas.

« Je veux mes filles ! je les ai faites, elles sont à moi, dit-il en se dressant sur son séant, en montrant à Eugène une tête dont les cheveux blancs étaient épars et qui menaçait par tout ce qui pouvait exprimer la menace.

– Allons, lui dit Eugène, recouchez-vous, mon bon père Goriot, je vais leur écrire. Aussitôt que Bianchon sera de retour, j'irai si elles ne viennent pas.

– Si elles ne viennent pas ? répéta le vieillard en sanglotant. Mais je serai mort, mort dans un accès de rage, de rage ! La rage me gagne ! En ce moment, je vois ma vie entière. Je suis dupe ! elles ne m'aiment pas, elles ne m'ont jamais aimé ! cela est clair. Si elles ne sont pas venues, elles ne viendront pas. Plus elles auront tardé, moins elles se décideront à me faire cette joie. Je les connais. Elles n'ont jamais su rien deviner de mes chagrins, de mes douleurs, de mes besoins, elles ne devineront pas plus ma mort ; elles ne sont seulement pas dans le secret de ma tendresse. Oui, je le vois, pour elles, l'habitude de m'ouvrir les entrailles a ôté du prix à tout ce que je faisais. Elles auraient demandé à me crever les yeux, je leur aurais dit : « Crevez-les ! » Je suis trop bête. Elles croient que tous les pères sont comme le leur. Il faut toujours se faire valoir. Leurs enfants me vengeront. Mais c'est dans leur intérêt de venir ici. Prévenez-les donc qu'elles compromettent leur agonie. Elles commettent tous les crimes en un seul. Mais allez donc, dites-leur donc que, ne pas venir, c'est un parricide ! Elles en ont assez commis sans ajouter celui-là. Criez donc comme moi : « Hé, Nasie ! hé, Delphine ! venez à votre père qui a été si bon pour vous et qui souffre ! » Rien, personne. Mourrai-je donc comme un chien ? Voilà ma récompense, l'abandon. Ce sont des infâmes, des scélérates ; je les abomine, je les maudis ; je me relèverait, la nuit, de mon cercueil pour les remaudire, car enfin, mes amis, ai-je tort ? elles se conduisent bien mal ! hein ? Qu'est-ce que je dis ? Ne m'avez-vous pas averti que Delphine est là ? C'est la meilleure des deux. Vous êtes mon fils, Eugène, vous ! aimez-la, soyez un père pour elle. L'autre est bien malheureuse. Et leurs fortunes ! Ah ! mon Dieu ! J'expire, je souffre un peu trop ! Coupez-moi la tête, laissez-moi seulement le cœur.

– Christophe, allez chercher Bianchon, s'écria Eugène, épouvanté du caractère que prenaient les plaintes et les cris du vieillard, et ramenez-moi un cabriolet.

Je vais aller chercher vos filles, mon bon père Goriot, je vous les ramènerai.

– De force, de force ! Demandez la garde, la ligne, tout ! tout, dit-il en jetant à Eugène un dernier regard où brilla la raison. Dites au gouvernement, au procureur du roi, qu'on me les amène, je le veux !

– Mais vous les avez maudites.

– Qui est-ce qui a dit cela ? répondit le vieillard stupéfait.

Vous savez bien que je les aime, je les adore ! Je suis guéri si je les vois... Allez, mon bon voisin, mon cher enfant, allez, vous êtes bon, vous ; je voudrais vous remercier, mais je n'ai rien à vous donner que les bénédictions d'un mourant. Ah ! je voudrais au moins voir Delphine pour lui dire de m'acquitter envers vous. Si l'autre ne peut pas, amenez-moi celle-là. Dites-lui que vous ne l'aimerez plus si elle ne veut pas venir. Elle vous aime tant qu'elle viendra. A boire, les entrailles me brûlent ! Mettez-moi quelque chose sur la tête. La main de mes filles, ça me sauverait, je le sens... Mon Dieu ! qui refera leurs fortunes si je m'en vais ? Je veux aller à Odessa pour elles, y faire des pâtes.

Buvez ceci, dit Eugène en soulevant le moribond et le prenant dans son bras gauche tandis que de l'autre il tenait une tasse pleine de tisane.

– Vous devez aimer votre père et votre mère, vous ! dit le vieillard en serrant de ses mains défaillantes la main d'Eugène. Comprenez-vous que je vais mourir sans les voir, mes filles ? Avoir soif toujours et ne jamais boire, voilà comment j'ai vécu depuis dix ans... Mes deux gendres ont tué mes filles. Oui, je n'ai plus eu de filles après qu'elles ont été mariées. Pères, dites aux Chambres de faire une loi sur le mariage ! Enfin, ne mariez pas vos filles si vous les aimez. Le gendre est un scélérat qui gâte tout chez une fille, il souille tout. Plus de mariages ! C'est ce qui nous enlève nos filles, et nous ne les avons plus quand nous mourons. Faites une loi sur la mort des pères. C'est épouvantable, ceci ! Vengeance ! Ce sont mes gendres qui les empêchent de venir. Tuez-les ! A mort le Restaud, à mort l'Alsacien, ils sont mes assassins ! La mort ou mes filles ! Ah ! c'est fini, je meurs sans elles ! Elles ! Nasie, Fifine, allons, venez donc ! Votre papa sort...

– Mon bon père Goriot, calmez-vous, voyons, restez tranquille, ne vous agitez pas, ne pensez pas.

– Ne pas les voir, voilà l'agonie !

– Vous allez les voir.

– Vrai ! cria le vieillard égaré. Oh ! les voir ! je vais les voir, entendre leur voix. Je mourrai heureux. Eh bien ! oui, je ne demande plus à vivre, je n'y tenais plus, mes peines allaient croissant. Mais les voir, toucher leurs robes, ah ! rien que leurs robes, c'est bien peu ; mais que je sente quelque chose d'elles ! Faites-moi prendre les cheveux... veux... »

Il tomba la tête sur l'oreiller comme s'il recevait un coup de massue. Ses mains s'agitèrent sur la couverture comme pour prendre les cheveux de ses filles.

« Je les bénis, dit-il en faisant un effort, bénis. »

Il s'affaissa tout à coup.

Eugène de Rastignac accompagne le convoi du Père Goriot au cimetière du Père-Lachaise. Il a compris les leçons du monde parisien : il faut être impitoyable si l'on veut conquérir Paris.

“Ses yeux s'attachèrent presque avidement entre la colonne de la place Vendôme et le dôme des Invalides, là ou vivait ce

Quand le corbillard vint, Eugène fit remonter la bière, la décloua, et plaça religieusement sur la poitrine du bonhomme une image qui se rapportait à un temps où Delphine et Anastasie étaient jeunes, vierges et pures, et *ne raisonnaient pas*, comme il l'avait dit dans ses cris d'agonisant. Rastignac et Christophe accompagnèrent seuls, avec deux croque-morts, le char qui menait le pauvre homme à Saint-Étienne-du-Mont, église peu distante de la rue Neuve-Sainte-Geneviève. Arrivé là, le corps fut présenté à une petite chapelle basse et sombre, autour de laquelle l'étudiant chercha vainement les deux filles du père Goriot ou leurs maris. Il fut seul avec Christophe, qui se croyait obligé se rendre les derniers devoirs à un homme qui lui avait fait gagner quelques bons pourboires. En attendant les deux prêtres, l'enfant de chœur et le bedeau, Rastignac serra la main de Christophe, sans pouvoir prononcer une parole.

– Oui, monsieur Eugène, dit Christophe, c'était un brave et honnête homme, qui n'a jamais dit une parole plus haut que l'autre, qui ne nuisait à personne et n'a jamais fait de mal.

Les deux prêtres, l'enfant de chœur et le bedeau vinrent et donnèrent tout ce qu'on peut avoir pour soixante-dix francs dans une époque où la religion n'est pas assez riche pour prier gratis. Les gens du clergé chantèrent un psaume, le *Libera*, le *De profundis*. Le service dura vingt minutes. Il n'y avait qu'une seule voiture de deuil pour un prêtre et un enfant de chœur, qui consentirent à recevoir avec eux Eugène et Christophe.

– Il n'y a point de suite, dit le prêtre, nous pourrons aller vite, afin de ne pas nous attarder, il est cinq heures et demie.

Cependant, au moment où le corps fut placé dans le corbillard, deux voitures armoriées, mais vides, celle du comte de Restaud et celle du baron de Nucingen, se présentèrent et suivirent le convoi jusqu'au Père-Lachaise. A six heures, le corps du père Goriot fut descendu dans sa fosse, autour de laquelle étaient les gens de ses filles, qui disparurent avec le clergé aussitôt que fut dite la courte prière due au bonhomme pour l'argent de l'étudiant. Quand les deux fossoyeurs eurent jeté quelques pelletées de terre sur la bière pour la cacher, ils se relevèrent, et l'un d'eux, s'adressant à Rastignac, lui demanda leur pourboire. Eugène fouilla dans sa poche et n'y trouva rien, il fut forcé d'emprunter vingt sous à Christophe. Ce fait, si léger en lui-même, détermina chez Rastignac un accès d'horrible tristesse. Le jour tombait, un humide crépuscule agaçait les nerfs, il regarda la tombe et y ensevelit sa dernière larme de jeune homme, cette larme arrachée par les saintes émotions d'un cœur pur, une de ces larmes qui, de la terre où elles tombent, rejaillissent jusque dans les cieux. Il se croisa les bras, contempla les nuages et, le voyant ainsi, Christophe le quitta.

Rastignac, resté seul, fit quelques pas vers le haut du cimetière et vit Paris tortueusement couché le long des deux rives de la Seine, où commençaient à briller les lumières. Ses yeux s'attachèrent presque avidement entre la colonne de la place Vendôme et le dôme des Invalides, là où vivait ce beau monde dans lequel il avait voulu pénétrer. Il lança sur cette ruche bourdonnante un regard qui semblait par avance en pomper le miel, et dit ces mots grandioses : – A nous deux maintenant !

Et pour premier acte de défi qu'il portait à la société, Rastignac alla dîner chez madame de Nucingen.

beau monde dans lequel il avait voulu pénétrer. Il lança sur cette ruche bourdonnante un regard qui semblait par avance en pomper le miel, et dit ces mots grandioses :

– A nous deux maintenant !"

Victor Hugo

BESANÇON 1802 – PARIS 1885.

« Ce siècle avait deux ans !... » quand Victor Hugo naît à Besançon. Son enfance est voyageuse : son père – commandant – emmène sa famille dans ses voyages. Il souffre de la mésentente croissante de ses parents ; ceux-ci se séparent. Victor Hugo entre à Louis-Le-Grand et compose ses premiers poèmes. Son ambition est immense : « Je veux être Chateaubriand ou rien » écrit-il en 1816. Il reçoit le prix de l'Académie française en 1817, puis celui de l'Académie des Jeux floraux de Toulouse en 1819. Il renonce à des études de droit pour se consacrer à l'écriture. En 1822 il épouse Adèle Foucher qui lui donnera quatre enfants : Léopoldine, Charles, François et Adèle. Il publie les ***Odes*** *en 1822. A l'origine monarchiste et catholique, il s'oriente vers le libéralisme qu'il associe au romantisme littéraire : « Le romantisme n'est, à tout prendre, que le libéralisme en littérature » écrit-il. Il devient le chef romantique après la parution de la célèbre préface de* ***Cromwell*** *(1827) qui définit le drame romantique, et le triomphe de son drame* ***Hernani****. Son appartement de la rue Notre-Dame-des-Champs devient le lieu de réunion du cénacle que constituent les romantiques Vigny, Dumas, Mérimée, Balzac, Gautier, Nerval... Sainte-Beuve noue une intrigue avec son épouse. Lui-même s'éprend en 1833 de Juliette Drouet ; leur union sera d'abord passionnée, puis sereine et durable. Il écrit un roman historique sur le Paris du XV*[e] *siècle :* ***Notre-Dame de Paris,*** *dans lequel il donne la mesure de son imagination et de sa puissance verbale. Il compose quatre recueils lyriques :* ***Les Feuilles d'Automne*** *(1831),* ***Les Chants du Crépuscule*** *(1835),* ***Les Voix intérieures*** *(1837) et* ***Les Rayons et les Ombres*** *(1840), et fait jouer* ***Ruy Blas****. Il est élu à l'Académie française en 1841. La mort brutale de sa fille Léopoldine en 1843 laisse le poète désespéré, et d'abord muet. Lorsqu'il peut exprimer sa douleur dans des poèmes, il refuse de les publier. Il se passera 16 ans avant qu'il ne publie les pièces consacrées à Léopoldine, dans* ***Les Contemplations****. Il cherche une diversion dans l'action politique : il lutte en faveur de la Pologne, contre les injustices sociales, contre la peine de mort. Député de Paris, Victor Hugo se montre d'abord partisan du prince Louis-Napoléon. Mais au nom de la liberté, il passe à l'opposition. Il doit s'exiler : il réside d'abord à Bruxelles, puis sur l'île de Jersey, enfin sur l'île de Guernesey. Il écrit deux pamphlets en prose,* ***Histoire d'un crime*** *et* ***Napoléon le Petit****. Il compose* ***Les Châtiments*** *où il dit sa haine pour Napoléon III et clame son amour pour la liberté. De nombreux ouvrages sont introduits clandestinement en France. Il publie en 1856* ***Les Contemplations****, recueil auquel il songe depuis longtemps, qui se présente comme une synthèse de son existence et de sa destinée. Ensuite il se consacre à l'épopée humaine qu'il traite en vers dans* ***La Légende des Siècles*** *(1859) et en*

prose dans son immense roman ***Les Misérables*** *(1862). Il compose encore des recueils pleins de fantaisie et de gaieté, comme* ***Les Chansons des Rues et des Bois.*** *Il rentre à Paris dès la proclamation de la République en 1870, et devient le poète officiel de la République. Il écrit encore quelques poèmes que lui inspirent ses petits-enfants. Il meurt en 1885 : on lui fait des funérailles nationales et on l'enterre au Panthéon.*

THÉÂTRE

.Préface de Cromwell.

1827

Apologie du drame romantique, la ***Préface de Cromwell,*** *consacre son auteur chef des romantiques. A chaque âge de l'histoire humaine correspond un mode d'expression littéraire : les âges primitifs sont lyriques, les âges antiques sont épiques, les âges modernes sont dramatiques.*

Instaurés par le christianisme, les âges modernes instaurent la dualité de l'homme qui est à l'origine du drame :

Du jour où le christianisme a dit à l'homme : « Tu es double, tu es composé de deux êtres, l'un périssable, l'autre immortel, l'un charnel, l'autre éthéré, l'un enchaîné par les appétits, les besoins et les passions, l'autre emporté sur les ailes de l'enthousiasme et de la rêverie, celui-ci enfin toujours courbé vers la terre, sa mère, celui-là sans cesse élancé vers le ciel, sa patrie » ; de ce jour le drame a été créé. Est-ce autre chose en effet que ce contraste de tous les jours, que cette lutte de tous les instants entre deux principes opposés qui sont toujours en présence dans la vie, et qui se disputent l'homme depuis le berceau jusqu'à la tombe ?

La poésie née du christianisme, la poésie de notre temps est donc le drame ; le caractère du drame est le réel ; le réel résulte de la combinaison toute naturelle de deux types, le sublime et le grotesque, qui se croisent dans le drame, comme ils se croisent dans la vie et dans la création. Car la poésie vraie, la poésie complète, est dans l'harmonie des contraires. Puis, il est temps de le dire hautement, et c'est ici surtout que les exceptions confirmeraient la règle, tout ce qui est dans la nature est dans l'art.

La nature et la vérité constituent les modèles de l'artiste. Hugo expose les conventions du théâtre romantique :

Disons-le donc hardiment. Le temps en est venu, et il serait étrange qu'à cette époque, la liberté, comme la lumière, pénétrât partout, excepté dans ce qu'il y a de plus nativement libre au monde, les choses de la pensée. Mettons le marteau dans les théories, les poétiques et les systèmes. Jetons bas ce vieux plâtrage qui masque la façade de l'art ! Il n'y a ni règles ni modèles ; ou plutôt il n'y a d'autres règles que les lois générales de la nature qui planent sur l'art tout entier, et les lois spéciales qui, pour chaque composition, résultent des conditions d'existence propres à chaque sujet.

Le théâtre est un point d'optique. Tout ce qui existe dans le monde, dans l'histoire, dans la vie, dans l'homme, tout doit et peut s'y réfléchir, mais sous la baguette magique de l'art. L'art feuillette les siècles, feuillette la nature, interroge les chroniques, s'étudie à reproduire la réalité des faits, surtout celle des mœurs et des caractères, bien moins léguée au doute et à la contradiction que les faits, restaure ce que les annalistes ont tronqué, harmonise ce qu'ils ont dépouillé, devine leurs omissions et les répare, comble leurs lacunes par des imaginations qui aient la couleur du temps, groupe ce qu'ils ont laissé épars, rétablit le jeu des fils de la providence sous les marionnettes humaines, revêt le tout d'une forme poétique et naturelle à la fois, et lui donne cette vie de vérité et de saillie qui enfante l'illusion, ce prestige de réalité qui passionne le spectateur, et le poète le premier, car le poète est de bonne foi. Ainsi le but de l'art est presque divin : ressusciter, s'il fait de l'histoire ; créer, s'il fait de la poésie.

C'est une grande et belle chose que de voir se déployer avec cette largeur un drame où l'art développe puissamment la nature ; un drame où l'action marche à la conclusion d'une allure ferme et facile, sans diffusion et sans étranglement ; un drame enfin où le poète remplisse pleinement le but multiple de l'art, qui est d'ouvrir au spectateur un double horizon, d'illuminer à la fois l'intérieur et l'extérieur des hommes ; l'extérieur par leurs discours et leurs actions ; l'intérieur, par les *a parte* et les monologues ; de croiser, en un mot, dans le même tableau, le drame de la vie et le drame de la conscience.

On conçoit que, pour une œuvre de ce genre, si le poète doit *choisir* dans les choses (et il le doit), ce n'est pas le *beau*, mais le *caractéristique*. Non qu'il convienne de *faire*, comme on dit aujourd'hui, *de la couleur locale*, c'est-à-dire d'ajouter après coup quelques touches criardes çà et là sur un ensemble du reste parfaitement faux et conventionnel. Ce n'est point à la surface du drame que doit être la *couleur locale*, mais au fond, dans le cœur même de l'œuvre, d'où elle se répand au-dehors, d'elle-même, naturellement, également, et, pour ainsi parler, dans tous les coins du drame, comme la sève qui monte de la racine à la dernière feuille de l'arbre.

Hernani

1830

L'action de ce drame, qui se situe dans l'Espagne du XVIe siècle, mêle une intrigue amoureuse et une intrigue politique. Doña Sol est aimée de Hernani, mystérieux proscrit devenu chef de bande, et de don Carlos, qui ambitionne la succession au trône de Charlemagne. Elle aime Hernani, mais est promise au vieux don Ruy Gomez. Don Carlos enlève la jeune fille, Gomez et Hernani concluent un pacte : en échange de sa liberté, Hernani s'engage à tuer le roi, après quoi il mettra sa vie à la disposition de Ruy Gomez. Don Carlos, devenu Charles Quint, découvre qu'Hernani est en réalité Juan d'Aragon. Il l'unit à doña Sol. Les jeunes époux sont heureux. Mais Ruy Gomez, fou de jalousie, rappelle à don Juan la promesse de Hernani. Don Juan s'empoisonne avec doña Sol. Ruy Gomez se poignarde sur leurs corps.

Hernani, traqué par don Carlos, arrive chez don Ruy Gomez, le jour où celui-ci doit épouser doña Sol. Resté seul un moment avec doña Sol, Hernani éclate en violents reproches. doña Sol lui apprend qu'elle voulait se tuer, il s'attendrit :

HERNANI.

Épouse le vieux duc ! il est bon, noble il a
Par sa mère Olmedo, par son père Alcala.
Encore un coup, sois riche avec lui, sois heureuse !
Moi, sais-tu ce que peut cette main généreuse
T'offrir de magnifique ? une dot de douleurs.
Tu pourras y choisir ou du sang ou des pleurs.
L'exil, les fers, la mort, l'effroi qui m'environne,
C'est là ton collier d'or, c'est ta belle couronne,
Et jamais à l'épouse un époux plein d'orgeuil
N'offrit plus riche écrin de misère et de deuil.
Épouse le vieillard, te dis-je ! il te mérite !
Eh ! qui jamais croira que ma tête proscrite
Aille avec ton front pur ? qui, nous voyant tous deux,
Toi, calme et belle, moi, violent, hasardeux,
Toi, paisible et croissant comme une fleur à l'ombre,
Moi, heurté dans l'orage à des écueils sans nombre,
Qui dira que nos sorts suivent la même loi ?
Non, Dieu qui fait tout bien ne te fit pas pour moi.
Je n'ai nul droit d'en haut sur toi, je me résigne.
J'ai ton cœur, c'est un vol ! je le rends au plus digne.
Jamais à nos amours le ciel n'a consenti.
Si j'ai dit que c'était ton destin, j'ai menti !
D'ailleurs, vengeance, amour, dieu ! mon jour s'achève.
Je m'en vais, inutile, avec mon double rêve,
Honteux de n'avoir pu ni punir ni charmer,
Qu'on m'ait fait pour haïr, moi qui n'ai su qu'aimer !
Pardonne-moi, fuis-moi ! ce sont mes deux prières ;
Ne les rejette pas, car ce sont les dernières.
Tu vis, et je suis mort. Je ne vois pas pourquoi
Tu te ferais murer dans ma tombe avec moi !

DOÑA SOL.

Ingrat !

HERNANI.

Monts d'Aragon ! Galice ! Estramadoure !
– Oh ! je porte malheur à tout ce qui m'entoure ! –
J'ai pris vos meilleurs fils ; pour mes droits, sans remords
Je les ai fait combattre, et voilà qu'ils sont morts !
C'étaient les plus vaillants de la vaillante Espagne.
Ils sont morts ! il sont tous tombés dans la montagne,
Tous sur le dos couchés, en braves, devant Dieu,
Et, si leurs yeux s'ouvraient, ils verraient le ciel bleu !
Voilà ce que je fais de tout ce qui m'épouse !
Est-ce une destinée à te rendre jalouse ?
Doña Sol, prends le duc, prends l'enfer, prends le roi !
C'est bien. Tout ce qui n'est pas moi vaut mieux que moi !

Je n'ai plus un ami qui de moi se souvienne,
Tout me quitte, il est temps qu'à la fin ton tour vienne,
Car je dois être seul. Fuis ma contagion.
Ne te fais pas d'aimer une religion !
Oh ! par pitié pour toi, fuis ! – Tu me crois peut-être
Un homme comme sont tous les autres, un être
Intelligent, qui court droit au but qu'il rêva.
Détrompe-toi. Je suis une force qui va !
Agent aveugle et sourd de mystères funèbres !
Une âme de malheur faite avec des ténèbres !
Où vais-je ? je ne sais. Mais je me sens poussé
D'un souffle impétueux, d'un destin insensé.
Je descends, je descends, et jamais ne m'arrête.
Si parfois, haletant, j'ose tourner la tête,
Une voix me dit : Marche ! et l'abîme est profond,
Et de flamme ou de sang je le vois rouge au fond !
Cependant, à l'entour de ma course farouche,
Tout se brise, tout meurt. Malheur à qui me touche !
Oh ! fuis ! détourne-toi de mon chemin fatal,
Hélas ! sans le vouloir, je te ferais du mal !

ACTE III, SCÈNE 4

Don Carlos médite auprès du tombeau de Charlemagne :

DON CARLOS, *seul.*

Charlemagne, pardon ! ces voûtes solitaires
Ne devraient répéter que paroles austères.
Tu t'indignes sans doute à ce bourdonnement
Que nos ambitions font sur ton monument...
Charlemagne est ici ! Comment, sépulcre sombre,
Peux-tu sans éclater contenir si grande ombre ?
Es-tu bien là, géant d'un monde créateur,
Et t'y peux-tu coucher de toute ta hauteur ?...
Ah ! c'est un beau spectacle à ravir la pensée
Que l'Europe ainsi faite et comme il l'a laissée !
Un édifice, avec deux hommes au sommet,
Deux chefs élus auxquels tout roi né se soumet.
Presque tous les États, duchés, fiefs militaires,
Royaumes, marquisats, tous sont héréditaires ;
Mais le peuple a parfois son pape ou son césar.
Tout marche, et le hasard corrige le hasard.
De là vient l'équilibre, et toujours l'ordre éclate.
Électeurs de drap d'or, cardinaux d'écarlate,
Double sénat sacré dont la terre s'émeut,
Ne sont là qu'en parade, et Dieu veut ce qu'il veut.
Qu'une idée, au besoin des temps un jour éclose,
Elle grandit, va, court, se mêle à toute chose,
Se fait homme, saisit les cœurs, creuse un sillon ;
Maint roi la foule aux pieds ou lui met un bâillon ;
Mais qu'elle entre un matin à la diète, au conclave,
Et tous les rois soudain verront l'idée esclave,
Sur leur têtes de rois que ses pieds courberont,
Surgir, le globe en main ou la tiare au front.
Le pape et l'empereur sont tout. Rien n'est sur terre
Que pour eux et par eux. Un suprême mystère
Vit en eux, et le ciel, dont ils ont tous les droits,
Leur fait un grand festin des peuples et des rois,
Et les tient sous sa nue, où son tonnerre gronde,
Seuls, assis à la table où Dieu leur sert le monde.
Tête à tête, ils sont là, réglant et retranchant,
Arrangeant l'univers comme un faucheur son champ.
Tout se passe entre eux deux. Les rois sont à la porte,
Respirant la vapeur des mets que l'on apporte,
Regardant à la vitre, attentifs, ennuyés.
Et se haussant, pour voir, sur la pointe des pieds.
Le monde au-dessous d'eux s'échelonne et se groupe.
Ils font et défont. L'un délie et l'autre coupe.
L'un est la vérité, l'autre est la force. Ils ont
Leur raison en eux-mêmes, et sont parce qu'ils sont.
Quand ils sortent, tous deux égaux, du sanctuaire,
L'un dans sa pourpre, et l'autre avec son blanc suaire,
L'univers ébloui contemple avec terreur
Ces deux moitiés de Dieu, le pape et l'empereur.
– L'empereur ! l'empereur ! être empereur ! – Ô rage,
Ne pas l'être ! et sentir son cœur plein de courage ! –
Qu'il fut heureux celui qui dort dans ce tombeau !
Oh ! l'empire ! l'empire !
Que m'importe ! J'y touche, et le trouve à mon gré.
Quelque chose me dit : Tu l'auras !... Je l'aurai...
Si je l'avais !... O Ciel ! être ce qui commence !
Seul, debout, au plus haut de la spirale immense !
D'une foule d'États l'un sur l'autre étagés
Être la clef de voûte, et voir sous soi rangés
Les rois, et sur leur tête essuyer ses sandales ;
Voir au-dessous des rois les maisons féodales,
Margraves, cardinaux, doges, ducs à fleurons ;
Puis évêques, abbés, chefs de clans, hauts barons !
Puis clercs et soldats ;
puis, loin du faîte où nous sommes,
Dans l'ombre, tout au fond de l'abîme, – les hommes.
Les hommes ! c'est-à-dire une foule, une mer,
Un grand bruit, pleurs et cris, parfois un rire amer,
Plainte qui, réveillant la terre qui s'effare,
À travers tant d'échos nous arrive fanfare !
Les hommes !... Des cités, des tours, un vaste essaim
De hauts clochers d'église à sonner le tocsin !...

ACTE IV, SCÈNE 2

•Les Misérables•

1862

Roman épique et historique, **Les Misérables** *raconte la rédemption d'un homme qui de forçat devient un apôtre.*

Jean Valjean a été envoyé au bagne pendant 19 ans pour avoir volé du pain. A sa libération, son passeport d'ancien forçat le rend suspect à tous. Accueilli avec charité par l'évêque, Mgr Myriel, Jean Valjean lui vole son argenterie. Au cours d'un contrôle, les gendarmes trouvent les couverts sur Jean Valjean et le ramènent devant Mgr Myriel ; celui-ci feint avoir donné ces couverts à Jean Valjean. La générosité de l'évêque a réveillé les qualités de cœur de Jean Valjean. Il est devenu riche et s'est fait le bienfaiteur d'une petite ville. Apprenant qu'un vagabond, Champmathieu, qu'on prend pour Jean Valjean, va comparaître aux Assises. Jean Valjean est confronté à ce terrible dilemme : va-t-il retourner au bagne ou laisser condamner un innocent à sa place ?

Que faire, grand Dieu ! que faire ?

La tourmente dont il était sorti avec tant de peine se déchaîna de nouveau en lui. Ses idées recommencèrent à se mêler. Elles prirent ce je ne sais quoi de stupéfié et de machinal qui est propre au désespoir. Ce nom de Romainville lui revenait sans cesse à l'esprit avec deux vers d'une chanson qu'il avait entendue autrefois. Il songeait que Romainville est un petit bois près de Paris où les jeunes amoureux vont cueillir des lilas au mois d'avril.

Il chancelait au-dehors comme au-dedans. Il marchait comme un petit enfant qu'on laisse aller seul.

A de certains moments, luttant contre sa lassitude, il faisait un effort pour ressaisir son intelligence. Il tâchait de se poser une dernière fois, et définitivement, le problème sur lequel il était en quelque sorte tombé d'épuisement. Faut-il se dénoncer ? Faut-il se taire ? – Il ne réussissait à rien voir de distinct. Les vagues aspects de tous les raisonnements ébauchés par sa rêverie tremblaient et se dissipaient l'un après l'autre en fumée. Seulement il sentait que, à quelque parti qu'il s'arrêtât, nécessairement, et sans qu'il fût possible d'y échapper, quelque chose de lui allait mourir ; qu'il entrait dans un sépulcre à droite comme à gauche ; qu'il accomplissait une agonie, l'agonie de son bonheur ou l'agonie de sa vertu.

Hélas ! toutes ses irrésolutions l'avaient repris. Il n'était pas plus avancé qu'au commencement.

Il reculait maintenant avec une égale épouvante devant les deux résolutions qu'il avait prises tour à tour. Les deux idées qui le conseillaient lui paraissaient aussi funestes l'une que l'autre. – Quelle fatalité ! quelle rencontre avec ce Champmathieu pris pour lui ! Être précipité justement par le moyen que la providence paraissait d'abord avoir employé pour l'affermir !

Il y eut un moment où il considéra l'avenir. Se dénoncer, grand Dieu ! se livrer ! Il envisagea avec un immense désespoir tout ce qu'il faudrait quitter, tout ce qu'il faudrait reprendre. Il faudrait donc dire adieu à cette existence si bonne, si pure, si radieuse, à ce respect de tous, à l'honneur, à la liberté ! Il n'irait plus se promener dans les champs, il n'entendrait plus chanter les oiseaux au mois de mai, il ne ferait plus l'aumône aux petits enfants ! Il ne sentirait plus la douceur des regards de reconnaissance et d'amour fixés sur lui ! Il quitterait cette maison qu'il avait bâtie, cette chambre, cette petite chambre ! Tout lui paraissait charmant à cette heure. Il ne lirait plus dans ces livres, il n'écrirait plus sur cette petite table de bois blanc ! Sa vieille portière, la seule servante qu'il eût, ne lui monterait plus son café le matin. Grand Dieu ! au lieu de tout cela, la chiourme, le carcan, la veste rouge, la chaîne au pied, la fatigue, le cachot, le lit de camp, toutes ces horreurs connues ! A son âge, après avoir été ce qu'il était ! Si encore il était jeune ! Mais, vieux, être tutoyé par le premier venu, être fouillé par le garde-chiourme, recevoir le coup de bâton de l'argousin ! avoir les pieds nus dans des souliers ferrés ! tendre matin et soir sa jambe au marteau du rondier qui visite la manille ! subir la curiosité des étrangers auxquels on dirait : *Celui-là, c'est le fameux Jean Valjean, qui a été maire à Montreuil-sur-Mer !* Le soir, ruisselant de sueur, accablé de lassitude, le bonnet vert sur les yeux, remonter deux à deux, sous le fouet du sergent, l'escalier-échelle du bagne flottant ! Oh ! quelle misère ! La destinée peut-elle donc être méchante comme un être intelligent et devenir monstrueuse comme le cœur humain !

Et, quoi qu'il fît, il retombait toujours sur ce poignant dilemme qui était au fond de sa rêverie : – rester dans le paradis, et y devenir démon ! rentrer dans l'enfer, et y devenir ange !

Ainsi se débattait sous l'angoisse cette malheureuse âme. Dix-huit cents ans avant cet homme infortuné, l'être mystérieux, en qui se résument toutes les saintetés et toutes les souffrances de l'humanité, avait aussi lui, pendant que les oliviers frémissaient au vent farouche de l'infini, longtemps écarté de la main l'effrayant calice qui lui apparaissait ruisselant d'ombre et débordant de ténèbres dans des profondeurs pleines d'étoiles.

Le 5 juin 1832, une manifestation républicaine se termine en émeute. Derrière la barricade de la rue de la Chanvrerie, se trouvent les principaux personnages du roman : Jean Valjean, Marius, Javert et le petit Gavroche, fils des Thénardier, qui va mourir en chantant :

"Cette petite grande âme venait de s'envoler"

Il rampait à plat ventre, galopait à quatre pattes, prenait son panier aux dents, se tordait, glissait, ondulait, serpentait d'un mort à l'autre, et vidait la giberne ou la cartouchière comme un singe ouvre une noix.

De la barricade, dont il était encore assez près, on n'osait lui crier de revenir, de peur d'appeler l'attention sur lui.

Sur un cadavre, qui était un caporal, il trouva une poire à poudre.

– Pour la soif, dit-il en la mettant dans sa poche.

A force d'aller en avant, il parvint au point où le brouillard de la fusillade devenait transparent.

Si bien que les tirailleurs de la ligne rangés et à l'affût derrière leur levée de pavés, et les tirailleurs de la banlieue massés à l'angle de la rue, se montrèrent soudainement quelque chose qui remuait dans la fumée.

Au moment où Gavroche débarrassait de ses cartouches un sergent gisant près d'une borne, une balle frappa le cadavre.

– Fichtre ! fit Gavroche. Voilà qu'on me tue mes morts.

Une deuxième balle fit étinceler le pavé à côté de lui. Une troisième renversa son panier. Gavroche regarda, et vit que cela venait de la banlieue.

Il se dressa tout droit, debout, les cheveux au vent, les mains sur les hanches, l'œil fixé sur les gardes nationaux qui tiraient, et il chanta :

On est laid à Nanterre,
C'est la faute à Voltaire,
Et bête à Palaiseau,
C'est la faute à Rousseau.

Puis il ramassa son panier, y remit, sans perdre une seule, les cartouches qui en étaient tombées, et, avançant vers la fusillade, alla dépouiller une autre giberne. Là une quatrième balle le manqua encore. Gavroche chanta :

Je ne suis pas notaire,
C'est la faute à Voltaire,
Je suis petit oiseau,
C'est la faute à Rousseau.

Une cinquième balle ne réussit qu'à tirer de lui un troisième couplet :

Joie est mon caractère,
C'est la faute à Voltaire,
Misère est mon trousseau,
C'est la faute à Rousseau.

Le spectacle était épouvantable et charmant. Gavroche, fusillé, taquinait la fusillade. Il avait l'air de s'amuser beaucoup. C'était le moineau becquetant les chasseurs. Il répondait à chaque décharge par un couplet. On le visait sans cesse, on le manquait toujours. Les gardes nationaux et les soldats riaient en l'ajustant. Il se couchait, puis se redressait, s'effaçait dans un coin de porte, puis bondissait, disparaissait, reparaissait, se sauvait, revenait, ripostait à la mitraille par des pieds de nez, et cependant pillait les cartouches, vidait les gibernes et remplissait son panier. Les insurgés, haletants d'anxiété, le suivaient des yeux. La barricade tremblait ; lui, il chantait. Ce n'était pas un enfant, ce n'était pas un homme ; c'était un étrange gamin fée. On eût dit le nain invulnérable de la mêlée. Les balles couraient après lui, il était plus leste qu'elles. Il jouait on ne sait quel effrayant jeu de cache-cache avec la mort ; chaque fois que la face camarde du spectre s'approchait, le gamin lui donnait une pichenette.

Une balle pourtant, mieux ajustée ou plus traître que les autres, finit par atteindre l'enfant feu follet. On vit Gavroche chanceler, puis il s'affaissa. Toute la barricade poussa un cri ; mais il y avait de l'Antée dans ce pygmée ; pour le gamin toucher le pavé, c'est comme pour le géant toucher la terre ; Gavroche n'était tombé que pour se redresser ; il resta assis sur son séant, un long filet de sang rayait son visage, il éleva ses deux bras en l'air, regarda du côté d'où était venu le coup, et se mit à chanter :

Je suis tombé par terre,
C'est la faute à Voltaire,
Le nez dans le ruisseau,
C'est la faute à...

Il n'acheva point. Une seconde balle du même tireur l'arrêta court. Cette fois il s'abattit la face contre le pavé, et ne remua plus. Cette petite grande âme venait de s'envoler.

CINQUIÈME PARTIE, LIVRE V, CHAPITRE 15

POÉSIES

.Les Feuilles d'Automne.

Victor Hugo évoque son enfance et le secret de son inspiration :

Ce siècle avait deux ans ! Rome remplaçait Sparte,
Déjà Napoléon perçait sous Bonaparte,
Et du premier consul, déjà, par maint endroit,
Le front de l'empereur brisait le masque étroit.
Alors dans Besançon, vieille ville espagnole,
Jeté comme la graine au gré de l'air qui vole,
Naquit d'un sang breton et lorrain à la fois
Un enfant sans couleur, sans regard et sans voix ;
Si débile qu'il fut, ainsi qu'une chimère,
Abandonné de tous, excepté de sa mère,
Et que son cou ployé comme un frêle roseau
Fit faire en même temps sa bière et son berceau.
Cet enfant que la vie effaçait de son livre,
Et qui n'avait pas même un lendemain à vivre,
C'est moi. [...]
Si parfois de mon sein s'envolent mes pensées,
Mes chansons par le monde en lambeaux dispersées ;
S'il me plaît de cacher l'amour et la douleur
Dans le coin d'un roman ironique et railleur ;
Si j'ébranle la scène avec ma fantaisie,
Si j'entre-choque aux yeux d'une foule choisie
D'autres hommes comme eux, vivant tous à la fois
De mon souffle et parlant au peuple avec ma voix ;
Si ma tête, fournaise où mon esprit s'allume,
Jette le vers d'airain qui bouillonne et qui fume
Dans le rythme profond, moule mystérieux
D'où sort la strophe ouvrant ses ailes dans les cieux ;
C'est que l'amour, la tombe, et la gloire, et la vie,
L'onde qui fuit, par l'onde incessamment suivie,
Tout souffle, tout rayon, ou propice ou fatal,
Fait reluire et vibrer mon âme de cristal,
Mon âme aux mille voix, que le Dieu que j'adore
Mit au centre de tout comme un écho sonore ! [...]

I

Ces vers sont teintés d'une certaine amertume : Hugo songe à sa femme qu'il a aimée ardemment et qui s'éloigne de lui pour Sainte-Beuve :

O mes lettres d'amour, de vertu, de jeunesse,
C'est donc vous ! Je m'enivre encore à votre ivresse ;
Je vous lis à genoux
Souffrez que pour un jour je reprenne votre âge !
Laissez-moi me cacher, moi, l'heureux et le sage,
Pour pleurer avec vous !

J'avais donc dix-huit ans ! j'étais donc plein de songes !
L'espérance en chantant me berçait de mensonges.
Un astre m'avait lui !
J'étais un dieu pour toi qu'en mon cœur seul je nomme !
J'étais donc cet enfant, hélas ! devant qui l'homme
Rougit presque aujourd'hui !

O temps de rêverie, et de force, et de grâce !
Attendre tous les soirs une robe qui passe !
Baiser un gant jeté !
Vouloir tout de la vie, amour, puissance et gloire !
Être pur, être fier, être sublime, et croire
A toute pureté !

A présent, j'ai senti, j'ai vu, je sais, – Qu'importe
Si moins d'illusions viennent ouvrir ma porte
Qui gémit en tournant !
Oh ! que cet âge ardent, qui me semblait si sombre,
A côté du bonheur qui m'abrite à son ombre,
Rayonne maintenant !

Que vous ai-je donc fait, ô mes jeunes années,
Pour m'avoir fui si vite, et vous être éloignées,
Me croyant satisfait ?
Hélas ! pour revenir m'apparaître si belles,
Quand vous ne pouvez plus me prendre sur vos ailes,
Que vous ai-je donc fait ?

Oh ! quand ce doux passé, quand cet âge sans tache,
Avec sa robe blanche où notre amour s'attache,
Revient dans nos chemins,
On s'y suspend, et puis que de larmes amères
Sur les lambeaux flétris de vos jeunes chimères
Qui vous restent aux mains !

Oublions ! oublions ! Quand la jeunesse est morte,
Laissons-nous emporter par le vent qui l'emporte
A l'horizon obscur.
Rien ne reste de nous ; notre œuvre est un problème.
L'homme, fantôme errant, passe sans laisser même
Son ombre sur le mur !

XIV

.Voix Intérieures.

1837

Les romantiques admirent dans le peintre et graveur Albert Dürer un de leurs précurseurs :

A ALBERT DÜRER :

Dans les vieilles forêts où la sève à grands flots
Court du fût noir de l'aulne au tronc blanc des [bouleaux,
Bien des fois, n'est-ce pas ? à travers la clairière,
Pâle, effaré, n'osant regarder en arrière,
Tu t'es hâté, tremblant et d'un pas convulsif,
O mon maître Albert Dürer, ô vieux peintre pensif !
On devine, devant tes tableaux qu'on vénère,

Que dans les noirs taillis ton œil visionnaire
Voyait distinctement, par l'ombre recouverts,
Le faune aux doigts palmés, le sylvain aux yeux verts,
Pan, qui revêt de fleurs l'antre où tu te recueilles,
Et l'antique dryade aux mains pleines de feuilles.
  Une forêt pour toi, c'est un monstre hideux.
Le songe et le réel s'y mêlent tous les deux.
Là se penchent rêveurs les vieux pins, les grands ormes
Dont les rameaux tordus font cent coudes difformes.
Et, dans ce groupe sombre agité par le vent,
Rien n'est tout à fait mort ni tout à fait vivant.
Le cresson boit ; l'eau court ; les frênes sur les pentes,
Sous la broussaille horrible et les ronces grimpantes,
Contractent lentement leurs pieds noueux et noirs.
Les fleurs au cou de cygne ont les lacs pour miroirs ;
Et sur vous qui passez et l'avez réveillée,
Mainte chimère étrange à la gorge écaillée,
D'un arbre entre ses doigts serrant les larges nœuds,
Du fond d'un antre obscur fixe un œil lumineux.
O végétation ! esprit ! matière ! force !
Couverte de peau rude ou de vivante écorce !
Aux bois, ainsi que toi, je n'ai jamais erré,
Maître, sans qu'en mon cœur l'horreur ait pénétré,
Sans voir tressaillir l'herbe, et, par le vent bercées,
Pendre à tous les rameaux de confuses pensées.
Dieu seul, ce grand témoin des faits mystérieux,
Dieu seul le sait, souvent, en de sauvages lieux,
J'ai senti, moi qu'échauffe une secrète flamme,
Comme moi palpiter et vivre avec une âme,
Et rire, et se parler dans l'ombre à demi-voix
Les chênes monstrueux qui remplissent les bois.

X

.Les Châtiments.

1853

Victor Hugo, exilé, laisse éclater sa colère contre Napoléon III, son coup d'État, le régime autoritaire qu'il a instauré, dans cette satire en vers.

Il oppose l'armée nationale et sa gloire à l'armée de métier du coup d'État :

O Soldats de l'an deux ! ô guerres ! épopées !
Contre les rois tirant ensemble leurs épées,
Prussiens, autrichiens,
Contre toutes les Tyrs et toutes les Sodomes,
Contre le czar du Nord, contre ce chasseur d'hommes,
Suivi de tous ses chiens,

Contre toute l'Europe avec ses capitaines,
Avec ses fantassins couvrant au loin les plaines,
Avec ses cavaliers,
Tout entière debout comme une hydre vivante,

Ils chantaient, ils allaient, l'âme sans épouvante
Et les pieds sans souliers !

Au levant, au couchant, partout, au sud, au pôle,
Avec de vieux fusils sonnant sur leur épaule,
Passant torrents et monts,
Sans repos, sans sommeil, coudes percés, sans vivres,
Ils allaient, fiers, joyeux, et soufflant dans des cuivres,
Ainsi que des démons !

La liberté sublime emplissait leurs pensées.
Flottes prises d'assaut, frontières effacées
Sous leur pas souverain,
O France, tous les jours c'était quelque prodige,
Chocs, rencontres, combats ; et Joubert sur l'Adige,
Et Marceau sur le Rhin !

On battait l'avant-garde, on culbutait le centre ;
Dans la pluie et la neige et de l'eau jusqu'au ventre
On allait ! en avant !
Et l'un offrait la paix et l'autre ouvrait ses portes,
Et les trônes, roulant comme des feuilles mortes.
Se dispersaient au vent !

Oh ! que vous étiez grands au milieu des mêlées,
Soldats ! L'œil plein d'éclairs, faces échevelées
Dans le noir tourbillon,
Ils rayonnaient, debout, ardents, dressant la tête ;
Et comme les lions aspirent la tempête
Quand souffle l'aquilon,

Eux, dans l'emportement de leurs luttes épiques,
Ivres, ils savouraient tous les bruits héroïques,
Le fer heurtant le fer,
La Marseillaise ailée et volant dans les balles,
Les tambours, les obus, les bombes, les cymbales,
Et ton rire, ô Kléber !

La révolution leur criait : – Volontaires,
Mourez pour délivrer tous les peuples vos frères ! –
Contents, ils disaient oui.
– Allez, mes vieux soldats, mes généraux imberbes ! –
Et l'on voyait marcher ces va-nu-pieds superbes
Sur le monde ébloui !

La tristesse et la peur leur étaient inconnues,
Ils eussent, sans nul doute, escaladé les nues,
Si ces audacieux,
En retournant les yeux dans leur course olympique,

Avaient vu derrière eux la grande République
Montrant du doigt les cieux.

II, 7

Victor Hugo dit son admiration pour Napoléon Ier, sa haine pour Napoléon III, et son amour de la liberté :

Il neigeait. On était vaincu par sa conquête.
Pour la première fois l'aigle baissait la tête.

Sombres jours ! l'empereur revenait lentement,
Laissant derrière lui brûler Moscou fumant.
Il neigeait. L'âpre hiver fondait en avalanche.
Après la plaine blanche une autre plaine blanche.
On ne connaissait plus les chefs ni le drapeau.
Hier la grande armée, et maintenant troupeau.
On ne distinguait plus les ailes ni le centre.
Il neigeait. Les blessés s'abritaient dans le ventre
Des chevaux morts ; au seuil des bivouacs désolés
On voyait des clairons à leur poste gelés,
Restés debout, en selle et muets, blancs de givre,
Collant leur bouche en pierre aux trompettes de cuivre.
Boulets, mitraille, obus, mêlés aux flocons blancs,
Pleuvaient ; les grenadiers, surpris d'être tremblants,
Marchaient pensifs, la glace à leur moustache grise.
Il neigeait, il neigeait toujours ! La froide bise
Sifflait ; sur le verglas, dans des lieux inconnus,
On n'avait pas de pain et l'on allait pieds nus.
Ce n'étaient plus des cœurs vivants, des gens de guerre,
C'était un rêve errant dans la brume, un mystère,
Une procession d'ombres sous le ciel noir.
La solitude vaste, épouvantable à voir,
Partout apparaissait, muette vengeresse.
Le ciel faisait sans bruit avec la neige épaisse
Pour cette immense armée un immense linceul.

Et, chacun se sentant mourir, on était seul.
– Sortira-t-on jamais de ce funeste empire ?
Deux ennemis ! le czar, le nord. Le nord est pire.
On jetait les canons pour brûler les affûts.
Qui se couchait, mourait. Groupe morne et confus,
Ils fuyaient ; le désert dévorait le cortège.
On pouvait, à des plis qui soulevaient la neige,
Voir que des régiments s'étaient endormis là.
O chutes d'Annibal ! lendemains d'Attila !
Fuyards, blessés, mourants, caissons, brancards, civières,
On s'écrasait aux ponts pour passer les rivières,
On s'endormait dix mille, on se réveillait cent.
Ney, que suivait naguère une armée, à présent
S'évadait, disputant sa montre à trois cosaques.
Toutes les nuits, qui vive ! alerte ! assauts ! attaques !
Ces fantômes prenaient leur fusil, et sur eux
Ils voyaient se ruer, effrayants, ténébreux,
Avec des cris pareils aux voix des vautours chauves,
D'horribles escadrons, tourbillons d'hommes fauves.
Toute une armée ainsi dans la nuit se perdait.
L'empereur était là, debout, qui regardait.

Il était comme un arbre en proie à la cognée.
Sur ce géant, grandeur jusqu'alors épargnée,
Le malheur, bûcheron sinistre, était monté ;
Et lui, chêne vivant, par la hache insulté,
Tressaillant sous le spectre aux lugubres revanches,
Il regardait tomber autour de lui ses branches.
Chefs, soldats, tous mouraient. Chacun avait son tour.
Tandis qu'environnant sa tente avec amour,
Voyant son ombre aller et venir sur la toile,
Ceux qui restaient, croyant toujours à son étoile,
Accusaient le destin de lèse-majesté,
Lui se sentit soudain dans l'âme épouvanté.
Stupéfait du désastre et ne sachant que croire,
L'empereur se tourna vers Dieu ; l'homme de gloire
Trembla ; Napoléon comprit qu'il expiait
Quelque chose peut-être, et, livide, inquiet,
Devant ses légions sur la neige semées :
– Est-ce le châtiment, dit-il, Dieu des armées ? –
Alors il s'entendit appeler par son nom
Et quelqu'un qui parlait dans l'ombre lui dit : Non !

(....)

Waterloo ! Waterloo ! Waterloo ! morne plaine !
Comme une onde qui bout dans une urne trop pleine,
Dans ton cirque de bois, de coteaux, de vallons,
La pâle mort mêlait les sombres bataillons.
D'un côté c'est l'Europe et de l'autre la France.
Choc sanglant ! des héros Dieu trompait l'espérance ;
Tu désertais, victoire, et le sort était las.
O Waterloo ! je pleure et je m'arrête, hélas !
Car ces derniers soldats de la dernière guerre
Furent grands ; ils avaient vaincu toute la terre,
Chassé vingt rois, passé les Alpes et le Rhin,
Et leur âme chantait dans les clairons d'airain !

Le soir tombait ; la lutte était ardente et noire.
Il avait l'offensive et presque la victoire ;
Il tenait Wellington acculé sur un bois.
Sa lunette à la main, il observait parfois
Le centre du combat, point obscur où tressaille
La mêlée, effroyable et vivante brousaille,
Et parfois l'horizon, sombre comme la mer.

Soudain, joyeux, il dit : Grouchy ! – C'était Blücher.
L'espoir changea de camp, le combat changea d'âme,
La mêlée en hurlant grandit comme une flamme.
La batterie anglaise écrasa nos carrés.
La plaine, où frissonnaient les drapeaux déchirés,
Ne fut plus, dans les cris des mourants qu'on égorge,
Qu'un gouffre flamboyant, rouge comme une forge ;
Gouffre où les régiments comme des pans de murs
Tombaient, où se couchaient comme des épis mûrs
Les hauts tambours-majors aux panaches énormes,
Où l'on entrevoyait des blessures difformes !
Carnage affreux ! moment fatal ! L'homme inquiet
Sentit que la bataille entre ses mains pliait.
Derrière un mamelon la garde était massée.
La garde, espoir suprême et suprême pensée !
– Allons ! faites donner la garde ! – cria-t-il.
Et, lanciers, grenadiers aux guêtres de coutil,
Dragons que Rome eût pris pour des légionnaires,
Cuirassiers, canonniers qui traînaient des tonnerres,
Portant le noir colback ou le casque poli,
Tous, ceux de Friedland et ceux de Rivoli,
Comprenant qu'ils allaient mourir dans cette fête,
Saluèrent leur dieu, debout dans la tempête.
Leur bouche, d'un seul cri, dit : vive l'empereur !
Puis, à pas lents, musique en tête, sans fureur,
Tranquille, souriant à la mitraille anglaise,
La garde impériale entra dans la fournaise.
Hélas ! Napoléon, sur sa garde penché,
Regardait, et, sitôt qu'ils avaient débouché
Sous les sombres canons crachant des jets de soufre,
Voyait, l'un après l'autre, en cet horrible gouffre,

Fondre ces régiments de granit et d'acier
Comme fond une cire au souffle d'un brasier.
Ils allaient, l'arme au bras, front haut, graves, stoïques.
Pas un ne recula. Dormez, morts héroïques !
Le reste de l'armée hésitait sur leurs corps
Et regardait mourir la garde. – C'est alors
Qu'élevant tout à coup sa voix désespérée,
La Déroute, géante à la face effarée,
Qui, pâle, épouvantant les plus fiers bataillons,
Changeant subitement les drapeaux en haillons,
A de certains moments, spectre fait de fumées,
Se lève grandissante au milieu des armées,
La Déroute apparut au soldat qui s'émeut,
Et, se tordant les bras, cria : Sauve qui peut !
Sauve qui peut ! – affront ! horreur ! – toutes les bouches
Criaient ; à travers champs, fous, éperdus, farouches,
Comme si quelque souffle avait passé sur eux,
Parmi les lourds caissons et les fourgons poudreux,
Roulant dans les fossés, se cachant dans les seigles,
Jetant shakos, manteaux, fusils, jetant les aigles,
Sous les sabres prussiens, pleuraient, couraient ! – En un [clin d'œil,
Comme s'envole au vent une paille enflammée,
S'évanouit ce bruit qui fut la grande armée,
Et cette plaine, hélas, où l'on rêve aujourd'hui,
Vit fuir ceux devant qui l'univers avait fui !
Quarante ans sont passés, et ce coin de la terre,
Waterloo, ce plateau funèbre et solitaire,
Ce champ sinistre où Dieu mêla tant de néants,

Tremble encor d'avoir vu la fuite des géants !
Napoléon les vit s'écouler comme un fleuve ;
Hommes, chevaux, tambours, drapeaux ; – et dans [l'épreuve
Sentant confusément revenir son remords,
Levant les mains au ciel, il dit : – Mes soldats morts,
Moi vaincu ! mon empire est brisé comme verre.
Est-ce le châtiment cette fois, Dieu sévère ? –
Alors parmi les cris, les rumeurs, le canon,
Il entendit la voix qui lui répondait : Non !

Les Contemplations.

1856

***Les Contemplations** sont une sorte de synthèse en vers de la destinée de Victor Hugo, depuis sa naissance jusqu'à sa mort future. Le centre du recueil est réservé à Léopoldine, sa fille. Mariée le 15 février 1843 avec Charles Vacquerie, Léopoldine se noie le 4 septembre de cette même année, près de Villequier. Son mari essaie de la sauver, n'y parvenant pas, il se laisse couler avec elle. La douleur du père est immense, ce n'est qu'un an plus tard qu'il écrit, à Villequier même, ces vers :*

A Villequier.

Maintenant que Paris, ses pavés et ses marbres,
Et sa brume et ses toits sont bien loin de mes yeux ;
Maintenant que je suis sous les branches des arbres,
Et que je puis songer à la beauté des cieux ;

Maintenant que du deuil qui m'a fait l'âme obscure
Je sors, pâle et vainqueur,
Et que je sens la paix de la grande nature
Qui m'entre dans le cœur ;

Maintenant que je puis, assis au bord des ondes,
Ému par ce superbe et tranquille horizon,
Examiner en moi les vérités profondes
Et regarder les fleurs qui sont dans le gazon ;

Maintenant, ô mon Dieu ! que j'ai ce calme sombre
De pouvoir désormais
Voir de mes yeux la pierre où je sais que dans l'ombre
Elle dort pour jamais ;

Maintenant qu'attendri par ces divins spectacles,
Plaines, forêts, rochers, vallons, fleuve argenté,
Voyant ma petitesse et voyant vos miracles,
Je reprends ma raison devant l'immensité ;

Je viens à vous, Seigneur, père auquel il faut croire ;
Je vous porte, apaisé,
Les morceaux de ce cœur tout plein de votre gloire
Que vous avez brisé ;

Je viens à vous, Seigneur ! confessant que vous êtes
Bon, clément, indulgent et doux, ô Dieu vivant !
Je conviens que vous seul savez ce que vous faites,
Et que l'homme n'est rien qu'un jonc qui tremble au [vent ;

Je dis que le tombeau qui sur les morts se ferme
Ouvre le firmament ;
Et que ce qu'ici-bas nous prenons pour le terme
Est le commencement.

Je conviens à genoux que vous seul, père auguste,
Possédez l'infini, le réel, l'absolu ;
Je conviens qu'il est bon, je conviens qu'il est juste
Que mon cœur ait saigné, puisque Dieu l'a voulu ! [...]

Seigneur, je reconnais que l'homme est en délire
S'il ose murmurer ;
Je cesse d'accuser, je cesse de maudire,
Mais laissez-moi pleurer !

Hélas ! laissez les pleurs couler de ma paupière,
Puisque vous avez fait les hommes pour cela !
Laissez-moi me pencher sur cette froide pierre
Et dire à mon enfant : Sens-tu que je suis là ?

Laissez-moi lui parler, incliné sur ses restes,
Le soir, quand tout se tait,

Comme si, dans sa nuit rouvrant ses yeux célestes
Cet ange m'écoutait !

Hélas ! vers le passé tournant un œil d'envie,
Sans que rien ici-bas puisse m'en consoler,
Je regarde toujours ce moment de ma vie
Où je l'ai vue ouvrir son aile et s'envoler !

Je verrai cet instant jusqu'à ce que je meure,
L'instant, pleurs superflus !
Où je criai : L'enfant que j'avais tout à l'heure,
Quoi donc ! je ne l'ai plus !

Ne vous irritez pas que je sois de la sorte,
O mon Dieu ! cette plaie a si longtemps saigné !
L'angoisse dans mon âme est toujours la plus forte,
Et mon cœur est soumis, mais n'est pas résigné.

Ne vous irritez pas ! fronts que le deuil réclame,
Mortels sujets aux pleurs,
Il nous est malaisé de retirer notre âme
De ces grandes douleurs.

Voyez-vous, nos enfants nous sont bien nécessaires,
Seigneur ; quand on a vu dans sa vie, un matin,
Au milieu des ennuis, des peines, des misères,
Et de l'ombre que fait sur nous notre destin,

Apparaître un enfant, tête chère et sacrée,
Petit être joyeux,
Si beau, qu'on a cru voir s'ouvrir à son entrée
Une porte des cieux ;

Quand on a vu, seize ans, de cet autre soi-même
Croître la grâce aimable et la douce raison,
Lorsqu'on a reconnu que cet enfant qu'on aime
Fait le jour dans notre âme et dans notre maison,

Que c'est la seule joie ici-bas qui persiste
De tout ce qu'on rêva,
Considérez que c'est une chose bien triste
De le voir qui s'en va !

LIVRE IV, XV

La mort :

.MORS.

Je vis cette faucheuse. Elle était dans son champ.
Elle allait à grands pas moissonnant et fauchant,
Noir squelette laissant passer le crépuscule.
Dans l'ombre où l'on dirait que tout tremble et recule,
L'homme suivait des yeux les lueurs de la faulx.
Et les triomphateurs sous les arcs triomphaux
Tombaient ; elle changeait en désert Babylone,
Le trône en échafaud et l'échafaud en trône,
Les roses en fumier, les enfants en oiseaux,
L'or en cendre, et les yeux des mères en ruisseaux.
Et les femmes criaient : – Rends-nous ce petit être.
Pour le faire mourir, pourquoi l'avoir fait naître ? –
Ce n'était qu'un sanglot sur terre, en haut, en bas ;
Des mains aux doigts osseux sortaient des noirs [grabats ;
Un vent froid bruissait dans les linceuls sans nombre ;
Les peuples éperdus semblaient sous la faulx sombre
Un troupeau frissonnant qui dans l'ombre s'enfuit ;
Tout était sous ses pieds deuil, épouvante et nuit.
Derrière elle, le front baigné de douces flammes,
Un ange souriant portait la gerbe d'âmes.

LIVRE IV, XVI

Dans ce poème Hugo souligne la charité, la pitié et le pardon comme salvateurs :

.LE MENDIANT.

Un pauvre homme passait dans le givre et le vent.
Je cognai sur ma vitre ; il s'arrêta devant
Ma porte, que j'ouvris d'une façon civile.
Les ânes revenaient du marché de la ville,
Portant les paysans accroupis sur leurs bâts.
C'était le vieux qui vit dans une niche au bas
De la montée, et rêve, attendant, solitaire,
Un rayon du ciel triste, un liard de la terre,
Tendant les mains pour l'homme et les joignant pour [Dieu.
Je lui criai : « Venez vous réchauffer un peu.
Comment vous nommez-vous ? » Il me dit : « Je me [nomme

Le pauvre. » Je lui pris la main : « Entrez, brave homme. »
Et je lui fis donner une jatte de lait.
Le vieillard grelottait de froid ; il me parlait,
Et je lui répondais, pensif et sans l'entendre.
« Vos habits sont mouillés, dis-je, il faut les étendre
Devant la cheminée. » Il s'approcha du feu.
Son manteau, tout mangé des vers, et jadis bleu,
Étalé largement sur la chaude fournaise,
Piqué de mille trous par la lueur de braise,
Couvrait l'âtre, et semblait un ciel noir étoilé.
Et, pendant qu'il séchait ce haillon désolé
D'où ruisselait la pluie et l'eau des fondrières,
Je songeais que cet homme était plein de prières,
Et je regardais, sourd à ce que nous disions,
Sa bure où je voyais des constellations.

.La Légende des Siècles.

1859

Cette épopée humaine en vers retrace l'histoire de l'homme depuis sa création jusqu'au XXe siècle. Cette suite de récits historiques et de légendes chante la lutte des héros contre les traîtres, du bien contre le mal, de l'homme pour le progrès.

Voici l'histoire du mariage de Ruth et de Booz à Bethléem, de cette union naîtra la race de David, lui-même ancêtre du Christ :

.BOOZ ENDORMI.

Booz s'était couché de fatigue accablé ;
Il avait tout le jour travaillé dans son aire ;
Puis avait fait son lit à sa place ordinaire ;
Booz dormait auprès des boisseaux pleins de blé.

Ce vieillard possédait des champs de blés et d'orge ;
Il était, quoique riche, à la justice enclin ;
Il n'avait pas de fange en l'eau de son moulin,
Il n'avait pas d'enfer dans le feu de sa forge.

Sa barbe était d'argent comme un ruisseau d'avril.
Sa gerbe n'était point avare ni haineuse ;
Quand il voyait passer quelque pauvre glaneuse :
« Laissez tomber exprès des épis », disait-il.

Cet homme marchait pur loin des sentiers obliques,
Vêtu de probité candide et de lin blanc ;
Et, toujours du côté des pauvres ruisselant,
Ses sacs de grains semblaient des fontaines publiques.

Booz était bon maître et fidèle parent ;
Il était généreux, quoiqu'il fût économe ;

Les femmes regardaient Booz plus qu'un jeune homme,
Car le jeune homme est beau, mais le vieillard est grand.

Le vieillard, qui revient vers la source première,
Entre aux jours éternels et sort des jours changeants ;
Et l'on voit de la flamme aux yeux des jeunes gens,
Mais dans l'œil du vieillard on voit de la lumière.

Donc, Booz dans la nuit dormait parmi les siens.
Près des meules, qu'on eût prises pour des décombres,
Les moissonneurs couchés faisaient des groupes sombres ;
Et ceci se passait dans des temps très anciens.

Les tribus d'Israël avaient pour chef un juge ;
La terre, où l'homme errait sous la tente, inquiet
Des empreintes de pieds de géants qu'il voyait,
Était encor mouillée et molle du déluge.

Comme dormait Jacob, comme dormait Judith,
Booz, les yeux fermés, gisait sous la feuillée ;
Or, la porte du ciel s'étant entrebâillée
Au-dessus de sa tête, un songe en descendit.

Et ce songe était tel, que Booz vit un chêne
Qui, sorti de son ventre, allait jusqu'au ciel bleu ;
Une race y montait comme une longue chaîne ;
Un roi chantait en bas, en haut mourait un Dieu.

Et Booz murmurait avec la voix de l'âme :
« Comment se pourrait-il que de moi ceci vint ?
Le chiffre de mes ans a passé quatre-vingt,
Et je n'ai pas de fils, et je n'ai plus de femme.

« Voilà longtemps que celle avec qui j'ai dormi,
Ô Seigneur ! a quitté ma couche pour la vôtre ;
Et nous sommes encor tout mêlés l'un à l'autre,
Elle à demi vivante et moi mort à demi.

« Une race naîtrait de moi ! Comment le croire ?
Comment se pourrait-il que j'eusse des enfants ?
Quand on est jeune, on a des matins triomphants ;
Le jour sort de la nuit comme d'une victoire ;

« Mais, vieux, on tremble ainsi qu'à l'hiver le bouleau ;
Je suis veuf, je suis seul, et sur moi le soir tombe,
Et je courbe, ô mon Dieu ! mon âme vers la tombe,
Comme un bœuf ayant soif penche son front vers l'eau . »

Ainsi parlait Booz dans le rêve et l'extase,
Tournant vers Dieu ses yeux par le sommeil noyés ;
Le cèdre ne sent pas une rose à sa base,
Et lui ne sentait pas une femme à ses pieds.

Pendant qu'il sommeillait, Ruth, une moabite,
S'était couchée aux pieds de Booz, le sein nu,
Espérant on ne sait quel rayon inconnu,
Quand viendrait du réveil la lumière subite.

Booz ne savait point qu'une femme était là,
Et Ruth ne savait point ce que Dieu voulait d'elle.
Un frais parfum sortait des touffes d'asphodèle ;
Les souffles de la nuit flottaient sur Galgala.

L'ombre était nuptiale, auguste et solennelle ;
Les anges y volaient sans doute obscurément,
Car on voyait passer dans la nuit, par moment,
Quelque chose de bleu qui paraissait une aile.

La respiration de Booz qui dormait,
Se mêlait au bruit sourd des ruisseaux sur la mousse.
On était dans le mois où la nature est douce,
Les collines ayant des lys sur leur sommet.

Ruth songeait et Booz dormait ; l'herbe était noire ;
Les grelots des troupeaux palpitaient vaguement ;
Une immense bonté tombait du firmament ;
C'était l'heure tranquille où les lions vont boire.

Tout reposait dans Ur et dans Jérimadeth ;
Les astres émaillaient le ciel profond et sombre ;
Le croissant fin et clair parmi ces fleurs de l'ombre
Brillait à l'occident, et Ruth se demandait,

Immobile, ouvrant l'œil à moitié sous ses voiles,
Quel Dieu, quel moissonneur de l'éternel été
Avait, en s'en allant, négligemment jeté
Cette faucille d'or dans le champ des étoiles.

D'EVE À JÉSUS, VI

Alexandre Dumas, dit

Dumas père

VILLERS-COTTERÊT 1802
PUYS (DIEPPE) 1870.

Petit-fils d'une femme noire, fils d'un général, Alexandre Dumas commence d'écrire très jeune, après des études fort négligées. C'est en 1830 qu'il acquiert la célébrité avec ses drames romantiques : ***Henri III et sa cour*** *(1829),* ***Christine et Antony*** *(1831),* ***Charles VII*** *(1831), etc. Il écrit de nombreux romans de cape et d'épée qui paraissent en feuilletons et qu'il adapte avec succès pour la scène :* ***Les Trois Mousquetaires*** *(1844),* ***Vingt Ans après*** *(1845),* ***Le Comte de Monte-Cristo*** *(1845),* ***La Reine Margot*** *(1845), etc. Il compose également des œuvres historiques :* ***Gaule et France*** *(1832),* ***Jeanne d'Arc*** *(1842)... Sous le second Empire, il s'exile à Bruxelles où il écrit ses* ***Mémoires*** *qui comportent 22 volumes. Il revient à Paris en 1853 et fonde un quotidien* ***Le Mousquetaire*** *qui devient en 1857* ***Le Monte-Cristo****, hebdomadaire « publié et rédigé par M. Alexandre Dumas seul ». En 1859 il accompagne l'expédition de Garibaldi en Sicile et écrit en 1860 les* ***Mémoires de Garibaldi.*** *Il séjourne quelque temps à Naples, puis revient à Paris où il meurt en 1870.*

ROMAN HISTORIQUE

.Les Trois Mousquetaires.

1844

Roman de cape et d'épée... la cape pour les amours secrètes, ou les complots, ou les anti-conspirations ; l'épée comme le visible courage et l'absurde ***honneur*** *dressés contre toute les adversités, comme la matérialisation de* ***l'horreur****, passion propre à nous rappeler (dit Descartes) « la mort subite » qui finit et les peines que l'on endure et le bonheur qui nous ravit.*

Par un étonnant renversement, les héros et les actions des ***Trois Mousquetaires*** *ont une telle perfection, que c'est l'histoire véritable que l'on récuserait volontiers comme fausse parce qu'elle n'est pas conforme aux événements idéaux narrés par Dumas !*

D'Artagnan, jeune gascon, la tête brûlée par la ***boria*** *(la vanité, mais aussi l'honneur) et l'ambition, pauvre mais noble, au plus haut point capable de générosité et de fidélité, aspire à devenir mousquetaire du Roi (il est net que les sentiments royalistes jouent un grand rôle dans ce roman). Parvenu à Paris, il n'a en poche que les écus rapportés par la vente de son cheval ; mais ce qui lui fait principalement défaut, c'est la lettre de recommandation de son père à M. de Tréville (qui commande les Mousquetaires), lettre qui lui fut volée en chemin par un homme que M. de Tréville (à qui d'Artagnan en fait la description lors de la première entrevue) semble bien connaître et redouter d'autant.*

Interrompu dans son entretien avec M. de Tréville, d'Artagnan voit par la fenêtre « son voleur » dans la cour de l'hôtel des Mousquetaires : le jeune homme sort un peu brusquement de chez celui qui se ferait son protrecteur si une certaine lettre ne manquait pas :

L'ÉPAULE D'ATHOS, LE BAUDRIER DE PORTHOS ET LE MOUCHOIR D'ARAMIS

D'Artagnan, furieux, avait traversé l'antichambre en trois bonds et s'élançait sur l'escalier, dont il comptait descendre les degrés quatre à quatre, lorsque, emporté par sa course, il alla donner tête baissée dans un mousquetaire qui sortait de chez M. de Tréville par une porte de dégagement, et, le heurtant du front à l'épaule, lui fit pousser un cri ou plutôt un hurlement.

« Excusez-moi, dit d'Artagnan, essayant de reprendre sa course, excusez-moi, mais je suis pressé. »

A peine avait-il descendu le premier escalier, qu'un poignet de fer le saisit par son écharpe et l'arrêta.

« Vous êtes pressé ! s'écria le mousquetaire, pâle comme un linceul ; sous ce prétexte, vous me heurtez, vous dites : « Excusez-moi », et vous croyez que cela suffit ? Pas tout à fait, mon jeune homme. Croyez-vous, parce que vous avez entendu M. de Tréville nous parler un peu cavalièrement aujourd'hui, que l'on peut nous traiter comme il nous parle ? Détrompez-vous, compagnon, vous n'êtes pas M. de Tréville, vous.

– Ma foi, répliqua d'Artagnan, qui reconnut Athos, lequel, après le pansement opéré par le docteur, regagnait son appartement, ma foi, je ne l'ai pas fait exprès, j'ai dit « Excusez-moi. » Il me semble donc que c'est assez. Je vous répète cependant, et cetté fois c'est trop peut-être, parole d'honneur ! je suis pressé, très pressé. Lâchez-moi donc, je vous prie, et laissez-moi aller où j'ai affaire.

– Monsieur, dit Athos en le lâchant, vous n'êtes pas poli. On voit que vous venez de loin. »

D'Artagnan avait déjà enjambé trois ou quatre degrés, mais à la remarque d'Athos il s'arrêta court.

« Morbleu, monsieur ! dit-il, de si loin que je vienne, ce n'est pas vous qui me donnerez une leçon de belles manières, je vous préviens.

– Peut-être, dit Athos.

– Ah ! si je n'étais pas si pressé, s'écria d'Artagnan, et si je ne courais pas après quelqu'un...

– Monsieur l'homme pressé, vous me trouverez sans courir, moi, entendez-vous ?

– Et où cela, s'il vous plaît ?

– Près des Carmes-Deschaux.

– A quelle heure ?

– Vers midi.

– Vers midi, c'est bien, j'y serai.

– Tâchez de ne pas me faire attendre, car à midi un quart je vous préviens que c'est moi qui courrai après vous et vous couperai les oreilles à la course.

– Bon ! lui cria d'Artagnan ; on y sera à midi moins dix minutes. »

Et il se mit à courir comme si le diable l'emportait, espérant retrouver encore son inconnu, que son pas tranquille ne devait pas avoir conduit bien loin.

Mais, à la porte de la rue, causait Porthos avec un soldat aux gardes. Entre les deux causeurs, il y avait juste l'espace d'un homme. D'Artagnan crut que cet espace lui suffirait, et il s'élança pour passer comme une flèche entre eux deux. Mais d'Artagnan avait compté sans le vent. Comme il allait passer, le vent s'engouffra dans le long manteau de Porthos, et d'Artagnan vint donner droit dans le manteau. Sans doute, Porthos avait des raisons de ne pas abandonner cette partie essentielle de son vêtement, car, au lieu de laisser aller le pan qu'il tenait, il tira à lui, de sorte que d'Artagnan s'enroula dans le velours par un mouvement de rotation qu'explique la résistance de l'obstiné Porthos.

D'Artagnan, entendant jurer le mousquetaire, voulut sortir de dessous le manteau qui l'aveuglait, et chercha son chemin dans le pli. Il redoutait surtout d'avoir porté atteinte à la fraîcheur du magnifique baudrier que nous connaissons ; mais, en ouvrant timidement les yeux, il se trouve le nez collé entre les deux épaules de Porthos, c'est-à-dire précisément sur le baudrier.

Hélas ! comme la plupart des choses de ce monde qui n'ont pour elles que l'apparence, le baudrier était d'or par-devant et de simple buffle par-derrière. Porthos, en vrai glorieux qu'il était, ne pouvant avoir un baudrier d'or tout entier, en avait au moins la moitié : on comprenait dès lors la nécessité du rhume et l'urgence du manteau.

« Vertubleu ! cria Porthos faisant tous ses efforts pour se débarrasser de d'Artagnan qui lui grouillait dans le dos, vous êtes donc enragé de vous jeter comme cela sur les gens !

– Excusez-moi, dit d'Artagnan reparaissant sous l'épaule du géant, mais je suis très pressé, je cours après quelqu'un, et...

– Est-ce que vous oubliez vos yeux quand vous courez, par hasard ? demanda Porthos.

– Non, répondit d'Artagnan piqué, non, et grâce à mes yeux je vois même ce que ne voient pas les autres. »

Porthos comprit ou ne comprit pas, toujours est-il que, se laissant aller à sa colère :

« Monsieur, dit-il, vous vous ferez étriller, je vous en préviens, si vous vous frottez ainsi aux mousquetaires.

– Etriller, monsieur ! dit d'Artagnan, le mot est dur.

– C'est celui qui convient à un homme habitué à regarder en face ses ennemis.

– Ah ! pardieu ! je sais bien que vous ne tournez pas le dos aux vôtres, vous. »

Et le jeune homme, enchanté de son espièglerie, s'éloigna en riant à gorge déployée.

Porthos écuma de rage et fit un mouvement pour se précipiter sur d'Artagnan.

« Plus tard, plus tard, lui cria celui-ci, quand vous n'aurez plus votre manteau.

– A une heure donc, derrière le Luxembourg.

– Très bien, à une heure », répondit d'Artagnan en tournant l'angle de la rue.

Mais ni dans la rue qu'il venait de parcourir, ni dans celle qu'il embrassait maintenant du regard, il ne vit personne. Si doucement qu'eût marché l'inconnu, il avait gagné du chemin ; peut-être aussi était-il entré dans quelque maison. D'Artagnan s'informa de lui à tous ceux qu'il rencontra, descendit jusqu'au bac, remonta par la rue de Seine et la Croix-Rouge ; mais rien, absolument rien. Cependant cette course lui fut profitable en ce sens qu'à mesure que la sueur inondait son front, son cœur se refroidissait.

Il se mit alors à réfléchir sur les événements qui venaient de se passer ; ils étaient nombreux et néfastes : il était onze heures du matin à peine, et déjà la matinée lui avait apporté la disgrâce de M. de Tréville, qui ne pouvait manquer de trouver un peu cavalière la façon dont d'Artagnan l'avait quitté.

En outre, il avait ramassé deux bons duels avec deux hommes capables de tuer chacun trois d'Artagnan, avec deux mousquetaires enfin, c'est-à-dire avec deux de ces êtres qu'il estimait si fort qu'il les mettait, dans sa pensée et dans son cœur, au-dessus de tous les autres hommes.

La conjecture était triste. Sûr d'être tué par Athos, on comprend que le jeune homme ne s'inquiétait pas beaucoup de Porthos. Pourtant, comme l'espérance est la dernière chose qui s'éteint dans le cœur de l'homme, il en arriva à espérer qu'il pourrait survivre, avec des blessures terribles, bien entendu, à ces deux duels, et, en cas de survivance, il se fit pour l'avenir les réprimandes suivantes :

« Quel écervelé je fais, et quel butor je suis ! Ce brave et malheureux Athos était blessé juste à l'épaule contre laquelle je m'en vais, moi, donner de la tête comme un bélier. La seule chose qui m'étonne, c'est qu'il ne m'ait pas tué roide ; il en avait le droit, et la douleur que je lui ai causée a dû être atroce. Quant à Porthos ! Oh ! quant à Porthos, ma foi, c'est plus drôle. »

Et malgré lui le jeune homme se mit à rire, tout en regardant néanmoins si ce rire isolé, et sans cause aux yeux de ceux qui le voyaient rire, n'allait pas blesser quelque passant.

« Quant à Porthos, c'est plus drôle ; mais je n'en suis pas moins un misérable étourdi. Se jette-t-on ainsi sur les gens sans dire gare ! non ! et va-t-on leur regarder sous le manteau pour y voir ce qui n'y est pas ! Il m'eût pardonné bien certainement ; il m'eût pardonné si je n'eusse pas été lui parler de ce maudit baudrier, à mots couverts, c'est vrai ; oui, couverts joliment ! Ah ! maudit Gascon que je suis, je ferais de l'esprit dans la poêle à frire. Allons, d'Artagnan mon ami, continua-t-il, se parlant à lui-même avec toute l'aménité qu'il croyait se devoir, si tu en réchappes, ce qui n'est pas probable, il s'agit d'être à l'avenir d'une politesse parfaite. Désormais il faut qu'on t'admire, qu'on te cite comme modèle. Être prévenant et poli, ce n'est pas être lâche. Regardez plutôt Aramis : Aramis, c'est la douceur, c'est la grâce en personne. Eh bien, personne s'est-il jamais avisé de dire qu'Aramis était un lâche ? Non, bien certainement, et désormais je veux en tout point me modeler sur lui. Ah ! justement le voici. »

D'Artagnan, tout en marchant et en monologuant, était arrivé à quelques pas de l'hôtel d'Aiguillon, et devant cet hôtel il avait aperçu Aramis, causant gaiement avec trois gentilshommes des gardes du roi. De son côté, Aramis aperçut d'Artagnan ; mais comme il n'oubliait point que c'était devant ce jeune homme que M. de Tréville s'était si fort emporté ce matin, et qu'un témoin des reproches que les mousquetaires avaient reçus ne lui était d'aucune façon agréable, il fit semblant de ne pas le voir. D'Artagnan, tout entier au contraire à ses plans de conciliation et de courtoisie, s'approcha des quatre jeunes gens en leur faisant un grand salut accompagné du plus gracieux sourire. Aramis inclina légèrement la tête, mais ne sourit point. Tous quatre, au reste, interrompirent à l'instant même leur conversation.

D'Artagnan n'était pas assez niais pour ne point s'apercevoir qu'il était de trop ; mais il n'était pas encore assez rompu aux façons du beau monde pour se tirer galamment d'une situation fausse comme l'est, en général, celle d'un homme qui est venu se mêler à des gens qu'il connaît à peine et à une conversation qui ne le regarde pas. Il cherchait donc en lui-même un moyen de faire sa retraite le moins gauchement possible, lorsqu'il remarqua qu'Aramis avait laissé tomber son mouchoir et, par mégarde sans doute, avait mis le pied dessus ; le moment lui parut arrivé de réparer son inconvenance : il se baissa, et de l'air le plus gracieux qu'il pût trouver, il tira le mouchoir de dessous le pied du mousquetaire, quelques efforts que celui-ci fît pour le retenir, et lui dit en le lui remettant :

« Je crois, monsieur que voici un mouchoir que vous seriez fâché de perdre. »

Le mouchoir était en effet richement brodé et portait une couronne et des armes à l'un de ses coins. Aramis rougit excessivement et arracha plutôt qu'il ne prit le mouchoir des mains du Gascon.

« Ah ! Ah ! s'écria un des gardes, diras-tu encore, discret Aramis, que tu es mal avec Mme de Bois-Tracy, quand cette gracieuse dame a l'obligeance de te prêter ses mouchoirs ? »

Aramis lança à d'Artagnan un de ces regards qui font comprendre à un homme qu'il vient de s'acquérir un ennemi mortel ; puis, reprenant son air doucereux :

« Vous vous trompez, messieurs, dit-il, ce mouchoir n'est pas à moi, et je ne sais pourquoi monsieur a eu la fantaisie de me le remettre plutôt qu'à l'un de vous, et la preuve de ce que je dis, c'est que voici le mien dans ma poche. »

A ces mots, il tira son propre mouchoir, mouchoir fort élégant aussi, et de fine batiste, quoique la batiste fût chère à cette époque, mais mouchoir sans broderie, sans armes et orné d'un seul chiffre, celui de son propriétaire.

Cette fois, d'Artagnan ne souffla pas mot, il avait reconnu sa bévue ; mais les amis d'Aramis ne se laissèrent pas convaincre par ses dénégations, et l'un d'eux, s'adressant au jeune mousquetaire avec un sérieux affecté :

« Si cela était, dit-il, ainsi que tu le prétends, je serai forcé, mon cher Aramis, de te le redemander ; car, comme tu le sais, Bois-Tracy est de mes intimes, et je ne veux pas qu'on fasse trophée des effets de sa femme.

– Tu demandes cela mal, répondit Aramis ; et tout en reconnaissant la justesse de la réclamation quant au fond, je refuserais à cause de la forme.

– Le fait est, hasarda timidement d'Artagnan, que je n'ai pas vu sortir le mouchoir de la poche de M. Aramis. Il avait le pied dessus, voilà tout, et j'ai pensé que, puisqu'il avait le pied dessus, le mouchoir était à lui.

– Et vous vous êtes trompé, mon cher monsieur », répondit froidement Aramis, peu sensible à la réparation.

Puis, se retournant vers celui des gardes qui s'était déclaré l'ami de Bois-Tracy :

« D'ailleurs, continua-t-il, je réfléchis, mon cher intime de Bois-Tracy, que je suis son ami non moins tendre que tu peux l'être toi-même ; de sorte qu'à la rigueur ce mouchoir peut aussi bien être sorti de ta poche que de la mienne.

– Non, sur mon honneur ! s'écria le garde de Sa Majesté.

– Tu vas jurer sur ton honneur et moi sur ma parole, et alors il y aura évidemment un de nous deux qui mentira. Tiens, faisons mieux, Montaran, prenons-en chacun la moitié.

– Du mouchoir ?

– Oui.

– Parfaitement, s'écrièrent les deux autres gardes, le jugement du roi Salomon. Décidément, Aramis, tu es plein de sagesse. »

Les jeunes gens éclatèrent de rire, et comme on le pense bien, l'affaire n'eut pas d'autre suite. Au bout d'un instant, la conversation cessa, et les trois gardes et le mousquetaire, après s'être cordialement serré la main, tirèrent, les trois gardes de leur côté et Aramis du sien.

« Voilà le moment de faire ma paix avec ce galant homme », se dit à part lui d'Artagnan, qui s'était tenu un peu à l'écart pendant toute la dernière partie de cette conversation. Et, sur ce bon sentiment, se rapprochant d'Aramis, qui s'éloignait sans faire autrement attention à lui :

« Monsieur, lui dit-il, vous m'excuserez, je l'espère.

– Ah ! monsieur, interrompit Aramis, permettez-moi de vous faire observer que vous n'avez point agi en cette circonstance comme un galant homme le devait faire.

– Quoi, monsieur ! s'écria d'Artagnan, vous supposez...

– Je suppose, monsieur, que vous n'êtes pas un sot, et que vous savez bien, quoique arrivant de Gascogne, qu'on ne marche pas sans cause sur les mouchoirs de poche. Que diable ! Paris n'est point pavé en batiste.

– Monsieur, vous avez tort de chercher à m'humilier, dit d'Artagnan, chez qui le naturel querelleur commençait à parler plus haut que les résolutions pacifiques. Je suis de Gascogne, c'est vrai, et puisque vous le savez, je n'aurai pas besoin de vous dire que les Gascons sont peu endurants ; de sorte que, lorsqu'ils se sont excusés une fois, fût-ce d'une sottise, ils sont convaincus qu'ils ont déjà fait moitié plus qu'ils ne devaient faire.

– Monsieur, ce que je vous en dis, répondit Aramis, n'est point pour vous chercher une querelle. Dieu merci ! je ne suis pas un spadassin, et n'étant mousquetaire que par intérim, je ne me bats que lorsque j'y suis forcé, et toujours avec une grande répugnance ; mais cette fois l'affaire est grave, car voici une dame compromise par vous.

– Par nous, c'est-à-dire, s'écria d'Artagnan.

– Pourquoi avez-vous eu la maladresse de me rendre le mouchoir ?

– Pourquoi avez-vous eu celle de le laisser tomber ?

– J'ai dit et je répète, monsieur, que ce mouchoir n'est point sorti de ma poche.

– Eh bien, vous en avez menti deux fois, monsieur, car je l'en ai vu sortir, moi !

– Ah ! vous le prenez sur ce ton, monsieur le Gascon ! eh bien, je vous apprendrai à vivre.

– Et moi je vous renverrai à votre messe, monsieur l'abbé ! Dégainez, s'il vous plaît, et à l'instant même.

– Non pas, s'il vous plaît, mon bel ami ; non, pas ici, du moins. Ne voyez-vous pas que nous sommes en face de l'hôtel d'Aiguillon, lequel est plein de créatures du cardinal ? Qui me dit que ce n'est pas Son Éminence qui vous a chargé de lui procurer ma tête ? Or j'y tiens ridiculement, à ma tête, attendu qu'elle me semble aller assez correctement à mes épaules. Je veux donc vous tuer, soyez tranquille, mais vous tuer tout doucement, dans un endroit clos et couvert, là où vous ne puissiez vous vanter de votre mort à personne.

– Je le veux bien, mais ne vous y fiez pas, et emportez votre mouchoir, qu'il vous appartienne ou non ; peut-être aurez-vous l'occasion de vous en servir.

– Monsieur est Gascon ? demanda Aramis.

– Oui. Monsieur ne remet pas un rendez-vous par prudence ?

– La prudence, monsieur, est une vertu assez inutile aux mousquetaires, je le sais, mais indispensable aux gens d'Église, et comme je ne suis mousquetaire que provisoirement, je tiens à rester prudent. A deux heures, j'aurai l'honneur de vous attendre à l'hôtel de M. de Tréville. Là je vous indiquerai les bons endroits. »

Les deux jeunes gens se saluèrent, puis Aramis s'éloigna en remontant la rue qui remontait au Luxembourg, tandis que d'Artagnan, voyant que l'heure s'avançait, prenait le chemin des Carmes-Deschaux, tout en disant à part soi :

« Décidément, je n'en puis pas revenir ; mais au moins, si je suis tué, je serai tué par un mousquetaire. »

CHAPITRE IV

LES MOUSQUETAIRES DU ROI ET LES GARDES DE M. LE CARDINAL

D'Artagnan ne connaissait personne à Paris. Il alla donc au rendez-vous d'Athos sans amener de second, résolu de se contenter de ceux qu'aurait choisis son adversaire. D'ailleurs son intention était formelle de faire au brave mousquetaire toutes les excuses convenables, mais sans faiblesse, craignant qu'il ne résultât de ce duel ce qui résulte toujours de fâcheux, dans une affaire de ce genre, quand un homme jeune et vigoureux se bat contre un adversaire blessé et affaibli : vaincu, il double le triomphe de son antagoniste ; vainqueur, il est accusé de forfaiture et de facile audace.

Au reste, ou nous avons mal exposé le caractère de notre chercheur d'aventures, ou notre lecteur a déjà dû remarquer que d'Artagnan n'était point un homme ordinaire. Aussi, tout en se répétant à lui-même que sa mort était inévitable, il ne se résigna point à mourir tout doucettement, comme un autre moins courageux et moins modéré que lui eût fait à sa place. Il réfléchit aux différents caractères de ceux avec lesquels il allait se battre, et commença à voir plus clair dans sa situation. Il espérait, grâce aux excuses loyales qu'il lui réservait, se faire un ami d'Athos, dont l'air grand seigneur et la mine austère lui agréaient fort. Il se flattait de faire peur à Porthos avec l'aventure du baudrier, qu'il pouvait, s'il n'était pas tué sur le coup, raconter à tout le monde, récit qui, poussé adroitement à l'effet, devait couvrir Porthos de ridicule ; enfin, quant au sournois Aramis, il n'en avait pas très grand-peur, et en supposant qu'il arrivât jusqu'à lui, il se chargeait de l'expédier bel et bien, ou du moins en le frappant au visage, comme César avait recommandé de faire aux soldats de Pompée, d'endommager à tout jamais cette beauté dont il était si fier.

Ensuite il y avait chez d'Artagnan ce fonds inébranlable de résolution qu'avaient déposé dans son cœur les conseils de son père, conseils dont la substance était : « Ne rien souffrir de personne que du roi, du cardinal et de M. de Tréville. » Il vola donc plutôt qu'il ne marcha vers le couvent des Carmes Déchaussés, ou plutôt Deschaux, comme on disait à cette époque, sorte de bâtiment sans fenêtres, bordé de prés arides, succursale du Pré-aux-Clercs, et qui servait d'ordinaire aux rencontres des gens qui n'avaient pas de temps à perdre.

Lorsque d'Artagnan arriva en vue du petit terrain vague qui s'étendait au pied de ce monastère, Athos attendait depuis cinq minutes seulement, et midi sonnait. Il était donc ponctuel comme la Samaritaine, et le plus rigoureux casuiste à l'égard des duels n'avait rien à dire.

Athos, qui souffrait toujours cruellement de sa blessure, quoiqu'elle eût été pansée à neuf par le chirurgien de M. de Tréville, s'était assis sur une borne et attendait son adversaire avec cette contenance paisible et cet air digne qui ne l'abandonnaient jamais. A l'aspect de d'Artagnan, il se leva et fit poliment quelques pas au-devant de lui. Celui-ci, de son côté, n'aborda son adversaire que le chapeau à la main et sa plume traînant jusqu'à terre.

« Monsieur, dit Athos, j'ai fait prévenir deux de mes amis qui me serviront de seconds, mais ces deux amis ne sont point encore arrivés. Je m'étonne qu'ils tardent : ce n'est pas leur habitude.

– Je n'ai pas de seconds, moi, monsieur, dit d'Artagnan, car arrivé d'hier seulement à Paris, je n'y connais encore personne que M. de Tréville, auquel j'ai été recommandé par mon père qui a l'honneur d'être quelque peu de ses amis. »

Athos réfléchit un instant.

« Vous ne connaissez que M. de Tréville ? demanda-t-il.

– Oui, monsieur, je ne connais que lui.

– Ah çà, mais..., continua Athos parlant moitié à lui-même, moitié à d'Artagnan, ah... çà, mais si je vous tue, j'aurai l'air d'un mangeur d'enfants, moi !

– Pas trop, monsieur, répondit d'Artagnan avec un salut qui ne manquait pas de dignité ; pas trop, puisque vous me faites l'honneur de tirer l'épée contre moi avec une blessure dont vous devez être fort incommodé.

– Très incommodé, sur ma parole, et vous m'avez fait un mal du diable, je dois le dire ; mais je prendrai la main gauche, c'est mon habitude en pareille circonstance. Ne croyez donc pas que je vous fasse une grâce, je tire proprement des deux mains ; et il y aura même désavantage pour vous : un gaucher est très gênant pour les gens qui ne sont pas prévenus. Je regrette de ne pas vous avoir fait part plus tôt de cette circonstance.

– Vous êtes vraiment, monsieur, dit d'Artagnan en s'inclinant de nouveau, d'une courtoisie dont je vous suis on ne peut plus reconnaissant.

– Vous me rendez confus, répondit Athos avec son air de gentilhomme ; causons donc d'autre chose, je vous prie, à moins que cela ne vous soit désagréable. Ah ! sangbleu ! que vous m'avez fait mal ! l'épaule me brûle.

– Si vous vouliez permettre..., dit d'Artagnan avec timidité.

– Quoi, monsieur ?

– J'ai un baume miraculeux pour les blessures, un baume qui me vient de ma mère, et dont j'ai fait l'épreuve sur moi-même.

– Eh bien ?

– Eh bien, je suis sûr qu'en moins de trois jours ce baume vous guérirait, et au bout de trois jours, quand vous seriez guéri, eh bien, monsieur, ce me serait toujours un grand honneur d'être votre homme. »

D'Artagnan dit ces mots avec une simplicité qui faisait honneur à sa courtoisie, sans porter aucunement atteinte à son courage.

« Pardieu, monsieur, dit Athos, voici une proposition qui me plaît, non pas que je l'accepte, mais elle sent son gentilhomme d'une lieue. C'est ainsi que parlaient et faisaient ces preux du temps de Charlemagne, sur lesquels tout cavalier doit chercher à se modeler. Malheureusement, nous ne sommes plus au temps du grand empereur. Nous sommes au temps de M. le cardinal, et d'ici à trois jours on saurait, si bien gardé que soit le secret, on saurait, dis-je, que nous devons nous battre, et l'on s'opposerait à notre combat. Ah çà, mais ! ces flâneurs ne viendront donc pas ?

– Si vous êtes pressé, monsieur, dit d'Artagnan à Athos avec la même simplicité qu'un instant auparavant il lui avait proposé de remettre un duel à trois jours, si vous êtes pressé et qu'il vous plaise de m'expédier tout de suite, ne vous gênez pas, je vous en prie.

– Voilà encore un mot qui me plaît, dit Athos en faisant un gracieux signe de la tête à d'Artagnan, il n'est point d'un homme sans cervelle, et il est à coup sûr d'un homme de cœur. Monsieur, j'aime les hommes de votre trempe, et je vois que si nous ne nous tuons pas l'un l'autre, j'aurai plus tard un vrai plaisir dans votre conversation. Attendons ces messieurs, je vous prie, j'ait tout le temps, et cela sera plus correct. Ah ! en voici un, je crois. »

En effet, au bout de la rue de Vaugirard commençait à apparaître le gigantesque Porthos.

« Quoi ! s'écria d'Artagnan, votre premier témoin est M. Porthos ?

– Oui, cela vous contrarie-t-il ?

– Non, aucunement.

– Et voici le second. »

D'Artagnan se retourna du côté indiqué par Athos, et reconnut Aramis.

« Quoi ! s'écria-t-il d'un accent plus étonné que la première fois, votre second témoin est M. Aramis ?

– Sans doute, ne savez-vous pas qu'on ne nous voit jamais l'un sans l'autre, et qu'on nous appelle dans les mousquetaires et dans les gardes, à la cour et à la ville, Athos, Porthos et Aramis ou les trois inséparables ? Après cela, comme vous arrivez de Dax ou de Pau...

– De Tarbes, dit d'Artagnan.

– ... Il vous est permis d'ignorer ce détail, dit Athos.

– Ma foi, dit d'Artagnan, vous êtes bien nommés, messieurs, et mon aventure, si elle fait quelque bruit, prouvera du moins que votre union n'est point fondée sur les contrastes. »

Pendant ce temps, Porthos s'était rapproché, avait salué de la main Athos ; puis, se retournant vers d'Artagnan, il était resté tout étonné.

Disons, en passant, qu'il avait changé de baudrier et quitté son manteau.

« Ah ! ah ! fit-il, qu'est-ce que cela ?

– C'est avec monsieur que je me bats, dit Athos en montrant de la main d'Artagnan, et en le saluant du même geste.

– C'est avec lui que je me bats aussi, dit Porthos.

– Mais à une heure seulement, répondit d'Artagnan.

– Et moi aussi, c'est avec monsieur que je me bats, dit Aramis en arrivant à son tour sur le terrain.

– Mais à deux heures seulement, fit d'Artagnan avec le même calme.

– Mais à propos de quoi te bats-tu, toi, Athos ? demanda Aramis.

– Ma foi, je ne sais pas trop, il m'a fait mal à l'épaule ; et toi, Porthos ?

– Ma foi, je me bats parce que je me bats », répondit Porthos en rougissant.

Athos, que ne perdait rien, vit passer un fin sourire sur les lèvres du Gascon.

« Nous avons eu une discussion sur la toilette, dit le jeune homme.

– Et toi, Aramis ? demanda Athos.

– Moi, je me bats pour cause de théologie », répondit Aramis tout en faisant signe à d'Artagnan qu'il le priait de tenir secrète la cause de son duel.

Athos vit passer un second sourire sur les lèvres de d'Artagnan.

« Vraiment, dit Athos.

– Oui, un point de saint Augustin sur lequel nous ne sommes pas d'accord, dit le Gascon.

– Décidément c'est un homme d'esprit, murmura Athos.

– Et maintenant que vous êtes rassemblés, messieurs, dit d'Artagnan, permettez-moi de vous faire mes excuses. »

A ce mot d'*excuses*, un nuage passa sur le front d'Athos, un sourire hautain glissa sur les lèvres de Porthos, et un signe négatif fut la réponse d'Aramis.

« Vous ne me comprenez pas, messieurs, dit d'Artagnan en relevant sa tête, sur laquelle jouait en ce moment un rayon de soleil qui en dorait les lignes fines et hardies ; je vous demande excuse dans le cas où je ne pourrais vous payer ma dette à tous trois, car M. Athos a le droit de me tuer le premier, ce qui ôte beaucoup de sa valeur à votre créance, monsieur Porthos, et ce qui rend la vôtre à peu près nulle, monsieur Aramis. Et maintenant, messieurs, je vous le répète, excusez-moi, de cela seulement, et en garde ! »

A ces mots, du geste le plus cavalier qui se puisse voir, d'Artagnan tira son épée.

Le sang était monté à la tête de d'Artagnan, et dans ce moment il eût tiré son épée contre tous les mousquetaires du royaume, comme il venait de faire contre Athos, Porthos et Aramis.

Il était midi et un quart. Le soleil était à son zénith, et l'emplacement choisi pour être le théâtre du duel se trouvait exposé à toute son ardeur.

« Il fait très chaud, dit Athos en tirant son épée à son tour, et cependant je ne saurais ôter mon pourpoint ; car, tout à l'heure encore, j'ai senti que ma blessure saignait, et je craindrais de gêner monsieur en lui montrant du sang qu'il ne m'aurait pas tiré lui-même.

– C'est vrai, monsieur, dit d'Artagnan, et tiré par un autre ou par moi, je vous assure que je verrai toujours avec bien du regret du

“Messieurs, dit-il, je reprendrai, s’il vous plaît, quelque chose à vos paroles. Vous avez dit que vous n’étiez que trois, mais il me semble, à moi, que nous sommes quatre.”

“Eh bien, Athos, Porthos, Aramis et d’Artagnan, en avant !”

sang d’un aussi brave gentilhomme ; je me battrai donc en pourpoint comme vous.

– Voyons, voyons, dit Porthos, assez de compliments comme cela, et songez que nous attendons notre tour.

– Parlez pour vous seul, Porthos, quand vous aurez à dire de pareilles incongruités, interrompit Aramis. Quant à moi, je trouve les choses que ces messieurs se disent fort bien dites et tout à fait dignes de deux gentilshommes.

– Quand vous voudrez, monsieur, dit Athos en se mettant en garde.

– J’attendais vos ordres », dit d’Artagnan en croisant le fer.

Mais les deux rapières avaient à peine résonné en se touchant, qu’une escouade des gardes de Son Éminence, commandée par M. de Jussac, se montra à l’angle du couvent.

« Les gardes du cardinal ! s’écrièrent à la fois Porthos et Aramis. L’épée au fourreau, messieurs ! l’épée au fourreau ! »

Mais il était trop tard. Les deux combattants avaient été vus dans une pose qui ne permettait pas de douter de leurs intentions.

« Holà ! cria Jussac en s’avançant vers eux et en faisant signe à ses hommes d’en faire autant, holà ! mousquetaires, on se bat donc ici ? Et les édits, qu’en faisons-nous ?

– Vous êtes bien généreux, messieurs les gardes, dit Athos plein de rancune, car Jussac était l’un des agresseurs de l’avant-veille. Si nous vous voyions battre, je vous réponds, moi, que nous nous garderions bien de vous en empêcher. Laissez-nous donc faire, et vous allez avoir du plaisir sans prendre aucune peine.

– Messieurs, dit Jussac, c’est avec grand regret que je vous déclare que la chose est impossible. Notre devoir avant tout. Rengainez donc, s’il vous plaît, et nous suivez.

– Monsieur, dit Aramis parodiant Jussac, ce serait avec un grand plaisir que nous obéirions à votre gracieuse invitation, si cela dépendait de nous ; mais malheureusement la chose est impossible : M. de Tréville nous l’a défendu. Passez donc votre chemin, c’est ce que vous avez de mieux à faire. »

Cette raillerie exaspéra Jussac.

« Nous vous chargerons donc, dit-il si vous désobéissez.

– Il sont cinq, dit Athos à demi-voix, et nous ne sommes que trois ; nous serons encore battus, et il nous faudra mourir ici, car je le déclare, je ne reparais pas vaincu devant le capitaine. »

Alors Porthos et Aramis se rapprochèrent à l’instant les uns des autres, pendant que Jussac alignait ses soldats.

Ce seul moment suffit à d’Artagnan pour prendre son parti : c’était là un de ces événements qui décident de la vie d’un homme, c’était un choix à faire entre le roi et le cardinal ; ce choix fait, il allait y persévérer. Se battre, c’est-à-dire désobéir à la loi, c’est-à-dire risquer sa tête, c’est-à-dire se faire d’un seul coup l’ennemi d’un ministre plus puissant que le roi lui-même : voilà ce qu’entrevit le jeune homme, et, disons-le à sa louange, il n’hésita point une seconde. Se tournant donc vers Athos et ses amis.

« Messieurs, dit-il, je reprendrai, s’il vous plaît, quelque chose à vos paroles. Vous avez dit que vous n’étiez que trois, mais il me semble, à moi, que nous sommes quatre.

– Mais vous n’êtes pas des nôtres, dit Porthos.

– C’est vrai, répondit d’Artagnan ; je n’ai pas l’habit, mais j’ai l’âme. Mon cœur est mousquetaire, je le sens bien, monsieur, et cela m’entraîne.

– Écartez-vous, jeune homme, cria Jussac, qui sans doute à ses gestes et à l’expression de son visage avait deviné le dessein de d’Artagnan. Vous pouvez vous retirer, nous y consentons. Sauvez votre peau ; allez vite. »

D’Artagnan ne bougea point.

« Décidément vous êtes un joli garçon, dit Athos en serrant la main du jeune homme.

– Allons ! allons ! prenons un parti, reprit Jussac.

– Voyons, dirent Porthos et Aramis, faisons quelque chose.

– Monsieur est plein de générosité », dit Athos.

Mais tous trois pensaient à la jeunesse de d’Artagnan et redoutaient son inexpérience.

« Nous ne serons que trois, dont un blessé, plus un enfant, reprit Athos, et l’on n’en dira pas moins que nous étions quatre hommes.

– Oui, mais reculer ! dit Porthos.

– C’est difficile », reprit Athos.

D’Artagnan comprit leur irrésolution.

« Messieurs, essayez-moi toujours, dit-il, et je vous jure sur l’honneur que je ne veux pas m’en aller d’ici si nous sommes vaincus.

– Comment vous appelle-t-on, mon brave ? dit Athos.

– D’Artagnan, monsieur.

– Eh bien, Athos, Porthos, Aramis et d’Artagnan, en avant ! cria Athos.

– Eh bien, voyons, messieurs, vous décidez-vous à vous décider ? cria pour la troisième fois Jussac.

– C’est fait, messieurs, dit Athos.

– Et quel parti prenez-vous ? demanda Jussac.

– Nous allons avoir l’honneur de vous charger, répondit Aramis en levant son chapeau d’une main et tirant son épée de l’autre.

– Ah ! vous résistez ! s’écria Jussac.

– Sangdieu ! cela vous étonne ? »

Et les neuf combattants se précipitèrent les uns sur les autres avec une furie qui n’excluait pas une certaine méthode.

Athos prit un certain Cahusac, favori du cardinal ; Porthos eut Biscarat, et Aramis se vit en face de deux adversaires.

Quant à d'Artagnan, il se trouva lancé contre Jussac lui-même.

Le cœur du jeune Gascon battait à lui briser la poitrine, non pas de peur, Dieu merci ! il n'en avait pas l'ombre, mais d'émulation ; il se battait comme un tigre en fureur, tournant dix fois autour de son adversaire, changeant vingt fois ses gardes et son terrain. Jussac était, comme on le disait alors, friand de la lame, et avait fort pratiqué ; cependant il avait toutes les peines du monde à se défendre contre un adversaire qui, agile et bondissant, s'écartait à tout moment des règles reçues, attaquant de tous côtés à la fois, et tout cela en parant en homme qui a le plus grand respect pour son épiderme.

Enfin cette lutte finit par faire perdre patience à Jussac. Furieux d'être tenu en échec par celui qu'il avait regardé comme un enfant, il s'échauffa et commença à faire des fautes. D'Artagnan, qui, à défaut de la pratique, avait une profonde théorie, redoubla d'agilité. Jussac, voulant en finir, porta un coup terrible à son adversaire en se fendant à fond ; mais celui-ci para prime, et tandis que Jussac se relevait, se glissant comme un serpent sous son fer, il lui passa son épée au travers du corps. Jussac tomba comme une masse.

D'Artagnan jeta alors un coup d'œil inquiet et rapide sur le champ de bataille.

Aramis avait déjà tué un de ses adversaires ; mais l'autre le pressait vivement. Cependant Aramis était en bonne situation et pouvait encore se défendre.

Biscarat et Porthos venaient de faire coup fourré : Porthos avait reçu un coup d'épée au travers du bras, et Biscarat au travers de la cuisse. Mais comme ni l'une, ni l'autre des deux blessures n'était grave, ils ne s'en escrimaient qu'avec plus d'acharnement.

Athos, blessé de nouveau par Cahusac, pâlissait à vue d'œil, mais il ne reculait pas d'une semelle : il avait seulement changé son épée de main, et se battait de la main gauche.

D'Artagnan, selon les lois du duel de cette époque, pouvait secourir quelqu'un ; pendant qu'il cherchait du regard celui de ses compagnons qui avait besoin de son aide, il surprit un coup d'œil d'Athos. Ce coup d'œil était d'une éloquence sublime. Athos serait mort plutôt que d'appeler au secours ; mais il pouvait regarder, et du regard demander un appui. D'Artagnan le devina, fit un bond terrible et tomba sur le flanc de Cahusac en criant :

« A moi, monsieur le garde, je vous tue ! »

Cahusac se retourna ; il était temps. Athos, que son extrême courage soutenait seul, tomba sur un genou.

« Sangdieu ! criait-il à d'Artagnan, ne le tuez pas, jeune homme, je vous en prie ; j'ai une vieille affaire à terminer avec lui, quand je serai guéri et bien portant. Désarmez-le seulement, liez-lui l'épée. C'est cela. Bien ! très bien ! »

Cette exclamation était arrachée à Athos par l'épée de Cahusac qui sautait à vingt pas de lui. D'Artagnan et Cahusac s'élancèrent ensemble, l'un pour la ressaisir, l'autre pour s'en emparer ; mais d'Artagnan, plus leste, arriva le premier et mit le pied dessus.

Cahusac courut à celui des gardes qu'avait tué Aramis, s'empara de sa rapière, et voulut revenir à d'Artagnan ; mais sur son chemin il rencontra Athos, qui, pendant cette pause d'un instant que lui avait procurée d'Artagnan, avait repris haleine, et qui, de crainte que d'Artagnan ne lui tuât son ennemi, voulait recommencer le combat.

D'Artagnan comprit que ce serait désobliger Athos que de ne pas le laisser faire. En effet, quelques secondes après, Cahusac tomba la gorge traversée d'un coup d'épée.

Au même instant, Aramis appuyait son épée contre la poitrine de son adversaire renversé, et le forçait à demander merci.

Restaient Porthos et Biscarat. Porthos faisait mille fanfaronnades, demandant à Biscarat quelle heure il pouvait bien être, et lui faisait ses compliments sur la compagnie que venait d'obtenir son frère dans le régiment de Navarre ; mais, tout en raillant, il ne gagnait rien. Biscarat était un de ces hommes de fer qui ne tombent que morts.

Cependant il fallait en finir. Le guet pouvait arriver et prendre tous les combattants, blessés ou non, royalistes ou cardinalistes. Athos, Aramis et d'Artagnan entourèrent Biscarat et le sommèrent de se rendre. Quoique seul contre tous, et avec un coup d'épée qui lui traversait la cuisse, Biscarat voulait tenir ; mais Jussac, qui s'était relevé sur son coude, lui cria de se rendre. Biscarat était un Gascon comme d'Artagnan ; il fit la sourde oreille et se contenta de rire, et entre deux parades, trouvant le temps de désigner, du bout de son épée, une place à terre :

« Ici, dit-il, parodiant un verset de la Bible, ici mourra Biscarat, seul de ceux qui sont avec lui.

– Mais ils sont quatre contre toi ; finis-en, je te l'ordonne.

– Ah ! si tu l'ordonnes, c'est autre chose, dit Biscarat ; comme tu es mon brigadier, je dois obéir. »

Et, en faisant un bond en arrière, il cassa son épée sur son genou pour ne pas la rendre, en jeta les morceaux par-dessus le mur du couvent et se croisa les bras en sifflant un air cardinaliste.

“Si je ne suis pas encore mousquetaire au moins me voilà reçu apprenti”

La bravoure est toujours respectée, même dans un ennemi. Les mousquetaires saluèrent Biscarat de leurs épées et les remirent au fourreau. D'Artagnan en fit autant, puis, aidé de Biscarat, le seul qui fût resté debout, il porta sous le porche du couvent Jussac, Cahusac et celui des adversaires d'Aramis qui n'était que blessé. Le quatrième, comme nous l'avons dit, était mort. Puis ils sonnèrent la cloche, et, emportant quatre épées sur cinq, ils s'acheminèrent ivres de joie vers l'hôtel de M. de Tréville.

On les voyait entrelacés, tenant toute la largeur de la rue, et accostant chaque mousquetaire qu'ils rencontraient, si bien qu'à la fin ce fut une marche triomphale. Le cœur de d'Artagnan nageait dans l'ivresse, il marchait entre Athos et Porthos en les étreignant tendrement.

« Si je ne suis pas encore mousquetaire, dit-il à ses nouveaux amis en franchissant la porte de l'hôtel de M. de Tréville, au moins me voilà reçu apprenti, n'est-ce pas ? »

CHAPITRE V

Le succès des ***Trois Mousquetaires*** *fut si grand, que Dumas se vit comme contraint de donner une suite à son œuvre. De la jeunesse et de sa bravoure, d'une insouciance apparente malgré les souffrances, du succès de la mission des « ferrets de la Reine » arraché au sort, l'on passe, avec* ***Vingt ans après*** *et* ***Le Vicomte de Bragelone*** *(le héros en est toujours d'Artagnan), par le gouvernement de Mazarin, les troubles de la Fronde, la Régence d'Anne d'Autriche, puis le règne de Louis XIV, et – bien sûr – par l'effet de multiples aventures, l'on passe donc d'une sorte de légèreté ou de grande aisance à vivre à un monde de secrets qui couvrent mal le profond malheur des hommes dignes.*

♦

Marie-Joseph Sue, dit

Eugène Sue

PARIS 1804 — ANNECY 1857.

Descendant d'une famille de chirurgiens, Eugène Sue s'engage à 21 ans comme chirurgien sur un bateau. En 1829 son père meurt, lui laissant un bel héritage qui lui permet de donner sa démission et de se consacrer à l'écriture. Il compose des romans d'aventures maritimes ***(Plick et Plock, La Salamandre, Atar-Gull...)*** *qui connaissent un certain succès. Il rédige une* ***Histoire de la marine française*** *qui se vend mal. Il compose des romans de mœurs* ***(Arthur, Mathilde)*** *et des romans historiques* ***(Latréaumont, Jean Cavalier ou les fanatiques des Cévennes...)****. Mais c'est en créant le roman feuilleton populaire qu'il atteint une gloire immense. Il compose dans le* ***Journal des Débats*** *ses* ***Mystères de Paris*** *(1842-43), puis dans* ***le Constitutionnel, Le Juif errant*** *(1844-1845). Tout le monde en France lit ses feuilletons. Sue veut dévoiler à ses lecteurs la misère du peuple parisien. Il écrit de manière ininterrompue ses longues œuvres :* ***Martin l'enfant trouvé*** *(1847),* ***Les Sept Péchés capitaux*** *(1847-49),* ***Les Mystères du Peuple*** *(1849-1856). En 1848 il se présente aux élections, il est élu à l'Assemblée législative. Après le coup d'État de 1851 il se retire en Savoie alors italienne, où il meurt en 1857.*

ROMAN

.Les Mystères de Paris.

1842 — 1843

Le prince Rodolphe se voit contraint de rompre une union morganatique avec Sarah, jeune femme ambitieuse. Pour compenser sa peine, il décide de se muer en une sorte de chevalier errant, un chevalier des bas-fonds, protecteur des pauvres et des deshérités. Vêtu en ouvrier, le Prince Rodolphe gagne Paris. Là, il rencontre une « fille », Fleur-de-Marie et un ancien forçat repenti, le Chourineur. Fleur-de-Marie, appelée aussi la Pegriotte et la Goualeuse, vient de raconter à Rodolphe et au Chourineur sa triste enfance, lorsqu'apparaissent le couple criminel la Chouette et le Maître d'école :

Tiens ! quand on parle du loup on en voit la queue — ajouta l'ogresse au moment où un homme et une femme entraient dans le cabaret ; — voilà justement le Maître d'école et sa *largue.* Ah bien... il avait raison de ne pas la montrer... quel vilain vieux museau elle a... Faut qu'elle se *rabiboche* joliment par la cœur pour qu'il l'ait choisie.

Au nom du Maître d'école, une sorte de frémissement de terreur circula parmi les hôtes du tapis-franc.

Rodolphe lui-même, malgré son intrépidité naturelle, ne peut vaincre une légère émotion à la vue de ce redoutable brigand, qu'il contempla pendant quelques instants avec une curiosité mêlée d'horreur.

Le Chourineur avait dit vrai, le Maître d'école s'était affreusement mutilé.

On ne pouvait voir quelque chose de plus épouvantable que le visage de cet homme. Sa figure était sillonnée en tous sens de cicatrices profondes, livides ; l'action corrosive du vitriol avait boursouflé ses lèvres ; les cartilages du nez ayant été coupés, deux trous difformes remplaçaient les narines. Ses yeux gris, très clairs, très petits, très ronds, étincelaient de férocité ; son front, aplati comme celui d'un tigre, disparaissait à demi sous une casquette de fourrure à longs poils fauves... ; on eût dit la crinière du monstre.

Le Maître d'école n'avait guère plus de cinq pieds deux ou trois pouces ; sa tête, démesurément grosse, s'enfonçait entre ses deux épaules larges, puissantes, charnues, qui se dessinaient même sous les plis flottants de sa blouse de toile écrue ; il avait les bras longs, musculeux ; les mains courtes, grosses et velues jusqu'à l'extrémité des doigts ; ses jambes étaient un peu arquées, leurs mollets énormes annonçaient une force athlétique. Cet homme offrait, en un mot, l'exagération de ce qu'il y a de court, de trapu, de ramassé dans le type de l'Hercule Farnèse. Quant à l'expression de férocité qui éclatait sur ce masque affreux, quant à ce regard inquiet, mobile, ardent comme celui d'une bête sauvage, il faut renoncer à les peindre.

La femme qui accompagnait le Maître d'école était vieille, assez proprement vêtue d'une robe brune, d'un tartan à carreaux rouges à fond noir, et d'un bonnet blanc.

Rodolphe la voyait de profil ; son œil vert, son nez crochu, ses lèvres minces, son menton saillant, sa physionomie à la fois méchante et rusée, leui rappelèrent involontairement la Chouette, cette horrible vieille dont Fleur-de-Marie avait été victime.

Il allait faire part à la jeune fille de cette observation, lorsqu'il la vit tout à coup pâlir en regardant avec une terreur muette la hideuse compagne du Maître d'école ; enfin, saisissant le bras de Rodolphe d'une main tremblante, la Goualeuse lui dit à voix basse :

— Oh ! la Chouette !... la Chouette... la borgnesse !

A ce moment le Maître d'école, après avoir échangé quelques paroles à voix basse avec Barbillon, s'avança lentement vers la table ou s'attablaient Rodolphe, la Goualeuse et le Chourineur. Alors, s'adressant à Fleur-de-Marie, d'une voix rauque le brigand lui dit :

— Eh ! dis donc, la belle blonde, tu vas quitter ces deux *mufles* et t'en venir avec moi...

La Goualeuse ne répondit rien, se serra contre Rodolphe ; ses dents se choquaient d'effroi.

— Et moi... je ne serai pas jalouse de mon homme, de mon petit fourline — dit la Chouette en riant aux éclats.

Elle ne reconnaissait pas encore dans la Goualeuse... la Pégriotte, sans ancienne victime.

— Ah çà, blondinette, m'entends-tu ? — dit le monstre en s'avançant. — Si tu ne viens pas, je t'éborgne pour faire le pendant de la Chouette. Et toi, l'homme à moustaches... (il s'adressait à Rodolphe), si tu ne me jettes pas la petite *gironde* par-dessus la table... je te crève...

— Mon Dieu, mon Dieu ! défendez-moi ! — s'écria la Goualeuse à Rodolphe, en joignant les mains. Puis, réfléchissant qu'elle allait l'exposer peut-être à un grand danger, elle reprit à voix basse : — Non, non, ne bougez pas, monsieur Rodolphe ; s'il approche, je crierai au secours, et, de peur d'un esclandre qui attirerait la police, l'ogresse prendra mon parti.

— Sois tranquille, ma fille — dit Rodolphe en regardant froidement le Maître d'école. — Tu es à côté de moi, tu n'en bougeras pas ; et comme ce hideux gredin te fait mal au cœur et à moi aussi, je vais le jeter dehors...

— Toi ?... — dit le Maître d'école.

— Moi !... — reprit Rodolphe.

Et, malgré les efforts de la Goualeuse, il se leva de table.

Malgré son audace, le Maître d'école recula d'un pas, tant la physionomie de Rodolphe était menaçante, tant son regard était surtout saisissant... Car certains coups d'œil ont une puissance magnétique irrésistible ; quelques duellistes célèbres doivent, dit-on, leurs sanglants triomphes à cette action fascinatrice qui démoralise, qui domine, qui atterre leurs adversaires.

Le Maître d'école tressaillit, recula encore d'un pas, et, ne se fiant plus à sa force prodigieuse, il chercha sous sa blouse un long couteau-poignard.

Un meurtre eût peut-être ensanglanté le tapis-franc, si la Chouette, saisissant le Maître d'école par le bras, ne se fût écriée :

— Minute... minute... *fourline*, laisse-moi dire un mot... tu mangeras ces deux mufles tout à l'heure, ils ne t'échapperont pas...

Le Maître d'école regarda la borgnesse avec étonnement.

Depuis quelques minutes elle observait Fleur-de-Marie avec une attention croissante, cherchant à rassembler ses souvenirs. Enfin elle ne conserva plus le moindre doute : elle reconnut la Goualeuse.

— Est-il bien possible ! — s'écria donc la borgnesse en joignant les mains avec étonnement — c'est la Pégriotte, la voleuse de sucre d'orge. Mais d'où donc que tu sors ? c'est donc le *boulanger* qui t'envoie ? — ajouta-t-elle en montrant le poing à la jeune fille. — Tu retomberas donc toujours sous ma griffe ? Sois tranquille, si je ne t'arrache plus de dents, je t'arracherai toutes les larmes de ton corps. Ah ! vas-tu *rager* ! Tu ne sais donc pas ? je connais les gens qui t'ont élevée avant qu'on ne t'ait livrée à moi... Le Maître d'école a vu au *pré* l'homme qui t'avait amenée dans mon chenil quand tu étais toute petite. Il a des preuves que c'est des *daims huppés*, les gens qui t'ont élevée...

— Mes parents ! vous les connaissez ?... — s'écria Fleur-de-Marie.

— Que je les connaisse ou non, tu n'en sauras rien, ce secret-là est à nous deux fourline, et je lui arracherais plutôt la langue que de lui laisser te le dire... Hein ! ça va te faire pleurer, ça, la Pégriotte ?...

— Mon Dieu, non — dit la Goualeuse avec une amertume profonde — *maintenant*... j'aime autant ne pas les connaître, mes parents...

Pendant que la Chouette parlait, le Maître d'école avait repris un peu d'assurance en regardant Rodolphe à la dérobée ; il ne pouvait croire que ce jeune homme de taille moyenne et svelte fût en état de se mesurer avec lui ; sûr de sa force herculéenne, il se rapprocha du défenseur de la Goualeuse, et dit à la Chouette avec autorité :

— Assez causé. Je veux défoncer ce beau mufle-là... pour que la belle blonde me trouve plus gentil que lui.

D'un bond Rodolphe sauta par-dessus la table.

— Prenez garde à mes assiettes ! — cria l'ogresse.

Le Maître d'école se mit en défense, les deux mains en avant, le haut du corps en arrière, bien campé sur ses robustes reins, et pour ainsi dire arc-bouté sur une de ses jambes énormes... qui ressemblait à un balustre de pierre.

Au moment où Rodolphe s'élançait sur lui, la porte du tapis-franc s'ouvrit violemment ; le charbonnier dont nous avons parlé, et qui avait presque six pieds de haut, se précipita dans la salle, écarta rudement le Maître d'école, s'approcha de Rodolphe et lui dit à l'oreille, en allemand :

— Monseigneur, la comtesse et son frère... Ils sont au bout de la rue.

A ces mots, Rodolphe fit un mouvement d'impatience et de colère, jeta un louis sur le comptoir de l'ogresse et courut vers la porte.

Le Maître d'école tenta de s'opposer au passage de Rodolphe ; mais celui-ci se retournant lui détacha au milieu du visage deux ou trois coups de poing si rudement assénés, que le taureau chancela tout étourdi et tomba pesamment à demi renversé sur une table.

— Vive la Charte ! ! ! je reconnais là *mes* coups de poing de la fin — s'écria le Chourineur. — Encore quelques leçons comme ça, et je les saurai...

Revenu à lui au bout de quelques secondes, le Maître d'école s'élança à la poursuite de Rodolphe, mais ce dernier avait disparu avec le charbonnier dans le sombre dédale des rues de la Cité ; il fut impossible au brigand de les rejoindre.

Au moment où le Maître d'école rentrait écumant de rage, deux personnes, accourant du côté opposé à celui par lequel Rodolphe avait disparu, se précipitèrent dans le tapis-franc, essoufflées, comme si elles eussent fait rapidement une longue course.

Leur premier mouvement fut de jeter les yeux de côté et d'autre dans la taverne.

— Malheur ! — dit l'un — il est parti... cette occasion est encore perdue.

Ces deux nouveaux venus s'exprimaient en anglais.

La Goualeuse, épouvantée de sa rencontre avec la Chouette, et redoutant les menaces du Maître d'école, profita du tumulte et de l'étonnement causés par l'arrivée des deux nouveaux hôtes du tapis-franc, se glissa par la porte entr'ouverte, et sortit du cabaret.

Dans ce milieu infâme Fleur-de-Marie a su garder dans un cœur intact son innocence première. La rencontre de Rodolphe et de Fleur-de-Marie est constamment entrecoupée de multiples événements criminels, meurtres, enlèvements, etc., etc. Rodolphe découvre les crimes innombrables du Maître d'école, il décide de le punir :

Rodolphe s'adresse au Maître d'école :

— Échappé du bagne de Rochefort, où vous aviez été condamné à perpétuité... pour crime de faux, de vol et de meurtre... vous êtes Anselme Duresnel.

— Ce n'est pas vrai ! — dit le Maître d'école d'une voix altérée, en jetant autour de lui son regard fauve et inquiet.

— Vous êtes Anselme Duresnel... vous avez assassiné et volé un marchand de bestiaux sur la route de Poissy.

— C'est faux !

— Vous en conviendrez plus tard.

Le brigand regarda Rodolphe avec surprise.

— Cette nuit, vous vous êtes introduit ici pour voler ; vous avez poignardé le maître de cette maison...

— C'est vous qui m'avez proposé ce vol — dit le Maître d'école en reprenant un peu d'assurance ; — on m'a attaqué... je me suis défendu.

— L'homme que vous avez frappé ne vous a pas attaqué... il était sans armes ! Je vous ai proposé ce vol... c'est vrai... je vous dirai tout à l'heure dans quel but. La veille, après avoir dévalisé un homme et une femme dans la Cité, vous leur avez offert de me tuer pour mille francs !...

— Je l'ai entendu — dit le Chourineur.

Le Maître d'école lui lança un regard de haine féroce.

Rodolphe reprit :

— Vous le voyez, vous n'aviez pas besoin d'être tenté par moi pour faire le mal !...

— Vous n'êtes pas mon juge, je ne vous répondrai plus...

— Voici pourquoi je vous avais proposé ce vol : je vous savais évadé du bagne... vous connaissiez les parents d'une infortunée dont la Chouette, votre complice, a presque causé tous les malheurs... Je voulais vous attirer ici par l'appât du vol, seul appât capable de vous séduire. Une fois en mon pouvoir, je vous laissais le choix ou d'être remis entre les mains de la justice, qui vous faisait payer de votre tête l'assassinat du marchand de bestiaux...

— C'est faux ! je n'ai pas commis ce crime.

— Ou d'être conduit hors de France, par mes soins, dans un lieu de réclusion perpétuelle où votre sort eût été moins pénible que le bagne, mais je ne vous aurais accordé cet adoucissement de punition que si vous m'aviez donné les renseignements que je voulais avoir. Condamné à perpétuité, vous avez rompu votre ban : en m'emparant de vous, en vous mettant désormais dans l'impossibilité de nuire, je servais la société, et par vos aveux je trouvais moyen de rendre peut-être une famille à une pauvre créature plus malheureuse encore que coupable. Tel était d'abord mon projet : il n'était pas légal ; mais votre évasion, mais vos nouveaux crimes, vous mettent hors la loi... Hier une révélation providentielle m'a appris que vous étiez Anselme Duresnel.

— C'est faux ! je ne m'appelle pas Duresnel.

Rodolphe prit sur la table la chaîne de la Chouette, et montrant au Maître d'école le petit saint-esprit de lapis-lazuli :

— Sacrilège ! — s'écria Rodolphe d'une voix menaçante. — Vous avez prostitué à une créature infâme cette relique sainte... trois fois sainte !... car votre enfant tenait ce don pieux de sa mère et de son aïeule !

Le Maître d'école, stupéfait de cette découverte, baissa la tête sans répondre.

— Vous avez enlevé votre fils à sa mère il y a quinze ans, vous seul possédez le secret de son existence ; j'avais donc un motif de plus de m'assurer de vous lorsque j'ai su qui vous étiez. Je ne veux pas me venger de ce qui m'est personnel... Cette nuit vous avez encore une fois versé le sang sans provocation. L'homme que vous avez assassiné est venu à vous avec confiance, ne soupçonnant pas votre rage sanguinaire. Il vous a demandé ce que vous vouliez. — « Ton argent et ta vie !... » et vous l'avez frappé d'un coup de poignard.

— Tel a été le récit de M. Murph lorsque je lui ai donné les premiers secours — dit le docteur.

— C'est faux, il a menti.

— Murph ne ment jamais — dit froidement Rodolphe. — Vos crimes demandent une réparation éclatante. Vous vous êtes introduit dans ce jardin avec escalade, vous avez poignardé pour le voler. Vous avez commis un autre meurtre... Vous allez mourir ici... Par pitié, par respect pour votre femme et pour votre fils, on vous sauvera la honte de l'échafaud... On dira que vous avez été tué dans une attaque à main armée... Préparez-vous... les armes sont chargées.

La physionomie de Rodolphe était implacable...

Le Maître d'école avait remarqué dans une pièce précédente deux hommes armés de carabines... Son nom était connu ; il pensa qu'on allait se débarrasser de lui pour ensevelir dans l'ombre ses derniers crimes et sauver ce nouvel opprobre à sa famille. Comme ses pareils, cet homme était aussi lâche que féroce. Croyant son heure arrivée, il trembla et cria :

— Grâce !

— Pas de grâce pour vous — dit Rodolphe. — Si l'on ne vous brûle pas la cervelle ici, l'échafaud vous attend...

— J'aime mieux l'échafaud... Je vivrai au moins deux ou trois mois encore... Qu'est-ce que cela vous fait, puisque je serai puni ensuite ?... Grâce !... grâce !...

— Je te juge... et je te punis ! — s'écria Rodolphe d'une voix solennelle. — Je ne te livrerai pas à la justice, parce que tu irais au bagne ou à l'échafaud, et il ne faut pas cela... non, il ne le faut pas... Au bagne ? pour dominer encore cette tourbe par ta force et ta scélératesse ! pour satisfaire encore tes instincts d'oppression brutale !... pour être abhorré, redouté de tous ; car le crime a son orgueil, et toi tu te réjouis dans ta monstruosité !... Au bagne ! non, non : ton corps de fer défie les labeurs de la chiourme et le bâton des argousins. Et puis les chaînes se brisent, les murs se percent, les remparts s'escaladent ; et quelque jour encore tu romprais ton ban pour te jeter de nouveau sur la société, comme une bête féroce enragée, marquant ton passage par la rapine et par le meurtre... car rien n'est à l'abri de ta force d'Hercule et de ton couteau ; et il ne faut pas que cela soit... non, il ne le faut pas ! Mais puisqu'au bagne tu briserais ta chaîne... que faire pour garantir la société de ta rage ? faut-il te livrer au bourreau ?

— C'est donc ma mort que vous voulez ? — s'écria le brigand — c'est donc ma mort ?

— Ne l'espère pas... car, dans ton acharnement à vivre, tu échapperais aux redoutables angoisses du supplice par quelque espérance d'évasion ! Espérance stupide, insensée !... il n'importe... elle te voilerait l'horreur de ta punition, tu ne croirais à la mort que sous l'ongle du bourreau ! Et alors, peut-être, abruti par la terreur, tu ne serais plus qu'une masse inerte qu'on offrirait en holocauste aux mânes de tes victimes... Cela ne se peut pas, te dis-je... tu espérais te sauver jusqu'à la dernière minute... Toi, monstre... espérer ? Non, non... Si tu ne te repens pas... je ne veux plus que tu aies d'espérances dans cette vie, moi...

— Mais qu'est-ce que j'ai fait à cet homme ?... qui est-il ? que veut-il de moi ? où suis-je ?... — s'écria le Maître d'école presque dans le délire.

Rodolphe continua :

— Si, au contraire, tu bravais effrontément la mort, il ne faudrait pas non plus te livrer au supplice... Pour toi l'échafaud serait un sanglant tréteau où, comme tant d'autres, tu ferais parade de ta férocité... où, insouciant d'une vie misérable, tu damnerais ton âme dans un dernier blasphème !... Il ne faut pas cela non plus... Il n'est pas bon au peuple de voir le condamné badiner avec le couperet, narguer le bourreau et souffler en ricanant sur la divine étincelle que le Créateur a mise en nous... C'est quelque chose de sacré que le salut d'une âme. Tout crime s'expie et se rachète, a dit le Sauveur, mais, du tribunal à l'échafaud, le trajet est trop court, il faut le loisir de l'expiation et du repentir. Ce loisir... tu l'auras donc... Fasse le ciel que tu en profites.

Le Maître d'école était anéanti... Pour la première fois de sa vie il y eut quelque chose qu'il redouta plus que la mort... Cette crainte vague était horrible...

Rodolphe continua :

— Anselme Duresnel, tu n'iras pas au bagne... tu ne mourras pas...

— Mais que voulez-vous de moi ?... c'est donc l'enfer qui vous envoie ?

— Écoute... — dit Rodolphe en se levant et en donnant à son geste une autorité menaçante. — tu as criminellement abusé de ta force... je paralyserai ta force... Les plus vigoureux tremblaient devant toi... tu trembleras devant les plus faibles.... Assassin... tu as plongé des créatures de Dieu dans la nuit éternelle... les ténèbres de l'éternité commenceront pour toi dans cette vie... aujourd'hui... tout à l'heure... Ta punition enfin égalera tes crimes... Mais — rajouta Rodolphe avec une sorte de pitié douloureuse — cette punition épouvantable te laissera du moins l'avenir sans bornes de l'expiation... Je serais aussi criminel que toi si, en te punissant, je ne satisfais qu'une vengeance, si légitime qu'elle fût... Loin d'être stérile comme la mort... ta punition doit être féconde ; loin de te damner... te racheter... Si, pour te mettre hors d'état de nuire... je te dépossède à jamais des splendeurs de la création... si je te plonge dans une nuit impénétrable... seul... avec le souvenir de tes forfaits... c'est pour que tu contemples incessamment leur énormité... Oui... pour toujours isolé du monde extérieur... tu seras forcé de toujours regarder en toi... et alors, je l'espère, ton front bronzé par l'infamie rougira de honte... ton âme corrodée par le crime... s'amollira par la commisération... Chacune de tes paroles est un blasphème... chacune de tes paroles sera une prière... Tu es audacieux et féroce parce que tu es fort...

tu seras doux et humble parce que tu seras faible... Ton cœur est fermé au repentir... un jour tu pleureras tes victimes... Tu as dégradé l'intelligence que Dieu avait mise en toi, tu l'as réduite à des instincts de rapine et de meurtre... d'homme tu t'es fait bête sauvage... un jour ton intelligence se retrempera par le remords, se relèvera par l'expiation... Tu n'as pas même respecté ce que respectent les bêtes sauvages... leurs femelles et leurs petits. Après une longue vie consacrée à la rédemption de tes crimes, ta dernière prière sera pour supplier Dieu de t'accorder le bonheur inespéré de mourir entre ta femme et ton fils...

En disant ces dernières paroles, la voix de Rodolphe s'était tristement émue.

Le Maître d'école ne ressentait presque plus de terreur... il crut que son *juge* avait voulu l'effrayer avant que d'arriver à cette *moralité*. Presque rassuré par la douceur de l'accent de Rodolphe, le brigand, d'autant plus insolent qu'il était moins effrayé, dit avec un rire grossier :

— Ah çà ! devinons-nous des charades, ou sommes-nous au catéchisme ici ?...

Au lieu de répondre, Rodolphe dit au docteur :

— Faites, David... Que Dieu me punisse seul si je me trompe !...

Le nègre sonna.

Deux hommes entrèrent.

D'un signe David leur montra la porte d'un cabinet latéral.

Ils y roulèrent le fauteuil, où le Maître d'école était garrotté de façon à ne pouvoir faire un mouvement.

— Vous voulez donc m'égorger maintenant ?... grâce ?... grâce !... — cria le Maître d'école pendant qu'on l'entraînait.

(...)

Les deux hommes ramenèrent le Maître d'école toujours garotté sur son fauteuil.

— Otez-lui son bâillon... délivrez-le de ses liens — dit David.

Il y eut un moment de silence effrayant.

Les deux hommes firent tomber les liens du Maître d'école et lui ôtèrent son bâillon.

Il se leva brusquement ; son abominable figure exprimait la rage, l'épouvante et l'horreur ; il fit un pas en tendant ses mains devant lui ; puis retombant dans le fauteuil, il s'écria avec un accent d'angoisse indicible et de fureur désespérée, en levant les bras au ciel :

— Aveugle ! ! !

Ces multiples aventures lèvent maints secrets, et principalement celui-ci : le Prince reconnaît en Fleur-de-Marie la fille qu'il a eue de Sarah et que sa mère a abandonnée. Cette découverte achève la « quête » de Rodolphe qui rentre dans son pays avec sa fille. Mais, au milieu des honneurs de la cour, Fleur-de-Marie ne peut échapper au souvenir de son horrible passé. Elle renonce à se marier avec l'homme qu'elle aime, pour entrer au couvent. Le Prince Rodolphe meurt lorsqu'elle prend le voile ; Fleur-de-Marie ne tarde guère à le rejoindre.

Amandine Lucie Aurore Dupin, baronne Dudevant dite

George Sand

PARIS 1804 – NOHANT 1876.

George Sand passe son enfance à Nohant dans le Berry. A 18 ans elle épouse le baron Dudevant, mais s'en sépare très tôt. Elle quitte Nohant en 1831 et va vivre à Paris avec ses deux enfants. Elle scandalise les bourgeois par sa vie bohême et ses liaisons. Elle écrit avec son amant Jules Sandeau un premier livre ***Rose et Blanche****, elle gardera ensuite le pseudonyme qu'il avait trouvé pour leur couple. Elle publie divers romans lyriques où elle expose l'amour en lutte contre la société (***Indiana, Lélia...****). Elle se lie avec Musset qu'elle entraîne en Italie et qu'elle quitte à Venise pour le médecin Pagello. Elle rencontre en 1837 Chopin avec lequel elle vit pendant dix ans. Influencée par les idées de Rousseau elle accuse la société d'être responsable de tous les maux humains dans ses livres* ***Spiridon*** *(1839) et* ***Consuelo*** *(1843) etc. : seul l'amour peut rétablir la fraternité naturelle et universelle. Elle se jette un moment, aux côtés de Ledru-Rollin dans la vie politique. Ensuite elle se retire à Nohant et écrit des romans champêtres où elle dévoile sa confiance dans la bonté de la nature :* ***La Mare au Diable*** *(1846),* ***La Petite Fadette*** *(1849) et* ***François le Champi*** *(1850) qui l'ont rendue célèbre.*

ROMAN

.La Mare au diable.

1846

Un des romans champêtres de George Sand, ***La Mare au diable*** *raconte l'histoire d'un jeune veuf, Germain, qui décide de se remarier avec une riche veuve qui habite Fourche. Il se met en route pour la rencontrer avec son fils et une jeune voisine la petite Marie qui doit se placer dans une ferme près de Fourche comme bergère. Ils se perdent dans le brouillard et sont contraints de bivouaquer dans une forêt en attendant que le jour se lève. Germain est de plus en plus sensible au charme de Marie :*

– Il n'y a personne comme toi pour parler aux enfants, dit Germain à la petite Marie, et pour leur faire entendre raison. Il est vrai qu'il n'y a pas longtemps que tu étais toi-même un petit enfant, et tu te souviens de ce que te disait ta mère. Je crois bien que plus on est jeune, mieux on s'entend avec ceux qui le sont. J'ai grand'peur qu'une femme de trente ans, qui ne sait pas encore ce que c'est que d'être mère, n'apprenne avec peine à babiller et à raisonner avec des marmots.

– Pourquoi donc pas, Germain ? Je ne sais pourquoi vous avez une mauvaise idée touchant cette femme ; vous en reviendrez !

– Au diable la femme ! dit Germain. Je voudrais en être revenu pour n'y plus retourner. Qu'ai-je besoin d'une femme que je ne connais pas ?

– Mon petit père, dit l'enfant, pourquoi donc est-ce que tu parles toujours de ta femme aujourd'hui, puisqu'elle est morte ?...

– Hélas ! tu ne l'as donc pas oubliée, toi, ta pauvre chère mère ?

– Non, puisque je l'ai vu mettre dans une belle boîte de bois blanc, et que ma grand-mère m'a conduit auprès pour l'embrasser et lui dire adieu !... Elle était toute blanche et toute froide, et tous les soirs ma tante me fait prier le bon Dieu pour qu'elle aille se réchauffer avec lui dans le ciel. Crois-tu qu'elle y soit, à présent ?

– Je l'espère, mon enfant ; mais il faut toujours prier, ça fait voir à ta mère que tu l'aimes.

– Je vas dire ma prière, reprit l'enfant ; je n'ai pas pensé à la dire ce soir. Mais je ne peux pas la dire tout seul ; j'en oublie toujours un peu. Il faut que la petite Marie m'aide.

– Oui, mon Pierre, je vas t'aider, dit la jeune fille. Viens là, te mettre à genoux sur moi.

L'enfant s'agenouilla sur la jupe de la jeune fille, joignit ses petites mains, et se mit à réciter sa prière, d'abord avec attention et ferveur, car il savait très bien le commencement ; puis avec plus de lenteur et d'hésitation, et enfin répétant mot à mot ce que lui dictait la petite Marie, lorsqu'il arriva à cet endroit de son oraison, où, le sommeil le gagnant chaque soir, il n'avait jamais pu l'apprendre jusqu'au bout. Cette fois encore, le travail de l'attention et la monotonie de son propre accent produisirent leur effet accoutumé, il ne prononça plus qu'avec effort les dernières syllabes, et encore après se les être fait répéter trois fois ; sa tête s'appesantit et se pencha sur la poitrine de Marie ; ses mains se détendirent, se séparèrent et retombèrent ouvertes sur ses genoux. A la lueur du feu du bivouac, Germain regarda son petit ange assoupi sur le cœur de la jeune fille, qui, le soutenant dans ses bras et réchauffant ses cheveux blonds de sa pure haleine, s'était laissée aller aussi à une rêverie pieuse, et priait mentalement pour l'âme de Catherine.

Germain fut attendri, chercha ce qu'il pourrait dire à la petite Marie pour lui exprimer ce qu'elle lui inspirait d'estime et de reconnaissance, mais ne trouva rien qui pût rendre sa pensée. Il s'approcha d'elle pour embrasser son fils qu'elle tenait toujours pressé contre son sein, et il eut peine à détacher ses lèvres du front du petit Pierre.

– Vous l'embrassez trop fort, lui dit Marie en repoussant doucement la tête du laboureur, vous allez le réveiller. Laissez-moi le recoucher, puisque le voilà reparti pour les rêves du paradis.

L'enfant se laissa coucher, mais en s'étendant sur la peau de chèvre du bât, il demanda s'il était sur la Grise. Puis, ouvrant ses grands yeux bleus, et les tenant fixés vers les branches pendant une minute, il parut rêver tout éveillé, ou être frappé d'une idée qui avait glissé dans son esprit durant le jour, et qui s'y formulait à l'approche du sommeil. « Mon petit père, dit-il, si tu veux me donner une autre mère, je veux que ce soit la petite Marie. »

Et, sans attendre de réponse, il ferma les yeux et s'endormit.

CHAPITRE 9

Germain épouse la petite Marie :

La petite Marie n'ayant pas encore reçu les cadeaux de noces, appelés *livrées*, était vêtue de ce qu'elle avait de mieux dans ses hardes modestes : une robe de gros drap sombre, un fichu blanc à grands ramages de couleurs voyantes, un tablier d'*incarnat*, indienne rouge fort à la mode alors et dédaignée aujourd'hui, une coiffe de mousseline très blanche, et dans cette forme heureusement conservée, qui rappelle la coiffure d'Anne Boleyn et d'Agnès Sorel. Elle était fraîche et souriante, point orgueilleuse du tout, quoiqu'il y eût bien de quoi. Germain était grave et attendri auprès d'elle, comme le jeune Jacob saluant Rachel aux citernes de Laban. Toute autre fille eût pris un air d'importance et une tenue de triomphe ; car, dans tous les rangs, c'est quelque chose que d'être épousée pour ses beaux yeux. Mais les yeux de la jeune fille étaient humides et brillants d'amour ; on voyait bien qu'elle était profondément éprise, et qu'elle n'avait point le loisir de s'occuper de l'opinion des autres. Son petit air résolu ne l'avait point abandonnée ; mais c'était toute franchise et tout bon vouloir chez elle ; rien d'impertinent dans son succès, rien de personnel dans le sentiment de sa force. Je ne vis oncques si gentille fiancée, lorsqu'elle répondait nettement à ses jeunes amies qui lui demandaient si elle était contente.

APPENDICE, 1

La Petite Fadette

1849

Landry Barbeau, paysan berrichon, est amoureux de la petite Fadette qui a été longtemps une enfant sauvage, négligée. Par amour pour Landry elle décide de s'amender et veut partir un an du pays afin de refaire sa réputation. Landry cherche à la retenir :

« Ah ! si tu m'avais aimé de la manière dont je t'aime, tu ne me quitterais pas comme ça.

– Tu crois, Landry ? dit la petite Fadette en le regardant d'un air triste et bien sérieux. Peut-être bien que tu ne sais ce que tu dis. Moi, je crois que l'amour me commanderait encore plus ce que l'amitié me fait faire.

– Eh bien, si c'était l'amour qui te commande, je n'aurais pas tant de chagrin. Oh ! oui, Fanchon, si c'était l'amour, je crois quasiment que je serais heureux dans mon malheur. J'aurais de la confiance dans ta parole et de l'espérance dans l'avenir ; j'aurais le courage que tu as, vrai !... Mais ce n'est pas de l'amour, tu me l'as dit bien des fois, et je l'ai vu à ta grande tranquillité à côté de moi.

– Ainsi tu crois que ce n'est pas l'amour, dit la petite Fadette ; tu en es bien assuré ? »

Et, le regardant toujours, ses yeux se remplirent de larmes qui tombèrent sur ses joues, tandis qu'elle souriait d'une manière bien étrange.

« Ah ! mon Dieu ! mon bon Dieu ! s'écria Landry en la prenant dans ses bras, si je pouvais m'être trompé !

– Moi, je crois bien que tu t'es trompé, en effet, répondit la petite Fadette, toujours souriant et pleurant ; je crois bien que, depuis l'âge de treize ans, le pauvre grelet a remarqué Landry et n'en a jamais remarqué d'autre. Je crois bien que, quand elle le suivait par les champs et par les chemins, en lui disant des folies et des taquineries pour le forcer à s'occuper d'elle, elle ne savait point encore ce qu'elle faisait, ni ce qui la poussait vers lui. Je crois bien que, quand elle s'est mise un jour à la recherche de Sylvinet, sachant que Landry était dans la peine, et qu'elle l'a trouvé au bord de la rivière, tout pensif, avec un petit agneau sur ses genoux, elle a fait un peu la sorcière avec Landry, afin que Landry fût forcé à lui en avoir de la reconnaissance. Je crois bien que, quand elle l'a injurié au gué des Roulettes, c'est parce qu'elle avait du dépit et du chagrin de ce qu'il ne lui avait jamais parlé depuis. Je crois bien que, quand elle a voulu danser avec lui, c'est parce qu'elle était folle de lui et qu'elle espérait lui plaire par sa jolie danse. Je crois bien que, quand elle pleurait dans la carrière du Chaumois, c'était pour le repentir et la peine de lui avoir déplu. Je crois bien aussi que, quand il voulait l'embrasser et qu'elle s'y refusait, quand il lui parlait d'amour et qu'elle lui répondait en paroles d'amitié, c'était par la crainte qu'elle avait de perdre cet amour-là en le contentant trop vite. Enfin je crois que, si elle s'en va en se déchirant le cœur, c'est par l'espérance qu'elle a de revenir digne de lui dans l'esprit de tout le monde, et de pouvoir être sa femme, sans désoler et sans humilier sa famille. »

Cette fois Landry crut qu'il deviendrait tout à fait fou. Il riait, il criait et il pleurait ; et il embrassait Fanchon sur ses mains, sur sa robe.

CHAPITRE 29

Alexis Charles Henri Maurice Clérel de
Tocqueville

VERNEUIL 1805 — CANNES 1859.

Tocqueville est l'arrière petit-fils de Malesherbes, et le fils d'un préfet de la Restauration ami de Chateaubriand. Vicomte, il ne porta jamais son titre. Nommé juge auditeur à Versailles en 1827, il se lie d'amitié avec Gustave de Baumont, et, au retour d'une mission d'information aux États-Unis, publie avec sa collaboration ***Du système pénitentiaire aux États-Unis et de son application en France****, en 1832. La première partie de* ***La Démocratie en Amérique*** *paraît en 1835, et Tocqueville est élu à l'Académie des sciences morales et politiques trois ans plus tard, et à l'Académie française en 1841, alors que la deuxième partie de* ***La Démocratie*** *a paru. Député libéral de la Manche, il donne une* ***Histoire philosophique du règne de Louis XV*** *et un* ***Coup d'œil sur le règne de Louis XVI*** *en 1846 et 1850. Ces deux ouvrages annonçant* ***L'Ancien Régime et la Révolution*** *de 1856. En 1848, Tocqueville prévoit les troubles ; et, en 1851, demande la mise en accusation du futur Napoléon III qui vient de réussir son coup d'État, ce qui lui vaut une période de détention à Vincennes et un temps d'exil en Italie et en Allemagne.*

POLITIQUE

De la Démocratie en Amérique.

1835-1840

Tocqueville étudie en détail la démocratie américaine, selon une méthode qui doit beaucoup à Montesquieu, parce que le mouvement principal de l'histoire va vers l'égalité. La signification de ce phénomène n'est pas évidente, et parce qu'elle coïncide avec le destin mondial, on ne doit manquer de s'interroger.

Une grande révolution démocratique s'opère parmi nous ; tous la voient, mais tous ne la jugent point de la même manière. Les uns la considèrent comme une chose nouvelle, et, la prenant pour un accident, ils espèrent pouvoir encore l'arrêter ; tandis que d'autres la jugent irrésistible, parce qu'elle leur semble le fait le plus continu, le plus ancien et le plus permanent que l'on connaisse dans l'histoire. (...)

“Le développement graduel de l’égalité des conditions est donc un fait providentiel, il en a les principaux caractères : il est universel, il est durable, il échappe chaque jour à la puissance humaine”

Lorsqu’on parcourt les pages de notre histoire, on ne rencontre pour ainsi dire pas de grands événements qui, depuis sept cents ans, n’aient tourné au profit de l’égalité.

Les croisades et les guerres des Anglais déciment les nobles et divisent leurs terres ; l’institution des communes introduit la liberté démocratique au sein de la monarchie féodale ; la découverte des armes à feu égalise le vilain et le noble sur le champ de bataille ; l’imprimerie offre d’égales ressources à leur intelligence ; la poste vient déposer la lumière sur le seuil de la cabane du pauvre comme à la porte des palais ; le protestantisme soutient que tous les hommes sont également en état de trouver le chemin du ciel. L’Amérique, qui se découvre, présente à la fortune mille routes nouvelles, et livre à l’obscur aventurier les richesses et le pouvoir.

Si, à partir du XIe siècle, vous examinez ce qui se passe en France de cinquante en cinquante années, au bout de chacune de ces périodes, vous ne manquerez point d’apercevoir qu’une double révolution s’est opérée dans l’état de la société. Le noble aura baissé dans l’échelle sociale, le roturier s’y sera élevé ; l’un descend, l’autre monte. Chaque demi-siècle les rapproche, et bientôt ils vont se toucher.

Et ceci n’est pas seulement particulier à la France. De quelque côté que nous jetions nos regards, nous apercevons la même révolution qui se continue dans tout l’univers chrétien.

Partout on a vu les divers incidents de la vie des peuples tourner au profit de la démocratie ; tous les hommes l’ont aidée de leurs efforts : ceux qui avaient en vue de concourir à ses succès et ceux qui ne songeaient point à la servir, ceux qui ont combattu pour elle, et ceux mêmes qui se sont déclarés ses ennemis ; tous ont été poussés pêle-mêle dans la même voie, et tous ont travaillé en commun, les uns malgré eux, les autres à leur insu, aveugles instruments dans les mains de Dieu.

Le développement graduel de l’égalité des conditions est donc un fait providentiel, il en a les principaux caractères : il est universel, il est durable, il échappe chaque jour à la puissance humaine ; tous les événements, comme tous les hommes, servent à son développement.

Serait-il sage de croire qu’un mouvement social qui vient de si loin pourra être suspendu par les efforts d’une génération ? Pense-t-on qu’après avoir détruit la féodalité et vaincu les rois, la démocratie reculera devant les bourgeois et les riches ? S’arrêtera-t-elle maintenant qu’elle est devenue si forte et ses adversaires si faibles ?

Où allons-nous donc ? Nul ne saurait le dire ; car déjà les termes de comparaison nous manquent : les conditions sont plus égales de nos jours, parmi les chrétiens, qu’elles ne l’ont jamais été dans aucun temps ni dans aucun pays du monde ; ainsi la grandeur de ce qui est déjà fait empêche de prévoir ce qui peut se faire encore.

Le livre entier qu’on va lire a été écrit sous l’impression d’une sorte de terreur religieuse produite dans l’âme de l’auteur par la vue de cette révolution irrésistible qui marche depuis tant de siècles à travers tous les obstacles, et qu’on voit encore aujourd’hui s’avancer au milieu des ruines qu’elle a faites.

Il n’est pas nécessaire que Dieu parle lui-même pour que nous découvrions des signes certains de sa volonté ; il suffit d’examiner quelle est la marche habituelle de la nature et la tendance continue des événements ; je sais, sans que le Créateur élève la voix, que les astres suivent dans l’espace les courbes que son doigt a tracées.

Si de longues observations et des méditations sincères amenaient les hommes de nos jours à reconnaître que le développement graduel et progressif de l’égalité est à la fois le passé et l’avenir de leur histoire, cette seule découverte donnerait à ce développement le caractère sacré de la volonté du souverain maître. Vouloir arrêter la démocratie paraîtrait alors lutter contre Dieu même, et il ne resterait aux nations qu’à s’accomoder à l’état social que leur impose la Providence.

Les peuples chrétiens me paraissent offrir de nos jours un effrayant spectacle ; le mouvement qui les emporte est déjà assez fort pour qu’on ne puisse le suspendre, et il n’est pas encore assez rapide pour qu’on désespère de le diriger : leur sort est entre leurs mains ; mais bientôt il leur échappe.

INTRODUCTION

Dans la **Conclusion de la Deuxième partie**, *Tocqueville, qui n’est pas sans penser en termes de races, examine ce qui pourrait s’opposer à l’accroissement du territoire de ce qu’il nomme « la grande famille anglo-américaine » ou « la race anglaise d’Amérique »*

Il y a aujourd’hui sur la terre deux grands peuples qui, partis de points différents, semblent s’avancer vers le même but : ce sont les Russes et les Anglo-Américains.

Tous deux ont grandi dans l’obscurité, et, tandis que les regards des hommes étaient occupés ailleurs, ils se sont placés tout à coup au premier rang des nations, et le monde a appris presque en même temps leur naissance et leur grandeur.

Tous les autres peuples paraissent avoir atteint à peu près les limites qu'a tracées la nature, et n'avoir plus qu'à conserver ; mais eux sont en croissance : tous les autres sont arrêtés ou n'avancent qu'avec mille efforts ; eux seuls marchent d'un pas aisé et rapide dans une carrière dont l'œil ne saurait encore apercevoir la borne.

L'Américain lutte contre les obstacles que lui oppose la nature ; le Russe est aux prises avec les hommes. L'un combat le désert et la barbarie ; l'autre la civilisation revêtue de toutes ses armes : aussi les conquêtes de l'Américain se font-elles avec le soc du laboureur, celles du Russe avec l'épée du soldat.

Pour atteindre son but, le premier s'en repose sur l'intérêt personnel, et laisse agir, sans les diriger, la force et la raison des individus.

Le second concentre en quelque sorte dans un homme toute la puissance de la société.

L'un a pour principal moyen d'action la liberté ; l'autre, la servitude.

Leur point de départ est différent, leurs voies sont diverses ; néanmoins, chacun d'eux semble appelé par un dessin secret de la Providence à tenir un jour dans ses mains les destinées de la moitié du monde.

L'Ancien Régime et la Révolution.

1856

Tocqueville espère que les hommes consentent à la démocratie que veut la Providence. De cette démocratie irrésistible, il voit des signes certains dans les apparences les plus contraires : la Révolution française prolonge l'Ancien Régime. Il étudie cette continuité dans les domaines religieux, social, administratif, et celui des idées. L'esprit de la restauration ne doit donc pas répugner à s'identifier et s'allier à l'esprit de la Révolution.

J'ai entrepris de pénétrer jusqu'au cœur de cet Ancien Régime, si près de nous par le nombre des années, mais que la Révolution nous cache.

Pour y parvenir, je n'ai pas seulement relu les livres célèbres que le XVIIIe siècle a produits ; j'ai voulu étudier beaucoup d'ouvrages moins connus et moins dignes de l'être, mais qui, composés avec peu d'art, trahissent encore mieux peut-être les vrais instincts du temps. Je me suis appliqué à bien connaître tous les actes publics où les Français ont pu, à l'approche de la Révolution, montrer leurs opinions et leurs goûts. Les procès-verbaux des assemblées d'États, et plus tard des assemblées provinciales, m'ont fourni sur ce point beaucoup de lumières. J'ai fait surtout un grand usage des cahiers dressés par les trois ordres, en 1789. Ces cahiers, dont les originaux forment une longue suite de volumes manuscrits, resteront comme le testament de l'ancienne société française, l'expression suprême de ses désirs, la manifestation authentique de ses volontés dernières. C'est un document unique dans l'histoire. Celui-là même ne m'a pas suffi.

Dans les pays où l'administration publique est déjà puissante, il naît peu d'idées, de désirs, de douleurs, il se rencontre peu d'intérêts et de passions qui ne viennent tôt ou tard se montrer à nu devant elle. En visitant ses archives on n'acquiert pas seulement une notion très exacte de ses procédés, le pays tout entier s'y révèle. Un étranger auquel on livrerait aujourd'hui toutes les correspondances confidentielles qui remplissent les cartons du ministère de l'Intérieur et des préfectures en saurait bientôt plus sur nous que nous-mêmes. Au XVIIIe siècle, l'administration publique était déjà (ainsi qu'on le verra en lisant ce livre) très centralisée, très puissante, prodigieusement active. On la voyait sans cesse aider, empêcher, permettre. Elle avait beaucoup à promettre, beaucoup à donner. Elle influait déjà de mille manières, non seulement sur la conduite générale des affaires, mais sur le sort des familles et sur la vie privée de chaque homme. De plus, elle était sans publicité, ce qui faisait qu'on ne craignait pas de venir exposer à ses yeux jusqu'aux infirmités les plus secrètes. J'ai passé un temps fort long à étudier ce qui nous reste d'elle, soit à Paris, soit dans plusieurs provinces.

Là, comme je m'y attendais, j'ai trouvé l'Ancien Régime tout vivant, ses idées, ses passions, ses préjugés, ses pratiques. Chaque homme y parlait librement sa langue et y laissait pénétrer ses plus intimes pensées. J'ai achevé ainsi d'acquérir sur l'ancienne société beaucoup de notions que les contemporains ne possédaient pas ; car j'avais sous les yeux ce qui n'a jamais été livré à leurs regards.

A mesure que j'avançais dans cette étude, je m'étonnais en revoyant à tous moments dans la France de ce temps beaucoup de traits qui frappent dans celle de nos jours. J'y retrouvais une foule de sentiments que j'avais crus nés de la Révolution, une foule d'idées que j'avais pensé jusque-là ne venir que d'elle, mille habitudes qu'elle passe pour nous avoir seule données ; j'y rencontrais partout les racines de la société actuelle profondément implantées dans ce vieux sol. Plus je me rapprochais de 1789, plus j'apercevais distinctement l'esprit qui a fait la Révolution se former, naître et grandir. Je voyais peu à peu se découvrir à mes yeux toute la physionomie de cette Révolution.

Déjà elle annonçait son tempérament, son génie ; c'était elle-même. Là je trouvais non seulement la raison de ce qu'elle allait faire dans son premier effort, mais plus encore peut-être l'annonce de ce qu'elle devait fonder à la longue ; car la Révolution a eu deux phases bien distinctes : la première pendant laquelle les Français semblent vouloir tout abolir dans le passé ; la seconde où ils vont y reprendre une partie de ce qu'ils y avaient laissé.

AVANT-PROPOS

Hans Christian Andersen

ODENSE 1805 – COPENHAGUE 1875.

Après la mort de son père cordonnier, Andersen part à Copenhague y « chercher fortune ». Chant, théâtre, danse, poésie, rien de tout cela ne réussit. En 1822, une bourse lui permet de suivre des études. En 1833 et 1834, il visite la France et l'Italie. Il écrit un roman, ***L'Improvisateur****, dont l'action se déroule en Italie. Son premier recueil de* ***Contes*** *pour enfants paraît en 1835 avec un grand succès ; Andersen est désormais célèbre. Outre ses* ***Contes****, il publie quatre romans, des récits de voyage et une autobiographie.*

CONTES

.Contes.

1835

LA PETITE SIRÈNE

La petite sirène avala rapidement l'élixir, qui lui sembla brûler comme du feu ; puis elle sentit son corps délicat comme traversé par une épée à deux tranchants. Elle tomba évanouie sur le sable. Lorsque apparurent les premiers rayons du soleil, elle se ranima et éprouva aussitôt la même douleur aiguë ; mais elle l'oublia à l'instant, en voyant devant elle le beau jeune prince, qui attachait sur elle ses grands yeux noirs. Elle baissa les siens et aperçut que sa queue de poisson avait disparu, et qu'elle avait les plus jolies jambes, le pied le plus mignon qu'une jeune fille pût souhaiter. Elle n'avait pas de vêtements, mais elle était tout enveloppée de sa longue et soyeuse chevelure.

Le prince lui demanda qui elle était, comment elle se trouvait en ce lieu. Elle le regarda d'un air doux et triste, avec ses grands

Les ***Contes*** *d'Andersen proviennent soit de la matière populaire (****Le Briquet ; Petit Claus et Grand Claus*** *; etc.), soit de l'imagination de l'auteur. Dans ce dernier cas le ton est volontiers tendre jusqu'à la sensiblerie et larmoyant. Les réussites sont cependant incontestables (****Le Vilain Petit Canard ; La Petite Marchande d'allumettes ; La Reine des neiges ; La Vierge des glaciers ; Ib et la petite Christine*** *; etc.)*

Chez Andersen les sirènes sont des créatures sans âme immortelle. Une sirène, princesse de la mer, éprouve une étrange nostalgie pour la terre. Selon la coutume, lorsqu'elle a quinze ans, elle s'élance à la surface des eaux : sur un navire elle aperçoit un jeune et beau prince, une fête se donne en son honneur. Une tempête se lève, le navire sombre. La petite sirène sauve le jeune prince en le portant évanoui sur le rivage. Sa nostalgie s'accroît de l'amour. Elle désire un corps de femme. Au prix de sa jolie voix une sorcière lui procure un élixir : « Ta queue disparaîtra, et tu auras en place ce que les hommes appellent de jolies jambes. Mais cela te fera grand mal ; tu sentiras comme une épée tranchante te fendre tout entière ».

yeux bleu foncé ; elle ne pouvait plus parler. Il la prit alors par la main et la mena dans le palais. A chaque pas qu'elle faisait, il lui semblait marcher sur des lames de couteaux. Mais que lui importait la douleur ? elle s'avançait à côté du prince, légère comme une bulle de savon dans l'air : tout le monde restait étonné en voyant cette démarche si gracieuse, si aérienne.

On s'empressa autour d'elle, et on lui mit de superbes robes de soie et de dentelles. Pas une des femmes du palais ne pouvait lutter de beauté avec elle ; mais elle ne pouvait prononcer ni un mot, ni le plus léger cri. Aux fêtes de la cour, de jolies esclaves, parées d'or et de pierreries, paraissaient devant le prince, et devant le roi et la reine, ses parents ; l'une chantait plus agréablement que l'autre ; le prince les applaudissait et leur souriait. La petite sirène en éprouvait le plus vif chagrin. N'avait-elle pas naguère chanté mille fois mieux qu'elles ?

« S'il pouvait donc apprendre, se disait-elle, que, pour être auprès de lui, j'ai sacrifié pour toujours ma voix enchanteresse ! »

Puis, à un signal donné, les jolies esclaves se mirent à exécuter les plus gracieuses danses au son d'une délicieuse musique. Alors la petite sirène étendit ses bras si gentiment tournés, se dressa sur ses petits pieds et se mit à voltiger, à serpenter, à danser avec une légèreté inimitable. Jamais on n'avait rien vu de pareil. A chacun de ses mouvements, d'une élégance si naturelle, sa beauté resplendissait de plus en plus, et ses grands yeux profonds étaient plus expressifs que les accents des chanteuses. Toute l'assemblée était dans le ravissement, le prince surtout, qui l'appelait son petit enfant trouvé. Voyant qu'il la regardait avec plaisir, elle continua à danser, bien que, chaque fois que son pied touchait la terre, elle eût la sensation d'une douloureuse coupure.

Le prince dit qu'il voulait l'avoir toujours auprès de lui en qualité de page, et elle eut la permission de reposer devant sa porte sur un coussin de velours. Il lui fit faire des habits d'homme, et elle l'accompagna lorsqu'il allait se promener à cheval à travers les vertes forêts. Elle le suivait quand il montait sur les hautes montagnes qui, autrefois, avaient tant excité sa curiosité ; maintenant c'est à peine si elle regardait la perspective curieuse et magnifique dont on jouissait là-haut, où l'on voyait les nuages s'agiter au-dessous de soi comme une bande d'oiseaux voyageurs ; elle ne voyait que le prince. (...)

De jour en jour le prince la chérissait davantage, comme on aime un gentil enfant, un bon camarade ; mais il ne songea pas un instant à l'épouser. Et, cependant, elle devait se marier avec lui : sans cela, elle n'aurait pas d'âme immortelle, et, s'il en épousait une autre, le lendemain des noces elle deviendrait un flocon d'écume.

« Ne m'aimes-tu donc pas plus que tout le monde ? » C'est ce que paraissaient dire les yeux de la pauvre petite, quand le prince lui donnait un baiser sur le front.

« Oui, c'est toi que j'aime le plus, disait le prince, comprenant ces tendres regards. Tu as le meilleur cœur de tous, tu m'es le plus dévouée. Et puis tu ressembles à une jeune fille que j'ai vue une fois, mais que je ne retrouverai jamais. J'étais sur un navire qui fit naufrage ; les vagues me rejetèrent sur la plage, près d'un temple sacré dont plusieurs jeunes filles sont les prêtresses ; l'une d'elles m'aperçut et me sauva la vie. Je ne l'ai vue que quelques courts instants. Elle serait la seule que je pourrais, dans ce monde, aimer de toute mon âme ; mais elle est consacrée à Dieu. Tu lui ressembles étonnamment ; ton image fait presque pâlir la sienne dans mon cœur ; mon bonheur t'a envoyée en ces lieux. Aussi ne nous quitterons-nous jamais. »

« Hélas ! se disait la petite sirène, s'il savait que c'est moi qui l'ai arraché à la mort, qui l'ai porté à travers la tempête, peut-être serait-ce moi qu'il aimerait comme cette belle jeune fille dont il a gardé le souvenir. » (...)

Voilà que le bruit se répand que le prince doit bientôt se marier, qu'il doit épouser une belle princesse, la fille du roi d'un pays voisin. On appareille un superbe navire, doré de part en part, sur lequel le prince va se rendre dans ce pays, en apparence pour en visiter les beaux sites, en réalité pour voir celle qu'on lui destine. Une suite fastueuse l'accompagnera.

La petite sirène secoua la tête d'un air incrédule et sourit à ces discours ; elle connaissait mieux que tous les autres le cœur et les pensées du prince. « Il me faut partir, lui avait-il dit, obéir aux ordres du roi mon père, et aller rendre visite au roi voisin, dont il désire que j'épouse la fille ; mais ils ne sauraient m'y forcer. Je ne puis l'aimer ; elle ne peut ressembler à la jeune fille du temple, dont tu me rappelles les traits. Si jamais je dois me marier, c'est toi plutôt que je choisirai. Tu es muette, mais tes yeux parlent un si doux langage ! »

Elle partit avec lui sur le beau navire. « Tu ne crains pas la mer, n'est-ce pas, mon enfant ? » lui dit-il ; et il lui parla des tempêtes, de la bonace, des poissons étranges et des autres êtres singuliers qui habitent l'océan ; elle souriait à ces paroles. Ne connaissait-elle pas mieux que personne ce qui se trouve au fond de la mer ? (...)

La nuit, par un beau clair de lune, pendant que tous dormaient, sauf le pilote, elle vint se pencher au bord.

Le matin, le navire aborda au port de la magnifique capitale du roi voisin. Toutes les cloches sonnèrent ; du haut des tours retentissaient des fanfares, et, devant la porte de la ville, les soldats étaient rangés sous leurs drapeaux pour rendre honneur au noble hôte de leur maître. Ce fut, chaque soir, une succession de fêtes, de bals, d'illuminations et de spectacles ; mais la princesse n'y assistait pas. Elle se trouvait, apprit le prince, loin de ces lieux, dans un temple où on l'élevait sévèrement, pour qu'elle y acquît toutes les vertus royales.

Enfin elle arriva. La petite sirène était bien curieuse de juger de sa beauté ; elle dut reconnaître, qu'elle n'avait jamais vu une aussi délicieuse apparition, une figure si fine, si agréable, au teint transparent, et, sous de longs cils noirs, des yeux d'un bleu foncé, qui souriaient avec tant de bonté et de grâce.

Le prince, en la voyant, jeta un cri : « Tu es celle, dit-il, qui m'as sauvé lorsque je gisais comme mort sur la plage ! » La jeune princesse, rougissante, le reconnut aussitôt.

Tout était donc pour le mieux, et, selon le vœu des deux rois, les fiançailles furent annoncées en grande pompe. (...)

C'en était donc fait ; le lendemain de leurs noces, elle allait périr, et il ne resterait plus d'elle qu'un peu d'écume.

Les cloches sonnèrent à toute volée ; les hérauts parcoururent la ville, annonçant les fiançailles. Dans toutes les églises, sur les autels, furent allumées des lampes d'argent brûlant des huiles parfumées. Dans le grand temple, au milieu de la cour la plus brillante, le prince et la princesse mirent la main dans la main, le prêtre bénit leurs fiançailles. Des enfants revêtus de blanc agitaient des encensoirs d'or ; les accents d'une musique céleste résonnaient sous les voûtes. Mais la petite sirène, qui, habillée de soie et d'or, se tenait près de la princesse, à la première place d'honneur, n'entendait rien, ne voyait rien de toute cette pompe. Elle pensait qu'elle allait mourir et qu'elle avait tout perdu en ce monde.

Le soir même, le prince et la princesse se rendirent à bord du navire. Le canon retentissait ; on ne voyait partout que drapeaux et bannières de fête. Sur le pont du navire était une tente, toute d'or et de pourpre ; le prince et la princesse, et toute leur cour, devaient y passer la nuit au frais. Le vent gonfla les voiles, et le vaisseau glissa légèrement et doucement sur la mer limpide.

Lorsque la nuit fut venue, on alluma les lanternes de couleur, et les marins dansèrent joyeusement sur le pont. La petite sirène se souvint de la première fois qu'elle était sortie du fond de l'Océan : elle avait vu alors la même magnificence, la même gaieté. Elle se mêla aux danses ; elle tourbillonna, voltigea comme l'hirondelle quand elle est poursuivie ; jamais elle n'avait dansé aussi divinement. Tous suivaient en admiration ses mouvements de fée. Ses pieds mignons souffraient le martyre ; elle ne le sentait pas, mais elle sentait la douleur qui lui déchirait le cœur.

Elle savait qu'était arrivée la dernière heure où elle pourrait voir celui pour lequel elle avait quitté son père, ses sœurs, sa patrie, sacrifié sa voix merveilleuse et enduré chaque jour des tourments inouïs, sans qu'il s'en doutât un instant. La mer profonde, le ciel étoilé, tout allait disparaître devant elle, et elle allait être plongée dans une nuit éternelle, sans pensée, sans rêve même ; car elle n'avait pas d'âme immortelle, elle n'en aurait jamais.

Et la fête bruyante continuait toujours. Elle paraissait y prendre part, dansait, riait, malgré la désolation qui lui étreignait le cœur. Elle ne voulait attrister personne par la vue de son chagrin.

Enfin la musique cessa, et peu à peu tout devint silencieux. Il n'y avait plus que le pilote qui veillait et la petite sirène qui, appuyant ses bras blancs sur le bord du navire, regardait vers le levant, attendant le lever de l'aurore ; elle savait qu'au premier rayon du soleil elle devait mourir. Tout à coup ses sœurs surgirent à la surface de l'onde ; elles étaient pâles comme elle ; leurs belles et longues chevelures ne flottaient plus au vent ; elles étaient coupées.

« Nous les avons vendues à la sorcière, dirent-elles, pour qu'elle te vienne en aide et t'empêche de mourir tout à l'heure. Voici un couteau qu'elle nous a donné. Regarde, comme il est bien affilé ! Avant que le soleil paraisse, il faudra que tu en perces le cœur du prince, et, lorsque les gouttes de son sang tout chaud tomberont sur tes pieds, ils se rejoindront et redeviendront une queue de poisson. Tu descendras auprès de nous, tu seras de nouveau une sirène et tu vivras trois cents ans. Mais, hâte-toi ! Lui ou toi, l'un de vous doit périr avant le lever du soleil. Notre vieille grand'mère est si désolée à cause de toi, que sa chevelure blanche est tombée. Va tuer le prince, auteur de tout notre chagrin, et reviens auprès de nous. Dépêche-toi ! Ne vois-tu pas à l'horizon une bande rouge ? Dans quelques instants le soleil apparaîtra, et il sera trop tard. »

Et, poussant un soupir profond, où s'exprimait tout leur amour pour leur sœur chérie, elles disparurent sous les vagues.

La petite sirène leva le rideau de pourpre de la tente. Elle s'approcha doucement, et déposa un baiser sur le beau front du prince ; elle regarda vers le ciel, qui se colorait de plus en plus des teintes rouges de l'aurore ; elle considéra son couteau, puis elle fixa de nouveau les yeux sur le prince qui, en dormant, se mit à prononcer en rêve le nom de sa fiancée. Il l'aimait donc bien ! Elle seule régnait sur toutes ses pensées. Un instant la main de la petite sirène qui tenait le couteau frémit convulsivement ; mais aussitôt elle le lança au loin dans la mer. Il y traça un sillon rouge écarlate ; les gouttes d'eau qu'il fit jaillir en tombant étaient comme du sang. Une dernière fois elle jeta un dernier regard désespéré sur le prince, et elle se précipita dans les flots.

Elle sentit son corps se dissoudre. Le soleil venait d'émerger au-dessus des vagues ; ses rayons faisaient pénétrer une chaleur douce dans la froide écume, et la petite sirène n'éprouvait rien des angoisses de la mort. Elle voyait flotter dans l'air des centaines de créatures transparentes, merveilleuses, à travers lesquelles elle apercevait les voiles blanches du navire qui fuyait au loin, et les nuages pourpres du ciel. Ces êtres parlaient une langue qui sonnait comme la plus délicieuse musique ; mais aucune oreille humaine ne pouvait l'entendre, pas plus qu'un œil humain ne pouvait voir leur corps éthéré. Sans ailes, ils se tenaient dans les airs par leur seule légèreté.

La petite sirène sentit qu'elle se dégageait de l'écume avec un corps tout pareil. « Où vais-je ? » demanda-t-elle d'une voix aussi subtile que celles qu'elle entendait autour d'elle, et dont même les gazouillements d'oiseau les plus doux ne peuvent donner une idée.

« Tu viens parmi nous, les filles de l'air, fut la réponse. La sirène n'a point d'âme immortelle et ne peut en acquérir que si elle se fait aimer par un enfant des hommes ; sa vie éternelle dépend d'un être étranger. La fille de l'air non plus n'a pas d'âme immortelle ; mais elle peut en obtenir une en récompense de ses bonnes actions. C'est à quoi tendent nos efforts. Nous volons en ce moment vers les plages de l'extrême sud, où la chaleur produit la peste qui tue l'homme ; nous lui apportons la fraîcheur et répandons dans l'atmosphère les parfums des fleurs ; nous la purifions, et chassons la maladie.

« Quand, pendant trois cents ans, nous aurons ainsi de notre mieux rendu des services utiles aux hommes, nous recevrons une âme immortelle. Toi, pauvre enfant de la mer, tu as de tout ton cœur poursuivi le même but que nous ; tu as souffert affreusement. En récompense, te voilà élevée au même rang que nous, et tu peux, par de bonnes actions, conquérir après trois cents ans une âme immortelle. »

Et la petite sirène en extase, levant le regard vers le ciel, sentit pour la première fois ses yeux se remplir de douces larmes.

Sur le navire régnait de nouveau l'animation et la vie ; on cherchait partout la petite sirène. Le prince et sa fiancée, penchés sur la balustrade, regardaient d'un air désolé les vagues, pensant bien qu'elle s'y était précipitée. Elle s'approcha, invisible à eux, déposa un baiser sur le front de la fiancée, et souffla sur eux une brise fraîche et bienfaisante ; puis, avec les autres filles de l'air, elle prit place sur un nuage rose que le vent poussait vers le sud.

« Dans trois cents ans, nous voguerons ainsi vers le royaume de Dieu, » dit une de ses nouvelles compagnes. (...)

Jules Barbey d'Aurevilly

SAINT-SAUVER-LE-VICOMTE 1808 – PARIS 1889.

Issu d'une famille normande de notables, Barbey d'Aurevilly termine ses études secondaires au Collège Stanislas à Paris, et fait des études de droit à Caen. Il fonde ***La Revue de Caen*** *afin de « réveiller la Normandie ». Ensuite, après quatre années de voyage, il revient à Paris et mène la vie élégante et désordonnée d'un dandy. C'est en 1841 avec son premier roman* ***L'Amour impossible*** *qu'il fait ses véritables débuts littéraires. En 1844 il rédige un essai* ***Du Dandysme et de George Brummel*** *où il élabore une morale et une esthétique du dandysme. Il dira plus tard « j'ai parfois, dans ma vie, été bien malheureux, mais je n'ai jamais quitté mes gants blancs. » Après une grave crise de conscience il se convertit au catholicisme ; il prône un système politique reposant sur la monarchie et l'Église catholique. En 1851 il écrit* ***Vellini*** *ou* ***Une Vieille Maîtresse****, en 1854* ***L'Ensorcelée****, en 1864* ***Le Chevalier des Touches*** *et en 1874* ***La Diaboliques*** *qui atteignent une intensité dramatique et captivante : Barbey recherche les influences du Diable sur terre. L'ouvrage obtient un succès de scandale. Il écrit encore quelques ouvrages dont* ***Une histoire sans nom*** *en 1882 et* ***Une Page d'amour*** *en 1887.*

NOUVELLES

.*Les Diaboliques*.

1874

Les Diaboliques** sont un recueil de nouvelles « histoires réelles de ce temps » qui se présente comme une chronique de la possession diabolique. Ces nouvelles sont tout ensemble cruelles et insolites. Barbey mêle avec art le réalisme de la description et le surnaturel des événements. Le surnaturel se manifeste dans la réalité quotidienne de l'homme et du monde, il est un fait, une évidence : homme et nature sont possédés. Dès que le recueil paraît la police opère une descente chez l'éditeur et saisit les exemplaires restants. Après diverses interventions, un non-lieu sera prononcé en 1875. Le recueil contient six nouvelles : **Le Rideau cramoisi, Le Plus bel amour de Don Juan, Le Bonheur dans le crime, Le dessous de cartes d'une partie de whist, A un Dîner d'athées, La Vengeance d'une femme.

LE RIDEAU CRAMOISI

Un dandy : le vicomte de Brassard fut dans sa jeunesse un brillant officier du premier Empire. Il pousse ses subordonnés à imiter son idéal de dandysme et de courage :

Ce mépris insouciant de la discipline, le vicomte de Brassard l'avait porté partout. Excepté en campagne, où l'officier se retrouvait tout entier, il ne s'était jamais astreint aux obligations militaires. Maintes fois, on l'avait vu, par exemple, au risque de se faire mettre à des arrêts infiniment prolongés, quitter furtivement sa garnison pour aller s'amuser dans une ville voisine et n'y revenir que les jours de parade ou de revue, averti par quelque soldat qui l'aimait, car si ses chefs ne se souciaient pas d'avoir sous leurs ordres un homme dont la nature répugnait à toute espèce de discipline et de routine, ses soldats, en revanche, l'adoraient. Il était excellent pour eux. Il n'en exigeait rien que d'être très braves, très pointilleux et très coquets, réalisant enfin le type de l'ancien soldat français [...]. Il les poussait peut-être un peu trop au duel, mais il prétendait que c'était là le meilleur moyen qu'il connût de développer en eux l'esprit militaire. « Je ne suis pas un gouvernement, disait-il, et je n'ai point de décorations à leur donner quand ils se battent bravement entre eux ; mais les décorations dont je suis le grand-maître (il était fort riche de sa fortune personnelle), ce sont des gants, des buffleteries de rechange, et tout ce qui peut les pomponner, sans que l'ordonnance s'y oppose. » Aussi, la compagnie qu'il commandait effaçait-elle, par la beauté de la tenue, toutes les autres compagnies de grenadiers des régiments de la Garde, si brillante déjà. C'était ainsi qu'il exaltait à outrance la personnalité du soldat, toujours prête, en France, à la fatuité et à la coquetterie, ces deux provocations permanentes, l'une par le ton qu'elle prend, l'autre par l'envie qu'elle excite. On comprendra, après cela, que les autres compagnies de son régiment fussent jalouses de la sienne. On se serait battu pour entrer dans celle-là, et battu encore pour n'en pas sortir.

Telle avait été, sous la Restauration, la position tout exceptionnelle du capitaine vicomte de Brassard. Et comme il n'y avait pas alors, tous les matins, comme sous l'Empire, la ressource de l'héroïsme en action qui fait tout pardonner, personne n'aurait certainement pu prévoir ou deviner combien de temps aurait duré cette martingale d'insubordination qui étonnait ses camarades, et qu'il jouait contre ses chefs avec la même audace qu'il aurait joué sa vie s'il fût allé au feu, lorsque la révolution de 1830 leur ôta, s'ils l'avaient, le souci, et à lui, l'imprudent capitaine, l'humiliation d'une destitution qui le menaçait chaque jour davantage. Blessé grièvement aux Trois Jours, il avait dédaigné de prendre du service sous la nouvelle dynastie des d'Orléans qu'il méprisait. Quand la révolution de Juillet les fit maîtres d'un pays qu'ils n'ont pas su garder, elle avait trouvé le capitaine dans son lit, malade d'une blessure qu'il s'était faite au pied en dansant – comme il aurait chargé – au dernier bal de la duchesse de Berry. Mais au premier roulement de tambour, il ne s'en était pas moins levé pour rejoindre sa compagnie, et comme il ne lui avait pas été possible de mettre des bottes, à cause de sa blessure, il s'en était allé à l'émeute comme s'il s'en serait allé au bal, en chaussons vernis et en bas de soie, et c'est ainsi qu'il avait pris la tête de ses grenadiers sur la place de la Bastille, chargé qu'il était de balayer dans toute sa longueur le boulevard. Paris, ou les barricades n'étaient pas dressées encore, avait un aspect sinistre et redoutable. Il était désert. Le soleil y tombait d'aplomb, comme une première pluie de feu qu'une autre devait suivre, puisque toutes ces fenêtres, masquées de leurs persiennes, allaient, tout à l'heure, cracher la mort... Le capitaine Brassard rangea ses soldats sur deux lignes, le long et le plus près possible des maisons, de manière que chaque file de soldats ne fût exposée qu'aux coups de fusil qui lui venaient d'en face, – et lui, plus dandy que jamais, prit le milieu de la chaussée. Ajusté des deux côtés par des milliers de fusils, de pistolets et de carabines, depuis la Bastille jusqu'à la rue de Richelieu, il n'avait pas été atteint, malgré la largeur d'une poitrine dont il était peut-être un peut trop fier, car le capitaine de Brassard *poitrinait* au feu, comme une belle femme, au bal, qui veut mettre sa gorge en valeur, quand, arrivé devant Frascati, à l'angle de la rue de Richelieu, et au moment où il commandait à sa troupe de se masser derrière lui pour emporter la première barricade qu'il trouva dressée sur son chemin, il reçut une balle dans sa magnifique poitrine, deux fois provocatrice, et par sa largeur, et par les longs brandebourgs d'argent qui y étincelaient d'une épaule à l'autre, et il eut le bras cassé d'une pierre, – ce qui ne l'empêcha pas d'enlever la barricade et d'aller jusqu'à la Madeleine, à la tête de ses hommes enthousiasmés.

LE BONHEUR DANS LE CRIME

Le comte de Savigny et une exceptionnelle escrimeuse Hauteclaire s'aiment. Il l'installe chez lui. Les deux amants empoisonnent la comtesse et connaîtront un bonheur absolu sans remords. Le narrateur et le médecin Torty (qui perçu le mystère des amants) rencontrent le couple au Jardin des Plantes :

C'étaient un homme et une femme, tous deux de haute taille, et qui, dès le premier regard que je leur jetai, me firent l'effet d'appartenir aux rangs élevés du monde parisien. Ils n'étaient jeunes ni l'un ni l'autre, mais néanmoins parfaitement beaux. L'homme devait s'en aller vers quarante-sept ans et davantage, et la femme vers quarante et plus... Ils avaient donc, comme disent les marins revenus de la Terre de Feu, *passé la ligne*, la ligne fatale, plus formidable que celle de l'équateur, qu'une fois passée on ne repasse plus sur les mers de la vie ! Mais ils paraissaient peu se soucier de cette circonstance. Ils n'avaient au front, ni nulle part, de mélancolie... L'homme, élancé et aussi patricien dans sa redingote noire strictement boutonnée, comme celle d'un officier de cavalerie, que s'il avait porté un de ces costumes que le Titien donne à ses portraits, ressemblait par sa tournure brusquée, son air efféminé et hautain, ses moustaches aiguës comme celles d'un chat et qui à la pointe commençaient à blanchir, à un mignon du temps de Henri III ; et pour que la ressemblance fût plus complète, il portait des cheveux courts, qui n'empêchaient nullement de voir briller à ses oreilles deux saphirs d'un bleu sombre. [...] Excepté ce détail *ridicule* (comme aurait dit le monde) et qui montrait assez de dédain pour les goûts et les idées du jour, tout était simple et *dandy* comme l'entendait Brummell, c'est-à-dire *irremarquable*, dans la tenue de cet homme qui n'attirait l'attention que par lui-même, et qui l'aurait confisquée tout entière, s'il n'avait pas eu au bras la femme, qu'en ce moment, il y avait... Cette femme, en effet, prenait encore plus le regard que l'homme qui l'accompagnait, et elle le captivait plus longtemps. Elle était grande comme lui. Sa tête atteignait presque à la sienne. Et, comme elle était aussi tout en noir, elle faisait penser à la grande Isis noire du Musée Égyptien, par l'ampleur de ses formes, la fierté mystérieuse et la force. Chose étrange ! dans le rapprochement de ce beau couple, c'était la femme qui avait les muscles, et l'homme qui avait les nerfs... Je ne la voyais alors que de profil ; mais, le profil, c'est l'écueil de la beauté ou son attestation la plus éclatante. Jamais, je crois, je n'en avais vu de plus pur et de plus altier. Quant à ses yeux, je n'en pouvais juger, fixés qu'ils étaient sur la panthère, laquelle, sans doute, en recevait une impression magnétique et désagréable, car, immobile déjà, elle sembla s'enfoncer de plus en plus dans cette immobilité rigide, à mesure que la femme, venue pour la voir, la regardait ; et – comme les chats à la lumière qui les éblouit – sans que sa tête bougeât d'une ligne, sans que la fine extrémité de sa moustache, seulement, frémît, la panthère, après avoir clignoté quelque temps, et comme n'en pouvant pas supporter davantage, rentra lentement, sous les coulisses tirées de ses paupières, les deux étoiles vertes de ses regards. Elle se claquemurait.

« Eh ! eh ! panthère contre panthère ! » fit le docteur à mon oreille ; « mais le satin est plus fort que le velours. »

Le satin, c'était la femme, qui avait une robe de cette étoffe miroitante – une robe à longue traîne. Et il avait vu juste, le docteur ! Noire, souple d'articulation aussi puissante, aussi royale d'attitude, – dans son espèce, d'une beauté égale, et d'un charme encore plus inquiétant, – la femme, l'inconnue, était comme une panthère humaine, dressée devant la panthère animale qu'elle éclipsait ; et la bête venait de le sentir, sans doute, quand elle avait fermé les yeux. Mais la femme – si c'en était un – ne se contenta pas de ce triomphe. Elle manqua de générosité. Elle voulut que sa rivale la vît qui l'humiliait, et rouvrît les yeux pour la voir. Aussi, défaisant sans mot dire les douze boutons du gant violet qui moulait son magnifique avant-bras, elle ôta ce gant, et, passant audacieusement sa main entre les barreaux de la cage, elle en fouetta le museau court de la panthère, qui ne fit qu'un mouvement... mais quel mouvement !... et d'un coup de dents, rapide comme l'éclair !... Un cri partit du groupe où nous étions. Nous avions cru le poignet emporté : ce n'était que le gant. La panthère l'avait englouti. La formidable bête outragée avait rouvert des yeux affreusement dilatés, et ses naseaux froncés vibraient encore...

« Folle ! » dit l'homme, en saisissant ce beau poignet, qui venait d'échapper à la plus coupante des morsures. Vous savez, comme parfois on dit : « Folle !... » Il le dit ainsi ; et il le baisa, ce poignet, avec emportement.

LA VENGEANCE D'UNE FEMME

Un libertin, Tressignies, suit un soir une prostituée d'une grande beauté ; il reconnaît en elle une des plus grandes dames d'Espagne, la duchesse d'Arcos de Sierra-Leone. Celle-ci lui raconte comme son mari a fait assassiner son amant et comme elle se venge :

Tressignies frémissait, en écoutant cette femme effrayante. Il commençait alors de comprendre – le rideau se tirait ! – ce mot *vengeance*, qu'elle disait tant, – qui lui flambait toujours aux lèvres !

« La vengeance ! oui, – reprit-elle, vous comprenez, maintenant, ce qu'elle est ma vengeance ! Ah ! je l'ai choisie entre toute comme on choisit de tous les genres de poignards celui qui doit faire le plus souffrir, le cric dentelé qui doit le mieux déchirer l'être abhorré qu'on tue. Le tuer simplement cet homme, et d'un coup ! je ne le voulais pas. Avait-il tué, lui, Vasconcellos avec son épée, comme un gentilhomme ? Non ! il l'avait fait tuer par des valets. Il avait fait jeter son cœur aux chiens, et son corps au charnier peut-être ! Je ne le savais pas. Je ne l'ai jamais su. Le tuer, pour tout cela ? Non ! c'était trop doux et trop rapide ! Il fallait quelque chose de plus lent et de plus cruel... D'ailleurs, le duc était brave. Il ne craignait pas la mort. Les Sierra-Leone l'ont affrontée à toutes les générations. Mais son orgueil, son immense orgueil était lâche, quand il s'agissait de déshonneur. Il fallait donc l'atteindre et le crucifier dans son orgueil. Il fallait donc déshonorer son nom dont il était si fier. Eh bien ! je me jurai que, ce nom, je le tremperais dans la plus infecte des boues, que je le changerais en honte, en immondice, en excrément ! et pour cela je me suis faite ce que je suis, – une fille publique, – la fille Sierra-Leone, qui vous a raccroché ce soir !... »

Elle dit ses dernières paroles avec des yeux qui se mirent à étinceler de la joie d'un coup bien frappé.

« – Mais, – dit Tressignies, – le sait-il, lui, le duc, ce que vous êtes devenue ?...

– S'il ne le sait pas, il le saura un jour, – répondit-elle, avec la sécurité absolue d'une femme qui a pensé à tout, qui a tout calculé, qui est sûre de l'avenir. – Le bruit de ce que je fais peut l'atteindre d'un jour à l'autre, d'une éclaboussure de ma honte ! Quelqu'un des hommes qui montent ici peut lui cracher au visage le déshonneur de sa femme, ce crachat qu'on n'essuie jamais ; mais ce ne serait là qu'un hasard, et ce n'est pas à un hasard que je livrerais ma vengeance ! J'ai résolu d'en mourir pour qu'elle soit plus sûre ; ma mort l'assurera, en l'achevant. »

Tressignies était dépaysé par l'obscurité de ces dernières paroles ; mais elle en fit jaillir une hideuse clarté :

« Je veux mourir où meurent les filles comme moi, – reprit-elle. – Rappelez-vous !... Il fut un homme sous François 1er, qui alla chercher chez une de mes pareilles une effroyable et immonde maladie, qu'il donna à sa femme pour en empoisonner le roi, dont elle était la maîtresse, et c'est ainsi qu'il se vengea de tous les deux... Je ne ferai pas moins que cet homme. Avec ma vie ignominieuse de tous les soirs, il arrivera bien qu'un jour la putréfaction de la débauche saisira et rongera enfin la prostituée, et qu'elle ira tomber par morceaux et s'éteindre dans quelque honteux hôpital ! Oh ! alors, ma vie sera payée ! – ajouta-t-elle, avec l'enthousiasme de la plus affreuse espérance ; – alors, il sera temps que le duc de Sierra-Leone apprenne comment sa femme, la duchesse de Sierra-Leone aura vécu et comment elle meurt ! »

Tressignies n'avait pas pensé à cette profondeur dans la vengeance, qui dépassait tout ce que l'histoire lui avait appris. Ni l'Italie du XVIe siècle, ni la Corse de tous les âges, ces pays renommés pour l'implacabilité de leurs ressentiments n'offraient à sa mémoire un exemple de combinaison plus réfléchie et plus terrible que celle de cette femme, qui se vengeait à même elle, à même son corps comme à même son âme ! Il était effrayé de ce sublime horrible, car l'intensité dans les sentiments, poussée à ce point, est sublime. Seulement, c'est le sublime de l'enfer.

Gérard Labrunie, dit

Gérard de Nerval

PARIS 1808 – PARIS 1855.

Gérard de Nerval, orphelin de mère, est élevé dans le Valois chez son grand-oncle. A Paris, au collège Charlemagne, Théophile Gautier est son condisciple et restera son ami. Il publie à dix-huit ans des ***Élégies nationales*** *à la gloire de Napoléon, et la traduction d'une partie du* ***Faust*** de Goethe. *Il tire un drame du roman de Hugo,* ***Hans d'Islande****, et participe à la « bataille d'****Hernani*** *». Il édite la traduction d'un choix de* ***Poésies allemandes****, et une anthologie des poètes du XVIe siècle. Il entreprend des études de médecine, mais héritant de son grand-père il les abandonne et voyage en Italie. Très amoureux de l'actrice Jenny Colon, il fonde pour elle une revue,* ***Le Monde dramatique****, où sa fortune disparaît. Il vit alors de sa plume, écrivant articles, livrets, pièces de théâtre (en collaboration avec Alexandre Dumas), traductions. En 1841 la folie le frappe ; il passe plusieurs mois à la clinique du Dr Blanche. Cette crise oriente ses meilleures œuvres. En 1842 Nerval voyage en Orient : Grèce, Egypte, Syrie, Liban, etc. Il en revient avec le* ***Voyage en Orient****, publié en 1851, et reprend ses activités. En 1852, les crises de délire reprennent et Nerval est interné à plusieurs reprises. Entre-temps il voyage, et souvent retourne dans le Valois. Paraissent en 1853* ***Loreley****,* ***Les Nuits d'octobre****, les* ***Illuminés****, les* ***Petits Châteaux de Bohème****. En 1853 les* ***Contes et facéties****, et l'année suivante* ***Les Filles du feu*** *et* ***Les Chimères****.* ***Aurélia****, sa dernière œuvre, porte un regard calmement désespéré sur sa folie. Nerval est à cette époque cruellement démuni et sans logis. On le trouve pendu à une grille, dans la rue de la Vieille-Lanterne, à l'aube du 26 janvier ; la première partie d'****Aurélia*** *vient de paraître.*

POÉSIE

.Odelettes rythmiques et lyriques.

1835

.FANTAISIE.

Ce texte est publié en 1832. Une note de Nerval indique que l'air est « le chant d'Adrienne dans Sylvie *».*

Il est un air pour qui je donnerais
Tout Rossini, tout Mozart et tout Weber,
Un air très vieux, languissant et funèbre,
Qui pour moi seul a des charmes secrets.

Or, chaque fois que je viens à l'entendre,
De deux cents ans mon âme rajeunit :
C'est sous Louis-Treize... – et je crois voir s'étendre
Un coteau vert que le couchant jaunit ;

Puis un château de brique à coins de pierre,
Aux vitraux teints de rougeâtres couleurs,
Ceint de grands parcs, avec une rivière
Baignant ses pieds, qui coule entre des fleurs.

Puis une dame, à sa haute fenêtre,
Blonde aux yeux noirs, en ses habits anciens...
Que, dans une autre existence, peut-être,
J'ai déjà vue – et dont je me souviens !

RÉCIT DE VOYAGE

.Le Voyage en Orient.

1851

En 1842, Nerval part pour l'Orient. Au Liban Nerval aime Salima, fille d'un cheik druse. Salima raconte l'histoire du calife Hakem, fondateur de la religion druse. Hakem aime sa sœur qui l'enferme comme fou avec l'aide du grand vizir. Hakem s'échappe et ordonne que l'on apprête tout pour son mariage avec sa sœur Sétalmuc. Il traverse le Nil afin de consulter les astres depuis l'observatoire de Mokatam, les présages sont funestes. Hakem mourra de la main des esclaves de Sétalmuc. Nerval aussi verra son double, quelques années plus tard.

En traversant le fleuve dans sa cange, il vit avec surprise les jardins du palais illuminés comme pour une fête : il entra. Des lanternes pendaient à tous les arbres comme des fruits de rubis, de saphir et d'émeraude ; des jets de senteur lançaient sous les feuillages leurs fusées d'argent ; l'eau courait dans les rigoles de marbre, et du pavé d'albâtre découpé à jour des kiosques s'exhalait, en légères spirales, la fumée bleuâtre des parfums les plus précieux, qui mêlaient leurs arômes à celui des fleurs. [...]

L'étonnement de Hakem était extrême ; il se demandait : « Qui donc ose donner une fête chez moi lorsque je suis absent ? De quel hôte inconnu célèbre-t-on l'arrivée à cette heure ? Ces jardins devraient être déserts et silencieux. Je n'ai cependant point pris de hachich cette fois, et je ne suis pas le jouet d'une hallucination. » Il pénétra plus loin. Des danseuses, revêtues de costumes éblouissants, ondulaient comme des serpents, au milieu de tapis de Perse entourés de lampes, pour qu'on ne perdît rien de leurs mouvements et de leurs poses. Elles ne parurent pas apercevoir le calife. Sous la porte du palais, il rencontra tout un monde d'esclaves et de pages portant des fruits glacés et des confitures dans des bassins d'or, des aiguières d'argent pleines de sorbets. Quoiqu'il marchât à côté d'eux, les coudoyât et en fût coudoyé, personne ne fit à lui la moindre attention. Cette singularité commença à le pénétrer d'une inquiétude secrète. Il se sentait passer à l'état d'ombre, d'esprit invisible, et il continua d'avancer de chambre en chambre, traversant les groupes comme s'il eût au doigt l'anneau magique possédé par Gygès.

Lorsqu'il fut arrivé au seuil de la dernière salle, il fut ébloui par un torrent de lumière : des milliers de cierges, posés sur des candélabres d'argent, scintillaient comme des bouquets de feu, croisant leurs auréoles ardentes. Les instruments de musiciens cachés dans les tribunes tonnaient avec une énergie triomphale. Le calife s'approcha chancelant et s'abrita derrière les plis étoffés d'une énorme portière de brocart. Il vit alors au fond de la salle, assis sur le divan à côté de Sétalmulc, un homme ruisselant de pierreries, constellé de diamants qui étincelaient au milieu d'un fourmillement de bluettes et de rayons prismatiques. On eût dit que, pour revêtir ce nouveau calife, les trésors d'Haroun-al-Raschid avaient été épuisés.

On conçoit la stupeur de Hakem à ce spectacle inouï : il chercha son poignard à sa ceinture pour s'élancer sur cet usurpateur ; mais une force irrésistible le paralysait. Cette vision lui semblait un avertissement céleste, et son trouble augmenta encore lorsqu'il reconnut ou crut reconnaître ses propres traits dans ceux de l'homme assis près de sa sœur. Il crut que c'était son *ferouer* ou son double, et, pour les Orientaux, voir son propre spectre est un signe du plus mauvais augure. L'ombre force le corps à la suivre dans le délai d'un jour.

POÉSIE, SONNETS

.Les Chimères.

1854

Ces douze sonnets apparaissent en appendice des ***Filles du feu****. De ces beaux poèmes obscurs, Nerval a dit qu'ils « perdraient leur charme à être expliqués, si la chose était possible ». Nerval était grand lecteur de livres de sciences occultes.*

Dans ***Ivanhoé*** *de Walter Scott, un chevalier sans fief a pour devise* ***El Desdichado*** *– le Déshérité – et pour blason un chêne déraciné :*

.EL DESDICHADO.

Je suis le Ténébreux, – le Veuf, – l'Inconsolé,
Le Prince d'Aquitaine à la Tour abolie :
Ma seule Étoile est morte, – et mon luth constellé
Porte le Soleil noir de la Mélancolie.

Dans la nuit du Tombeau, Toi qui m'as consolé,
Rends-moi le Pausilippe et la mer d'Italie,
La fleur qui plaisait tant à mon cœur désolé,
Et la treille où le Pampre à la Rose s'allie.

Suis-je Amour ou Phœbus ?... Lusignan ou Biron ?
Mon front est rouge encor du baiser de la Reine ;
J'ai rêvé dans la Grotte où nage la Syrène...

Et j'ai deux fois vainqueur traversé l'Achéron :
Modulant tour à tour sur la lyre d'Orphée
Les soupirs de la Sainte et les cris de la Fée.

.DELFICA.

La connais-tu, Dafné, cette ancienne romance,
Au pied du sycomore, ou sous les lauriers blancs,
Sous l'olivier, le myrte, ou les saules tremblants,
Cette chanson d'amour... qui toujours recommence ?...

Reconnais-tu le Temple au péristyle immense,
Et les citrons amers où s'imprimaient tes dents,
Et la grotte, fatale aux hôtes imprudents,
Où du dragon vaincu dort l'antique semence...

Ils reviendront, ces Dieux que tu pleures toujours !
Le temps va ramener l'ordre des anciens jours ;
La terre a tressailli d'un souffle prophétique...

Cependant la sibylle au visage latin
Est endormie encor sous l'arc de Constantin :
– Et rien n'a dérangé le sévère portique.

.MYRTHO.

Je pense à toi, Myrtho, divine enchanteresse,
Au Pausilippe altier, de mille feux brillant,
A ton front inondé des clartés d'Orient,
Aux raisins noirs mêlés avec l'or de ta tresse.

C'est dans ta coupe aussi que j'avais bu l'ivresse,
Et dans l'éclair furtif de ton œil souriant,
Quand aux pieds d'Iacchus on me voyait priant,
Car la Muse m'a fait l'un des fils de la Grèce.

Je sais pourquoi là-bas le volcan s'est rouvert...
C'est qu'hier tu l'avais touché d'un pied agile,
Et de cendres soudain l'horizon s'est couvert.

Depuis qu'un duc normand brisa tes dieux d'argile,
Toujours, sous les rameaux du laurier de Virgile,
Le pâle Hortensia s'unit au Myrte vert !

.ANTÉROS.

Tu demandes pourquoi j'ai tant de rage au cœur
Et sur un col flexible une tête indomptée ;
C'est que je suis issu de la race d'Antée,
Je retourne les dards contre le dieu vainqueur.

Oui, je suis de ceux-là qu'inspire le Vengeur,
Il ma marqué le front de sa lèvre irritée,
Sous la pâleur d'Abel, hélas ! ensanglantée,
J'ai parfois de Caïn l'implacable rougeur !

Jéhovah ! le dernier, vaincu par ton génie,
Qui, du fond des enfers, criait : « Ô tyrannie ! »
C'est mon aïeul Belus ou mon père Dagon...

Ils m'ont plongé trois fois dans les eaux du Cocyte,
Et, protégeant tout seul ma mère Amalécyte,
Je ressème à ses pieds les dents du vieux dragon.

.VERS DORÉS.

Eh quoi ! tout est sensible !
(Pythagore)

Homme ! libre penseur – te crois-tu seul pensant
Dans ce monde où la vie éclate en toute chose :
Des forces que tu tiens ta liberté dispose,
Mais de tous tes conseils l'univers est absent.

Respecte dans la bête un esprit agissant : ...
Chaque fleur est une âme à la Nature éclose ;
Un mystère d'amour dans le métal repose :
« Tout est sensible ! » – Et tout sur ton être est puissant !

Crains dans le mur aveugle un regard qui t'épie :
À la matière même un verbe est attaché...
Ne la fais pas servir à quelque usage impie !

Souvent dans l'être obscur habite un Dieu caché ;
Et comme un œil naissant couvert par ses paupières,
Un pur esprit s'accroît sous l'écorce des pierres !

ROMAN

.Les Filles du feu.

1854

Angélique, Sylvie, Chansons et légendes du Valois, Octavie, Isis, Corilla, *et les sonnets des* ***Chimères*** *composent* ***Les Filles du feu.***

SYLVIE

Le narrateur aime l'actrice Aurélie et n'ose lui déclarer son amour. Aurélie en aime un autre. La nostalgie du Valois y conduit une nuit le narrateur. Il se souvient de Sylvie, jeune dentellière du village. Il va la revoir, l'épouser peut-être... Il y avait aussi Adrienne, blonde quand Sylvie est brune, la jeune châtelaine maintenant religieuse. A l'aube, Gérard arrive au village de Loisy. Il revoit Sylvie, fiancée au pâtissier de Dammartin. D'elle, Gérard apprendra qu'Adrienne est morte.

L'amour d'Aurélie se change en réminiscence d'Adrienne autrefois aimée de Gérard : « Cet amour vague et sans espoir, conçu pour une femme de théâtre..., avait son germe dans le souvenir d'Adrienne, fleur de la nuit éclose à la pâle clarté de la lune... Aimer une religieuse sous la forme d'une actrice !... et si c'était la même !

– Il y a de quoi devenir fou ! » écrit Nerval.

Je me représentais un château du temps de Henri IV, avec ses toits pointus couverts d'ardoises, et sa face rougeâtre aux encoignures dentelées de pierres jaunies, une grande place verte encadrée d'ormes et de tilleuls, dont le soleil couchant perçait le feuillage de ses traits enflammés. Des jeunes filles dansaient en rond sur la pelouse en chantant de vieux airs transmis par leurs mères, et d'un français si naturellement pur, que l'on se sentait bien exister dans ce vieux pays du Valois, où, pendant plus de mille ans, a battu le cœur de la France.

J'étais le seul garçon dans cette ronde, où j'avais amené ma compagne toute jeune encore, Sylvie, une petite fille du hameau voisin, si vive et si fraîche, avec ses yeux noirs, son profil régulier et sa peau légèrement hâlée !... Je n'aimais qu'elle, je ne voyais qu'elle, – jusque-là ! A peine avais-je remarqué, dans la ronde où nous dansions, une blonde, grande et belle, qu'on appelait Adrienne. Tout d'un coup, suivant les règles de la danse, Adrienne se trouva placée seule avec moi au milieu du cercle. Nos tailles étaient pareilles. On nous dit de nous embrasser, et la danse et le chœur tournaient plus vivement que jamais. En lui donnant ce baiser, je ne pus m'empêcher de lui presser la main. Les longs anneaux roulés de ses cheveux d'or effleuraient mes joues. De ce moment, un trouble inconnu s'empara de moi. – La belle devait chanter pour avoir le droit de rentrer dans la danse. On s'assit autour d'elle, et aussitôt, d'une voix fraîche et pénétrante, légèrement voilée, comme celle des filles de ce pays brumeux, elle chanta une de ces anciennes romances pleines de mélancolie et d'amour, qui racontent toujours les malheurs d'une princesse enfermée dans sa tour par la volonté d'un père qui la punit d'avoir aimé. La mélodie se terminait à chaque stance par ces trilles chevrotants que font valoir si bien les voix jeunes, quand elles imitent par un frisson modulé la voix tremblante des aïeules.

A mesure qu'elle chantait, l'ombre descendait des grands arbres, et le clair de lune naissant tombait sur elle seule, isolée de notre cercle attentif. – Elle se tut, et personne n'osa rompre le silence. La pelouse était couverte de faibles vapeurs condensées, qui déroulaient leurs blancs flocons sur les pointes des herbes. Nous pensions être en paradis. – Je me levai enfin, courant au parterre du château, où se trouvaient des lauriers, plantés dans de grands vases de faïence peints en camaïeu. Je rapportai deux branches, qui furent tressées en couronne et nouées d'un ruban. Je posai sur la tête d'Adrienne cet ornement, dont les feuilles lustrées éclataient sur ses cheveux blonds, aux rayons pâles de la lune. Elle ressemblait à la Béatrix de Dante, qui sourit au poète errant sur la lisière des saintes demeures.

Adrienne se leva. Développant sa taille élancée, elle nous fit un salut gracieux, et rentra en courant dans le château. – C'était, nous dit-on, la petite-fille de l'un des descendants d'une famille alliée aux anciens rois de France ; le sang des Valois coulait dans ses veines. Pour ce jour de fête, on lui avait permis de se mêler à nos jeux ; nous ne devions plus la revoir, car le lendemain elle repartit pour un couvent où elle était pensionnaire.

Quand je revins près de Sylvie, je m'aperçus qu'elle pleurait. La couronne donnée par mes mains à la belle chanteuse était le sujet de ses larmes. Je lui offris d'en aller cueillir une autre, mais elle me dit qu'elle n'y tenait nullement, ne la méritant pas. Je voulus en vain me défendre, elle ne me dit plus un seul mot pendant que je la reconduisais chez ses parents.

Rappelé moi-même à Paris pour y reprendre mes études, j'emportai cette double image d'une amitié tendre tristement rompue, – puis d'un amour impossible et vague, source de pensées douloureuses que la philosophie de collège était impuissante à calmer.

La figure d'Adrienne resta seule triomphante, – mirage de la gloire et de la beauté, adoucissant ou partageant les heures des sévères études. Aux vacances de l'année suivante, j'appris que cette belle à peine entrevue était consacrée par sa famille à la vie religieuse.

Telles sont les chimères qui charment et égarent au matin de la vie. J'ai essayé de les fixer sans beaucoup d'ordre, mais bien des cœurs me comprendront. Les illusions tombent l'une après l'autre, comme les écorces d'un fruit, et le fruit, c'est l'expérience. Sa saveur est amère ; elle a pourtant quelque chose d'âcre qui fortifie, – qu'on me pardonne ce style vieilli. Rousseau dit que le spectacle de la nature console de tout. Je cherche parfois à retrouver mes bosquets de Clarens perdus au nord de Paris, dans les brumes. Tout cela est bien changé !

Ermenonville ! pays où fleurissait encore l'idylle antique, – traduite une seconde fois d'après Gessner ! tu as perdu ta seule étoile, qui chatoyait pour moi d'un double éclat. Tour à tour bleu et rose comme l'astre trompeur d'Aldebaran, c'était Adrienne ou Sylvie, – c'étaient les deux moitiés d'un seul amour. L'une était l'idéal sublime, l'autre la douce réalité. Que me font maintenant tes ombrages et tes lacs, et même ton désert ? Othys, Montagny, Loisy, pauvres hameaux voisins, Châalis – que l'on restaure, – vous n'avez rien gardé de tout ce passé ! Quelquefois j'ai besoin de revoir ces lieux de solitude et de rêverie. J'y relève tristement en moi-même les traces fugitives d'une époque où le naturel était affecté ; je souris parfois en lisant sur le flanc des granits certains vers de Roucher, qui m'avaient paru sublimes, – ou des maximes de bienfaisance au-dessus d'une fontaine ou d'une grotte consacrée à Pan. Les étangs, creusés à si grands frais, étalent en vain leur eau morte que le cygne dédaigne. Il n'est plus, le temps où les chasses de Condé passaient avec leurs amazones fières, où les

Alain Fournier se souviendra de cette atmosphère de fête et de Paradis, et Marcel Proust cherchera constamment à retrouver ce temps passé qui est la véritable essence de nos jours.

"Les illusions tombent l'une après l'autre, comme les écorces d'un fruit, et le fruit, c'est l'expérience"

cors se répondaient de loin, multipliés par les échos !... Pour se rendre à Ermenonville, on ne trouve plus aujourd'hui de route directe. Quelquefois j'y vais par Creil et Senlis, d'autres fois par Dammartin.

À Dammartin, l'on n'arrive jamais que le soir. Je vais coucher alors à l'*Image Saint-Jean*. On me donne d'ordinaire une chambre assez propre tendue en vieille tapisserie avec un trumeau au-dessus de la glace. Cette chambre est un dernier retour vers le bric-à-brac, auquel j'ai depuis longtemps renoncé. On y dort chaudement sous l'édredon, qui est d'usage dans ce pays. Le matin, quand j'ouvre la fenêtre, encadrée de vigne et de roses, je découvre avec ravissement un horizon vert de dix lieues, où les peupliers s'alignent comme des armées. Quelques villages s'abritent çà et là sous leurs clochers aigus, construits, comme on dit là, en pointes d'ossements. On distingue d'abord Othys, – puis Ève, puis Ver ; on distinguerait Ermenonville à travers le bois, s'il avait un clocher, – mais dans ce lieu philosophique on a bien négligé l'église. Après avoir rempli mes poumons de l'air si pur qu'on respire sur ces plateaux, je descends gaiement et je vais faire un tour chez le pâtissier. « Te voilà, grand frisé ! – Te voilà, petit Parisien ! » Nous nous donnons les coups de poing amicaux de l'enfance, puis je gravis un certain escalier où les joyeux cris de deux enfants accueillent ma venue. Le sourire athénien de Sylvie illumine ses traits charmés. Je me dis : « Là était le bonheur peut-être ; cependant... »

Edgar Allan Poe

BOSTON 1809 – BALTIMORE 1849.

Fils de deux comédiens misérables, Poe est orphelin à l'âge de deux ans ; il est recueilli par la famille Allan, riches négociants de Richmond. Enfant précoce et intelligent il fait d'excellentes études à Richmond, puis à l'Université de Virginie. Mais il commence de boire, joue et s'endette. Une violente querelle éclate entre Poe et son beau-père, Poe quitte sa famille. En 1829 il se rend à Baltimore chez sa tante Maria Clemm, mère d'une petite fille, Virginia. Il compose des poèmes, les publie, l'accueil est assez bon. En 1831 il commence d'écrire des nouvelles : ***Manuscrit trouvé dans une bouteille****,* ***Le Roi Peste****,* ***Morella****, etc. Dès 1835 il collabore à diverses revues. Il épouse sa cousine Virginia qui a 13 ans. Il achève en 1837 son long récit* ***Les Aventures d'Arthur Gordon Pym*** *et compose des nouvelles, notamment* ***La Chute de la maison Usher*** *et* ***Le Scarabée d'or****, qui paraissent dans des journaux. En 1844 il publie son célèbre poème* ***Le Corbeau****. Des excès de boisson compromettent sa santé, de longues crises d'éthylisme alternent avec des périodes d'abstinence. En 1842 sa jeune femme Virginia se rompt, en chantant, un vaisseau sanguin, après maintes rechutes, elle meurt en 1847. Poe est désespéré : « Je devins fou, avec de longs intervalles d'horrible lucidité. Pendant ces accès d'inconscience absolue, je buvais – Dieu seul sait combien et combien souvent. Bien entendu mes ennemis rapportèrent la folie à la boisson plutôt que la boisson à la folie. J'avais, de fait, presque abandonné tout espoir d'une guérison durable, lorsque j'en trouvai une dans la* ***mort*** *de ma femme » écrit Poe. Pendant la maladie de sa femme il écrit ses nouvelles les plus sombres, les plus cruelles :* ***Le Cœur révélateur****,* ***Le Chat noir****, etc. Les dernières années de Poe sont marquées essentiellement par la composition de poèmes et de nouvelles. Il meurt en 1849 d'une crise de delirium tremens. En France Charles Baudelaire voit en Poe un autre lui-même ; il le traduit avec passion, mais jamais les deux hommes ne se verront. Les nouvelles sont recueillies et présentées en français sous les titres de* ***Histoires extraordinaires****,* ***Nouvelles Histoires extraordinaires****, et* ***Histoires grotesques et sérieuses****.*
Edgar Allan Poe connaît en France un immense succès, grâce aux magnifiques traductions de Charles Baudelaire.

POÉSIE

.Le Corbeau (The Raven).

écrit en 1844, publié en 1845

Par une nuit de décembre le poète cherche à oublier sa douleur d'avoir perdu son aimée, à travers les livres. Un immense corbeau vient frapper à sa fenêtre, qui répondra à toutes les questions du poète par ce mot cruel : ***Nevermore (Jamais plus)*** *: « jamais plus » il ne pourra embrasser son aimée, « jamais plus » les anges ne pourront lui apporter l'oubli... Ce refrain symbolise le désespoir de l'amant qui a perdu l'amante :*

VERSION ORIGINALE

"Nevermore"

But the Raven, sitting lonely on that placid bust, spoke only
That one word, as if his soul in that one word he did outpour.
Nothing further then he uttered – not a feather then he fluttered
Till I scarcely more than muttered: Other friends have flown before
On the morrow he will leave me, as my hopes have flown before.
Then the bird said: « Nevermore ».

STROPHE X

TRADUCTION DE CHARLES BAUDELAIRE (1853)

Rentrant dans ma chambre, et sentant en moi toute mon âme incendiée, j'entendis bientôt un coup un peu plus fort que le premier. « Sûrement, – dis-je, – sûrement, il y a quelque chose aux jalousies de ma fenêtre ; voyons donc ce que c'est, et explorons ce mystère. Laissons mon cœur se calmer un instant, et explorons ce mystère ; – c'est le vent, et rien de plus. »

Je poussai alors le volet, et, avec un tumultueux battement d'ailes, entra un majestueux corbeau digne des anciens jours. Il ne fit pas la moindre révérence, il ne s'arrêta pas, il n'hésita pas une minute ; mais, avec la mine d'un lord ou d'une lady, il se percha au-dessus de la porte de ma chambre ; il se percha sur un buste de Pallas juste au-dessus de la porte de ma chambre ; – il se percha, s'installa, et rien de plus.

Alors cet oiseau d'ébène, par la gravité de son maintien et la sévérité de sa physionomie, induisant ma triste imagination à sourire : « Bien que ta tête, – lui dis-je, – soit sans huppe et sans cimier, tu n'es certes pas un poltron, lugubre et ancien corbeau, voyageur parti des rivages de la nuit. Dis-moi quel est ton nom seigneurial aux rivages de la Nuit plutonienne ! » Le corbeau dit : « Jamais plus ! »

Je fus émerveillé que ce disgracieux volatile entendît si facilement la parole, bien que sa réponse n'eût pas un bien grand sens et ne fût pas d'un grand secours ; car nous devons convenir que jamais il ne fut donné à un homme vivant de voir un oiseau au-dessus de la porte de sa chambre, un oiseau ou une bête sur un buste sculpté au-dessus de la porte de sa chambre, se nommant d'un nom tel que : « Jamais plus ! ».

Mais le corbeau, perché solitairement sur le buste placide, ne proféra que ce mot unique, comme si dans ce mot unique il répandait toute son âme. Il ne prononça rien de plus ; il ne remua pas une plume, – jusqu'à ce que je me prisse à murmurer faiblement : « D'autres amis se sont déjà envolés loin de moi ; vers le matin, lui aussi, il me quittera comme mes anciennes espérances déjà envolées. » L'oiseau dit alors : « Jamais plus ! »

STROPHES VI À X

TRADUCTION DE STÉPHANE MALLARMÉ (1889)

Rentrant dans la chambre, toute l'âme en feu, j'entendis bientôt un heurt en quelque sorte plus fort qu'auparavant. « Sûrement, dis-je, sûrement c'est quelque chose à la persienne de ma fenêtre. Voyons donc ce qu'il y a et explorons ce mystère – que mon cœur se calme un moment et explore ce mystère ; c'est le vent et rien de plus. »

Au large je poussai le volet, quand, avec maints enjouement et agitation d'ailes, entra un majestueux corbeau des saints jours de jadis. Il ne fit pas la moindre révérence, il ne s'arrêta ni n'hésita un instant : mais, avec une mine de lord ou de lady, se percha au-dessus de la porte de ma chambre – se percha sur un buste de Pallas, juste au-dessus de la porte de ma chambre – se percha – siégea et rien de plus.

Alors cet oiseau d'ébène induisant ma

triste imagination au sourire, par le grave et sévère décorum de la contenance qu'il eut : « Quoique ta crête soit chenue et rase, non ! dis-je, tu n'es pas pour sûr un poltron, spectral, lugubre et ancien Corbeau, errant loin du rivage de Nuit – dis-moi quel est ton nom seigneurial au rivage plutonien de Nuit ? » Le Corbeau dit : « Jamais plus ! »

Je m'émerveillai fort d'entendre ce disgracieux volatile s'énoncer aussi clairement, quoique sa réponse n'eût que peu de sens et peu d'à-propos ; car on ne peut s'empêcher de convenir que nul homme vivant n'eut encore l'heur de voir un oiseau au-dessus de la porte de sa chambre – un oiseau ou toute autre bête sur le buste sculpté au-dessus de la porte de sa chambre avec un nom tel que : « Jamais plus ! »

Mais le Corbeau, perché solitairement sur ce buste placide, parla ce seul mot comme si mon âme, en ce seul mot, il la répandait. Je ne proférai donc rien de plus : il n'agita donc pas de plume – jusqu'à ce que je fis à peine davantage que marmotter « D'autres amis déjà ont pris leur vol – demain il me laissera comme mes Espérances déjà ont pris leur vol. » Alors l'oiseau dit : « Jamais plus ! »

STROPHES VI À X

NOUVELLES FANTASTIQUES

.Nouvelles Histoires extraordinaires.

1857 (édition française)

A travers le fantastique de la dernière nouvelle du recueil ***Nouvelles Histoires extraordinaires, Le Portrait ovale,*** *Poe révèle une réflexion philosophique sur l'essence de l'art, sur les rapports mystérieux de l'art et de la vie.*

LE PORTRAIT OVALE

Le château dans lequel mon domestique s'était avisé de pénétrer de force, plutôt que de me permettre, déplorablement blessé comme je l'étais, de passer une nuit en plein air, était un de ces bâtiments, mélange de grandeur et de mélancolie, qui ont si longtemps dressé leurs fronts sourcilleux au milieu des Apennins, aussi bien dans la réalité que dans l'imagination de mistress Radcliffe. Selon toute apparence, il avait été temporairement et tout récemment abandonné. Nous nous installâmes dans une des chambres les plus petites et les moins somptueusement meublées. Elle était située dans une tour écartée du bâtiment. Sa décoration était riche, mais antique et délabrée. Les murs étaient tendus de tapisseries et décorés de nombreux trophées héraldiques de toute forme, ainsi que d'une quantité vraiment prodigieuse de peintures modernes, pleines de style, dans de riches cadres d'or d'un goût arabesque. Je pris un profond intérêt, – ce fut peut-être mon délire qui commençait qui en fut cause, – je pris un profond intérêt à ces peintures qui étaient suspendues non seulement sur les faces principales des murs, mais aussi dans une foule de recoins que la bizarre architecture du château rendait inévitables ; si bien que j'ordonnai à Pedro de fermer les lourds volets de la chambre, – puisqu'il faisait déjà nuit, – d'allumer un grand candélabre à plusieurs branches placé près de mon chevet, et d'ouvrir tout grands les rideaux de velours noir garnis de crépines qui entouraient le lit. Je désirais que cela fût ainsi, pour que je pusse au moins, si je ne pouvais pas dormir, me consoler alternativement par la contemplation de ces peintures et par la lecture d'un petit volume que j'avais trouvé sur l'oreiller et qui en contenait l'appréciation et l'analyse.

Je lus longtemps, – longtemps ; – je contemplai religieusement, dévotement ; les heures s'envolèrent rapides et glorieuses, et le profond minuit arriva. La position du candélabre me déplaisait, et, étendant la main avec difficulté pour ne pas déranger mon valet assoupi, le plaçai l'objet de manière à jeter les rayons en plein sur le livre.

Mais l'action produisit un effet absolument inattendu. Les rayons des nombreuses bougies (car il y en avait beaucoup) tombèrent alors sur une niche de la chambre que l'une des colonnes du lit avait jusque-là couverte d'une ombre profonde. J'aperçus dans une vive lumière une peinture qui m'avait d'abord échappé. C'était le portrait d'une jeune fille déjà mûrissante et presque femme. Je jetai sur la peinture un coup d'œil rapide, et je fermai les yeux. Pourquoi, – je ne le compris pas bien moi-même tout d'abord. Mais pendant que mes paupières restaient closes, j'analysai rapidement la raison qui me les faisait fermer ainsi. C'était un mouvement involontaire pour gagner du temps et pour penser, – pour m'assurer que ma vue ne m'avait pas trompé, – pour calmer et préparer mon esprit à une contemplation plus froide et plus sûre. Au bout de quelques instants, je regardai de nouveau la peinture fixement.

Je ne pouvais pas douter, quand même je l'aurais voulu, que je n'y visse alors très nettement ; car le premier éclair du flambeau sur cette toile avait dissipé la stupeur rêveuse dont mes sens étaient possédés, et m'avait rappelé tout d'un coup à la vie réelle.

Le portrait, je l'ai déjà dit, était celui d'une jeune fille. C'était une simple tête, avec des épaules, le tout dans ce style qu'on appelle, en langage technique, style *de vignette*, beaucoup de la manière de Sully dans ses têtes de prédilection. Les bras, le sein, et même les bouts des cheveux rayonnants, se fondaient insaisissablement dans l'ombre vague mais profonde qui servait de fond à l'ensemble. Le cadre était ovale, magnifiquement doré et guilloché dans le goût moresque. Comme œuvre d'art, on ne pouvait rien trouver de plus admirable que la peinture elle-même. Mais il se peut bien que ce ne fût ni l'exécution de l'œuvre, ni l'immortelle beauté de la physionomie, qui m'impressionna si soudainement et si fortement. Encore moins devais-je croire que mon imagination, sortant d'un demi-sommeil, eût pris la tête pour celle d'une personne vivante. – Je vis tout d'abord que les détails du dessin, le style de vignette, et l'aspect du cadre auraient immédiatement dissipé un pareil charme, et m'auraient préservé de toute illusion même momentanée. Tout en faisant ces réflexions, et très vivement, je restai, à demi étendu, à demi assis, une heure entière peut-être, les yeux rivés à ce portrait. A la longue, ayant découvert le vrai secret de son effet, je me laissai retomber sur le lit. J'avais deviné que le *charme* de la peinture était une expression vitale absolument adéquate à la vie elle-même, qui d'abord m'avait fait tressaillir, et finalement m'avait confondu, subjugué, épouvanté. Avec une terreur profonde et respectueuse, je replaçai le candélabre dans sa position première. Ayant ainsi dérobé à ma vue la cause de ma profonde agitation, je cherchai vivement le volume qui contenait l'analyse des tableaux et leur histoire. Allant droit au numéro qui désignait le portrait ovale, j'y lus le vague et singulier récit qui suit :

« C'était une jeune fille d'une très rare beauté, et qui n'était pas moins aimable que pleine de gaieté. Et maudite fut l'heure où elle vit, et aima, et épousa le peintre. Lui, passionné, studieux, austère, et ayant déjà trouvé une épouse dans son Art ; elle, une jeune fille d'une très rare beauté ; et non moins aimable que pleine de gaieté : rien que lumière et sourires, et la folâtrerie d'un jeune faon ; aimant et chérissant toutes choses ; ne haïssant que l'Art qui était son rival ; ne redoutant que la palette et les brosses, et les autres instruments fâcheux qui la privaient de la figure de son adoré. Ce fut une terrible chose pour cette dame que d'entendre le peintre parler du désir de peindre même sa jeune épouse. Mais elle était humble et obéissante, et elle s'assit avec douceur pendant de longues semaines dans la sombre et haute chambre de la tour, où la lumière filtrait sur la pâle toile seulement par le plafond. Mais lui, le peintre, mettait sa gloire dans son œuvre, qui avançait d'heure en heure et de jour en jour. – Et c'était un homme passionné, et étrange, et pensif, qui se perdait en rêveries ; si bien qu'il ne *voulait* pas voir que la lumière qui tombait si lugubrement dans cette tour isolée desséchait la santé et les esprits de sa femme, qui languissait visiblement pour tout le monde, excepté pour lui. Cependant, elle souriait toujours, et toujours sans se plaindre, parce qu'elle voyait que le peintre (qui avait un grand nom) prenait un plaisir vif et brûlant dans sa tâche, et travaillait nuit et jour pour peindre celle qui l'aimait si fort, mais qui devenait de jour en jour plus languissante et plus faible. Et en vérité, ceux qui contemplaient le portrait parlaient à voix basse de sa ressemblance, comme d'une puissante merveille et comme d'une preuve non moins grande de la puissance du peintre que de son profond amour pour celle qu'il peignait si miraculeusement bien. – Mais, à la longue, comme la besogne approchait de sa fin, personne ne fut plus admis dans la tour ; car le peintre était devenu fou par l'ardeur de son travail, et il détournait rarement les yeux de la toile, même pour regarder la figure de sa femme. Et il ne *voulait* pas voir que les couleurs qu'il étalait sur la toile étaient *tirées* des joues de celle qui était assise près de lui. Et quand bien des semaines furent passées et qu'il ne restait plus que peu de chose à faire, rien qu'une touche sur la bouche et un glacis sur l'œil, l'esprit de la dame palpita encore comme la flamme dans le bec d'une lampe. Et alors la touche fut donnée, et alors le glacis fut placé ; et pendant un moment le peintre se tint en extase devant le travail qu'il avait travaillé ; mais une minute après, comme il contemplait encore, il trembla, et il devint très pâle – et il fut frappé d'effroi ; et criant d'une voix éclatante : « En vérité, c'est la *Vie* elle-même ! » il se retourna brusquement pour regarder sa bien-aimée : – elle était morte ! »

Pierre Proudhon

BESANÇON 1809 – PARIS 1865.

Fils d'un modeste tonnelier, Proudhon doit interrompre ses études à 19 ans. Il devient typographe, puis imprimeur, employé de contentieux, publiciste. Il continue de se cultiver seul et vient à Paris en 1839. Il publie ***Qu'est-ce que la propriété ?*** *(1840), un* ***Avertissement aux propriétaires*** *(1842) et la* ***Philosophie de la misère*** *(1846). En 1847 Karl Marx répond avec violence à Proudhon en publiant la* ***Misère de la philosophie.*** *Proudhon est élu député en 1848, mais à la suite de certaines déclarations il est emprisonné, il se réfugie ensuite à Bruxelles pendant un moment. Ce théoricien « socialiste » déclare que les travailleurs ne pourront s'affranchir que lorsqu'ils disposeront des instruments de production. C'est un individualiste ; il veut la redistribution des biens entre tous, réclame le droit au travail pour chacun, l'égalité des chances, la disparition de l'État. Les marxistes appelleront cette thèse le « socialisme utopique ».*

PHILOSOPHIE POLITIQUE

•*Qu'est-ce que la propriété ?*•

1840

Si j'avais à répondre à la question suivante : *Qu'est-ce que l'esclavage ?* et que d'un seul mot je répondisse : *C'est l'assassinat*, ma pensée serait d'abord comprise. Je n'aurais pas besoin d'un long discours pour montrer que le pouvoir d'ôter à l'homme la pensée, la volonté, la personnalité, est un pouvoir de vie et de mort, et que faire un homme esclave, c'est l'assassiner. Pourquoi donc à cette autre demande : *Qu'est-ce que la propriété ?* ne puis-je répondre de même : *C'est le vol*, sans avoir la certitude de n'être pas entendu, bien que cette seconde proposition ne soit que la première transformée ?

J'entreprends de discuter le principe même de notre gouvernement et de nos institutions, la propriété : je suis dans mon droit ; je puis me tromper dans la conclusion qui sortira de mes recherches : je suis dans mon droit ; il me plaît de mettre la dernière pensée de mon livre au commencement : je suis toujours dans mon droit.

Tel auteur enseigne que la propriété est un droit civil, né de l'occupation et sanctionné par la loi ; tel autre soutient qu'elle est un droit naturel, ayant sa source dans le travail : et ces doctrines, tout opposées qu'elles semblent, sont encouragées, applaudies. Je prétends que ni le travail, ni l'occupation, ni la loi, ne peuvent créer la propriété ; qu'elle est un effet sans cause : suis-je répréhensible ?

Que de murmures s'élèvent !

– La propriété, c'est le vol ! Voici le tocsin de 93 ! voici le branle-bas des révolutions !...

– Lecteur, rassurez-vous : je ne suis point

"La propriété, c'est le vol !"

un agent de discorde, un boutefeu de sédition. [...]

Je ne fais pas de système : je demande la fin du privilège, l'abolition de l'esclavage, l'égalité des droits, le règne de la loi. Justice, rien que justice ; tel est le résumé de mon discours ; je laisse à d'autres le soin de discipliner le monde.

Je me suis dit un jour : Pourquoi, dans la société, tant de douleur et de misère ? L'homme doit-il être éternellement malheureux ? Et, sans m'arrêter aux explications à toute fin des entrepreneurs de réformes, accusant de la détresse générale, ceux-ci la lâcheté et l'impéritie du pouvoir, ceux-là les conspirateurs et les émeutes, d'autres l'ignorance et la corruption générale ; fatigué des interminables combats de la tribune et de la presse, j'ai voulu moi-même approfondir la chose. [...] Il faut que je le dise, je crus d'abord reconnaître que nous n'avions jamais compris le sens de ces mots si vulgaires et si sacrés : *Justice, équité, liberté* ; que sur chacune de ces choses nos idées étaient profondément obscures ; et qu'enfin cette ignorance était la cause unique et du paupérisme qui nous dévore, et de toutes les calamités qui ont affligé l'espèce humaine. PREMIER MÉMOIRE

.Philosophie de la misère.

1846

Dans sa ***Philosophie de la misère,*** *Proudhon trouve dans « la nécessité » le principe de la continuité de l'histoire humaine. Marx va s'opposer avec virulence contre cette assertion, dans sa* ***Misère de la philosophie.***

O peuple de travailleurs – peuple déshérité, vexé, proscrit! peuple qu'on emprisonne, qu'on juge et qu'on tue ! peuple bafoué, peuple flétri ! Ne sais-tu pas qu'il est un terme, même à la patience, même au dévouement ? Ne cesseras-tu de prêter l'oreille à ces orateurs du mysticisme qui te disent de prier et d'attendre, prêchant le salut tantôt par la religion, tantôt par le pouvoir, et dont la parole véhémente et sonore te captive ? Ta destinée est une énigme que ni la force physique, ni le courage de l'âme, ni les illuminations de l'enthousiasme, ni l'exaltation d'aucun sentiment, ne peuvent résoudre. Ceux qui te disent le contraire te trompent, et tous les discours ne servent qu'à reculer l'heure de ta délivrance, prête à sonner. Qu'est-ce que l'enthousiasme et le sentiment, qu'est-ce qu'une vaine poésie, aux prises avec la nécessité ? Pour vaincre la nécessité, il n'y a que la nécessité même, raison dernière de la nature, pure essence de la matière et de l'esprit.

Ainsi la contradiction de la valeur, née de la nécessité du libre arbitre, devait être vaincue par la proportionnalité de la valeur, autre nécessité que produisent par leur union la liberté et l'intelligence. Mais, pour que cette victoire du travail intelligent et libre produisît toutes ses conséquences, il était nécessaire que la société traversât une longue péripétie de tourments. Il y avait donc nécessité que le travail, afin d'augmenter sa puissance, se divisât ; et, par le fait de cette division, nécessité de dégradation et d'appauvrissement pour le travailleur.

Il y avait nécessité que cette division primordiale se reconstituât en instruments et combinaisons savantes ; et nécessité, par cette reconstruction, que le travailleur subalternisé perdît, avec le salaire légitime, jusqu'à l'exercice de l'industrie qui le nourrissait.

Il y avait nécessité que le producteur, ennobli par son art, comme autrefois le guerrier l'était par les armes, portât haut sa bannière, afin que la vaillance de l'homme fût honorée dans le travail comme à la guerre ; et nécessité que du privilège naquît aussitôt le prolétariat.

Il y avait nécessité que la société prît alors sous sa protection le plébéien vaincu, mendiant et sans asile ; et nécessité que cette protection se convertît en une nouvelle série de supplices.

Nous rencontrerons sur notre route encore d'autres nécessités, qui toutes disparaîtront, comme les premières, sous des nécessités plus grandes, jusqu'à ce que vienne enfin l'équation générale, la nécessité suprême, le fait triomphateur, qui doit établir le règne du travail à jamais.

Mais cette solution ne peut sortir ni d'un coup de main, ni d'une vaine transaction. Il est aussi impossible d'associer le travail et le capital, que de produire sans travail et sans capital ; – aussi impossible de créer l'égalité par le pouvoir, que de supprimer le pouvoir et l'égalité, et de faire une société sans peuple et sans police.

Il faut, je le répète, qu'une FORCE MAJEURE intervertisse les formules actuelles de la société ; que ce soit le TRAVAIL du peuple, non sa bravoure ni ses suffrages, qui, par une combinaison savante, légale, immortelle, inéluctable, soumette au peuple le capital et lui livre le pouvoir.

CHAPITRE VI

Prosper Mérimée

PARIS 1809 – CANNES 1870.

Après avoir fait ses études au Lycée Henri IV, Mérimée veut se consacrer à la peinture mais son père – bien que peintre lui-même – l'en dissuade et l'oriente vers le droit. Il est reçu avocat en 1825. Il décide de se consacrer à l'écriture, rencontre Stendhal et fréquente les salons parisiens. Il publie le ***Théâtre de Clara Gazul*** *puis* ***La Guzla*** *présentés tous deux commes des traductions. En 1829 il écrit un roman historique,* ***La Chronique du règne de Charles IX****. Il devient inspecteur des Monuments historiques et sauve de la ruine plusieurs édifices romans et gothiques. Parallèlement il se consacre à la rédaction de nouvelles,* ***Mateo Falcone, Tamango, La Vénus d'Ille, Colomba, Carmen, Lokis****, qui lui valent un grand succès : il s'y révèle encore romantique et déjà réaliste. Romantique par son goût pour le mystère, la violence, les couleurs de l'Italie et de l'Espagne, réaliste par la véracité des détails et la transposition de la passion fatale dans les milieux populaires. Son style est concis et rigoureux. Il est aussi l'auteur de diverses œuvres de voyages et d'études historiques. Il apprend le russe et introduit en France la littérature russe en traduisant Pouchkine et Gogol. Pour composer son opéra Carmen, Bizet s'inspire de la nouvelle de Mérimée.*

ROMAN HISTORIQUE

.Chronique du règne de Charles IX.

1829

A la chasse du roi, Bernard de Mergy a rencontré la comtesse Diane de Turgis, pour laquelle il doit se battre en duel.
La mort du cerf :

J'entends le hallali ! s'écria tout à coup la comtesse. (...) Elle donna un coup de houssine à son cheval, et partit au galop sur-le-champ ; Mergy la suivit, mais sans pouvoir en obtenir un regard, une parole. Ils eurent rejoint la chasse en un instant.

Le cerf s'était d'abord lancé au milieu d'un étang, d'où l'on avait eu quelque peine à le débusquer. Plusieurs cavaliers avaient mis pied à terre, et, s'armant de longues perches, avaient forcé le pauvre animal à reprendre sa course. Mais la fraîcheur de l'eau avait achevé d'épuiser ses forces. Il sortit de l'étang haletant, tirant la langue et courant par bonds irréguliers. Les chiens, au contraire, semblaient redoubler d'ardeur. A peu de distance de l'étang, le cerf, sentant qu'il lui devenait impossible d'échapper par la fuite, parut faire un dernier effort, et, s'acculant contre un gros chêne, il fit bravement tête aux chiens. Les premiers qui l'attaquèrent furent lancés en l'air, éventrés. Un cheval et son cavalier furent culbutés rudement. Hommes, chevaux et chiens, rendus prudents, formaient un grand cercle autour du cerf, mais sans oser en venir à portée de ses andouillers menaçants.

Le roi mit pied à terre avec agilité, et, le couteau de chasse à la main, tourna adroitement derrière le chêne, et d'un revers coupa le jarret du cerf. Le cerf poussa une espèce de sifflement lamentable et s'abattit aussitôt. A l'instant vingt chiens s'élancent sur lui. Saisi à la gorge, au museau, à la langue, il était tenu immobile. De grosses larmes coulaient de ses yeux.

– Faites approcher les dames ! s'écria le roi.

Les dames s'approchèrent ; presque toutes étaient descendues de leurs montures.

– Tiens, *parpaillot ?* dit le roi en plongeant son couteau dans le côté du cerf, et il tourna la lame dans la plaie pour l'agrandir. Le sang jaillit avec force, et couvrit la figure, les mains et les habits du roi.

Parpaillot était un terme de mépris dont les catholiques désignaient souvent les calvinistes. Ce mot et la manière dont il était employé déplurent à plusieurs, tandis qu'il fut reçu par d'autres avec applaudissement.

– Le roi a l'air d'un boucher, dit assez haut, et avec une expression de dégoût, le gendre de l'Amiral, le jeune Téligny.

Des âmes charitables, comme il s'en trouve surtout à la cour, ne manquèrent pas de rapporter la réflexion au monarque, qui ne l'oublia pas.

Après avoir joui du spectacle agréable des chiens dévorant les entrailles du cerf, la cour reprit le chemin de Paris.

Bernard de Mergy est protestant, son frère Georges est catholique. Bernard rejoint les troupes protestantes. Son frère combat dans les troupes catholiques. Bernard et les protestants attaquent un moulin où sont campés les ennemis :

Une cinquantaine de soldats avec leur capitaine étaient logés dans la tour du moulin ; le capitaine, en bonnet de nuit et en caleçon, tenant un oreiller d'une main et son épée de l'autre, ouvre la porte, et sort en demandant d'où vient ce tumulte. Loin de penser à une sortie de l'ennemi, il s'imaginait que le bruit provenait d'une querelle entre ses propres soldats. Il fut cruellement détrompé ; un coup de hallebarde l'étendit par terre, baigné dans son sang. Les soldats eurent le temps de barricader la porte de la tour, et pendant quelque temps il se défendirent avec avantage en tirant par les fenêtres ; mais il y avait tout contre ce bâtiment un grand amas de paille et de foin, ainsi que des branchages qui devaient servir à faire des gabions. Les protestants y mirent le feu qui, en un instant, enveloppa la tour et monta jusqu'au sommet. Bientôt on entendit des cris lamentables en sortir. Le toit était en flammes et allait tomber sur la tête des malheureux qu'il couvrait. La porte brûlait, et les barricades qu'ils avaient faites les empêchaient de sortir par cette issue. S'ils tentaient de sauter par les fenêtres, ils tombaient dans les flammes, ou bien étaient reçus sur la pointe des piques. On vit alors un spectacle affreux. Un enseigne, revêtu d'une armure complète, essaya de sauter comme les autres par une fenêtre étroite. Sa cuirasse se terminait, suivant une mode alors assez commune, par une espèce de jupon en fer qui couvrait les cuisses et le ventre, et s'élargissait comme le haut d'un entonnoir, de manière à permettre de marcher facilement. La fenêtre n'était pas assez large pour laisser passer cette partie de son armure, et l'enseigne, dans son trouble, s'y était précipité avec tant de violence, qu'il se trouva avoir la plus grande partie du corps en dehors sans pouvoir remuer, et pris comme dans un étau. Cependant les flammes montaient jusqu'à lui, échauffaient son armure, et l'y brûlaient lentement comme dans une fournaise ou dans ce fameux taureau d'airain inventé par Phalaris. Le malheureux poussait des cris épouvantables, et agitait vainement les bras comme pour demander du secours. Il se fit un moment de silence parmi les assaillants ; puis, tous ensemble, et comme par un commun accord, ils poussèrent une clameur de guerre pour s'étourdir et ne pas entendre les gémissements de l'homme qui brûlait. Il disparut dans un tourbillon de flammes et de fumée, et l'on vit tomber au milieu des débris de la tour un casque rouge et fumant.

Au milieu d'un combat, les sensations d'horreur et de tristesse sont de courte durée : l'instinct de sa propre conservation parle trop fortement à l'esprit du soldat pour qu'il soit longtemps sensible aux misères des autres. Pendant qu'une partie des Rochelois poursuivait les fuyards, les autres enclouaient les canons, en brisaient les roues, et précipitaient dans le fossé des gabions de la batterie et les cadavres de ses défenseurs.

NOUVELLE

Colomba

1840

Colomba veut avec violence que son frère Orso venge leur père. Celui-ci, lieutenant en demi-solde des armées de Napoléon, rentre dans son village natal. Sur le bateau il s'éprend d'une jeune anglaise, Lydia. Il considère la vendetta comme une coutume barbare et dépassée. Sa sœur tâche de l'amener par divers moyens à tuer les Barricini qu'elle accuse d'avoir fait assassiner leur père. Orso se verra contraint par les circonstances d'accomplir la vendetta en tuant les deux fils du vieux père Barricini. Colomba triomphe et laisse éclater une joie sauvage quand, au cours d'un voyage, elle rencontre le père Barricini détruit par le chagrin.

Colomba conduit Orso sur les lieux de la mort de leur père :

Ils rentrèrent en silence dans leur maison. Orso monta dans sa chambre. Un instant après, Colomba l'y suivit, portant une petite cassette qu'elle posa sur la table. Elle l'ouvrit et en tira une chemise couverte de larges taches de sang. « Voici la chemise de votre père, Orso. » Et elle la jeta sur ses genoux. « Voici le plomb qui l'a frappé. » Et elle posa sur la chemise deux balles oxydées. « Orso, mon frère ! cria-t-elle en se précipitant dans ses bras et l'étreignant avec force. Orso ! tu le vengeras ! »

Elle l'embrassa avec une espèce de fureur, baisa les balles et la chemise, et sortit de la chambre, laissant son frère comme pétrifié sur sa chaise.

Orso resta quelque temps immobile, n'osant éloigner de lui ces épouvantables reliques. Enfin, faisant un effort, il les remit dans la cassette et courut à l'autre bout de la chambre se jeter sur son lit, la tête tournée vers la muraille, enfoncée dans l'oreiller, comme s'il eût voulu se dérober à la vue d'un spectre. Les dernières paroles de sa sœur retentissaient sans cesse dans ses oreilles, et il lui semblait entendre un oracle fatal, inévitable, qui lui demandait du sang, et du sang innocent.

Colomba est prête à tout pour pousser son frère à la vendetta :

Orso s'étant retiré dans sa chambre, Colomba envoya coucher Saveria et les bergers, et demeura seule dans la cuisine où se préparait le bruccio. De temps en temps elle prêtait l'oreille et paraissait attendre impatiemment que son frère fût couché. Lorsqu'elle le crut enfin endormi, elle prit un couteau, s'assura qu'il était tranchant, mit ses petits pieds dans de gros souliers, et, sans faire le moindre bruit, elle entra dans le jardin.

Le jardin, fermé de murs, touchait à un terrain assez vaste, enclos de haies, où l'on mettait les chevaux, car les chevaux corses ne connaissent guère l'écurie. En général on les lâche dans un champ et l'on s'en rapporte à leur intelligence pour trouver à se nourrir et à s'abriter contre le froid et la pluie.

Colomba ouvrit la porte du jardin avec la même précaution, entra dans l'enclos, et en sifflant doucement elle attira près d'elle les chevaux, à qui elle portait souvent du pain et du sel. Dès que le cheval noir fut à sa portée, elle le saisit fortement par la crinière et lui fendit l'oreille avec son couteau. Le cheval fit un bond terrible et s'enfuit en faisant entendre ce cri aigu qu'une vive douleur arrache quelquefois aux animaux de son espèce. Satisfaite alors, Colomba rentrait dans le jardin, lorsque Orso ouvrit sa fenêtre et cria « Qui va là ? » En même temps elle entendit qu'il armait son fusil. Heureusement pour elle, la porte du jardin était dans une obscurité complète, et un grand figuier la couvrait en partie. Bientôt, aux lueurs intermittentes qu'elle vit briller dans la chambre de son frère, elle conclut qu'il cherchait à rallumer sa lampe. Elle s'empressa alors de fermer la porte du jardin, et se glissant le long des murs, de façon que son costume noir se confondît avec le feuillage sombre des espaliers, elle parvient à rentrer dans la cuisine quelques moments avant qu'Orso ne parût.

– Qu'y a-t-il ? lui demanda-t-elle. – Il m'a semblé, dit Orso, qu'on ouvrait la porte du jardin. – Impossible. Le chien aurait aboyé. Au reste, allons voir.

Orso fit le tour du jardin, et après avoir constaté que la porte extérieure était bien fermée, un peu honteux de cette fausse alerte, il se disposa à regagner sa chambre.

– J'aime à voir, mon frère, dit Colomba, que vous devenez prudent, comme on doit l'être dans votre position. – Tu me formes, répondit Orso. Bonsoir.

Le matin avec l'aube Orso s'était levé, prêt à partir. Son costume annonçait à la fois la prétention à l'élégance d'un homme qui veut se présenter devant une femme à qui il veut plaire, et la prudence d'un Corse en vendette. Par-dessus une redingote bleue bien serrée à la taille, il portait en bandoulière une petite boîte de fer-blanc contenant des cartouches, suspendue à un cordon de soie verte ; son stylet était placé dans une poche de côté, et il tenait à la main le beau fusil de Manton chargé à balles. Pendant qu'il prenait à la hâte une tasse de café versée par Colomba, un berger était sorti pour seller et brider le cheval. Orso et sa sœur le suivirent de près et entrèrent dans l'enclos. Le berger s'était emparé du cheval, mais il avait laissé tomber selle et bride, et paraissait saisi d'horreur, pendant que le cheval, qui se souvenait de la blessure de la nuit précédente et qui craignait pour son autre oreille, se cabrait, ruait, hennissait, faisait le diable à quatre.

– Allons, dépêche-toi ! lui cria Orso. – Ha ! Ors' Anton' ! ha ! Ors' Anton' ! s'écriait le berger, sang de la Madone ! etc. C'étaient des imprécations sans nombre et sans fin, dont la plupart ne pourraient se traduire.

– Qu'est-il donc arrivé ? demanda Colomba.

Tout le monde s'approcha du cheval, et, le voyant sanglant et l'oreille fendue, ce fut une exclamation générale de surprise et d'indignation. Il faut savoir que mutiler le cheval de son ennemi est, pour les Corses, à la fois une vengeance, un défi et une menace de mort. « Rien qu'un coup de fusil n'est capable d'expier ce forfait. » Bien qu'Orso, qui avait longtemps vécu sur le continent, sentît moins qu'un autre l'énormité de l'outrage, cependant, si dans ce moment quelque barriciniste se fût présenté à lui, il est probable qu'il lui eût fait immédiatement expier une insulte qu'il attribuait à ses ennemis.

– Les lâches coquins ! s'écria-t-il, se venger sur une pauvre bête, lorsqu'ils n'osent me rencontrer en face !

– Qu'attendons-nous ? s'écria Colomba impétueusement. Ils viennent nous provoquer, mutiler nos chevaux, et nous ne leur répondrions pas ! Êtes-vous hommes ? – Vengeance ! répondirent les bergers. Promenons le cheval dans le village et donnons l'assaut à leur maison.

– Il y a une grange couverte de paille qui touche à leur tour, dit le vieux Polo Griffo, en un tour de main je la ferai flamber.

Un autre proposait d'aller chercher les échelles du clocher de l'église ; un troisième, d'enfoncer les portes de la maison Barricini au moyen d'une poutre déposée sur la place et destinée à quelque bâtiment en construction. Au milieu de toutes ces voix furieuses, on entendait celle de Colomba annonçant à ses satellites qu'avant de se mettre à l'œuvre chacun allait recevoir d'elle un grand verre d'anisette.

Le triomphe de Colomba :

Causant ainsi, ils entrèrent dans la ferme, où ils trouvèrent vin, fraises et crème. Colomba aida la fermière à cueillir des fraises pendant que le colonel buvait de l'*aleatico*. Au détour d'une allée, Colomba aperçut un vieillard assis au soleil sur une chaise de paille, malade, comme il semblait ; car il avait les joues creuses, les yeux enfoncés ; il était d'une maigreur extrême, et son immobilité, sa pâleur, son regard fixe, le faisaient ressembler à un cadavre plutôt qu'à un être vivant. Pendant plusieurs minutes, Colomba le contempla avec tant de curiosité qu'elle attira l'attention de la fermière.

« Ce pauvre vieillard, dit-elle, c'est un de vos compatriotes, car je connais bien à votre parler que vous êtes de la Corse, mademoiselle. Il a eu des malheurs dans son pays ; ses enfants sont morts d'une façon terrible. On dit, je vous demande pardon, mademoiselle, que vos compatriotes ne sont pas tendres dans leurs inimitiés. Pour lors, ce pauvre monsieur, s'en est venu à Pise, chez une parente éloignée, qui est la propriétaire de cette ferme. Le brave homme est un peu timbré ; c'est le malheur et le chagrin... C'est gênant pour madame, qui reçoit beaucoup de monde ; elle l'a donc envoyé ici. Il est bien doux, pas gênant ; il ne dit pas trois paroles par jour. Par exemple, la tête à déménagé. Le médecin vient toutes les semaines, et il dit qu'il n'en a pas pour longtemps.

– Ah ! il est condamné ? dit Colomba. Dans sa position, c'est un bonheur d'en finir.

– Vous devriez, mademoiselle, lui parler un peu corse ; cela le regaillardirait peut-être d'entendre le langage de son pays.

– Il faut voir », dit Colomba avec un sourire ironique.

Et elle s'approcha du vieillard jusqu'à ce que son ombre vînt lui ôter le soleil. Alors le pauvre idiot leva la tête et regarda fixement Colomba, qui le regardait de même, souriant toujours. Au bout d'un instant, le vieillard passa la main sur son front, et ferma les yeux comme pour échapper au regard de Colomba. Puis il les rouvrit, mais démesurément ; ses lèvres tremblaient ; il voulait étendre les mains ; mais, fasciné par Colomba, il demeurait cloué sur sa chaise, hors d'état de parler ou de se mouvoir. Enfin de grosses larmes coulèrent de ses yeux, et quelques sanglots s'échappèrent de sa poitrine.

– Voilà la première fois que je le vois ainsi, dit la jardinière. – Mademoiselle est une demoiselle de votre pays ; elle est venue pour vous voir, dit-elle au vieillard.

– Grâce ! s'écria celui-ci d'une voix rauque, grâce ! n'es-tu pas satisfaite ? Cette feuille... que j'avais brûlée... comment as-tu fait pour la lire ?... Mais pourquoi tous les deux ?... Orlanduccio, tu n'as rien pu lire contre lui... Il fallait m'en laisser un... un seul... Orlanduccio... tu n'as pas lu son nom...

– Il me les fallait tous les deux, lui dit Colomba à voix basse et dans le dialecte corse. Les rameaux sont coupés ; et si la souche n'était pas pourrie, je l'eusse arrachée. Va, ne te plains pas ; tu n'as pas longtemps à souffrir. Moi, j'ai souffert deux ans !

Le vieillard poussa un cri, et sa tête tomba sur sa poitrine. Colomba lui tourna le dos, et revint à pas lents vers la maison en chantant quelques mots incompréhensibles d'une ballata : « Il me faut la main qui a tiré, l'œil qui a visé, le cœur qui a pensé... »

Pendant que la jardinière s'empressait à secourir le vieillard, Colomba, le teint animé, l'œil en feu, se mettait à table devant le colonel.

– Qu'avez-vous donc ? dit-il, je vous trouve l'air que vous aviez à Pietranera, ce jour où, pendant notre dîner, on nous envoya des balles.

– Ce sont des souvenirs de Corse qui me sont revenus en tête. Mais voilà qui est fini. Je serai marraine, n'est-ce pas ? Oh ! quels beaux noms je lui donnerai : Ghilfuccio-Tomaso-Orso-Leone !

La jardinière rentrait en ce moment.

– Eh bien ! demanda Colomba du plus grand sang-froid, est-il mort ou évanoui seulement ?

– Ce n'était rien, mademoiselle ; mais c'est singulier comme votre vue lui a fait de l'effet.

– Et le médecin dit qu'il n'en a pas pour longtemps ?

– Pas pour deux mois, peut-être.

– Ce ne sera pas une grande perte, observa Colomba.

– De qui diable parlez-vous ? demanda le colonel.

– D'un idiot de mon pays, dit Colomba d'un air d'indifférence, qui est en pension ici. J'enverrai savoir de temps en temps de ses nouvelles. Mais, colonel Nevil, laissez donc des fraises pour mon frère et pour Lydia.

Lorsque Colomba sortit de la ferme pour remonter dans la calèche, la fermière la suivit des yeux quelque temps.

– Tu vois bien cette demoiselle si jolie, dit-elle à sa fille ; eh bien ! je suis sûre qu'elle a le mauvais œil.

.Carmen.

1845

LA MORT DE CARMEN

***Carmen** est l'histoire tragique d'une passion fatale en Andalousie : la passion de José pour la belle gitane Carmen entraîne celui-ci dans une dramatique aventure. Sage jeune homme et soldat discipliné il devient déserteur, puis contrebandier, voleur et bandit-meurtrier. Il finit par tuer Carmen, acte passionnel qui engendre sa propre mort : il va être exécuté.*

Quand la messe fut dite, je retournai à la venta. J'espérais que Carmen se serait enfuie ; elle aurait pu prendre mon cheval et se sauver... mais je la retrouvai. Elle ne voulait pas qu'on pût dire que je lui avais fait peur. Pendant mon absence, elle avait défait l'ourlet de sa robe pour en retirer le plomb. Maintenant, elle était devant une table, regardant dans une terrine pleine d'eau le plomb qu'elle avait fait fondre, et qu'elle venait d'y jeter. Elle était si occupée de sa magie qu'elle ne s'aperçut pas d'abord de mon retour. Tantôt elle prenait un morceau de plomb et le tournait de tous les côtés d'un air triste, tantôt elle chantait quelqu'une de ces chansons magiques où elles invoquent Marie Padilla, la maîtresse de don Pédro, qui fut, dit-on la *Bari Crallisa*, ou la grande reine des Bohémiens :

– Carmen, lui dis-je, voulez-vous venir avec moi ?

Elle se leva, jeta sa sébile, et mit sa mantille sur sa tête comme prête à partir. On m'amena mon cheval, elle monta en croupe et nous nous éloignâmes. – Ainsi, lui dis-je, ma Carmen, après un bout de chemin, tu veux bien me suivre, n'est-ce pas ?

– Je te suis à la mort, oui, mais je ne vivrai plus avec toi.

Nous étions dans une gorge solitaire ; j'arrêtai mon cheval.

– Est-ce ici ? dit-elle.

Et d'un bond elle fut à terre. Elle ôta sa mantille, la jeta à ses pieds, et se tint immobile un poing sur la hanche, me regardant fixement.

– Tu veux me tuer, je le vois bien, dit-elle ; c'est écrit, mais tu ne me feras pas céder.

– Je t'en prie, lui dis-je, sois raisonnable. Écoute-moi ! tout le passé est oublié. Pourtant, tu le sais, c'est toi qui m'as perdu ; c'est pour toi que je suis devenu un voleur et un meurtrier. Carmen ! ma Carmen ! laisse-moi te sauver et me sauver avec toi.

– José, répondit-elle, tu me demandes l'impossible. Je ne t'aime plus ; toi, tu m'aimes encore, et c'est pour cela que tu veux me tuer. Je pourrais bien encore te faire quelque mensonge ; mais je ne veux pas m'en donner la peine. Tout est fini entre nous. Comme mon rom, tu as le droit de tuer ta romi ; mais Carmen sera toujours libre. Calli elle est née, calli elle mourra. – Tu aimes donc Lucas ? lui demandai-je. – Oui, je l'ai aimé, comme toi, un instant, moins que toi peut-être. A présent je n'aime plus rien, et je me hais pour t'avoir aimé.

Je me jetai à ses pieds, je lui pris les mains, je les arrosai de mes larmes. Je lui rappelai tous les moments de bonheur que nous avions passés ensemble. Je lui offris de rester brigand pour lui plaire. Tout, monsieur, tout ; je lui offris tout, pourvu qu'elle voulût m'aimer encore !

Elle me dit :

« T'aimer encore, c'est impossible. Vivre avec toi, je ne le veux pas. »

La fureur me possédait. Je tirai mon couteau. J'aurais voulu qu'elle eût peur et me demandât grâce, mais cette femme était un démon.

« Pour la dernière fois, m'écriai-je, veux-tu rester avec moi !

– Non ! non ! non ! » dit-elle en frappant du pied.

Et elle tira de son doigt une bague que je lui avais donnée, et la jeta dans les broussailles.

Je la frappai deux fois. C'était le couteau du Borgne que j'avais pris, ayant cassé le mien. Elle tomba au second coup sans crier. Je crois voir encore son grand œil noir me regarder fixement ; puis il devint trouble et se ferma. Je restai anéanti une bonne heure devant ce cadavre. Puis, je me rappelai que Carmen m'avait dit souvent qu'elle aimerait à être enterrée dans un bois. Je lui creusai une fosse avec mon couteau, et je l'y déposai.

Charles Darwin

SHREWSBURY 1809 – DOWN 1882.

Le jeune Darwin commence des études de médecine à Edimbourg. Son père et son grand-père sont des médecins réputés. Mais il renonce bientôt à ces études en faveur de la théologie qu'il étudie à Cambridge. Il s'intéresse aux sciences naturelles et se lie avec des savants tels que Henslow, professeur de botanique qui, en 1831, conseille à Darwin de postuler l'emploi de naturaliste à bord du navire ***Beagle*** *qui va entreprendre un voyage de recherches scientifiques autour du monde. Le voyage dure cinq ans. Darwin fait des observations d'ordre géologiques qu'il décrira dans diverses publications. C'est pendant ce voyage que Darwin se convainct que les phénomènes naturels découlent d'une théorie évolutive. Peu après son retour en Angleterre Darwin entreprend ses premières notes sur la « transmutation des espèces ». Sa santé décline et le contraint à quitter Londres et à se retirer à Down, avec son épouse. Il publie ses observations géologiques ; il écrit son célèbre* ***Journal des recherches****, ainsi que les quatre volumes consacrés à la* ***Monographie sur les cirripèdes****. A partir de 1854 il étudie presque exclusivement la théorie de l'évolution. Ses trois ouvrages principaux sur ce sujet sont :* ***De l'Origine des espèces par voie de sélection naturelle ; De la Variation des animaux et des plantes sous l'action de la domestication ; La Descendance de l'homme et la sélection sexuelle.*** *Les autres ouvrages de Darwin complètent ceux-ci.*

SCIENCE

L'Origine des espèces

1859

*Lamarck avait affirmé le transformisme et commencé d'esquisser l'ordre des preuves ou des confirmations, mais contre lui Cuvier avait mieux assis le fixisme par sa théorie des « révolutions du globe ». L'observation de la sélection des espèces et de la production des espèces nouvelles telles que les éleveurs les pratiquent constitue le point de départ des théories de Darwin. A cela Darwin adjoint l'hypothèse que la nature sélectionne et produit en même façon. Mais selon quel principe ? La lecture en 1838 de l'**Essai sur le principe de population** (1798) de Malthus (1766-1834) lui fournit la réponse. Selon Malthus, la cause de la pénurie, et donc de la misère, n'est que la surpopulation. Les subsistances suivent une progression arithmétique, mais la population une progression géométrique. Une sélection est donc nécessaire. Cette sélection ou limitation des naissances peut résulter d'une décision morale chez les hommes, mais l'élimination dans la nature ne saurait avoir d'autres causes que naturelles. Il y a donc, affirme Darwin après tant d'autres, dans la nature une « lutte pour l'existence », une sorte de constant état de guerre naturelle. Le droit du plus fort commande cette lutte pour la vie. La mort, ou la négativité, ou encore le mal ou la privation engendre l'amélioration, car la survie des plus forts signifie un perfectionnement de leurs aptitudes à la vie. Cependant, au-dessus de la nature (non plus mère mais marâtre) s'élève le nouveau visage de la providence : la figure de la mort. La modernité n'a pas cessé d'en grossir les traits.*

Si, au milieu des conditions changeantes de l'existence, les êtres organisés présentent des différences individuelles dans presque toutes les parties de leur structure, et ce point n'est pas contestable ; s'il se produit, entre les espèces, en raison de la progression géométrique de l'augmentation des individus, une lutte sérieuse pour l'existence à un certain âge, à une certaine saison, ou pendant une période quelconque de leur vie, et ce point n'est certainement pas contestable ; alors, en tenant compte de l'infinie complexité des rapports mutuels de tous les êtres organisés et de leurs rapports avec les conditions de leur existence, ce qui cause une diversité infinie et avantageuse des structures, des constitutions et des habitudes, il serait très extraordinaire qu'il ne se soit jamais produit des variations utiles à la prospérité de chaque individu, de la même façon qu'il s'est produit tant de variations utiles à l'homme. Mais, si des variations utiles à un être organisé quelconque se présentent quelquefois, assurément les individus qui en sont l'objet ont la meilleure chance de l'emporter dans la lutte pour l'existence ; puis, en vertu du principe si puissant de l'hérédité, ces individus tendent à laisser des descendants ayant le même caractère qu'eux. J'ai donné le nom de *sélection naturelle* à ce principe de conservation ou de persistance du plus apte. Ce principe conduit au perfectionnement de chaque créature, relativement aux conditions organiques et inorganiques de son existence ; et, en conséquence, dans la plupart des cas, à ce que l'on peut regarder comme un progrès de l'organisation. Néanmoins, les formes simples et inférieures persistent longtemps lorsqu'elles sont bien adaptées aux conditions peu complexes de leur existence.

En vertu du principe de l'hérédité des caractères aux âges correspondants, la sélection naturelle peut agir sur l'œuf, sur la graine ou sur le jeune individu, et les modifier aussi facilement qu'elle peut modifier l'adulte. Chez un grand nombre d'animaux, la sélection sexuelle vient en aide à la sélection ordinaire, en assurant aux mâles les plus vigoureux et les mieux adaptés le plus grand nombre de descendants. La sélection sexuelle développe aussi chez les mâles des caractères qui leur sont utiles dans leurs rivalités ou dans leurs luttes avec d'autres mâles, caractères qui peuvent se transmettre à un sexe seul ou aux deux sexes, suivant la forme d'hérédité prédominante chez l'espèce.

La sélection naturelle a-t-elle réellement joué ce rôle ? a-t-elle réellement adapté les formes diverses de la vie à leurs conditions et à leurs stations différentes ? C'est en pesant les faits exposés dans les chapitres suivants que nous pourrons en juger. Mais nous avons déjà vu comment la sélection naturelle détermine l'extinction ; or, l'histoire et la géologie nous démontrent clairement quel rôle l'extinction a joué dans l'histoire zoologique du monde. La sélection naturelle conduit aussi à la divergence des caractères ; car, plus les êtres organisés diffèrent les uns les autres sous le rapport de la structure, des habitudes et de la constitution, plus la même région peut en nourrir un grand nombre ; nous en avons eu la preuve en étudiant les habitants d'une petite région et les productions acclimatées. Par conséquent, pendant la modification des descendants d'une espèce quelconque, pendant la lutte incessante de toutes les espèces pour s'accroître en nombre, plus ces descendants deviennent différents, plus ils ont de chances de réussir dans la lutte pour l'existence. Aussi, les petites différences qui distinguent les variétés d'une même espèce tendent régulièrement à s'accroître jusqu'à ce qu'elles deviennent égales aux grandes différences qui existent entre les espèces d'un même genre, ou même entre des genres distincts.

Nous avons vu que ce sont les espèces communes très répandues et ayant un habitat considérable, et qui, en outre, appartiennent aux genres les plus riches de chaque classe, qui varient le plus, et que ces espèces tendent à transmettre à leurs descendants modifiés cette supériorité qui leur assure aujourd'hui la domination dans leur propre pays. La sélection naturelle, comme nous venons de le faire remarquer, conduit à la divergence des caractères et à l'extinction complète des formes intermédiaires et moins perfectionnées. En partant de ces principes, on peut expliquer la nature des affinités et les distinctions ordinairement bien définies qui existent entre les innombrables êtres organisés de chaque classe à la surface du globe. Un fait véritablement étonnant et que nous méconnaissons trop, parce que nous sommes peut-être trop familiarisés avec lui, c'est que tous les animaux et toutes les plantes, tant dans le temps que dans l'espace, se trouvent réunis par groupes subordonnés à d'autres groupes d'une même manière que nous remarquons partout, c'est-à-dire que les variétés d'une même espèce les plus voisines les unes des autres, et que les espèces d'un même genre moins étroitement et plus inégalement alliées, forment des sections et des sous-genres ; que les espèces de genres distincts encore beaucoup moins proches et, enfin, que les genres plus ou moins semblables forment des sous-familles, des familles, des ordres, des sous-classes et des classes. Les divers groupes subordonnés d'une classe quelconque ne peuvent pas être rangés sur une seule ligne, mais semblent se grouper autour de certains points, ceux-là autour d'autres, et ainsi de suite en cercles presque infinis. Si les espèces avaient été créées indépendamment les unes des autres, on n'aurait pu expliquer cette sorte de classification ; elle s'explique facilement, au contraire, par l'hérédité et par l'action complexe de la sélection naturelle, produisant l'extinction et la divergence des caractères, ainsi que le démontre notre diagramme.

On a quelquefois représenté sous la figure d'un grand arbre les affinités de tous les êtres de la même classe, et je crois que cette image est très juste sous bien des rapports. Les rameaux et les bourgeons représentent les espèces existantes ; les branches produites pendant les années précédentes représentent la longue succession des espèces éteintes. A chaque période de croissance, tous les rameaux essayent de pousser des branches de toutes parts, de dépasser et de tuer les rameaux et les branches environnantes, de la même façon que les espèces et les groupes d'espèces ont, dans tous les temps, vaincu d'autres espèces dans la grande lutte pour l'existence. Les bifurcations du tronc, divisées en grosses branches, et celles-ci en branches moins grosses et plus nombreuses, n'étaient autrefois, alors que l'arbre était jeune, que des petits rameaux bourgeonnants ; or, cette relation entre les anciens bourgeons et les nouveaux au moyen des branches ramifiées représente bien la classification de toutes les espèces éteintes et vivantes en groupes subordonnés à d'autres groupes. Sur les nombreux rameaux qui prospéraient alors que l'arbre n'était qu'un arbrisseau, deux ou trois seulement, transformés aujourd'hui en grosses branches, ont survécu et portent les ramifications subséquentes ; de même, sur les nombreuses espèces qui vivaient pendant les périodes géologiques écoulées depuis si longtemps, bien peu ont laissé des descendants vivants et modifiés. Dès la première croissance de l'arbre, plus d'une branche a dû périr et tomber ; or, ces branches tombées de grosseur différente peuvent représenter les ordres, les familles et les genres tout entiers, qui n'ont plus de représentants vivants, et que nous ne connaissons qu'à l'état fossile. De même que nous voyons çà et là sur l'arbre une branche mince, égarée, qui a surgi de quelque bifurcation inférieure, et qui, par suite d'heureuses circonstances, est encore vivante, et atteint le sommet de l'arbre, de même nous rencontrons accidentellement quelque animal, comme l'ornithorhynque ou le lépidosirène, qui, par ses affinités, rattache, sous quelques rapports, deux grands embranchements de l'organisation, et qui doit probablement à une situation isolée d'avoir échappé à une concurrence fatale. De même que les bourgeons produisent de nouveaux bourgeons, et que ceux-ci, s'ils sont vigoureux, forment des branches qui éliminent de tous côtés les branches plus faibles, de même je crois que la génération en a agi de la même façon pour le grand arbre de la vie, dont les branches mortes et brisées sont enfouies dans les couches de l'écorce terrestre, pendant que ses magnifiques ramifications, toujours vivantes et sans cesse renouvelées, en couvrent la surface.

CHAPITRE IV. *LA SÉLECTION NATURELLE OU LA PERSISTANCE DU PLUS APTE*

Alfred de Musset

PARIS 1810 – PARIS 1857.

Alfred de Musset est un enfant précoce et un brillant adolescent. Jeune homme élégant, il aime la vie mondaine et fréquente le Cénacle de Hugo. Il commence des études de droit et de médecine, mais ne les poursuit pas. Il publie en 1830 son premier recueil de vers, les ***Contes d'Espagne et d'Italie.*** *Après une brève période de romantisme exalté, Musset préfère parler des contradictions de son cœur partagé entre le désir de l'absolu et un profond scepticisme. Après l'échec de sa comédie* ***La Nuit vénitienne*** *jouée à l'Odéon en 1830, le jeune Musset renonce à la scène et décide de composer des pièces en toute liberté, comme « un spectacle dans un fauteuil ». Il écrit* ***Les Caprices de Marianne*** *(1833) et un poème,* ***Rolla*** *qui remporte un grand succès. Il rencontre George Sand qui devient sa maîtresse ; ils partent pour l'Italie. Musset tombe malade, et George Sand le trahit avec le jeune médecin qui le soigne, Pagello. Musset est désespéré et rentre seul à Paris. Il restera dominé par le souvenir de cette liaison. Il compose diverses pièces,* ***Fantasio, On ne badine pas avec l'amour, Lorenzaccio,*** *et commence d'écrire son roman autobiographique qui paraîtra en 1836,* ***La Confession d'un enfant du siècle.*** *Il a plusieurs liaisons amoureuses décevantes. Il écrit ses grands poèmes des* ***Nuits*** *et continue son théâtre :* ***Il ne faut jurer de rien, Un Caprice.*** *A 30 ans Musset est épuisé par les plaisirs et l'alcool, il tombe malade, écrit plus rarement. Nommé bibliothécaire dans un ministère, il termine sa vie assez tristement et meurt dans l'indifférence générale.*

POÉSIE

.Contes d'Espagne et d'Italie.

1830

.BALLADE A LA LUNE.

C'était, dans la nuit brune,
Sur le clocher jauni,
La lune
Comme un point sur un i.

Lune, quel esprit sombre
Promène au bout d'un fil,

Musset a 19 ans quand il publie ce premier recueil de vers. Fantaisie et grâce se mêlent dans la ***Ballade à la Lune*** *qui provoque un scandale chez les Classiques – qui voient là l'outrance romantique –, comme chez les Romantiques – qui se sentent parodiés.*

Dans l'ombre,
Ta face et ton profil ?

Es-tu l'œil du ciel borgne ?
Quel chérubin cafard
Nous lorgne
Sous ton masque blafard ?

N'es-tu rien qu'une boule,
Qu'un grand faucheux bien gras
Qui roule
Sans pattes et sans bras ?

Es-tu, je t'en soupçonne,
Le vieux cadran de fer
Qui sonne
L'heure aux damnés d'enfer ?

Sur ton front qui voyage.
Ce soir ont-ils compté
Quel âge
A leur éternité ?

"Je viens voir à la brune, Sur le clocher jauni, La lune, Comme un point sur un i"

Est-ce un ver qui te ronge
Quand ton disque noirci
S'allonge
En croissant rétréci ?

Qui t'avait éborgnée,
L'autre nuit ? T'étais-tu
Cognée
A quelque arbre pointu ?

Car tu vins, pâle et morne,
Coller sur mes carreaux
Ta corne
A travers les barreaux.

Va, lune moribonde,
Le beau corps de Phébé
La blonde
Dans la mer est tombé.

Tu n'en es que la face
Et déjà, tout ridé,
S'efface
Ton front dépossédé

Oh ! le soir, dans la brise,
Phœbé, sœur d'Apollo,
Surprise
A l'ombre, un pied dans l'eau !

Phœbé qui, la nuit close,
Aux lèvres d'un berger
Se pose,
Comme un oiseau léger.

Lune, en notre mémoire,
De tes belles amours
L'histoire
T'embellira toujours.

Et toujours rajeunie,
Tu seras du passant
Bénie,
Pleine de lune ou croissant.

T'aimera le vieux pâtre,
Seul, tandis qu'à ton front
D'albâtre
Ses dogues aboieront.

T'aimera le pilote
Dans son grand bâtiment
Qui flotte,
Sous le clair firmament !

Et la fillette preste
Qui passe le buisson,
Pied leste,
En chantant sa chanson.

Comme un ours à la chaîne,
Toujours sous tes yeux bleus
Se traîne
L'Océan montueux.

Et qu'il vente ou qu'il neige,
Moi-même, chaque soir,
Que fais-je,
Venant ici m'asseoir ?

Je viens voir à la brune,
Sur le clocher jauni,
La lune
Comme un point sur un i.

.Rolla.

1833

Ce poème de 784 vers traduit la dualité de l'homme partagé entre le désir d'absolu et un profond scepticisme. Un jeune homme qui ne croit à rien, pas même à l'amour, s'est ruiné dans les plaisirs. Il utilise son dernier argent pour obtenir les faveurs de la jeune Marie. Il est près d'elle, voit l'aurore se lever par la fenêtre et songe à se tuer :

Vous qui volez là-bas, légères hirondelles,
Dites-moi, dites-moi, pourquoi vais-je mourir ?
Oh ! l'affreux suicide ! oh ! si j'avais des ailes,
Par ce beau ciel si pur je voudrais les ouvrir !
Dites-moi, terre et cieux, qu'est-ce donc que l'aurore ?
Q'importe un jour de plus à ce vieil univers ?
Dites-moi, verts gazons, dites-moi, sombres mers,
Quand des feux du matin l'horizon se colore,
Si vous n'éprouvez rien, qu'avez-vous donc en vous
Qui fait bondir le cœur et fléchir les genoux ?
O terre ! à ton soleil qui donc t'a fiancée ?
Que chantent tes oiseaux ? que pleure ta rosée ?
Pourquoi de tes amours viens-tu m'entretenir ?
Que me voulez-vous tous, à moi qui vais mourir ?

Et pourquoi donc *aimer* ? Pourquoi ce mot terrible
Revenait-il sans cesse à l'esprit de Rolla ?
Quels étranges accords, quelle voix invisible
Venaient le murmurer, quand la mort était là ?

A lui, qui, débauché jusques à la folie,
Et dans les cabarets vivant au jour le jour,
Aussi facilement qu'il méprisait la vie
Faisait gloire et métier de mépriser l'amour !
A lui qui regardait ce mot comme une injure,
Et, comme un vieux soldat vous montre une blessure,
Montrait avec orgueil le rocher de son cœur,
Où n'avait pas germé la plus chétive fleur !
A lui, qui n'avait eu ni logis ni maîtresse,
Qui vivait en plein air, en défiant son sort,
Et qui laissait le vent secouer sa jeunesse,
Comme une feuille sèche au pied d'un arbre mort !

Et maintenant que l'homme avait vidé son verre,
Qu'il venait dans un bouge, à son heure dernière,
Chercher un lit de mort où l'on pût blasphémer ;
Quand tout était fini, quand la nuit éternelle
Attendait de ses jours la dernière étincelle,
Qui donc au moribond osait parler d'aimer ?

.La Nuit de Mai.

1835

Depuis sa rupture avec George Sand Musset n'a rien écrit, lorsqu'en mai 1835 il compose ce dialogue poétique entre la Muse et le Poète ; ce poème exprime les sentiments contradictoires qui animent l'auteur : un élan créateur, mais la tristesse d'un homme trahi :

LA MUSE.

Poète, prends ton luth et me donne un baiser ;
La fleur de l'églantier sent ses bourgeons éclore.
Le printemps naît ce soir ; les vents vont s'embraser ;
Et la bergeronnette, en attendant l'aurore,
Aux premiers buissons verts commence à se poser.
Poète, prends ton luth et me donne un baiser.

LE POÈTE.

Comme il fait noir dans la vallée !
J'ai cru qu'une forme voilée
Flottait là-bas sur la forêt.
Elle sortait de la prairie ;
Son pied rasait l'herbe fleurie ;
C'est une étrange rêverie ;
Elle s'efface et disparaît.

LA MUSE.

Poète, prends ton luth ; la nuit, sur la pelouse,
Balance le zéphyr dans son voile odorant.
La rose, vierge encor, se referme jalouse
Sur le frelon nacré qu'elle enivre en mourant.
Écoute ! tout se tait ; songe à ta bien-aimée.
Ce soir, sous les tilleuls, à la sombre ramée
Le rayon du couchant laisse un adieu plus doux.
Ce soir, tout va fleurir : l'immortelle nature
Se remplit de parfums, d'amour et de murmure,
Comme le lit joyeux de deux jeunes époux.

LE POÈTE.

Pourquoi mon cœur bat-il si vite ?
Qu'ai-je donc en moi qui s'agite
Dont je me sens épouvanté ?
Ne frappe-t-on pas à ma porte ?
Pourquoi ma lampe à demi morte
M'éblouit-elle de clarté ?
Dieu puissant ! tout mon corps frissonne.
Qui vient ? qui m'appelle ? – Personne.
Je suis seul ; c'est l'heure qui sonne ;
O solitude ! ô pauvreté !

LA MUSE.

Poète, prends ton luth ; le vin de la jeunesse
Fermente cette nuit dans les veines de Dieu.
Mon sein est inquiet ; la volupté l'oppresse,
Et les vents altérés m'ont mis la lèvre en feu.
O paresseux enfant ! regarde, je suis belle.
Notre premier baiser, ne t'en souviens-tu pas,
Quand je te vis si pâle au toucher de mon aile,
Et que, les yeux en pleurs, tu tombas dans mes bras ?
Ah ! Je t'ai consolé d'une amère souffrance !
Hélas ! bien jeune encor, tu te mourais d'amour.
Console-moi ce soir, je me meurs d'espérance ;
J'ai besoin de prier pour vivre jusqu'au jour. (...)

LE POÈTE.

S'il ne te faut, ma sœur chérie,
Qu'un baiser d'une lèvre amie
Et qu'une larme de mes yeux,
Je te les donnerai sans peine ;
De nos amours qu'il te souvienne,
Si tu remontes dans les cieux.
Je ne chante ni l'espérance,
Ni la gloire, ni le bonheur,

Hélas ! pas même la souffrance.
La bouche garde le silence
Pour écouter parler le cœur.

LA MUSE.

Crois-tu donc que je sois comme le vent d'automne,
Qui se nourrit de pleurs jusque sur un tombeau,
Et pour qui la douleur n'est qu'une goutte d'eau ?
O poète ! un baiser, c'est moi qui te le donne.
L'herbe que je voulais arracher de ce lieu,
C'est ton oisiveté ; ta douleur est à Dieu.
Quel que soit le souci que ta jeunesse endure,
Laisse-la s'élargir, cette sainte blessure
Que les noirs séraphins t'ont faite au fond du cœur ;
Rien ne nous rend si grands qu'une grande douleur
Mais, pour en être atteint, ne crois pas, ô poète,
Que ta voix ici-bas doive rester muette.
Les plus désespérés sont les chants les plus beaux,
Et j'en sais d'immortels qui sont de purs sanglots.
Lorsque le pélican, lassé d'un long voyage,
Dans les brouillards du soir retourne à ses roseaux,
Ses petits affamés courent sur le rivage
En le voyant au loin s'abattre sur les eaux.
Déjà, croyant saisir et partager leur proie,
Ils courent à leur père avec des cris de joie
En secouant leurs becs sur leurs goitres hideux.
Lui, gagnant à pas lents une roche élevée,
De son aile pendante abritant sa couvée,
Pêcheur mélancolique, il regarde les cieux.
Le sang coule à longs flots de sa poitrine ouverte ;
En vain il a des mers fouillé la profondeur :
L'Océan était vide et la plage déserte ;
Pour toute nourriture il apporte son cœur.
Sombre et silencieux, étendu sur la pierre,
Partageant à ses fils ses entrailles de père,
Dans son amour sublime il berce sa douleur
Et, regardant couler sa sanglante mamelle,
Sur son festin de mort il s'affaisse et chancelle,
Ivre de volupté, de tendresse et d'horreur.
Mais parfois, au milieu du divin sacrifice,
Fatigué de mourir dans un trop long supplice,
Il craint que ses enfants ne le laissent vivant :
Alors il se soulève, ouvre son aile au vent,
Et, se frappant le cœur avec un cri sauvage,
Il pousse dans la nuit un si funèbre adieu,
Que les oiseaux des mers désertent le rivage,
Et que le voyageur attardé sur la plage,
Sentant passer la mort, se recommande à Dieu.
Poète, c'est ainsi que font les grands poètes.
Ils laissent s'égayer ceux qui vivent un temps ;
Mais les festins humains qu'ils servent à leurs fêtes
Ressemblent la plupart à ceux des pélicans.
Quand ils parlent ainsi d'espérances trompées,
De tristesse et d'oubli, d'amour et de malheur,
Ce n'est pas un concert à dilater le cœur.
Leurs déclamations sont comme des épées :
Elles tracent dans l'air un cercle éblouissant,
Mais il y pend toujours quelque goutte de sang.

LE POÈTE.

Ô Muse ! spectre insatiable,
Ne m'en demande pas si long.
L'homme n'écrit rien sur le sable
À l'heure où passe l'aquilon.
J'ai vu le temps où ma jeunesse
Sur mes lèvres était sans cesse
Prête à chanter comme un oiseau ;
Mais j'ai souffert un dur martyre,
Et le moins que j'en pourrais dire,
Si je l'essayais sur ma lyre,
La briserait comme un roseau.

THÉÂTRE-DRAME

Lorenzaccio

1834

***Lorenzaccio** raconte le drame romantique de Lorenzo meurtrier du tyran Alexandre. 1537, Florence vit sous la tyrannie du duc Alexandre de Médicis, homme débauché. Lorenzo décide de tuer le despote pour libérer Florence. Afin d'approcher Alexandre, Lorenzo feint d'aimer, comme lui, la vie de plaisirs et de débauches. Mais en face de la lâcheté des Florentins Lorenzo doute de l'utilité de son crime. En effet, lorsqu'il aura tué Alexandre, Côme de Médicis sera proclamé duc de Florence, et Lorenzo sera assassiné.*

Pour entrer dans l'intimité du duc Lorenzo feint d'être devenu un débauché, même devant sa mère, Marie, et sa sœur, Catherine :

CATHERINE, *tenant un livre.*

Quelle histoire vous lirai-je, ma mère ?

MARIE.

Ma Cattina se moque de sa pauvre mère. Est-ce que je comprends rien à tes livres latins ?

CATHERINE.

Celui-ci n'est point en latin, mais il en est traduit. C'est l'histoire romaine.

LORENZO.

Je suis très fort sur l'histoire romaine. Il y avait une fois un jeune gentilhomme nommé

Tarquin le fils.

CATHERINE.

Ah ! c'est une histoire de sang.

LORENZO.

Pas du tout ; c'est un conte de fées. Brutus était un fou, un monomane, et rien de plus. Tarquin était un duc plein de sagesse, qui allait voir en pantoufles si les petites filles dormaient.

CATHERINE.

Dites-vous aussi du mal de Lucrèce ?

LORENZO.

Elle s'est donné le plaisir du péché et la gloire du trépas. Elle s'est laissé prendre toute vive comme une alouette au piège, et puis elle s'est fourré bien gentiment son petit couteau dans le ventre.

MARIE.

Si vous méprisez les femmes, pourquoi affectez-vous de les rabaisser devant votre mère et votre sœur ?

LORENZO.

Je vous estime, vous et elle. Hors de là, le monde me fait horreur.

MARIE.

Sais-tu le rêve que j'ai eu cette nuit, mon enfant ?

LORENZO.

Quel rêve ?

MARIE.

Ce n'était point un rêve, car je ne dormais pas. J'étais seule dans cette grande salle ; ma lampe était loin de moi, sur cette table auprès de la fenêtre. Je songeais aux jours où j'étais heureuse, aux jours de ton enfance, mon Lorenzino. Je regardais cette nuit obscure, et je me disais : il ne rentrera qu'au jour, lui qui passait autrefois les nuits à travailler. Mes yeux se remplissaient de larmes, et je secouais la tête, en les sentant couler. J'ai entendu tout d'un coup marcher lentement dans la galerie ; je me suis retournée, un homme vêtu de noir venait à moi, un livre sous le bras : c'était toi, Renzo. « Comme tu reviens de bonne heure » me suis-je écriée. Mais le spectre s'est assis auprès de la lampe sans me répondre ; il a ouvert son livre, et j'ai reconnu mon Lorenzino d'autrefois.

LORENZO.

Vous l'avez vu ?

MARIE.

Comme je te vois.

LORENZO.

Quand s'en est-il allé ?

MARIE.

Quand tu as tiré la cloche ce matin en rentrant.

LORENZO.

Mon spectre, à moi ! Et il s'en est allé quand je suis rentré ?

MARIE.

Il s'est levé d'un air mélancolique et s'est effacé comme une vapeur du matin.

LORENZO.

Catherine, Catherine, lis-moi l'histoire de Brutus.

CATHERINE.

Qu'avez-vous ? vous tremblez de la tête aux pieds.

LORENZO.

Ma mère, asseyez-vous ce soir à la place où vous étiez cette nuit, et si mon spectre revient, dites-lui qu'il verra bientôt quelque chose qui l'étonnera. ACTE II, SCÈNE 4

Lorenzo doute de l'utilité finale du crime politique qu'il a décidé, mais il voit en lui l'unique justification de sa vie :

LORENZO.

Tu me demandes pourquoi je tue Alexandre ? Veux-tu donc que je m'empoisonne, ou que je saute dans l'Arno ? veux-tu donc que je sois un spectre, et qu'en frappant sur ce squelette *(il frappe sa poitrine)* il n'en sorte aucun son ? Si je suis l'ombre de moi-même, veux-tu donc que je rompe le seul fil qui rattache aujourd'hui mon cœur à quelques fibres de mon cœur d'autrefois ? Songes-tu que ce meurtre, c'est tout ce qui me reste de ma vertu ? Songes-tu que je glisse depuis deux ans sur

PHILIPPE.

Pourquoi tueras-tu le duc, si tu as des idées pareilles ?

LORENZO.

Pourquoi ? tu le demandes ?

PHILIPPE.

Si tu crois que c'est un meurtre inutile à ta patrie, pourquoi le commets-tu ?

LORENZO.

Tu me demandes cela en face ? Regarde-moi un peu. J'ai été beau, tranquille et vertueux.

PHILIPPE.

Quel abîme ! quel abîme tu m'ouvres !

un rocher taillé à pic, et que ce meurtre est le seul brin d'herbe où j'aie pu cramponner mes ongles ? Crois-tu donc que je n'ai plus d'orgueil, parce que je n'ai plus de honte, et veux-tu que je laisse mourir en silence l'énigme de ma vie ? Oui, cela est certain, si je pouvais revenir à la vertu, si mon apprentissage du vide pouvait s'évanouir, j'épargnerais peut-être ce conducteur de bœufs – mais j'aime le vin, le jeu et les filles, comprends-tu cela ? Si tu honores en moi quelque chose, toi qui me parles, c'est mon meurtre que tu honores, peut-être justement parce que tu ne le ferais pas. Voilà assez longtemps, vois-tu, que les républicains me couvrent de boue et d'infamie ; voilà assez longtemps que les oreilles me tintent, et que l'exécration des hommes empoisonne le pain que je mâche. J'en ai assez de me voir conspué par des lâches sans nom, qui m'accablent d'injures pour se dispenser de m'assommer, comme ils le devraient. J'en ai assez d'entendre brailler en plein vent le bavardage humain ; il faut que le monde sache un peu qui je suis, et qui il est. Dieu merci, c'est peut-être demain que je tue Alexandre ; dans deux jours j'aurai fini. Ceux qui tournent autour de moi avec des yeux louches, comme autour d'une curiosité monstrueuse apportée d'Amérique, pourront satisfaire leur gosier, et vider leur sac à paroles. Que les hommes me comprennent ou non, qu'ils agissent ou n'agissent pas, j'aurai dit tout ce que j'ai à dire ; je leur ferai tailler leurs plumes, si je ne leur fais pas nettoyer leurs piques, et l'Humanité gardera sur sa joue le soufflet de mon épée marqué en trait de sang. Qu'ils m'appellent comme ils voudront Brutus ou Erostrate, il ne me plaît pas qu'ils oublient. Ma vie entière est au bout de ma dague, et que la Providence retourne ou non la tête en m'entendant frapper, je jette la nature humaine à pile ou face sur la tombe d'Alexandre ; dans deux jours, les hommes comparaîtront devant le tribunal de ma volonté.

ACTE III, SCÈNE 3

Théophile Gautier

TARBES 1811 – NEUILLY 1872.

*Condisciple et ami de Gérard de Nerval, Théophile Gautier devient en quelque sorte le chef de file du romantisme en 1830. A la première d'***Hernani***, dans son superbe gilet rouge, Gautier mène les « flamboyants » à l'assaut des classiques « grisâtres », mais il sait aussi railler dans* **Les Jeunes-France** *les poses mensongères du jeune monde littéraire. Il définit les principes et directions de son art dans la préface à* **Mademoiselle de Maupin***, en même temps qu'il s'insurge contre les critiques. Cela lui vaut maintes inimitiés, mais l'amitié de Balzac. Cependant il entre au journal* **La Presse** *comme critique d'art. Il voyage en Espagne en 1840, et publie ses impressions. Il donne deux livrets de ballet,* **Gisèle, La Péri***, un recueil d'études sur des poètes négligés du XV*e *au XVII*e *siècle (***les Grotesques***), divers poèmes, romans, des pièces de théâtre, des essais sur l'art, des souvenirs de voyage, etc.,* **Le Roman de la momie** *est publié en 1858, et* **Le Capitaine Fracasse** *(écrit en 1836) en 1863. Les poèmes d'***Emaux et Camées** *sont sa principale œuvre (1852 et 1872), ils annoncent l'art comme religion ; autour de leur auteur se rassemblent Baudelaire (il dédie* **Les Fleurs du mal** *à Gautier, « poète impeccable », parfait magicien ès lettres françaises »), Banville, Flaubert.*

CRITIQUE LITTÉRAIRE

Mademoiselle de Maupin

1836

PRÉFACE

Gautier est déjà le théoricien de « l'art pour l'art ». La réponse à l'utilitariste Saint-Simon (lui-même peu utile selon ses propres critères), à ceux qui veulent que l'art soit « aussi » un travail, à ceux qui rangent sous la morale les œuvres d'art, est ici parfaitement distribuée.

A côté des journalistes moraux, sous cette pluie d'homélies comme sous une pluie d'été dans quelque parc, il a surgi, entre les planches du tréteau saint-simonien, une théorie de petits champignons d'une nouvelle espèce assez curieuse, dont nous allons faire l'histoire naturelle.

Ce sont les critiques utilitaires. Pauvres gens qui avaient le nez court à ne le pouvoir chausser de lunettes, et cependant n'y voyaient pas aussi loin que leur nez.

Quand un auteur jetait sur leur bureau un volume quelconque, roman ou poésie, – ces messieurs se renversaient nonchalamment sur leur fauteuil, le mettaient en équilibre sur ses pieds de derrière, et, se balançant d'un air capable, ils se rengorgeaient et disaient :

– A quoi sert ce livre ? Comment peut-on l'appliquer à la moralisation et au bien-être de la classe la plus nombreuse et la plus pauvre ? Quoi ! pas un mot des besoins de la société, rien de civilisant et de progressif ! Comment, au lieu de faire la grande synthèse de l'humanité, et de suivre, à travers les événements de l'histoire, les phases de l'idée régénératrice et providentielle, peut-on faire des poésies et des romans qui ne mènent à rien, et qui ne font pas avancer la génération dans le chemin de l'avenir ? Comment peut-on s'occuper de la forme, du style, de la rime en présence de si graves intérêts ? – Que nous font, à nous, et le style et la rime, et la forme ? c'est bien de cela qu'il s'agit (pauvres renards, ils sont trop verts) ! – La société souffre, elle est en proie à un grand déchirement intérieur (traduisez : personne ne veut s'abonner aux journaux utiles). C'est au poète à chercher la cause de ce malaise et à le guérir. Le moyen, il le trouvera en sympathisant de cœur et d'âme avec l'humanité (des poètes philanthropes ! ce serait quelque chose de rare et de charmant). Ce poète, nous l'attendons, nous l'appelons de tous nos vœux. Quand il paraîtra, à lui les acclamations de la foule, à lui les palmes, à lui les couronnes, à lui le Prytanée...

A la bonne heure ; mais, comme nous souhaitons que notre lecteur se tienne éveillé jusqu'à la fin de cette bienheureuse préface, nous ne continuerons pas cette imitation très fidèle du style utilitaire, qui, de sa nature, est passablement soporifique, et pourrait remplacer, avec avantage, le laudanum et les discours d'académie.

Non, imbéciles, non, crétins et goitreux que vous êtes, un livre ne fait pas de la soupe à la gélatine ; – un roman n'est pas une paire de bottes sans couture ; un sonnet, une seringue à jet continu ; un drame n'est pas un chemin de fer, toutes choses essentiellement civilisantes, et faisant marcher l'humanité dans la voie du progrès.

De par les boyaux de tous les papes passés, présents et futurs, non et deux cent mille fois non.

On ne se fait pas un bonnet de coton d'une métonymie, on ne chausse pas une comparaison en guise de pantoufle ; on ne se peut servir d'une antithèse pour parapluie ; malheureusement, on ne saurait se plaquer sur le ventre quelques rimes bariolées en manière de gilet. J'ai la conviction intime qu'une ode est un vêtement trop léger pour l'hiver, et qu'on ne serait pas mieux habillé avec la strophe, l'antistrophe et l'épode que cette femme du cynique qui se contentait de sa seule vertu pour chemise, et allait nue comme la main, à ce que raconte l'histoire. (...)

Un roman à deux utilités : – l'une matérielle, l'autre spirituelle, si l'on peut se servir d'une pareille expression à l'endroit d'un roman. – L'utilité matérielle, ce sont d'abord les quelques mille francs qui entrent dans la poche de l'auteur, et le lestent de façon que le diable ou le vent ne l'emportent ; pour le libraire, c'est un beau cheval de race qui piaffe et saute avec son cabriolet d'ébène et d'acier, comme dit Figaro ; pour le marchand de papier, une usine de plus sur un ruisseau quelconque, et souvent le moyen de gâter un beau site ; pour les imprimeurs, quelques tonnes de bois de campêche pour se mettre hebdomadairement le gosier en couleur ; pour le cabinet de lecture, des tas de gros sous très prolétairement vert-de-grisés, et une quantité de graisse, qui, si elle était convenablement recueillie et utilisée, rendrait superflue la pêche de la baleine. – L'utilité spirituelle est que, pendant qu'on lit des romans, on dort, et on ne lit pas de journaux utiles, et vertueux et progressifs, ou telles autres drogues indigestes et abrutissantes.

Qu'on dise après cela que les romans ne contribuent pas à la civilisation. – Je ne parlerai pas des débitants de tabac, des épiciers et des marchands de pommes de terre frites, qui ont un intérêt très grand dans cette branche de littérature, le papier qu'elle emploie étant, en général, de qualité supérieure à celui des journaux.

En vérité, il y a de quoi rire d'un pied en carré, en entendant disserter messieurs les utilitaires républicains ou saint-simoniens. – Je voudrais bien savoir d'abord ce que veut dire précisément ce grand flandrin de substantif dont ils truffent quotidiennement le vide de leurs colonnes, et qui leur sert de schibboleth et de terme sacramentel. – Utilité : quel est ce mot, et à quoi s'applique-t-il ?

Il y a deux sortes d'utilité, et le sens de ce vocable n'est jamais que relatif. Ce qui est utile pour l'un ne l'est pas pour l'autre. Vous êtes savetier, je suis poète. – Il est utile pour moi que mon premier vers rime avec mon second. – Un dictionnaire de rimes m'est d'une grande utilité ; vous n'en avez que faire pour carreler une vieille paire de bottes, et il est juste de dire qu'un tranchet ne me servirait pas à grand-chose pour faire une ode. – Après cela, vous objecterez qu'un savetier est bien au-dessus d'un poète, et que l'on se passe mieux de l'un que de l'autre. Sans prétendre rabaisser l'illustre profession de savetier, que j'honore à l'égal de la profession de monarque constitutionnel, j'avouerai humblement que j'aimerais mieux avoir mon soulier décousu que mon vers mal rimé, et que je me passerais plus volontiers de bottes que de poèmes. Ne sortant presque jamais et marchant plus habilement par la tête que par les pieds, j'use moins de chaussures qu'un républicain vertueux qui ne fait que courir d'un ministère à l'autre pour se faire jeter quelque place.

Je sais qu'il y en a qui préfèrent les moulins aux églises, et le pain du corps à celui de l'âme. A ceux-là, je n'ai rien à leur dire. Ils méritent d'être économistes dans ce monde, et aussi dans l'autre.

Y a-t-il quelque chose d'absolument utile sur cette terre et dans cette vie où nous sommes ? D'abord, il est très peu utile que nous soyons sur terre et que nous vivions. Je défie le plus savant de la bande de dire à quoi nous servons, si ce n'est à ne pas nous abonner au *Constitutionnel* ni à aucune espèce de journal quelconque.

Ensuite, l'utilité de notre existence admise *a priori*, quelles sont les choses réellement utiles pour la soutenir ? De la soupe et un morceau de viande deux fois par jour, c'est tout ce qu'il faut pour se remplir le ventre, dans la stricte acception du mot. L'homme, à qui un cercueil de deux pieds de large sur six de long suffit et au-delà après sa mort, n'a pas besoin dans sa vie de beaucoup plus de place. Un cube creux de sept à huit pieds dans tous les sens, avec un trou pour respirer, une seule alvéole de la ruche, il n'en faut pas plus pour le loger et empêcher qu'il ne lui pleuve sur le dos. Une couverture, roulée convenablement autour du corps, le défendra aussi bien et mieux contre le froid que le frac de Staub le plus élégant et le mieux coupé.

Avec cela, il pourra subsister à la lettre. On dit bien qu'on peut vivre avec 25 sous par jour ; mais s'empêcher de mourir, ce n'est pas vivre ; et je ne vois pas en quoi une ville organisée utilitairement serait plus agréable à habiter que le Père-la-Chaise.

Rien de ce qui est beau n'est indispensable à la vie. – On supprimerait les fleurs, le monde n'en souffrirait pas matériellement ; qui voudrait cependant qu'il n'y eût plus de fleurs ? Je renoncerais plutôt aux pommes de terre qu'aux roses, et je crois qu'il n'y a qu'un utilitaire au monde capable d'arracher une platebande de tulipes pour y planter des choux.

A quoi sert la beauté des femmes ? Pourvu qu'une femme soit médicalement bien conformée, en état de faire des enfants, elle sera toujours assez bonne pour des économistes.

A quoi bon la musique ? à quoi bon la peinture ? Qui aurait la folie de préférer Mozart à M. Carrel, et Michel-Ange à l'inventeur de la moutarde blanche ?

Il n'y a de vraiment beau que ce qui ne peut servir à rien ; tout ce qui est utile est laid, car c'est l'expression de quelque besoin, et ceux de l'homme sont ignobles et dégoûtants, comme sa pauvre et infirme nature. – L'endroit le plus utile d'une maison, ce sont les latrines.

POÉSIE

1845

•ESPAÑA•

Carmen est maigre, – un trait de bistre
Cerne son œil de gitana ;
Ses cheveux sont d'un noir sinistre ;
Sa peau, le diable la tanna.

Les femmes disent qu'elle est laide,
Mais tous les hommes en sont fous ;
Et l'archevêque de Tolède
Chante la messe à ses genoux ;

Car sur sa nuque d'ambre fauve
Se tord un énorme chignon
Qui, dénoué, fait dans l'alcôve
Une mante à son corps mignon,

Et, parmi sa pâleur, éclate
Une bouche aux rires vainqueurs,
Piment rouge, fleur écarlate,
Qui prend sa pourpre au sang des cœurs.

Ainsi faite, la moricaude
Bat les plus altières beautés,
Et de ses yeux la lueur chaude
Rend la flamme aux satiétés ;

Elle a, dans sa laideur piquante,
Un grain de sel de cette mer
D'où jaillit, nue et provocante,
L'âcre Vénus du gouffre amer.

Émaux et Camées

1872

AFFINITÉS SECRÈTES

Ce poème, sous-titré **Madrigal panthéiste**, *fixe l'intuition d'une existence antérieure.*

Dans le fronton d'un temple antique,
Deux blocs de marbre ont, trois mille ans,
Sur le fond bleu du ciel attique
Juxtaposé leurs rêves blancs ;

Dans la même nacre figées,
Larmes des flots pleurant Vénus,
Deux perles au gouffre plongées
Se sont dit des mots inconnus ;

Au frais Généralife écloses,
Sous le jet d'eau toujours en pleurs,
Du temps de Boabdil, deux roses
Ensemble ont fait jaser leurs fleurs ;

Sur les coupoles de Venise
Deux ramiers blancs aux pieds rosés,
Au nid où l'amour s'éternise
Un soir de mai se sont posés.

Marbre, perle, rose, colombe,
Tout se dissout, tout se détruit ;
La perle fond, le marbre tombe,
La fleur se fane et l'oiseau fuit.

En se quittant, chaque parcelle
S'en va dans le creuset profond
Grossir la pâte universelle
Faite des formes que Dieu fond.

Par de lentes métamorphoses,
Les marbres blancs en blanches chairs,
Les fleurs roses en lèvres roses
Se refont dans des corps divers.

Les ramiers de nouveau roucoulent
Au cœur de deux jeunes amants.
Et les perles en dents se moulent
Pour l'écrin des rires charmants.

De là naissent ces sympathies
Aux impérieuses douceurs,
Par qui les âmes averties
Partout se reconnaissent sœurs.

Docile à l'appel d'un arôme,
D'un rayon ou d'une couleur,
L'atome vole vers l'atome
Comme l'abeille vers la fleur.

L'on se souvient des rêveries
Sur le fronton ou dans la mer,
Des conversations fleuries
Près de la fontaine au flot clair,

Des baisers et des frissons d'ailes
Sur les dômes aux boules d'or,
Et les molécules fidèles
Se cherchent et s'aiment encor.

L'amour oublié se réveille,
Le passé vaguement renaît,
La fleur sur la bouche vermeille
Se respire et se reconnaît.

Dans la nacre où le rire brille,
La perle revoit sa blancheur ;
Sur une peau de jeune fille,
Le marbre ému sent sa fraîcheur.

Le ramier trouve une voix douce,
Écho de son gémissement,
Toute résistance s'émousse,
Et l'inconnu devient l'amant.

Vous devant qui je brûle et tremble,
Quel flot, quel fronton, quel rosier,
Quel dôme nous connut ensemble,
Perle ou marbre, fleur ou ramier ?

Tout passe, les « dieux », la cité, mais l'art demeure parce qu'il est l'expression la plus haute de ce que peut l'esprit humain. La forme demeure au-delà de la dissolution de la matière. Ce poème conclut **Émaux et Camées.**

L'ART

Oui, l'œuvre sort plus belle
D'une forme au travail
Rebelle,
Vers, marbre, onyx, émail.

Point de contraintes fausses !
Mais que pour marcher droit
Tu chausses,
Muse, un cothurne étroit.

Fi du rythme commode,
Comme un soulier trop grand,
Du mode
Que tout pied quitte et prend !

Statuaire, repousse
L'argile que pétrit
Le pouce,
Quand flotte ailleurs l'esprit ;

Lutte avec le carrare,
Avec le paros dur
Et rare,
Gardiens du contour pur ;

Emprunte à Syracuse
Son bronze où fermement
S'accuse
Le trait fier et charmant ;

D'une main délicate
Poursuis dans un filon
D'agate
Le profil d'Apollon.

Peintre, fuis l'aquarelle,
Et fixe la couleur
Trop frêle
Au four de l'émailleur.

Fais les sirènes bleues,
Tordant de cent façons
Leurs queues,
Les monstres des blasons ;

Dans son nimbe trilobe
La Vierge et son Jésus,
Le globe
Avec la croix dessus.

Tout passe. – L'art robuste
Seul a l'éternité.
Le buste
Survit à la cité.

Et la médaille austère
Que trouve un laboureur
Sous terre
Révèle un empereur.

Les dieux eux-mêmes meurent.
Mais les vers souverains
Demeurent
Plus forts que les airains.

Sculpte, lime, ciselle ;
Que ton rêve flottant
Se scelle
Dans le bloc résistant !

"Tout passe – L'art robuste Seul a l'éternité"

Charles Dickens

LANDPORT 1812 – GADSHILL 1870 ; ANGLETERRE.

Le père de Dickens est employé à la Trésorerie de la marine ; selon ses changements de service, la famille habite Chatham, Londres. En 1824 il est emprisonné quelques semaines pour dettes et Charles Dickens – qui a douze ans – doit travailler dans une fabrique de cirage : c'est en partie aux malheurs de son enfance que Dickens doit le réalisme des grandes descriptions qu'il fait des milieux les plus divers. En 1827 il devient clerc de notaire et connaît ainsi de près le monde des plaideurs ; en 1828 il devient sténographe à la Chambre des Communes et peut observer les milieux politiques. Il épouse en 1836 Catherine Hogarth et écrit pour divers journaux. Il commence de rédiger **Les Aventures de Monsieur Pickwick** *qui sont publiées en vingt volumes mensuels (1836-1837). C'est avec une grande vitalité que Dickens se lance dans l'écriture, il publie de grands romans dont les principaux sont :* **Olivier Twist** *(1838),* **Le Magasin des Antiquités** *(1840),* **David Copperfield** *(son huitième roman qu'il publie au moment où naît son huitième enfant en 1849),* **La Petite Dorrit** *(1857),* **Les Grandes Espérances** *(1861) et plusieurs contes de Noël. L'œuvre de Dickens est à la fois l'œuvre d'un réaliste, d'un poète et d'un utopiste. La vérité la plus douloureuse se mêle à une sensibilité exacerbée dans ses romans. C'est aussi un excellent humoriste. Très populaire, il donne, à la fin de sa vie, des lectures publiques. Sa santé s'altère, il meurt en 1870 et sera enterré à Westminster Abbey dans le coin de poètes.*

ROMAN

.Les Aventures de Monsieur Pickwick.

1837

En 1836 l'éditeur Chapman demande à Dickens d'écrire les aventures d'un « Club de Nemrod ». Dickens écrit ***Les Aventures de Monsieur Pickwick.*** *Riche bourgeois retiré des affaires, Monsieur Pickwick fonde un club qui porte son nom et voyage avec ses amis, M. Winckle, M. Snodgrass et M. Tupman. Il est accompagné de son domestique et famulus Sam Weller. En quittant Londres pour Bristol M. Pickwick fait la connaissance d'un certain acteur M. Jingle. Il le présente comme un ami à la famille Wardle. Jingle enlève Miss Rachel Wardle et l'abandonne bientôt contre une somme de 1 500 livres. M. Pickwick décide de se venger. Il retrouve Jingle à une réception. Pour échapper à M. Pickwick, Jingle envoie son complice Job « révéler » à Sam Weller que Jingle se propose d'enlever une jeune fille dans un pensionnat voisin. Sam en informe Pickwick qui décide de monter la garde dans le jardin du pensionnat :*

... Ayant arrangé ces préliminaires, M. Pickwick empoigna le sommet du mur, et donna le mot *haut !* qui fut obéi très littéralement ; car, soit que son corps participât en quelque degré de l'élasticité de son esprit, soit que les idées de Sam sur une douce élévation ne fussent pas exactement les mêmes que celles de son maître, l'effet immédiat de son assistance fut de le jeter par-dessus le mur. Après avoir écrasé trois framboisiers et un rosier, cet immortel gentleman descendit enfin de toute sa longueur sur la terre. – « Vous ne vous êtes pas blessé, monsieur ? demanda Sam aussitôt qu'il fut revenu de la surprise que lui avait causée la mystérieuse disparition du philosophe. – Non, certainement, je ne me suis pas blessé, répondit celui-ci de l'autre côté du mur. Je croirais plutôt que c'est vous qui m'avez blessé, Sam. – J'espère que non, monsieur ! – Ne vous tourmentez point, reprit notre sage en se relevant ; ce n'est rien... quelques égratignures... Allez vous-en, car nous serions entendus. – Bonne chance, monsieur ! – Bonsoir. »

Sam s'éloigna donc doucement, laissant M. Pickwick seul dans le jardin. Des lumières se montraient de temps en temps aux différentes fenêtres du bâtiment, ou passaient dans les escaliers comme pour indiquer que les pensionnaires se retiraient dans leurs chambres. N'ayant nulle envie d'approcher de la porte avant l'heure fixée, M. Pickwick se blottit dans un angle du mur pour attendre qu'elle arrivât.

Il était alors dans une position qui aurait abattu l'audace de bien des héros, et cependant il ne ressentit ni inquiétude ni découragement : il savait que son dessein était honorable, et il se confiait, sans nulle hésitation, aux nobles sentiments de Job Trotter. La situation était triste certainement, pour ne pas dire accablante ; mais un esprit contemplatif peut toujours se distraire par la méditation. A force de méditer, M. Pickwick était tombé dans une sorte d'assoupissement, lorsqu'il en fut tiré par l'horloge de l'église voisine, qui sonnait onze heures et demie.

« Voici le moment », pensa-t-il, en se mettant avec précaution sur ses pieds. Il examina la maison : les lumières avaient disparu, les volets étaient fermés ; tout le monde était au lit, sans aucun doute. Il s'avança à pas de loup vers la porte, et frappa doucement. Deux ou trois minutes s'étaient passées sans réponse... Il frappa un autre coup plus fort, puis un autre plus fort encore.

A la fin, un bruit de pas se fit entendre dans l'escalier ; la lumière d'une chandelle brilla à travers le trou de la serrure ; des barres, des verrous furent tirés, et la porte s'ouvrit lentement.

La porte s'ouvrit lentement, et à mesure qu'elle s'ouvrait de plus en plus, M. Pickwick se retirait de plus en plus derrière elle. Il allongea la tête avec précaution pour reconnaître la personne qui s'avançait ; mais quel fut son étonnement lorsqu'il aperçut, au lieu de Job Trotter, une servante inconnue qui tenait une chandelle dans sa main ! M. Pickwick retira sa tête avec la vivacité déployée par Polichinelle, cet admirable comédien, quand il craint d'être découvert par le commissaire.

« Sarah, dit la servante en s'adressant à quelqu'un dans la maison, c'est apparemment le chat. Minet ! minet ! petit ! petit ! petit ! »

Aucun animal n'ayant été attiré par ces incantations, la servante referma lentement la porte, et la reverrouilla, laissant M. Pickwick aplati contre le mur.

« Ceci est fort étrange, pensa-t-il avec tristesse. Elles veillent, à ce que je suppose, plus tard qu'à l'ordinaire. Il est bien malheureux qu'elles aient choisi précisément cette nuit-ci, extrêmement malheureux ! » Tout en faisant ces réflexions, M. Pickwick se retirait avec précaution dans l'angle du mur, où il avait été originairement caché, résolu d'attendre là assez longtemps pour pouvoir répéter, sans danger, son signal.

Il y était à peine depuis cinq minutes, lorsque la lueur éblouissante d'un éclair fut immédiatement suivie d'un violent coup de tonnerre, qui fit retentir les cieux d'un épouvantable roulement, puis vint un autre éclair plus éblouissant que le premier ; puis un autre coup de tonnerre plus épouvantable que le précédent ; puis enfin arriva la pluie, plus terrible encore que les uns et les autres.

M. Pickwick savait parfaitement qu'un arbre est un très dangereux voisin pendant un orage : or, il avait un arbre à sa droite, un arbre à sa gauche, un troisième devant lui, un quatrième derrière. S'il restait où il était, il risquait d'être foudroyé, s'il se montrait au milieu du jardin, il pouvait être saisi et livré aux constables. Une ou deux fois, il essaya d'escalader le mur ; mais, n'ayant alors aucun aide, le seul résultat de ses efforts fut de mettre sa personne dans un état de transpiration abondante et d'opérer sur ses genoux et sur les os de ses jambes une infinité d'égratignures.

« Quelle épouvantable situation ! » se dit-il à lui-même, en s'arrêtant après cet exercice pour essuyer son front et pour frotter ses genoux. En même temps, il regardait vers la maison, et n'y voyant plus de lumière, il se flatta que toute le monde serait couché ; il résolut donc de répéter son signal.

Il marche sur la pointe du pied, dans le sable humide ; il frappe à la porte ; il retient son haleine ; il écoute à travers le trou de la serrure. Pas de réponse. C'est singulier. Un autre coup. Il écoute de nouveau ; un chuchotement se fait entendre dans l'intérieur et une voix crie ensuite : – « Qui va là ? – Ce n'est pas Job, pensa M. Pickwick en s'aplatissant contre le mur. C'est une voix de femme. »

A peine était-il arrivé à cette conclusion qu'une fenêtre du premier étage s'ouvrit, et trois ou quatre voix de femmes répétèrent la question « Qui est là ? »

M. Pickwick n'osa pas bouger. Il était clair que toute la maison était éveillée. Il résolut de rester où il était jusqu'à ce que l'alarme fût apaisée, et ensuite de faire un effort surnaturel, d'escalader le mur, ou de périr dans cette noble entreprise.

Quel fut son désappointement lorsqu'il entendit tirer barres et verrous, et lorsqu'il vit la porte s'entre-bâiller lentement, mais de plus en plus. Il fit retraite pas à pas, jusqu'auprès des gonds ; mais ce fut en vain qu'il s'effaça contre le mur : l'interposition de sa personne empêchait la porte de s'ouvrir tout à fait.

– « Qui est là » s'écria de l'escalier, un chœur nombreux de voix de soprano. C'était la vieille demoiselle, maîtresse de l'établissement, trois sous-maîtresses, cinq domestiques femelles, et trente pensionnaires toutes à demi vêtues, toutes ombragées d'une forêt de papillotes.

Comme on s'en doute bien, M. Pickwick ne répondit point *qui était là*, et alors le refrain du chœur fut changé en celui-ci : « Mon Dieu ! mon Dieu ! comme j'ai peur ! – Cuisinière ! dit la vieille demoiselle, qui avait pris soin de rester en haut de l'escalier, la dernière du groupe ; cuisinière ! pourquoi n'avancez-vous pas dans le jardin ? – Si vous plaît, ma'am, je n'en avons pas envie. – Mon Dieu ! mon Dieu ! que cette cuisinière est stupide ! s'écrièrent les trente pensionnaires. – Cuisinière ! reprit la vieille demoiselle avec grande dignité, ne raisonnez pas, s'il vous plaît. Je vous ordonne de regarder dans le jardin sur-le-champ. »

Ici, la cuisinière commença à pleurer : la servante dit que c'était une honte de la traiter ainsi, et pour cet acte de rébellion elle reçut congé sur place.

« Cuisinière ! entendez-vous ? cria la vieille demoiselle en frappant du pied avec colère. – Cuisinière ! entendez-vous votre maîtresse ? crièrent les trois sous-maîtresses. – Cette cuisinière est-elle impudente ! » crièrent les trente pensionnaires.

L'infortunée cuisinière ainsi poussée en avant, fit un pas ou deux, en ayant soin de tenir sa chandelle de manière qu'il lui fût impossible de rien apercevoir. Elle déclara donc qu'elle ne voyait rien dans le jardin, et que ce devait être le vent.

La porte allait se refermer, en conséquence, lorsqu'une pensionnaire curieuse s'étant hasardée à regarder entre les gonds, jeta un cri effroyable qui fit rentrer en un clin d'œil la cuisinière, la servante et les plus aventureuses.

– « Qu'est-ce qui est arrivé à miss Smithers ? demanda la vieille demoiselle, tandis que ladite miss Smithers tombait dans une attaque de nerfs de la puissance de quatre jeunes ladies.

– Mon Dieu ! mon Dieu ! chère miss Smithers ! dirent les vingt-neuf autres pensionnaires.

– Oh ! l'homme ! l'homme derrière la porte » cria miss d'une voix entrecoupée.

Aussitôt que la vieille demoiselle eut entendu ces mots effrayants, elle battit en retraite jusque dans sa chambre à coucher, ferma la porte à double tour, et se trouva mal tout à son aise. Cependant, les pensionnaires, les sous-maîtresses, les servantes se précipitaient dans l'escalier, les unes par-dessus les autres ; et jamais on n'avait vu tant de bousculades, tant d'évanouissements, tant de cris. Au milieu du tumulte, M. Pickwick sortit de sa cachette et se présenta devant ces colombes effarouchées.

– « Ladies ! chères ladies ! leur dit-il. – Oh ! il nous appelle chères, cria la plus laide et la plus vieille des sous-maîtresses. Dieux ! le misérable ! – Ladies ! vociféra M. Pickwick, devenu désespéré par le danger de sa situation, écoutez-moi ! je ne suis point un voleur ! Tout ce que je veux, c'est la maîtresse de la maison ! – Oh ! quel monstre féroce ! s'écria une autre sous-maîtresse, il en veut à miss Tomkins ! »

Ici, les gémissements devinrent universels.

– « Sonnez la cloche d'alarme ! dirent une douzaine de voix. – Non ! non ! cria M. Pickwick, regardez-moi ! ai-je l'air d'un voleur ? Mes chères dames, vous pouvez m'attacher, m'enfermer pieds et poings liés, dans un cabinet, si cela vous fait plaisir. Seulement, écoutez ce que j'ai à dire ! Seulement, écoutez-moi ! – Comment êtes-vous entré dans notre jardin ? balbutia la servante. – Appelez la maîtresse de la maison et je lui dirai tout, tout ! continua M. Pickwick de toutes les forces de ses poumons. Appelez-la donc ; seulement soyez calmes, et appelez-la ; vous entendrez tout ! »

Était-ce grâce à la figure de M. Pickwick ou à son éloquence, ou à la tentation irrésistible pour des esprits féminins d'entendre quelque chose de mystérieux ? nous l'ignorons ; mais les femelles les plus raisonnables de l'établissement, au nombre d'environ quatre ou cinq, parvinrent enfin à recouvrer une tranquillité comparative. Elles proposèrent à M. Pickwick de se soumettre immédiatement à une contrainte personnelle ; afin de prouver sa sincérité, il y consentit, et, pour obtenir de conférer avec miss Tomkins, il entra spontanément dans le cabinet où les externes pendaient leurs bonnets et leurs sacs durant les classes. Lorsqu'il y fut soigneusement renfermé, les brebis effrayées commencèrent peu à peu à reprendre courage. Miss Tomkins fut tirée de son évanouissement et de sa chambre ; ses acolytes l'apportèrent au rez-de-chaussée, et la conférence commença.

– « Eh ! bien l'homme, dit miss Tomkins d'une voix faible, que faisiez-vous dans mon jardin ? – Je venais pour vous avertir qu'une de vos jeunes demoiselles doit s'échapper cette nuit, répondit M. Pickwick de l'intérieur du cabinet. – S'échapper ! s'écrièrent miss Tomkins, les trois sous-maîtresses et les trente pensionnaires. Et avec qui ? – Avec votre ami, M. Charles Fitz-Marshall. – Mon ami ! je ne connais personne de ce nom. – Eh bien ! M. Jingle alors. – Je n'ai jamais entendu ce nom-là de ma vie. – Alors j'ai été trompé ! abusé ! dit M. Pickwick ; j'ai été la victime d'un complot, d'un lâche et vil complot ! Envoyez à l'hôtel de l'Ange, ma chère madame si vous ne me croyez pas. Je vous en supplie, madame, envoyez à l'hôtel de l'Ange, et faites demander le domestique de M. Pickwick. – Il paraît que c'est un homme respectable, puisqu'il garde un domestique ! dit miss Tomkins à la maîtresse d'écriture et de calcul. – J'imagine plutôt, répondit celle-ci, que c'est son domestique qui le garde. Je pense qu'il est fou, miss Tomkins, et que l'autre est son gardien. – Je crois que vous avez raison, miss Gwynn, répondit la vieille demoiselle. Il faut que deux des servantes aillent à l'hôtel de l'Ange, et que les autres restent ici pour nous protéger. »

Deux des servantes furent en conséquence dépêchées à l'hôtel de l'Ange, en quête de M. Samuel Weller, tandis que les trois autres restèrent pour protéger miss Tomkins, les trois sous-maîtresses et les trente pensionnaires. M. Pickwick s'assit par terre, dans le cabinet, et attendit le retour des deux messagers avec toute la philosophie, tout le courage qu'il put appeler à son aide.

Une heure et demie s'écoula dans cette pénible situation, et lorsque les deux servantes revinrent enfin, M. Pickwick reconnut, outre la voix de Samuel Weller, deux autres voix dont l'accent paraissait familier à son oreille, mais dont il n'aurait pas pu deviner les propriétaires, quand il se serait agi de sa vie.

Une courte conférence s'ensuivit ; la porte fut ouverte ; M. Pickwick sortit du cabinet et se trouva en présence de toute la pension, de Sam Weller, du vieux Wardle et de son futur gendre.

– « Mon cher ami ! dit M. Pickwick en se précipitant vers M. Wardle et en lui saisissant ses mains ; mon cher ami ! au nom du ciel ! expliquez à ces dames la malheureuse, l'horrible situation dans laquelle je me trouve placé. Vous devez l'avoir apprise de mon domestique. Dites-leur à tout hasard, mon cher camarade, que je ne suis ni un brigand ni un fou. – Je l'ai dit, mon cher ami, je l'ai dit, répliqua M. Wardle en secouant la main droite du philosophe, tandis que M. Trundle secouait sa main gauche. – Et ceux qui disent, ou bien qui ont dit qu'il l'était, s'écria Sam, en s'avançant au milieu de la société, ils disent quelque chose qui n'est pas vrai, mais au contraire qui est tout à fait l'opposite. Et s'il y a ici des hommes, n'importe combien, qui disent ça, je leur y donnerai une preuve convaincante du contraire, dans cette même chambre ici, si ces très respectables ladies veulent avoir la bonté de se retirer et de faire monter leurs hommes un à un. »

Ayant exprimé ce défi chevaleresque avec

une grande volubilité, Sam Weller frappa énergiquement la paume de sa main avec son poing fermé, et regarda miss Tomkins d'un air gracieux et en clignant de l'œil. Mais la galanterie de Sam ne produisit aucun effet sur cette vertueuse personne, qui avait entendu avec une horreur indicible la supposition, implicitement exprimée, qu'il pouvait se trouver des hommes dans l'enceinte d'une pension de demoiselles.

L'apologie de M. Pickwick fut bientôt terminée, mais on ne put tirer de lui aucune parole, ni pendant son retour à l'hôtel, ni lorsqu'il fut assis, avec ses amis, entre un bon feu et le souper dont il avait tant besoin.

CHAPITRE XVI

.Olivier Twist.

1838

Olivier Twist est un petit orphelin élevé dans un hospice et victime d'un système d'éducation épouvantable : le bedeau prend un plaisir ignoble à fouetter l'enfant ; Olivier s'enfuit à Londres où il se lie malgré lui à une bande de voleurs. Après de nombreuses aventures Olivier Twist trouvera un foyer.

L'orphelinat :

L'endroit où mangeaient les enfants était une grande salle pavée, au bout de laquelle était une chaudière d'où le chef du dépôt, couvert d'un tablier et aidé d'une ou deux femmes, tirait le gruau aux heures des repas. Chaque enfant en recevait plein une petite écuelle et jamais davantage, sauf les jours de fête, où il avait en plus deux onces un quart de pain ; les bols n'avaient jamais besoin d'être lavés ; les enfants les polissaient avec leurs cuillers jusqu'à ce qu'il devinssent luisants ; et quand ils avaient terminé cette opération, qui n'était jamais longue, car les cuillers étaient presque aussi grandes que les bols, ils restaient en contemplation devant la chaudière avec des yeux si avides qu'ils semblaient la dévorer de leurs regards, et ils se léchaient les doigts pour ne pas perdre quelques petites gouttes de gruau qui avaient pu s'y attacher. Les enfants ont en général un excellent appétit ; Olivier Twist et ses compagnons souffrirent pendant trois mois les tortures d'une lente consomption et la faim finit par les égarer à ce point qu'un enfant, grand pour son âge et peu habitué à une telle existence (car son père avait tenu une petite échoppe de traiteur), donna à entendre à ses camarades que, s'il n'avait pas une portion de plus de gruau par jour, il craignait de dévorer une nuit l'enfant qui partageait son lit, et qui était jeune et faible ; il avait, en parlant ainsi, l'œil égaré et affamé, et ses compagnons le crurent ; on délibéra. On tira au sort pour savoir qui irait le soir même, au souper, demander au chef une autre portion ; le sort tomba sur Olivier Twist.

Le soir venu, les enfants prirent leurs places ; le chef de l'établissement, affublé de son costume de cuisinier, était en personne devant la chaudière ; on servit le gruau ; on dit un long benedicite sur ce chétif ordinaire. Le gruau disparut ; les enfants se parlaient à l'oreille, faisaient des signes à Olivier, et ses voisins le poussaient du coude. Tout enfant qu'il était, la faim l'avait exaspéré, et l'excès de la misère l'avait rendu insouciant ; il quitta sa place, et, s'avançant l'écuelle et la cuiller à la main, il dit, tout effrayé de sa témérité :

« J'en voudrais encore, monsieur, s'il vous plaît. »

Le chef, homme gros et rebondi, devint pâle ; stupéfait de surprise, il regarda plusieurs fois le petit rebelle ; puis il s'appuya sur la chaudière pour se soutenir ; les vieilles femmes qui l'aidaient étaient saisies d'étonnement, et les enfants de terreur.

Comment ? dit enfin le chef d'une voix altérée. – J'en voudrais encore, monsieur, s'il vous plaît », répondit Olivier.

Le chef dirigea vers la tête d'Olivier un coup de sa cuiller à pot, l'étreignit dans ses bras, et appela à grands cris le bedeau.

Le conseil siégeait en séance solennelle quand M. Bumble tout hors de lui, se précipita dans la salle, et s'adressant au président, lui dit :

« Monsieur Limbkins, je vous demande pardon, monsieur Olivier Twist en a redemandé ! »

Ce fut une stupéfaction générale, l'horreur était peinte sur tous les visages.

« Il en a redemandé, dit M. Limbkins ? calmez-vous, Bumble, et répondez-moi clairement. Dois-je comprendre qu'il a redemandé de la nourriture, après avoir mangé le souper alloué par le règlement ?

– Oui, monsieur, répondit Bumble.

– Cet enfant-là se fera pendre, dit le monsieur au gilet blanc ; oui, ce enfant-là se fera pendre ».

Personne ne contredit cette prédiction. Une discussion très vive eut lieu ; Olivier fut mis au cachot, et le lendemain matin, un avis affiché à la porte offrait une récompense de cinq livres sterling à quiconque voudrait débarrasser la paroisse d'Olivier Twist ; en d'autres termes, on offrait cinq livres sterling et Olivier Twist à quiconque, homme ou femme, aurait besoin d'un apprenti pour n'importe quel commerce ou quelle besogne.

« De ma vie vivante, je n'ai jamais été plus certain d'une chose, disait le monsieur au gilet blanc en frappant à la porte le lendemain matin et en lisant l'affiche ; de ma vie vivante, je n'ai jamais été plus certain d'une chose ! c'est que cet enfant-là se fera pendre. »

CHAPITRE II

Charles Marie René Leconte, dit

Leconte de Lisle

SAINT-PAUL-DE-LA-RÉUNION 1818 – LOUVECIENNES 1894.

Jeune homme, Leconte de Lisle voyage : son père, chirurgien militaire à la Réunion veut faire de lui un commerçant. N'ayant aucun goût pour le négoce, Leconte de Lisle s'installe à Rennes où il étudie le droit. En 1846, il est à Paris devenu disciple de Fourier, publiant ses premiers poèmes dans la revue **La Phalange**. *En 1848, le républicain Leconte de Lisle réclame l'abolition de l'esclavage. Il se brouille avec sa famille qui lui coupe les vivres. La politique le déçoit définitivement, il se consacre alors à son œuvre poétique. Les* **Poèmes antiques** *paraissent en 1852 ; les* **Poèmes barbares** *en 1862. Il traduit beaucoup les Grecs, accentuant le caractère antique jusqu'à l'archaïque :* **Iliade**, **Odyssée**, **Hymnes homériques** *; Eschyle ; Sophocle ; Euripide ; etc. En 1884, il publie ses* **Poèmes tragiques** *; il est très célèbre depuis une dizaine d'années, et l'Académie le reçoit en 1886, Victor Hugo qui vient de mourir en ayant émis le vœu. Leconte de Lisle est le représentant illustre de la poésie parnassienne (du nom d'une collection de poèmes que rassemble régulièrement l'éditeur Lemerre en 1866, 1871, 1875) que l'on considère comme une réaction contre le romantisme et une expression des thèses de « l'art pour l'art ».*

POÉSIE

.Poèmes antiques.

1852

Bhagavat, c'est le Bienheureux, nom qui désigne la quatrième incarnation de Bouddha ou Çakyamouni. Trois brahmanes méditent près du Gange :

.BHAGAVAT.

Au pied des jujubiers déployés en arceaux,
Trois sages méditaient, assis dans les roseaux ;
Des larges nymphéas contemplant les calices
Ils goûtaient, absorbés, de muettes délices.
Sur les bambous prochains, accablés de sommeil,
Les aras aux becs d'or luisaient en plein soleil,
Sans daigner secouer, comme des étincelles,
Les oiseaux qui mordaient la pourpre de leurs ailes.
Revêtu d'un poil rude et noir, le roi des ours
Au grondement sauvage, irritable toujours,
Allait se nourrissant de miel et de bananes.
Les singes oscillaient suspendus aux lianes.
Tapi dans l'herbe humide et sur soi reployé,
Le tigre au ventre jaune, au souple dos rayé,
Dormait ; et par endroits, le long des vertes îles,
Comme des troncs pesants flottaient les crocodiles.

Parfois, un éléphant songeur, roi des forêts,
Passait et se perdait dans les sentiers secrets,
Vaste contemporain des races terminées,
Triste, et se souvenant des antiques années.
L'inquiète gazelle, attentive à tout bruit,
Venait, disparaissait comme le trait qui fuit ;
Au-dessus des nopals bondissait l'antilope ;
Et sous les noirs taillis dont l'ombre l'enveloppe,
L'œil dilaté, le corps nerveux et frémissant,
La panthère à l'affût humait leur jeune sang.
Du sommet des palmiers pendaient les grands reptiles,
Les couleuvres glissaient en spirales subtiles ;
Et sur les fleurs de pourpre et sur les lis d'argent,
Emplissant l'air d'un vol sonore et diligent,
Dans la forêt touffue, aux longues échappées,
Les abeilles vibraient, d'un rayon d'or frappées.

Telle, la Vie immense, auguste, palpitait,
Rêvait, étincelait, soupirait et chantait ;
Tels, les germes éclos et les formes à naître
Brisaient ou soulevaient le sein large de l'Etre.
Mais, dans l'inaction surhumaine plongés,
Les Brahmanes muets et de longs jours chargés,
Ensevelis vivants dans leurs songes austères,
Et des roseaux du Fleuve habitants solitaires,
Las des vaines rumeurs de l'homme et des cités,
En un monde inconnu puisaient leurs voluptés ;
Des parts faites à tous choisissant la meilleure,
Ils fixaient leur esprit sur l'Ame intérieure.

.Poèmes barbares.

1862

La pudeur du poète, c'est-à-dire son goût pour la vérité, refuse la faveur du peuple – « toujours injurieuse », disait Montaigne. C'est en même temps une « pose » pour la postérité admirative.

.LES MONTREURS.

Tel qu'un morne animal, meurtri, plein de poussière,
La chaîne au cou, hurlant au chaud soleil d'été,
Promène qui voudra son cœur ensanglanté
Sur ton pavé cynique, ô plèbe carnassière !

Pour mettre un feu stérile en ton œil hébété,
Pour mendier ton rire ou ta pitié grossière,
Déchire qui voudra la robe de lumière
De la pudeur divine et de la volupté.

Dans mon orgueil muet, dans ma tombe sans gloire,
Dussé-je m'engloutir pour l'éternité noire,
Je ne te vendrai pas mon ivresse et mon mal,

Je ne livrerai pas ma vie à tes huées,
Je ne danserai pas sur ton tréteau banal
Avec tes histrions et tes prostituées.

Chez Leconte de Lisle l'exotisme est marié avec l'horreur, ou enlace le pessimisme.

.LE RÊVE DU JAGUAR.

Sous les noirs acajous, les lianes en fleur,
Dans l'air lourd, immobile et saturé de mouches,
Pendent et, s'enroulant en bas parmi les souches,
Bercent le perroquet splendide et querelleur,
L'araignée au dos jaune et les singes farouches.
C'est là que le tueur de bœufs et de chevaux,
Le long des vieux troncs morts à l'écorce moussue,
Sinistre et fatigué revient à pas égaux.
Il va, frottant ses reins musculeux qu'il bossue ;
Et du mufle béant par la soif alourdi,
Un souffle rauque et bref, d'une brusque secousse,
Troublent les grands lézards, chauds des feux de midi,
Dont la fuite étincelle à travers l'herbe rousse.
En un creux du bois sombre interdit au soleil
Il s'affaisse, allongé sur quelque roche plate ;
D'un large coup de langue, il se lustre la patte ;
Il cligne ses yeux d'or hébétés de sommeil,
Et dans l'illusion de ses forces inertes,
Faisant mouvoir sa queue et frissonner ses flancs,
Il rêve qu'au milieu des plantations vertes,
Il enfonce d'un bond ses ongles ruisselants
Dans la chair des taureaux fatigués et beuglants.

.LE SOMMEIL DU CONDOR.

Par-delà l'escalier des roides Cordillères,
Par-delà les brouillards hantés des aigles noirs,
Plus haut que les sommets creusés en entonnoirs
Où bout le flux sanglant des laves familières,
L'envergure pendante et rouge par endroits,
Le vaste Oiseau, tout plein d'une morne indolence,
Regarde l'Amérique et l'espace en silence,
Et le sombre soleil qui meurt dans ses yeux froids.
La nuit roule de l'Est, où les pampas sauvages
Sous les monts étagés s'élargissent sans fin ;
Elle endort le Chili, les villes, les rivages,
Et la Mer Pacifique et l'horizon divin ;
Du continent muet elle s'est emparée :
Des sables aux coteaux, des gorges aux versants,
De cime en cime, elle enfle, en tourbillons croissants,
Le lourd débordement de sa haute marée.
Lui, comme un spectre, seul, au front du pic altier,
Baigné d'une lueur qui saigne sur la neige,
Il attend cette mer sinistre qui l'assiège :
Elle arrive, déferle, et le couvre en entier.
Dans l'abîme sans fond la Croix australe allume
Sur les côtes du ciel son phare constellé.
Il râle de plaisir, il agite sa plume,
Il érige son cou musculeux et pelé,
Il s'enlève en fouettant l'âpre neige des Andes,
Dans un cri rauque il monte où n'atteint pas le vent,
Et, loin du globe noir, loin de l'astre vivant,
Il dort dans l'air glacé, les ailes toutes grandes.

Derniers poèmes.

1895

Horrible beauté de la nature : la lumière, l'amour, la joie, l'harmonie disent l'angoisse d'exister.

L'aigu bruissement des ruches naturelles,
Parmi les tamarins et les manguiers épais,
Se mêlait, tournoyant dans l'air subtil et frais,
A la vibration lente des bambous grêles
Où le matin joyeux dardait l'or de ses rais.

Le vent léger du large, en longues nappes roses
Dont la houle indécise avivait la couleur,
Remuait les maïs et les cannes en fleur,
Et caressait au vol, des vétivers aux roses,
L'oiseau bleu de la Vierge et l'oiselet siffleur.

L'eau vive qui filtrait sous les mousses profondes,
A l'ombre des safrans sauvages et des lys,
Tintait dans les bassins d'un bleu céleste emplis,
Et les ramiers chanteurs et les colombes blondes
Pour y boire ployaient leurs beaux cols assouplis.

La mer calme, d'argent et d'azur irisée,
D'un murmure amoureux saluait le soleil ;
Les taureaux d'Antongil, au sortir du sommeil,
Haussant leurs mufles noirs humides de rosée,
Mugissaient doucement vers l'Orient vermeil.

Tout n'était que lumière, amour, joie, harmonie ;
Et moi, bien qu'ébloui de ce monde charmant,
J'avais au fond du cœur comme un gémissement,
Un douloureux soupir, une plainte infinie,
Très lointaine et très vague et triste amèrement.

C'est que devant ta grâce et ta beauté, Nature !
Enfant qui n'avais rien souffert ni deviné,
Je sentais croître en moi l'homme prédestiné,
Et je pleurais, saisi de l'angoisse future,
Épouvanté de vivre, hélas ! et d'être né.

Karl Marx

TRÈVES 1818 – LONDRES 1883.

Fils d'un avocat d'origine juive, Karl Marx fait des études de droit et de philosophie à Bonn, puis à Berlin où il fréquente les « jeunes hégéliens ». Il fonde, avec quelques jeunes bourgeois libéraux, ***la Gazette rhénane*** *; il y écrit de retentissants articles qui donnent au journal un ton radical de gauche. En 1843 la revue est interdite ; Marx se marie avec son amie d'enfance Jenny von Westphalen. Il part à Paris et collabore aux* ***Annales franco-allemandes*** *dirigées par Ruge. Chassé de Paris, il va à Bruxelles où il rencontre Engels en 1845. Tous deux rédigent* ***L'Idéologie allemande.*** *En 1847 Marx s'oppose à la* ***Philosophie de la misère*** *de Proudhon dans sa* ***Misère de la philosophie*** *et rédige avec Engels* ***Le Manifeste du Parti communiste****, à la demande de la Ligue des communistes. L'Europe connaît une période révolutionnaire ; Marx fonde en 1848, à Cologne,* ***la Nouvelle Gazette rhénane.*** *Mais la contre-révolution triomphe en Prusse et Marx est contraint de quitter son pays. Il se réfugie à Londres où il habitera plus de trente ans, il y écrit l'œuvre de sa vie,* ***Le Capital.***

PHILOSOPHIE

.L'Idéologie allemande.

THÈSES SUR FEUERBACH

1845

Le jeune Marx écrit les ***Thèses sur Feuerbach****, à Bruxelles, en mars 1845. Il y récuse le matérialisme intuitif, l'anthropologie naturelle de Feuerbach. Il élabore une nouvelle conception de l'essence de l'homme, qui est « dans sa réalité l'ensemble des rapports sociaux » :*

.1.

Le principal défaut de tout matérialisme jusqu'ici (y compris celui de Feuerbach) et que l'objet extérieur, la réalité, le sensible ne sont saisis que sous la forme d'Objet ou d'intuition, mais non en tant qu'activité humaine sensible, en tant que pratique, de façon subjective. C'est pourquoi en opposition au matérialisme l'aspect actif fut développé de façon abstraite par l'idéalisme, qui ne connaît naturellement pas l'activité réelle, sensible, comme telle. Feuerbach veut des objets sensibles, réellement distincts des objets de la pensée : mais il ne saisit pas l'activité humaine elle-même en tant qu'activité objective. C'est pourquoi dans « L'Essence du christianisme » il ne considère comme authentiquement humaine que l'attitude théorique, tandis que la pratique n'est saisie et fixée par lui que dans sa manifestation juive sordide. C'est pourquoi il ne comprend pas l'importance de l'activité « révolutionnaire », de l'activité « pratiquement-critique ».

.2.

La question de l'attribution à la pensée humaine d'une vérité objective n'est pas une question de théorie, mais une question pratique. C'est dans la pratique que l'homme a à faire la preuve de la vérité, c'est-à-dire de la réalité et de la puissance de sa pensée, la preuve qu'elle est de ce monde. Le débat sur la réalité ou l'irréalité de la pensée isolée de la pratique – est une question purement scolastique.

.3.

La doctrine matérialiste de la transformation des circonstances et de l'éducation oublie qu'il faut les hommes pour transformer les circonstances et que l'éducateur a lui-même besoin d'être éduqué. C'est pourquoi il lui faut diviser la société en deux parties – dont l'une est élevée au-dessus d'elle.

La coïncidence de la modification des circonstances et de l'activité humaine ou autotransformation ne peut être saisie et comprise rationnellement qu'en tant que pratique révolutionnaire.

.4.

Feuerbach part du fait de l'aliénation religieuse de soi, du dédoublement du monde en un monde religieux et un monde profane. Son travail consiste à résoudre le monde religieux en sa base profane. Mais le fait que la base profane se détache d'elle-même pour aller se constituer dans les nuages en royaume autonome ne peut s'expliquer que par le déchirement intime et la contradiction interne de cette base profane. Il faut donc tout à la fois comprendre celle-ci dans sa contradiction et la révolutionner pratiquement. Ainsi, une fois qu'on a découvert par exemple que la famille terrestre est le secret de la sainte famille, c'est la première elle-même qu'il faut alors réduire théoriquement et pratiquement à néant.

“Les philosophes n'ont fait qu'interpréter diversement le monde, ce qui importe, c'est de le transformer”

.5.

Feuerbach, que ne satisfait pas la pensée abstraite, veut l'intuition ; mais il ne saisit pas le sensible en tant qu'activité sensible pratique de l'homme.

.6.

Feuerbach résout l'essence religieuse en l'essence humaine. Mais l'essence humaine n'est pas une abstraction inhérente à l'individu singulier. Dans sa réalité, c'est l'ensemble des rapports sociaux.

Feuerbach, qui n'entreprend pas la critique de cette essence réelle, est par conséquent contraint :

1. de faire abstraction du cours de l'histoire et de traiter le sentiment religieux comme une réalité en soi, en présupposant un individu humain abstrait, isolé.
2. L'essence ne peut plus dès lors être saisie qu'en tant que « genre », universalité interne, muette, liant de façon naturelle les multiples individus.

.7.

C'est pourquoi Feuerbach ne voit pas que le « sentiment religieux » est lui-même un produit social et que l'individu abstrait qu'il analyse appartient à une forme sociale déterminée.

.8.

Toute vie sociale est essentiellement pratique. Tous les mystères qui portent la théorie vers le mysticisme trouvent leur solution rationnelle dans la pratique humaine et dans la compréhension de cette pratique.

.9.

Le plus haut point auquel arrive le matérialisme intuitif, c'est-à-dire le matérialisme qui ne conçoit pas le sensible comme activité pratique, c'est l'intuition des individus singuliers et de la société civile.

.10.

Le point de vue de l'ancien matérialisme est la société civile, le point de vue du nouveau est la société humaine ou l'humanité sociale.

.11.

Les philosophes n'ont fait qu'interpréter diversement le monde, ce qui importe, c'est de le transformer.

Misère de la philosophie

1847

Karl Marx s'oppose au principe d'égalité que défend Proudhon dans sa ***Philosophie de la misère****.*
Il répond à Proudhon dans la ***Misère de la philosophie*** *:*

On ne fait des hypothèses qu'en vue d'un but quelconque. Le but que se proposait en premier lieu le génie social qui parle par la bouche de M. Proudhon, c'était d'éliminer ce qu'il y a de mauvais dans chaque catégorie économique, pour n'avoir que du bon. Pour lui le bon, le bien suprême, le véritable but pratique, c'est l'égalité. Et pourquoi le génie social se proposait-il l'égalité plutôt que l'inégalité, la fraternité, le catholicisme, ou tout autre principe ? Parce que « l'humanité n'a réalisé successivement tant d'hypothèses particulières qu'en vue d'une hypothèse supérieure », qui est précisément l'égalité. En d'autres mots : parce que l'égalité est l'idéal de M. Proudhon. Il s'imagine que la division du travail, le crédit, l'atelier, que tous les rapports économiques n'ont été inventés qu'au profit de l'égalité, et cependant ils ont toujours fini par tourner contre elle. De ce que l'histoire et la fiction de M. Proudhon se contredisent à chaque pas, ce dernier conclut qu'il y a contradiction. S'il y a contradiction, elle n'existe qu'entre son idée fixe et le mouvement réel.

Désormais, le bon côté d'un rapport économique, c'est celui qui affirme l'égalité ; le mauvais côté, c'est celui qui la nie et affirme l'inégalité. Toute nouvelle catégorie est une hypothèse du génie social, pour éliminer l'inégalité engendrée par l'hypothèse précédente. En résumé, l'égalité est l'intention primitive, la tendance mystique, le but providentiel que le génie social a constamment devant les yeux, en tournoyant dans le cercle des contradictions économiques. Aussi la Providence est-elle la locomotive qui fait mieux marcher tout le bagage économique de M. Proudhon que sa raison pure et évaporée. Il a consacré à la Providence tout un chapitre, qui suit celui des impôts.

Providence, but providentiel, voilà le grand mot dont on se sert aujourd'hui, pour expliquer la marche de l'histoire. Dans le fait ce mot n'explique rien. C'est tout au plus une forme déclamatoire, une manière comme une autre de paraphraser les faits.

Il est de fait qu'en Écosse les propriétés foncières obtinrent une valeur nouvelle par le développement de l'industrie anglaise. Cette industrie ouvrit de nouveaux débouchés à la laine. Pour produire la laine en grand, il fallait transformer les champs labourables en pâturages. Pour effectuer cette transformation, il fallait concentrer les propriétés. Pour concentrer les propriétés, il fallait abolir les petites tenures, chasser des milliers de tenanciers de leur pays natal, et mettre à leur place quelques pasteurs surveillant des millions de moutons. Ainsi, par des transformations successives, la propriété foncière a eu pour résultat en Écosse de faire chasser les hommes par les moutons. Dites maintenant que le but providentiel de l'institution de la propriété foncière en Écosse avait été de faire chasser les hommes par les moutons, et vous aurez fait de l'histoire providentielle.

Certes, la tendance à l'égalité appartient à notre siècle. Dire maintenant que tous les siècles antérieurs, avec des besoins, des moyens de production, etc., tout à fait différents, travaillaient providentiellement à la réalisation de l'égalité, c'est d'abord substituer les moyens et les hommes de notre siècle aux hommes et aux moyens des siècles antérieurs, et méconnaître le mouvement historique par lequel les générations successives transformaient les résultats acquis des générations qui les précédaient. Les économistes savent très bien que la même chose qui était pour l'un la matière ouvragée n'est pour l'autre que la matière première de nouvelle production.

Supposez, comme le fait M. Proudhon, que le génie social ait produit, ou plutôt improvisé, les seigneurs féodaux dans le but providentiel de transformer les colons en travailleurs responsables et égalitaires ; et vous aurez fait une substitution de buts et de personnes tout digne de cette Providence qui, en Écosse, instituait la propriété foncière, pour se donner le malin plaisir de faire chasser les hommes par les moutons.

Mais puisque M. Proudhon prend un intérêt si tendre à la Providence, nous le renvoyons à l'Histoire de l'économie politique, de M. de Villeneuve-Bargemont, qui, lui aussi, court après un but providentiel. Ce but, ce n'est plus l'égalité, c'est le catholicisme.

DEUXIÈME PARTIE

POLITIQUE

.Le Manifeste du Parti communiste.

1847

Lorsque Marx rédige le ***Manifeste*** *avec son ami Engels, à la demande de la Ligue des communistes, il s'adresse aux « prolétaires de tous les pays ».*

PROLÉTAIRES ET COMMUNISTES

Quelle est la position des communistes par rapport à l'ensemble des prolétaires ?

Les communistes ne forment pas un parti distinct opposé aux autres partis ouvriers.

Ils n'ont point d'intérêts qui les séparent de l'ensemble du prolétariat.

Ils n'établissent aucun principe particulier sur lequel ils voudraient modeler le mouvement ouvrier.

Les communistes ne se distinguent des autres partis ouvriers que sur deux points : dans les différentes luttes nationales des prolétaires, ils mettent en avant et font valoir les intérêts indépendants de la nationalité et communs à tout le prolétariat et dans les différentes phases que traverse la lutte entre prolétaires et bourgeois, ils représentent toujours les intérêts du mouvement dans son ensemble.

Pratiquement, les communistes sont donc la fraction la plus résolue des partis ouvriers de tous les pays, la fraction qui entraîne toutes les autres : théoriquement, ils ont sur le reste du prolétariat l'avantage d'une intelligence claire des conditions, de la marche et des fins générales du mouvement prolétarien.

Le but immédiat des communistes est le même que celui de tous les partis ouvriers : constitution des prolétaires en classe, renversement de la domination bourgeoise, conquête du pouvoir politique par le prolétariat.

Les conceptions théoriques des communistes ne reposent nullement sur des idées, des principes inventés ou découverts par tel ou tel réformateur du monde.

Elles ne sont que l'expression générale des conditions réelles d'une lutte de classes existante, d'un mouvement historique qui se déroule sous nos yeux. L'abolition des rapports de propriété qui ont existé jusqu'ici n'est pas le caractère distinctif du communisme.

Le régime de la propriété a subi de continuels changements, de continuelles transformations historiques.

La Révolution française, par exemple, a aboli la propriété féodale au profit de la propriété bourgeoise.

Ce qui caractérise le communisme, ce n'est pas l'abolition de la propriété en général, mais l'abolition de la propriété bourgeoise.

Or, la propriété privée d'aujourd'hui, la propriété bourgeoise est la dernière et la plus parfaite expression du mode de production et d'appropriation fondé sur des antagonismes de classes, sur l'exploitation des uns par les autres.

En ce sens, les communistes peuvent résumer leur théorie dans cette formule unique : abolition de la propriété privée.

On nous a reproché, à nous autres communistes, de bien vouloir abolir la propriété personnellement acquise, fruit du travail de l'individu, propriété que l'on déclare la base de toute liberté, de toute activité, de toute indépendance individuelle.

La propriété personnelle, fruit du travail et du mérite ! Veut-on parler de cette forme de propriété antérieure à la propriété bourgeoise qu'est la propriété du petit bourgeois, du petit paysan ? Nous n'avons que faire de l'abolir : le progrès de l'industrie l'a abolie et continue à l'abolir chaque jour.

Ou bien veut-on parler de la propriété bourgeoise moderne ?

Mais est-ce que le travail salarié, le travail du prolétaire crée pour lui de la propriété ? Absolument pas. Il crée le capital, c'est-à-dire la propriété qui exploite le travail salarié, et qui ne peut s'accroître qu'à la condition de produire davantage de travail salarié pour l'exploiter de nouveau. Dans sa forme actuelle, la propriété oscille entre ces deux termes antinomiques : le Capital et le Travail. Examinons les deux termes de cette antinomie.

Être capitaliste, c'est occuper non seulement une position purement personnelle, mais encore une position sociale dans la production. Le capital est un produit collectif : il ne peut être mis en mouvement que par l'activité commune de beaucoup d'individus et même, en dernière analyse, par l'activité commune de tous les individus, de toute la société.

Le capital n'est donc pas une puissance personnelle ; c'est une puissance sociale.

Dès lors, si le capital est transformé en propriété commune appartenant à tous les membres de la société, ce n'est pas une propriété personnelle qui se change en propriété commune. Seul change le caractère social de la propriété. Il perd son caractère de classe.

Passons au travail salarié.

Le prix moyen du travail salarié, c'est le minimum du salaire, c'est-à-dire la somme des moyens de subsistance nécessaires pour maintenir en vie l'ouvrier en tant qu'ouvrier. Par conséquent, ce que l'ouvrier s'approprie par son labeur est tout juste suffisant pour reproduire simplement sa vie. Nous ne voulons absolument pas abolir cette appropriation personnelle des produits du travail, indispensable à la reproduction de la vie du lendemain, cette appropriation ne laissant aucun profit net conférant un pouvoir sur le travail d'autrui. Ce que nous voulons, c'est supprimer le caractère de détresse de ce mode d'appropriation où l'ouvrier ne vit que pour accroître le capital et ne vit qu'autant que l'exigent les intérêts de la classe dominante.

Dans la société bourgeoise, le travail vivant n'est qu'un moyen d'accroître le travail accumulé. Dans la société communiste, le travail accumulé n'est qu'un moyen d'élargir, d'enrichir, de favoriser l'existence des travailleurs.

Dans la société bourgeoise, le passé domine donc le présent ; dans la société communiste c'est le présent qui domine le passé. Dans la société bourgeoise, le capital est indépendant et personnel, tandis que l'individu qui travaille n'a ni indépendance, ni personnalité.

Et l'abolition d'un pareil état de choses, la bourgeoisie l'appelle l'abolition de l'individualité et de la liberté ! Et avec raison. Car il s'agit effectivement d'abolir l'individualité, l'indépendance, la liberté bourgeoise.

Par liberté, dans les conditions actuelles de la production bourgeoise, on entend la liberté du commerce, la liberté d'acheter et de vendre.

Mais si le brocantage disparaît, le libre brocantage disparaît aussi. Au reste, tous les grands mots sur la liberté du brocantage, de même que toutes les forfanteries libérales de notre bourgeoisie, n'ont un sens que par constraste avec le brocantage entravé, avec le bourgeois asservi du Moyen Age ; ils n'ont aucun sens lorsqu'il s'agit de l'abolition, par le communisme, du brocantage, du régime bourgeois de la production et de la bourgeoisie elle-même.

Vous êtes saisi d'horreur parce que nous voulons abolir la propriété privée. Mais, dans votre société, la propriété privée est abolie pour les neuf dixièmes de ses membres ; elle existe pour vous précisément parce qu'elle n'existe pas pour ces neuf dixièmes. Vous nous reprochez donc de vouloir abolir une forme de propriété qui ne peut exister qu'à la condition que l'immense majorité soit nécessairement frustrée de toute propriété.

En un mot, vous nous accusez de vouloir abolir votre propriété à vous. C'est bien ce que nous voulons.

CHAPITRE II

"Les prolétaires n'ont rien à perdre que leurs chaînes. Ils ont un monde à gagner"

C'est vers l'Allemagne que se tourne surtout l'attention des communistes, parce que l'Allemagne se trouve à la veille d'une révolution bourgeoise, parce qu'elle accomplira cette révolution dans des conditions plus avancées de civilisation européenne et avec un prolétariat infiniment plus développé que l'Angleterre et la France au XVIIe et au XVIIIe siècle, et que par conséquent, la révolution bourgeoise allemande ne peut être que le prélude immédiat d'une révolution prolétarienne.

En somme, les communistes appuient dans tous les pays tout mouvement révolutionnaire contre l'ordre social et politique existant.

Dans tous les mouvements, ils font de la question de la propriété, à quelque degré d'évolution qu'elle ait pu arriver, la question fondamentale du mouvement.

Enfin, les communistes travaillent à l'union et à l'entente des partis démocratiques de tous les pays.

Les communistes ne s'abaissent pas à dissimuler leurs opinions et leurs projets. Ils proclament ouvertement que leurs buts ne peuvent être atteints que par le renversement violent de tout l'ordre social passé. Puissent les classes dirigeantes trembler à l'idée d'une révolution communiste ! Les prolétaires n'ont rien à perdre que leurs chaînes. Ils ont un monde à gagner.

PROLÉTAIRES DE TOUS LES PAYS,
UNISSEZ-VOUS !

***Le Manifeste** se termine par une harangue aux prolétaires de tous les pays :*

"Prolétaires de tous les pays, unissez-vous !"

Charles Baudelaire

PARIS 1821 – PARIS 1867.

Baudelaire perd son père quand il a six ans, le remariage de sa mère avec le commandant Aupick cause un profond chagrin à l'enfant. Après d'excellentes études, il commence en 1839 une vie de bohême et se lie avec divers poètes. En 1841 Aupick l'envoie d'autorité faire un voyage à l'île Maurice, le jeune homme garde de ce bref séjour le goût de l'exotisme. Puis vient la période heureuse de luxe et de dandysme : il dissipe sa fortune. Il se lie avec Jeanne Duval, « la Vénus noire ». Sa famille réduit ses revenus, il commence à écrire des articles et ouvrages de critique d'art. Il traduit avec passion l'œuvre d'Edgar A. Poe. Il s'éprend d'un amour extatique pour Mme Sabatier et prépare son chef-d'œuvre poétique : **Les Fleurs du Mal***. Ces poèmes sont publiés une première fois en 1857 : Baudelaire est condamné pour immoralité et doit retirer six poèmes du recueil. Il édite ses* **Paradis artificiels** *en 1860. A partir de 1861 jusqu'à sa mort Baudelaire va souffrir et lutter contre la maladie : la syphilis qu'il avait contractée très jeune réapparaît avec violence. Il tient un journal* **Mon Cœur mis à nu** *qui révèle sa terrible lucidité à son propre égard. Il compose ses* **Petits Poèmes en prose** *et part pour la Belgique où il compte donner une série de conférences : c'est un échec dramatique. Une hémiplégie aphasique frappe le poète, il est ramené à Paris en 1867, et meurt, un an plus tard, resté lucide jusqu'au dernier jour.*

POÉSIE

.Les Fleurs du Mal.

1857 puis 1861

En 1851 Baudelaire publie un premier choix de 11 poèmes sous le titre ***Les Limbes****, en 1855 un second choix de 18 poèmes sous le titre* ***Les Fleurs du Mal****. C'est en 1857 qu'il publie son premier recueil qui compte 100 poèmes. Baudelaire est condamné pour immoralité. En 1861 il augmente son recueil (126 poèmes) et parfait la structure de l'ensemble. « Dans ce livre atroce j'ai mis toute ma pensée, tout mon cœur, toute ma religion, toute ma haine » écrit Baudelaire. Il déclare par ailleurs que « le livre doit être jugé dans son ensemble, et alors il en ressort une terrible morale » ; c'est en effet la tragédie de la condition humaine qui est décrite ici ; le spleen qui domine ces poèmes est métaphysique, il révèle la hantise de la solitude, de l'exil et du temps. L'homme est double, il y a en lui deux élans simultanés et contraires, l'un vers Dieu, l'autre vers Satan. Baudelaire veut s'évader de l'ennui qui règne en se tournant vers la poésie, vers l'amour, les paradis artificiels, le vice, Satan... Ces moyens sont vains, Baudelaire se tourne alors vers le grand voyage, la Mort.*

La tragédie des ***Fleurs du Mal*** *est celle de l'humanité :*

.AU LECTEUR.

La sottise, l'erreur, le péché, la lésine,
Occupent nos esprits et travaillent nos corps,
Et nous alimentons nos aimables remords,
Comme les mendiants nourrissent leur vermine.

Nos péchés sont têtus, nos repentirs sont lâches ;
Nous nous faisons payer grassement nos aveux,
Et nous rentrons gaiement dans le chemin bourbeux,
Croyant par de vils pleurs laver toutes nos taches.

Sur l'oreiller du mal c'est Satan Trismégiste
Qui berce longuement notre esprit enchanté,
Et le riche métal de notre volonté
Est tout vaporisé par ce savant chimiste.

C'est le Diable qui tient les fils qui nous remuent !
Aux objets répugnants nous trouvons des appas ;
Chaque jour vers l'Enfer nous descendons d'un pas,
Sans horreur, à travers des ténèbres qui puent.

Ainsi qu'un débauché pauvre qui baise et mange
Le sein martyrisé d'une antique catin,
Nous volons au passage un plaisir clandestin
Que nous pressons bien fort comme une vieille orange.

Serré, fourmillant, comme un million d'helminthes,
Dans nos cerveaux ribote un peuple de Démons,
Et, quand nous respirons, la Mort dans nos poumons
Descend, fleuve invisible, avec de sourdes plaintes.

Si le viol, le poison, le poignard, l'incendie,
N'ont pas encor brodé de leurs plaisants dessins
Le canevas banal de nos piteux destins,
C'est que notre âme, hélas ! n'est pas assez hardie.

Mais parmi les chacals, les panthères, les lices,
Les singes, les scorpions, les vautours, les serpents,
Les monstres glapissants, hurlants, grognants, rampants,
Dans la ménagerie infâme de nos vices,

Il en est un plus laid, plus méchant, plus immonde !
Quoiqu'il ne pousse ni grands gestes ni grands cris,
Il ferait volontiers de la terre un débris
Et dans un bâillement avalerait le monde ;

C'est l'Ennui ! – l'œil chargé d'un pleur involontaire,
Il rêve d'échafauds en fumant son houka.
Tu le connais, lecteur, ce monstre délicat,
Hypocrite lecteur, – mon semblable, – mon frère !

Analogie de l'Homme et de la Mer :

.L'HOMME ET LA MER.

Homme libre, toujours tu chériras la mer !
La mer est ton miroir ; tu contemples ton âme
Dans le déroulement infini de sa lame,
Et ton esprit n'est pas un gouffre moins amer.

Tu te plais à plonger au sein de ton image ;
Tu l'embrasses des yeux et des bras, et ton cœur
Se distrait quelquefois de sa propre rumeur
Au bruit de cette plainte indomptable et sauvage.

Vous êtes tous les deux ténébreux et discrets :
Homme, nul n'a sondé le fond de tes abîmes,
O mer, nul ne connaît tes richesses intimes,
Tant vous êtes jaloux de garder vos secrets !

Et cependant voilà des siècles innombrables
Que vous vous combattez sans pitié ni remord,
Tellement vous aimez le carnage et la mort,
O lutteurs éternels, ô frères implacables !

Guérir l'ennui par la poésie :

.L'ALBATROS.

Souvent, pour s'amuser, les hommes d'équipage
Prennent des albatros, vastes oiseaux des mers,
Qui suivent, indolents compagnons de voyage,
Le navire glissant sur les gouffres amers.

A peine les ont-ils déposés sur les planches,
Que ces rois de l'azur, maladroits et honteux,
Laissent piteusement leurs grandes ailes blanches
Comme des avirons traîner à côté d'eux.

Ce voyageur ailé, comme il est gauche et veule !
Lui, naguère si beau, qu'il est comique et laid !
L'un agace son bec avec un brûle-gueule,
L'autre mime, en boitant, l'infirme qui volait !

Le Poëte est semblable au prince des nuées
Qui hante la tempête et se rit de l'archer ;
Exilé sur le sol au milieu des huées,
Ses ailes de géant l'empêchent de marcher.

.CORRESPONDANCES.

La Nature est un temple où de vivants piliers
Laissent parfois sortir de confuses paroles ;
L'homme y passe à travers des forêts de symboles
Qui l'observent avec des regards familiers.

Comme de longs échos qui de loin se confondent
Dans une ténébreuse et profonde unité,
Vaste comme la nuit et comme la clarté,
Les parfums, les couleurs et les sons se répondent.

Il est des parfums frais comme des chairs d'enfants,
Doux comme les hautbois, verts comme les prairies,
– Et d'autres, corrompus, riches et triomphants,

Ayant l'expansion des choses infinies,
Comme l'ambre, le musc, le benjoin et l'encens
Qui chantent les transports de l'esprit et des sens.

Guérir l'ennui par l'amour sensuel ou l'élan vers Satan :

.LA CHEVELURE.

Ô Toison, moutonnant jusque sur l'encolure !
Ô boucles ! Ô parfum chargé de nonchaloir !
Extase ! Pour peupler ce soir l'alcôve obscure
Des souvenirs dormant dans cette chevelure,
Je la veux agiter dans l'air comme un mouchoir !

La langoureuse Asie et la brûlante Afrique,
Tout un monde lointain, absent, presque défunt,
Vit dans tes profondeurs, forêt aromatique !
Comme d'autres esprits voguent sur la musique,
Le mien, ô mon amour ! nage sur ton parfum.

J'irai là-bas où l'arbre et l'homme, pleins de sève,
Se pâment longuement sous l'ardeur des climats ;
Fortes tresses, soyez la houle qui m'enlève !
Tu contiens, mer d'ébène, un éblouissant rêve
De voiles, de rameurs, de flammes et de mâts :

Un port retentissant où mon âme peut boire
À grands flots le parfum, le son et la couleur ;
Où les vaisseaux, glissant dans l'or et dans la moire,
Ouvrent leurs vastes bras pour embrasser la gloire
D'un ciel pur où frémit l'éternelle chaleur.

Je plongerai ma tête amoureuse d'ivresse
Dans ce noir océan où l'autre est enfermé ;
Et mon esprit subtil que le roulis caresse
Saura vous retrouver, ô féconde paresse !
Infinis bercements du loisir embaumé !

Cheveux bleus, pavillon des ténèbres tendues,
Vous me rendez l'azur du ciel immense et rond ;
Sur les bords duvetés de vos mèches tordues
Je m'enivre ardemment des senteurs confondues
De l'huile de coco, du musc et du goudron.

Longtemps ! toujours ! ma main dans ta crinière lourde
Sèmera le rubis, la perle et le saphir,
Afin qu'à mon désir tu ne sois jamais sourde !
N'es-tu pas l'oasis où je rêve, et la gourde
Où je hume à longs traits le vin du souvenir ?

Dédié à Mme Sabatier ce sonnet est la quête nostalgique d'un au-delà amoureux :

.L'AUBE SPIRITUELLE.

Quand chez les débauchés l'aube blanche et vermeille
Entre en société de l'Idéal rongeur,
Par l'opération d'un mystère vengeur
Dans la brute assoupie un Ange se réveille.

Des Cieux Spirituels l'inaccessible azur,
Pour l'homme terrassé qui rêve encore et souffre,
S'ouvre et s'enfonce avec l'attirance du gouffre.
Ainsi, chère Déesse, Être lucide et pur,

Sur les débris fumeux des stupides orgies
Ton souvenir plus clair, plus rose, plus charmant,
A mes yeux agrandis voltige incessamment.

Le soleil a noirci la flamme des bougies ;
Ainsi, toujours vainqueur, ton fantôme est pareil,
Ame resplendissante, à l'immortel Soleil !

La mort même ne peut abolir ce qui a été l'essence de l'amour :

.UNE CHAROGNE.

Rappelez-vous l'objet que nous vîmes, mon âme,
Ce beau matin d'été si doux :
Au détour d'un sentier une charogne infâme
Sur un lit semé de cailloux.

Le soleil rayonnait sur cette pourriture,
Comme afin de la cuire à point,
Et de rendre au centuple à la grande Nature
Tout ce qu'ensemble elle avait joint.

Et le ciel regardait la carcasse superbe
Comme une fleur s'épanouir.
La puanteur était si forte, que sur l'herbe
Vous crûtes vous évanouir.

Les mouches bourdonnaient sur ce ventre putride,
D'où sortaient de noirs bataillons
De larves, qui coulaient comme un épais liquide
Le long de ces vivants haillons.

Tout cela descendait, montait comme une vague,
Ou s'élançait en pétillant ;

On eût dit que le corps, enflé d'un souffle vague,
Vivait en se multipliant.

Et ce monde rendait une étrange musique,
Comme l'eau courante et le vent,
Ou le grain qu'un vanneur d'un mouvement rhythmique
Agite et tourne dans son van.

Les formes s'effaçaient et n'étaient plus qu'un rêve,
Une ébauche lente à venir,
Sur la toile oubliée, et que l'artiste achève
Seulement par le souvenir.

Derrière les rochers une chienne inquiète
Nous regardait d'un œil fâché,
Épiant le moment de reprendre au squelette
Le morceau qu'elle avait lâché.

– Et pourtant vous serez semblable à cette ordure,
A cette horrible infection,
Étoile de mes yeux, soleil de ma nature,
Vous, mon ange et ma passion !

Oui ! telle vous serez, ô la reine des grâces,
Après les derniers sacrements,
Quand vous irez, sous l'herbe et les floraisons grasses,
Moisir parmi les ossements.

Alors, ô ma beauté ! dites à la vermine
Qui vous mangera de baisers,
Que j'ai gardé la forme et l'essence divine
De mes amours décomposés !

L'Amour spiritualisé ou l'élan vers Dieu :

•L'INVITATION AU VOYAGE•

Mon enfant, ma sœur,
Songe à la douceur
D'aller là-bas vivre ensemble !
Aimer à loisir,
Aimer et mourir
Au pays qui te ressemble !
Les soleils mouillés
De ces ciels brouillés
Pour mon esprit ont les charmes
Si mystérieux
De tes traîtres yeux,
Brillant à travers leurs larmes.

Là tout n'est qu'ordre et beauté,
Luxe, calme et volupté.

Des meubles luisants,
Polis par les ans,
Décoreraient notre chambre ;
Les plus rares fleurs
Mêlant leurs odeurs
Aux vagues senteurs de l'ambre,
Les riches plafonds,
Les miroirs profonds,
La splendeur orientale,
Tout y parlerait
À l'âme en secret
Sa douce langue natale.

Là, tout n'est qu'ordre et beauté,
Luxe, calme et volupté.

Vois sur ces canaux
Dormir ces vaisseaux
Dont l'humeur est vagabonde ;
C'est pour assouvir
Ton moindre désir
Qu'ils viennent du bout du monde.
– Les soleils couchants
Revêtent les champs,
Les canaux, la ville entière,
D'hyacinthe et d'or ;
Le monde s'endort
Dans une chaude lumière.

Là, tout n'est qu'ordre et beauté.
Luxe, calme et volupté.

L'ivresse : un moyen d'échapper au temps et au spleen :

•L'ÂME DU VIN•

Un soir, l'âme du vin chantait dans les bouteilles :
« Homme, vers toi je pousse, ô cher déshérité,
Sous ma prison de verre et mes cires vermeilles
Un chant plein de lumière et de fraternité !

Je sais combien il faut, sur la colline en flamme,
De peine, de sueur et de soleil cuisant
Pour engendrer ma vie et pour me donner l'âme ;
Mais je ne serai point ingrat ni malfaisant,

Car j'éprouve une joie immense quand je tombe
Dans le gosier d'un homme usé par ses travaux,
Et sa chaude poitrine est une douce tombe
Où je me plais bien mieux que dans mes froids [caveaux.

Entends-tu les refrains des dimanches
Et l'espoir qui gazouille en mon sein palpitant ?
Les coudes sur la table et retroussant tes manches,
Tu me glorifieras et tu seras content ;

J'allumerai les yeux de ta femme ravie ;
À ton fils je rendrai sa force et ses couleurs
Et je serai pour ce frêle athlète de la vie
L'huile qui raffermit les muscles des lutteurs.

En toi je tomberai, végétale ambroisie
Grain précieux jeté par l'éternel Semeur,
Pour que de notre amour naisse la poésie
Qui jaillira vers Dieu comme une rare fleur ! »

La Mort ou les récompenses célestes :

.LA MORT DES AMANTS.

Nous aurons des lits pleins d'odeurs légères,
Des divans profonds comme des tombeaux,
Et d'étranges fleurs sur des étagères,
Écloses pour nous sous des cieux plus beaux.

Usant à l'envi leurs chaleurs dernières,
Nos deux cœurs seront deux vastes flambeaux,
Qui réfléchiront leurs doubles lumières
Dans nos deux esprits, ces miroirs jumeaux.

Un soir fait de rose et de bleu mystique,
Nous échangerons un éclair unique,
Comme un long sanglot, tout chargé d'adieux ;

Et plus tard un Ange, entr'ouvrant les portes,
Viendra ranimer, fidèle et joyeux,
Les miroirs ternis et les flammes mortes.

L'espérance suprême : la Mort :

.LE VOYAGE.

.VII.

Amer savoir, celui qu'on tire du voyage !
Le monde, monotone et petit, aujourd'hui,
Hier, demain, toujours, nous fait voir notre image :
Une oasis d'horreur dans un désert d'ennui !

Faut-il partir ? rester ? Si tu peux rester, reste ;
Pars, s'il le faut. L'un court, et l'autre se tapit
Pour tromper l'ennemi vigilant et funeste,
Le Temps ! Il est, hélas ! des coureurs sans répit,

Comme le Juif errant et comme les apôtres,
A qui rient ne suffit, ni wagon ni vaisseau,
Pour fuir ce rétiaire infâme ; il en est d'autres
Qui savent le tuer sans quitter leur berceau.

Lorsque enfin il mettra le pied sur notre échine,
Nous pourrons espérer et crier : En avant !
De même qu'autrefois nous partions pour la Chine,
Les yeux fixés au large et les cheveux au vent,

Nous nous embarquerons sur la mer des Ténèbres
Avec le cœur joyeux d'un jeune passager.
Entendez-vous ces voix, charmantes et funèbres,
Qui chantent : « Par ici ! vous qui voulez manger

Le Lotus parfumé ! c'est ici qu'on vendange
Les fruits miraculeux dont votre cœur a faim ;
Venez vous enivrer de la douceur étrange
De cette après-midi qui n'a jamais de fin ? »

A l'accent familier nous devinons le spectre ;
Nos Pylades là-bas tendent leurs bras vers nous.
« Pour rafraîchir ton cœur nage vers ton Electre ! »
Dit celle dont jadis nous baisions les genoux.

.VIII.

O Mort, vieux capitaine, il est temps ! levons l'ancre !
Ce pays nous ennuie, ô Mort ! Appareillons !
Si le ciel et la mer sont noirs comme de l'encre,
Nos cœurs que tu connais sont remplis de rayons !

Verse-nous ton poison pour qu'il nous réconforte !
Nous voulons, tant ce feu nous brûle le cerveau,
Plonger au fond du gouffre, Enfer ou Ciel, qu'importe ?
Au fond de l'Inconnu pour trouver du *nouveau* !

POÉSIE EN PROSE

.Le Spleen de Paris.

1869

.L'ÉTRANGER.

« Qui aimes-tu le mieux, homme énigmatique, dis ? ton père, ta mère, ta sœur ou ton frère ?
– Je n'ai ni père, ni mère, ni sœur, ni frère.
– Tes amis ?
– Vous vous servez là d'une parole dont le sens m'est resté jusqu'à ce jour inconnu.
– Ta patrie ?
– J'ignore sous quelle latitude elle est située.
– La beauté ?

Baudelaire a rêvé d'une prose poétique, musicale sans rythme et sans rime, adéquate aux « ondulations de la rêverie ». Ce rêve il l'accomplit avec ses Petits Poèmes en prose.

– Je l'aimerais volontiers, déesse et immortelle.
– L'or ?
– Je le hais comme vous haïssez Dieu.
Eh ! qu'aimes-tu donc, extraordinaire étranger ?
– J'aime les nuages... les nuages qui passent... là-bas... là-bas... les merveilleux nuages ! »

.L'INVITATION AU VOYAGE.

Il est un pays superbe, un pays de Cocagne, dit-on, que je rêve de visiter avec une vieille amie. Pays singulier, noyé dans les brumes de notre Nord, et qu'on pourrait appeler l'Orient de l'Occident, la Chine de l'Europe, tant la chaude et capricieuse fantaisie s'y est donné carrière, tant elle l'a patiemment et opiniâtrement illustré de ses savantes et délicates végétations.

Un vrai pays de Cocagne, où tout est beau, riche, tranquille, honnête ; où le luxe a plaisir à se mirer dans l'ordre ; où la vie est grasse et douce à respirer ; d'où le désordre, la turbulence et l'imprévu son exclus ; où le bonheur est marié au silence ; où la cuisine elle-même est poétique, grasse et excitante à la fois ; où tout vous ressemble, mon cher ange.

Tu connais cette maladie fiévreuse qui s'empare de nous dans les froides misères, cette nostalgie du pays qu'on ignore, cette angoisse de la curiosité ? Il est une contrée qui te ressemble, où tout est beau, riche, tranquille et honnête, où la fantaisie a bâti et décoré une Chine occidentale, où la vie est douce à respirer, où le bonheur est marié au silence. C'est là qu'il faut aller vivre, c'est là qu'il faut aller mourir !

Oui, c'est là qu'il faut aller respirer, rêver et allonger les heures par l'infini des sensations. Un musicien a écrit *L'Invitation à la valse* ; quel est celui qui composera *L'Invitation au voyage*, qu'on puisse offrir à la femme aimée, à la sœur d'élection ?

Oui, c'est dans cette atmosphère qu'il ferait bon vivre, – là-bas, où les heures plus lentes contiennent plus de pensées, où les horloges sonnent le bonheur avec une plus profonde et plus significative solennité.

Sur des panneaux luisants, ou sur des cuirs dorés et d'une richesse sombre, vivent discrètement des peintures béates, calmes et profondes, comme les âmes des artistes qui les créèrent. Les soleils couchants, qui colorent si richement la salle à manger ou le salon, sont tamisés par de belles étoffes ou par ces hautes fenêtres ouvragées que le plomb divise en nombreux compartiments. Les meubles sont vastes, curieux, bizarres, armés de serrures et de secrets comme des âmes raffinées. Les miroirs, les métaux, les étoffes l'orfèvrerie et la faïence y jouent pour les yeux une symphonie muette et mystérieuse ; et de toutes choses, de tous les coins, des fissures des tiroirs et des plis des étoffes s'échappe un parfum singulier, un *revenez-y* de Sumatra, qui est comme l'âme de l'appartement.

"Enivrez-vous sans cesse ! De vin, de poésie ou de vertu, à votre guise."

Un vrai pays de Cocagne, te dis-je, où tout est riche, propre et luisant, comme une belle conscience, comme une magnifique batterie de cuisine, comme une splendide orfèvrerie, comme une bijouterie bariolée ! Les trésors du monde y affluent, comme dans la maison d'un homme laborieux et qui a bien mérité du monde entier. Pays singulier, supérieur aux autres comme l'Art l'est à la Nature, où celle-ci est réformée par le rêve, où elle est corrigée, embellie, refondue.

Qu'ils cherchent, qu'ils cherchent encore, qu'ils reculent sans cesse les limites de leur bonheur, ces alchimistes de l'horticulture ! Qu'ils proposent des prix de soixante et de cent mille florins pour qui résoudra leurs ambitieux problèmes ! Moi, j'ai trouvé ma tulipe noire et mon dahlia bleu !

Fleur incomparable, tulipe retrouvée, allégorique dahlia, c'est là, n'est-ce pas, dans ce beau pays si calme et si rêveur, qu'il faudrait aller vivre et fleurir ? Ne serais-tu pas encadrée dans ton analogie, et ne pourrais-tu pas te mirer, pour parler comme les mystiques, dans ta propre correspondance ?

Des rêves ! toujours des rêves ! et plus l'âme est ambitieuse et délicate, plus les rêves s'éloignent du possible. Chaque homme porte en lui sa dose d'opium naturel, incessamment sécrétée et renouvelée, et, de la naissance à la mort, combien comptons-nous d'heures remplies par la jouissance positive, par l'action réussie et décidée ? Vivrons-nous jamais, passerons-nous jamais dans ce tableau qu'a peint mon esprit, ce tableau qui te ressemble ?

Ces trésors, ces meubles, ce luxe, cet ordre, ces parfums, ces fleurs miraculeuses, c'est toi. C'est encore toi, ces grands fleuves et ces canaux tranquilles. Ces énormes navires qu'ils charrient, tout chargés de richesses, et d'où montent les chants montones de la manœuvre, ce sont mes pensées qui dorment ou qui roulent sur ton sein. Tu les conduis doucement vers la mer qui est l'Infini, tout en réfléchissant les profondeurs du ciel dans la limpidité de ta belle âme ; – et quand, fatigués par la houle et gorgés des produits de l'Orient, ils rentrent au port natal, ce sont encore mes pensées enrichies qui reviennent de l'Infini vers toi.

XVIII

.ENIVREZ-VOUS.

Il faut être toujours ivre. Tout est là : c'est l'unique question. Pour ne pas sentir l'horrible fardeau du Temps qui brise vos épaules et vous penche vers la terre, il faut vous enivrer sans trêve.

Mais de quoi ? De vin, de poésie ou de vertu, à votre guise. Mais enivrez-vous.

Et si quelquefois, sur les marches d'un palais, sur l'herbe verte d'un fossé, dans la solitude morne de votre chambre, vous vous réveillez, l'ivresse déjà diminuée ou disparue, demandez au vent, à la vague, à l'étoile, à l'oiseau, à l'horloge, à tout ce qui fuit, à tout ce qui gémit, à tout ce qui roule, à tout ce qui chante, à tout ce qui parle, demandez quelle heure il est ; et le vent, la vague, l'étoile, l'oiseau, l'horloge, vous répondront : « Il est l'heure de s'enivrer ! Pour n'être pas les esclaves martyrisés du Temps, enivrez-vous ; enivrez-vous sans cesse ! De vin, de poésie ou de vertu, à votre guise. »

XXXIII

.LES FENÊTRES.

Celui qui regarde au-dehors à travers une fenêtre ouverte ne voit jamais autant de choses que celui qui regarde une fenêtre fermée. Il n'est pas d'objet plus profond, plus mystérieux, plus fécond, plus ténébreux, plus éblouissant qu'une fenêtre éclairée d'une chandelle. Ce qu'on peut voir au soleil est toujours moins intéressant que ce qui se passe derrière une vitre.

Dans ce trou noir ou lumineux vit la vie, rêve la vie, souffre la vie.

Par-delà des vagues de toits, j'aperçois une femme mûre, ridée déjà, pauvre, toujours penchée sur quelque chose, et qui ne sort jamais. Avec son visage, avec son vêtement, avec son geste, avec très peu de données, j'ai refait l'histoire de cette femme, ou plutôt sa légende, et quelquefois je me la raconte à moi-même en pleurant.

Si c'eût été un pauvre vieux homme, j'aurais refait la sienne tout aussi aisément.

Et je me couche, fier d'avoir vécu et souffert dans d'autres que moi-même.

Peut-être me direz-vous : « Es-tu sûr que cette légende soit la vraie ? » Qu'importe ce que peut être la réalité placée hors de moi, si elle m'a aidé à vivre, à sentir que je suis et ce que je suis ?

XXXV

.LE PORT.

Un port est un séjour charmant pour une âme fatiguée des luttes de la vie. L'ampleur du ciel, l'architecture mobile des nuages, les colorations changeantes de la mer, le scintillement des phares, sont un prisme merveilleusement propre à amuser les yeux sans jamais les lasser. Les formes élancées des navires, au gréement compliqué, auxquels la houle imprime des oscillations harmonieuses, servent à entretenir dans l'âme le goût du rythme et de la beauté. Et puis, surtout, il y a une sorte de plaisir mystérieux et aristocratique pour celui qui n'a plus ni curiosité ni ambition, à contempler, couché dans le belvédère ou accoudé sur le môle, tous ces mouvements de ceux qui partent et de ceux qui reviennent, de ceux qui ont encore la force de vouloir, le désir de voyager ou de s'enrichir.

XLI

Gustave Flaubert

ROUEN 1821 – LE CROISSET 1880.

Fils d'un chirurgien de Rouen, Flaubert est reçu bachelier en 1840 et commence des études de droit à Paris. En 1844 une grave crise nerveuse le contraint à interrompre ses études ; il s'enferme au Croisset, dans une propriété au bord de la Seine, consacre son temps à la lecture et l'écriture. De tempérament romantique, Flaubert admire la méthode scientifique et positiviste. Il refuse d'utiliser la littérature pour dire ses souffrances. Il rencontre Louise Colet qui devient sa maîtresse et son amie et rédige une première version de **La Tentation de saint Antoine** *(1849). Il voyage en Egypte, en Turquie et en Grèce ; à son retour il entreprend son roman* **Madame Bovary** *et l'achève en 1855. Il écrit avec acharnement* **Salammbô** *qu'il a préparé avec la plus grande rigueur historique. En 1864 il s'enferme à nouveau pour composer son* **Éducation sentimentale***, roman de la défaite. Le livre paraît en 1869. Aussitôt Flaubert se remet à* **La Tentation de saint Antoine** *qu'il achève en 1872. En 1877 il publie ses* **Trois Contes** *et entreprend* **Bouvard et Pécuchet***, roman de la médiocrité et de la prétention humaine. Il meurt subitement, laissant inachevée cette dernière œuvre.*

ROMAN

Madame Bovary

1857

Dans son roman **Mme Bovary***, Flaubert transpose un banal fait divers dont il tire un tableau réaliste et volontairement neutre de la vie de province. C'est le roman de l'universelle illusion sur soi de l'homme causée et entretenue par la médiocrité de soi et des autres, et la multitude des déceptions. Emma Bovary s'ennuie, rêve de la vraie vie et, ne la trouvant pas, elle glisse vers le mensonge, l'infidélité et le suicide.*

Emma Bovary est la seconde femme d'un médecin de campagne sans imagination. Emma qui s'est, pendant son enfance, grisée de lectures romantiques s'ennuie à Tostes. Son mari décide de s'installer dans un bourg plus important Yonville, à huit lieues de Rouen. A leur arrivée, ils soupent à l'auberge en compagnie de Léon Dupuis, un « jeune homme à la chevelure blonde », clerc de notaire, et de M. Homais, le pharmacien :

Homais demanda la permission de garder son bonnet grec, de peur des coryzas.

Puis, se tournant vers sa voisine :

– Madame, sans doute, est un peu lasse ? on est si épouvantablement cahoté dans notre *Hirondelle !*

– Il est vrai, répondit Emma ; mais le dérangement m'amuse toujours : j'aime à changer de place.

– C'est une chose si maussade, soupira le clerc, que de vivre cloué aux mêmes endroits !

– Si vous étiez comme moi, dit Charles, sans cesse obligé d'être à cheval...

– Mais, reprit Léon s'adressant à Mme Bovary, rien n'est plus agréable, il me semble ; quand on le peut, ajouta-t-il.

– Du reste, disait l'apothicaire, l'exercice de la médecine n'est pas fort pénible en nos contrées ; car l'état de nos routes permet l'usage du cabriolet, et, généralement, l'on paye assez bien, les cultivateurs étant aisés. Nous avons, sous le rapport médical, à part les cas ordinaires d'entérite, bronchite, affections bilieuses, etc., de temps à autre quelques fièvres intermittentes à la moisson, mais, en somme, peu de choses graves, rien de spécial à noter, si ce n'est beaucoup d'humeurs froides, et qui tiennent sans doute aux déplorables conditions hygiéniques de nos logements de paysans. Ah ! vous trouverez bien des préjugés à combattre, monsieur Bovary ; bien des entêtements de routine, où se heurteront quotidiennement tous les efforts de votre science ; car on a recours encore aux neuvaines, aux reliques, au curé, plutôt que de venir naturellement chez le médecin ou chez le pharmacien. Le climat, pourtant, n'est point, à vrai dire, mauvais, et même nous comptons dans la commune quelques nonagénaires. Le thermomètre (j'en ai fait les observations) descend en hiver jusqu'à quatre degrés, et, dans la forte saison, touche vingt-cinq, trente centigrades tout au plus, ce qui nous donne vingt-quatre Réaumur au maximum, ou autrement cinquante-quatre Fahrenheit (mesure anglaise), pas davantage ! – et, en effet, nous sommes abrités des vents du nord par la forêt d'Argueil d'une part, des vents d'ouest par la côte Saint-Jean de l'autre ; et cette chaleur, cependant, qui à cause de la vapeur d'eau dégagée par la rivière et la présence considérable des bestiaux dans les prairies, lesquels exhalent, comme vous savez, beaucoup d'ammoniaque, c'est-à-dire azote, hydrogène et oxygène (non azote et hydrogène seulement), et qui, pompant l'humus de la terre, confondant toutes ces émanations différentes, les réunissant en un faisceau, pour ainsi dire, et se combinant de soi-même avec l'électricité répandue dans l'atmosphère, lorsqu'il y en a, pourrait à la longue, comme dans les pays tropicaux, engendrer des miasmes insalubres ; – cette chaleur, dis-je, se trouve justement tempérée du côté d'où elle vient ou plutôt d'où elle viendrait, c'est-à-dire du côté sud, par les vents de sud-est, lesquels, s'étant rafraîchis d'eux-mêmes en passant sur la Seine, nous arrivent quelquefois tout d'un coup, comme des brises de Russie.

« Avez-vous du moins quelques promenades dans les environs ? continuait madame Bovary parlant au jeune homme.

– Oh ! fort peu, répondit-il. Il y a un endroit que l'on nomme la Pâture, sur le haut de la côte, à la lisière de la forêt. Quelquefois le dimanche, je vais là, et j'y reste avec un livre, à regarder le soleil couchant.

– Je ne trouve rien d'admirable comme les soleils couchants, reprit-elle, mais au bord de la mer, surtout.

– Oh ! j'adore la mer, dit M. Léon.

– Et puis ne vous semble-t-il pas, répliqua madame Bovary, que l'esprit vogue plus librement sur cette étendue sans limites, dont la contemplation vous élève l'âme et donne des idées d'infini, d'idéal ?

– Il en est de même des paysages de montagnes, reprit Léon. J'ai un cousin qui a voyagé en Suisse l'année dernière, et qui me disait qu'on ne peut se figurer la poésie des lacs, le charme des cascades, l'effet gigantesque des glaciers. On voit des pins d'une grandeur incroyable, en travers des torrents, des cabanes suspendues sur des précipices, et, à mille pieds sous vous, des vallées entières, quand les nuages s'entrouvent. Ces spectacles doivent enthousiasmer, disposer à la prière, à l'extase ! Aussi je ne m'étonne plus de ce musicien célèbre qui, pour exciter mieux son imagination, avait coutume d'aller jouer du piano devant quelque site imposant.

– Vous faites de la musique ? demanda-t-elle.

– Non, mais je l'aime beaucoup, répondit-il.

– Ah ! ne l'écoutez pas, madame Bovary, interrompit Homais en se penchant sur son assiette, c'est modestie pure. – Comment mon cher ! Eh ! l'autre jour, dans votre chambre, vous chantiez *l'Ange gardien* à ravir. Je vous entendais du laboratoire ; vous détachiez cela comme un acteur. »

Léon, en effet, logeait chez le pharmacien, où il avait une petite pièce au second étage, sur la place. Il rougit à ce compliment de son propriétaire, qui déjà s'était tourné vers le médecin et lui énumérait les uns après les autres les principaux habitants d'Yonville. Il racontait des anecdotes, donnait des renseignements. (...)

« Si Madame aime le jardinage, elle pourra...

– Ma femme ne s'en occupe guère, dit Charles ; elle aime mieux, quoiqu'on lui recommande l'exercice, toujours rester dans sa chambre, à lire.

– C'est comme moi, répliqua Léon ; quelle meilleure chose, en effet, que d'être le soir au coin du feu avec un livre, pendant que le vent bat les carreaux, que la lampe brûle !...

– N'est-ce pas ? dit-elle, en fixant sur lui ses grands yeux noirs tout ouverts.

– On ne songe à rien, continuait-il, les heures passent. On se promène immobile dans des pays que l'on croit voir, et votre pensée, s'enlaçant à la fiction, se joue dans les détails ou poursuit le contour des aventures. Elle se mêle aux personnages ; il semble que c'est vous qui palpitez sous leurs costumes.

– C'est vrai ! c'est vrai ! disait-elle.

– Vous est-il arrivé parfois, reprit Léon, de rencontrer dans un livre une idée vague que l'on a eue, quelque image obscurcie qui revient de loin, et comme l'exposition entière de votre sentiment le plus délié ?

– J'ai éprouvé cela, répondit-elle.

– C'est pourquoi, dit-il, j'aime surtout les poètes. Je trouve les vers plus tendres que la prose, et qu'ils font bien mieux pleurer.

– Cependant ils fatiguent à la longue, reprit Emma ; et maintenant, au contraire, j'adore les histoires qui se suivent tout d'une haleine, où l'on a peur. Je déteste les héros communs et les sentiments tempérés, comme il y en a dans la nature.

– En effet, observa le clerc, ces ouvrages ne touchant pas le cœur, s'écartent, il me semble, du vrai du but de l'Art. Il est si doux, parmi les désenchantements de la vie, de pouvoir se reporter en idée sur de nobles caractères, des affections pures et des tableaux de bonheur. Quant à moi, vivant ici, loin du monde, c'est ma seule distraction ; mais Yonville offre si peu de ressources !

DEUXIÈME PARTIE, CHAPITRE II

Emma se sent attirée vers le jeune Léon, parfaitement insignifiant mais qui joue au romantique. Léon quitte Yonville. Emma s'ennuie plus que jamais auprès de son mari.

Elle essaie de chasser l'ennui en se laissant séduire par Rodolphe Boulanger, riche propriétaire de 34 ans :

Souriant d'un sourire étrange et la prunelle fixe, les dents serrées, il s'avança en écartant les bras. Elle se recula tremblante. Elle balbutiait :

– Oh ! vous me faites peur ! Vous me faites mal ! Partons.

– Puisqu'il le faut, reprit-il en changeant de visage.

Et il redevint aussitôt respectueux, caressant, timide.

Elle lui donna son bras. Ils s'en retournèrent. Il disait :

– Qu'aviez-vous donc ? Pourquoi ? Je n'ai pas compris. Vous vous méprenez, sans doute ? Vous êtes dans mon âme comme une madone sur un piédestal, à une place haute, solide et immaculée. Mais j'ai besoin de vous pour vivre ! J'ai besoin de vos yeux, de votre voix, de votre pensée. Soyez mon amie, ma sœur, mon ange !

Et il allongeait son bras et lui en entourait la taille.

Elle tâchait de se dégager mollement. Il la soutenait ainsi, en marchant.

Mais ils entendirent les deux chevaux qui broutaient le feuillage.

– Oh ! encore, dit Rodolphe. Ne partons pas ! Restez !

Il l'entraîna plus loin, autour d'un petit étang, où des lentilles d'eau faisaient une verdure sur les ondes. Des nénuphars flétris se tenaient immobiles entre les joncs. Au bruit de leurs pas dans l'herbe, des grenouilles sautaient pour se cacher.

– J'ai tort, j'ai tort, disait-elle. Je suis folle de vous entendre.

– Pourquoi ?... Emma ! Emma !

– Oh ! Rodolphe !... fit lentement la jeune femme en se penchant sur son épaule.

Le drap de sa robe s'accrochait au velours de l'habit, elle renversa son cou blanc, qui se gonflait d'un soupir, et, défaillante, tout en pleurs, avec un long frémissement et se cachant la figure, elle s'abandonna.

Les ombres du soir descendaient ; le soleil horizontal, passant entre les branches, lui éblouissait les yeux. Çà et là, tout autour d'elle, dans les feuilles ou par terre, des taches lumineuses tremblaient, comme si des colibris, en volant, eussent éparpillé leurs plumes. Le silence était partout ; quelque chose de doux semblait sortir des arbres ; elle sentait son cœur, dont les battements recommençaient, et le sang circuler dans sa chair comme un fleuve de lait. Alors, elle entendit tout au loin, au-delà du bois, sur les autres collines, un cri vague et prolongé, une voix qui se traînait, et elle l'écoutait silencieusement, se mêlant comme une musique aux dernières vibrations de ses nerfs émus. Rodolphe, le cigare aux dents, racommodait avec son canif une des deux brides cassée.

Ils s'en revinrent à Yonville, par le même chemin. Ils revirent sur la boue les traces de leurs chevaux, côte à côte, et les mêmes buissons, les mêmes cailloux dans l'herbe. Rien autour d'eux n'avait changé ; et pour elle, cependant, quelque chose était survenu de plus considérable que si les montagnes se fussent déplacées. Rodolphe, de temps à autre, se penchait et lui prenait la main pour la baiser.

Elle était charmante, à cheval ! Droite, avec sa taille mince, le genou plié sur la crinière de sa bête et un peu colorée par le grand air, dans la rougeur du soir.

En entrant dans Yonville, elle caracola sur les pavés.

On la regardait des fenêtres.

Son mari, au dîner, lui trouva bonne mine ; mais elle eut l'air de ne pas entendre lorsqu'il s'informa de sa promenade ; et elle restait le coude au bord de son assiette, entre les deux bougies qui brûlaient. (...)

Elle se répétait : « J'ai un amant ! un amant ! » se délectant à cette idée comme à celle d'une autre puberté qui lui serait survenue. Elle allait donc posséder enfin ces joies de l'amour, cette fièvre du bonheur dont elle avait désespéré. Elle entrait dans quelque chose de merveilleux où tout serait passion, extase, délire ; une immensité bleuâtre l'entourait, les sommets du sentiment étincelaient sous sa pensée, l'existence ordinaire n'apparaissait qu'au loin, tout en bas, dans l'ombre, entre les intervalles de ces hauteurs.

Alors elle se rappela les héroïnes des livres qu'elle avait lus, et la légion lyrique de ces femmes adultères se mit à chanter dans sa mémoire avec des voix de sœurs qui la charmaient. Elle devenait elle-même comme une partie véritable de ces imaginations et réalisait la longue rêverie de sa jeunesse, en se considérant dans ce type d'amoureuse qu'elle avait tant envié. D'ailleurs, Emma éprouvait une satisfaction de vengeance. N'avait-elle pas assez souffert ! Mais elle triomphait maintenant, et l'amour, si longtemps contenu, jaillissait tout entier avec des bouillonnements joyeux. Elle le savourait sans remords, sans inquiétude, sans trouble.

DEUXIÈME PARTIE, CHAPITRE IX

Emma souhaite s'enfuir en Italie avec Rodolphe. Celui-ci, très ennuyé, n'ose pas dissuader sa maîtresse ouvertement de ce projet : il fuira seul, quelque temps avant la date fixée. Emma Bovary est désespérée, elle s'ennuie ; mais elle retrouve bientôt Léon Dupuis à Rouen. Une liaison se noue entre eux. La jeune femme fait de grosses dettes à l'insu de son mari. Pour échapper aux huissiers, elle essaie d'emprunter de l'argent à Léon, puis à Rodolphe qui se dérobent. Elle s'empoisonne à l'arsenic au désespoir de son mari, Charles, qui l'aime et ne la comprend pas. Pour décrire la mort d'Emma Bovary, Flaubert étudie dans des ouvrages de médecine les symptômes de l'empoisonnement par l'arsenic :

Quand Charles, bouleversé par la nouvelle de la saisie, était rentré à la maison, Emma venait d'en sortir. Il cria, pleura, s'évanouit, mais elle ne revint pas. Où pouvait-elle être ? Il envoya Félicité chez Homais, chez M. Tuvache, chez Lheureux, au *Lion d'or*, partout ; et, dans les intermittences de son angoisse, il voyait sa considération anéantie, leur fortune perdue, l'avenir de Berthe brisé ! Par quelle cause ?... pas un mot ! Il attendit jusqu'à six heures du soir. Enfin, n'y pouvant plus tenir, et imaginant qu'elle était partie pour Rouen, il alla sur la grande route, fit une demi-lieue, ne rencontra personne, attendit encore et s'en revint.

Elle était rentrée.

– Qu'y avait-il ?... Pourquoi ?... Explique-moi !...

Elle s'assit à son secrétaire, et écrivit une lettre qu'elle cacheta lentement, ajoutant la date du jour et l'heure. Puis elle dit d'un ton solennel :

– Tu la liras demain, d'ici là, je t'en prie, ne m'adresse pas une seule question !... Non, pas une !

– Mais...

– Oh ! laisse-moi !

Et elle se coucha tout du long sur son lit.

Une saveur âcre qu'elle sentait dans sa bouche la réveilla. Elle entrevit Charles et referma les yeux !

Elle s'épiait curieusement, pour discerner si elle ne souffrait pas. Mais non ! rien encore. Elle entendait le battement de la pendule, le bruit du feu, et Charles, debout près de sa couche, qui respirait.

– Ah ! c'est bien peu de chose, la mort ! pensait-elle ; je vais m'endormir, et tout sera fini !

Elle but une gorgée d'eau et se tourna vers la muraille.

Cet affreux goût d'encre continuait.

– J'ai soif !... oh ! j'ai bien soif ! soupira-t-elle.

– Qu'as-tu donc ? dit Charles, qui lui tendait un verre.

– Ce n'est rien !... Ouvre la fenêtre..., j'étouffe !

Et elle fut prise d'une nausée si soudaine, qu'elle eut à peine le temps de saisir son mouchoir sous l'oreiller.

– Enlève-le ! dit-elle vivement ; jette-le !

Il la questionna ; elle ne répondit pas. Elle se tenait immobile, de peur que la moindre émotion ne la fît vomir. Cependant, elle sentait un froid de glace qui lui montait des pieds jusqu'au cœur.

– Ah ! voilà que ça recommence ! murmura-t-elle. – Que dis-tu ? Elle roulait la tête avec un geste doux, plein d'angoisse, et tout en ouvrant continuellement les mâchoires, comme si elle eût porté sur sa langue quelque chose de très lourd. A huit heures, les vomissements reparurent. Charles observa qu'il y avait au fond de la cuvette une sorte de gravier blanc, attaché aux parois de la porcelaine : – C'est extraordinaire ! c'est singulier ! répéta-t-il.

Mais elle dit d'une voix forte : – Non, tu te trompes !...

Puis elle se mit à geindre, faiblement d'abord. Un grand frisson lui secouait les épaules, et elle devenait plus pâle que le drap où s'enfonçaient ses doigts crispés. Son pouls inégal était presque insensible maintenant. Des gouttes suintaient sur sa figure bleuâtre, qui semblait comme figée dans l'exhalaison d'une vapeur métallique. Ses dents claquaient, ses yeux agrandis regardaient vaguement autour d'elle, et à toutes les questions elle ne répondait qu'en hochant la tête ; même elle sourit deux ou trois fois. Peu à peu, ses gémissements furent plus forts. Un hurlement sourd lui échappa ; elle prétendit qu'elle allait mieux et qu'elle se lèverait tout à l'heure. Mais les convulsions la saisirent ; elle s'écria : – Ah ! c'est atroce, mon Dieu !

Il se jeta à genoux contre son lit.

– Parle ! qu'as-tu mangé ? Réponds, au nom du ciel ! Et il la regardait avec des yeux d'une tendresse comme elle n'en avait jamais vu.

– Eh bien, là..., là..., dit-elle d'une voix défaillante.

Il bondit au secrétaire, brisa le cachet et lut tout haut ! *Qu'on n'accuse personne*... Il s'arrêta, se passa la main sur les yeux, et relut encore.

– Comment !... Au secours ! à moi !

Et il ne pouvait que répéter ce mot : « Empoisonnée ; empoisonnée ! »...

Félicité courut chez Homais, qui s'exclama sur la place ; Mme Lefrançois l'entendit au *Lion d'or* ; quelques-uns se levèrent pour l'apprendre à leurs voisins, et toute la nuit le village fut en éveil.

Éperdu, balbutiant, près de tomber, Charles tournait dans la chambre. Il se heurtait aux meubles, s'arrachait les cheveux, et jamais le pharmacien n'avait cru qu'il pût y avoir de si épouvantable spectacle...

Puis, revenu près d'elle, il s'affaissa par terre sur le tapis, et il restait la tête appuyée contre le bord de sa couche à sangloter.

– Ne pleure pas ! lui dit-elle. Bientôt je ne te tourmenterai plus !

– Pourquoi ? Qui t'a forcée ?

Elle répliqua : – Il le fallait, mon ami. – N'étais-tu pas heureuse ? Est-ce ma faute ? J'ai fait tout ce que j'ai pu pourtant !

– Oui..., c'est vrai..., tu es bon, toi !

Et elle lui passait la main dans les cheveux, lentement. La douceur de cette sensation surchargeait sa tristesse ; il sentait tout son être s'écrouler de désespoir à l'idée qu'il fallait la perdre, quand, au contraire, elle avouait pour lui plus d'amour que jamais ; et il ne pouvait rien ; il ne savait pas, il n'osait, l'urgence d'une résolution immédiate achevait de le bouleverser. Elle en avait fini, songeait-elle, avec toutes les trahisons, les bassesses et les innombrables convoitises qui la torturaient. Elle ne haïssait personne, maintenant ; une confusion de crépuscule s'abattait en sa pensée, et de tous les bruits de la terre, Emma n'entendait plus que l'intermittente lamentation de ce pauvre cœur, douce et indistincte, comme le dernier écho d'une symphonie qui s'éloigne.

TROISIÈME PARTIE, CHAPITRE 8

L'enterrement d'Emma Bovary :

Les prêtres, les chantres et les deux enfants de chœur récitaient le *De Profundis* ; et leurs voix s'en allaient sur la campagne, montant et s'abaissant avec des ondulations. Parfois ils disparaissaient aux détours du sentier ; mais la grande croix d'argent se dressait toujours entre les arbres.

Les femmes suivaient, couvertes de mantes noires à capuchon rabattu ; elles portaient à la main un gros cierge qui brûlait, et Charles se sentait défaillir à cette continuelle répétition de prières et de flambeaux, sous ces odeurs affadissantes de cire et de soutane. Une brise fraîche soufflait, les seigles et les colzas verdoyaient, des gouttelettes de rosée tremblaient au bord du chemin, sur les haies d'épines. Toutes sortes de bruits joyeux emplissaient l'horizon : le claquement d'une charrette roulant au loin dans les ornières, le cri d'un coq qui se répétait ou la galopade d'un poulain que l'on voyait s'enfuir sous les pommiers. Le ciel pur était tacheté de nuages roses ; des fumignons bleuâtres se rabattaient sur les chaumières couvertes d'iris ; Charles, en passant, reconnaissait les cours. Il se souvenait des matins comme celui-ci, où, après avoir visité quelque malade, il en sortait, et retournait vers elle.

Le drap noir, semé de larmes blanches, se levait de temps à autre en découvrant la bière. Les porteurs fatigués se ralentissaient, et elle avançait par saccades continues, comme une chaloupe qui tangue à chaque flot.

On arriva.

Les hommes continuèrent jusqu'en bas, à une place dans le gazon où la fosse était creusée.

On se rangea tout autour ; et, tandis que le prêtre parlait, la terre rouge, rejetée sur les bords, coulait par les coins, sans bruit, continuellement.

Puis, quand les quatre cordes furent disposées, on poussa la bière dessus. Il la regarda descendre. Elle descendait toujours.

Enfin on entendit un choc ; les cordes en grinçant remontèrent. Alors Bournisien prit la bêche que lui tendait Lestiboudois de sa main gauche, tout en aspergeant de la droite, il poussa vigoureusement une large pelletée ; et le bois du cercueil, heurté par les cailloux, fit ce bruit formidable qui nous semble être le retentissement de l'éternité.

L'ecclésiastique passa le goupillon à son voisin. C'était M. Homais. Il le secoua gravement, puis le tendit à Charles, qui s'affaissa jusqu'aux genoux dans la terre, et il en jetait à pleines mains tout en criant : « Adieu ! » Il lui envoyait des baisers ; il se traînait vers la fosse pour s'y engloutir avec elle.

TROISIÈME PARTIE, CHAPITRE X

L'Éducation sentimentale

1869

C'est le roman de l'échec d'un homme et de cette génération qui avait vingt ans en 1840. Flaubert analyse avec un désespoir lucide ce qu'une illusion puissante peut détruire dans une vie.

1840. Frédéric Moreau a 18 ans, il rêve de passions romantiques, d'action et de gloire littéraire. Il rentre du Havre et rencontre sur le bateau une jeune femme, Mme Arnoux, dont il tombe amoureux. Il la revoit à Paris :

De temps à autre, un des convives disparaissait. A onze heures, comme les derniers s'en allaient, Arnoux sortit avec Pellerin, sous prétexte de le reconduire. Il était de ces gens qui se disent malades quand ils n'ont pas *fait leur tour* après dîner.

Mme Arnoux s'était avancée dans l'antichambre, Dittmer et Hussonnet la saluaient, elle leur tendit la main ; elle la tendit également à Frédéric, et il éprouva comme une pénétration à tous les atomes de sa peau.

Il quitta ses amis ; il avait besoin d'être seul. Son cœur débordait. Pourquoi cette main offerte ? Était-ce un geste irréfléchi, ou un encouragement ? « Allons donc ! je suis fou ! » Qu'importait d'ailleurs, puisqu'il pouvait maintenant la fréquenter tout à son aise, vivre dans son atmosphère.

Les rues étaient désertes. Quelquefois une charrette lourde passait, en ébranlant les pavés. Les maisons se succédaient avec leurs façades grises, leurs fenêtres closes ; et il songeait dédaigneusement à tous ces êtres humains couchés derrière ces murs, qui existaient sans la voir, et dont pas un même ne se doutait qu'elle vécût ! Il n'avait plus conscience du milieu, de l'espace, de rien ; et, battant le sol du talon, en frappant avec sa canne les volets des boutiques, il allait toujours devant lui, au hasard, éperdu, entraîné. Un air humide l'enveloppa ; il se reconnut au bord des quais.

Les réverbères brillaient en deux lignes droites, indéfiniment, et de longues flammes rouges vacillaient dans la profondeur de l'eau. Elle était de couleur ardoise, tandis que le ciel, plus clair, semblait soutenu par les grandes masses d'ombre qui se levaient de chaque côté du fleuve. Des édifices, que l'on n'apercevait pas, faisaient des redoublements d'obscurité. Un brouillard lumineux flottait au-delà, sur les toits ; tous les bruits se fondaient en un seul bourdonnement ; un vent léger soufflait.

Il s'était arrêté au milieu du Pont-Neuf, et, tête nue, poitrine ouverte, il aspirait l'air. Cependant, il sentait monter au fond de lui-même quelque chose d'intarissable, un afflux de tendresse qui l'énervait, comme le mouvement des ondes sous ses yeux. A l'horloge d'une église, une heure sonna, lentement, pareille à une voix qui l'eût appelé.

Alors, il fut saisi par un de ces frissons de l'âme où il vous semble qu'on est transporté dans un monde supérieur. Une faculté extraordinaire, dont il ne savait pas l'objet, lui était venue. Il se demanda, sérieusement, s'il serait un grand peintre ou un grand poète ; et il se décida pour la peinture, car les exigences de ce métier le rapprocherait de Mme Arnoux. Il avait donc trouvé sa vocation ! Le but de son existence était clair maintenant, et l'avenir infaillible.

Quand il eut refermé sa porte, il entendit quelqu'un qui ronflait, dans le cabinet noir, près de la chambre. C'était l'autre, il n'y pensait plus. Son visage s'offrait à lui dans la glace. Il se trouvait beau, et resta une minute à se regarder. PREMIÈRE PARTIE, CHAPITRE IV

Le temps passe, Mme Arnoux, bourgeoise timide, ne cède pas aux avances de Frédéric. Celui-ci a quelques aventures féminines. Il ne travaille pas : sa passion pour Mme Arnoux n'est pas une source d'énergie pour lui. Il vit médiocrement, passivement, toute ambition s'est éteinte. Au moment où éclate la Révolution de 1848, il se lie avec Rosanette, jeune grisette. Lorsque surviennent les journées de juin Frédéric préfère partir pour Fontainebleau avec sa maîtresse :

La lumière, à de certaines places éclairant la lisière du bois, laissait les fonds dans l'ombre ; ou bien, atténuée sur les premiers plans par une sorte de crépuscule, elle étalait dans les lointains des vapeurs violettes, une clarté blanche. Au milieu du jour, le soleil, tombant d'aplomb sur les larges verdures, les éclaboussait, suspendait des gouttes argentines à la pointe des branches, rayait le gazon de traînées d'émeraude, jetait des taches d'or sur les couches de feuilles mortes ; en se renversant la tête, on apercevait le ciel, entre les cimes des arbres. Quelques-uns, d'une altitude démesurée, avaient des airs de patriarches et d'empereurs, ou, se touchant par le bout, formaient avec leurs longs fûts comme des arcs de triomphe ; d'autres, poussés dès le bas obliquement, semblaient des colonnes près de tomber.

Cette foule de grosses lignes verticales s'entrouvrait. Alors, d'énormes flots verts se déroulaient en bosselages inégaux jusqu'à la surface des vallées où s'avançait la croupe d'autres collines dominant des plaines blondes, qui finissaient par se perdre dans une pâleur indécise.

Debout, l'un près de l'autre, sur quelque éminence du terrain, ils sentaient, tout en humant le vent, leur entrer dans l'âme comme l'orgueil d'une vie plus libre, avec une surabondance de forces, une joie sans cause.

La diversité des arbres faisait un spectacle changeant. Les hêtres, à l'écorce blanche et lisse, entremêlaient leurs couronnes ; des frênes courbaient mollement leurs glauques ramures ; dans les cépées de charmes, des houx pareils à du bronze se hérissaient ; puis venait une file de minces bouleaux, inclinés dans des attitudes élégiaques ; et les pins, symétriques comme des tuyaux d'orgues, en se balançant continuellement, semblaient chanter. Il y avait des chênes rugueux, énormes, qui se convulsaient, s'étiraient du sol, s'étreignaient les uns les autres, et, fermes sur leurs troncs, pareils à des torses, se lançaient avec leurs bras nus des appels de désespoir, des menaces furibondes, comme un groupe de Titans immobilisés dans leur colère. Quelque chose de plus lourd, une langueur fiévreuse planait au-dessus des mares, découpant la nappe de leurs eaux entre des buissons d'épines ; les lichens de leur berge, où les loups viennent boire, sont couleur de soufre, brûlés comme par le pas des sorcières, et le coassement ininterrompu des grenouilles répond au cri des corneilles qui tournoient. Ensuite, ils traversaient des clairières monotones, plantées d'un baliveau çà et là. Un bruit de fer, des coups drus et nombreux sonnaient : c'était, au flanc d'une colline, une compagnie de carriers battant les roches. Elles se multipliaient de plus en plus, et finissaient par emplir tout le paysage, cubiques comme des maisons, plates comme des dalles, s'étayant, se surplombant, se confondant telles que les ruines méconnaissables et monstrueuses de quelque cité disparue. TROISIÈME PARTIE, CHAPITRE I

Tout à coup *La Marseillaise* retentit. Hussonnet et Frédéric se penchèrent sur la rampe. C'était le peuple. Il se précipita dans l'escalier, en secouant à flots vertigineux des têtes nues, des casques, des bonnets rouges, des baïonnettes et des épaules, si impétueusement que des gens disparaissaient dans cette masse grouillante qui montait toujours, comme un fleuve refoulé par une marée d'équinoxe, avec un long mugissement, sous une impulsion irrésistible. En haut, elle se répandit, et le chant tomba.

On n'entendait plus que les piétinements de tous les souliers, avec le clapotement des voix. La foule inoffensive se contentait de regarder. Mais, de temps à autre, un coude trop à l'étroit enfonçait une vitre ; ou bien un vase, une statuette déroulait d'une console, par terre. Les boiseries pressées craquaient. Tous les visages étaient rouges, la sueur en coulait à larges gouttes ; Hussonnet fit cette remarque :

– Les héros ne sentent pas bon !

– Ah ! vous êtes agaçant, reprit Frédéric.

Et poussés malgré eux, ils entrèrent dans un appartement où s'étendait, au plafond un dais de velours rouge. Sur le trône, en dessous, était assis un prolétaire à barbe noire, la chemise entr'ouverte, l'air hilare et stupide comme un magot. D'autres gravissaient l'estrade pour s'asseoir à sa place.

– Quel mythe ! dit Hussonnet. Voilà le peuple souverain !

Le fauteuil fut enlevé à bout de bras, et traversa toute la salle en se balançant.

– Saprelotte ! comme il chaloupe ! Le vaisseau de l'Etat est balloté sur une mer orageuse ! Cancane-t-il ! cancane-t-il !

Frédéric revient à Paris au moment où le général Cavaignac vient d'écraser l'émeute de ces journées de juin 1848 :

On l'avait approché d'une fenêtre, et, au milieu des sifflets, on le lança.

– Pauvre vieux ! dit Hussonnet, en le voyant tomber dans le jardin, où il fut repris vivement pour être promené ensuite jusqu'à la Bastille, et brûlé.

Alors, une joie frénétique éclata, comme si, à la place du trône, un avenir de bonheur illimité avait paru ; et le peuple, moins par vengeance que pour affirmer sa possession, brisa, lacéra les glaces et les rideaux, les lustres, les flambeaux, les tables, les chaises, les tabourets, tous les meubles, jusqu'à des albums de dessins, jusqu'à des corbeilles de tapisserie. Puisqu'on était victorieux, ne fallait-il pas s'amuser ? La canaille s'affubla ironiquement de dentelles et de cachemires. Des crépines d'or s'enroulèrent aux manches des blouses, des chapeaux à plumes d'autruche ornaient la tête des forgerons, des rubans de lá Légion d'honneur firent des ceintures aux prostituées. Chacun satisfaisait son caprice ; les uns dansaient, d'autres buvaient. Dans la chambre de la reine, une femme lustrait ses bandeaux avec de la pommade ; derrière un paravent, deux amateurs jouaient aux cartes ; Hussonnet montra à Frédéric un individu qui fumait son brûle-gueule accoudé sur un balcon ; et le délire redoublait son tintamarre continu des porcelaines brisées et des morceaux de cristal qui sonnaient, en rebondissant, comme des lames d'harmonica.

Puis la fureur s'assombrit. Une curiosité

obscène fit fouiller tous les cabinets, tous les recoins, ouvrir tous les tiroirs. Des galériens enfoncèrent leurs bras dans la couche des princesses, et se roulaient dessus par consolation de ne pouvoir les violer. D'autres, à figures plus sinistres, erraient silencieusement, cherchant à voler quelque chose ; mais la multitude était trop nombreuse. Par les baies des portes, on n'apercevait dans l'enfilade des appartements que la sombre masse du peuple entre les dorures, sous un nuage de poussière. Toutes les poitrines haletaient ; la chaleur de plus en plus devenait suffocante ; les deux amis, craignant d'être étouffés, sortirent.

Dans l'antichambre, debout sur un tas de vêtements, se tenait une fille publique, en statue de la Liberté, – immobile, les yeux grands ouverts, effrayante.

Ils avaient fait trois pas dehors, quand un peloton de gardes municipaux en capotes s'avança vers eux, et qui, retirant leurs bonnets de police, et découvrant à la fois leurs crânes un peu chauves, saluèrent le peuple très bas. A ce témoignage de respect, les vainqueurs déguenillés se rengorgèrent. Hussonnet et Frédéric ne furent pas, non plus, sans en éprouver un certain plaisir.

Une ardeur les animait. Ils s'en retournèrent au Palais-Royal. Devant la rue Fromanteau, des cadavres de soldats étaient entassés sur de la paille. Ils passèrent auprès impassiblement, étant même fiers de sentir qu'ils faisaient bonne contenance. (...)

– Sortons de là, dit Hussonnet, ce peuple me dégoûte.

Tout le long de la galerie d'Orléans, des blessés gisaient par terre sur des matelas, ayant pour couvertures des rideaux de pourpre ; et de petites bourgeoises du quartier leur apportaient des bouillons, du linge.

– N'importe ! dit Frédéric, moi, je trouve le peuple sublime.

TROISIÈME PARTIE, CHAPITRE I

ROMAN-DIALOGUES

La Tentation de saint Antoine

1874

*« **La Tentation de saint Antoine** », c'est l'œuvre de ma vie » écrit Flaubert. De 1849 à 1874, il reprend trois fois ce thème. Ce livre s'inspire d'un tableau de Breughel. Saint Antoine s'est retiré au sommet d'une montagne. Sous ses yeux des visions fantastiques apparaissent. Le Diable entraîne l'ermite à travers le monde : chaque illusion est accompagnée d'une tentation, la suprême tentation étant la tentation panthéiste. L'ermite symbolise l'homme victime de ces illusions, le diable la puissance qui donne au néant la fascination du réel.*

Deux femmes s'offrent à saint Antoine, la première est vieille, la seconde est jeune et belle :

LA PREMIÈRE *dit, en ouvrant les bras.*

Viens, je suis la consolation, le repos, l'oubli, l'éternelle sérénité !

et LA SECONDE *en offrant ses seins.*

Je suis l'endormeuse, la joie, la vie, le bonheur inépuisable !

Antoine tourne les talons pour s'enfuir. Chacune lui met la main sur l'épaule.

Le linceul s'écarte et découvre le squelette de la Mort.

La robe se fend et laisse voir le corps entier de la Luxure, qui a la taille mince avec la croupe énorme et de grands cheveux ondés s'envolant par le bout.

Antoine reste immobile entre les deux, les considérant.

LA MORT *lui dit.*

Tout de suite ou tout à l'heure, qu'importe ! Tu m'appartiens, comme les soleils, les peuples, les villes, les rois, la neige des monts, l'herbe des champs. Je vole plus haut que l'épervier, je cours plus vite que la gazelle, j'atteins même l'espérance, j'ai vaincu le fils de Dieu !

LA LUXURE.

Ne résiste pas ; je suis l'omnipotente ! les forêts retentissent de mes soupirs, les flots sont remués par mes agitations. La vertu, le courage, la piété se dissolvent au parfum de ma bouche. J'accompagne l'homme pendant tous les pas qu'il fait, – et au seuil du tombeau il se retourne vers moi !

LA MORT.

Je te découvrirai ce que tu tâchais de saisir, à la lueur des flambeaux, sur la face des morts, – ou quand tu vagabondais au-delà des Pyramides, dans ces grands sables composés de débris humains. De temps à autre, un fragment de crâne roulait sous ta sandale. Tu prenais de la poussière, tu la faisais couler entre tes doigts ; et ta pensée, confondue avec elle, s'abîmait dans le néant.

LA LUXURE.

Mon gouffre est plus profond ! Des marbres ont inspiré d'obscènes amours. On se précipite à des rencontres qui effrayent. On rive des chaîne que l'on maudit. D'où vient l'ensorcellement des courtisanes, l'extravagance des rêves, l'immensité de ma tristesse ?

LA MORT.

Mon ironie dépasse toutes les autres ! Il y a des convulsions de plaisir aux funérailles des rois, à l'extermination d'un peuple, – et on fait la guerre avec de la musique, des panaches, des drapeaux, des harnais d'or, un déploiement de cérémonie pour me rendre plus d'hommages.

LA LUXURE.

Ma colère vaut la tienne. Je hurle, je mords. J'ai des sueurs d'agonisant et des aspects de cadavre.

LA MORT.

C'est moi qui te rends sérieuse ; enlaçons-nous !

La Mort ricane, la Luxure rugit. Elles se prennent par la taille et chantent ensemble :

– Je hâte la dissolution de la matière !
– Je facilite l'éparpillement des germes !
– Tu détruis, pour mes renouvellements !
– Tu engendres, pour mes destructions !
– Active ma puissance !
– Féconde ma pourriture !

Et leur voix, dont les échos se déroulant emplissent l'horizon, devient tellement forte qu'Antoine tombe à la renverse.

Fédor Mikhaïlovitch Dostoïevsky

MOSCOU 1821 – SAINT-PÉTERSBOURG 1881.

A dix-huit ans, orphelin de mère, depuis l'enfance, en pension où son père l'a placé afin de n'avoir pas à se soucier de lui, Dostoïevsky apprend l'assassinat de son père, homme colérique et brutal, devenu alcoolique à la mort de son épouse, par des paysans excédés. Dostoïevsky se sent coupable parce qu'il a souvent désiré la mort de son père. Il vit à Saint-Pétersbourg, pauvrement, de traductions : **Eugénie Grandet** *de Balzac,* **Don Carlos** *de Schiller.* **Les Pauvres Gens**, *son premier roman, suscite l'enthousiasme, mais ses textes ultérieurs déçoivent ceux qui l'on d'abord soutenu. En 1849, il est arrêté comme membre du « complot Pétrachevsky » (ce n'est qu'un groupe d'amis aux idées libérales), et condamné à mort. Mené au peloton d'exécution, mis en joue par les soldats, il apprend sa grâce : quatre ans de bagne en Sibérie. Dostoïevsky témoignera de ces années vécues avec les pires droits communs dans les* **Souvenirs de la maison des morts**. *Après le bagne, il se marie, et rentre à Saint- Pétersbourg en 1859. Il publie* **Humiliés et offensés, Mémoires écrits dans un souterrain**, *etc., regagne quelque notoriété, mais il perd sa femme, son frère ; et accumule les dettes. Paraissent* **Le Joueur, Crime et châtiment**. *Il se remarie avec Anna Grigorievna, sa sténographe qui a vingt ans, en 1867. Ensemble ils partent à l'étranger où ils resteront quatre ans, vivant dans de constants soucis d'argent, et dans le malheur de perdre un enfant en bas âge. Dostoïevsky écrit* **L'Idiot** *; ses crises d'épilepsie le reprennent. Il publie* **L'Eternel mari**, *et commence* **Les Possédés**, *roman qui dénonce le nihilisme. A son retour en Russie, Dostoïevsky constate l'ampleur de son audience. Il donne* **L'Adolescent** *et* **Les Frères Karamazov**. *En 1880, il prononce pour le centenaire de la naissance de Pouchkine un discours resté célèbre qui transporte l'auditoire.*

ROMAN

.*Crime et châtiment*.

1866

L'étudiant Rodion Raskolnikoff vit dans la misère. Il se sent l'âme et l'intelligence d'un grand homme. Or, les grands hommes ont toujours su s'affranchir de la morale. Avec de l'argent Raskolnikoff accomplirait de belles et bonnes actions. Il commencerait par sortir sa mère et sa sœur de la misère. L'argent qu'une horrible usurière détient suffirait pour commencer. Est-ce un crime de tuer une vieille femme si immonde ? Certes non, c'est une bonne action. D'ailleurs s'ajoute à son infâme commerce le fait qu'elle martyrise sa pauvre sœur, être doux et généreux. Ayant délibéré, Raskolnikoff décide le crime et passe à l'acte. Pendant l'action, il se voit « contraint » de tuer la sœur de la vieille usurière, parce qu'elle survient tandis qu'il cherche l'argent. Le profit de son crime se réduit à peu de choses, mais l'irréparable est commis : Raskolnikoff en tuant est tombé plus bas que la vieille femme déchue, sa victime. La rencontre de Sonia, jeune fille qui se prostitue pour sauver sa famille, conduit Raskolnikoff aux aveux, puis, par l'acceptation du châtiment, au rachat et pardon.

Raskolnikoff tue la vieille usurière Aléna Ivanovna, et sa sœur Elisabeth.

Comme lors de sa précédente visite, Raskolnikoff vit la porte s'entre-bâiller tout doucement et, par l'étroite ouverture, deux yeux brillants se fixer sur lui avec une expression de défiance. Alors le sang-froid l'abandonna, et il commit une faute qui aurait pu tout gâter.

Craignant qu'Aléna Ivanovna n'eût peur de se trouver seule avec un visiteur dont l'aspect devait être peu rassurant, il saisit la porte et l'attira à lui, pour que la vieille ne s'avisât point de la fermer. L'usurière ne l'essaya pas, mais elle ne lâcha pas non plus le bouton de la serrure, si bien qu'elle faillit être projetée de l'antichambre sur le carré, lorsque Raskolnikoff tira la porte à lui. Comme elle restait debout sur le seuil et s'obstinait à ne point lui livrer passage, il marcha droit sur elle. Effrayée, elle fit un saut en arrière voulut parler, mais ne put prononcer un mot, et regarda le jeune homme en ouvrant ses yeux tout grands.

– Bonjour, Aléna Ivanovna ! commença-t-il du ton le plus dégagé qu'il put prendre, mais vainement il affectait l'insouciance, sa voix était entrecoupée et tremblante ; – je vous apporte... un objet... mais entrons... pour en juger, il faut le voir à la lumière. Et, sans attendre qu'on l'invitât à entrer, il pénétra dans la chambre. La vieille le rejoignit vivement, sa langue s'était dénouée.

– Seigneur ! Mais que voulez-vous ?... Qui êtes-vous ? Qu'est-ce qu'il vous faut ?

– Voyons, Aléna Ivanovna, vous me connaissez bien... Raskolnikoff... Tenez, je vous apporte le gage dont je vous ai parlé l'autre jour... Et il lui tendit l'objet.

Aléna Ivanovna allait l'examiner, quand soudain elle se ravisa et, relevant les yeux, attacha un regard perçant, irrité et soupçonneux sur le visiteur qui s'était introduit chez elle avec si peu de cérémonie. Elle le considéra ainsi durant une minute. Raskolnikoff crut même apercevoir une sorte de moquerie dans les yeux de la vieille, comme si déjà elle eût tout deviné. Il sentait qu'il perdait contenance, qu'il avait presque peur, et que si cette inquisition muette se prolongeait encore pendant une demi-minute, il allait sans doute prendre la fuite.

– Qu'avez-vous donc à me regarder ainsi, comme si vous ne me reconnaissiez pas ? dit-il tout à coup, se fâchant à son tour. Si vous voulez de cet objet, prenez-le ; si vous n'en voulez pas, c'est bien, je m'adresserai ailleurs ; il est inutile de me faire perdre mon temps !

Ces paroles lui échappèrent sans qu'il les eût aucunement préméditées.

Les langages résolu du visiteur fit une excellente impression sur la vieille.

– Mais pourquoi donc êtes-vous si pressé, batuchka ? Qu'est-ce que c'est ? demanda-t-elle en regardant le gage.

– Un porte-cigarette en argent : je vous l'ai dit la fois passée.

Elle tendit la main.

– Que vous êtes pâle ! vos mains tremblent ! vous êtes malade, batuchka ?

– J'ai la fièvre, répondit-il d'une voix saccadée. Comment pourrait-on ne pas être pâle... quand on n'a pas de quoi manger ? acheva-t-il non sans peine. Ses forces l'abandonnaient de nouveau. Mais la réponse paraissait vraisemblable ; la vieille prit le gage.

– Qu'est-ce que c'est ? interrogea-t-elle pour la seconde fois ; et tout en soupesant le gage, elle regarda encore fixement son interlocuteur.

– Un objet... un porte-cigarette... en argent... voyez.

– Tiens, mais on ne dirait pas que c'est de l'argent !... Oh ! comme cela est ficelé !

Tandis qu'Aléna Ivanovna s'efforçait de défaire le petit paquet, elle s'était approchée de la lumière (toutes ses fenêtres étaient fermées, malgré l'étouffante chaleur) ; dans cette position elle tournait le dos à Raskolnikoff, et durant quelques secondes elle ne s'occupa plus du tout de lui. Le jeune homme déboutonna son paletot et dégagea la hache du nœud coulant, mais sans la retirer encore tout à fait ; il se borna à la tenir de la main droite sous son vêtement. Une terrible faiblesse envahissait ses membres ; lui-même sentait que d'instant en instant ils s'engourdissaient davantage. Il craignait que ses doigts ne laissassent échapper la hache. Tout à coup la tête commença à lui tourner.

– Mais qu'est-ce qu'il a fourré là-dedans ? s'écria avec colère Aléna Ivanovna, et elle fit un mouvement dans la direction de Raskolnikoff.

Il n'y avait plus un instant à perdre. Il retira la hache de dessous son paletot, l'éleva en l'air en la tenant des deux mains, par un geste mou, presque machinalement, car il n'avait plus de forces, la laissa retomber sur la tête de la vieille. Toutefois, à peine eut-il frappé que l'énergie physique lui revint.

Aléna Ivanovna, selon son habitude, avait la tête nue. Ses cheveux grisonnants, clairsemés, et, comme toujours gras d'huile, étaient rassemblés en une mince tresse, dite queue de rat, fixée sur la nuque par un morceau de peigne de corne. Le coup atteignit juste le sinciput, ce à quoi contribua la petite taille de la victime. Elle poussa à peine un faible cri et soudain s'affaissa sur le parquet ; toutefois elle eut encore la force de lever les deux bras vers sa tête. Dans une de ses mains elle tenait toujours le « gage ». Alors Raskolnikoff, dont le bras avait retrouvé toute sa vigueur, asséna deux nouveaux coups de hache sur le sinciput de l'usurière. Le sang jaillit à flots, et le corps s'abattit lourdement par terre. Au moment de la chute, le jeune homme s'était reculé ; sitôt qu'il eut vu la vieille gisant sur le plancher, il se pencha vers son visage ; elle était morte ! Les yeux grands ouverts semblaient vouloir sortir de leurs orbites, les convulsions de l'agonie avaient donné à toute sa figure une expression grimaçante.

Le meurtrier déposa la hache sur le parquet et, séance tenante, se mit en devoir de fouiller le cadavre, en prenant les précautions les plus méticuleuses pour éviter les taches de sang ; il se souvenait d'avoir vu, la dernière fois, Aléna Ivanovna chercher ses clefs dans la poche droite de sa robe. Il avait la pleine possession de son intelligence ; il n'éprouvait ni étourdissements, ni vertiges, mais ses mains continuaient à trembler. Plus tard, il se rappela qu'il avait été très prudent, très attentif, qu'il avait appliqué tous ses soins à ne pas se salir... Les clefs ne furent pas longues à trouver ; comme l'autre jour, elles étaient toutes réunies ensemble par un anneau d'acier.

Après s'en être emparé, Raskolnikoff passa aussitôt dans la chambre à coucher. Cette pièce était fort petite ; on y voyait d'un côté une grande vitrine remplie d'images pieuses ; de l'autre un grand lit très propre avec une courtepointe en soie doublée d'ouate et faite de pièces rapportées. Au troisième panneau était adossée une commode. Chose étrange : à peine le jeune homme eut-il entrepris d'ouvrir ce meuble, à peine eut-il commencé à se servir des clefs, qu'une sorte de frisson parcourut tout son corps. L'idée lui revint tout à coup de renoncer à sa besogne et de s'en aller, mais cette velléité ne dura qu'un instant : il était trop tard pour s'en aller.

Il souriait même d'avoir pu songer à cela, quand, soudain, il fut pris d'une inquiétude terrible : si, par hasard, la vieille n'était pas encore morte, si elle reprenait ses sens ? Laissant là les clefs et la commode, il courut vivement auprès du corps, saisit la hache et s'apprêta à en porter un nouveau coup à sa victime, mais l'arme déjà levée ne s'abattit point : il n'y avait pas à douter qu'Aléna Ivanovna fût morte. En se penchant de nouveau vers elle pour l'examiner de plus près, Raskolnikoff constata que le crâne était fracassé. Une mare de sang s'était formée sur le parquet. Remarquant tout à coup un cordon au cou de la vieille, le jeune homme le tira violemment, mais le cordon ensanglanté était solide et ne se rompit point.

L'assassin essaya alors de l'enlever en le faisant glisser le long du corps. Il ne fut pas plus heureux dans cette seconde tentative, le cordon rencontra un obstacle et se refusa à glisser. Impatienté, Raskolnikoff brandit la hache, prêt à en frapper le cadavre pour trancher du même coup ce maudit lacet ; toutefois, il ne put se résoudre à procéder avec cette brutalité. Enfin, après deux minutes d'efforts, qui lui rougirent les mains, il parvint à couper le cordon avec le tranchant de la hache, sans entamer le corps de la morte. Ainsi, qu'il l'avait supposé, c'était une bourse que la vieille portait au cou. Il y avait encore suspendues au cordon une petite médaille émaillée et deux croix, l'une en bois de cyprès, l'autre en cuivre. La bourse crasseuse, – un petit sac en peau de chamois –, était absolument bondée. Raskolnikoff la mit dans sa poche sans s'assurer du contenu ; il jeta les croix sur la poitrine de la vieille, et, prenant cette fois la hache avec lui, il entra en toute hâte dans la chambre à coucher.

Son impatience était extrême, il saisit les clefs et se remit à la besogne. Mais ses tentatives pour ouvrir la commode restaient infructueuses, ce qu'il fallait attribuer moins encore au tremblement de ses mains qu'à ses méprises continuelles ; il voyait, par exemple, que telle clef n'allait pas à la serrure, et il s'obstinait cependant à l'y faire entrer. Tout à coup, il se rappela une conjecture qu'il avait déjà faite lors de sa précédente visite : cette grosse clef à panneton dentelé, qui figurait avec les petites autour du cercle d'acier, devait être celle non de la commode, mais de quelque caisse où la vieille avait peut-être serré toutes ses valeurs. Sans plus s'occuper de la commode, il chercha aussitôt sous le lit, sachant que les vieilles femmes ont coutume de cacher leur trésor en cet endroit.

Effectivement, là se trouvait un coffre long d'un peu plus d'une archine et couvert en maroquin rouge. La clef dentelée allait parfaitement à la serrure. Quand Raskolnikoff eut ouvert cette caisse, il aperçut, posée sur un drap blanc, une pelisse en peau de lièvre à garniture rouge ; sous la fourrure il y avait une robe de soie, puis un châle ; le fond ne semblait guère contenir que des chiffons. Le jeune homme commença par essuyer sur la garniture rouge ses mains ensanglantées. « Sur le rouge le sang se verra moins. » Puis il se ravisa tout à coup : « Seigneur, est-ce que je deviens fou ? » pensa-t-il avec effroi.

Mais à peine avait-il touché à ces hardes que de dessous la fourrure glissa une montre en or. Il se mit à retourner de fond en comble le contenu du coffre. Parmi les chiffons se trouvaient des objets en or, qui tous, probablement, avaient été déposés comme gage entre les mains de l'usurière : des bracelets, des chaînes, des pendants d'oreilles, des épingles de cravate, etc. Les uns étaient renfermés dans des écrins, les autres noués avec une faveur dans un fragment de journal plié en deux.

Raskolnikoff n'hésita pas, il fit main basse sur ces bijoux, dont il remplit les poches de son pantalon et de son paletot, sans ouvrir les écrins ni défaire les paquets ; mais il fut bientôt interrompu dans sa besogne...

Des pas se faisaient entendre dans la chambre où gisait la vieille. Il s'arrêta, glacé de terreur. Cependant, le bruit ayant cessé de se produire, il croyait déjà avoir été dupe d'une hallucination de l'ouïe, quand soudain il perçut distinctement un léger cri ou plutôt une sorte de gémissement faible et entrecoupé. Au bout d'une ou deux minutes, tout retomba dans un silence de mort. Raskolnikoff s'était assis par terre près du coffre et attendait, respirant à peine. Tout à coup il bondit, saisit la hache et s'élança hors de la chambre à coucher.

Au milieu de la chambre, Elisabeth, un grand paquet dans les mains, contemplait d'un œil effaré le cadavre de sa sœur ; pâle comme un linge, elle semblait n'avoir pas la force de crier. A la brusque apparition du meurtrier, elle se mit à trembler de tous ses membres, et des frissons parcoururent son visage : elle essaya de lever le bras, d'ouvrir la bouche, mais elle ne proféra aucun cri, et reculant lentement, le regard toujours attaché sur Raskolnikoff, elle alla se blottir dans un coin. La pauvre femme opéra cette retraite toujours sans crier, comme si le souffle eût manqué à sa poitrine. Le jeune homme s'élança sur elle, la hache haute : les lèvres de la malheureuse prirent l'expression plaintive qu'on remarque chez les tout petits enfants quand ils commencent à avoir peur de quelque chose, regardant fixement l'objet qui les effraye, et sont sur le point de crier.

L'épouvante avait si complètement hébété cette infortunée Elisabeth que, menacée par la hache, elle ne songea pas à s'en garantir le visage en portant ses mains devant sa tête par un geste machinal que suggère en pareil cas l'instinct de conservation. Elle souleva à peine son bras gauche et l'étendit lentement dans la direction de l'assassin, comme pour écarter ce dernier. Le fer de la hache pénétra dans le crâne, fendit tout la partie supérieure du front et atteignit presque le sinciput. Elisabeth tomba roide morte. Ne sachant plus ce qu'il faisait, Raskolnikoff prit le paquet que la victime tenait à la main, puis il l'abandonna et courut à l'antichambre.

♦

Jean-Henri Fabre

SAINT-LÉONS 1823 — SÉRIGNAN 1915.

D'une famille pauvre du Rouergue, Fabre doit gagner sa vie dès quinze ans en accomplissant des travaux agricoles. Son amour de la nature s'est éveillé très tôt. Il étudie seul et entre premier à l'école normale primaire d'Avignon. A dix-neuf ans il est instituteur à Carpentras, deux ans plus tard il est marié et bien vite père de famille. Il continue d'étudier, passe les deux baccalauréats, deux licences (mathématiques et physique), est nommé au collège d'Ajaccio puis au lycée d'Avignon, où il enseigne jusqu'en 1871. Il tient des cahiers d'entomologie, et publie en 1879 le premier volume des ***Souvenirs entomologiques*** *; il y en aura dix jusqu'en 1909. En 1879, Fabre s'installe à Sérignan, il n'enseigne plus et peut enfin se consacrer à son œuvre. Fabre est le partisan entier de l'observation en milieu naturel ou en « volières » (comme il désigne ses élevages), il ne pratique pas la dissection ni la chimie appliquée à la zoologie, et ce n'est pas faute de connaître cette pratique et cette science. Il n'a pas cherché à éviter « l'anthropomorphisme », que les scientifiques ne font généralement que couvrir d'un jargon ; en portant sur les insectes son regard d'homme si attentionné, Fabre a laissé intact au cœur de la connaissance le mystère des relations de l'homme aux insectes et à la nature.*

SCIENCES

.Souvenirs entomologiques.

1879-1909

LE SCARABÉE SACRÉ

Voici à l'œuvre les Coléoptères vidangeurs à qui est dévolue la haute mission d'expurger le sol de ses immondices. On ne se lasserait pas d'admirer la variété d'outils dont ils sont munis, soit pour remuer la matière stercorale, la dépecer, la façonner, soit pour creuser de profondes retraites où ils doivent s'enfermer avec leur butin. Cet outillage est comme un musée technologique, où tous les instruments de fouille seraient représentés. Il y a là des pièces qui semblent imitées de celles de l'industrie humaine ; il y en a d'autres d'un type original, où nous pourrions nous-mêmes prendre modèle pour de nouvelles combinaisons. (...)

Quel empressement autour d'une même bouse ! Jamais aventuriers accourus des quatre coins du monde n'ont mis telle ferveur à l'exploitation d'un placer californien. Avant que le soleil soit devenu trop chaud, ils sont là par centaines, grands et petits, pêle-mêle, de toute espèce, de toute forme, de toute taille, se hâtant de se tailler une part dans le gâteau commun. Il y en a qui travaillent à ciel ouvert, et râtissent la surface ; il y en a qui s'ouvrent des galeries dans l'épaisseur même du monceau, à la recherche des filons de choix ; d'autres exploitent la couche inférieure pour enfouir sans délai leur butin dans le sol sous-jacent ; d'autres, les plus petits, émiettent à l'écart un lopin éboulé des grandes fouilles de leurs forts collaborateurs. Quelques-uns, les nouveaux venus et les plus affamés sans doute, consomment sur place ; mais le plus grand nombre songe à se faire un avoir qui lui permette de couler de longs jours dans l'abondance, au fond d'une sûre retraite. Une bouse, fraîche à point, ne se trouve pas quand on veut au milieu des plaines stériles du thym ; telle aubaine est une vraie bénédiction du ciel ; les favorisés du sort ont seuls un pareil lot. Aussi les richesses d'aujourd'hui sont-elles prudemment mises en magasin. Le fumet stercoraire a porté l'heureuse nouvelle à un kilomètre à la ronde, et tous sont accourus s'amasser des provisions. Quelques retardataires arrivent encore, au vol ou pédestrement.

Quel est celui-ci qui trottine vers le monceau, craignant d'arriver trop tard ? Ses longues pattes se meuvent avec une brusque gaucherie, comme poussées par une mécanique que l'insecte aurait dans le ventre ; ses petites antennes rousses épanouissent leur éventail, signe d'inquiète convoitise. Il arrive, il est arrivé, non sans culbuter quelques convives. C'est le Scarabée sacré, tout de noir habillé, le plus gros et le plus célèbre de nos bousiers. Le voilà attablé, côte à côte avec ses confrères, qui, du plat de leurs larges pattes antérieures, donnent à petits coups la dernière façon à leur boule, ou bien l'enrichissement d'une dernière couche avant de se retirer et d'aller jouir en paix du fruit de leur travail. Suivons dans toutes ses phases la confection de la fameuse boule.

Le chaperon, c'est-à-dire le bord de la tête, large et plate, est crénelé de six dentelures angulaires rangées en demi-cercle. C'est là l'outil de fouille et de dépècement, le râteau qui soulève et rejette les fibres végétales non nutritives, va au meilleur, le râtisse et le rassemble. Un choix est ainsi fait, car pour ces fins connaisseurs, ceci vaut mieux que cela ; choix par à peu près, si le Scarabée s'occupe de ses propres victuailles, mais d'une scrupuleuse rigueur s'il faut confectionner la boule maternelle, creusée d'une niche centrale où l'œuf doit éclore. Alors tout brin fibreux est soigneusement rejeté, et la quintessence stercoraire seule cueillie pour bâtir la couche interne de la cellule. A sa sortie de l'œuf, la jeune larve trouve ainsi, dans la paroi même de sa loge, un aliment raffiné qui lui fortifie l'estomac et lui permet d'attaquer plus tard les couches externes et grossières.

Pour ses besoins à lui, le Scarabée est moins difficile, et se contente d'un triage en gros. Le chaperon dentelé éventre donc et fouille, élimine et rassemble un peu au hasard. Les jambes antérieures concourent puissamment à l'ouvrage. Elles sont aplaties, courbées en arc de cercle, relevées de fortes nervures et armées en dehors de cinq robustes dents. Faut-il faire acte de force, culbuter un obstacle, se frayer une voie au plus épais du monceau, le bousier joue des coudes, c'est-à-dire qu'il déploie de droite et de gauche ses jambes dentelées, et d'un vigoureux coup de râteau déblaie une demi-circonférence. La place faite, les mêmes pattes ont un autre genre de travail ; elles recueillent par brassées la matière râtelée par le chaperon et la conduisent sous le ventre de l'insecte, entre les quatre pattes postérieures. Celles-ci sont conformées pour le métier de tourneur. Leurs jambes, surtout celles de la dernière paire, sont longues et fluettes, légèrement courbées en arc et terminées par une griffe très aiguë. Il suffit de les voir pour reconnaître en elles un compas sphérique, qui, dans ses branches courbes, enlace un corps globuleux pour en vérifier, en corriger la forme. Leur rôle est, en effet, de façonner la boule.

Brassées par brassées, la matière s'amasse sous le ventre, entre les quatre jambes, qui, par une simple pression, lui communiquent leur propre courbure et lui donnent une première façon. Puis, par moments, la pilule dégrossie est mise en branle entre les quatre branches du double compas sphérique ; elle tourne sous le ventre du bousier et se perfectionne par la rotation. Si la couche superficielle manque de plasticité et menace de s'écailler, si quelque point trop filandreux n'obéit pas à l'action du tour, les pattes antérieures retouchent les endroits défectueux ; à petits coups de leurs larges battoirs, elles tapent la pilule pour faire prendre corps à la couche nouvelle et emplâtrer dans la masse les brins récalcitrants.

Par un soleil vif, quand l'ouvrage presse, on est émerveillé de la fébrile prestesse du tourneur. Aussi la besogne marche-t-elle vite : c'était tantôt une maigre pilule, c'est maintenant une bille de la grosseur d'une noix, ce sera tout à l'heure une boule de la grosseur d'une pomme. J'ai vu des goulus en confectionner de la grosseur du poing. Voilà certes sur la planche du pain pour quelques jours.

Les provisions sont faites ; il s'agit maintenant de se retirer de la mêlée et d'acheminer les vivres en lieu opportun. Là commencent les traits de mœurs les plus frappants du Scarabée. Sans délai, le bousier se met en route ; il embrasse la sphère de ses deux longues jambes postérieures, dont les griffes terminales, implantées dans la masse, servent de pivots de rotation ; il prend appui sur les jambes intermédiaires, et faisant levier avec les brassards dentelés des pattes de devant, qui tour à tour pressent sur le sol, il progresse à reculons avec sa charge, le corps incliné, la tête en bas, l'arrière-train en haut. Les pattes postérieures, organe principal de la mécanique, sont dans un mouvement continuel ; elles vont et viennent, déplaçant la griffe pour changer l'axe de rotation, maintenir la charge en équilibre et la faire avancer par les poussées alternatives de droite et de gauche. A tour de rôle, la boule se trouve de la sorte en contact avec le sol par tous les points de sa surface, ce qui la perfectionne dans sa forme et donne consistance égale à sa couche extérieure par une pression uniformément répartie.

Et hardi ! Ça va, ça roule ; on arrivera, non sans encombre cependant. Voici un premier pas difficile : le bousier s'achemine en travers d'un talus, et la lourde masse tend à suivre la pente ; mais l'insecte, pour des motifs à lui connus, préfère croiser cette voie naturelle, projet audacieux dont l'insuccès dépend d'un faux pas, d'un gain de sable troublant l'équilibre. Le faux pas est fait, la boule roule au fond de la vallée ; l'insecte, culbuté par l'élan de la charge, gigote, se remet sur ses jambes et accourt s'atteler. La mécanique fonctionne de plus belle. — Mais prends donc garde, étourdi ; suis le creux du vallon, qui t'épargnera peine et mésaventure ; le chemin y est bon, tout uni ; ta pilule y roulera sans effort. — Eh bien, non : l'insecte se propose de remonter le talus qui lui a été fatal. Peut-être lui convient-il de regagner les hauteurs. A cela je n'ai rien à dire ; l'opinion du Scarabée est plus clairvoyante que la mienne sur l'opportunité de se tenir en haut lieu.

Jules Verne

NANTES 1828 – AMIENS 1905.

*Étudiant en droit à Paris, Jules Verne écrit pour le théâtre. Alexandre Dumas monte sa première pièce. Jules Verne se passionne pour les découvertes scientifiques et les récits des explorateurs ; il publie un roman historique, Martin Paz. Il veut écrire le « Roman de la science ». Il se marie, et pour vivre se fait agent de change. Il voyage en Écosse, publie une étude sur Edgar Poe, et continue de produire pour le théâtre où il rencontre quelques succès. En 1863 le roman de la science devient les « **Voyages extraordinaires** » ; Jules Verne écrira près de quatre-vingts romans pour la collection de l'éditeur Hetzel en une quarantaine d'années. Les succès sont très nombreux ; Jules Verne voyage et effectue des croisières sur son yacht. Son imagination est véritablement puissante, et la part qu'il voulait « scientifique » de son œuvre apparaît davantage comme un ornement que comme l'assise de son œuvre. **Vingt Mille Lieues sous les mers ; Les Enfants du capitaine Grant ; Le Tour du monde en quatre-vingts jours ; Michel Strogoff ; l'Ile mystérieuse ;** et maints autres romans sont dans toutes les mémoires.*

ROMAN

.Vingt Mille Lieues sous les mers.

1869

*Un extraordinaire animal marin est-il la cause des naufrages qui se succèdent depuis un an ? L'***Abraham Lincoln,** *navire américain est envoyé en expédition ; capturer le monstre est sa mission. A son bord le professeur Aronnax (un français) et son valet Conseil, et le célèbre harponneur canadien Ned Land. Voici que le monstre est signalé, il se dirige vers l'***Abraham Lincoln** *à une vitesse stupéfiante... Le choc inévitable a lieu : Aronnax, Conseil, et Ned Land sont précipités par-dessus bord. Ils se retrouvent plus tard prisonniers à bord d'un étonnant vaisseau sous-marin, le* **Nautilus,** *commandé par le mystérieux capitaine Nemo. Après avoir visité le bâtiment, les prisonniers sont invités à une promenade sous la mer. Ils revêtent leur scaphandre. Décrivant cette marche sous la mer, Jules Verne ne cesse de tracer des analogies entre la mer et la terre. C'est Aronnax qui parle :*

Pendant une heure, une plaine de sable se déroula devant nos pas. Elle remontait souvent à moins de deux mètres de la surface des eaux. Je voyais alors notre image, nettement reflétée, se dessiner en sens inverse, et, au-dessus de nous, apparaissait une troupe identique, reproduisant nos mouvements et nos gestes, de tout point semblable, en un mot, à cela près qu'elle marchait la tête en bas et les pieds en l'air.

Autre effet à noter. C'était le passage de nuages épais qui se formaient et s'évanouissaient rapidement : mais en réfléchissant, je compris que ces prétendus nuages n'étaient dus qu'à l'épaisseur variable des longues lames de fond, et j'apercevais même les « moutons » écumeux que leur crête brisée multipliait sur les eaux. Il n'était pas jusqu'à l'ombre des grands oiseaux qui passaient sur nos têtes, dont je ne surprisse le rapide effleurement à la surface de la mer.

En cette occasion, je fus témoin de l'un des plus beaux coups de fusil qui ait jamais fait tressaillir les fibres d'un chasseur. Un grand oiseau, à large envergure, très nettement visible, s'approchait en planant. Le compagnon du capitaine Nemo le mit en joue et le tira, lorsqu'il fut à quelques mètres seulement audessus des flots. L'animal tomba foudroyé, et sa chute l'entraîna jusqu'à la portée de l'adroit chasseur qui s'en empara. C'était un albatros de la plus belle espèce, admirable spécimen des oiseaux pélagiens.

Notre marche n'avait pas été interrompue par cet incident. Pendant deux heures, nous suivîmes tantôt des plaines sableuses, tantôt des prairies de varechs, fort pénibles à traverser. Franchement, je n'en pouvais plus, quand j'aperçus une vague lueur qui rompait, à un demi-mille, l'obscurité des eaux. C'était le fanal du *Nautilus*. Avant vingt minutes, nous devions être à bord, et là, je respirerais à l'aise, car il me semblait que mon réservoir ne fournissait plus qu'un air très pauvre en oxygène. Mais je comptais sans une rencontre qui retarda quelque peu notre arrivée.

J'étais resté d'une vingtaine de pas en arrière, lorsque je vis le capitaine Nemo revenir brusquement vers moi. De sa main vigoureuse, il me courba à terre, tandis que son compagnon en faisait autant de Conseil. Tout d'abord, je ne sus trop que penser de cette brusque attaque, mais je me rassurai en observant que le capitaine se couchait près de moi et demeurait immobile.

J'étais donc étendu sur le sol, et précisément à l'abri d'un buisson de varechs, quand, relevant la tête j'aperçus d'énormes masses passer bruyamment en jetant des lueurs phosphorescentes.

Mon sang se glaça dans mes veines ! J'avais reconnu les formidables squales qui nous menaçaient. C'était un couple de tintoréas, requins terribles, à la queue énorme, au regard terne et vitreux, qui distillent une matière phosphorescente par des trous percés autour de leur museau. Monstrueuses mouches à feu, qui broient un homme tout entier dans leurs mâchoires de fer ! Je ne sais si Conseil s'occupait à les classer, mais pour mon compte, j'observais leur ventre argenté, leur gueule formidable, hérissée de dents, à un point de vue peu scientifique, et plutôt en victime qu'en naturaliste.

Très heureusement, ces voraces animaux y voient mal. Ils passèrent sans nous apercevoir, nous effleurant de leurs nageoires brunâtres, et nous échappâmes, comme par miracle, à ce danger plus grand, à coût sûr, que la rencontre d'un tigre en pleine forêt.

Une demi-heure après, guidés par la traînée électrique, nous atteignions le *Nautilus*. La porte extérieure était restée ouverte, et le capitaine Nemo la referma, dès que nous fûmes rentrés dans la première cellule. Puis, il pressa un bouton. J'entendis manœuvrer les pompes au-dedans du navire, je sentis l'eau baisser autour de moi, et, en quelques instants, la cellule fut entièrement vidée. La porte intérieure s'ouvrit alors, et nous passâmes dans le vestiaire.

Là, nos habits de scaphandre furent retirés, non sans peine, et, très harassé, tombant d'inanition et de sommeil, je regagnai ma chambre, tout émerveillé de cette surprenante excursion au fond des mers.

CHAPITRE 17

Tout à coup le *Nautilus* s'arrêta. Un choc le fit tressaillir dans toute sa membrure.

« Est-ce que nous avons touché ? demandai-je.

– En tout cas, répondit le Canadien, nous serions déjà dégagés, car nous flottons. »

Le *Nautilus* flottait sans doute, mais il ne marchait plus. Les branches de son hélice ne battaient pas les flots. Une minute se passa. Le capitaine Nemo, suivi de son second, entra dans le salon.

Je ne l'avais pas vu depuis quelque temps. Il me parut sombre. Sans nous parler, sans nous voir peut-être, il alla au panneau, regarda les poulpes et dit quelques mots à son second.

Celui-ci sortit. Bientôt les panneaux se refermèrent. Le plafond s'illumina.

J'allai vers le capitaine.

« Une curieuse collection de poulpes, lui dis-je, du ton dégagé que prendrait un amateur devant le cristal d'un aquarium.

– En effet, monsieur le naturaliste, me répondit-il, et nous allons les combattre corps à corps. »

Je regardai le capitaine. Je croyais n'avoir pas bien entendu.

La mer abrite des monstres, et ces nouveaux « travailleurs de la mer » doivent lutter contre eux :

« Corps à corps ? répétai-je.

– Oui, monsieur. L'hélice est arrêtée. Je pense que les mandibules cornées de l'un de ces calmars se sont engagées dans ses branches. Ce qui nous empêche de marcher.

– Et qu'allez-vous faire ?

– Remonter à la surface et massacrer toute cette vermine.

– Entreprise difficile.

– En effet. Les balles électriques sont impuissantes contre ces chairs molles où elles ne trouvent pas assez de résistance pour éclater. Mais nous les attaquerons à la hache.

– Et au harpon, monsieur, dit le Canadien, si vous ne refusez pas mon aide.

– Je l'accepte, maître Land.

– Nous vous accompagnerons », dis-je, et, suivant le capitaine Nemo, nous nous dirigeâmes vers l'escalier central.

Là, une dizaine d'hommes, armés de haches d'abordage, se tenaient prêts à l'attaque. Conseil et moi, nous prîmes deux haches. Ned Land saisit un harpon.

Aussitôt un de ces longs bras se glissa comme un serpent par l'ouverture, et vingt autres s'agitèrent au-dessus. D'un coup de hache, le capitaine Nemo coupa ce formidable tentacule, qui glissa sur les échelons en se tordant.

Au moment où nous nous pressions les uns sur les autres pour atteindre la plateforme, deux autres bras, cinglant l'air, s'abattirent sur le marin placé devant le capitaine Nemo et l'enlevèrent avec une violence irrésistible.

Le capitaine Nemo poussa un cri et s'élança au-dehors. Nous nous étions précipités à sa suite.

Quelle scène ! Le malheureux, saisi par le tentacule et collé à ses ventouses, était balancé dans l'air au caprice de cette énorme trompe. Il râlait, il étouffait, il criait : « A moi ! à moi ! » Ces mots, prononcés en français, me causèrent une profonde stupeur ! J'avais donc un compatriote à bord, plusieurs, peut-être ! Cet appel déchirant, je l'entendrai toute ma vie !

L'infortuné était perdu. Qui pouvait l'arracher à cette puissante étreinte ? Cependant le

Le Nautilus était alors revenu à la surface des flots. Un des marins, placé sur les derniers échelons, devissait les boulons du panneau. Mais les écrous étaient à peine dégagés, que le panneau se releva avec une violence extrême, évidemment tiré par la ventouse d'un bras de poulpe.

capitaine Nemo s'était précipité sur le poulpe, et, d'un coup de hache, il lui avait encore abattu un bras. Son second luttait avec rage contre d'autres monstres qui rampaient sur les flancs du *Nautilus*. L'équipage se battait à coups de hache. Le Canadien, Conseil et moi, nous enfoncions nos armes dans ces masses charnues. Une violente odeur de musc pénétrait l'atmosphère. C'était horrible.

Un instant, je crus que le malheureux, enlacé par le poulpe, serait arraché à sa puissante succion. Sept bras sur huit avaient été coupés. Un seul, brandissant la victime comme une plume, se tordait dans l'air.

Mais au moment où le capitaine Nemo et son second se précipitaient sur lui, l'animal lança une colonne d'un liquide noirâtre, sécrété par une bourse située dans son abdomen. Nous en fûmes aveuglés. Quand ce nuage se fut dissipé, le calmar avait disparu, et avec lui mon infortuné compatriote !

Quelle rage nous poussa alors contre ces monstres ! On ne se possédait plus. Dix ou douze poulpes avaient envahi la plate-forme et les flancs du *Nautilus*. Nous roulions pêle-même au milieu de ces tronçons de serpents qui tressautaient sur la plate-forme dans des flots de sang et d'encre noire. Il semblait que ces visqueux tentacules renaissaient comme les têtes de l'hydre.

♦

Charles Lutwidge Dogson dit

Lewis Carroll

DARESBURY 1832 – GUILFORD 1898 ;
GRANDE-BRETAGNE.

Fils d'un clergyman, Charles Dogson étudie au Christ Church College (une des sections de l'Université d'Oxford) où il enseignera ensuite les mathématiques jusqu'en 1881. Il publie en 1867 un ***Traité élémentaire des déterminants,*** *en 1879* ***Euclide et ses rivaux modernes,*** *en 1894 un traité de logique (****Logique sans peine****).*

Parce qu'il s'est pris d'amitié pour les trois petites filles du doyen Liddell (dont Alice), il écrit pour elles son chef-d'œuvre qu'il publie en 1865 sous le pseudonyme de Lewis Carroll (à qui l'on doit encore ***Au-delà du miroir,*** *1872 ;* ***La Chasse au Snark,*** *1876 ;* ***Sylvie et Bruno,*** *1889 ; etc.).*

ROMAN-FANTAISIE

.Alice au pays des Merveilles.

1865

Tout commence par des événements invraisemblables ou absurbes, qui sont ensuite logiquement conduits à leur terme. Il semble que Lewis Carroll ait vraiment réussi un roman « insensé », car sous le sens littéral aucun autre sens n'est caché. Rêvant au pied d'un arbre, Alice voit passer un lapin blanc en gilet qui, tirant sa montre, déplore son retard. Elle le suit et tombe dans une sorte de puits, franchit une petite porte après avoir changé plusieurs fois de taille, rencontre le Chat du Cheshire qui sait n'être qu'un sourire, prend le thé avec le Chapelier fou, joue au croquet avec la Reine des jeux de cartes, témoigne à un procès, etc. jusqu'au moment où sa sœur l'éveille...

Alice vient de quitter le Chat quand elle aperçoit la maison du Lièvre-de-Mars :

« Sous un arbre, devant la maison, une table est dressée. Le Lièvre-de-Mars et le Chapelier y prennent le thé. Entre eux, est assis un Loir profondément endormi. Les coudes sur le dos du Loir, les deux compagnons bavardent tranquillement.

– Quelle position pénible pour le pauvre Loir ! Telle est la première réflexion d'Alice.

– Mais comme il dort, il est probable que cela ne le gêne pas, rectifie-t-elle.

Tous trois sont serrés l'un contre l'autre dans un petit coin de la table, qui est immense.

– Il n'y a pas de place ! s'égosillent-ils à crier, dès qu'ils voient Alice s'avancer vers eux.

– Pas de place ! Ce n'est pas cela qui

manque, ma foi, fait Alice indignée en s'asseyant dans un vaste fauteuil à un bout de la table.

– Désirez-vous du vin ? s'enquiert le Lièvre-de-Mars d'un ton engageant.

Alice explore la table d'un regard circulaire, sans y découvrir d'autre breuvage que du thé.

– Je ne vois pas de vin.

– Il n'y en a pas, réplique le Lièvre avec placidité.

– Alors, c'est bien peu poli de votre part de m'en offrir, fait Alice d'un ton pincé.

– Ce n'est pas plus poli de vous asseoir sans y être invitée, répond du tac au tac le Lièvre-de-Mars.

– J'ignorais que ce fût votre table, *à vous* ; il y a place pour bien plus de trois couverts.

– Vos cheveux auraient grand besoin d'être coupés, intervient le Chapelier, qui depuis un moment considère Alice avec une extrême curiosité.

– C'est très grossier de faire des remarques personnelles, lui décoche Alice d'un ton sévère.

Cette réponse semble plonger le Chapelier dans une profonde stupéfaction ; il ouvre de grands yeux et ne trouve que cette réponse pleine d'à-propos :

– Pourquoi un corbeau ressemble-t-il à un bureau ?

– Nous allons rire ! se dit Alice, s'ils se mettent à demander des devinettes. Je crois que je peux le trouver, fait-elle à haute voix.

– Voudriez-vous dire que vous croyez pouvoir trouver la réponse ? demande le Lièvre-de-Mars.

– Tout juste.

– Eh bien, dites ce que vous pensez.

– Certainement ; du moins, je pense ce que je dis, ce qui est la même chose, comme vous savez.

– Pas le moins du monde, proteste le Chapelier. C'est comme si vous disiez que « je vois ce que je mange » est la même chose que « je mange ce que je vois » !

– Vous pourriez dire aussi bien, reprend le Lièvre, que « j'aime ce que j'ai » a le même sens que « j'ai ce que j'aime » !

– Vous pourriez dire également, fait le Loir, qui semble parler dans un rêve, que « je respire quand je dors » est la même chose que « je dors quand je respire » !

– Dans votre cas c'est vraiment la même chose, dit le Chapelier.

La conversation tombe, ce qui permet à Alice de se creuser la tête pour rassembler tout ce qu'elle sait sur les corbeaux et les bureaux, mais sa science est bien mince !

Le Chapelier se tourne vers elle, et, rompant le silence, lui demande la date du jour. En même temps il sort sa montre de sa poche, la regarde avec embarras, la secoue et la porte à son oreille.

– Nous sommes le quatre, répond-elle après réflexion.

– Deux jours de retard ! soupire le Chapelier. Je vous ai déjà dit que le beurre ne convenait pas au mécanisme ! crie-t-il au Lièvre, une flamme de colère dans les yeux.

– C'était pourtant notre meilleur beurre, répond le Lièvre avec douceur.

– Peut-être, mais des miettes de pain ont dû tomber dessus ; d'ailleurs, grommelle le Chapelier, vous n'auriez pas dû l'y mettre avec le couteau à pain !

A son tour, le Lièvre-de-Mars prend la montre et l'examine d'un air sombre ; puis il la plonge un instant dans sa tasse de thé, la regarde de nouveau, sans trouver rien autre chose à dire que :

– C'était pourtant notre meilleur beurre !

Poussée par la curiosité, Alice se penche pour mieux voir la montre.

– Quelle drôle de montre ! Elle indique les jours du mois, mais elle ne marque pas l'heure !

– Pourquoi la marquerait-elle ? bougonne le Chapelier. Est-ce que votre montre vous indique l'année en cours ?

– Bien sûr que non ! mais c'est parce que la même année dure longtemps.

– C'est exactement la même chose pour la mienne.

Alice est interloquée. Le Chapelier a pourtant parlé en bon français, mais elle ne saisit pas le sens de ses paroles.

– Je ne comprends pas très bien, risque-t-elle aussi poliment que possible.

– Le Loir est rendormi, constate le Chapelier.

Et, saisissant délicatement la théière, il verse du thé chaud sur le nez du dormeur, qui secoue la tête et se met à parler sans ouvrir les yeux.

– Bien sûr, bien sûr ; c'est justement ce que j'allais dire.

– Avez-vous trouvé la devinette ? fait le Chapelier en se tournant vers Alice.

– Non, je donne ma langue au chat. Quelle est la réponse ?

– Je n'en ai pas la moindre idée.

– Ni moi non plus, dit le Lièvre-de-Mars.

– Je crois que vous pourriez mieux employer votre temps, soupire Alice, plutôt que de le perdre en posant des devinettes qui n'ont pas de réponses !

J.-B. Clément

BOULOGNE-SUR-SEINE 1837 – PARIS 1903

*La vie de J.-B. Clément fut tout entière consacrée au militantisme. Il collabore à la revue de Jules Vallès « **Le cri du peuple** ». En 1871 il participe activement à la Commune, prend part aux combats de la semaine sanglante. Il doit s'exiler à Londres. Après la loi d'amnistie il rentre en France, milite d'abord au parti ouvrier socialiste révolutionnaire de Brousse puis au parti ouvrier français de J. Guesde.*
*Son œuvre est à l'image de son idéal : chansons « engagées », d'inspiration populaire comme les « **Chansons du morceau de pain** » ou les « **Chansons de l'avenir** ». Les chansons de J.-B. Clément sont maintenant tombées dans l'oubli, seule « **Le temps des cerises** » lui doit d'être passé à la postérité. Tout le monde a sans doute un jour fredonné cet air célèbre du répertoire français sans même songer qu'il commémore le souvenir des communards, victimes des répressions de la semaine sanglante qui eu lieu au mois de mai 1871, juste au temps des cerises.*

CHANSON

•LE TEMPS DES CERISES•

Cette chanson de Jean-Baptiste Clément, composée en 1885, est dédiée à Louise, une ambulancière de la Commune.

Quand nous en serons au temps des cerises,
Et gai rossignol et merle moqueur
Seront tous en fête
Les belles auront la folie en tête
Et les amoureux du soleil au cœur.
Quand nous en serons au temps des cerises,
Sifflera bien mieux le merle moqueur.

Mais il est bien court le temps des cerises,
Où l'on s'en va deux cueillir en rêvant
Des pendants d'oreilles,
Cerises d'amour aux robes pareilles
Tombant sous la feuille en gouttes de sang.
Mais il est bien court le temps des cerises,
Pendants de corail qu'on cueille en rêvant.

Quand vous en serez au temps des cerises,
Si vous avez peur des chagrins d'amour
Évitez les belles.
Moi qui ne crains pas les peines cruelles,
Je ne vivrai pas sans souffrir un jour.
Quand vous en serez au temps des cerises,
Vous aurez aussi des chagrins d'amour.

J'aimerai toujours le temps des cerises :
C'est de ce temps-là que je garde au cœur
Une plaie ouverte,
Et dame Fortune, en m'étant offerte,
Ne saura jamais calmer ma douleur.
J'aimerai toujours le temps des cerises
Et le souvenir que je garde au cœur.

Jean-Marie Villiers de l'Isle-Adam

SAINT-BRIEUC 1838 – PARIS 1889.

Villiers de l'Isle-Adam appartient à l'une des plus anciennes et illustres familles bretonnes. La famille est ruinée par la Révolution. Sensible, anxieux et ombrageux Villiers de l'Isle-Adam recherche la solitude. A Paris il rencontre Baudelaire qu'il admire et lui révèlera les nouvelles « terribles » d'Edgar Allan Poe. Il lit Hegel et veut composer une littérature philosophique, une œuvre où le rêve se fonde sur la logique. En 1862 il écrit son premier roman ***Isis****, publie ses premiers contes dans* ***La Revue des Lettres et des Arts*** *dont il est le rédacteur. C'est en 1883 qu'il publie ses* ***Contes cruels.*** *Puis se succèdent* ***L'Eve future, l'Amour Suprême, les Histoires insolites*** *et les* ***Nouveaux Contes cruels.*** *Mais la gloire et la fortune tant désirées ne sont jamais venues : Villiers de l'Isle-Adam finit sa vie avec une humble servante qui lui a donné un fils en 1881.*

CONTES

.Contes cruels.

1883

Le conte cruel est la forme extrême du conte fantastique, il veut toucher et horrifier : il décrit l'atrocité humaine. La cruauté littéraire est une sorte de naturalisme outré.

VÉRA

Le conte cruel ***Véra*** *exalte le thème de l'Amour plus fort que la Mort repris du poème de Baudelaire* ***Une Charogne.*** *Le comte d'Athol vient de perdre son amante. Ils étaient « le battement de l'être l'un de l'autre ». Incapable d'accepter la mort de Véra, le comte vit comme si Véra était toujours vivante près de lui. Un an s'est écoulé, c'est le jour anniversaire de la mort de Véra :*

Une année s'était écoulée.

Le soir de l'Anniversaire, le comte, assis auprès du feu, dans la chambre de Véra, venait de *lui* lire un fabliau florentin : *Callimaque*. Il ferma le livre ; puis en se servant du thé :

« *Douschka*, dit-il, te souviens-tu de la Vallée-des-Roses, des bords de la Lahn, du château des Quatre-Tours ?... Cette histoire te les a rappelés, n'est-ce pas ? »

Il se leva, et dans la glace bleuâtre, il se vit plus pâle qu'à l'ordinaire. Il prit un bracelet de perles dans une coupe et regarda les perles attentivement. Véra ne les avait-elle pas ôtées de son bras, tout à l'heure, avant de se dévêtir ? Les perles étaient encore tièdes et leur orient plus adouci, comme par la chaleur de sa chair. Et l'opale de ce collier sibérien, qui aimait aussi le beau sein de Véra jusqu'à pâlir, maladivement, dans son treillis d'or, lorsque la jeune femme l'oubliait pendant quelque temps ! autrefois, la comtesse aimait pour cela cette pierrerie fidèle !... Ce soir l'opale brillait comme si elle venait d'être quittée et comme si le magnétisme exquis de la belle morte la pénétrait encore. En reposant le collier et la pierre précieuse, le comte toucha par hasard le mouchoir de batiste dont les gouttes de sang étaient humides et rouges comme des œillets sur de la neige !... Là, sur le piano, qui donc avait tourné la page finale de la mélodie d'autrefois ? Oui ! la veilleuse sacrée s'était rallumée, dans le reliquaire ! Oui, sa flamme dorée éclairait mystiquement le visage, aux yeux fermés, de la Madone ! Et ces fleurs orientales, nouvellement cueillies, qui s'épanouissaient là, dans les vieux vases de Saxe, quelle main venait de les y placer ? La chambre semblait joyeuse et douée de vie, d'une façon plus significative et plus intense que d'habitude. Mais rien ne pouvait surprendre le comte ! Cela lui semblait tellement normal, qu'il ne fit même pas attention que l'heure sonnait à cette pendule arrêtée depuis une année.

Ce soir-là, cependant, on eût dit que, du fond des ténèbres, la comtesse Véra s'efforçait adorablement de revenir dans cette chambre tout embaumée d'elle ! Elle y avait laissé tant de sa personne ! Tout ce qui avait constitué son existence l'y attirait. Son charme y flottait ; les longues violences faites par la volonté passionnée de son époux y devaient avoir desserré les vagues liens de l'Invisible autour d'elle !...

Elle y était *nécessitée*. Tout ce qu'elle aimait, c'était là.

Elle devait avoir envie de sourire encore en cette place mystérieuse où elle avait tant de fois admiré son lilial visage ! La douce morte, là-bas, avait tressailli, certes, dans ses violettes, sous les lampes éteintes ; la divine morte avait frémi, dans le caveau, toute seule, en regardant la clef d'argent jetée sur les dalles. Elle voulait s'en venir vers lui, aussi ! Et sa volonté se perdait dans l'idée de l'encens et de l'isolement. La Mort n'est une circonstance définitive que pour ceux qui espèrent des cieux ; mais la Mort, et les Cieux, et la Vie, pour elle, n'était-ce pas leur embrassement ? Et le baiser solitaire de son époux attirait ses lèvres, dans l'ombre. Et le son passé des mélodies, les paroles enivrées de jadis, les étoffes qui couvraient son corps et en gardaient le parfum, ces pierreries magiques qui la *voulaient*, dans leur obscure sympathie, – et surtout l'immense et absolue impression de sa présence, opinion partagée à la fin par les choses elles-mêmes, tout l'appelait là, l'attirait là depuis si longtemps, et si insensiblement, que, guérie enfin de la dormante Mort, il ne manquait plus qu'*Elle seule* !

Ah ! les Idées sont des êtres vivants !... Le comte avait creusé dans l'air la forme de son amour, et il fallait bien que ce vide fût comblé par le seul être qui lui était homogène, autrement l'Univers aurait croulé. L'impression passa, en ce moment, définitive, simple, absolue, qu'*Elle devait être là, dans la chambre* ! Il en était aussi tranquillement certain que de sa propre existence, et toutes les choses, autour de lui, étaient saturées de cette conviction. On l'y voyait ! Et, *comme il ne manquait plus que Véra elle-même,* tangible, extérieure, *il fallait bien qu'elle s'y trouvât* et que le grand Songe de la Vie et de la Mort entrouvrît un moment ses portes infinies ! Le chemin de résurrection était envoyé par la foi jusqu'à elle ! Un frais éclat de rire musical éclaira de sa joie le lit nuptial ; le comte se retourna. Et là, devant ses yeux, faite de volonté et de souvenir, accoudée, fluide, sur l'oreiller de dentelles, sa main soutenant ses lourds cheveux noirs, sa bouche délicieusement entrouverte en un sourire tout emparadisé de voluptés, belle à en mourir, enfin ! la comtesse Véra le regardait un peu endormie encore.

« Roger !... » dit-elle d'une voix lointaine.

Il vint auprès d'elle. Leurs lèvres s'unirent dans une joie divine, – oublieuse, – immortelle !

Et ils s'aperçurent, *alors,* qu'ils n'étaient, réellement qu'un seul être.

Les heures effleurèrent d'un vol étranger cette extase où se mêlaient, pour la première fois, la terre et le ciel.

Tout à coup, le comte d'Athol tressaillit, comme frappé d'une réminiscence fatale.

« Ah ! maintenant, je me rappelle !... dit-il. Qu'ai-je donc ? Mais tu es morte ! »

A l'instant même, à cette parole, la mystique veilleuse de l'iconostase s'éteignit. Le pâle petit jour du matin, – d'un matin banal, grisâtre et pluvieux –, filtra dans la chambre par les interstices des rideaux. Les bougies blêmirent et s'éteignirent, laissant fumer âcrement leurs mèches rouges ; le feu disparut sous une couche de cendres tièdes ; les fleurs se fanèrent et se desséchèrent en quelques moments ; le balancier de la pendule reprit graduellement son immobilité. La *certitude* de tous les objets s'envola subitement. L'opale, morte, ne brillait plus ; les taches de sang s'étaient fanées aussi, sur la batiste, auprès d'elle ; et s'effaçant entre les bras désespérés qui voulaient en vain l'étreindre encore, l'ardente et blanche vision rentra dans l'air et s'y perdit. Une faible soupir d'adieu distinct, lointain, parvint jusqu'à l'âme de Roger. Le comte se dressa ; il venait de s'apercevoir qu'il était seul. Son rêve venait de se dissoudre d'un seul coup ; il avait brisé le magnétique fil de sa trame radieuse avec une seule parole. L'atmosphère était, maintenant, celle des défunts.

Comme ces larmes de verre, agrégées illogiquement, et cependant si solides qu'un coup de maillet sur leur partie épaisse ne les briserait pas, mais qui tombent en une subite et impalpable poussière si l'on en casse l'extrémité plus fine que la pointe d'une aiguille, tout s'était évanoui.

« Oh, murmura-t-il, c'est donc fini ! – Perdue !... Toute seule ! – Quelle est la route, maintenant, pour parvenir jusqu'à toi ? Indique-moi le chemin qui peut me conduire vers toi !... »

Soudain, comme une réponse, un objet brillant tomba du lit nuptial, sur la noire fourrure, avec un bruit métallique : un rayon de l'affreux jour terrestre l'éclaira !... L'abandonné se baissa, le saisit, et un sourire sublime illumina son visage en reconnaissant cet objet : c'était la clef du tombeau.

Emile Zola

PARIS 1840 – PARIS 1902.

Après avoir échoué deux fois au baccalauréat, Zola entre chez Hachette comme chef de la publicité. Il rencontre les écrivains les plus connus, Lamartine, Michelet, Littré... Il publie ses deux premiers livres à 24 ans : **Contes à Ninon,** *et* **La Confession de Claude.** *Il décide d'abandonner le romantisme et compose* **Thérèse Raquin** *qui annonce déjà son cycle naturaliste. Il lit avec admiration Claude Bernard, Darwin et conçoit pour la littérature des ambitions scientifiques. En 1868 entreprend d'écrire « l'histoire naturelle et sociale d'une famille sous le second Empire » :* **les Rougon-Macquart** *(1871-1893) dont les membres sont marqués par une hérédité fatale. Il travaille un an à l'arbre généalogique de la famille. Entre 1871 et 1876 il publie* **La fortune des Rougon, La Curée, Le Ventre de Paris, La Conquête de Plassans, La Faute de l'Abbé Mouret,** *et* **Son Excellence Eugène Rougon.** *Le succès ne s'affirme pas, mais l'on voit déjà que Zola sait dépasser son échaffaudage scientifique par la puissance de son imagination et ses descriptions impressionnistes. En 1877 c'est la publication fracassante de* **L'Assommoir** *– roman ouvrier qui retrace la déchéance due au milieu –, Zola devient célèbre, il a 37 ans. Avec plusieurs écrivains, dont Maupassant et Huysmans, il publie un recueil collectif de nouvelles naturalistes :* **Les Soirées de Médan.** *Zola reprend son cycle :* **Une Page d'Amour, Nana** *– qui dépeint les milieux de la haute prostitution –,* **Pot-Bouille** *– description de la petite bourgeoisie –,* **Au Bonheur des Dames** *– qui dénonce la fatalité économique –, et* **la Joie de Vivre.** *Puis c'est en 1885* **Germinal** *– véritable plongée dans les ténèbres de la mine –, puis* **L'œuvre** *qui brouille Zola avec son ami Cézanne.* **La Terre** *fait scandale par ses descriptions du monde paysan cupide et bestial. Zola rencontre la jeune Jeanne Rozerot qui lui donnera deux enfants Mme Zola les reconnaîtra à la mort de son mari. Les derniers Rougon-Macquart paraissent :* **Le Rêve** *– une idylle amoureuse –,* **La Bête humaine, La Débâcle** *et* **le Docteur Pascal** *– synthèse scientifique du cycle. En 1898 Zola se passionne pour l'affaire Dreyfus et publie dans* **l'Aurore** *sa célèbre lettre à Félix Faure :* **J'accuse... !** *où il dénonce la machination du procès. Il meurt à 62 ans, asphyxié pendant son sommeil par un feu de cheminée ; une foule immense accompagne son enterrement ; ses cendres seront déposées au Panthéon.*

ROMANS

.Les Rougon-Macquart.

1871-1893

Le cycle des ***Rougon-Macquart*** *comporte vingt volumes et mille deux cents personnages. Zola écrit un roman par an : « Nulla dies sine linea « (pas un jour sans une ligne) écrit-il sur le mur de son bureau de travail. Très marqué par le scientisme et les théories de Darwin et de Claude Bernard, Zola veut mettre l'accent sur la fatalité de l'hérédité : Dans* ***La Fortune des Rougon****, la tante Dide dont sont issus tous les personnages du cycle devient folle et inaugure la fatalité biologique de l'hérédité. Zola veut diviser la société en cinq mondes : « le peuple, les commerçants, la bourgeoisie, le grand monde, et un monde à part, celui des putains, des meurtriers, des prêtres et des artistes ».*

Plan général des Rougon-Macquart :

Il se produit des rejetons divers, bons ou mauvais. Je cherche (surtout) dans les questions d'hérédité la raison de ces tempéraments semblables ou opposés. C'est dire que j'étudie l'humanité elle-même, dans ses plus intimes rouages ; j'explique cette apparente confusion des caractères, je montre comment un petit groupe d'êtres, une famille se comporte en s'épanouissant pour donner naissance à dix, à vingt individus qui semblent au premier coup d'œil profondément étrangers (mais que l'analyse scientifique montre intimement attachés l'un à l'autre). La société ne s'est pas formée d'une autre façon. Par l'observation, par les nouvelles méthodes scientifiques, j'arrive à débrouiller le fil qui conduit mathématiquement d'un homme à un autre. Et quand je tiens tous les fils, quand j'ai entre les mains tout un groupe social, je fais voir ce groupe à l'œuvre, je le crée agissant dans la complexité de ses efforts, allant au bien ou au mal ; j'étudie à la fois la somme de volonté de chacun de ses membres et la poussée générale de l'ensemble. C'est alors que je choisis le second Empire pour cadre ; mes personnages s'y développent, selon la logique de leur caractère, liés les uns aux autres et ayant pourtant chacun leur personnalité. Ils deviennent des acteurs typiques qui résument l'époque. Je fais de la haute analyse humaine et je fais de l'histoire.

ADRESSÉ À SON ÉDITEUR

L'ASSOMMOIR

1877

Gervaise Macquart, abandonnée avec ses enfants par Auguste Lantier, rencontre l'ouvrier Coupeau au cabaret l'Assommoir, ainsi nommé parce qu'on y fabrique, dans un alambic, une eau-de-vie très forte. Ils se marient, tout va bien, mais le sort les frappe : Coupeau se casse une jambe et se met à boire. Il entraîne dans sa déchéance Gervaise. C'est la chute.

Gervaise et Coupeau se sont rencontrés à l'Assommoir, ils discutent posément de leur avenir. En sortant, Coupeau propose à Gervaise de faire un bout de chemin ensemble. Il doit passer chez sa sœur et son beau-frère qui habitent rue de la Goutte d'Or :

Gervaise regardait surtout la porte, une immense porte ronde, s'élevant jusqu'au deuxième étage, creusant un porche profond, à l'autre bout duquel on voyait le coup de jour blafard d'une grande cour. Au milieu de ce porche, pavé comme la rue, un ruisseau coulait, roulant une eau rose très tendre.

« Entrez donc, dit Coupeau, on ne vous mangera pas. »

Gervaise voulut l'attendre dans la rue. Cependant, elle ne put s'empêcher de s'enfoncer, sous le porche, jusqu'à la loge du concierge, qui était à droite. Et là, au seuil, elle leva de nouveau les yeux. A l'intérieur, les façades avaient six étages, quatre façades régulières enfermant le vaste carré de la cour. C'étaient des murailles grises, mangées d'une lèpre jaune, rayées de bavures par l'égouttement des toits, qui montaient toutes plates du pavé aux ardoises, sans une moulure ; seuls les tuyaux de descente se coudaient aux étages, où les caisses béantes des plombs, mettaient la tache de leur fonte rouillée. Les fenêtres sans persienne montraient des vitres nues, d'un vert glauque d'eau trouble. Certaines, ouvertes, laissaient pendre des matelas à carreaux bleus, qui prenaient l'air ;

devant d'autres, sur des cordes tendues, des linges séchaient, toute la lessive d'un ménage, les chemises de l'homme, les camisoles de la femme, les culottes des gamins ; il y en avait une, au troisième, où s'étalait une couche d'enfant, emplâtrée d'ordure. Du haut en bas, les logements trop petits crevaient au-dehors, lâchaient des bouts de leur misère par toutes les fentes. En bas, desservant chaque façade, une porte haute et étroite, sans boiserie, taillée dans le nu du plâtre, creusait un vestibule lézardé, au fond duquel tournaient les marches boueuses d'un escalier à rampe de fer ; et l'on comptait ainsi quatre escaliers, indiqués par les quatre premières lettres de l'alphabet, peintes sur le mur. Les rez-de-chaussée étaient aménagés en immenses ateliers, fermés par des vitrages noirs de poussière ; la forge d'un serrurier y flambait ; on entendait plus loin des coups de rabot d'un menuisier ; tandis que, près de la loge, un laboratoire de teinturier lâchait à gros bouillons ce ruisseau d'un rose tendre coulant sous le porche. Salie de flaques d'eau teintée, de copeaux, d'escarbilles de charbon, plantée d'herbe sur ses bords, entre ses pavés disjoints, la cour s'éclairait d'une clarté crue, comme coupée en deux par la ligne où le soleil s'arrêtait. Du côté de l'ombre, autour de la fontaine dont le robinet entretenait là une continuelle humidité, trois petites poules piquaient le sol, cherchaient des vers de terre, les pattes crottées. Et Gervaise lentement promenait son regard, l'abaissait du sixième étage au pavé, remontait, surprise de cette énormité, se sentant au milieu d'un organe vivant, au cœur même d'une ville, intéressée par la maison, comme si elle avait eu devant elle une personne géante.

CHAPITRE II

A la suite d'un accident Coupeau devient un alcoolique. Une crise de delirium tremens le conduit à l'hôpital Sainte-Anne, où il agonise dans de terribles hallucinations. Gervaise assiste à sa fin avec quelques médecins venus observer ce cas intéressant :

Gervaise voyait, en se haussant, ce torse nu étalé. Eh bien ! c'était complet, le tremblement était descendu des bras et monté des jambes, le tronc lui-même entrait en gaieté à cette heure ! Positivement, le polichinelle rigolait aussi du ventre. C'étaient des risettes le long des côtes, un essoufflement de la berdouille, qui semblait crever de rire. Et tout marchait, il n'y avait pas à dire ! les muscles se faisaient vis-à-vis, la peau vibrait comme un tambour, les poils valsaient en se saluant. Enfin, ça devait être le grand branle-bas, comme qui dirait le galop de la fin, quand le jour paraît et que tous les danseurs se tiennent par la patte en tapant du talon.

« Il dort », murmura le médecin en chef.

Et il fit remarquer la figure de l'homme aux deux autres. Coupeau, les paupières closes, avait de petites secousses nerveuses qui lui tiraient toute la face. Il était plus affreux encore, ainsi écrasé, la mâchoire saillante, avec le masque déformé d'un mort qui aurait eu des cauchemars. Mais les médecins, ayant aperçu les pieds, vinrent mettre leurs nez dessus d'un air de profond intérêt. Les pieds dansaient toujours. Coupeau avait beau dormir, les pieds dansaient ! Oh ! leur patron pouvait ronfler, ça ne les regardait pas, ils continuaient leur train-train, sans se presser ni se ralentir. De vrais pieds mécaniques, des pieds qui prenaient leur plaisir où ils le trouvaient.

Pourtant, Gervaise, ayant vu les médecins poser leurs mains sur le torse de son homme, voulut le tâter elle aussi. Elle s'approcha doucement, lui appliqua sa main sur une épaule. Et elle la laissa une minute. Mon Dieu ! qu'est-ce qui se passait donc là-dedans ? Ça dansait jusqu'au fond de la viande ; les os eux-mêmes devaient sauter. Des frémissements, des ondulations arrivaient de loin, coulaient pareils à une rivière, sous la peau. Quand elle appuyait un peu, elle sentait les cris de souffrance de la moelle. A l'œil nu, on voyait seulement les petites ondes creusant des fossettes, comme à la surface d'un tourbillon ; mais, dans l'intérieur, il devait y avoir un joli ravage. Quel sacré travail ! un travail de taupe ! C'était le vitriol de l'Assommoir qui donnait là-bas des coups de pioche. Le corps entier en était saucé, et dame ! il fallait que ce travail s'achevât, émiettant, emportant Coupeau, dans le tremblement général et continu de toute la carcasse.

Les médecins s'en étaient allés. Au bout d'une heure, Gervaise, restée avec l'interne, répéta à voix basse :

« Monsieur, monsieur, il est mort... »

Mais l'interne, qui regardait les pieds, dit non de la tête. Les pieds nus, hors du lit, dansaient toujours ; ils n'étaient guère propres et ils avaient les ongles longs. Des heures encore passèrent. Tout d'un coup, ils se raidirent, immobiles. Alors, l'interne se tourna vers Gervaise, en disant : « Ça y est. »

La mort seule avait arrêté les pieds

CHAPITRE XIII

GERMINAL

1885

Le fils de Gervaise Macquart, Étienne, homme intelligent et généreux, est mineur dans le Nord. Progressivement, il devient la conscience des mineurs misérables. La Compagnie diminue le salaire des mineurs. Une grève éclate : Étienne tente de l'organiser. Mais il trouve un rival en Souvarine, anarchiste violent, qui finit par inonder les mines : les mineurs sont bloqués, certains mourront. Étienne quittera le Nord pour Paris, c'est le printemps, qui inspire à Étienne l'espoir d'un « germinal » de justice.

La grève : Étienne harangue ses camarades dans les bois :

Il fut terrible, jamais il n'avait parlé si violemment. D'un bras, il maintenait le vieux Bonnemort, il l'étalait comme un drapeau de misère et de deuil, criant vengeance. En phrases rapides, il remontait au premier Maheu, il montrait toute cette famille usée à la mine, mangée par la Compagnie, plus affamée après cent ans de travail ; et, devant elle, il mettait ensuite les ventres de la Régie, qui suaient l'argent, toute la bande des actionnaires entretenus depuis un siècle, à ne rien faire, à jouir de leurs corps. N'était-ce pas effroyable : un peuple d'hommes crevant au fond de père en fils, pour qu'on paie des pots-de-vin à des ministres, pour que des générations de grands seigneurs et de bourgeois donnent des fêtes ou s'engraissent au coin de leur feu ! Il avait étudié les maladies des mineurs, il les faisait défiler toutes, avec des détails effrayants : l'anémie, les scrofules, la bronchite noire, l'asthme qui étouffe, les rhumatismes qui paralysent. Ces misérables, ont les jetait en pâture aux machines, on les parquait ainsi que du bétail dans les corons, les grandes Compagnies les absorbaient peu à peu, réglementant l'esclavage, menaçant d'enrégimenter tous les travailleurs d'une nation, des millions de bras, pour la fortune d'un millier de paresseux. Mais le mineur n'était plus l'ignorant, la brute écrasée dans les entrailles du sol. Une armée poussait des profondeurs des fosses, une moisson de citoyens dont la semence germait et ferait éclater la terre, un jour de grand soleil. Et l'on saurait alors si, après quarante années de service, on oserait offrir cent cinquante francs de pension à un vieillard de soixante ans, crachant de la houille, les jambes enflées par l'eau des tailles. Oui ! le travail demanderait des comptes au capital, à ce dieu impersonnel, inconnu de l'ouvrier, accroupi quelque part, dans le mystère de son tabernacle, d'où il suçait la vie des meurt-la-faim qui le nourrissaient ! On irait là-bas, on finirait bien par lui voir sa face aux clartés des incendies, on le noierait sous le sang, ce pourceau immonde, cette idole monstrueuse, gorgée de chair humaine !

Il se tut, mais son bras, toujours tendu dans le vide, désignait l'ennemi, là-bas, il ne savait où, d'un bout à l'autre de la terre. Cette fois, la clameur de la foule fut si haute, que les bourgeois de Montsou l'entendirent et regardèrent du côté de Vandame, pris d'inquiétude à l'idée de quelque éboulement formidable. Des oiseaux de nuit s'élevaient au-dessus des bois, dans le grand ciel clair.

Lui, tout de suite, voulut conclure :

« Camarades, quelle est votre décision ?... Votez-vous la continuation de la grève ?

– Oui ! oui ! hurlèrent les voix.

– Et quelles mesures arrêtez-vous ?... Notre défaite est certaine, si des lâches descendent demain. »

Les voix reprirent, avec leur souffle de tempête :

« Mort aux lâches ! »

QUATRIÈME PARTIE, CHAPITRE VII

Souvarine inonde le puits, toutes les installations de surface sont englouties :

Seule, la haute cheminée de trente mètres restait debout, secouée, pareille à un mât dans l'ouragan. On croyait qu'elle allait s'émietter et voler en poudre, lorsque, tout d'un coup, elle s'enfonça d'un bloc, bue par la terre, fondue ainsi qu'un cierge colossal ; et rien ne dépassait, pas même la pointe du paratonnerre. C'était fini, la bête mauvaise, accroupie dans ce creux, gorgée de chair humaine, ne soufflait plus de son haleine grosse et longue. Tout entier, le Voreux venait de couler à l'abîme.

Hurlante, la foule se sauva. Des femmes couraient en se cachant les yeux. L'épouvante roula des hommes comme un tas de feuilles sèches. On ne voulait pas crier, et on criait, la gorge enflée, les bras en l'air, devant l'immense trou qui s'était creusé. Ce cratère de volcan éteint, profond de quinze mètres, s'étendait de la route au canal, sur une largeur de quarante mètres au moins. Tout le carreau de la mine y avait suivi les bâtiments, les tréteaux gigantesques, les passerelles avec leurs rails, un train complet de berlines, trois wagons ; sans compter la provision des bois, une futaie de perches coupées, avalées comme des pailles. Au fond, on ne distinguait plus qu'un gâchis de poutres, de briques, de fer, de plâtre, d'affreux restes pilés, enchevêtrés, salis, dans cet enragement de la catastrophe. Et le trou s'arrondissait, des gerçures partaient des bords, gagnaient au loin, à travers les champs. Une fente montait jusqu'au débit de Rasseneur, dont la façade avait craqué. Est-ce que le coron lui-même y passerait ? jusqu'où devait-on fuir, pour être à l'abri, dans cette fin de jour abominable, sous cette nuée de plomb, qui elle aussi semblait vouloir écraser le monde ?

Mais Négrel eut un cri de douleur. M. Hennebeau, qui avait reculé, pleura. Le désastre n'était pas complet, une berge se rompit, et le canal se versa d'un coup, en une nappe bouillonnante, dans une des gerçures. Il y disparaissait, il y tombait comme une cataracte dans une vallée profonde. La mine buvait cette rivière, l'inondation maintenant submergerait les galeries pour des années. Bientôt, le cratère s'emplit, un lac d'eau boueuse occupa la place où était naguère le Voreux, pareil à ces lacs sous lesquels dorment des villes maudites. Un silence terrifié s'était fait, on n'entendait plus que la chute de cette eau, ronflant dans les entrailles de la terre.

Alors, sur le terri ébranlé, Souvarine se leva. Il avait reconnu la Maheude et Zacharie sanglotant en face de cet effondrement, dont le poids pesait si lourd sur les têtes des misérables qui agonisaient au fond. Et il jeta sa dernière cigarette, il s'éloigna sans un regard en arrière, dans la nuit devenue noire. Au loin, son ombre diminua, se fondit avec l'ombre. C'était là-bas qu'il allait, à l'inconnu. Il allait, de son air tranquille, à l'extermination, partout où il y aurait de la dynamite, pour faire sauter les villes et les hommes. Ce sera lui, sans doute, quand la bourgeoisie agonisante entendra, sous elle, à chacun de ses pas, éclater le pavé des rues.

SEPTIÈME PARTIE, CHAPITRE III

PAMPHLET POLITIQUE

.J'accuse... !.

1898

En 1894 un officier de l'armée française, Dreyfus, est arrêté et condamné pour haute trahison. Il est dégradé un an plus tard. Le procès n'est pas clair. En 1898 Zola qui se passionne pour l'affaire écrit dans l'« Aurore » sa célèbre lettre au président de la République, Félix Faure : ***J'accuse... !*** *Après avoir énoncé tous les arguments en faveur de Dreyfus, Zola conclut :*

Telle est donc la simple vérité, monsieur le Président, et elle est effroyable, elle restera pour votre présidence une souillure. Je me doute bien que vous n'avez aucun pouvoir en cette affaire, que vous êtes le prisonnier de la Constitution et de votre entourage. Vous n'en avez pas moins un devoir d'homme, auquel vous songerez, et que vous remplirez. Ce n'est pas, d'ailleurs, que je désespère le moins du monde du triomphe. Je le répète avec une certitude plus véhémente : la vérité est en marche et rien ne l'arrêtera. C'est d'aujourd'hui seulement que l'affaire commence, puisque aujourd'hui seulement les positions sont nettes : d'une part, les coupables qui ne veulent pas que la lumière se fasse ; de l'autre, les justiciers qui donneront leur vie pour qu'elle soit faite. Je l'ai dit d'ailleurs, et je le répète ici : quand on enferme la vérité sous terre, elle s'y amasse, elle y prend une force telle d'explosion, que, le jour où elle éclate, elle fait tout sauter avec elle. On verra bien si l'on ne vient pas de préparer, pour plus tard, le plus retentissant des désastres. (...)

J'accuse le lieutenent-colonel du Paty de Clam d'avoir été l'ouvrier diabolique de l'erreur judiciaire, en inconscient, je veux le croire, et d'avoir ensuite défendu son œuvre néfaste, depuis trois ans, par les machinations les plus saugrenues et les plus coupables.

J'accuse le général Mercier de s'être rendu complice, tout au moins par faiblesse d'esprit, d'une des plus grandes iniquités du siècle.

"La vérité est en marche et rien ne l'arrêtera"

J'accuse le général Billot d'avoir eu entre les mains les preuves certaines de l'innocence de Dreyfus et de les avoir étouffées, de s'être rendu coupable de ce crime de lèse-humanité et de lèse-justice, dans un but politique et pour sauver l'état-major compromis.

J'accuse le général de Boisdeffre et le général Gonse de s'être rendus complices du même crime, l'un sans doute par passion cléricale, l'autre peut-être par cet esprit de corps qui fait des bureaux de la guerre l'arche sainte, inattaquable.

J'accuse le général de Pellieux et le commandant Ravary d'avoir fait une enquête scélérate, j'entends par là une enquête de la plus monstrueuse partialité, dont nous avons, dans le rapport du second, un impérissable monument de naïve audace.

J'accuse les trois experts en écritures, les sieurs Belhomme, Varinard et Couard, d'avoir fait des rapports mensongers et frauduleux, à moins qu'un examen médical ne les déclare atteints d'une maladie de la vue et du jugement.

J'accuse les bureaux de la guerre d'avoir mené dans la presse, particulièrement dans l'*Éclair* et dans l'*Écho de Paris,* une campagne abominable, pour égarer l'opinion et couvrir leur faute.

J'accuse enfin le premier conseil de guerre d'avoir violé le droit, en condamnant un accusé sur une pièce restée secrète, et j'accuse le second conseil de guerre d'avoir couvert cette illégalité, par ordre, en commettant à son tour le crime juridique d'acquitter sciemment un coupable.

En portant des accusations, je n'ignore pas que je me mets sous le coup des articles 30 et 31 de la loi sur la presse du 29 juillet 1881, qui punit les délits de diffamation. Et c'est volontairement que je m'expose.

Quant aux gens que j'accuse, je ne les connais pas, je ne les ai jamais vus, je n'ai contre eux ni rancune ni haine. Ils ne sont pour moi que des entités, des esprits de malfaisance sociale. Et l'acte que j'accomplis ici n'est qu'un moyen révolutionnaire pour hâter l'explosion de la vérité et de la justice.

Je n'ai qu'une passion, celle de la lumière, au nom de l'humanité qui a tant souffert et qui a droit au bonheur. Ma protestation enflammée n'est que le cri de mon âme. Qu'on ose donc me traduire en cour d'assises et que l'enquête ait lieu au grand jour !

J'attends.

Veuillez agréer, monsieur le Président, l'assurance de mon profond respect

Alphonse Daudet

NIMES 1840 – PARIS 1897.

Fils d'un petit négociant en soieries, Alphonse Daudet passe une heureuse enfance en Provence, puis fait de bonnes études au Lycée de Lyon. La ruine de ses parents contraint Alphonse Daudet à interrompre ses études et se faire répétiteur dans un collège. Il rejoint son frère à Paris, publie un recueil poétique ***Les Amoureuses*** *qui obtient un vif succès. En 1860 il devient secrétaire particulier du duc de Morny, tâche qui lui laisse du temps pour écrire. Il compose des pièces de théâtre, puis publie en 1866 les* ***Lettres de mon moulin,*** *recueil de contes inspiré par la Provence. Le charme et l'émotion poétique de ces récits rendent le recueil très populaire. Il compose ensuite trois romans burlesques* ***Tartarin de Tarascon, Tartarin sur les Alpes*** *et* ***Port-Tarascon.*** *En 1868 il publie son roman autobiographique :* ***Le Petit Chose.*** *Il participe à la guerre de 1870-1871, tire de ses impressions de guerre des contes patriotiques :* ***Les Contes du lundi.*** *La lecture de Dickens et l'expérience de la guerre transforme Daudet en un auteur réaliste : il veut être le témoin de son temps. Il s'intéresse aux humbles, analyse le réel avec ironie et émotion. Il écrit* ***Jack*** *– qui évoque les milieux pauvres,* ***Le Nabad*** *– le monde des affaires –,* ***Numa Roumestan*** *– le monde politique –, puis* ***L'Évangéliste, Sapho*** *et* ***L'Immortel*** *qui s'attaque à l'Académie. Daudet a eu, si l'on excepte les débuts difficiles, une vie heureuse auprès de son épouse Julie Allard qui écrit sous le nom de Karl Steen. Ses deux fils Léon et Lucien se feront un nom dans les Lettres.*

CONTES

.Lettres de mon moulin.

1866

Les Lettres de mon moulin contiennent une évocation de Mistral, « l'Installation » de Daudet dans son moulin, deux ballades en prose et vingt et un récits provençaux.

LA CHÈVRE DE MONSIEUR SEGUIN

M. Seguin n'avait jamais eu de bonheur avec ses chèvres.

Il les perdait toutes de la même façon : un beau matin, elles cassaient leur corde, s'en allaient dans la montagne, et là-haut le loup

“Ah, Gringoire, qu'elle était jolie la petite chèvre de M. Seguin !”

les mangeait. Ni les caresses de leur maître, ni la peur du loup, rien ne les retenait. C'était, paraît-il, des chèvres indépendantes, voulant à tout prix le grand air et la liberté.

Le brave M. Seguin, qui ne comprenait rien au caractère de ses bêtes, était consterné. Il disait :

– C'est fini ; les chèvres s'ennuient chez moi, je n'en garderai pas une.

Cependant il ne se découragea pas, et, après avoir perdu six chèvres de la même manière, il en acheta une septième ; seulement, cette fois, il eut soin de la prendre toute jeune, pour qu'elle s'habituât mieux à demeurer chez lui.

Ah ! Gringoire, qu'elle était jolie la petite chèvre de M. Seguin ! qu'elle était jolie avec ses yeux doux, sa barbiche de sous-officier, ses sabots noirs et luisants, ses cornes zébrées et ses longs poils blancs qui lui faisaient une houppelande ! C'était presque aussi charmant que le cabri d'Esméralda, tu te rappelles, Gringoire ? – et puis, docile, caressante, se laissant traire sans bouger, sans mettre son pied dans l'écuelle. Un amour de petite chèvre...

M. Seguin avait derrière sa maison un clos entouré d'aubépines. C'est là qu'il mit la nouvelle pensionnaire. Il l'attacha à un pieu, au plus bel endroit du pré, en ayant soin de lui laisser beaucoup de corde, et de temps en temps il venait voir si elle était bien. La chèvre se trouvait très heureuse et broutait l'herbe de si bon cœur que M. Seguin était ravi.

– Enfin, pensait le pauvre homme, en voilà une qui ne s'ennuiera pas chez moi !

M. Seguin se trompait, sa chèvre s'ennuya.

Un jour, elle se dit en regardant la montagne :

– Comme on doit être bien là-haut ! Quel plaisir de gambader dans la bruyère, sans cette maudite longe qui vous écorche le cou !... C'est bon pour l'âne ou pour le bœuf de brouter dans un clos !... Les chèvres, il leur faut du large.

A partir de ce moment, l'herbe du clos lui parut fade. L'ennui lui vint. Elle maigrit, son lait se fit rare. C'était pitié de la voir tirer tout le jour sur sa longe, la tête tournée du côté de la montagne, la narine ouverte, en faisant *Mê !...* tristement.

M. Seguin s'apercevait bien que sa chèvre avait quelque chose, mais il ne savait pas ce que c'était... Un matin, comme il achevait de la traire, la chèvre se retourna et lui dit dans son patois :

– Écoutez, monsieur Seguin, je me languis chez vous, laissez-moi aller dans la montagne.

– Ah ! mon Dieu !... Elle aussi ! cria M. Seguin stupéfait, et du coup il laissa tomber son écuelle ; puis, s'asseyant dans l'herbe à côté de sa chèvre :

– Comment, Blanchette, tu veux me quitter !

Et Blanchette répondit :

– Oui, monsieur Seguin.

– Est-ce que l'herbe te manque ici ?

– Oh ! non ! monsieur Seguin.

– Tu es peut-être attachée de trop court ; veux-tu que j'allonge la corde ?

– Ce n'est pas la peine, monsieur Seguin.

– Alors, qu'est-ce qu'il te faut ? qu'est-ce que tu veux ?

– Je veux aller dans la montagne, monsieur Seguin.

– Mais malheureuse, tu ne sais pas qu'il y a le loup dans la montagne... Que feras-tu quand il viendra ?...

– Je lui donnerai des coups de corne, monsieur Seguin.

– Le loup se moque bien de tes cornes. Il m'a mangé des biques autrement encornées que toi... Tu sais bien, la pauvre vieille Renaude qui était ici l'an dernier ? une maîtresse chèvre, forte et méchante comme un bouc. Elle s'est battue avec le loup toute la nuit... puis, le matin, le loup l'a mangée.

– Pécaïre ! Pauvre Renaude !... Ça ne fait rien, monsieur Seguin, laissez-moi aller dans la montagne.

– Bonté divine !... dit M. Seguin ; mais qu'est-ce qu'on leur fait donc à mes chèvres ? Encore une que le loup va me manger... Eh bien, non... je te sauverai malgré toi, coquine ! et de peur que tu ne rompes ta corde, je vais t'enfermer dans l'étable, et tu y resteras toujours.

Là-dessus, M. Seguin emporta la chèvre dans une étable toute noire, dont il ferma la porte à double tour. Malheureusement, il avait oublié la fenêtre, et à peine eut-il le dos tourné, que la petite s'en alla...

Tu ris, Gringoire ? Parbleu ! je crois bien ; tu es du parti des chèvres, toi, contre ce bon M. Seguin... Nous allons voir si tu riras tout à l'heure.

Quand la chèvre blanche arriva dans la montagne, ce fut un ravissement général. Jamais les vieux sapins n'avaient rien vu d'aussi joli. On la reçut comme une petite reine. Les châtaigniers se baissaient jusqu'à terre pour la caresser du bout de leurs branches. Les genêts d'or s'ouvraient sur son passage, et sentaient bon tant qu'ils pouvaient. Toute la montagne lui fit fête.

Tu penses, Gringoire, si notre chèvre était heureuse ! Plus de corde, plus de pieu... rien que l'empêchât de gambader, de brouter à sa guise... C'est là qu'il y en avait de l'herbe ! jusque par-dessus les cornes, mon cher !... Et quelle herbe ! Savoureuse, fine, dentelée, faite de mille plantes... C'était bien autre chose que le gazon du clos. Et les fleurs donc !... De grandes campanules bleues, des digitales de pourpre à longs calices, toute une forêt de fleurs sauvages débordant de sucs capiteux !...

La chèvre blanche, à moitié saoûle, se vautrait là-dedans les jambes en l'air et roulait le long des talus, pêle-mêle avec les feuilles tombées et les châtaignes... Puis, tout à coup, elle se redressait d'un bond sur ses pattes. Hop ! la voilà partie, la tête en avant, à travers les maquis et les buissières, tantôt sur un pic, tantôt au fond d'un ravin, là-haut, en bas, partout... On aurait dit qu'il y avait dix chèvres de M. Seguin dans la montagne.

C'est qu'elle n'avait peur de rien, la Blanchette.

Elle franchissait d'un saut de grands torrents qui l'éclaboussaient au passage de poussière humide et d'écume. Alors, toute ruisselante, elle allait s'étendre sur quelque roche plate et se faisait sécher par le soleil... Une fois, s'avançant au bord d'un plateau, une fleur de cytise aux dents, elle aperçut en bas, tout en bas dans la plaine, la maison de M. Seguin avec le clos derrière. Cela la fit rire aux larmes.

– Que c'est petit ! dit-elle ; comment ai-je pu tenir là-dedans ?

Pauvrette ! de se voir si haut perchée, elle se croyait au moins aussi grande que le monde...

En somme, ce fut une bonne journée pour la chèvre de M. Seguin. Vers le milieu du jour, en courant de droite à gauche, elle tomba dans une troupe de chamois en train de croquer une lambrusque à belles dents. Notre petite coureuse en robe blanche fit sensation. On lui donna la meilleure place à la lambrusque, et tous ces messieurs furent très galants... Il paraît même, – ceci doit rester entre nous, Gringoire, – qu'un jeune chamois à pelage noir eut la bonne fortune de plaire à Blanchette. Les deux amoureux s'égarèrent parmi le bois une heure ou deux, et si tu veux savoir ce qu'ils se dirent, va le demander aux sources bavardes qui courent invisibles dans la mousse.

Tout à coup le vent fraîchit. La montagne devint violette ; c'était le soir...

– Déjà ! dit la petite chèvre ; et elle s'arrêta fort étonnée.

En bas, les champs étaient noyés de brume. Le clos de M. Seguin disparaissait dans le brouillard, et de la maisonnette on ne voyait plus que le toit avec un peu de fumée. Elle écouta les clochettes d'un troupeau qu'on ramenait, et se sentit l'âme toute triste... Un gerfaut, qui rentrait, la frôla de ses ailes en passant. Elle tressaillit... puis ce fut un hurlement dans la montagne :

– Hou ! hou !

Elle pensa au loup ; de tout le jour la folle n'y avait pas pensé... Au même moment une trompe sonna bien loin dans la vallée. C'était ce bon M. Seguin qui tentait un dernier effort.

– Hou ! hou !... faisait le loup.

– Reviens ! reviens !... criait la trompe.

Blanchette eut envie de revenir ; mais en se rappelant le pieu, la corde, la haie du clos, elle pensa que maintenant elle ne pouvait plus se faire à cette vie, et qu'il valait mieux rester.

La trompe ne sonnait plus...

La chèvre entendit derrière elle un bruit de feuilles. Elle se retourna et vit dans l'ombre deux oreilles courtes, toutes droites, avec deux yeux qui reluisaient... C'était le loup.

Énorme, immobile, assis sur son train de derrière, il était là regardant la petite chèvre blanche et la dégustant par avance. Comme il savait bien qu'il la mangerait, le loup ne se pressait pas ; seulement, quand elle se retourna, il se mit à rire méchamment.

– Ha ! ha ! la petite chèvre de M. Seguin ; et il passa sa grosse langue rouge sur ses babines d'amadou.

Blanchette se sentit perdue... Un moment, en se rappelant l'histoire de la vieille Renaude, qui s'était battue toute la nuit pour être mangée le matin, elle se dit qu'il vaudrait peut-être mieux se laisser manger tout de suite ; puis, s'étant ravisée, elle tomba en garde, la tête basse et la corne en avant, comme une brave chèvre de M. Seguin qu'elle était... Non pas qu'elle eût l'espoir de tuer le loup, – les chèvres ne tuent pas le loup, – mais seulement pour voir si elle pourrait tenir aussi longtemps que la Renaude...

Alors le monstre s'avança, et les petites cornes entrèrent en danse.

Ah ! la brave chevrette, comme elle y allait de bon cœur ! Plus de dix fois, je ne mens pas, Gringoire, elle força le loup à reculer pour reprendre haleine. Pendant ces trêves d'une minute, la gourmande cueillait en hâte encore un brin de sa chère herbe ; puis elle retournait au combat, la bouche pleine... Cela dura toute la nuit. De temps en temps la chèvre de M. Seguin regardait les étoiles danser dans le ciel clair, et elle se disait :

– Oh ! pourvu que je tienne jusqu'à l'aube...

L'une après l'autre, les étoiles s'éteignirent. Blanquette redoubla de coups de cornes, le loup de coups de dents... Une lueur pâle parut dans l'horizon... Le chant d'un coq enroué monta d'une métairie.

– Enfin ! dit la pauvre bête, qui n'attendait plus que le jour pour mourir ; et elle s'allongea par terre dans sa belle fourrure blanche toute tachée de sang...

Alors le loup se jeta sur la petite chèvre et

la mangea.

Adieu, Gringoire !

L'histoire que tu as entendue n'est pas un conte de mon invention. Si jamais tu viens en Provence, nos ménagers te parleront souvent de la *cabro de moussu Seguin, que se battégue touto la neui emé lou loup, e piei lou matin lou loup la mangé.*

Tu m'entends bien, Gringoire :

E piei lou matin lou loup la mangé.

Succédant aux contes provençaux, la lettre XII offre deux ballades en prose, dont celle-ci pleine d'enjouement :

LE SOUS-PRÉFET AUX CHAMPS

M. le sous-préfet est en tournée. Cocher devant, laquais derrière, la calèche de la sous-préfecture l'emporte majestueusement au concours régional de la Combe-aux-Fées. Pour cette journée mémorable, M. le sous-préfet a mis son bel habit brodé, son petit claque, sa culotte blanche à bandes d'argent et son épée de gala à poignée de nacre. Sur ses genoux repose une grande serviette en chagrin gaufré qu'il regarde tristement.

M. le sous-préfet regarde tristement sa serviette en chagrin gaufré ; il songe au fameux discours qu'il va falloir prononcer tout à l'heure devant les habitants de la Combe-aux-Fées :

– Messieurs et chers administrés...

Mais il a beau tortiller la soie blonde de ses favoris et répéter vingt fois de suite :

– Messieurs et chers administrés... la suite du discours ne vient pas.

La suite du discours ne vient pas... Il fait si chaud dans cette calèche !... A perte de vue, la route de la Combe-aux-Fées poudroie sous le soleil du Midi... L'air est embrasé... et sur les ormeaux du bord du chemin, tout couverts de poussière blanche, des milliers de cigales se répondent d'un arbre à l'autre... Tout à coup M. le sous-préfet tressaille. Làbas, au pied d'un coteau, il vient d'apercevoir un petit bois de chênes verts qui semble lui faire signe.

Le petit bois de chênes verts semble lui faire signe :

– Venez donc par ici, monsieur le sous-préfet ; pour composer votre discours, vous serez beaucoup mieux sous mes arbres...

M. le sous-préfet est séduit : il saute à bas de sa calèche et dit à ses gens de l'attendre, qu'il va composer son discours dans le petit bois de chênes verts.

Dans le petit bois de chênes verts il y a des oiseaux, des violettes et des sources sous l'herbe fine... Quand ils ont aperçu M. le sous-préfet avec sa culotte et sa serviette en chagrin gaufré, les oiseaux ont eu peur et se sont arrêtés de chanter, les sources n'ont plus osé faire de bruit, et les violettes se sont cachées dans le gazon. Tout ce petit monde-là n'a jamais vu de sous-préfet, et se demande à voix basse quel est ce beau seigneur qui se promène en culotte d'argent.

A voix basse, sous la feuillée, on se demande quel est ce beau seigneur en culotte d'argent... Pendant ce temps-là, M. le sous-préfet, ravi du silence et de la fraîcheur du bois, relève les pans de son habit, pose son claque sur l'herbe et s'assied dans la mousse au pied d'un jeune chêne ; puis il ouvre sur ses genoux sa grande serviette de chagrin gaufré et en tire une large feuille de papier ministre.

– C'est un artiste ! dit la fauvette.

– Non, dit le bouvreuil, ce n'est pas un artiste, puisqu'il a une culotte en argent ; c'est plutôt un prince.

– C'est plutôt un prince, dit le bouvreuil.

– Ni un artiste, ni un prince, interrompt un vieux rossignol, qui a chanté toute une saison dans les jardins de la sous-préfecture... Je sais ce que c'est : c'est un sous-préfet !

Et tout le petit bois va chuchotant :

– C'est un sous-préfet ! c'est un sous-préfet !

– Comme il est chauve ! remarque une alouette à grande huppe.

Les violettes demandent :

– Est-ce que c'est méchant ?

– Est-ce que c'est méchant ? demandent les violettes.

Le vieux rossignol répond :

– Pas du tout.

Et, sur cette assurance, les oiseaux se remettent à chanter, les sources à courir, les violettes à embaumer, comme si le monsieur n'était pas là... Impassible au milieu de tout ce joli tapage, M. le sous-préfet invoque dans son cœur la Muse des comices agricoles, et, le crayon levé, commence à déclamer de sa voix de cérémonie :

– Messieurs et chers administrés...

– Messieurs et chers administrés, dit le sous-préfet de sa voix de cérémonie.

– Un éclat de rire l'interrompt : il se retourne et ne voit rien qu'un gros pivert qui le regarde en riant, perché sur son claque. Le sous-préfet hausse les épaules et veut continuer son discours ; mais le pivert l'interrompt encore et lui crie de loin :

– A quoi bon ?

– Comment ! à quoi bon ? dit le sous-préfet, qui devient tout rouge ; et, chassant d'un geste cette bête effrontée, il reprend de plus belle :

– Messieurs et chers administrés...

– Messieurs et chers administrés..., a repris le sous-préfet de plus belle.

Mais alors, voilà les petites violettes qui se haussent vers lui sur le bout de leurs tiges et qui lui disent doucement :

– Monsieur le sous-préfet, sentez-vous comme nous sentons bons ?

Et les sources lui font sous la mousse une musique divine ; et dans les branches, au-dessus de sa tête, des tas de fauvettes viennent lui chanter leurs plus jolis airs ; et tout le petit bois conspire pour l'empêcher de composer son discours.

Tout le petit bois conspire pour l'empêcher de composer son discours... M. le sous-préfet, grisé de parfums, ivre de musique, essaye vainement de résister au nouveau charme qui l'envahit. Il s'accoude sur l'herbe, dégrafe son bel habit, balbutie encore deux ou trois fois :

– Messieurs et chers administrés... Messieurs et chers admi... Messieurs et chers...

Puis il envoie les administrés au diable ; et la Muse des comices agricoles n'a plus qu'à se voiler la face.

Voile-toi la face, ô Muse des comices agricoles !... Lorsque, au bout d'une heure, les gens de la sous-préfecture, inquiets de leur maître, sont entrés dans le petit bois, ils ont vu un spectacle qui les a fait reculer d'horreur... M. le sous-préfet était couché sur le ventre, dans l'herbe, débraillé comme un bohème. Il avait mis son habit bas ; ... et, tout en mâchonnant des violettes, M. le sous-préfet faisait des vers.

ROMAN AUTOBIOGRAPHIQUE

Le Petit Chose

1868

L'histoire de Daniel Eyssette, le Petit Chose, est celle de l'enfance et des débuts difficiles dans la vie de Daudet lui-même. Surveillant au collège de Sarlande, dans les Cévennes, Daniel Eyssette prend en aversion un jeune élève « sale, mal peigné, mal vêtu, sentant le ruisseau et pour que rien ne manquât, affreusement bancal », ce qui lui a valu le surnom cruel de Bamban :

J'adressais chaque semaine au principal un rapport circonstancié sur l'élève Bamban et les nombreux désordres que sa présence entraînait. Malheureusement mes rapports restaient sans réponse et j'étais toujours obligé de me montrer dans les rues, en compagnie de M. Bamban, plus sale et plus bancal que jamais.

Un dimanche entre autres, un beau dimanche de fête et de grand soleil, il m'arriva pour la promenade dans un état de toilette tel que nous en fûmes tous épouvantés. Vous n'avez jamais rien rêvé de semblable. Des mains noires, des souliers sans cordons, de la boue jusque dans les cheveux, presque plus de culottes..., un monstre.

Le plus risible, c'est qu'évidemment on l'avait fait très beau, ce jour-là, avant de me l'envoyer. Sa tête, mieux peignée qu'à l'ordinaire, était encore roide de pommade, et le nœud de cravate avait je ne sais quoi qui sentait les doigts maternels. Mais il y a tant de ruisseaux avant d'arriver au collège !

Bamban s'était roulé dans tous.

Quand je le vis prendre son rang parmi les autres, paisible et souriant comme si de rien n'était, j'eus un mouvement d'horreur et d'indignation.

Je lui criai : « Va-t-en ! »

Bamban pensa que je plaisantais et continua de sourire. Il se croyait très beau, ce jour-là !

Je lui criai de nouveau : « Va-t-en ! va-t-en ! »

Il me regarda d'un air triste et soumis, son œil suppliait, mais je fus inexorable et la division s'ébranla, le laissant seul au milieu de la rue. Je me croyais délivré de lui pour toute la journée, lorsqu'au sortir de la ville des rires et des chuchotements à mon arrière-garde me firent retourner la tête. A quatre ou cinq pas derrière nous, Bamban suivait la promenade gravement.

« Doublez le pas, » dis-je aux deux premiers.

Les élèves comprirent qu'il s'agissait de faire une niche au bancal, et la division se mit à filer un train d'enfer.

De temps en temps, on se retournait pour voir si Bamban pouvait suivre, et on riait de l'apercevoir là-bas, bien loin, gros comme le poing, trottant dans la poussière de la route, au milieu des marchands de gâteaux et de limonade. Cet enragé-là arriva à la Prairie presque en même temps que nous. Seulement, il était pâle de fatigue et tirait la jambe à faire pitié.

J'en eus le cœur touché et, un peu honteux de ma cruauté, je l'appelai près de moi doucement.

Il avait une petite blouse fanée, à carreaux rouges, la blouse du petit Chose, au collège de Lyon.

Je la reconnus tout de suite, cette blouse, et, dans moi-même, je me disais : « Misérable, tu n'as pas honte ? Mais c'est toi, c'est le petit Chose que tu t'amuses à martyriser ainsi. » Et, plein de larmes intérieures, je me mis à aimer de tout mon cœur ce pauvre déshérité.

José-Maria de Hérédia

SANTIAGO DE CUBA 1842 –
CHÂTEAU DE BOURDONNÉ (SEINE-ET-OISE) 1905.

Le père de José-Maria, d'une famille espagnole qui compta de nombreux conquistadors, est planteur à Cuba ; sa mère est française. Hérédia bénéficiera de la fortune familiale. Il fait ses études en France à l'École des Chartes, et publie ses premiers poèmes en 1826. En 1866, Leconte de Lisle l'accueille dans le ***Parnasse contemporain.*** *Hérédia traduit la* ***Véridique Histoire de la conquête de la Nouvelle Espagne*** *de Bernal Diaz del Castillo, et la* ***Nonne Alferez*** *de Catalina de Erauso. Les* ***Trophées*** *paraissent en 1893 ; ces sonnets sont déjà très célèbres, et la première édition est épuisée en quelques heures ; cette même année Hérédia est élu à l'Académie française.*

POÉSIE

.Les Trophées.

1893

Les ***Trophées*** *sont dédiés à Leconte de Lisle. C'est la seule œuvre de Hérédia, si l'on néglige, comme on le doit, ses poèmes de circonstance. Ces sonnets sont ainsi divisés :* ***La Grèce et la Sicile ; Rome et les Barbares ; Le Moyen Âge et la Renaissance ; L'Orient et les Tropiques ; La Nature et le Rêve.***

.LE NAUFRAGÉ.

Avec la brise en poupe et par un ciel serein,
Voyant le Phare fuir à travers la mâture,
Il est parti d'Égypte au lever de l'Arcture,
Fier de sa nef rapide aux flancs doublés d'airain.

Il ne reverra plus le môle Alexandrin.
Dans le sable où pas même un chevreau ne pâture
La tempête a creusé sa triste sépulture ;
Le vent du large y tord quelque arbuste marin.

Au pli le plus profond de la mouvante dune,
En la nuit sans aurore et sans astre et sans lune,
Que le navigateur trouve enfin le repos.

O Terre, ô Mer, pitié pour son Ombre anxieuse !
Et sur la rive hellène où sont venus ses os,
Soyez-lui, toi, légère, et toi, silencieuse.

LA GRÈCE ET LA SICILE

"Comme un vol de gerfauts hors du charnier natal"

.APRÈS CANNES.

Un des consuls tués, l'autre fuit vers Linterne
Ou Venuse. L'Aufide a débordé, trop plein
De morts et d'armes. La foudre au Capitolin
Tombe, le bronze sue et le ciel rouge est terne.

En vain le Grand Pontife a fait un lectisterne
Et consulté deux fois l'oracle sibyllin ;
D'un long sanglot l'aïeul, la veuve, l'orphelin
Emplissent Rome en deuil que la terreur consterne.

Et chaque soir la foule allait aux aqueducs,
Plèbe, esclaves, enfants, femmes, vieillards caducs
Et tout ce que vomit Subure et l'ergastule ;

Tous anxieux de voir surgir, au dos vermeil
Des monts Sabins où luit l'œil sanglant du soleil,
Le Chef borgne monté sur l'éléphant Gétule.

ROME ET LES BARBARES

.VITRAIL.

Cette verrière a vu dames et hauts barons
Étincelants d'azur, d'or, de flamme et de nacre,
Incliner, sous la dextre auguste qui consacre,
L'orgueil de leurs cimiers et de leurs chaperons ;

Lorsqu'ils allaient, au bruit du cor ou des clairons,
Ayant le glaive au poing, le gerfaut ou le sacre,
Vers la plaine ou le bois, Byzance ou Saint-Jean-d'Acre,
Partir pour la croisade ou le vol des hérons.

Aujourd'hui, les seigneurs auprès des châtelaines,
Avec le lévrier à leurs longues poulaines,
S'allongent aux carreaux de marbre blanc et noir ;

Ils gisent là sans voix, sans geste et sans ouïe,
Et de leurs yeux de pierre ils regardent sans voir
La rose du vitrail toujours épanouie.

LE MOYEN ÂGE ET LA RENAISSANCE

.LES CONQUÉRANTS.

Comme un vol de gerfauts hors du charnier natal,
Fatigués de porter leurs misères hautaines,
De Palos de Moguer routiers et capitaines
Partaient, ivres d'un rêve héroïque et brutal.

Ils allaient conquérir le fabuleux métal
Que Cipango mûrit dans ses mines lointaines,
Et les vents alizés inclinaient leurs antennes
Aux bords mystérieux du monde occidental.

Chaque soir, espérant des lendemains épiques
L'azur phosphorescent de la mer des Tropiques
Enchantait leur sommeil d'un mirage doré ;

Ou, penchés à l'avant des blanches caravelles,
Ils regardaient monter en un ciel ignoré
Du fond de l'Océan des étoiles nouvelles.

LE MOYEN ÂGE ET LA RENAISSANCE

.MICHEL-ANGE.

Certe, il était hanté d'un tragique tourment,
Alors qu'à la Sixtine et loin de Rome en fêtes,
Solitaire, il peignait Sibylles et Prophètes
Et, sur le sombre mur, le dernier Jugement.

Il écoutait en lui pleurer obstinément,
Titan que son désir enchaîne aux plus hauts faîtes,
La Patrie et l'Amour, la Gloire et leurs défaites ;
Il songeait que tout meurt et que le rêve ment.

Aussi ces lourds Géants, las de leur force exsangue,
Ces Esclaves qu'étreint une infrangible gangue,
Comme il les a tordus d'une étrange façon ;

Et dans les marbres froids où bout son âme altière,
Comme il a fait courir avec un grand frisson
La colère d'un Dieu vaincu par la Matière !

LA NATURE ET LE RÊVE

Étienne dit

Stéphane Mallarmé

PARIS 1842 – VALVINS 1898.

Adolescent Mallarmé écrit ses premiers poèmes ; il lit Hugo, Sainte-Beuve, Baudelaire, puis découvre Edgar Poe, et l'école parnassienne. Après son baccalauréat, Mallarmé est placé par sa famille employé aux bureaux de l'Enregistrement. Il publie ses premiers textes en 1862. Songeant à traduire Edgar Poe, il approfondit sa connaissance de l'anglais, et à cette fin séjourne en Angleterre en 1863. A son retour il se marie ; et est nommé professeur d'anglais à Tournon. Il écrit, mais lentement. Collègues et élèves le déçoivent puis le dégoûtent. Il entreprend une tragédie ; ***Hérodiade****, qu'il change en poème. De ses poésies paraissent en 1866 dans le Parnasse contemporain. Nait en lui l'idée de l'Œuvre unique, du Livre, « persuadé au fond qu'il n'y en a qu'un », et qui consiste en « l'explication orphique de la Terre, qui est le seul devoir du poète et le jeu littéraire par excellence ». Mais pendant deux ans Mallarmé n'écrit rien, une sorte d'aphasie « littéraire » le tient pour toujours, contre laquelle il ne cessera d'aller. En 1869, il rédige le conte* ***Igitur ou la folie d'Elbehnon****. Nommé à Paris en 1871, ses poèmes paraissent, mais il publie à compte d'auteur l'****Après-midi d'un faune.*** *Il organise les « mardi », où se rencontrent les meilleurs esprits du monde littéraire.*

Mis à la retraite anticipée en 1893, il songe à une « œuvre totale » mais échoue de nouveau. Il donne enfin, en 1897, dans une typographie audacieuse et abusivement imitée depuis, ***Un coup de dés jamais n'abolira le hasard.***

POÉSIE

.Poésies.

1898

.L'AZUR.

De l'éternel azur la sereine ironie
Accable, belle indolemment comme les fleurs,
Le poète impuissant qui maudit son génie
A travers un désert stérile de Douleurs.

Fuyant, les yeux fermés, je le sens qui regarde
Avec l'intensité d'un remords atterrant,
Mon âme vide. Où fuir ? Et quelle nuit hagarde
Jeter, lambeaux, jeter sur ce mépris navrant ?

Brouillards, montez ! Versez vos cendres monotones
Avec de longs haillons de brume dans les cieux
Qui noiera le marais livide des automnes
Et bâtissez un grand plafond silencieux !

Et toi, sors des étangs léthéens et ramasse
En t'en venant la vase et les pâles roseaux,
Cher Ennui, pour boucher d'une main jamais lasse
Les grands trous bleus que font méchamment les
oiseaux.

Encor ! que sans répit les tristes cheminées
Fument, et que de suie une errante prison
Éteigne dans l'horreur de ses noires traînées
Le soleil se mourant jaunâtre à l'horizon !

– Le Ciel est mort. – Vers toi, j'accours ! donne, ô
matière,
L'oubli de l'Idéal cruel et du Péché
A ce martyr qui vient partager la litière
Où le bétail heureux des hommes est couché,

Car j'y veux, puisque enfin ma cervelle, vidée
Comme le pot de fard gisant au pied d'un mur,
N'a plus l'art d'attifer la sanglotante idée,
Lugubrement bâiller vers un trépas obscur...

En vain ! l'Azur triomphe, et je l'entends qui chante
Dans les cloches. Mon âme, il se fait voix pour plus
Nous faire peur avec sa victoire méchante,
Et du métal vivant sort en bleus angelus !

Il roule par la brume, ancien et traverse
Ta native agonie ainsi qu'un glaive sûr ;
Où fuir dans la révolte inutile et perverse ?
Je suis hanté. L'Azur ! l'Azur ! l'Azur ! l'Azur !

.BRISE MARINE.

La chair est triste, hélas ! et j'ai lu tous les livres
Fuir ! là-bas fuir ! Je sens que des oiseaux sont ivres
D'être parmi l'écume inconnue et les cieux !
Rien, ni les vieux jardins reflétés par les yeux
Ne retiendra ce cœur qui dans la mer se trempe,
Ô nuits ! ni la clarté déserte de ma lampe
Sur le vide papier que la blancheur défend
Et ni la jeune femme allaitant son enfant.
Je partirai ! Steamer balançant ta mâture,
Lève l'ancre pour une exotique nature !
Un Ennui, désolé par les cruels espoirs,
Croit encore à l'adieu suprême des mouchoirs !
Et, peut-être, les mâts, invitant les orages,
Sont-ils de ceux qu'un vent penche sur les naufrages
Perdus, sans mâts, sans mâts, ni fertiles îlots.
Mais, ô mon cœur, entends le chant des matelots.

.LE CYGNE.

Le vierge, le vivace et le bel aujourd'hui
Va-t-il nous déchirer avec un coup d'aile ivre
Ce lac dur oublié que hante sous le givre
Le transparent glacier des vols qui n'ont pas fui !

Un cygne d'autrefois se souvient que c'est lui
Magnifique mais qui sans espoir se délivre
Pour n'avoir pas chanté la région où vivre
Quand du stérile hiver a resplendi l'ennui.

Tout son col secouera cette blanche agonie
Par l'espace infligée à l'oiseau qui le nie,
Mais non l'horreur du sol où le plumage est pris.

Fantôme qu'à ce lieu son pur éclat assigne,
Il s'immobilise au songe froid de mépris
Que vêt parmi l'exil inutile le Cygne.

Ses purs ongles très haut dédiant leur onyx,
L'Angoisse, ce minuit, soutient, lampadophore,
Maint rêve vespéral brûlé par le Phénix
Que ne recueille pas de cinéraire amphore.

Sur les crédences, au salon vide : nul ptyx,
Aboli bibelot d'inanité sonore,
(Car le Maître est allé puiser des pleurs au Styx
Avec ce seul objet dont le Néant s'honore).

Mais proche la croisée au nord vacante, un or
Agonise selon peut-être le décor
Des licornes ruant du feu contre une nixe,

Elle, défunte nue en le miroir, encor
Que, dans l'oubli fermé par le cadre, se fixe
De scintillations sitôt le septuor.

.SALUT.

Rien, cette écume, vierge vers
A ne désigner que la coupe ;
Telle loin se noie une troupe
De sirènes mainte à l'envers.

Nous naviguons, ô mes divers
Amis, moi déjà sur la poupe
Vous l'avant fastueux qui coupe
Le flot de foudres et d'hivers ;

Une ivresse belle m'engage
Sans craindre même son tangage
De porter debout ce salut

Solitude, récif, étoile
A n'importe ce qui valut
Le blanc souci de notre toile.

.LE TOMBEAU D'ÉDGAR POE.

Tel qu'en Lui-même enfin l'éternité le change,
Le Poëte suscite avec un glaive nu
Son siècle épouvanté de n'avoir pas connu
Que la mort triomphait dans cette voix étrange !

Eux, comme un vil sursaut d'hydre oyant jadis l'ange
Donner un sens plus pur aux mots de la tribu
Proclamèrent très haut le sortilège bu
Dans le flot sans honneur de quelque noir mélange.

Du sol et de la nue hostiles, ô grief !
Si notre idée avec ne sculpte un bas-relief
Dont la tombe de Poe éblouissante s'orne,

Calme bloc ici-bas chu d'un désastre obscur,
Que ce granit du moins montre à jamais sa borne
Aux noirs vols du Blasphème épars dans le futur.

.LE TOMBEAU DE BAUDELAIRE.

Le temple enseveli divulgue par la bouche
Sépulcrale d'égout bavant boue et rubis
Abominablement quelque idole Anubis
Tout le museau flambé comme un aboi farouche

Ou que le gaz récent torde la mèche louche
Essuyeuse ont le sait des opprobres subis
Il allume hagard un immortel pubis
Dont le vol selon le réverbère découche

Quel feuillage séché dans les cités sans soir
Votif pourra bénir comme elle se rasseoir
Contre le marbre vainement de Baudelaire

Au voile qui la ceint absente avec frissons
Celle son Ombre même un poison tutélaire
Toujours à respirer si nous en périssons.

.LE TOMBEAU DE VERLAINE.

Le noir roc courroucé que la bise le roule
Ne s'arrêtera ni sous de pieuses mains
Tâtant sa ressemblance avec les maux humains
Comme pour en bénir quelque funeste moule.

Ici presque toujours si le ramier roucoule
Cet immatériel deuil opprime de maints
Nubiles plis l'astre mûri des lendemains
Dont un scintillement argentera la foule.

Qui cherche, parcourant le solitaire bond
Tantôt extérieur de notre vagabond –
Verlaine ? Il est caché parmi l'herbe, Verlaine

A ne surprendre que naïvement d'accord
La lèvre sans y boire ou tarir son haleine
Un peu profond ruisseau calomnié la mort.

L'après-midi d'un faune

1876

Un faune en Sicile s'éveille, il est au bord d'un étang où croissent les roseaux dont on fait des flûtes. En songe il a vu deux nymphes ; par la poésie et la musique il s'efforce de recomposer son rêve ; le sommeil peut seul lui rendre l'apparence des nymphes.

(...)

O bords siciliens d'un calme marécage
Qu'à l'envi de soleils ma vanité saccage,
Tacite sous les fleurs d'étincelles, CONTEZ
« Que je coupais ici les creux roseaux domptés
« Par le talent ; quand, sur l'or glauque de lointaines
« Verdures dédiant leur vigne à des fontaines,
« Ondoie une blancheur animale au repos :
« Et qu'au prélude lent où naissent les pipeaux
« Ce vol de cygnes, non ! de naïades se sauve
« Ou plonge... »

Inerte, tout brûle dans l'heure fauve
Sans marquer par quel art ensemble détala
Trop d'hymen souhaité de qui cherche le *la* :
Alors m'éveillerai-je à la ferveur première,
Droit et seul, sous un flot antique de lumière,
Lys ! et l'un de vous tous pour l'ingénuité.

Autre que ce doux rien par leur lèvre ébruité,
Le baiser, qui tout bas des perfides assure,
Mon sein, vierge de preuve, atteste une morsure
Mystérieuse, due à quelque auguste dent ;
Mais, bast ! arcane tel élut pour confident
Le jonc vaste et jumeau dont sous l'azur on joue :

Qui, détournant à soi le trouble de la joue,
Rêve, dans un solo long, que nous amusions
La beauté d'alentour par des confusions
Fausses entre elle-même et notre chant crédule ;
Et de faire aussi haut que l'amour se module
Évanouir du songe ordinaire de dos
Ou de flanc pur suivis avec mes regards clos,
Une sonore, vaine et monotone ligne.

Tâche donc, instrument des fuites, ô maligne
Syrinx, de refleurir aux lacs où tu m'attends !
Moi, de ma rumeur fier, je vais parler longtemps
Des déesses ; et par d'ilolâtres peintures,
A leur ombre enlever encore des ceintures :
Ainsi, quand des raisons j'ai sucé la clarté,
Pour bannir un regret par ma feinte écarté,
Rieur, j'élève au ciel d'été la grappe vide
Et, soufflant dans ses peaux lumineuses, avide
D'ivresse, jusqu'au soir je regarde au travers.

O Nymphes, regonflons des SOUVENIRS divers. (...)

*Debussy s'inspirera de Mallarmé en composant son **Prélude à l'après-midi d'un Faune.***

Paul Marie Verlaine

METZ 1844 – PARIS 1896.

Verlaine connaît très tôt la débauche qui sera la compagne de toute sa vie. Il n'achève pas ses études de droit, et prend un emploi d'expéditionnaire à la Mairie de Paris. Très tôt aussi, Verlaine a « rimé » ; en 1865, il publie des études sur Baudelaire et Barbey d'Aurevilly et quelques poèmes. Il est ensuite accueilli par le **Parnasse contemporain**, *et ses* **Poèmes saturniens** *paraissent en 1866. Il publie les* **Fêtes galantes** *en 1869, et l'année suivante – année de son mariage avec Mathilde Mauté –* **La Bonne Chanson.** *Il perd son emploi parce qu'on le suspecte de sympathie envers la Commune. En 1871 a lieu la rencontre avec Rimbaud. Verlaine le loge chez lui. A la suite de scènes violentes, Mathilde est contrainte de quitter le domicile avec son jeune fils. Verlaine et Rimbaud quittent Paris pour la Belgique, puis l'Angleterre. Ils se quittent, renouent, etc., jusqu'au jour où Verlaine, à Bruxelles, tire deux coups de révolver sur son ami, le blessant légèrement. Rimbaud porte plainte et Verlaine est condamné à deux ans de prison. Mathilde obtient le divorce. Paraissent les* **Romances sans paroles** *(1874) ; Verlaine retrouve le catholicisme avec une grande ferveur dont témoigne le recueil* **Sagesse** *(1881). Il est professeur deux ans en Angleterre, puis à Paris, mais renonce et vit de sa plume, c'est-à-dire à peu près dans la misère jusqu'à sa mort.* **Parrallèlement** *est publié en 1889 ; Verlaine à la mort de Leconte de Lisle est sacré Prince des poètes en 1894.*

POÉSIE

.Poèmes saturniens.

1866

Saturnien désigne ce qui est triste et mélancolique, lourd comme le plomb et peut-être atteint de saturnisme ; et aussi un rythme en prosodie, le vers saturnien se composant de trois iambes et demi suivis de trois trochées.

Nevermore *est le refrain du* **Corbeau** *d'Edgar Poe.*

.NEVERMORE.

Souvenir, souvenir, que me veux-tu ? L'automne
Faisait voler la grive à travers l'air atone,
Et le soleil dardait un rayon monotone
Sur le bois jaunissant où la bise détone.

Nous étions seul à seule et marchions en rêvant,
Elle et moi, les cheveux et la pensée au vent.
Soudain, tournant vers moi son regard émouvant :
« Quel fut ton plus beau jour ? » fit sa voix d'or vivant,

Sa voix douce et sonore, au frais timbre angélique.
Un sourire discret lui donna la réplique,
Et je baisai sa main blanche, dévotement.

– Ah ! les premières fleurs, qu'elles sont parfumées !
Et qu'il bruit avec un murmure charmant
Le premier oui qui sort de lèvres bien-aimées !

MELANCHOLIA, 2

.MON RÊVE FAMILIER.

Je fais souvent ce rêve étrange et pénétrant
D'une femme inconnue, et que j'aime, et qui m'aime,
Et qui n'est, chaque fois, ni tout à fait la même
Ni tout à fait une autre, et m'aime et me comprend.

Car elle me comprend, et mon cœur, transparent
Pour elle seule hélas ! cesse d'être un problème
Pour elle seule, et les moiteurs de mon front blême,
Elle seule les sait rafraîchir, en pleurant.

Est-elle brune, blonde ou rousse ? – Je l'ignore.
Son nom ? Je me souviens qu'il est doux et sonore
Comme ceux des aimés que la Vie exila.

Son regard est pareil au regard des statues,
Et, pour sa voix, lointaine, et calme, et grave, elle a
L'inflexion des voix chères qui se sont tues.

MELANCHOLIA, 6

.SOLEILS COUCHANTS.

Une aube affaiblie
Verse par les champs
La mélancolie
Des soleils couchants.
La mélancolie
Berce de doux chants
Mon cœur qui s'oublie
Aux soleils couchants.
Et d'étranges rêves,
Comme des soleils
Couchants sur les grèves,
Fantômes vermeils,
Défilent sans trêves,
Défilent, pareils
A des grands soleils
Couchants sur les grèves.

PAYSAGES TRISTES, 1

.CHANSON D'AUTOMNE.

Les sanglots longs
Des violons
De l'automne
Blessent mon cœur
D'une langueur
Monotone.

Tout suffocant
Et blême, quand
Sonne l'heure,
Je me souviens
Des jours anciens
Et je pleure ;

Et je m'en vais
Au vent mauvais
Qui m'emporte
Deçà, delà,
Pareil à la
Feuille morte.

PAYSAGES TRISTES, 5

.Fêtes galantes.

1869

Pierrot, Arlequin, Colombine, et des « masques » viennent et ballent dans les paysages de Watteau.

.CLAIR DE LUNE.

Votre âme est un paysage choisi
Que vont charmant masques et bergamasques
Jouant du luth et dansant et quasi
Tristes sous leurs déguisements fantasques.

Tout en chantant sur le mode mineur
L'amour vainqueur et la vie opportune,
Ils n'ont pas l'air de croire à leur bonheur
Et leur chanson se mêle au clair de lune,

Au calme clair de lune triste et beau,
Qui fait rêver les oiseaux dans les arbres
Et sangloter d'extase les jets d'eau,
Les grands jets d'eau sveltes parmi les marbres.

.À CLYMÈNE.

Mystiques barcarolles,
Romances sans paroles,
Chère, puisque tes yeux,
Couleur des cieux,

Puisque ta voie, étrange
Vision qui dérange
Et trouble l'horizon
De ma raison,

Puisque l'arome insigne
De ta pâleur de cygne,
Et puisque la candeur
De ton odeur,

Ah ! puisque tout ton être,
Musique qui pénètre,
Nimbes d'anges défunts,
Tons et parfums,

A, sur d'almes cadences,
En ses correspondances
Induit mon cœur subtil,
Ainsi soit-il !

.SUR L'HERBE.

L'abbé divague. – Et toi, marquis,
Tu mets de travers ta perruque.
– Ce vieux vin de Chypre est exquis
Moins, Camargo, que votre nuque.

– Ma flamme... – Do, mi, sol, la, si.
– L'abbé, ta noirceur se dévoile !
– Que je meure, Mesdames, si
Je ne vous décroche une étoile !

– Je voudrais être petit chien !
– Embrassons nos bergères l'une
Après l'autre. – Messieurs, eh bien ?
– Do, mi, sol. – Hé ! bonsoir la Lune !

.LE FAUNE.

Un vieux faune de terre cuite
Rit au centre des boulingrins,
Présageant sans doute une suite
Mauvaise à ces instants sereins

Qui m'ont conduit et t'ont conduite,
Mélancoliques pèlerins,
Jusqu'à cette heure dont la fuite
Tournoie au son des tambourins.

.Romances sans paroles.

1874

Il pleut doucement sur la ville.
(Arthur Rimbaud)

Il pleure dans mon cœur
Comme il pleut sur la ville ;
Quelle est cette langueur
Qui pénètre mon cœur ?

Ô bruit doux de la pluie
Par terre et sur les toits !
Pour un cœur qui s'ennuie
Ô le chant de la pluie !

Il pleure sans raison
Dans ce cœur qui s'écœure.
Quoi ! nulle trahison ?...
Ce deuil est sans raison.

C'est bien la pire peine
De ne savoir pourquoi
Sans amour et sans haine
Mon cœur a tant de peine !

.Sagesse.

1881

O mon Dieu, vous m'avez blessé d'amour,
Et la blessure est encore vibrante,
O mon Dieu, vous m'avez blessé d'amour.

O mon Dieu, votre crainte m'a frappé
Et la brûlure est encor là qui tonne,
O mon Dieu, votre crainte m'a frappé.

O mon Dieu, j'ai connu que tout est vil
Et votre gloire en moi s'est installée,
O mon Dieu, j'ai connu que tout est vil.

Noyez mon âme aux flots de votre Vin,
Fondez ma vie au Pain de votre table,
Noyez mon âme aux flots de votre Vin.

Voici mon sang que je n'ai pas versé,
Voici ma chair indigne de souffrance,
Voici mon sang que je n'ai pas versé.

Voici mon front qui n'a pu que rougir,
Pour l'escabeau de vos pieds adorables,
Voici mon front qui n'a pu que rougir.

Voici mes mains qui n'ont pas travaillé,
Pour les charbons ardents et l'encens rare,
Voici mes mains qui n'ont pas travaillé.

Voici mon cœur qui n'a battu qu'en vain,
Pour palpiter aux ronces du Calvaire,
Voici mon cœur qui n'a battu qu'en vain.

Voici mes pieds, frivoles voyageurs,
Pour accourir au cri de votre grâce,
Voici mes pieds, frivoles voyageurs.

Voici ma voix, bruit maussade et menteur,
Pour les reproches de la Pénitence,
Voici ma voix, bruit maussade et menteur.

Voici mes yeux, luminaires d'erreur,
Pour être éteints aux pleurs de la prière,
Voici mes yeux, luminaires d'erreur.

Hélas ! Vous, Dieu d'offrande et de pardon,
Quel est le puits de mon ingratitude,
Hélas ! Vous, Dieu d'offrande et de pardon.

Dieu de terreur et Dieu de sainteté,
Hélas ! ce noir abîme de mon crime,
Dieu de terreur et Dieu de sainteté.

Vous, Dieu de paix, de joie et de bonheur,
Toutes mes peurs, toutes mes ignorances,
Vous, Dieu de paix, de joie et de bonheur.

Vous connaissez tout cela, tout cela,
Et que je suis plus pauvre que personne,
Vous connaissez tout cela, tout cela.

Mais ce que j'ai, mon Dieu, je vous le donne.

LIVRE 2,1

.I.

Mon Dieu m'a dit : « Mon fils, il faut m'aimer. Tu vois
Mon flanc percé, mon cœur qui rayonne et qui saigne,
Et mes pieds offensés que Madeleine baigne
De larmes, et mes bras douloureux sous le poids

De tes péchés, et mes mains ! Et tu vois la croix,
Tu vois les clous, le fiel, l'éponge, et tout t'enseigne
A n'aimer, en ce monde amer où la chair règne,
Que ma Chair et mon Sang, ma parole et ma voix.

Ne t'ai-je pas aimé jusqu'à la mort moi-même,
O mon frère en mon Père, ô mon fils en l'Esprit,
Et n'ai-je pas souffert, comme c'était écrit ?

N'ai-je pas sangloté ton angoisse suprême
Et n'ai-je pas sué la sueur de tes nuits,
Lamentable ami qui me cherches où je suis ? »

.II.

J'ai répondu : « Seigneur, vous avez dit mon âme.
C'est vrai que je vous cherche et ne vous trouve pas.
Mais vous aimer ! Voyez comme je suis en bas,
Vous dont l'amour toujours monte comme la famme.

Vous, la source de paix que toute soif réclame,
Hélas ! voyez un peu tous mes tristes combats !
Oserai-je adorer la trace de vos pas,
Sur ces genoux saignants d'un rampement infâme ?

Et pourtant je vous cherche en longs tâtonnements,
Je voudrais que votre ombre au moins vêtit ma honte,
Mais vous n'avez pas d'ombre, ô vous dont l'amour
[monte,

O vous, fontaine calme, amère aux seuls amants
De leur damnation, ô vous toute lumière,
Sauf aux yeux dont un lourd baiser tient la paupière ! »

Le ciel est, par-dessus le toit,
Si bleu, si calme !
Un arbre, par-dessus le toit,
Berce sa palme.

La cloche, dans le ciel qu'on voit,
Doucement tinte.
Un oiseau sur l'arbre qu'on voit
Chante sa plainte.

Mon Dieu, mon Dieu, la vie est là,
Simple et tranquille.
Cette paisible rumeur-là
Vient de la ville.

– Qu'as-tu fait, ô toi que voilà
Pleurant sans cesse,
Dis, qu'as-tu fait, toi que voilà,
De ta jeunesse ?

.Jadis et naguère.

1884

.ART POÉTIQUE.

De la musique avant toute chose,
Et pour cela préfère l'Impair
Plus vague et plus soluble dans l'air,
Sans rien en lui qui pèse ou qui pose.

Il faut aussi que tu n'ailles point
Choisir tes mots sans quelque méprise :
Rien de plus cher que la chanson grise
Ou l'Indécis au Précis se joint.

C'est des beaux yeux derrière des voiles,
C'est le grand jour tremblant de midi,
C'est, par un ciel d'automne attiédi,
Le bleu fouillis des claires étoiles !

Car nous voulons la Nuance encor,
Pas la Couleur, rien que la nuance !
Oh ! la nuance seule fiance
Le rêve au rêve et la flûte au cor !

Fuis du plus loin la Pointe assassine,
L'Esprit cruel et le Rire impur,
Qui font pleurer les yeux de l'Azur,
Et tout cet ail de basse cuisine !

Prends l'éloquence et tords-lui son cou !
Tu feras bien, en train d'énergie,
De rendre un peu la Rime assagie.
Si l'on n'y veille, elle ira jusqu'où ?

Ô qui dira les torts de la Rime ?
Quel enfant sourd ou quel nègre fou
Nous a forgé ce bijou d'un sou
Qui sonne creux et faux sous la lime ?

De la musique encore et toujours !
Que ton vers soit la chose envolée
Qu'on sent qui fuit d'une âme en allée
Vers d'autres cieux à d'autres amours.

Que ton vers soit la bonne aventure
Éparse au vent crispé du matin
Qui va fleurant la menthe et le thym...
Et tout le reste est littérature.

Friedrich Wilhelm Nietzsche

ROECKEN 1844 — WEIMAR 1900.

Parce qu'il est né le jour de la fête du roi de Prusse Frédéric Guillaume IV, Nietzsche se prénomme Frédéric Guillaume. Son enfance est pieuse, il se destine à être pasteur comme son père et son grand-père. A 17 ans, il reçoit sa confirmation, mais un an plus tard, il renie sa foi. Il a pleine conscience de la gravité de ce reniement qu'il appelle la « mort de Dieu ». Après d'excellentes études au gymnase de Pforta, il entre à l'Université de Bonn, puis de Leipzig. Il découvre ***Le Monde comme volonté et comme représentation*** *de Schopenhauer. Il est conquis au pessimisme. L'athéisme moderne bouleverse l'existence de l'homme : « Où est Dieu ? Je vais vous le dire, nous l'avons tué, vous et moi. Nous tous sommes ses meurtriers. » En 1869 il est nommé professeur de philosophie grecque à l'Université de Bâle. Il se lie d'amitié avec Richard Wagner à qui il dédie son premier livre :* ***La Naissance de la tragédie*** *(1872). De 1873 à 1876 il publie ses* ***Considérations inactuelles,*** *puis en 1878* ***Humain, trop humain,*** *en 1880* ***Le Voyageur et son ombre,*** *en 1881* ***Aurore.*** *Ces livres qui appellent à une régénération de la culture contemporaine sont constitués d'aphorismes. A partir de 1875 des crises nerveuses l'assaillent, il doit démissionner en 1879. Il mène dès lors une vie errante, passant l'hiver près de Nice ou de Gênes, l'été dans l'Engadine, au village de Sils-Maria. En 1881 il a l'illumination de l'éternel retour ; il rejette le pessimisme ; et rompt avec Wagner. Il écrit ses principales œuvres :* ***Le Gai Savoir*** *(1882),* ***Ainsi parlait Zarathoustra*** *(1883-1885),* ***Par-delà le bien et le mal*** *(1886),* ***La Généalogie de la morale*** *(1887),* ***Le Crépuscule des idoles*** *(1888). Il travaille avec ardeur à son grand ouvrage* ***La Volonté de puissance,*** *quand en janvier 1889 il sombre dans la folie. Il meurt onze ans plus tard, le 25 août 1900, à Weimar.*

PHILOSOPHIE

.Ainsi parlait Zarathoustra.

UN LIVRE POUR TOUS ET POUR PERSONNE

1883-1885

Nietzsche veut une transmutation de toutes les valeurs, un renversement ou une conversion. Or, nos valeurs sont celles du christianisme tel qu'il résulte de l'histoire : valeurs d'une morale prêchée par les « faibles » contre les « forts », morale du « ressentiment » aigrement jeté contre la « vie » même, par les haïsseurs de l'homme et de son avenir, par les contempteurs de la force, fanatiques hommes de l'ombre et mesquins défenseurs de l'égalité selon les plus piètres normes. Ces hommes, ce sont principalement les « prêtres », et tous les moralistes. Le renversement des valeurs a donc pour premier aspect celui d'une guerre contre le christianisme, mais l'on ne doit pas oublier que les différentes morales, et jusqu'au socialisme, sont emportées dans la condamnation générale. Nietzsche dit nettement : « Je hais le christianisme d'une haine mortelle. » Mais que hait-il exactement ? En bon luthérien, Nietzsche a voulu après tant d'autres revenir au christianisme « primitif ». Persuadé — après maints autres — d'être « le seul à savoir », il a voulu innocenter le Christ en montrant le sens véritable de ses paroles, et s'est ainsi — quasi **logiquement** *— identifié à lui, au point d'écrire (ce sont ses dernières paroles à son ami Peter Gast après la rédaction de* **L'Antéchrist***) : « Chante-moi un hymne nouveau : le monde est transfiguré et tous les cieux exultent. » Paroles de cantique que Nietzsche signe* **Le Crucifié***.*

Ce « crucifié », Nietzsche le reconnaît dans le dieu joyeux Dyonisos. Lorsqu'il proclame la « mort de Dieu », dans **Le Gai Savoir***, puis par la voix de Zarathoustra, l'on doit vraisemblablement l'entendre au sens de ces aphorismes ajoutés à ce livre* **pour tous et pour personne** *: « C'est la théologie qui a étouffé Dieu, et la moralité, la morale. » Et : « Vous dites que Dieu se décompose en lui-même. Mais il ne fait que se peler : il dépouille sa peau morale ! Et vous le reverrez bientôt : par-delà bien et mal. » Enfin : « La* **réfutation de Dieu** *: en réalité il n'y a guère que le dieu* **moral** *qui soit réfuté. »*

Cette joie, cette innocence christique que les prêtres ont dégradé en principe de décadence, Nietzsche charge son héraut Zarathoustra de l'enseigner de nouveau aux hommes. Hélas (comme le Christ) Zarathoustra n'est pas entendu des hommes, il « vient trop tôt ».

De même que le Christ, Zarathoustra vit d'abord des « années obscures », puis descend vers les hommes qu'il aspire à retrouver comme l'ancien prisonnier de la caverne dans la **République** *de Platon. L'on voit que d'entrée le texte prétend rivaliser d'une part avec le redoutable modèle des* **Évangiles***, d'autre part avec les plus belles œuvres de la philosophie classique.*

LE PROLOGUE DE ZARATHOUSTRA

1.

Lorsque Zarathoustra eut atteint sa trentième année, il quitta sa patrie et le lac de sa patrie et s'en alla dans la montagne. Là il jouit de son esprit et de sa solitude et ne s'en lassa point durant dix années. Mais enfin son cœur se transforma, — et un matin, se levant avec l'aurore, il s'avança devant le soleil et lui parla ainsi :

« Ô grand astre ! Quel serait ton bonheur, si tu n'avais pas ceux que tu éclaires ?

Depuis dix ans que tu viens vers ma caverne : tu te serais lassé de ta lumière et de ce chemin, sans moi, mon aigle et mon serpent.

Mais nous t'attendions chaque matin, nous te prenions ton superflu et nous t'en bénissions.

Voici ! Je suis dégoûté de ma sagesse, comme l'abeille qui a amassé trop de miel. J'ai besoin de mains qui se tendent.

Je voudrais donner et distribuer, jusqu'à ce que les sages parmi les hommes soient redevenus joyeux de leur folie, et les pauvres, heureux de leur richesse.

Voilà pourquoi je dois descendre dans les profondeurs, comme tu fais le soir quand tu vas derrière les mers, apportant ta clarté au-dessous du monde, ô astre débordant de richesse !

Je dois disparaître ainsi que toi, *me coucher*, comme disent les hommes vers qui je veux descendre.

Bénis-moi donc, œil tranquille, qui peux voir sans envie un bonheur même sans mesure !

Bénis la coupe qui veut déborder, que l'eau toute dorée en découle, apportant partout le reflet de ta joie !

Vois ! cette coupe veut se vider à nouveau et Zarathoustra veut redevenir homme. »

Ainsi commença le déclin de Zarathoustra.

2.

Zarathoustra descendit seul des montagnes et il ne rencontra personne. Mais lorsqu'il arriva dans les bois, soudain se dressa devant lui un vieillard qui avait quitté sa sainte chaumière pour chercher des racines dans la forêt. Et ainsi parla le vieillard et il dit à Zarathoustra :

« Il ne m'est pas inconnu, ce voyageur ; voilà bien des années qu'il passa par ici. Il s'appelait Zarathoustra, mais il s'est transformé.

Tu portais alors ta cendre à la montagne : veux-tu aujourd'hui porter ton feu dans la vallée ? Ne crains-tu pas le châtiment des incendiaires ?

Oui, je reconnais Zarathoustra. Son œil est limpide et sur sa lèvre ne se creuse aucun pli de dégoût. Ne s'avance-t-il pas comme un danseur ?

Zarathoustra s'est transformé, Zarathoustra s'est fait enfant, Zarathoustra s'est éveillé : que vas-tu faire maintenant auprès de ceux qui dorment ?

Tu vivais dans la solitude comme dans la mer, et la mer te portait. Malheur à toi, tu veux donc atterrir ? Malheur à toi, tu veux de nouveau traîner toi-même ton corps ? »

Zarathoustra répondit : « J'aime les hommes. »

« Pourquoi donc, dit le sage, suis-je allé dans les bois et dans la solitude ? N'était-ce pas parce que j'aimais trop les hommes ?

Maintenant j'aime Dieu : je n'aime point les hommes. L'homme est pour moi une chose imparfaite. L'amour de l'homme me tuerait. »

Zarathoustra répondit : « Qu'ai-je parlé d'amour ! Je vais faire un présent aux hommes. »

« Ne leur donne rien, dit le saint. Enlève-leur plutôt quelque chose et aide-les à le porter — rien ne leur sera meilleur : pourvu qu'à toi aussi cela fasse du bien !

Et si tu veux donner, ne leur donne pas plus qu'une aumône, et attends qu'ils te la demandent ! »

« Non, répondit Zarathoustra, je ne fais pas l'aumône. Je ne suis pas assez pauvre pour cela. »

Le saint se prit à rire de Zarathoustra et parla ainsi : « Tâche alors de leur faire accepter tes trésors. Ils se méfient des solitaires et ne croient pas que nous venions pour donner.

A leurs oreilles les pas du solitaire retentissent trop étrangement à travers les rues. Défiants comme si la nuit, couchés dans leur lits, ils entendaient marcher un homme, longtemps avant le lever du soleil, ils se demandent peut-être : Où se glisse ce voleur ?

Ne va pas auprès des hommes, reste dans la forêt ! Retourne plutôt auprès des bêtes ! Pourquoi ne veux-tu pas être comme moi, — ours parmi les ours, oiseau parmi les oiseaux ? »

« Et que fait le saint dans le bois ? » demanda Zarathoustra.

Le saint répondit : « Je compose des chants et je les chante, et quand je fais des chants, je ris, je pleure et je murmure : c'est ainsi que je loue Dieu.

Avec des chants, des pleurs, des rires et des murmures, je rends grâce à Dieu qui est mon Dieu. Cependant quel présent nous apportes-tu ? »

"Dieu est mort !"

Lorsque Zarathoustra eut entendu ces paroles, il salua le saint et lui dit « Qu'aurais-je à vous donner ? Mais laissez-moi partir en hâte, afin que je ne vous prenne rien ! » — Et c'est ainsi qu'ils se séparèrent l'un de l'autre, le vieillard et l'homme, riant comme rient deux petits garçons.

Mais quand Zarathoustra fut seul, il parla ainsi à son cœur : « Serait-ce possible ! Ce vieux saint dans la forêt n'a pas encore entendu dire que *Dieu est mort* ! »

3.

Lorsque Zarathoustra arriva dans la ville voisine qui se trouvait le plus près des bois, il y vit une grande foule rassemblée sur la place publique : car on avait annoncé qu'un danseur de corde allait se montrer. Et Zarathoustra parla au peuple et lui dit :

Je vous enseigne le Surhumain. L'homme est quelque chose qui doit être surmonté. Qu'avez-vous fait pour le surmonter ?

Tous les êtres jusqu'à présent ont créé quelque chose au-dessus d'eux, et vous voulez être le reflux de ce grand flot et plutôt retourner à la bête que de surmonter l'homme ?

Qu'est le singe pour l'homme ? Une dérision ou une honte douloureuse. Et c'est ce que doit être l'homme pour le surhumain : une dérision ou une honte douloureuse.

Vous avez tracé le chemin qui va du ver jusqu'à l'homme, et il vous est resté beaucoup du ver de terre. Autrefois vous étiez singe, et maintenant encore l'homme est plus singe qu'un singe.

Mais le plus sage d'entre vous n'est lui-même qu'une chose disparate, hybride fait d'une plante et d'un fantôme. Cependant vous ai-je dit de devenir fantôme ou plante ?

Voici, je vous enseigne le Surhumain !

Le Surhumain est le sens de la terre. Que votre volonté dise : que le Surhumain *soit* le sens de la terre.

Je vous en conjure, mes frères, *restez fidèles à la terre* et ne croyez pas ceux qui vous parlent d'espoirs supraterrestres ! Ce sont des empoisonneurs, qu'ils le sachent ou non.

Ce sont des contempteurs de la vie, des moribonds et des empoisonnés eux-mêmes, de ceux dont la terre est fatiguée : qu'ils s'en aillent donc !

Autrefois le blasphème envers Dieu était le plus grand blasphème, mais Dieu est mort et avec lui sont morts ses blasphémateurs. Ce qu'il y a de plus terrible maintenant, c'est de blasphémer la terre et d'estimer les entrailles de l'impénétrable plus que le sens de la terre !

Jadis l'âme regardait le corps avec dédain, et rien alors n'était plus haut que ce dédain : elle le voulait maigre, hideux, affamé ! C'est ainsi qu'elle pensait lui échapper, à lui et à la terre !

Oh ! cette âme était elle-même encore maigre, hideuse et affamée : et pour elle la cruauté était une volupté !

Mais, vous aussi, mes frères, dites-moi : votre corps, qu'annonce-t-il de votre âme ? Votre âme n'est-elle pas pauvreté, ordure et pitoyable contentement de soi-même ?

"Ce qu'il y a de grand dans l'homme, c'est qu'il est un pont et non un but : ce que l'on peut aimer en l'homme, c'est qu'il est un passage et un déclin"

En vérité, l'homme est un fleuve impur. Il faut être devenu océan pour pouvoir, sans se salir, recevoir un fleuve impur.

Voici, je vous enseigne le Surhumain : il est cet océan ; en lui peut s'abîmer votre grand mépris.

Que peut-il vous arriver de plus sublime ? C'est l'heure du grand mépris. L'heure où votre bonheur même se tourne en dégoût, tout comme votre raison et votre vertu.

L'heure où vous dites : « Qu'importe mon bonheur ! Il est pauvreté, ordure et pitoyable contentement de soi-même. Mais mon bonheur devrait légitimer l'existence elle-même ! »

L'heure où vous dites : « Qu'importe ma raison ? Est-elle avide de science, comme le lion de nourriture ? Elle est pauvreté, ordure et pitoyable contentement de soi-même ! »

L'heure où vous dites : « Qu'importe ma vertu ! Elle ne m'a pas encore fait délirer. Que je suis fatigué de mon bien et de mon mal ! Tout cela est pauvreté, ordure et pitoyable contentement de soi-même. »

L'heure où vous dites : « Qu'importe ma justice ! Je ne vois pas que je sois charbon ardent. Mais le juste est charbon ardent ! »

L'heure où vous dites : « Qu'importe ma pitié ! La pitié n'est-elle pas la croix où l'on cloue celui qui aime les hommes ? Mais ma pitié n'est pas une crucifixion. »

Avez-vous déjà parlé ainsi ? Avez-vous déjà crié ainsi ? Hélas, que ne vous ai-je déjà entendu crier ainsi !

Ce ne sont pas vos péchés — c'est votre contentement qui crie contre le ciel, c'est votre avarice, même dans vos péchés, qui crie contre le ciel !

Où donc est l'éclair qui vous léchera de sa langue ? Où est la folie qu'il faudrait vous inoculer ?

Voici, je vous enseigne le Surhumain : il est cet éclair, il est cette folie !

Quand Zarathoustra eut parlé ainsi, quelqu'un de la foule s'écria : « Nous avons assez entendu parler du danseur de corde ; faites-nous le voir maintenant ! » Et tout le peuple rit de Zarathoustra. Mais le danseur de corde, qui croyait que l'on avait parlé de lui, se mit à l'ouvrage.

4.

Zarathoustra, cependant, regardait le peuple et s'étonnait. Puis il dit :

L'homme est une corde tendue entre la bête et le Surhumain, — une corde sur l'abîme.

Il est dangereux de passer de l'autre côté, dangereux de rester en route, dangereux de regarder en arrière — frisson et arrêt dangereux.

Ce qu'il y a de grand dans l'homme, c'est qu'il est un pont et non un but : ce que l'on peut aimer en l'homme, c'est qu'il est un *passage* et un *déclin.*

J'aime ceux qui ne savent vivre autrement que pour disparaître, car ils passent au-delà.

J'aime les grands contempteurs, parce qu'ils sont les grands adorateurs, les flèches du désir vers l'autre rive.

J'aime ceux qui ne cherchent pas, derrière les étoiles, une raison pour périr ou pour s'offrir en sacrifice ; mais ceux qui se sacrifient à la terre, pour qu'un jour la terre appartienne au Surhumain.

J'aime celui qui vit pour connaître et qui veut connaître afin qu'un jour vive le Surhumain. Car c'est ainsi qu'il veut son propre déclin.

J'aime celui qui travaille et invente, pour bâtir une demeure au Surhumain, pour préparer à sa venue la terre, les bêtes et les plantes : car c'est ainsi qu'il veut son propre déclin.

J'aime celui qui aime sa vertu : car la vertu est une volonté de déclin, et une flèche de désir.

J'aime celui qui ne réserve pour lui-même aucune parcelle de son esprit, mais qui veut être tout entier l'esprit de sa vertu : car c'est ainsi qu'en esprit il traverse le pont.

J'aime celui qui fait de sa vertu son penchant et sa destinée : car c'est ainsi qu'à cause de sa vertu il voudra vivre encore et ne plus vivre.

J'aime celui qui ne veut pas avoir trop de vertus. Il y a plus de vertus en une vertu qu'en deux vertus, c'est un nœud où s'accroche la destinée.

J'aime celui dont l'âme se dépense, celui qui ne veut pas qu'on lui dise merci et qui ne restitue point : car il donne toujours et ne veut point se conserver.

J'aime celui qui a honte de voir le dé tomber en sa faveur et qui demande alors : suis-je donc un faux joueur ? — car il veut périr.

J'aime celui qui jette des paroles d'or au-devant de ses œuvres et qui tient toujours plus qu'il ne promet : car il veut son déclin.

J'aime celui qui justifie ceux de l'avenir et qui délivre ceux du passé, car il veut que ceux d'aujourd'hui le fassent périr.

J'aime celui qui châtie son Dieu, parce qu'il aime son Dieu : car il faut que la colère de son Dieu le fasse périr.

J'aime celui dont l'âme est profonde, même dans la blessure, celui qu'une petite aventure peut faire périr : car ainsi, sans hésitation, il passera le pont.

J'aime celui dont l'âme déborde au point qu'il s'oublie lui-même, et que toutes choses soient en lui : ainsi toutes choses deviendront son déclin.

J'aime celui qui est livre de cœur et d'esprit : ainsi sa tête ne sert que d'entrailles à son cœur, mais son cœur l'entraîne au déclin.

J'aime tous ceux qui sont comme de lourdes gouttes qui tombent une à une du sombre nuage suspendu sur les hommes : elles annoncent l'éclair qui vient, et disparaissent en visionnaires.

Voici, je suis un visionnaire de la foudre, une lourde goutte qui tombe de la nue : mais cette foudre s'appelle le *Surhumain*.

DE L'HOMME SUPÉRIEUR

1.

Lorsque je vins pour la première fois parmi les hommes, je fis la folie du solitaire, la grande folie : je me mis sur la place publique.

Et comme je parlais à tous, je ne parlais à personne. Mais le soir, des danseurs de corde et des cadavres étaient mes compagnons ; et j'étais moi-même presque un cadavre.

Mais, avec le nouveau matin, une nouvelle vérité vint vers moi : alors j'appris à dire : « Que m'importent la place publique et la populace, le bruit de la populace et les longues oreilles de la populace ! »

Hommes supérieurs, apprenez de moi ceci : sur la place publique personne ne croit à l'homme supérieur. Et si vous voulez parler sur la place publique, à votre guise ! Mais la populace cligne de l'œil : « Nous sommes tous égaux. »

« Hommes supérieurs, — ainsi cligne de l'œil la populace, — il n'y a pas d'hommes supérieurs, nous sommes tous égaux, un homme vaut un homme, devant Dieu — nous sommes tous égaux ! »

Devant Dieu ! — Mais maintenant ce Dieu est mort. Devant la populace, cependant, nous ne voulons pas être égaux. Hommes supérieurs, éloignez-vous de la place publique !

2.

Devant Dieu ! — Mais maintenant ce Dieu est mort ! Hommes supérieurs, ce Dieu a été votre plus grand danger.

Vous n'êtes ressuscités que depuis qu'il gît dans la tombe. C'est maintenant seulement que revient le grand midi, maintenant l'homme supérieur devient — maître !

Avez-vous compris cette parole, ô mes frères ! Vous êtes effrayés : votre cœur est-il pris de vertige ? L'abîme s'ouvre-t-il ici pour vous ? Le chien de l'enfer aboie-t-il contre vous ?

Eh bien ! Allons ! Hommes supérieurs ! Maintenant seulement la montagne de l'avenir humain va enfanter. Dieu est mort : maintenant *nous* voulons — que le Surhumain vive.

"Dieu est mort : maintenant nous voulons que le Surhumain vive"

3.

Les plus soucieux demandent aujourd'hui : « Comment l'homme se conserve-t-il ? » Mais Zarathoustra demande, ce qu'il est le seul et le premier à demander : « Comment l'homme sera-t-il *surmonté* ? »

Le Surhumain me tient au cœur, c'est *lui* qui est pour moi la chose unique, — et *non point* l'homme : non pas le prochain, non pas le plus pauvre, non pas le plus affligé, non pas le meilleur. —

Ô mes frères, ce que je puis aimer en l'homme, c'est qu'il est une transition et un déclin. Et, en vous aussi, il y a beaucoup de choses qui me font aimer et espérer.

Vous avez méprisé, ô hommes supérieurs, c'est ce qui me fait espérer. Car les grands méprisants sont aussi les grands vénérateurs.

Vous avez désespéré, c'est ce qu'il y a lieu d'honorer en vous. Car vous n'avez pas appris comment vous pourriez vous rendre, vous n'avez pas appris les petites prudences.

Aujourd'hui les petites gens sont devenus les maîtres, ils prêchent tous la résignation, et la modestie, et la prudence, et l'application, et les égards et le long ainsi-de-suite des petites vertus.

Ce qui ressemble à la femme et au valet, ce qui est de leur race, et surtout le micmac populacier : *cela* veut maintenant devenir maître de toutes les destinées humaines — ô dégoût ! dégoût ! dégoût !

Cela demande et redemande, et n'est pas fatigué de demander : « Comment l'homme se conserve-t-il le mieux, le plus longtemps, le plus agréablement ? C'est ainsi — qu'ils sont les maîtres d'aujourd'hui.

Ces maîtres d'aujourd'hui, surmontez-les-moi, ô mes frères, — ces petites gens : c'est *eux* qui sont le plus grand danger du Surhumain !

Surmontez-moi, hommes supérieurs, les petites vertus, les petites prudences, les égards pour les grains de sable, le fourmillement des fourmis, le misérable contentement de soi, le « bonheur du plus grand nombre » ! —

Et désespérez plutôt que de vous rendre. Et, en vérité, je vous aime, parce que vous ne savez pas vivre aujourd'hui, ô hommes supérieurs ! Car c'est ainsi que *vous* vivez — le mieux !

4ᵉ PARTIE

Isidore Lucien Ducasse

Comte de Lautréamont

MONTEVIDEO 1846 – PARIS 1870.

Enfant intelligent et d'humeur sauvage, Isidore Ducasse passe son enfance en Argentine, puis vient en France, y fait de bonnes études classiques. Il s'installe à Paris en 1867 et publie **Les Chants de Maldoror** *en 1869 sous le nom de comte de Lautréamont, puis en 1870 ses* **Poésies** *sous son nom véritable Isidore Ducasse. Lautréamont meurt à 24 ans pendant le siège de Paris, l'acte de décès laisse entier le mystère de sa mort. Auteur inconnu de son vivant, il jouit d'une grande gloire posthume. Ce sont les surréalistes qui l'ont redécouvert :* **Les Chants de Maldoror** *sont « l'expression d'une révélation totale qui semble excéder les possibilités humaines » écrit Breton.*

POÉSIE EN PROSE

.Les Chants de Maldoror.

1869

***Les Chants de Maldoror** – œuvre en prose poétique – sont une épopée du désespoir et de la cruauté constituée de six Chants.*

Le premier Chant constate que l'homme ne peut échapper au Mal ; Maldoror n'est pas foncièrement méchant, mais la cruauté des hommes le révolte et fonde sa propre cruauté. Au bord de la mer Maldoror contemple une tempête dans laquelle sombre un vaisseau. Il se réjouit que personne ne secourre les naufragés, et tue lui-même de deux coups de fusil un jeune homme qui tente de gagner la rive. Maldoror ne respecte que l'Océan qui devient le complice de sa cruauté :

Je me propose, sans être ému, de déclamer à grande voix la strophe sérieuse et froide que vous allez entendre. Vous, faites attention à ce qu'elle contient, et gardez-vous de l'impression pénible qu'elle ne manquera pas de laisser, comme une flétrissure, dans vos imaginations troublées. Ne croyez pas que je sois sur le point de mourir, car je ne suis pas encore un squelette, et la vieillesse n'est pas collée à mon front. Écartons en conséquence toute idée de comparaison avec le cygne, au moment où son existence s'envole, et ne voyez devant vous qu'un monstre, dont je suis heureux que vous ne puissiez pas apercevoir la figure ; mais, moins horrible est-elle que son âme. Cependant, je ne suis pas un criminel... Assez sur ce sujet. Il n'y a pas longtemps que j'ai revu la mer et foulé le pont des vaisseaux, et mes souvenirs sont vivaces comme si je l'avais quittée la veille. Soyez néanmoins, si vous le pouvez, aussi calmes que moi, dans cette lecture que je me repens déjà de vous offrir, et ne rougissez pas à la pensée de ce qu'est le cœur humain. Ô poulpe, au regard de soie ! toi, dont l'âme est inséparable de la mienne ; toi, le plus beau des habitants du globe terrestre, et qui commandes à un sérail de quatre cents ventouses ; toi, en qui siègent noblement, comme dans leur résidence naturelle, par un commun accord, d'un lien indestructible, la douce vertu communicative et les grâces divines, pourquoi n'es-tu pas avec moi, ton ventre de mercure contre ma poitrine d'aluminium, assis tous les deux sur quelque rocher du rivage, pour contempler ce spectacle que j'adore !

Vieil océan, aux vagues de cristal, tu ressembles proportionnellement à ces marques azurées que l'on voit sur le dos meurtri des mousses ; tu es un immense bleu, appliqué sur le corps de la terre : j'aime cette comparaison. Ainsi, à ton premier aspect, un souffle prolongé de tristesse, qu'on croirait être le murmure de ta brise suave, passe, en laissant des ineffaçables traces, sur l'âme profondément ébranlée, et tu rappelles au souvenir de tes amants, sans qu'on s'en rende toujours compte, les rudes commencements de l'homme, où il fait connaissance avec la douleur, qui ne le quitte plus. Je te salue, vieil océan !

Vieil océan, ta forme harmonieusement sphérique, qui réjouit la face grave de la géométrie, ne me rappelle que trop les petits yeux de l'homme, pareils à ceux du sanglier pour la petitesse, et à ceux des oiseaux de nuit pour la perfection circulaire du contour. Cependant, l'homme s'est cru beau dans tous les siècles. Moi, je suppose plutôt que l'homme ne croit à sa beauté que par amour-propre ; mais qu'il n'est pas beau réellement et qu'il s'en doute : car, pourquoi regarde-t-il la figure de son semblable avec tant de mépris ? Je te salue, vieil océan !

Vieil océan, tu es le symbole de l'identité : toujours égal à toi-même, tu ne varies pas d'une manière essentielle, et, si tes vagues sont quelque part en furie, plus loin, dans quelque autre zone, elles sont dans le calme le plus complet. Tu n'es pas comme l'homme, qui s'arrête dans la rue, pour voir deux bouledogues s'empoigner au cou, mais, qui ne s'arrête pas, quand un enterrement passe ; qui est ce matin accessible et ce soir de mauvaise humeur ; qui rit aujourd'hui et pleure demain. Je te salue, vieil océan !

Vieil océan, il n'y aurait rien d'impossible à ce que tu caches dans ton sein de futures utilités pour l'homme. Tu lui as déjà donné la baleine. Tu ne laisses pas facilement deviner aux yeux avides des sciences naturelles les mille secrets de ton intime organisation : tu es modeste. L'homme se vante sans cesse, et pour des minuties. Je te salue, vieil océan !

CHANT I, 9

Le Mal est prédominant en l'homme, mais l'Absolu existe :

“O mathématiques sévères, je ne vous ai pas oubliées”

O mathématiques sévères, je ne vous ai pas oubliées, depuis que vos savantes leçons, plus douces que le miel, filtrèrent dans mon cœur, comme une onde rafraîchissante. J'aspirais instinctivement, dès le berceau, à boire à votre source, plus ancienne que le soleil, et je continue encore de fouler le parvis sacré de votre temple solennel, moi, le plus fidèle de vos initiés. Il y avait du vague dans mon esprit, un je ne sais quoi épais comme de la fumée ; mais, je sus franchir religieusement les degrés qui mènent à votre autel, et vous avez chassé ce voile obscur, comme le vent chasse le damier. Vous avez mis, à la place, une froideur excessive, une prudence consommée et une logique implacable. A l'aide de votre lait fortifiant, mon intelligence s'est rapidement développée, et a pris des proportions immenses, au milieu de cette clarté ravissante dont vous faites présent, avec prodigalité, à ceux qui vous aiment d'un sincère amour. Arithmétique ! algèbre ! géométrie ! trinité grandiose ! triangle lumineux ! Celui qui ne vous a pas connues est un insensé ! Il mériterait l'épreuve des plus grands supplices ; car, il y a du mépris aveugle dans son insouciance ignorante ; mais, celui qui vous connaît et vous apprécie ne veut plus rien des biens de la terre ; se contente de vos jouissances magiques ; et, porté sur vos ailes sombres, ne désire plus que de s'élever, d'un vol léger, en construisant une hélice ascendante, vers la voûte sphérique des cieux. La terre ne lui montre que des illusions et des fantasmagories morales ; mais vous, ô mathématiques concises, par l'enchaînement rigoureux de vos propositions tenaces et la constance de vos lois de fer, vous faites luire, aux yeux éblouis, un reflet puissant de cette vérité suprême dont on remarque l'empreinte dans l'ordre de l'univers.

(...) Merci, pour les services innombrables que vous m'avez rendus. Merci, pour les qualités étrangères dont vous avez enrichi mon intelligence. Sans vous, dans ma lutte contre l'homme, j'aurais peut-être été vaincu. Sans vous, il m'aurait fait rouler dans le sable et embrasser la poussière de ses pieds. Sans vous, avec une griffe perfide, il aurait labouré ma chair et mes os. Mais, je me suis tenu sur mes gardes, comme un athlète expérimenté. Vous me donnâtes la froideur qui surgit de vos conceptions sublimes exemptes de passion. Je m'en servis pour rejeter avec dédain les jouissances éphémères de mon court voyage et pour renvoyer de ma porte les offres sympathiques, mais trompeuses, de mes semblables. Vous me donnâtes la prudence opiniâtre qu'on déchiffre à chaque pas dans vos méthodes admirables de l'analyse, de la synthèse et de la déduction. Je m'en servis pour dérouter les ruses pernicieuses de mon ennemi mortel, pour l'attaquer, à mon tour, avec adresse, et plonger, dans les viscères de l'homme, un poignard aigu qui restera à jamais enfoncé dans son corps ; car, c'est une blessure dont il ne se relèvera pas. Vous me donnâtes la logique, qui est comme l'âme elle-même de vos enseignements, pleins de sagesse ; avec ses syllogismes, dont le labyrinthe compliqué n'en est que plus compréhensible, mon intelligence sentit s'accroître du double ses forces audacieuses. A l'aide de cet auxiliaire terrible, je découvris, dans l'humanité, en nageant vers les bas-fonds, en face de l'écueil de la haine, la méchanceté noire et hideuse, qui croupissait au milieu de miasmes délétères, en s'admirant le nombril. Le premier, je découvris, dans les ténèbres de ses entrailles, ce vice néfaste, le mal ! supérieur en lui au bien. Avec cette arme empoisonnée que vous me prêtâtes, je fis descendre, de son piédestal, construit par la lâcheté de l'homme, le Créateur lui-même ! Il grinça des dents et subit cette injure ignominieuse ; car, il avait pour adversaire quelqu'un de plus fort que lui. Mais, je le laisserai de côté, comme un paquet de ficelles, afin d'abaisser mon vol... Le penseur Descartes faisait, une fois, cette réflexion que rien de solide n'avait été bâti sur vous. C'était une manière ingénieuse de faire comprendre que le premier venu ne pouvait pas sur le coup découvrir votre valeur inestimable. En effet, quoi de plus solide que les trois qualités principales déjà nommées qui s'élèvent, entrelacées comme une couronne unique, sur le sommet auguste de votre architecture colossale ? Monument qui grandit sans cesse de découvertes quotidiennes, dans vos mines de diamant, et d'explorations scientifiques, dans vos superbes domaines. O mathématiques saintes, puissiez-vous, par votre commerce perpétuel, consoler le reste de mes jours de la méchanceté de l'homme et de l'injustice du Grand-Tout !

CHANT II, 10

L'investigation méthodique du champ de la cruauté trouve son accomplissement dans cette strophe où Maldoror rêve qu'il se métamorphose monstrueusement et qu'il ne lui reste plus « la moindre parcelle de divinité » :

Je suis sale. Les poux me rongent. Les pourceaux, quand ils me regardent, vomissent. Les croûtes et les escarres de la lèpre ont écaillé ma peau, couverte de pus jaunâtre. Je ne connais pas l'eau des fleuves, ni la rosée des nuages. Sur ma nuque, comme sur un fumier, pousse un énorme champignon, aux pédoncules ombellifères. Assis sur un meuble informe, je n'ai pas bougé mes membres depuis quatre siècles. Mes pieds ont pris racine dans le sol et composent, jusqu'à mon ventre, une sorte de végétation vivace, remplie d'ignobles parasites, qui ne dérive pas encore de la plante, et qui n'est plus de la chair. Cependant mon cœur bat. Mais comment battrait-il, si la pourriture et les exhalaisons de mon cadavre (je n'ose pas dire corps) ne le nourissaient abondamment ? Sous mon aisselle gauche, une famille de crapauds a pris résidence, et, quand l'un d'eux remue, il me fait des chatouilles. Prenez garde qu'il ne s'en échappe un, et ne vienne gratter, avec sa bouche, le dedans de votre oreille : il serait ensuite capable d'entrer dans votre cerveau. Sous mon aisselle droite, il y a un caméléon qui leur fait une chasse perpétuelle, afin de ne pas mourir de faim : il faut que chacun vive. Mais quand un parti déjoue complètement les ruses de l'autre, ils ne trouvent rien de mieux que de ne pas se gêner, et sucent la graisse délicate qui couvre mes côtes : j'y suis habitué. Une vipère méchante a dévoré ma verge et a pris sa place : elle m'a rendu eunuque, cette infâme. Oh ! si j'avais pu me défendre avec mes bras paralysés ; mais je crois plutôt qu'ils se sont changés en bûches. Quoi qu'il en soit, il importe de constater que le sang ne vient plus y promener sa rougeur. Deux petits hérissons, qui ne croissent plus, ont jeté à un chien, qui n'a pas refusé, l'intérieur de mes testicules : l'épiderme, soigneusement lavé, ils ont logé dedans. L'anus a été intercepté par un crabe ; encouragé par mon inertie, il garde l'entrée avec ses pinces, et me fait beaucoup de mal ! Deux méduses ont franchi les mers, immédiatement alléchées par un espoir qui ne fut pas trompé. Elles ont regardé avec attention les deux parties charnues qui forment le derrière humain, et, se cramponnant à leur galbe convexe, elles les ont tellement écrasées par une pression constante, que les deux morceaux de chair ont disparu, tandis qu'il est resté deux monstres, sortis du royaume de la viscosité, égaux par la couleur, la forme et la férocité. Ne parlez pas de ma colonne vertébrale, puisque c'est un glaive. Oui, oui... je n'y faisais pas attention... votre demande est juste. Vous désirez savoir, n'est-ce pas, comment il se trouve implanté verticalement dans mes reins ? Moi-même, je ne me le rappelle pas très clairement.

CHANT IV, 4

.Poésies.

1870

C'est sous le nom d'Isidore Ducasse que sont publiées les **Poésies,** *ou* **Préface à un livre futur.** *Lautréamont écrit à son éditeur : « Vous savez, j'ai renié mon passé. Je ne chante plus que l'espoir ». Après le désespoir des* **Chants,** *l'espoir des* **Poésies** *: à l'issue des* **Chants** *Lautréamont découvre que le Mal est l'ombre du Bien, au début des* **Poésies** *la vérité des grands principes et les devoirs du poète se dévoilent à Isidore Ducasse.*

"Bonté, ton nom est homme"

Les grands principes :
Le génie garantit les facultés du cœur.
L'homme n'est pas moins immortel que l'âme.
Les grandes pensées viennent de la raison !
La fraternité n'est pas un mythe.
Les enfants qui naissent ne connaissent rien de la vie, par même la grandeur.
Dans le malheur, les amis augmentent.
Vous qui entrez, laissez tout désespoir.
Bonté, ton nom est homme.
C'est ici que demeure la sagesse des nations.

Chaque fois que j'ai lu Shakespeare, il m'a semblé que je déchiquette la cervelle d'un jaguar.

J'écrirai mes pensées avec ordre, par un dessein sans confusion. Si elles sont justes, la première venue sera la conséquence des autres. C'est le véritable ordre. Il marque mon objet par le désordre calligraphique. Je ferais trop de déshonneur à mon sujet, si je ne le traitais pas avec ordre. Je veux montrer qu'il en est capable.

Je n'accepte pas le mal. L'homme est parfait. L'âme ne tombe pas. Le progrès existe. Le bien est irréductible. Les antéchrists, les anges accusateurs, les peines éternelles, les religions sont le produit du doute.

Dante, Milton, décrivant hypothétiquement les landes infernales, ont prouvé que c'étaient des hyènes de première espèce. La preuve est excellente. Le résultat est mauvais. Leurs ouvrages ne s'achètent pas.

L'homme est un chêne. La nature n'en compte pas de plus robuste. Il ne faut pas que l'univers s'arme pour le défendre. Une goutte d'eau ne suffit pas à sa préservation. Même quand l'univers le défendrait, il ne serait pas plus déshonoré que ce qui ne le préserve pas. L'homme sait que son règne n'a pas de mort, que l'univers possède un commencement. L'univers ne sait rien : c'est, tout au plus, un roseau pensant.

Je me figure Elohim plutôt froid que sentimental.

L'amour d'une femme est incompatible avec l'amour de l'humanité. L'imperfection doit être rejetée. Rien n'est plus imparfait que l'égoïsme à deux. Pendant la vie, les défiances, les récriminations, les serments écrits dans la poudre pullulent. Ce n'est plus l'amant de Chimène ; c'est l'amant de Graziella. Ce n'est plus Pétrarque ; c'est Alfred de Musset. Pendant la mort, un quartier de roche auprès de la mer, un lac quelconque, la forêt de Fontainebleau, l'île d'Ischia, un cabinet de travail en compagnie d'un corbeau, une chambre ardente avec un crucifix, un cimetière où surgit, aux rayons d'une lune qui finit par agacer, l'objet aimé, des stances où un groupe de filles dont on ne sait pas le nom, viennent balader à tour de rôle, donner la mesure de l'auteur, font entendre des regrets. Dans les deux cas, la dignité ne se retrouve point.

L'erreur est la légende douloureuse.

Les hymnes à Elohim habituent la vanité à ne pas s'occuper des choses de la terre. Tel est l'écueil des hymnes. Ils déshabituent l'humanité à compter sur l'écrivain. Elle le délaisse. Elle l'appelle mystique, aigle, parjure à sa mission. Vous n'êtes pas la colombe cherchée.

Un pion pourrait se faire un bagage littéraire, en disant le contraire de ce qu'ont dit les poètes de ce siècle. Il remplacerait leurs affirmations par des négations. Réciproquement. S'il est ridicule d'attaquer les premiers principes, il est plus ridicule de les défendre contre ces mêmes attaques. Je ne les défendrai pas.

Le sommeil est une récompense pour les uns, un supplice pour les autres. Pour tous, il est une sanction.

Si la morale de Cléopâtre eût été moins courte, la face de la terre aurait changé. Son nez n'en serait pas devenu plus long.

Les actions cachées sont les plus estimables. Lorsque j'en vois tant dans l'histoire, elles me plaisent beaucoup.

Elles n'ont pas été tout à fait cachées. Elles ont été sues. Ce peu, par où elles ont paru, en augmente le mérite. C'est le plus beau de n'avoir pas pu les cacher.

Le charme de la mort n'existe que pour les courageux.

L'homme est si grand, que sa grandeur paraît surtout en ce qu'il ne veut pas se connaître misérable. Un arbre ne se connaît pas grand. C'est être grand que de se connaître grand. C'est être grand que de ne pas vouloir se connaître misérable. Sa grandeur réfute ces misères. Grandeur d'un roi.

Lorsque j'écris ma pensée, elle ne m'échappe pas. Cette action me fait souvenir de ma force que j'oublie à toute heure. Je m'instruis à proportion de ma pensée enchaînée. Je ne tends qu'à connaître la contradiction de mon esprit avec le néant.

Le cœur de l'homme est un livre que j'ai appris à estimer.

Les devoirs du poète :

La poésie doit avoir pour but la vérité pratique. Elle énonce les rapports qui existent entre les premiers principes et les vérités secondaires de la vie. Chaque chose reste à sa place. La mission de la poésie est difficile. Elle ne se mêle pas aux événements de la politique, à la manière dont on gouverne un peuple, ne fait pas allusion aux périodes historiques, aux coups d'État, aux régicides, aux intrigues des cours. Elle ne parle pas des luttes que l'homme engage, par exception, avec lui-même, avec ses passions. Elle découvre les lois qui font vivre la politique théorique, la paix universelle, les réfutations de Machiavel, les cornets dont se composent les ouvrages de Proudhon, la psychologie de l'humanité. Un poète doit être plus utile qu'aucun citoyen de sa tribu. Son œuvre est le code des diplomates, des législateurs, des instructeurs de la jeunesse. Nous sommes loin des Homère, des Virgile, des Klopstock, des Camoëns, des imaginations émancipées, des fabricateurs d'odes, des marchands d'épigrammes contre la divinité. Revenons à Confucius, au Bouddha, à Socrate, à Jésus-Christ, moralistes qui couraient les villages en souffrant de faim ! Il faut compter désormais avec la raison, qui n'opère que sur les facultés qui président à la catégorie des phénomènes de la bonté pure. (...)

Il y a de l'étoffe du poète dans les moralistes, les philosophes. Les poètes renferment le penseur. Chaque caste soupçonne l'autre, développe ses qualités au détriment de celles qui la rapprochent de l'autre caste. La jalousie des premiers ne veut pas avouer que les poètes sont plus forts qu'elle. L'orgueil des derniers se déclare imcompétent à rendre justice à des cervelles plus tendres. Quelle que soit l'intelligence d'un homme, il faut que le procédé de penser soit le même pour tous.

L'existence des tics étant constatée, que l'on ne s'étonne pas de voir les mêmes mots revenir plus souvent qu'à leur tour : dans Lamartine, les pleurs qui tombent des naseaux de son cheval, la couleur des cheveux de sa mère : dans Hugo, l'ombre et le détraqué, font partie de la reliure.

La science que j'entreprends est une science distincte de la poésie. Je ne chante pas cette dernière. Je m'efforce de découvrir sa source.

Guy de Maupassant

FÉCAMP 1850 – PARIS 1893.

*Maupassant est élevé par sa mère avec son frère Hervé à Étretat. Il y voit souvent Gustave Flaubert, un ami de sa mère, qui deviendra un précieux guide. En 1869, il s'inscrit à Paris en droit. En 1870 la guerre franco-allemande éclate : il est mobilisé. En 1872 il reprend ses études, travaille au Ministère de la Marine et participe à de joyeuses parties de canotage sur la Seine. Il écrit : en l'espace d'une quinzaine d'années il compose une œuvre abondante et variée : trois cents nouvelles et cinq romans (***Une Vie*** *1883 ;* ***Bel-Ami*** *1885 ;* ***Mont-Oriol*** *1887 ;* ***Pierre et Jean*** *1888 ;* ***Notre Cœur*** *1890) ; ses œuvres, réalistes ou fantastiques, renvoient à un monde sans espoir de salut. Il y décrit les paysans de Normandie, les mondains d'Étretat et de Paris, les employés, les canotiers, etc. Dès 1877 il souffre de troubles dus à la syphilis, sa santé se détériore rapidement : troubles de la vue, migraines, hallucinations, dédoublement, puis paralysie générale. « C'est la mort imminente et je suis fou », sont les derniers mots qu'il écrit. En 1892 il tente de se tuer, il meurt en 1893 après dix-huit mois d'inconscience.*

NOUVELLE

.Boule de Suif.

1880

Les Prussiens occupent le pays. La diligence Rouen-Le Havre, qu'occupent plusieurs couples bourgeois ainsi que deux religieuses et la prostituée Boule de Suif, est retenue par un officier prussien qui ne veut consentir à son départ qu'en échange des faveurs de Boule de Suif, laquelle refuse un tel « client » par patriotisme. Sournoisement, tous l'incitent à céder. Lorsque la diligence repart, Boule de Suif est l'objet d'une vertueuse réprobation :

On n'attendait plus que Boule de Suif. Elle parut.

Elle semblait un peu troublée, honteuse ; et elle s'avança timidement vers ses compagnons, qui, tous, d'un même mouvement, se détournèrent comme s'ils ne l'avaient pas aperçue. Le comte prit avec dignité le bras de sa femme et l'éloigna de ce contact impur.

La grosse fille s'arrêta, stupéfaite, alors, ramassant tout son courage, elle aborda la femme du manufacturier d'un « bonjour, madame » humblement murmuré. L'autre fit de la tête seule un petit salut impertinent qu'elle accompagna d'un regard de vertu outragée. Tout le monde semblait affairé, et l'on se tenait loin d'elle comme si elle eût apporté une infection dans ses jupes. Puis on se précipita vers la voiture où elle arriva seule, la dernière, et reprit en silence la place qu'elle avait occupée pendant la première partie de la route.

On semblait ne pas la voir, ne pas la connaître ; mais Mme Loiseau, la considérant de loin avec indignation, dit à mi-voix à son mari : «Heureusement que je ne suis pas à côté d'elle. »

La lourde voiture s'ébranla, et le voyage recommença.

On ne parla point d'abord. Boule de Suif n'osait pas lever les yeux. Elle se sentait en même temps indignée contre tous ses voisins, et humiliée d'avoir cédé, souillée par les baisers de ce Prussien entre les bras duquel on l'avait hypocritement jetée. (...)

Personne ne la regardait, ne songeait à elle. Elle se sentait noyée dans le mépris de ces gredins honnêtes qui l'avaient sacrifiée d'abord, rejetée ensuite, comme une chose malpropre et inutile. Alors elle songea à son grand panier tout plein de bonnes choses qu'ils avaient goulûment dévorées, à ses deux poulets luisants de gelée, à ses pâtés, à ses poires, à ses quatre bouteilles de Bordeaux ; et sa fureur tombant soudain, comme une corde trop tendue qui casse, elle se sentit prête à pleurer. Elle fit des efforts terribles, se raidit, avala ses sanglots comme les enfants, mais les pleurs montaient, luisaient au bord de ses paupières, et bientôt deux grosses larmes, se détachant des yeux, roulèrent lentement sur ses joues. D'autres les suivirent plus rapides, coulant comme des gouttes d'eau qui filtrent d'une roche, et tombant régulièrement sur la courbe rebondie de sa poitrine. Elle restait droite, le regard fixe, la face rigide et pâle, espérant qu'on ne la verrait pas.

Mais la comtesse s'en aperçut et prévint son mari d'un signe. Il haussa les épaules comme pour dire : « Que voulez-vous, ce n'est pas ma faute. » Mme Loiseau eut un rire muet de triomphe et murmura : « Elle pleure sa honte. »

Les deux bonnes sœurs s'étaient remises à prier, après avoir roulé dans un papier le reste de leur saucisson.

Alors Cornudet, qui digérait ses œufs, étendit ses longues jambes sous la banquette d'en face, se renversa, croisa les bras, sourit comme un homme qui vient de trouver une bonne farce, et se mit à siffloter *La Marseillaise*. (...)

On fuyait plus vite, la neige étant plus dure ; et jusqu'à Dieppe, pendant les longues heures mornes du voyage, à travers les cahots du chemin, par la nuit tombante, puis dans l'obscurité profonde de la voiture, il continua, avec une obstination féroce, son sifflement vengeur et monotone, contraignant les esprits las et exaspérés à suivre le chant d'un bout à l'autre, à se rappeler chaque parole qu'ils appliquaient sur chaque mesure.

Et Boule de Suif pleurait toujours ; et parfois un sanglot, qu'elle n'avait pu retenir, passait, entre deux couplets, dans les ténèbres.

ROMAN

.Une vie.

1883

Jeanne, jeune fille romanesque, rêve à l'amour. Elle épouse le vicomte de Lamare : la vie se révèle morne et vide ; son mari est avare, égoïste et la trahit. Le vicomte et sa maîtresse sont assassinés par le mari trompé. Jeanne reporte tous ses espoirs et son amour sur son fils Paul : Paul tourne mal. Elle se ruine pour lui. Elle reprendra espoir en recueillant l'enfant de Paul.

Jeanne se sent vieille, elle songe au passé :

Un peu de force lui revint, quand l'air s'amollit aux premiers jours du printemps, mais elle n'employait ce retour d'activité qu'à se jeter de plus en plus dans ses pensées sombres.

Comme elle était montée au grenier, un matin, pour chercher quelque objet, elle ouvrit par hasard une caisse pleine de vieux calendriers ; on les avait conservés selon la coutume de certaines gens de campagne.

Il lui sembla qu'elle retrouvait les années elles-mêmes de son passé, et elle demeura saisie d'une étrange et confuse émotion devant ce tas de cartons carrés.

Elle les prit et les emporta dans la salle en bas. Il y en avait de toutes les tailles, des grands et des petits. Et elle se mit à les ranger par années sur la table. Soudain elle retrouva le premier, celui qu'elle avait apporté aux Peuples.

Elle le contempla longtemps, avec les jours

biffés par elle le matin de son départ de Rouen, le lendemain de sa sortie du couvent. Et elle pleura. Elle pleura des larmes mornes et lentes, de pauvres larmes de vieille en face de sa vie misérable étalée devant elle sur cette table.

Et une idée la saisit qui fut bientôt une obsession terrible, incessante, acharnée. Elle voulait retrouver presque jour par jour ce qu'elle avait fait.

Elle piqua contre les murs, sur la tapisserie, l'un après l'autre, ces cartons jaunis, et elle passait des heures, en face de l'un ou de l'autre, se demandant : « Que m'est-il arrivé, ce mois-là ? »

Elle avait marqué de traits les dates mémorables de son histoire, et elle parvenait parfois à retrouver un mois entier, reconstituant un à un, groupant, rattachant l'un à l'autre tous les petits faits qui avaient précédé ou suivi un événement important.

Elle réussit, à force d'attention obstinée, d'efforts de mémoire, de volonté concentrée, à rétablir presque entièrement ses deux premières années aux Peuples, les souvenirs lointains de sa vie lui revenant avec une facilité singulière et une sorte de relief.

Mais les années suivantes lui semblaient se perdre dans un brouillard, se mêler, enjamber l'une sur l'autre ; et elle demeurait parfois un temps infini, la tête penchée vers un calendrier, l'esprit tendu sur l'Autrefois, sans parvenir même à se rappeler si c'était dans ce carton-là que tel souvenir pouvait être retrouvé.

Elle allait de l'un à l'autre autour de la salle qu'entouraient, comme les gravures d'un chemin de la croix, ces tableaux des jours finis. Brusquement elle arrêtait sa chaise devant l'un d'eux, et restait jusqu'à la nuit immobile à la regarder, enfoncée en ses recherches.

Puis tout à coup, quand toutes les sèves se réveillèrent sous la chaleur du soleil, quand les récoltes se mirent à pousser par les champs, les arbres à verdir, quand les pommiers dans les cours s'épanouirent comme des boules roses et parfumèrent la plaine, une grande agitation la saisit.

Elle ne tenait plus en place ; elle allait et venait, sortait et rentrait vingt fois par jour, et vagabondait parfois au loin le long des fermes, s'exaltant dans une sorte de fièvre de regret.

La vue d'une marguerite blottie dans une touffe d'herbe, d'un rayon de soleil glissant entre les feuilles, d'une flaque d'eau dans une ornière où se mirait le bleu du ciel, la remuaient, l'attendrissaient, la bouleversaient en lui redonnant des sensations lointaines, comme l'écho de ses émotions de jeune fille, quand elle rêvait par la campagne.

Elle avait frémi des mêmes secousses, savouré cette douceur et cette griserie troublante des jours tièdes, quand elle attendait l'avenir. Elle retrouvait tout cela maintenant que l'avenir était clos. Elle en jouissait encore dans son cœur ; mais elle en souffrait en même temps, comme si la joie éternelle du monde réveillé, en pénétrant sa peau séchée, son sang refroidi, son âme accablée, n'y pouvait plus jeter qu'un charme affaibli et douloureux.

Il lui semblait aussi que quelque chose était un peu changé, partout autour d'elle. Le soleil devait être un peu moins chaud que dans sa jeunesse, le ciel un peu moins bleu, l'herbe un peu moins verte ; et les fleurs, plus pâles et moins odorantes, n'enivraient plus tout à fait autant.

Dans certains jours, cependant, un tel bien-être de vie la pénétrait qu'elle se reprenait à rêvasser, à espérer, à attendre ; car peut-on, malgré la rigueur acharnée du sort, ne pas espérer toujours, quand il fait beau ?

Elle allait, elle allait devant elle, pendant des heures et des heures, comme fouettée par l'excitation de son âme. Et parfois elle s'arrêtait tout à coup, et s'asseyait au bord de la route pour réfléchir à des choses tristes. Pourquoi n'avait-elle pas été aimée comme d'autres ? Pourquoi n'avait-elle pas même connu les simples bonheurs d'une existence calme ?

Et parfois encore elle oubliait un moment qu'elle était vieille, qu'il n'y avait plus rien devant elle, hors quelques ans lugubres et solitaires, que toute sa route était parcourue ; et elle bâtissait, comme jadis, à seize ans, des projets doux à son cœur ; elle combinait des bouts d'avenir charmants. Puis la dure sensation du réel tombait sur elle ; elle se relevait courbaturée comme sous la chute d'un poids qui lui aurait cassé les reins ; et elle reprenait plus lentement le chemin de sa demeure en murmurant : « Oh ! vieille folle ! vieille folle ! »

NOUVELLE FANTASTIQUE

.Le Horla.

1887

Maupassant rapporte, sous la forme d'un journal, les hallucinations d'un homme obsédé par la mystérieuse présence d'un être surnaturel qu'il nomme ***Le Horla****. Ce Horla est un être invisible et impalpable, il absorbe l'énergie vitale de sa victime, la détruit. La terreur puis la folie s'emparent du narrateur. Les psychiatres ont vu dans cette nouvelle une description précise de la folie de Maupassant, et une étonnante étude clinique des maladies du système nerveux étudiées par Charcot. Fantastique et réalisme sont liés : le narrateur est-il fou, ou le Horla est-il réel ?*

Le narrateur voit l'invisible :

19 août. – Je le tuerai. Je l'ai vu ! je me suis assis hier soir, à ma table ; et je fis semblant d'écrire avec une grande attention. Je savais bien qu'il viendrait rôder autour de moi, tout près, si près que je pourrais peut-être le toucher, le saisir ? Et alors !... alors, j'aurais la force des désespérés ; j'aurais mes mains, mes genoux, ma poitrine, mon front, mes dents pour l'étrangler, l'écraser, le mordre, le déchirer.

Et je le guettais avec tous mes organes surexcités.

J'allais allumé mes deux lampes et les huit bougies de ma cheminée, comme si j'eusse pu, dans cette clarté, le découvrir.

En face de moi, mon lit, un vieux lit de chêne à colonnes ; à droite, ma cheminée ; à gauche, ma porte fermée avec soin, après l'avoir laissée longtemps ouverte, afin de l'attirer ; derrière moi, une très haute armoire à glace, qui me servait chaque jour pour me raser, pour m'habiller, et où j'avais coutume de me regarder, de la tête aux pieds, chaque fois que je passais devant.

Donc, je faisais semblant d'écrire, pour le tromper, car il m'épiait lui aussi ; et soudain, je sentis, je fus certain qu'il lisait par-dessus mon épaule, qu'il était là frôlant mon oreille.

Je me dressai, les mains tendues, en me tournant si vite que je faillis tomber. Eh bien ?... on y voyait comme en plein jour, et je ne me vis pas dans ma glace !... Elle était vide, claire, profonde, pleine de lumière ! Mon image n'était pas dedans... et j'étais en face, moi ! Je voyais le grand verre limpide du haut en bas. Et je regardais cela avec des yeux affolés ; et je n'osais plus avancer, je n'osais plus faire un mouvement, sentant bien pourtant qu'il était là, mais qu'il m'échapperait encore, lui dont le corps imperceptible avait dévoré mon reflet.

Comme j'eus peur ! Puis voilà que tout à coup je commençai à m'apercevoir dans une brume, au fond du miroir, dans une brume comme à travers une nappe d'eau ; et il me semblait que cette eau glissait de gauche à droite, lentement, rendant plus précise mon image, de seconde en seconde. C'était comme la fin d'une éclipse. Ce qui me cachait ne paraissait point posséder de contours nettement arrêtés, mais une sorte de transparence opaque, s'éclaircissant peu à peu.

Je pus enfin me distinguer complètement, ainsi que je le fais chaque jour en me regardant.

Je l'avais vu ! L'épouvante m'en est restée, qui me fait encore frissonner. (...)

Le narrateur décide de tuer le Horla :

10 septembre – (...)

Tout à coup, je compris qu'il s'agitait autour de moi, qu'il avait peur à son tour, qu'il m'ordonnait de lui ouvrir. Je faillis céder ; je ne cédai pas, mais m'adossant à la porte, je l'entrebâillai, tout juste assez pour passer, moi, à reculons ; et comme je suis très grand ma tête touchait au linteau. J'étais sûr qu'il n'avait pu s'échapper et je l'enfermai, tout seul, tout seul. Quelle joie ! Je le tenais ! Alors, je descendis, en courant ; je pris dans mon salon, sous ma chambre, mes deux lampes et je renversai toute l'huile sur le tapis, sur les meubles, partout ; puis j'y mis le feu, et je me sauvai, après avoir bien refermé, à double tour, la grande porte d'entrée.

Et j'allai me cacher au fond de mon jardin, dans un massif de lauriers. Comme ce fut long !

Je regardais ma maison, et j'attendais. Comme ce fut long ! Je croyais déjà que le feu s'était éteint tout seul, ou qu'il l'avait éteint, Lui, quand une des fenêtres d'en bas creva sous la poussée de l'incendie, et une flamme, une grande flamme rouge et jaune, longue, molle, caressante, monta le long du mur blanc et le baisa jusqu'au toit. Une lueur courut dans les arbres, dans les branches, dans les feuilles, et un frisson, un frisson de peur aussi. Les oiseaux se réveillaient ; un chien se mit à hurler ; il me sembla que le jour se levait ! Deux autres fenêtres éclatèrent aussitôt, et je vis que tout le bas de ma demeure n'était plus qu'un effrayant brasier. Mais un cri, un cri horrible, suraigu, déchirant, un cri de femme passa dans la nuit, et deux mansardes s'ouvrirent ! J'avais oublié mes domestiques ! Je vis leurs faces affolées, et leurs bras qui s'agitaient !...

Alors, éperdu d'horreur, je me mis à courir vers le village en hurlant : « Au secours ! au secours ! au feu ! au feu ! » Je rencontrai des gens qui s'en venaient déjà et je retournai avec eux, pour voir.

La maison, maintenant, n'était plus qu'un bûcher horrible et magnifique, un bûcher monstrueux, éclairant toute la terre, un bûcher où brûlaient des hommes, et où il brûlait aussi, Lui, Lui, mon prisonnier, l'Être nouveau, le nouveau maître, le Horla !

Soudain le toit tout entier s'engloutit entre les murs et un volcan de flammes jaillit jusqu'au ciel. Par toutes les fenêtres ouvertes sur la fournaise, je voyais la cuve de feu, et je pensais qu'il était là, dans ce four, mort...

« Mort ? Peut-être ?... Son corps ? son corps que le jour traversait n'était-il pas indestructible par les moyens qui tuent les nôtres ?

« S'il n'était pas mort ?... seul peut-être le temps a prise sur l'Être invisible et Redoutable. Pourquoi ce corps transparent, ce corps inconnaissable, ce corps d'Esprit, s'il devait craindre, lui aussi, les maux, les blessures, les infirmités, la destruction prématurée ?

« La destruction prématurée ? toute l'épouvante humaine vient d'elle ! (...)

ESSAI

Préface de Pierre et Jean

1888

Maupassant expose ses idées sur l'art et la littérature qui peuvent se résumer ainsi : « le but du romancier n'est point de raconter une histoire, de nous amuser, de nous attendrir, mais de nous forcer à penser, à comprendre le sens profond et caché des événements ». Il demande au roman réaliste, non pas d'être une copie du réel, mais une vision de la vie « plus saisissante, plus probante que la réalité ».

Le réaliste, s'il est un artiste, cherchera, non pas à nous montrer la photographie banale de la vie, mais à nous en donner la vision plus complète, plus saisissante, plus probante que la réalité même.

Raconter tout serait impossible, car il faudrait alors un volume au moins par journée, pour énumérer les multitudes d'incidents insignifiants qui emplissent notre existence.

Un choix s'impose donc – ce qui est une première atteinte à la théorie de toute la vérité.

La vie, en outre, est composée des choses les plus différentes, les plus imprévues, les plus contraires, les plus disparates ; elle est brutale, sans suite, sans chaîne, pleine de catastrophes inexplicables, illogiques et contradictoires qui doivent être classées au chapitre faits divers.

Voilà pourquoi l'artiste, ayant choisi son thème, ne prendra dans cette vie encombrée de hasards et de futilités que les détails caractéristiques utiles à son sujet, et il rejettera tout le reste, tout l'à-côté.

Un exemple entre mille :

Le nombre des gens qui meurent chaque jour par accident est considérable sur la terre. Mais pouvons-nous faire tomber une tuile sur la tête d'un personnage principal, ou le jeter sous les roues d'une voiture, au milieu d'un récit, sous prétexte qu'il faut faire la part de l'accident ?

La vie encore laisse tout au même plan, précipite les faits ou les traîne indéfiniment. L'art, au contraire, consiste à user de précautions et de préparations, à ménager des transitions savantes et dissimulées, à mettre en pleine lumière, par la seule adresse de la composition, les événements essentiels et à donner à tous les autres le degré de relief qui leur convient, suivant leur importance, pour produire la sensation profonde de la vérité spéciale qu'on veut montrer.

Faire vrai consiste donc à donner l'illusion complète du vrai, suivant la logique ordinaire des faits, et non à les transcrire servilement dans le pêle-mêle de leur succession.

J'en conclus que les Réalistes de talent devraient s'appeler plutôt des Illusionnistes.

Quel enfantillage, d'ailleurs, de croire à la

"**Les grands artistes sont ceux qui imposent à l'humanité leur illusion particulière**"

réalité puisque nous portons chacun la nôtre dans notre pensée et dans nos organes ! Nos yeux, nos oreilles, notre odorat, notre goût différents créent autant de vérités qu'il y a d'hommes sur la terre. Et nos esprits qui reçoivent les instructions de ces organes, diversement impressionnés, comprennent, analysent et jugent comme si chacun de nous appartenait à une autre race.

Chacun de nous se fait donc simplement une illusion du monde, illusion poétique, sentimentale, joyeuse, mélancolique, sale ou lugubre suivant sa nature. Et l'écrivain n'a d'autre mission que de reproduire fidèlement cette illusion avec tous les procédés d'art qu'il a appris et dont il peut disposer. Illusion du beau qui est une convention humaine ! Illusion du laid qui est une opinion changeante ! Illusion du vrai jamais immuable ! Illusion de l'ignoble qui attire tant d'êtres ! Les grands artistes sont ceux qui imposent à l'humanité leur illusion particulière.

Robert Louis Stevenson

EDIMBOURG 1850 — VAILEMA 1894.

Enfant fragile, sinon souffreteux, Robert Stevenson, choyé par ses parents, accompagne son père dans de nombreux voyages. Il entre à l'école d'ingénieurs d'Anstruthen et obtient à l'âge de 21 ans la médaille d'argent de la Société des Arts de Edimbourg pour son mémoire sur l'éclairage des maisons. En 1871 il entreprend des études de droit ; mais c'est finalement vers le métier d'écrivain qu'il se tourne. Il compose quelques essais et nouvelles dans des revues, publie un ***Appel au clergé de l'Église d'Écosse*** *(1875). Il voyage en France et en Allemagne, rédige un* ***Voyage sur le Continent*** *(1878) et ses* ***Voyages avec un âne dans les Cévennes*** *(1879). Il rencontre Fanny Osborne qu'il épousera en 1880. Sa santé fragile décline, il s'installe au bord de la méditerranée pendant les années 1883 et 1884. Il publie* ***L'Île au Trésor*** *qui le rend célèbre. Il rentre en Angleterre et compose un* ***Recueil de vers pour enfants ; Le Corbeau ; Le Roman du Prince Othon*** *; et, en 1886,* ***Le Cas étrange du Dr Jekyll et M. Hyde****. Il décide de partir pour l'Amérique avec sa femme, sa mère et son beau-fils. Il va à New-York, puis à San Francisco ; il visite les îles Marquises, Tahiti, Honolulu, etc., et finit par se fixer à Vailima dans les îles Samoa. Il vit dans une petite maison de bois qui domine la mer et se lie avec les indigènes. Il compose* ***le Maître de Ballantrae ; La Fausse Caisse ; Dans les Mers du Sud*** *; etc. En 1894, il meurt d'une crise d'apoplexie. Au sommet du pic Vaeo, sa tombe domine le Pacifique.*

ROMAN

.L'Île au trésor.

1883

Le jeune Jim Hawkins aide sa mère veuve à tenir l'auberge de ***L'Amiral Benbow*** *dans un petit port d'Angleterre. Survient un étrange client qui prend pension, un vieux loup de mer qui ne vit guère que de rhum et de secrets, inquiet, soupçonneux, possesseur d'un coffre mystérieux, et surtout personnage fort irritable : Billy Bones.*

Puis c'est un aveugle maléfiquement fort qui entre en scène. Il est en quête du vieux marin, lequel semble passablement le redouter. Ils se querellent, et l'aveugle s'enfuit en proférant de terribles menaces. Le vieil homme de mer ne résiste pas à cette dernière tourmente : il meurt comme un navire se fracasse d'un coup contre des récifs. Jim et sa mère fouillent le coffre mystérieux. Ils ne veulent que leur dû. Mais si la mère ne prend en pièces d'or que la somme exacte, Jim, « pour faire bon poids » ajoute un paquet roulé dans une toile cirée. Après quoi, ils quittent l'auberge pour gagner le village. Heureusement, car c'est alors que des pirates, commandés par l'aveugle, donnent l'assaut à l'auberge où ils trouvent le vieux marin mort et le coffre ouvert et ***la carte du trésor*** *de Flint le pirate disparue ! Jim trouve refuge auprès du docteur Livesey et du chevalier Trelawney, qui organisent une expédition vers l'île au trésor. Mais quelques pirates, dont John Silver à la jambe de bois, ont été malencontreusement recrutés par le naïf et bavard docteur ! Lorsque le navire atteindra l'île au trésor, la lutte s'engagera nécessairement...*

Caché dans le tonneau de pommes, Jim surprend les horribles projets de mutinerie des pirates. Ces gredins préméditent la mort de tous les hommes honnêtes... C'est alors que la vigie crie « Terre ! »

CONSEIL DE GUERRE

J'entendis un grand bruit de pas sur le pont. Tout le monde se précipitait hors de la cabine et de l'avant pour vérifier l'exactitude de la nouvelle donnée par la vigie. Je profitai de ce mouvement pour me glisser hors du tonneau, faire un plongeon derrière la voile de misaine, puis un crochet vers l'arrière ; et, en fin de compte, j'arrivai sans être remarqué à rejoindre Hunter et le docteur Livesey.

Pas une tête qui ne fût, à cet instant, tournée vers le large à bâbord. Une ceinture de brouillards venait de se lever à l'horizon en même temps que la lune. Mais on n'en distinguait pas moins, au sud-est, deux hauteurs séparées par un intervalle d'un mille environ et, derrière l'une de ces collines, une montagne dont la cime était enveloppée de brume.

Je voyais tout cela comme dans un rêve, car j'étais encore sous l'impression de l'affreuse terreur que je venais d'éprouver. J'entendis la voix du capitaine Smollett donner des ordres ; l'*Hispaniola* appuya de deux points plus près du vent et suivit dès lors une route qui devait lui faire laisser l'île dans l'est.

— Quelqu'un de vous a-t-il jamais vu la terre qui est devant nous ? demanda le capitaine à l'équipage.

— Moi, capitaine, dit aussitôt John Silver. J'y ai même abordé pour faire de l'eau, avec un navire marchand où je servais comme cuisinier.

— Le mouillage n'est-il pas au sud, derrière un îlot, reprit le capitaine.

— Précisément, derrière l'îlot du Squelette, comme on l'appelle. Il paraît que c'était dans le temps un repaire de pirates. Un matelot que nous avions à bord connaissait fort bien l'île et en nommait tous les endroits. Cette hauteur vers le nord s'appelle le Mât-de-Misaine et les deux autres, en allant vers le sud, le Grand-Mât et le Mât d'Artimon ; elles sont à peu près sur une ligne droite et celle du milieu est la plus haute. C'est ce qui leur avait fait donner ces noms. Mais on appelle généralement la plus haute, celle qui est couverte de brume, la Longue-Vue. C'est de là, paraît-il, qu'ils observaient la mer quand leurs navires étaient au mouillage.

— J'ai là une carte, dit le capitaine Smollett. Voyez si vous reconnaissez l'endroit.

Les yeux de John Silver s'allumèrent comme braise tandis qu'il prenait la carte. Mais un coup d'œil sur le papier m'avait suffi pour deviner qu'il allait être désappointé dans son attente. Cette carte-là n'était pas celle que nous avions trouvée dans le coffre de Billy Bones : c'était une simple copie, parfaite de tous points pour les noms, altitudes et sondages ; seulement on avait eu soin d'omettre les croix rouges et les notes manuscrites. Si vif que fût son dépit, Silver eut la force de le dissimuler.

— Oui, c'est bien l'endroit, et joliment dessiné ! dit-il. Qui peut bien avoir dressé cette carte ? je me le demande. Ce ne sont sûrement pas les pirates, qui étaient bien trop ignorants !... Ah ! voilà le mouillage du capitaine Kidd, comme l'appelait mon camarade !... Il y a là un fort courant allant au sud, puis au nord et à l'ouest, le long de la côte. Vous avez eu bien raison, capitaine, d'appuyer sur le vent et de laissser l'île à babord — au moins si votre intention est d'y mouiller ; il n'y a pas de meilleure relâche dans ces parages...

— C'est bien, mon brave, répondit le capitaine. Vous pouvez aller. Si j'ai encore besoin du secours de votre expérience, je vous le dirai.

J'étais stupéfait de l'audace avec laquelle John Silver avouait connaître l'île. Presque aussitôt, à ma frayeur extrême, il se rapprocha de moi. Certes, il ne pouvait se douter que, du fond du tonneau aux pommes, j'avais entendu l'exposé de ses atroces projets ; et pourtant je venais de concevoir une horreur si vive de sa cruauté et de son hypocrisie que je pus à peine réprimer un tressaillement en le voyant poser sa main sur mon épaule.

— Ah ! fit-il, c'est un vrai paradis que cette île pour un garçon de ton âge ! Vas-tu t'en donner, de grimper aux arbres, de te baigner, de poursuivre les chèvres sauvages et d'escalader les montagnes ! Rien que d'y penser, je me sens rajeunir de trente ans !... je ne pense plus à ma béquille ! Est-ce assez bon, tout de même, d'être jeune et d'avoir ses dix doigts aux pieds !... Quand tu iras à terre, fillot, ne manque pas de venir trouver le vieux John ; ce sera bien le diable s'il ne te remplit pas les poches pour ton goûter !...

Sur quoi il me passa amicalement la main sur l'épaule et descendit en clopinant dans les régions inférieures.

Le capitaine Smollett, le squire et le docteur étaient en train de causer sur le gaillard d'arrière ; et, malgré mon impatience de leur dire ce que je venais d'apprendre, je n'osais pas les aborder ouvertement. Comme je cherchais une excuse pour m'approcher d'eux, le docteur Livesey m'appela pour me prier d'aller lui chercher sa pipe. Je ne fus pas plus tôt à portée de son oreille que je lui dis à voix basse :

— Docteur, j'ai de terribles nouvelles !... Veuillez, je vous prie, dire au capitaine et au squire de descendre au salon, et trouvez un prétexte pour m'envoyer chercher...

La physionomie du docteur s'altéra un instant ; mais presque aussitôt il reprit possession de lui-même.

— Merci Jim, c'est tout ce que je désire savoir, dit-il à haute voix comme si je venais de répondre à une question.

Là-dessus, il tourna sur ses talons et rejoignit les deux autres. Ils causèrent un moment et je compris que le docteur leur avait transmis ma requête, quoique aucun d'eux ne donnât le moindre signe d'inquiétude ou même d'étonnement ; car aussitôt le docteur donna un ordre à Job Andersen, et le fifre appela tout le monde sur le pont.

— Mes enfants, dit le capitaine, la terre qui vient d'être signalée est le but de notre voyage. M. Trelawney, comme vous le savez, est la générosité même. Il vient de me demander si j'ai été content de vous au cours de la traversée et, comme je n'ai eu qu'à me louer de l'équipage, il a été convenu que nous boirions à votre santé, lui, le docteur et moi, et qu'en même temps vous boiriez à la nôtre une double ration de grog. Si vous me permettez de vous en dire mon avis, je trouve que c'est fort aimable de sa part. Et si vous partagez cette opinion ne manquez pas de donner une acclamation au gentleman qui vous régale.

Naturellement, l'acclamation ne se fit pas attendre. Et tous ces hommes avaient l'air de la donner de si bon cœur que j'en venais à me demander s'il était bien possible qu'ils eussent ourdi contre nous une trahison si noire.

— Un hourra pour le capitaine Smollett ! proposa John Silver quand le tumulte se fut apaisé.

Celui-là aussi fut poussé avec enthousiasme. Après quoi, les trois gentlemen descendirent au salon ; et, bientôt après, je reçus l'ordre de les rejoindre.

Sur la table autour de laquelle ils avaient pris place se trouvaient une bouteille de vin d'Espagne et une assiette de raisins secs. Le docteur fumait, sa perruque posée sur ses genoux ; je savais que c'était chez lui le signe d'une grande perturbation. La fenêtre de poupe était ouverte, car il faisait très chaud, et l'on voyait la lune se mirer dans le sillage du navire.

— Voyons, Hawkins, ce que vous avez à nous dire, commença M. Trelawney. Nous vous écoutons.

Je racontai alors, aussi brièvement que possible, ce qui m'était arrivé et la conversation que j'avais surprise. Pas un de mes trois auditeurs ne m'interrompit par une parole ou même par un geste ; mais leurs yeux restèrent tout le temps fixés sur mon visage. Quand j'eus fini :

— Jim, assieds-toi là, me dit le docteur.

Il me fit prendre un siège auprès de lui,

me versa un verre de vin, me donna une poignée de raisins. Puis tous trois, avec un grand salut, burent gravement à ma santé, pour le service que je venais de leur rendre, pour l'heureux hasard qui m'avait favorisé et pour le courage dont j'avais fait preuve.

— Capitaine, dit alors le squire, vous aviez raison, et j'avais tort. Je reconnais que je suis un âne bâté, et j'attends vos ordres.

— Pas plus âne que moi, monsieur, répondit le capitaine. Jusqu'à ce soir, je n'avais jamais entendu parler d'un équipage complotant de se révolter qui ne laissât pas percer ses projets d'une manière ou d'une autre. Mais celui-ci me confond ; je n'y comprends rien !

— Permettez, capitaine, l'explication est fort simple, dit le docteur. C'est John Silver qui a tout fait. Et John Silver, ne vous y trompez pas, est un homme remarquable.

— Il ferait surtout remarquablement bien au bout de la grande vergue, pendu par le cou, reprit le capitaine. Mais nous bavardons et cela ne mène à rien. Analysons la situation, cela vaudra mieux, n'est-il pas vrai, monsieur Trelawney ?

— Monsieur, vous êtes notre commandant ; c'est à vous de parler ! dit le squire d'un air magnanime.

— Je parle donc. Il me semble que trois ou quatre points se dégagent du récit de Jim. Le premier, c'est qu'il faut aller de l'avant ; si je donnais l'ordre de virer de bord, les gaillards se révolteraient sur l'heure. Le second, c'est que nous avons du temps devant nous, au moins jusqu'à ce que le trésor ait été trouvé. Le troisième, c'est que quelques-uns des hommes sont encore avec nous. Or, nous ne devons pas nous le dissimuler : tôt ou tard, il faudra en venir aux coups. Je propose donc de prendre, comme on dit, l'occasion aux cheveux et de tomber sur les mécréants au premier moment favorable, quand ils s'y attendront le moins. Nous pouvons, je pense, compter sur vos domestiques, monsieur Trelawney ?

— Comme sur moi-même, déclara le squire.

— Cela fait déjà trois. Avec nous quatre, en comptant Hawkins comme un homme, cela fait sept. Quant aux autres fidèles...

— Ce sont probablement les hommes engagés par Trelawney avant qu'il eût rien à faire avec John Silver, déclara le docteur.

— Hélas ! dit le squire, Hands était de ceux-là.

— Moi aussi, j'aurais pensé pouvoir me fier à Hands, déclara le capitaine.

— Quand je pense que ces misérables sont anglais, il me prend des envies de faire sauter le navire ! s'écria M. Trelawney.

— Bref, messieurs, reprit le capitaine, la situation n'a rien de gai. Le mieux que nous puissions faire est de nous tenir sur nos gardes et d'attendre l'occasion. Ce n'est pas amusant, je le sais. On aimerait mieux en venir tout de suite aux mains. Mais ce serait folie tant que nous ne saurons pas exactement quelles sont nos forces. Donc, mettons en panne et guettons le vent, voilà mon avis.

— Jim peut nous être plus utile que personne, dit le docteur. Les hommes ne se méfient pas de lui, et il est fin comme l'ambre.

— Hawkins, j'ai en vous une confiance prodigieuse, ajouta le squire.

Si flatteuse qu'elle fût, cette confiance me semblait bien peu justifiée, à moi qui me sentais si jeune et sans expérience. Et pourtant un singulier concours de circonstances devait véritablement faire de moi l'artisan du salut commun.

En attendant, nous avions beau compter, nous n'étions sûrs que de sept hommes sur vingt-six ; et sur les sept il y avait un enfant ; de sorte qu'en réalité notre parti se composait de six hommes faits contre dix-neuf.

CHAPITRE 12

Arthur Rimbaud

CHARLEVILLE 1854 – MARSEILLE 1891.

Au collège de Charleville Rimbaud est un très bon élève qui inquiète ses professeurs, à l'exception du jeune Izambard dont il retient toute l'attention et suscite le dévouement. Il envoie certains de ses premiers poèmes à Banville, et assez souvent fugue. En 1871, Rimbaud loge à Paris chez Verlaine. Leurs vies se confondent jusqu'aux coups de révolver. Rimbaud écrit alors ***Une Saison en enfer****, et revoit le texte des* ***Illuminations.*** *En 1874, Rimbaud fait à Paris la connaissance de Germain Nouveau et part pour l'Angleterre avec lui. Il rentre à Charleville l'année suivante, part en Allemagne, est précepteur à Stuttgart. Verlaine vient le voir et veut qu'il revienne comme lui au catholicisme, mais repart deux jours plus tard. Rimbaud, en 1875, est à Milan, puis, victime d'insolation en Italie, est rapatrié. A Charleville, il étudie l'espagnol, l'arabe, l'italien et le hollandais. Il s'engage en 1876 dans l'armée coloniale hollandaise ; débarqué à Batavie il déserte, s'emploie sur un voilier pour Bordeaux, et rentre à Charleville. En 1877, il part pour Vienne, revient à Charleville, se rend à Hambourg, parcourt le Danemark et la Suède. Le voici débardeur à Marseille, d'où il s'embarque pour Alexandrie mais n'allant pas plus loin que Civita-Vecchia, visitant Rome et rentrant à Charleville. En 1878, un bateau le mène de Gênes à Alexandrie, puis à Chypre d'où il repart pour la France et Charleville. Il retourne à Chypre, et en 1880 part pour Aden. Une maison de commerce lui confie une succursale à Harrar. Explorant des régions encore inconnues, Rimbaud envoie un rapport que publie la Société de géographie. Sa tentative de trafic d'armes en 1887 échoue. De 1888 à 1891, Rimbaud dirige une factorie à Harrar. Atteint d'une tumeur au genou, il est rapatrié et hospitalisé à Marseille où on l'ampute de la jambe droite. Il a « retrouvé la foi », dit-on, lorsqu'il meurt le 10 novembre.*

.Poésies.

1891

.MA BOHÈME.

Je m'en allais, les poings dans mes poches crevées ;
Mon patelot aussi devenait idéal ;
J'allais sous le ciel, Muse ! et j'étais ton féal ;
Oh ! là là ! que d'amours splendides j'ai rêvées !

Mon unique culotte avait un large trou.
– Petit-Poucet rêveur, j'égrenais dans ma course
Des rimes. Mon auberge était à la Grande-Ourse.
– Mes étoiles au ciel avaient un doux frou-frou.

Et je les écoutais, assis au bord des routes,
Ces bons soirs de septembre où je sentais des gouttes
De rosée à mon front, comme un vin de vigueur ;

Où, rimant au milieu des ombres fantastiques,
Comme des lyres, je tirais les élastiques
De mes souliers blessés, un pied près de mon cœur !

.LE BATEAU IVRE.

Comme je descendais des Fleuves impassibles,
Je ne me sentis plus guidé par les haleurs :
Des peaux-Rouges criards les avaient pris pour cibles
Les ayant cloués nus aux poteaux de couleurs.

J'étais insoucieux de tous les équipages,
Porteur de blés flamands ou de cotons anglais.
Quand avec mes haleurs ont fini ces tapages
Les Fleuves m'ont laissé descendre où je voulais.

Dans les clapotements furieux des marées,
Moi, l'autre hiver, plus sourd que les cerveaux [d'enfants,
Je courus ! Et les Péninsules démarrées
N'ont pas subi tohu-bohus plus triomphants.

La tempête a béni mes éveils maritimes.
Plus léger qu'un bouchon j'ai dansé sur les flots
Qu'on appelle rouleurs éternels de victimes,
Dix nuits, sans regretter l'œil niais des falots !

Plus douce qu'aux enfants la chair des pommes sures,
L'eau verte pénétra ma coque de sapin
Et des taches de vins bleus et des vomissures
Me lava, dispersant gouvernail et grappin.

Et dès lors, je me suis baigné dans le Poème
De la Mer, infusé d'astres, et lactescent,
Dévorant les azurs verts ; où, flottaison blême
Et ravie, un noyé pensif parfois descend ;

Où, teignant tout à coup les bleuités, délires
Et rhythmes lents sous les rutilements du jour,
Plus fortes que l'alcool, plus vastes que nos lyres,
Fermentent les rousseurs amères de l'amour !

Je sais les cieux crevant en éclairs, et les trombes
Et les ressacs et les courants : je sais le soir,
L'Aube exaltée ainsi qu'un peuple de colombes,
Et j'ai vu quelquefois ce que l'homme a cru voir !

J'ai vu le soleil bas, taché d'horreurs mystiques,
Illuminant de longs figements violets,
Pareils à des acteurs de drames très antiques
Les flots roulant au loin leurs frissons de volets !

J'ai rêvé la nuit verte aux neiges éblouies,
Baiser montant aux yeux des mers avec lenteurs,
La circulation des sèves inouïes,
Et l'éveil jaune et bleu des phosphores chanteurs !

J'ai suivi, des mois pleins, pareille aux vacheries
Hystériques, la houle à l'assaut des récifs,
Sans songer que les pieds lumineux des Maries
Pussent forcer le mufle aux Océans poussifs !

J'ai heurté, savez vous, d'incroyables Florides
Mêlant aux fleurs des yeux de panthères à peaux
D'hommes ! Des arcs-en-ciel tendus comme des brides
Sous l'horizon des mers, à de glauques troupeaux !

J'ai vu fermenter les marais énormes, nasses
Où pourrit dans les joncs tout un Léviathan !
Des écroulements d'eaux au milieu des bonaces,
Et les lointains vers les gouffres cataractant !

Glaciers, soleils d'argent, flots nacreux, cieux de [braises !
Échouages hideux au fond des golfes bruns
Où les serpents géants dévorés des punaises
Choient, des arbres tordus, avec de noirs parfums !

J'aurais voulu montrer aux enfants ces dorades
Du flot bleu, ces poissons d'or, ces poissons chantants.
– Des écumes de fleurs ont bercé mes dérades
Et d'ineffables vents m'ont ailé par instants.

Parfois, martyr lassé des pôles et des zones,
La mer dont le sanglot faisait mon roulis doux
Montait vers moi ses fleurs d'ombre aux ventouses [jaunes
Et je restais, ainsi qu'une femme à genoux...

Presque île, ballottant sur mes bords les querelles
Et les fientes d'oiseaux clabaudeurs aux yeux blonds.
Et je voguais, lorsqu'à travers mes liens frêles
Des noyés descendaient dormir, à reculons !

Or moi, bateau perdu sous les cheveux des anses.
Jeté par l'ouragan dans l'éther sans oiseau,

Moi dont les Monitors et les voiliers des Hanses
N'auraient pas repêché la carcasse ivre d'eau ;

Libre, fumant, monté de brumes violettes,
Moi qui trouais le ciel rougeoyant comme un mur
Qui porte, confiture exquise aux bons poètes,
Des lichens de soleil et des morves d'azur,

Qui courais, taché de lunules électriques,
Planche folle, escorté des hippocampes noirs,
Quand les juillets faisaient crouler à coups de triques
Les cieux ultramarins aux ardents entonnoirs ;

Moi qui tremblais, sentant geindre à cinquante lieues
Le rut des Béhémots et les Maelstroms épais,
Fileur éternel des immobilités bleues,
Je regrette l'Europe aux anciens parapets !

J'ai vu des archipels sidéraux ! et des îles
Dont les cieux délirants sont ouverts au vogueur :
Est-ce en ces nuits sans fonds que tu dors et t'exiles,
Million d'oiseaux d'or, ô future Vigueur ? –

Mais, vrai, j'ai trop pleuré ! Les Aubes sont navrantes.
Toute lune est atroce et tout soleil amer :
L'âcre amour m'a gonflé de torpeurs enivrantes.
O que ma quille éclate ! O ! que j'aille à la mer !

Si je désire une eau d'Europe, c'est la flache
Noire et froide où vers le crépuscule embaumé
Un enfant accroupi plein de tristesses, lâche
Un bateau frêle comme un papillon de mai.

Je ne puis plus, baigné de vos langueurs, ô lames,
Enlever leur sillage aux porteurs de cotons,
Ni traverser l'orgueil des drapeaux et des flammes,
Ni nager sous les yeux horribles des pontons.

.VOYELLES.

"A noir, E blanc, I rouge,
U vert, O bleu : voyelles,
Je dirai quelque jour vos
naissances latentes"

A noir, E blanc, I rouge, U vert, O bleu : voyelles,
Je dirai quelque jour vos naissances latentes :
A, noir corset vêtu des mouches éclatantes
Qui bombinent autour des puanteurs cruelles,

Golfes d'ombres ; E, candeurs des vapeurs et des tentes,
Lances des glaciers fiers, rois blancs, frissons [d'ombelles ;
I, pourpres, sang craché, rire des lèvres belles
Dans la colère ou les ivresses pénitentes ;

U, cycles, vibrements divins des mers virides,
Paix des pâtis semés d'animaux, paix des rides
Que l'alchimie imprime aux grands fronts studieux ;

O, suprême Clairon plein des strideurs étranges,
Silences traversés des Mondes et des Anges :
– O l'Oméga, rayon violet de Ses yeux !

.LES ASSIS.

Noirs de loupes, grêlés, les yeux cerclés de bagues
Vertes, leurs doigts boulus crispés à leurs fémurs,
Le sinciput plaqué de hargnosités vagues
Comme les floraisons lépreuses des vieux murs ;

Ils ont greffé dans des amours épileptiques
Leur fantasque ossature aux grands squelettes noirs
De leurs chaises ; leurs pieds aux barreaux rachitiques
S'entrelacent pour les matins et pour les soirs !

Ces vieillards ont toujours fait tresse avec leurs sièges,
Sentant les soleils vifs percaliser leur peau,
Ou, les yeux à la vitre où se fanent les neiges,
Tremblant du tremblement douloureux du crapaud.

Et les Sièges leur ont des bontés : culottée
De brun, la paille cède aux angles de leurs reins :
L'âme des vieux soleils s'allume emmaillotée
Dans ces tresses d'épis où fermentaient les grains.

Et les Assis, genoux aux dents, verts pianistes,
Les dix doigts sous leur siège aux rumeurs de tambour,
S'écoutent clapoter des barcarolles tristes,
Et leurs caboches vont dans des roulis d'amour.

– Oh ! ne les faites pas lever ! C'est le naufrage...
Ils surgissent, grondant comme des chats giflés.
Ouvrant lentement leurs omoplates, ô rage !
Tout leur pantalon bouffe à leurs reins boursouflés.

Et vous les écoutez, cognant leurs têtes chauves
Aux murs sombres, plaquant et plaquant leurs pieds [tors,
Et leurs boutons d'habit sont des prunelles fauves
Qui vous accrochent l'œil du fond des corridors !

Puis ils ont une main invisible qui tue :
Au retour, leur regard filtre ce venin noir
Qui charge l'œil souffrant de la chienne battue,
Et vous suez, pris dans un atroce entonnoir.

Rassis, les poings noyés dans des manchettes sales,
Ils songent à ceux-là qui les ont fait lever
Et, de l'aurore au soir, des grappes d'amygdales
Sous leurs mentons chétifs s'agitent à crever.

Quand l'austère sommeil a baissé leurs visières,
Ils rêvent sur leur bras de sièges fécondés,
De vrais petits amours de chaises en lisière
Par lesquelles de fiers bureaux seront bordés.

Des fleurs d'encre crachant des pollens en virgule
Les bercent, le long des calices accroupis
Tels qu'au fil des glaïeuls le vol des libellules
– Et leur membre s'agace à des barbes d'épis.

.Lettre à Paul Demeny.

1871

Rimbaud expose son art poétique. (Extrait.)

L'intelligence universelle a toujours jeté ses idées, naturellement ; les hommes ramassaient une partie de ces fruits du cerveau : on agissait par, on en écrivait des livres : telle allait la marche, l'homme ne se travaillant pas, n'étant pas encore éveillé, ou pas encore dans la plénitude du grand songe. Des fonctionnaires, des écrivains : auteur, créateur, poète, cet homme n'a jamais existé !

La première étude de l'homme qui veut être poète est sa propre connaissance, entière ; il cherche son âme, il l'inspecte, il la tente, l'apprend. Dès qu'il la sait, il doit la cultiver ; cela semble simple : en tout cerveau s'accomplit un développement naturel ; tant d'égoïstes se proclament auteurs ; il en est bien d'autres qui s'attribuent leur progrès intellectuel ! – Mais il s'agit de faire l'âme monstrueuse : à l'instar des comprachicos, quoi ! Imaginez un homme s'implantant et se cultivant des verrues sur le visage.

Je dis qu'il faut être voyant, se faire voyant.

Le Poète se fait voyant par un long, immense et raisonné dérèglement de tous les sens. Toutes les formes d'amour, de souffrance, de folie ; il cherche lui-même, il épuise en lui tous les poisons, pour n'en garder que les quintessences. Ineffable torture où il a besoin de toute la foi, de toute la force surhumaine, où il devient entre tous le grand malade, le grand criminel, le grand maudit, – et le suprême Savant ! – Car il arrive à l'inconnu ! Puisqu'il a cultivé son âme, déjà riche, plus qu'aucun ! Il arrive à l'inconnu, et quand, affolé, il finirait par perdre l'intelligence de ses visions, il les a vues ! Qu'il crève dans son bondissement par les choses inouïes et innommables : viendront d'autres horribles travailleurs ; ils commenceront par les horizons où l'autre s'est affaissé !

Je reprends :

Donc le poète est vraiment voleur de feu.

Il est chargé de l'humanité, des animaux même ; il devra faire sentir, palper, écouter ses inventions ; si ce qu'il rapporte de là-bas a forme, il donne forme ; si c'est informe, il donne de l'informe. Trouver une langue ;

– Du reste, toute parole étant idée, le temps d'un langage universel viendra ! Il faut être académicien, – plus mort qu'un fossile, – pour parfaire un dictionnaire, de quelque langue que ce soit. Des faibles se mettraient à penser sur la première lettre de l'alphabet, qui pourraient vite ruer dans la folie ! –

Cette langue sera de l'âme pour l'âme, résumant tout, parfums, sons, couleurs, de la pensée accrochant la pensée et tirant. Le poète définirait la quantité d'inconnu s'éveillant en son temps dans l'âme universelle : il donnerait plus – que la formule de sa pensée, que la notation de sa marche au Progrès ! Énormité devenant norme, absorbée par tous, il serait vraiment un multiplicateur de progrès !

.Une saison en enfer.

1873

.ALCHIMIE DU VERBE.

A moi. L'histoire d'une de mes folies.

Depuis longtemps je me vantais de posséder tous les paysages possibles, et trouvais dérisoires les célébrités de la peinture et de la poésie moderne.

J'aimais les peintures idiotes, dessus de portes, décors, toiles de saltimbanques, enseignes, enluminures populaires ; la littérature démodée, latin d'église, livres érotiques sans orthographe, romans de nos aïeules, contes de fées, petits livres de l'enfance, opéras vieux, refrains niais, rhythmes naïfs.

Je rêvais croisades, voyages de découvertes dont on n'a pas de relations, républiques sans histoires, guerres de religion étouffées, révolutions de mœurs, déplacements de races et de continents : je croyais à tous les enchantements.

J'inventai la couleur des voyelles ! – *A* noir, *E* blanc, *I* rouge, *O* bleu, *U* vert. – Je réglai la forme et le mouvement de chaque consonne, et, avec des rhythmes instinctifs, je me flattai d'inventer un verbe poétique accessible, un jour ou l'autre, à tous les sens. Je réservais la traduction.

Ce fut d'abord une étude. J'écrivais des silences, des nuits, je notais l'inexprimable. Je fixais des vertiges. (...)

La vieillerie poétique avait une bonne part dans mon alchimie du verbe.

Je m'habituai à l'hallucination simple : je voyais très franchement une mosquée à la place d'une usine, une école de tambours faite par des anges, des calèches sur les routes du ciel, un salon au fond d'un lac ; les monstres, les mystères ; un titre de vaudeville dressait des épouvantes devant moi.

Puis j'expliquai mes sophismes magiques avec l'hallucination des mots !

Je finis par trouver sacré le désordre de mon esprit. J'étais oisif, en proie à une lourde fièvre ; j'enviais la félicité des bêtes, – les chenilles, qui représentent l'innocence des limbes, les taupes, le sommeil de la virginité !

Mon caractère s'aigrissait. Je disais adieu au monde dans d'espèces de romances : (...)

J'aimai le désert, les vergers brûlés, les boutiques fanées, les boissons tiédies. Je me traînais dans les ruelles puantes et, les yeux fermés, je m'offrais au soleil, dieu de feu. (...)

Je devins un opéra fabuleux : je vis que tous les êtres ont une fatalité de bonheur : l'action n'est pas la vie, mais une façon de gâcher quelque force, un énervement. La morale est la faiblesse de la cervelle.

A chaque être, plusieurs *autres* vies me semblent dues. Ce monsieur ne sait ce qu'il fait : il est un ange. Cette famille est une nichée de chiens. Devant plusieurs hommes, je causai tout haut avec un moment d'une de leurs autres vies. – Ainsi, j'ai aimé un porc.

Aucun des sophismes de la folie, – la folie qu'on enferme, – n'a été oublié par moi : je pourrais les redire tous, je tiens le système.

Ma santé fut menacée. La terreur venait. Je tombais dans des sommeils de plusieurs jours, et, levé, je continuais les rêves les plus tristes. J'étais mûr pour le trépas, et par une route de dangers ma faiblesse me menait aux confins du monde et de la Cimmérie, patrie de l'ombre et des tourbillons.

Je dus voyager, distraire les enchantements assemblés sur mon cerveau. Sur la mer, que j'aimais comme si elle eût dû me laver d'une souillure, je voyais se lever la croix consolatrice. J'avais été damné par l'arc-en-ciel. Le Bonheur était ma fatalité, mon remords, mon ver : ma vie serait toujours trop immense pour être dévouée à la force et à la beauté.

Le Bonheur ! Sa dent, douce à la mort, m'avertissait au chant du coq, – *ad matutinum*, au *Christus venit*, – dans les plus sombres villes.

O saisons, ô châteaux !
Quelle âme est sans défauts ?

J'ai fait la magique étude
Du bonheur, qu'aucun n'élude.

Salut à lui, chaque fois
Que chante le coq gaulois.

Ah ! Je n'aurai plus d'envie :
Il s'est chargé de ma vie.

Ce charme a pris âme et corps
Et dispersé les efforts.

O saisons, ô châteaux !

L'heure de sa fuite, hélas !
Sera l'heure du trépas.

O saisons, ô châteaux !

Cela s'est passé. Je sais aujourd'hui saluer la beauté.

"O saisons, ô châteaux ! Quelle âme est sans défauts ?"

.MATIN.

N'eus-je pas une fois une jeunesse aimable, héroïque, fabuleuse, à écrire sur des feuilles d'or, – trop de chance ! Par quel crime, par quelle erreur, ai-je mérité ma faiblesse actuelle ? Vous qui prétendez que des bêtes poussent des sanglots de chagrin, que des malades désespèrent, que des morts rêvent mal, tâchez de raconter ma chute et mon sommeil. Moi, je ne puis pas plus m'expliquer que le mendiant avec ses continuels *Pater* et *Ave Maria*. Je ne sais plus parler !

Pourtant, aujourd'hui, je crois avoir fini la relation de mon enfer. C'était bien l'enfer ; l'ancien, celui dont le fils de l'homme ouvrit les portes.

Du même désert, à la même nuit, toujours mes yeux las se réveillent à l'étoile d'argent, toujours, sans que s'émeuvent les Rois de la vie, les trois mages, le cœur, l'âme, l'esprit. Quand irons-nous, par-delà les grèves et les monts, saluer la naissance du travail nouveau, la sagesse nouvelle, la fuite des tyrans et des démons, la fin de la superstition, adorer – les premiers ! – Noël sur la terre !

Le chant des cieux, la marche des peuples ! Esclaves, ne maudissons pas la vie.

.*Les Illuminations*.

1886

.VILLE.

Je suis un éphémère et point trop mécontent citoyen d'une métropole crue moderne, parce que tout goût connu a été éludé dans les ameublements et l'extérieur des maisons aussi bien que dans le plan de la ville. Ici vous ne signaleriez les traces d'aucun monument de superstition. La morale et la langue sont réduites à leur plus simple expression, enfin ! Ces millions de gens qui n'ont pas besoin de se connaître amènent si pareillement l'éducation, le métier et la vieillesse, que ce cours de vie doit être plusieurs fois moins long que ce qu'une statistique folle trouve pour les peuples du continent. Aussi comme, de ma fenêtre, je vois des spectres nouveaux roulant à travers l'épaisse et éternelle fumée de charbon, – notre ombre des bois, notre nuit d'été ! – des Érinnyes nouvelles, devant mon cottage qui est ma patrie et tout mon cœur puisque tout ici ressemble à ceci, – la Mort sans pleurs, notre active fille et servante, un Amour désespéré, et un joli Crime piaulant dans la boue de la rue.

.AUBE.

J'ai embrassé l'aube d'été.

Rien ne bougeait encore au front des palais. L'eau était morte. Les camps d'ombres ne quittaient pas la route du bois. J'ai marché, réveillant les haleines vives et tièdes ; et les pierreries regardèrent, et les ailes se levèrent sans bruit.

La première entreprise fut, dans le sentier déjà empli de frais et de blêmes éclats, une fleur qui me dit son nom.

Je ris au wasserfall qui s'échevela à travers les sapins : à la cime argentée je reconnus la déesse.

Alors je levai un à un les voiles. Dans l'allée, en agitant les bras. Par la plaine, où je l'ai dénoncée au coq. A la grand'ville, elle fuyait parmi les clochers et les dômes ; et, courant comme un mendiant sur les quais de marbre, je la chassais.

En haut de la route, près d'un bois de lauriers, je l'ai entourée avec ses voiles amassés, et j'ai senti un peu son immense corps. L'aube et l'enfant tombèrent au bas du bois.

Au réveil, il était midi.

.FLEURS.

D'un gradien d'or – parmi les cordons de soie, les gazes grises, les velours verts et les disques de cristal qui noircissent comme du bronze au soleil, – je vois la digitale s'ouvrir sur un tapis de filigranes d'argent, d'yeux et de chevelures.

Des pièces d'or jaune semées sur l'agate, des piliers d'acajou supportant un dôme d'émeraudes, des bouquets de satin blanc et de fines verges de rubis entourent la rose d'eau.

Tels qu'un dieu aux énormes yeux bleus et aux formes de neige, la mer et le ciel attirent aux terrasses de marbre la foule des jeunes et fortes roses.

Émile Verhaeren

SAINT-AMAND EN BELGIQUE 1855 – ROUEN 1916.

*Poète belge d'expression française, Émile Verhaeren passe son enfance dans la campagne flamande aux bords de l'Escaut. Il fait ses études au collège des jésuites de Gand, puis à l'Université de Louvain. Très jeune il se lie avec le poète Rodenbach et les peintres James Ensor, Khnopff, Van Rysselberghe. Dès 1882, il écrit dans l'***Art Moderne** *des réflexions originales sur la peinture. Il publie ses premiers poèmes sensuels* **Les Flamandes** *(1883), puis des poèmes mystiques* **Les Moines** *(1886). Mais il traverse ensuite une grave crise morale et spirituelle. Il compose* **Les Soirs** *(1887),* **Les Débâcles** *(1888),* **Les Flambeaux noirs** *(1890) et* **Les Campagnes hallucinées** *(1893) qui révèlent son désespoir profond. En 1891, il épouse le peintre Marthe Massin qui lui redonne le goût de vivre. Il publie ses* **Villes tentaculaires** *(1895) et* **Les Forces tumultueuses** *(1902) qui décrivent les grandes villes industrielles, les docks, le port. Verhaeren est de plus en plus connu.*

Les Heures *(1896 à 1911) disent son bonheur avec Marthe ;* **Toute la Flandre** *(5 recueils) dépeint la campagne flamande, le vent du Nord, la mer toujours prête à rompre ses digues, les villes bourgeoises... En 1916, il meurt accidentellement en gare de Rouen alors qu'il s'efforce de prendre en marche l'express de Paris pour rejoindre Marthe.*

POÉSIE

.Les Flamandes.

1883

Scènes et paysages de la vie rustique dans les Flandres :

.L'ABREUVOIR.

En un creux de terrain aussi profond qu'un antre,
Les étangs s'étalaient dans leur sommeil moiré,
Et servaient d'abreuvoir au bétail bigarré,
Qui s'y baignait, le corps dans l'eau jusqu'à mi-ventre.

Les troupeaux descendaient, par des chemins [penchants
Vaches à pas très lents, chevaux menés à l'amble,
Et les bœufs noirs et roux qui souvent, tous ensemble,
Beuglaient, le cou tendu, vers les soleils couchants.

Tout s'anéantissait dans la mort coutumière,
Dans la chute du jour : couleurs, parfums, lumière,
Explosions de sève et splendeurs d'horizons ;

Des brouillards s'étendaient en linceuls aux moissons,
Des routes s'enfonçaient dans le soir – infinies,
Et les grands bœufs semblaient râler ces agonies.

.Les Campagnes hallucinées.

1893

Malade, tourmenté, Verhaeren est assailli par des visions d'épouvante. Il découvre une analogie entre ses angoisses et l'atmosphère des grandes villes industrielles. ***Les Villes*** *annoncent ses puissantes* ***Villes tentaculaires :***

.LES VILLES.

Tous les chemins vont vers la ville.

Du fond des brumes
Là-bas, avec tous ses étages
Et ses grands escaliers, et leurs voyages
Jusques au ciel, vers de plus hauts étages
Comme d'un rêve, elle s'exhume.

Là-bas,
Ce sont des ponts tressés en fer
Jetés, par bonds, à travers l'air ;
Ce sont des blocs et des colonnes
Que dominent des faces de gorgonnes ;
Ce sont des tours sur des faubourgs
Ce sont des toits et des pignons,
En vols pliés, sur les maisons ;
C'est la ville tentaculaire
Debout
Au bout des plaines et des domaines.
Des clartés rouges
Qui bougent
Sur des poteaux et des grands mâts
Même à midi, brûlent encor
Comme des yeux monstrueux d'or,
Le soleil clair ne se voit pas :
Bouche qu'il est de lumière, fermée
Par le charbon et la fumée,
Un fleuve de naphte et de poix
Bat les môles de pierre et les pontons de bois.
Les sifflets crus des navires qui passent
Hurlent la peur dans le brouillard :
Un fanal vert est leur regard
Vers l'océan et les espaces.

Des quais sonnent aux entrechocs de leurs fourgons
Des tombereaux grincent comme des gonds
Des balances de fer font choir des cubes d'ombre
Et les glissent soudain en des sous-sols de feu ;
Des ponts s'ouvrant par le milieu
Entre les mâts touffus dressent un gibet sombre
Et des lettres de cuivre inscrivent l'univers,
Immensément, par à travers
Les toits, les corniches et les murailles
Face à face, comme en bataille.
Par au-dessus, passent les cabs, filent les roues
Roulent les trains, vole l'effort
Jusqu'aux gares, dressant, telles des proues
Immobiles, de mille en mille, un fronton d'or.
Les rails ramifiés rampent sous terre
En des tunnels et des cratères
Pour reparaître en réseaux clairs d'éclairs
Dans le vacarme et la poussière.

C'est la ville tentaculaire.

La rue – et ses remous comme des câbles
Noués autour des monuments –
Fuit et revient en longs enlacements
Et ses foules inextricables
Les mains folles, les pas fiévreux,
La haine aux yeux
Happent des dents le temps qui les devance.
A l'aube, au soir, la nuit,
Dans le tumulte et la querelle, ou dans l'ennui
Elles jettent vers le hasard l'âpre semence
De leur labeur que l'heure emporte :
Et les comptoirs mornes et noirs
Et les bureaux louches et faux
Et les banques battent des portes
Aux coups de vent de leur démence.
Dehors, une lumière ouatée
Trouble et rouge comme un haillon qui brûle
De réverbère en réverbère se recule.
La vie, avec des flots d'alcools est fermentée.
Les bars ouvrent sur les trottoirs

Leurs tabernacles de miroirs
Où se mirent l'ivresse et la bataille ;
Une aveugle s'appuie à la muraille
Et vend de la lumière, en des boîtes d'un sou ;
La débauche et la faim s'accouplent en leur trou
Et le choc noir des détresses charnelles
Danse et bondit à mort dans les ruelles.

Et coup sur coup, le rut grandit encore
Et la rage devient tempête :
On s'écrase sans plus se voir, en quête
Du plaisir d'or et de phosphore ;
Des femmes s'avancent, pâles idoles
Avec, en leurs cheveux, les sexuels symboles.
L'atmosphère fuligineuse et rousse
Parfois loin du soleil recule et se retrousse
Et c'est alors comme un grand cri jeté
Du tumulte total vers la clarté :
Places, hôtels, maisons, marchés
Ronflent et s'enflamment si fort de violence
Que les mourants cherchent en vain le moment de
[silence
Qu'il faut aux yeux pour se fermer.

Telle, le jour – pourtant lorsque les soirs
Sculptent le firmament de leurs marteaux d'ébène,
La ville au loin s'étale et domine la plaine
Comme un nocturne et colossal espoir.
Elle surgit : désir, splendeur, hantise ;
Sa clarté se projette en lueurs jusqu'aux cieux,
Son gaz myriadaire en buissons d'or s'attise
Ses rails sont des chemins audacieux
Vers le bonheur fallacieux
Que la fortune et la force accompagnent ;
Ses murs se dessinent pareils à une armée
Et ce qui vient d'elle encor de brume et de fumée
Arrive en appels clairs vers les campagnes.

C'est la ville tentaculaire
La pieuvre ardente et l'ossuaire
Et la carcasse solennelle.

Et les chemins d'ici s'en vont à l'infini.
Vers elle.

.Les Heures.

1905

*Dédiées « A celle qui vit à mes côtés », **Les Heures** exaltent la douceur du foyer, l'amour tendre, et les joies de la nature :*

.LES HEURES D'APRÈS-MIDI.

Je t'apporte, ce soir, comme offrande, ma joie
D'avoir plongé mon corps dans l'or et dans la soie
Du vent joyeux et franc et du soleil superbe ;
Mes pieds sont clairs d'avoir marché parmi les herbes,
Mes mains douces d'avoir touché le cœur des fleurs,
Mes yeux brillants d'avoir soudain senti les pleurs
Naître, sourdre et monter, autour de mes prunelles,
Devant la terre en fête et sa force éternelle.

L'espace entre ses bras de bougeante clarté,
Ivre et fervent et sanglotant, m'a emporté,
Et j'ai passé je ne sais où, très loin, là-bas,
Avec des cris captifs que délivraient mes pas.
Je t'apporte la vie et la beauté des plaines ;
Respire-les sur moi à franche et bonne haleine,
Les origans ont caressé mes doigts, et l'air
Et sa lumière et ses parfums sont dans ma chair.

Jules Laforgue

MONTEVIDEO (URUGUAY) 1860 – PARIS 1887.

Venu en France en 1866, Laforgue fait ses études à Tarbes et à Paris. Paul Bourget obtient pour lui un poste de lecteur auprès de l'Impératrice Augusta. Il réside donc à Berlin, Bade, Coblence, et voit Elseneur. En 1886 il épouse à Londres une jeune anglaise, Leah Lee. Il meurt à vingt-sept ans de la tuberculose.

Laforgue a publié de son vivant trois recueils : ***Les Complaintes*** *(1885) ;* ***L'Imitation de Notre-Dame la Lune*** *(1886) ;* ***Le Concile féérique*** *(1886).* ***Derniers vers*** *et* ***Moralités légendaires*** *(recueil de nouvelles, dont un texte sur Hamlet) paraîtront après sa mort.*

POÉSIE

.Les Complaintes.

1885

La délicatesse « poétique » des premières émotions est railleusement brisée par le prosaïsme désespéré des sentiments seconds.

.COMPLAINTE DE LA LUNE EN PROVINCE.

Ah ! la belle pleine Lune,
Grosse comme une fortune !

La retraite sonne au loin,
Un passant, monsieur l'adjoint ;

Un clavecin joue en face,
Un chat traverse la place :

La province qui s'endort !
Plaquant un dernier accord,

Le piano clôt sa fenêtre.
Quelle heure peut-il bien être ?

Calme Lune, quel exil !
Faut-il dire : ainsi soit-il ?

Lune, ô dilettante Lune,
A tous les climats commune,

Tu vis hier le Missouri,
Et les remparts de Paris,

Les fiords bleus de la Norwège,
Les pôles, les mers, que sais-je ?

Lune heureuse ! ainsi tu vois,
A cette heure, le convoi

De son voyage de noce !
Ils sont partis pour l'Écosse.

Quel panneau, si, cet hiver,
Elle eût pris au mot mes vers !

Lune, vagabonde Lune,
Faisons cause et mœurs communes ?

Ô riches nuits ! je me meurs,
La province dans le cœur !

Et la lune a, bonne vieille,
Du coton dans les oreilles.

.L'imitation de Notre-Dame la Lune.

1886

« Une esthétique qui s'accorde avec l'inconscient de Hartmann, le transformisme de Darwin, les travaux de Helmholtz », dit Laforgue de son art ; on n'oubliera pas l'influence principale de Schopenhauer. Cela donne des parodies railleuses de la poésie et d'elles-mêmes, des Pierrots moqueurs et mourants de douleur, des vers très élaborés d'un rythme en « fouillis organisé » et farcis de mots rares.

.PIERROTS.

C'est, sur un cou qui, raide, émerge
D'une fraise empesée *idem*,
Une face imberbe au cold-cream,
Un air d'hydrocéphale asperge.

Les yeux sont noyés de l'opium
De l'indulgence universelle,
La bouche clownesque encorcèle
Comme un singulier géranium.

Bouche qui va du trou sans bonde
Glacialement désopilé,
Au transcendental en-allé
Du souris vain de la Joconde.

Campant leur cône enfariné
Sur le noir serre-tête en soie,
Ils font rire leur patte d'oie
Et froncent en trèfle leur nez.

Ils ont comme chaton de bague
Le scarabée égyptien,
A leur boutonnière fait bien
Le pissenlit des terrains vagues.

Ils vont, se sustentant d'azur !
Et parfois aussi de légumes,
De riz plus blanc que leur costume,
De mandarines et d'œufs durs.

Ils sont de la secte du Blême,
Ils n'ont rien à voir avec Dieu,
Et sifflent : « Tout est pour le mieux,
« Dans la meilleur' des mi-carême ! »

.Le Concile féerique.

1886

*A Baudelaire chez qui le malheur a ses fleurs, répond chez Laforgue une initiale bonne volonté que le destin raille et conduit au malheur idiot. Cet « **Avertissement** » est évidemment autobiographique.*

.DES FLEURS DE BONNE VOLONTÉ.

.AVERTISSEMENT.

Mon père (un dur par timidité)
Est mort avec un profil sévère ;
J'avais presque pas connu ma mère,
Et donc vers vingt ans je suis resté.

Alors, j'ai fait d' la littérature ;
Mais le Démon de la Vérité
Sifflotait tout l' temps à mes côtés :
« Pauvre ! as-tu fini tes écritures... »

Or, pas le cœur de me marier,
Étant, moi, au fond, trop méprisable !
Et elles, pas assez intraitables !
Mais tout l' temps là à s'extasier !...

C'est pourquoi je vivotte, vivotte,
Bonne girouette aux trent' six saisons,
Trop nombreux pour dire oui ou non...
– Jeunes gens ! que je vous serv' d'Ilote !

COPENHAGUE, ELSENEUR.
1er JANVIER 1886

Jules Renard

CHALONS-DU-MAINE 1864 – PARIS 1910.

Toute l'œuvre de Jules Renard est teintée du malheur de son enfance passée à Chitry-les-Mines. En 1881 il part pour Paris, prépare l'École Normale Supérieure, y renonce et se consacre à l'écriture. Il compose ***Les Cloportes*** *(1887-1889) et épouse Marie Morneau dont il aura deux enfants. Il écrit un roman naturaliste :* ***L'Écornifleur*** *(1892), un roman :* ***Poil de Carotte*** *(1893), son bestiaire :* ***Histoires naturelles*** *(1894),* ***La Maîtresse*** *(1896)... Renard choisit ses sujets dans la vie ordinaire, banale : « un petit particulier humain m'intéresse plus que l'humain général ». Il compose également deux pièces de théâtre :* ***Plaisir de rompre*** *(1897) et* ***Pain de ménage*** *(1898). Ses œuvres mêlent le tragique à l'ironie, la tendresse à la lucidité. Son père se tue en 1887. Il est élu maire de Chitry en 1904 et écrit encore* ***La Bigote, Les Bucoliques, Monsieur Vernet****... Sa mère se noie dans un puits en 1909. Un an plus tard Jules Renard meurt atteint d'artériosclérose. Son* ***Journal*** *sera édité après sa mort.*

ROMAN

Poil de Carotte

1894

Ce roman – composé de courts épisodes constituant chacun une histoire complète – raconte l'histoire d'une enfance privée d'amour. La souffrance muette de l'enfant, souffre-douleur de sa mère-marâtre, est racontée avec un détachement simple, cruel et ironique.

LES POULES

Je parie, dit Mme Lepic, qu'Honorine a encore oublié de fermer les poules.

C'est vrai. On peut s'en assurer par la fenêtre. Là-bas, tout au fond de la grande cour, le petit toit aux poules découpe, dans la nuit, le carré noir de sa porte ouverte.

– Félix, si tu allais les fermer ? dit Mme Lepic à l'aîné de ses trois enfants.

– Je ne suis pas ici pour m'occuper des poules, dit Félix, garçon pâle, indolent et poltron.

– Et toi Ernestine ?

– Oh ! moi, maman, j'aurais trop peur !

Grand frère Félix et sœur Ernestine lèvent à peine la tête pour répondre. Ils lisent, très intéressés, les coudes sur la table, presque front contre front.

– Dieu, que je suis bête ! dit Mme Lepic. Je n'y pensais plus. Poil de Carotte, va fermer les poules !

Elle donne ce petit nom d'amour à son dernier-né, parce qu'il a les cheveux roux et la peau tachée. Poil de Carotte, qui joue à rien sous la table, se dresse et dit avec timidité.

– Mais, maman, j'ai peur aussi, moi.

– Comment ? répond Mme Lepic, un grand gars comme toi ! c'est pour rire. Dépêchez-vous, s'il te plaît !

– On le connaît ; il est hardi comme un bouc, dit sa sœur Ernestine.

– Il ne craint rien ni personne, dit Félix, son grand frère.

Ces compliments enorgueillissent Poil de Carotte, et, honteux d'en être indigne, il lutte déjà contre sa couardise. Pour l'encourager définitivement, sa mère lui promet une gifle.

– Au moins, éclairez-moi, dit-il.

Mme Lepic hausse les épaules, Félix sourit avec mépris. Seule pitoyable, Ernestine prend une bougie et accompagne petit frère jusqu'au bout du corridor.

– Je t'attendrai là, dit-elle.

Mais elle s'enfuit tout de suite, terrifiée, parce qu'un fort coup de vent fait vaciller la lumière et l'éteint.

Poil de Carotte, les fesses collées, les talons plantés, se met à trembler dans les ténèbres. Elles sont si épaisses qu'il se croit aveugle. Parfois une rafale l'enveloppe, comme un drap glacé, pour l'emporter. Des renards, des loups même, ne lui soufflent-ils pas dans ses doigts, sur sa joue ? Le mieux est de se précipiter, au juger, vers les poules, la tête en avant afin de trouer l'ombre. Tâtonnant, il saisit le crochet de la porte. Au bruit de ses pas, les poules effarées s'agitent en gloussant sur leur perchoir. Poil de Carotte lui crie :

– Taisez-vous donc, c'est moi !

Ferme la porte et se sauve, les jambes, les bras comme ailés. Quand il rentre, haletant, fier de lui, dans la chaleur et la lumière, il lui semble qu'il échange des loques pesantes de boue et de pluie contre un vêtement neuf et léger. Il sourit, se tient droit, dans un orgueil, attend les félicitations, et maintenant hors de danger, cherche sur le visage de ses parents la trace des inquiétudes qu'ils ont eues.

Mais grand frère Félix et sœur Ernestine continuent tranquillement leur lecture, et Mme Lepic lui dit, de sa voix naturelle :

– Poil de Carotte, tu iras les fermer tous les soirs.

LES LAPINS

Il ne reste plus de melon pour toi, dit Mme Lepic ; d'ailleurs, tu es comme moi, tu ne l'aimes pas.

– Ça se trouve bien, se dit Poil de Carotte.

On lui impose ainsi ses goûts et ses dégoûts. En principe, il doit aimer seulement ce qu'aime sa mère. Quand arrive le fromage :

– Je suis bien sûre, dit Mme Lepic, que Poil de Carotte n'en mangera pas.

Et Poil de Carotte pense :

– Puisqu'elle en est sûre, ce n'est pas la peine d'essayer.

En outre, il sait que ce serait dangereux.

Et n'a-t-il pas le temps de satisfaire ses plus bizarres caprices dans des endroits connus de lui seul ? Au dessert, Mme Lepic lui dit :

– Va porter ces tranches de melon à tes lapins.

Poil de Carotte fait la commission au petit pas, en tenant l'assiette bien horizontale afin de ne rien renverser.

A son entrée sous leur toit, les lapins, coiffés en tapageurs, les oreilles sur l'oreille, le nez en l'air, les pattes de devant raides comme s'ils allaient jouer du tambour, s'empressent autour de lui.

– Oh ! attendez ! dit Poil de Carotte ; un moment, s'il vous plaît, partageons.

S'étant assis d'abord sur un tas de crottes, de seneçon rongé jusqu'à la racine, de trognons de choux, de feuilles de mauves, il leur donne les graines de melon et boit le jus lui-même : c'est doux comme du vin doux.

Puis il racle avec les dents ce que sa famille a laissé aux tranches de jaune sucré, tout ce qui peut fondre encore, et il passe le vert aux lapins en rond sur leur derrière.

La porte du petit toit est fermée.

Le soleil des siestes enfile les trous des tuiles et trempe le bout de ses rayons dans l'ombre fraîche.

LA PIOCHE

Grand frère Félix et Poil de Carotte travaillent côte à côte. Chacun a sa pioche. Celle de grand frère Félix a été faite sur mesure, chez le maréchal-ferrant, avec du fer. Poil de Carotte a fait la sienne tout seul, avec du bois. Ils jardinent, abattent de la besogne et rivalisent d'ardeur. Soudain, au moment où il s'y attend le moins (c'est toujours à ce moment précis que les malheurs arrivent), Poil de Carotte reçoit un coup de pioche en plein front.

Quelques instants après, il faut transporter, coucher avec précaution, sur le lit, grand frère Félix qui vient de se trouver mal à la vue du sang de son petit frère. Toute la famille est là, debout, sur la pointe du pied, et soupire, appréhensive.

– Où sont les sels ?

– Un peu d'eau bien fraîche, s'il vous plaît, pour mouiller les tempes.

Poil de Carotte monte sur une chaise afin de voir par-dessus les épaules, entre les têtes. Il a le front bandé d'un linge déjà rouge, où le sang suinte et s'écarte.

M. Lepic lui a dit :

– Tu t'es joliment fait moucher !

Et sa sœur Ernestine qui a pansé la blessure :

– C'est entré comme dans du beurre.

Il n'a pas crié, car on lui a fait observer que cela ne sert à rien.

Mais voici que grand frère Félix ouvre un œil, puis l'autre. il en est quitte pour la peur, et comme son teint graduellement se colore, l'inquiétude, l'effroi se retirent des cœurs.

– Toujours le même, donc ! dit Mme Lepic à Poil de Carotte ; tu ne pouvais pas faire attention, petit imbécile !

LA TAUPE

Poil de Carotte trouve dans son chemin une taupe, noire comme un ramonat. Quand il a bien joué avec, il se décide à la tuer. Il la lance en l'air plusieurs fois, adroitement, afin qu'elle puisse retomber sur une pierre.

D'abord, tout va bien et rondement.

Déjà la taupe s'est brisé les pattes, fendu la tête, cassé le dos, et elle semble n'avoir pas la vie dure.

Puis, stupéfait, Poil de Carotte s'aperçoit qu'elle s'arrête de mourir. Il a beau la lancer assez haut pour couvrir une maison, jusqu'au ciel, ça n'avance plus.

– Mâtin de mâtin ! elle n'est pas morte, dit-il.

En effet, sur la pierre tachée de sang, la taupe se pétrit ; son ventre plein de graisse tremble comme une gelée et, par ce tremblement, donne l'illusion de la vie.

– Mâtin de mâtin ! crie Poil de Carotte qui s'acharne, elle n'est pas encore morte !

Il la ramasse, l'injurie et change de méthode.

Rouge, les larmes aux yeux, il crache sur la taupe et la jette de toute ses forces, à bout portant, contre la pierre.

Mais le ventre informe bouge toujours.

Et plus Poil de Carotte enragé tape, moins la taupe lui paraît mourir.

LA TROMPETTE

M. Lepic arrive de Paris ce matin même. Il ouvre sa malle. Des cadeaux en sortent pour grand frère Félix et sœur Ernestine, de beaux cadeaux, dont précisément (comme c'est drôle !) ils ont rêvé toute la nuit. Ensuite, M. Lepic, les mains derrière le dos, regarde malignement Poil de Carotte et lui dit :

– Et toi, qu'est-ce que tu aimes le mieux : une trompette ou un pistolet ?

En vérité, Poil de Carotte est plutôt prudent que téméraire. Il préférerait une trompette, parce que ça ne part pas dans les mains ; mais il a toujours entendu dire qu'un garçon de sa taille ne peut jouer sérieusement qu'avec des armes, des sabres, des engins de guerre. L'âge lui est venu de renifler de la poudre et d'exterminer des choses. Son père connaît les enfants : il a apporté ce qu'il faut.

– J'aime mieux un pistolet, dit-il hardiment, sûr de deviner.

Il va même un peu plus loin et ajoute :

– Ce n'est plus la peine de le cacher, je le vois !

– Ah ? dit M. Lepic embarrassé, tu aimes mieux un pistolet ! Tu as donc bien changé ?

Tout de suite, Poil de Carotte se reprend :

– Mais non, va, mon papa, c'était pour rire. Sois tranquille, je les déteste, les pistolets. Donne-moi vite ma trompette, que je te montre comme ça m'amuse de souffler dedans.

MADAME LEPIC.

Alors, pourquoi mens-tu ? Pour faire de la peine à ton père, n'est-ce pas ? Quand on aime les trompettes, on ne dit pas qu'on aime les pistolets, et surtout on ne dit pas qu'on voit des pistolets, quand on ne voit rien. Aussi, pour t'apprendre, tu n'auras ni pistolet ni trompette. Regarde-la bien : elle a trois pompons rouges et un drapeau à franges d'or. Tu l'as assez regardée. Maintenant, va voir à la cuisine si j'y suis ; déguerpis, trotte et flûte dans tes doigts.

Tout en haut de l'armoire, sur une pile de linge blanc, roulée dans ses trois pompons rouges et son drapeau à franges d'or, la trompette de Poil de Carotte attend qui souffle, imprenable, invisible, muette, comme celle du jugement dernier.

.Histoires naturelles.

1896 puis 1899

*La seconde édition des **Histoires naturelles** est illustrée par Toulouse-Lautrec dont le trait bref s'accorde avec le style incisif de Renard. Celui-ci exprime la vérité essentielle de la nature et des animaux par des formules brèves, inattendues, des sortes « d'instantanés ».*

.LA POULE.

Pattes jointes, elle saute du poulailler, dès qu'on lui ouvre la porte.

C'est une poule commune, modestement parée et qui ne pond jamais d'œufs d'or.

Éblouie de lumière, elle fait quelques pas, indécise, dans la cour.

Elle voit d'abord le tas de cendres où, chaque matin, elle a coutume de s'ébattre.

Elle s'y roule, s'y trempe, et, d'une vive agitation d'ailes, les plumes gonflées, elle secoue ses puces de la nuit.

Puis elle va boire au plat creux que la dernière averse a rempli.

Elle ne boit que de l'eau.

Elle boit par petits coups et dresse le col, en équilibre sur le bord du plat.

Ensuite elle cherche sa nourriture éparse.

Les fines herbes sont à elle, et les insectes et les graines perdues.

Elle pique, elle pique, infatigable.

De temps en temps, elle s'arrête.

Droite sous son bonnet phrygien, l'œil vif, le jabot avantageux, elle écoute de l'une et de l'autre oreille.

Et, sûre qu'il n'y a rien de neuf, elle se remet en quête.

Elle lève haut ses pattes raides, comme ceux qui ont la goutte. Elle écarte les doigts et les pose avec précaution, sans bruit.

On dirait qu'elle marche pieds nus.

•LE COCHON.

Grognon, mais familier comme si nous t'avions gardé ensemble, tu fourres le nez partout et tu marches autant avec lui qu'avec les pattes.

Tu caches sous des oreilles en feuilles de betterave tes petits yeux cassis.

Tu es ventru comme une groseille à maquereau.

Tu as de longs poils comme elle, comme elle la peau claire et une courte queue bouclée.

Et les méchants t'appellent : « Sale cochon ! »

Ils disent que, si rien ne te dégoûte, tu dégoûtes tout le monde et que tu n'aimes que l'eau de vaisselle grasse.

Mais ils te calomnient.

Qu'ils te débarbouillent et tu auras bonne mine.

Tu te négliges par leur faute.

Comme on fait ton lit, tu te couches, et la malpropreté n'est que ta seconde nature.

•LE CAFARD.

Noir et collé comme un trou de serrure.

•LE VER LUISANT.

Que se passe-t-il ? Neuf heures du soir et il y a encore de la lumière chez lui.

•LA PUCE.

Un grain de tabac à ressort.

•LA DINDE.

Sur la route, voici encore le pensionnat des dindes.

Chaque jour, quelque temps qu'il fasse, elles se promènent.

Elles ne craignent ni la pluie, personne ne se retrousse mieux qu'une dinde, ni le soleil, une dinde ne sort jamais sans son ombrelle.

•LE CHAT.

Le mien ne mange pas les souris ; il n'aime pas ça. Il n'en attrape une que pour jouer avec.

Quand il a bien joué, il lui fait grâce de la vie, et il va rêver ailleurs, l'innocent, assis dans la boucle de sa queue, la tête bien fermée comme un poing.

Mais, à cause des griffes, la souris est morte.

•L'ESCARGOT.

Casanier dans la saison des rhumes, son cou de girafe rentré, l'escargot bout comme un nez plein.

Il se promène dès les beaux jours, mais il ne sait marcher que sur sa langue.

•LE PAPILLON.

Ce billet doux plié en deux cherche une adresse de fleur.

•L'ARAIGNÉE.

Une petite main noire et poilue crispée sur des cheveux.

Toute la nuit, au nom de la lune, elle appose ses scellés.

•LE NID DE CHARDONNERETS.

Il y avait, sur une branche fourchue de notre cerisier, un nid de chardonnerets joli à voir, rond, parfait, tout crins au-dehors, tout duvet au-dedans, et quatre petits venaient d'y éclore. Je dis à mon père :

– J'ai presque envie de les prendre pour les élever.

Mon père m'avait expliqué souvent que c'est un crime de mettre des oiseaux en cage. Mais, cette fois, las sans doute de répéter la même chose, il ne trouva rien à me répondre. Quelques jours après, je lui dis :

– Si je veux, ce sera facile. Je placerai d'abord le nid dans une cage, j'attacherai la cage au cerisier et la mère nourrira les petits par les barreaux jusqu'à ce qu'ils n'aient plus besoin d'elle.

Mon père ne me dit pas ce qu'il pensait de ce moyen.

C'est pourquoi j'installai le nid dans une cage, la cage sur le cerisier et ce que j'avais prévu arriva : les vieux chardonnerets, sans hésiter, apportèrent aux petits des pleins becs de chenilles. Et mon père observait de loin, amusé comme moi, leur va-et-vient fleuri, leur vol teint de rouge sang et de jaune soufre.

Je dis un soir :
– Les petits sont assez drus. S'ils étaient libres, ils s'envoleraient. Qu'ils passent une dernière nuit en famille et demain je les porterai à la maison, je les pendrai à ma fenêtre, et je te prie de croire qu'il n'y aura pas beaucoup de chardonnerets au monde mieux soignés.

Mon père ne me dit pas le contraire.

Le lendemain, je trouvai la cage vide. Mon père était là, témoin de ma stupeur.

– Je ne suis pas curieux, dis-je, mais je voudrais bien savoir quel est l'imbécile qui a ouvert la porte de cette cage !

Edmond Rostand

MARSEILLE 1868 – PARIS 1918.

C'est en 1897 que Edmond Rostand fait jouer pour la première fois sa célèbre pièce : ***Cyrano de Bergerac.*** *C'est un triomphe. En 1900 il fait jouer* ***L'Aiglon****, c'est Sarah Bernhardt qui crée le personnage de l'Aiglon : la pièce a un immense succès. Un an plus tard Edmond Rostand est élu à l'Académie française. Très malade, il se retire pendant des années. Ce n'est qu'en 1910 qu'il présente sa pièce* ***Chanteclerc****, c'est un échec. Sa dernière pièce,* ***La Dernière nuit de don Juan*** *ne sera publiée qu'après sa mort.*

THÉÂTRE, COMÉDIE

.Cyrano de Bergerac.

1897

Le héros de Rostand n'a rien de commun avec le véritable Cyrano de Bergerac. Cyrano aime sa cousine Roxane mais il n'ose se déclarer car il sait qu'il est laid. Roxane est amoureuse de Christian et demande à Cyrano de veiller sur lui. C'est Cyrano qui dicte à Christian les mots d'amour que celui-ci prononce à Roxane, et les lettres qu'il lui envoie. Christian est tué ; Roxane se retire dans un couvent où elle reçoit son cousin, Cyrano, qui garde son secret. Jusqu'au jour où il va mourir assassiné : Roxane comprend alors qu'elle aimait, sous la beauté de Christian, la grande âme de Cyrano.

Cyrano est affublé d'un nez trop long, source de nombreux sarcasmes ; un fâcheux a voulu se moquer de son nez, Cyrano le tance vertement :

LA FÂCHEUX, *balbutiant.*

Je le trouve petit, tout petit, minuscule !

CYRANO.

Hein, comment ? m'accuser d'un pareil ridicule ?
Petit, mon nez ! Holà !

LE FÂCHEUX.

Ciel !

CYRANO.

Énorme mon nez !
– Vil camus, sot canard, tête plate, apprenez
Que je m'enorgueillis d'un pareil appendice
Attendu qu'un grand nez est proprement l'indice
D'un homme affable, bon, courtois, spirituel,
Libéral, courageux, tel que je suis, et tel
Qu'il vous est interdit à jamais de vous croire,
Déplorable maraud ! car la face sans gloire,
Que va chercher ma main en haut de votre col,
Est aussi dénuée

(Il le soufflète)

LE FÂCHEUX.

Ah !

CYRANO.

De fierté, d'envol,
De lyrisme, de pittoresque, d'étincelles,
De somptuosité, de Nez enfin, que celle
(Il le retourne par les épaules,
joignant le geste à la parole.)
Que va chercher ma botte au bas de votre dos !

LE FÂCHEUX, *se sauvant.*

Au secours ! A la garde !

CYRANO.

Avis donc aux badauds,
Qui trouveraient plaisant mon milieu de visage,
Et si le plaisantin est noble, mon usage
Est de lui mettre, avant de le laisser s'enfuir,
Par devant, et plus haut, du fer, et non du cuir !

DE GUICHE, *qui est descendu de la scène, avec les marquis.*

Mais à la fin il nous ennuie !

LE VICOMTE DE VALVERT, *haussant les épaule.*

Il fanfaronne !

DE GUICHE.

Personne ne va donc lui répondre ?...

LE VICOMTE.

Personne ?
Attendez ! Je vais lui lancer un de ces traits !...
(Il s'avance vers Cyrano qui l'observe,
et se campant devant lui d'un air fat.)
Vous... Vous avez un nez... heu... un nez... très grand.

CYRANO, *gravement.*

Très ?

LE VICOMTE, *riant.*

Ha !

CYRANO, *imperturbable.*

C'est tout ?...

LE VICOMTE.

Mais...

CYRANO.

Ah ! non ! c'est un peu court jeune homme.
On pouvait dire... Oh ! Dieu !... bien des choses en somme
En variant le ton, – par exemple, tenez :
Agressif : « Moi, monsieur, si j'avais un tel nez,
Il faudrait sur-le-champ que je me l'amputasse ! »
Amical : « Mais il doit tremper dans votre tasse.
Pour boire, faites-vous fabriquer un hanap ! »
Descriptif : « C'est un roc ! c'est un pic... c'est un cap !
Que dis-je, c'est un cap ?... C'est une péninsule ! »
Curieux : « De quoi sert cette oblongue capsule,
D'écritoire, monsieur, ou de boîte à ciseaux ? »
Gracieux : « Aimez-vous à ce point les oiseaux
Que paternellement vous vous préoccupâtes
De tendre ce perchoir à leurs petites pattes ? »
Truculent : « ... Ça, monsieur, lorsque vous pétunez,
La vapeur du tabac vous sort-elle du nez
Sans qu'un voisin ne crie au feu de cheminée ? »
Prévenant : « Gardez-vous, votre tête entraînée
Par ce poids, de tomber en avant sur le sol ! »
Tendre : « Faites-lui faire un petit parasol
De peur que sa couleur au soleil ne se fane ! »
Pédant : « L'animal seul, monsieur qu'Aristophane,
Appelle Hippocampelephantocamélos
Dut avoir sous le front tant de chair sur tant d'os ! »
Cavalier : « Quoi, l'ami, ce croc est à la mode ?
Pour prendre son chapeau c'est vraiment très commode ! »
Emphatique : « Aucun vent ne peut, nez magistral,
T'enrhumer tout entier excepté le mistral ! »
Dramatique : « C'est la mer Rouge quand il saigne ! »
Admiratif : « Pour un parfumeur, quelle enseigne ! »
Lyrique : « Est-ce une conque, êtes-vous un triton ? »
Naïf : « Ce monument, quand le visite-t-on ? »
Respectueux : « Souffrez, monsieur, qu'on vous salue,
C'est là ce qui s'appelle avoir pignon sur rue ! »
Campagnard : « Hé, ardé ! C'est-y un nez ? Nanain !
C'est queuqu'navet géant ou ben queuqu'melon nain »
Militaire : « Pointez contre cavalerie ! »
Pratique : « Voulez-vous le mettre en loterie ?
Assurément, monsieur, ce sera le gros lot ! »
Enfin parodiant Pyrame en un sanglot :
« Le voilà donc ce nez qui des traits de son maître
A détruit l'harmonie ! Il en rougit, le traître ! »
Voilà ce qu'à peu près, mon cher, vous m'auriez dit
Si vous aviez un peu de lettres et d'esprit :
Mais d'esprit, ô le plus lamentable des êtres,
Vous n'en eûtes jamais un atome, et des lettres
Vous n'avez que les trois qui forment le mot : Sot !
Eussiez-vous eu, d'ailleurs, l'invention qu'il faut
Pour pouvoir, là, devant ces nobles galeries,
Me servir toutes ces folles plaisanteries,
Que vous n'en eussiez pas articulé le quart
De la moitié du commencement d'une, car
Je me les sers moi-même, avec assez de verve,
Mais je ne permets pas qu'un autre me les serve.

DE GUICHE, *voulant emmener le vicomte pétrifié.*

Vicomte, laissez donc !

LE VICOMTE, *suffoqué.*

Ces grands airs arrogants !
Un hobereau qui... qui... n'a même pas de gants !
Et qui sort sans rubans, sans bouffettes, sans ganses !

CYRANO.

Moi, c'est moralement que j'ai mes élégances.
Je ne m'attife pas ainsi qu'un freluquet,
Mais je suis plus soigné si je suis moins coquet ;
Je ne sortirais pas avec, par négligence,
Un affront pas très bien lavé, la conscience
Jaune encor de sommeil dans le coin de son œil,
Un honneur chiffonné, des scrupules en deuil.
Mais je marche sans rien sur moi qui ne reluise
Empanaché d'indépendance et de franchise.
Ce n'est pas une taille avantageuse, c'est
Mon âme que je cambre ainsi qu'en un corset,

Et tout couvert d'exploits qu'en rubans je m'attache,
Retroussant mon esprit ainsi qu'une moustache,
Je fais, en traversant les groupes et les ronds,
Sonner les vérités comme des éperons.

LE VICOMTE.

Mais monsieur...

CYRANO.

Je n'ai pas de gants ?... la belle affaire !
Il m'en restait un seul... d'une très vieille paire !
– Lequel m'était d'ailleurs encor fort importun :
Je l'ai laissé dans la figure de quelqu'un.

LE VICOMTE.

Maraud, faquin, butor de pied plat ridicule !

CYRANO, *ôtant son chapeau et saluant comme si le vicomte venait de se présenter.*

Ah ?... Et moi, Cyrano-Savinien-Hercule
De Bergerac.

Alfred Jarry

LAVAL 1873 – PARIS 1907.

*Fils d'un négociant en toile, Alfred Jarry commence ses études au petit lycée de Laval, puis au Lycée de Saint-Brieuc et passe son baccalauréat à Rennes. Pendant son année de rhétorique, il compose une première version du **Père Ubu** : une comédie qui présente « tout le grotesque qui est au monde » sous les traits de M. Hubert, le professeur de physique : le P.H. Jarry entre en khâgne à Henri IV et transforme le personnage de P.H. en Ubu. Il se fait connaître par deux ouvrages de vers **Les Minutes de sable mémorial** (1894), et **César Antéchrist** (1895). **Ubu Roi** est imprimé en 1896 et créé au Théâtre de l'Œuvre. Bonnard, Vuillard, Lautrec, Sérusier ont exécuté les décors. Dès que le premier mot de la pièce – le fameux **Merdre** – est prononcé d'une voix forte par Ubu, la salle hurle au scandale. Jarry écrit cette même année **Ubu cocu**, puis **Ubu enchaîné** (1899), enfin **Ubu sur la butte** (1906). Outre le cycle de **Ubu**, Jarry compose **Les Jours et les Nuits, roman d'un déserteur, l'Amour absolu, le Surmâle, Gestes et Opinions du docteur Faustroll, pataphysicien,** où Jarry expose la théorie de la pataphysique, système de destruction totale et de reconstruction dans l'insolite. Miné par l'abus d'absinthe, son « herbe sainte », frappé par une méningite tuberculeuse, Jarry est transporté à l'hôpital de la Charité où il meurt, à 34 ans, après avoir demandé un cure-dent.*

THÉÂTRE

.Ubu Roi.

1896

Titre parodique : l'on pense à **Œdipe Roi** *de Sophocle. Sujet parodique : c'est l'histoire d'une usurpation qui suit avec liberté le* **Macbeth** *de Shakespeare. Shakespeare qui est présent dès la dédicace à Marcel Schwob : « Adonc le Père Ubu hoscha la poire, dont fut depuis nommé par les Anglois Shakespeare, et avec de lui sous ce nom maintes belles tragoedies par escript. »*

Ubu est la muflerie, la bassesse de l'homme dont l'origine organique a son lieu dans les tripes ou « gidouille ».

DISCOURS D'ALFRED JARRY PRONONCÉ À LA PREMIÈRE REPRÉSENTATION D'UBU ROI

PRÉSENTATION D'UBU ROI

“Quant à l'action, qui va commencer, elle se passe en Pologne, c'est-à-dire Nulle part”

« Quant à l'action, qui va commencer, elle se passe en Pologne, c'est-à-dire Nulle Part. »

Après qu'a préludé une musique de trop de cuivres pour être moins qu'une fanfare, et qui est exactement ce que les Allemands appellent une « bande militaire », le rideau dévoile un décor qui voudrait représenter Nulle Part, avec des arbres au pied des lits, de la neige blanche dans un ciel bien bleu, de même que l'action se passe en Pologne, pays assez légendaire et démembré pour être ce Nulle Part, ou tout au moins, selon une vraisemblable étymologie franco-grecque, bien loin un quelque part interrogatif.

Fort tard après la pièce écrite, on s'est aperçu qu'il y avait eu en des temps anciens, au pays où fut premier roi Pyast, homme rustique, un certain Rogatka ou Henry au grand ventre, qui succéda à un roi Venceslas, et aux trois fils dudit, Boleslas et Ladislas, le troisième n'étant pas Bougrelas ; et que ce Vencelas, ou un autre, fut dit l'Ivrogne. Nous ne trouvons pas honorable de construire des pièces historiques.

Nulle Part est partout, et le pays où l'on se trouve, d'abord. C'est pour cette raison qu'Ubu parle français. Mais ses défauts divers ne sont point vices français, exclusivement, auxquels favorisent le capitaine Bordure, qui parle anglais, la reine Rosemonde, qui charabie du Cantal, et la foule polonaise, qui nasille des trognes et est vêtue de gris. Si diverses satires se laissent voir, le lieu de la scène en fait les interprètes irresponsables.

Monsieur Ubu est un être ignoble, ce pourquoi il nous ressemble (par en bas) à tous. Il assassine le roi de Pologne (c'est frapper le tyran, l'assassinat semble juste à des gens, qui est un semblant d'acte de justice), puis étant roi il massacre les nobles, puis les fonctionnaires, puis les paysans. Et ainsi, ayant tué tout le monde, il a assurément expurgé quelques coupables, et se manifeste l'homme moral et normal. Finalement, tel qu'un anarchiste, il exécute ses arrêts lui-même, déchire les gens parce qu'il lui plaît ainsi et prie les soldats russes de ne point tirer devers lui, parce qu'il ne lui plaît pas. Il est un peu enfant terrible et nul ne le contredit tant qu'il ne touche point au Czar, qui est ce que nous respectons tous. Le Czar en fait justice, lui retire son trône dont il a mésusé, rétablit Bougrelas (était-ce bien la peine ?) et chasse Monsieur Ubu de Pologne, avec les trois parties de sa puissance, résumées en ce mot : « Cornegidouille » (par la puissance des appétits inférieurs).

Ubu parle souvent de trois choses, toujours parallèles dans son esprit : la *physique*, qui est la nature comparée à l'art, le moins de compréhension opposé au plus de cérébralité, la réalité du consentement universel à l'hallucination de l'intelligent, Don Juan à Platon, la vie à la pensée, le scepticisme à la croyance, la médecine à l'alchimie, l'armée au duel ; – et parallèlement, la *phynance*, qui sont les honneurs en face de la satisfaction de soi pour soi seul, tels producteurs de littérature selon le préjugé du nombre universels, vis-à-vis de la compréhension des intelligents ; – et parallèlement, la *Merdre*.

Il est peut-être inutile de chasser Monsieur Ubu de Pologne, qui est, avons-nous dit, Nulle Part, car s'il peut se complaire d'abord à quelque artiste inaction, comme à « allumer du feu en attendant qu'on apporte du bois » et à commander des équipages en yachtant sur la Baltique, il finit par se faire nommer maître des Finances à Paris.

UBU ROI

PÈRE UBU, MÈRE UBU.

PÈRE UBU.

Merdre !

MÈRE UBU.

Oh ! voilà du joli, Père Ubu, vous estes un fort grand voyou.

PÈRE UBU.

Que ne vous assom'je, Mère Ubu !

MÈRE UBU.

Ce n'est pas moi, Père Ubu, c'est un autre qu'il faudrait assassiner.

PÈRE UBU.

De par ma chandelle verte, je ne comprends pas.

MÈRE UBU.

Comment, Père Ubu, vous estes content de votre sort ?

PÈRE UBU.

De par ma chandelle verte, merdre, madame, certes oui, je suis content. On le serait à moins : capitaine de dragons, officier de confiance du roi Venceslas, décoré de l'ordre de l'Aigle Rouge de Pologne et ancien roi d'Aragon, que voulez-vous de mieux ?

MÈRE UBU.

Comment ! Après avoir été roi d'Aragon vous vous contentez de mener aux revues une cinquantaine d'estafiers armés de coupe-choux, quand vous pourriez faire succéder sur votre fiole la couronne de Pologne à celle d'Aragon ?

PÈRE UBU.

Ah ! Mère Ubu, je ne comprends rien de ce que tu dis.

MÈRE UBU.

Tu es si bête !

PÈRE UBU.

De par ma chandelle verte, le roi Venceslas est encore bien vivant ; et même en admettant qu'il meure, n'a-t-il pas des légions d'enfants ?

MÈRE UBU.

Qui t'empêche de massacrer toute la famille et de te mettre à leur place ?

PÈRE UBU.

Ah ! Mère Ubu, vous me faites injure et vous allez passer tout à l'heure par la casserole.

MÈRE UBU.

Eh ! pauvre malheureux, si je passais par la casserole, qui te raccommoderait tes fonds de culotte ?

PÈRE UBU.

Eh vraiment ! et puis après ? N'ai-je pas un cul comme les autres ?

MÈRE UBU.

A ta place, ce cul, je voudrais l'installer sur un trône. Tu pourrais augmenter indéfiniment tes richesses, manger fort souvent de l'andouille et rouler carrosse par les rues.

PÈRE UBU.

Si j'étais roi, je me ferais construire une grande capeline comme celle que j'avais en Aragon et que ces gredins d'Espagnols m'ont impudemment volée.

MÈRE UBU.

Tu pourrais aussi te procurer un parapluie et un grand caban qui te tomberait sur les talons.

PÈRE UBU.

Ah ! je cède à la tentation. Bougre de merdre, merdre de bougre, si jamais je le rencontre au coin d'un bois, il passera un mauvais quart d'heure.

MÈRE UBU.

Ah ! bien, Père Ubu, te voilà devenu un véritable homme.

PÈRE UBU.

Oh non ! moi, capitaine des dragons, massacrer le roi de Pologne ! plutôt mourir !

MÈRE UBU, *à part.*

Oh ! merdre ! (*Haut.*) Ainsi, tu vas rester gueux comme un rat, Père Ubu ?

PÈRE UBU.

Ventrebleu, de par ma chandelle verte, j'aime mieux être gueux comme un maigre et brave rat que riche comme un méchant et gras chat.

MÈRE UBU.

Et la capeline ? et le parapluie ? et le grand caban ?

PÈRE UBU.

Eh bien, après, Mère Ubu ?

Il s'en va en claquant la porte.

MÈRE UBU, *seule.*

Vrout, merdre, il a été dur à la détente, mais vrout, merdre, je crois pourtant l'avoir ébranlé. Grâce à Dieu et à moi-même, peut-être dans huit jours serai-je reine de Pologne.

ACTE I, SCÈNE I

La maison d'Ubu.
GIRON, PILE, COTICE, PÈRE UBU, MÈRE UBU, CONJURÉS ET SOLDATS, CAPITAINE BORDURE.

PÈRE UBU.

Eh ! mes bons amis, il est grand temps d'arrêter le plan de la conspiration. Que chacun donne son avis. Je vais d'abord donner le mien, si vous le permettez.

CAPITAINE BORDURE.

Parlez, Père Ubu.

PÈRE UBU.

Eh bien, mes amis, je suis d'avis d'empoisonner simplement le roi en lui fourrant de l'arsenic dans son déjeuner. Quand il voudra le brouter il tombera mort, et ainsi je serai roi.

TOUS.

Fi, le sagouin !

PÈRE UBU.

Eh quoi, cela ne vous plaît pas ? Alors, que Bordure donne son avis.

CAPITAINE BORDURE.

Moi, je suis d'avis de lui ficher un grand coup d'épée qui le fendra de la tête à la ceinture.

TOUS.

Oui ! voilà qui est noble et vaillant.

PÈRE UBU.

Et s'il vous donne des coups de pied ? Je me rappelle maintenant qu'il a pour les revues des souliers de fer qui font très mal. Si je savais, je filerais vous dénoncer pour me tirer de cette sale affaire, et je pense qu'il me donnerait aussi de la monnaie.

MÈRE UBU.

Oh ! le traître, le lâche, le vilain et plat ladre.

TOUS.

Conspuez le Père Ubu !

PÈRE UBU.

Hé ! messieurs, tenez-vous tranquilles si vous ne voulez visiter mes poches. Enfin je consens à m'exposer pour vous. De la sorte, Bordure, tu te charges de pourfendre le roi.

CAPITAINE BORDURE.

Ne vaudrait-il pas mieux nous jeter tous à la fois sur lui en braillant et gueulant ? Nous aurions chance ainsi d'entraîner les troupes.

PÈRE UBU.

Alors, voilà. Je tâcherai de lui marcher sur les pieds, il regimbera, alors je lui dirai : MERDRE, et à ce signal vous vous jetterez sur lui.

MÈRE UBU.

Oui, et dès qu'il sera mort tu prendras son sceptre et sa couronne.

CAPITAINE BORDURE.

Et je courrai avec mes hommes à la poursuite de la famille royale.

PÈRE UBU.

Oui, et je te recommande spécialement le jeune Bougrelas.

Ils sortent.

PÈRE UBU, *courant après et les faisant revenir.*

Messieurs, nous avons oublié une cérémonie indispensable, il faut jurer de nous escrimer vaillamment.

CAPITAINE BORDURE.

Et comment faire ? Nous n'avons pas de prêtre.

PÈRE UBU.

La Mère Ubu va en tenir lieu.

TOUS.

Eh bien, soit.

PÈRE UBU.

Ainsi, vous jurez de bien tuer le roi ?

TOUS.

Oui, nous le jurons. Vive le Père ubu !

ACTE I, SCÈNE VII

Marcel Proust

PARIS 1871 — PARIS 1922.

Fils d'un médecin et de Jeanne Weil, femme très cultivée, Proust se révèle un enfant sensible et exalté. Ses études au Lycée Condorcet sont troublées par des crises d'asthme. Il passe ses vacances à Illiers (le Combray de ***la Recherche****) chez sa tante Léonie, puis sur les plages normandes, notamment à Cabourg qu'il immortalisera sous le nom de Balbec dans* ***la Recherche****. Il entreprend des études de droit et de lettres, et mène une vie mondaine grâce à la fortune de son père. Il décide de se consacrer entièrement à la littérature : « tout ce qui n'est pas littérature et philosophie est du temps perdu » écrit-il à son père. Il se lie d'amitié avec le compositeur Reynaldo Hahn. Anatole France préface son recueil de nouvelles* ***les Plaisirs et les Jours*** *qu'il publie en 1896. De 1896 à 1899, il compose une autobiographie,* ***Jean Santeuil****, qu'il abandonne en 1901. Il découvre l'œuvre de Ruskin dont il traduit deux livres :* ***la Bible d'Amiens*** *et* ***Sésame et les lys****. En 1907, il compose son* ***Contre Sainte-Beuve*** *et le présente au « Mercure de France » qui le refuse. Cet ouvrage sera publié 45 ans plus tard. En 1909, il entreprend la rédaction de la première partie de son œuvre* ***A la recherche du temps perdu : Du côté de chez Swann****. Les maisons d'éditions — dont « Gallimard » — refusent le manuscrit. L'ouvrage paraît en 1913, à compte d'auteur, chez « Grasset ». La santé de Proust décline ; il s'isole de plus en plus pour travailler. Il ne fait plus que de brèves apparitions dans le monde ; sa vie amoureuse traverse des périodes difficiles. En 1918 paraît* ***A l'ombre des jeunes filles en fleurs*** *(****la Recherche*** *II) qui obtient le prix Goncourt. Sa santé se détériore, il travaille fébrilement, écrit* ***le Côté de Guermantes*** *I et II (1920 et 1921),* ***Sodome et Gomorrhe*** *I et II (1921 et 1922). En septembre 1922, il est atteint d'une pneumonie. Il sent la mort le poursuivre et craint de ne pouvoir achever son œuvre. Il refuse de prendre du repos, poursuit sans relâche* ***A la recherche du temps perdu****. Il meurt le 18 novembre 1922.* ***La Prisonnière****,* ***Albertine disparue*** *(ou* ***la Fugitive****) et* ***le Temps retrouvé*** *paraîtront après sa mort (1923, 1925, 1927).*

CRITIQUE LITTÉRAIRE

. Contre Sainte-Beuve.

1908, publié en 1954

L'idée apparente, c'est la dénonciation des bêtises auxquelles conduit la méthode de Sainte-Beuve, à savoir la réduction de la littérature à un effet direct de la biographie. L'intention profonde, c'est la littérature elle-même, c'est-à-dire une « auto-justification » de ce dévouement absolu dans lequel se lance l'homme que la haute mer de la littérature attire avec une irrésistible violence. Le **Contre Sainte-Beuve** *oscille entre l'univoque critique (la théorie ou le rationnel) et l'analogue littéraire où la critique procède par l'œuvre. Pourtant, dans les moments narratifs, l'on n'est pas encore dans l'œuvre mais l'on se tient seulement à son orée : « Maman viendrait près de mon lit, et je lui raconterais l'article que je veux faire sur Sainte-Beuve, et je le lui développerais. »*

L'enjeu de ce texte est capital. D'une part Proust affirme dans la **Recherche** *que le sujet n'a pas d'importance ; d'autre part, l'on ne s'applique guère qu'à lire chez Proust une chronique des salons disparus et une autobiographie. Contre Proust et son œuvre, l'on donne le prix à Sainte-Beuve, au fond selon cet inconscient principe qui veut que les artistes œuvrent « aveuglément », étant des « génies », plus obscurs à eux-mêmes que tout autre.*

La psychanalyse appliquée aux œuvres littéraires constitue l'actuel et très vivace prolongement des théories de Sainte-Beuve. Sainte-Beuve voulait ignorer la spécificité de l'acte littéraire, et le ramenait à un divertissement. Il coupait « la tête élevée », et ne voulait croire qu'à la bassesse commune. Pascal a très nettement décrit cette attitude dans un passage des **Pensées** *: « On croit n'être pas tout à fait dans les vices du commun des hommes quand on se voit dans les vices de ces grands hommes. Et cependant on ne prend pas garde qu'ils sont en cela du commun des hommes. On tient à eux par le bout par où ils tiennent au peuple. Car quelque élevés qu'ils soient, si sont-ils unis aux moindres des hommes par quelque endroit. Ils ne sont pas suspendus en l'air tout abstraits de notre société. Non, non ; s'ils sont plus grands que nous, c'est qu'ils ont la tête plus élevée, mais ils ont les pieds aussi bas que les nôtres. » Les méthodes « à la Sainte-Beuve » refusent cette contrariété en l'homme d'une élévation grande dans son art et d'une bassesse forte dans ses vices. Proust a fort bien montré la vie de cette contrariété dans son personnage du musicien Morel, si « beau » violoniste, si ignoble dans ses vices.*

« Sainte-Beuve abonde en distinctions, volontiers en subtilités, afin de mieux noter jusqu'à la plus fine nuance. Il multiplie les anecdotes, afin de multiplier les points de vue. C'est l'individuel et le particulier qui le préoccupent, et par-dessus cette minutieuse investigation, il fait planer un certain Idéal de règle esthétique, grâce auquel il conclut et nous contraint à conclure. »

Cette définition et cet éloge de la méthode de Sainte-Beuve, je les ai demandés à cet article de M. Paul Bourget, parce que la définition était courte et l'éloge autorisé. Mais j'aurais pu citer vingt autres critiques. Avoir fait l'histoire naturelle des esprits, avoir demandé à la biographie de l'homme, à l'histoire de sa famille, à toutes ses particularités, l'intelligence de ses œuvres et la nature de son génie, c'est là ce que tout le monde reconnaît comme son originalité, c'est ce qu'il reconnaissait lui-même, en quoi il avait d'ailleurs raison. Taine lui-même, qui rêvait d'une histoire naturelle des esprits, plus systématique et mieux codifiée, et avec qui d'ailleurs Sainte-Beuve n'était pas d'accord pour les questions de race, ne dit pas autre chose dans son éloge de Sainte-Beuve. « La méthode de M. Sainte-Beuve n'est pas moins précieuse que son œuvre. En cela, il a été un inventeur. Il a importé, dans l'histoire morale, les procédés de l'histoire naturelle.

« Il a montré comment il faut s'y prendre pour connaître l'homme ; il a indiqué la série des milieux successifs qui forment l'individu, et qu'il faut tour à tour observer afin de le comprendre : d'abord la race et la tradition du sang, que l'on peut souvent distinguer en étudiant le père, la mère, les sœurs ou les frères ; ensuite la première éducation, les alentours domestiques, l'influence de la famille et tout ce qui modèle l'enfant et l'adolescent ; plus tard le premier groupe d'hommes marquants au milieu desquels l'homme s'épanouit, la volée littéraire à laquelle il appartient. Viennent alors l'étude de l'individu ainsi formé, la recherche des indices qui mettent à nu son vrai fond, les oppositions et les rapprochements qui dégagent sa passion dominante et son tour d'esprit spécial, bref l'analyse de l'homme lui-même, poursuivie dans toutes ses conséquences, à travers et en dépit de ces déguisements, que l'attitude littéraire ou le préjugé public ne manquent jamais d'interposer entre nos yeux et le visage vrai. »

Seulement, il ajoutait : « Cette sorte d'analyse botanique pratiquée sur les individus humains est le seul moyen de rapprocher les sciences morales des sciences positives, et il n'y a qu'à l'appliquer aux peuples, aux époques, aux races, pour lui faire porter ses fruits. »

Taine disait cela, parce que sa conception intellectualiste de la réalité ne laissait de vérité que dans la science. Comme il avait cependant du goût et admirait diverses manifestations de l'esprit, pour expliquer leur valeur il les considérait comme des auxiliaires de la science (voir Préface de *l'Intelligence*). Il considérait Sainte-Beuve comme un initiateur, comme remarquable « pour son temps », comme ayant presque trouvé sa méthode à lui, Taine.

Mais les philosophes, qui n'ont pas su trouver ce qu'il y a de réel et d'indépendant de toute science dans l'art, sont obligés de s'imaginer l'art, la critique, etc., comme des sciences, où le prédécesseur est forcément moins avancé que celui qui le suit. Or, en art il n'y a pas (au moins dans le sens scientifique) d'initiateur, de précurseur. Tout dans l'individu, chaque individu recommence, pour son compte, la tentative artistique ou littéraire ; et les œuvres de ses prédécesseurs ne constituent pas, comme dans la science, une vérité acquise, dont profite celui qui suit. Un écrivain de génie aujourd'hui a tout à faire. Il n'est pas beaucoup plus avancé qu'Homère.

Mais, du reste, à quoi bon nommer tous ceux qui voient là l'originalité, l'excellence de la méthode de Sainte-Beuve ? Il n'y a qu'à lui laisser la parole à lui-même :

« Avec les Anciens, on n'a pas les moyens suffisants d'observation. Revenir à l'homme, l'œuvre à la main, est impossible dans la plupart des cas avec les véritables Anciens, avec ceux dont nous n'avons la statue qu'à demi brisée. On est donc réduit à commenter l'œuvre, à l'admirer, à rêver l'auteur et le poète à travers. On peut refaire ainsi des figures de poètes ou de philosophes, des bustes de Platon, de Sophocle ou de Virgile, avec un sentiment d'idéal élevé ; c'est tout ce que permettent l'état des connaissances incomplètes, la disette des sources et le manque de moyens d'information et de retour. Un grand fleuve, et non guéable dans la plupart des cas, nous sépare des grands hommes de l'Antiquité. Saluons-les d'un rivage à l'autre.

« Avec les Modernes, c'est tout différent. La critique, qui règle sa méthode sur les moyens, a ici d'autres devoirs. Connaître et bien connaître un homme de plus, surtout si cet homme est un individu marquant et célèbre, c'est une grande chose et qui ne saurait être à dédaigner.

« L'observation morale des caractères en est encore au détail, à la description des individus et tout au plus de quelques espèces : Théophraste et La Bruyère ne vont pas au-delà. Un jour viendra, que je crois avoir entrevu dans le cours de mes observations, un jour où la science sera constituée, où les grandes familles d'esprit et leurs principales divisions seront déterminées, et connues. Alors le principal caractère d'un esprit étant donné, on pourra en déduire plusieurs autres. Pour l'homme sans doute, on ne pourra jamais faire exactement comme pour les animaux ou pour les plantes ; l'homme moral est plus complexe ; il a ce qu'on nomme *liberté* et qui dans tous les cas suppose une grande mobilité de combinaisons possibles. Quoi qu'il en soit, on arrivera avec le temps, j'imagine, à constituer plus largement la science du moraliste ; elle en est aujourd'hui au point où la botanique en était avant Jussieu, et l'anatomie comparée avant Cuvier, à l'état, pour ainsi dire, anecdotique. Nous faisons pour notre compte de simples monographies, mais j'entrevois des liens, des rapports et un esprit plus étendu, plus lumineux, et resté fin dans le détail, pourra découvrir un jour les grandes divisions naturelles qui répondent aux familles d'esprit. »

"Un écrivain de génie aujourd'hui a tout à faire. Il n'est pas beaucoup plus avancé qu'Homère"

« La littérature, disait Sainte-Beuve, n'est pas pour moi distincte ou, du moins, séparable du reste de l'homme et de l'organisation... On ne saurait s'y prendre de trop de façons et de trop de bouts pour connaître un homme, c'est-à-dire autre chose qu'un pur esprit. Tant qu'on ne s'est pas adressé sur un auteur un certain nombre de questions et qu'on n'y a pas répondu, ne fût-ce que pour soi seul et tout bas, on n'est pas sûr de le tenir tout entier, quand même ces questions sembleraient les plus étrangères à la nature de ses écrits : Que pensait-il de la religion ? Comment était-il affecté du spectacle de la nature ? Comment se comportait-il sur l'article des femmes, sur l'article de l'argent ? Était-il riche, pauvre ; quel était son régime, sa manière de vivre journalière ? Quel était son vice ou son faible ? Aucune réponse à ces questions n'est indifférente pour juger l'auteur d'un livre et le livre lui-même, si ce livre n'est pas un traité de géométrie pure, si c'est surtout un ouvrage littéraire, c'est-à-dire où il entre de tout. »

"Cette méthode méconnaît ce qu'une fréquentation un peu profonde avec nous-mêmes nous apprend : qu'un livre est le produit d'un autre moi que celui que nous manifestons dans nos habitudes, dans la société, dans nos vices"

L'œuvre de Sainte-Beuve n'est pas une œuvre profonde. La fameuse méthode, qui en fait, selon Taine, selon Paul Bourget et tant d'autres, le maître inégalable de la critique du XIXe, cette méthode, qui consiste à ne pas séparer l'homme et l'œuvre, à considérer qu'il n'est pas indifférent pour juger l'auteur d'un livre, si ce livre n'est pas « un traité de géométrie pure », d'avoir d'abord répondu aux questions qui paraissent les plus étrangères à son œuvre (comment se comportait-il, etc.), à s'entourer de tous les renseignements possibles sur un écrivain, à collationner ses correspondances, à interroger les hommes qui l'ont connu, en causant avec eux s'ils vivent encore, en lisant ce qu'ils ont pu écrire sur lui s'ils sont morts, cette méthode méconnaît ce qu'une fréquentation un peu profonde avec nous-mêmes nous apprend : qu'un livre est le produit d'un autre *moi* que celui que nous manifestons dans nos habitudes, dans la société, dans nos vices. Ce moi-là, si nous voulons essayer de le comprendre, c'est au fond de nous-mêmes, en essayant de le recréer en nous, que nous pouvons y parvenir. Rien ne peut nous dispenser de cet effort de notre cœur. Cette vérité, il nous faut la faire de toutes pièces et il est trop facile de croire qu'elle nous arrivera, un beau matin, dans notre courrier, sous forme d'une lettre inédite, qu'un bibliothécaire de nos amis nous communiquera, ou que nous la recueillerons de la bouche de quelqu'un, qui a beaucoup connu l'auteur. Parlant de la grande admiration, qu'inspire à plusieurs écrivains de la nouvelle génération l'œuvre de Stendhal, Sainte-Beuve disait : « Qu'ils me permettent de leur dire, pour juger au net de cet esprit assez compliqué, et sans rien exagérer dans aucun sens, j'en reviendrai toujours de préférence, indépendamment de mes propres impressions et souvenirs, à ce que m'en diront ceux qui l'ont connu en ses bonnes années et à ses origines, à ce qu'en diront M. Mérimée, M. Ampère, à ce que m'en dirait Jacquemont s'il vivait, ceux, en un mot, qui l'ont beaucoup vu et goûté sous sa forme première. »

Pourquoi cela ? En quoi le fait d'avoir été l'ami de Stendhal permet-il de le mieux juger ? Le *moi* qui produit les œuvres est offusqué pour ces camarades par l'autre, qui peut être très inférieur au moi extérieur de beaucoup de gens. Du reste, la meilleure preuve en est que Sainte-Beuve, ayant connu Stendhal, ayant recueilli auprès de M. Mérimée et de M. Ampère tous les renseignements qu'il pouvait, s'étant muni, en un mot, de tout ce qui permet, selon lui, au critique de juger plus exactement d'un livre, a jugé Stendhal de la façon suivante : « Je viens de relire, ou d'essayer, les romans de Stendhal ; ils sont franchement détestables. » (...)

Je ne dis pas que tout ce qu'il dit de Stendhal soit faux. Mais, quand on se rappelle sur quel ton d'enthousiasme il parle des nouvelles de Mme Gasparin ou Töpffer, il est bien clair que, si tous les ouvrages du XIXe siècle avaient brûlé sauf les *Lundis*, et que ce soit dans les *Lundis* que nous dussions nous faire une idée des rangs des écrivains du XIXe siècle, Stendhal nous apparaîtrait inférieur à Charles de Bernard, à Vinet, à Molé, à Mme de Verdelin, à Ramond, à Sénac de Meilhan, à Vicq d'Azyr, à combien d'autres, et assez indistinct, à vrai dire, entre d'Alton Shée et Jacquemont.

Je montrerai, d'ailleurs, qu'il en a été de même à l'égard de presque tous ses contemporains vraiment originaux ; beau succès pour un homme qui assignait pour tout rôle à la critique de désigner ses grands contemporains. Et là, il n'avait pas, pour l'égarer, les rancunes qu'il nourrissait contre d'autres écrivains. (...)

En aucun temps, Sainte-Beuve ne semble avoir compris ce qu'il y a de particulier dans l'inspiration et le travail littéraire, et ce qui le différencie entièrement des occupations des autres hommes et des autres occupations de l'écrivain. Il ne faisait pas de démarcation entre l'occupation littéraire, où, dans la solitude, faisant taire ces paroles, qui sont aux autres autant qu'à nous, et avec lesquelles, même seuls, nous jugeons les choses sans être nous-mêmes, nous nous remettons face à face avec nous-mêmes, nous tâchons d'entendre, et de rendre, le son vrai de notre cœur, et non la conversation ! « Pour moi, pendant ces années que je puis dire heureuses (avant 1848), j'avais cherché et j'avais cru avoir réussi à arranger mon existence avec douceur et dignité. Écrire de temps en temps des choses agréables, en lire et d'agréables et de sérieuses, mais surtout ne pas trop écrire, cultiver ses amis, garder de son esprit pour les relations de chaque jour et savoir en dépenser sans y regarder, donner plus à l'intimité qu'au public, réserver la part la plus fine et la plus tendre, la fleur de soi-même pour le dedans, pour user avec modération, dans un doux commerce d'intelligence et de sentiment, des saisons dernières de la jeunesse, ainsi se dessinait pour moi le rêve du galant homme littéraire, qui sait le prix des choses vraies et qui ne laisse pas trop le métier et la besogne empiéter sur l'essentiel de son âme et de ses pensées. La nécessité depuis m'a saisi et m'a contraint à renoncer à ce que je considérais comme le seul bonheur ou la consolation exquise du mélancolique et du sage. » Ce n'est que l'apparence menteuse de l'image qui donne ici quelque chose de plus extérieur et de plus vague, quelque chose de plus approfondi et recueilli à l'intimité. En réalité, ce qu'on donne au public, c'est ce qu'on a écrit seul, pour soi-même, c'est bien l'œuvre de soi. Ce qu'on donne à l'intimité, c'est-à-dire à la conversation (si raffinée soit-elle, et la plus raffinée est la pire de toutes, car elle fausse la vie spirituelle en se l'associant : les conversations de Flaubert avec sa nièce et l'horloger sont sans danger) et ces productions destinées à l'intimité, c'est-à-dire rapetissées au goût de quelques personnes et qui ne sont guère que de la conversation écrite, c'est l'œuvre d'un soi bien plus extérieur, non pas du moi profond qu'on ne retrouve qu'en faisant abstraction des autres et du moi qui connaît les autres, le moi qui a attendu pendant qu'on était avec les autres, qu'on sent bien le seul réel, et pour lequel seuls les artistes finissent par vivre, comme un dieu qu'ils quittent de moins en moins et à qui ils ont sacrifié une vie qui ne sert qu'à l'honorer. (...)

[Sainte-Beuve] continuera à ne pas comprendre ce monde unique, fermé, sans communication avec le dehors qu'est l'âme du poète. Il croira que les autres peuvent lui donner des conseils, l'exciter, le réprimer : « Sans Boileau et sans Louis XIV qui reconnaissait Boileau comme son Contrôleur général du parnasse, que serait-il arrivé ? Les plus grands talents eux-mêmes auraient-ils rendu également tout ce qui forme désormais leur plus solide héritage de gloire ? Racine, je le crains, aurait fait plus souvent des *Bérénice*, La Fontaine moins de *Fables* et plus de *Contes*, Molière lui-même aurait donné davantage dans les *Scapins* et n'aurait peut-être pas atteint aux hauteurs sévères du *Misanthrope*. En un mot chacun de ces beaux génies aurait abondé dans ses défauts. Boileau, c'est-à-dire le bon sens du poète critique autorisé et doublé de celui d'un grand roi, les contint tous et les contraignit, par sa présence respectée à leurs meilleures et à leurs plus graves œuvres. » Et pour ne pas avoir vu l'abîme qui sépare l'écrivain de l'homme du monde, pour n'avoir pas compris que le moi de l'écrivain ne se montre que dans ses livres, et qu'il ne montre aux hommes du monde (ou même à ces hommes du monde que sont dans le monde les autres écrivains, qui ne redeviennent écrivains que seuls) qu'un homme du monde comme eux, il inaugurera cette fameuse méthode, qui, selon Taine, Bourget, tant d'autres, est sa gloire et qui consiste à interroger avidement pour comprendre un poète, un écrivain, ceux qui l'ont connu, qui le fréquentaient, qui pourront nous dire comment il se comportait sur l'article femmes, etc., c'est-à-dire précisément sur tous les points où le moi véritable du poète n'est pas en jeu. (...)

"En réalité, ce qu'on donne au public, c'est ce qu'on a écrit seul, pour soi-même, c'est bien l'œuvre de soi"

ROMAN

.A la recherche du temps perdu.

1913-1927

C'est vers 1909, après l'abandon du **Contre Sainte-Beuve** *refusé par un éditeur, que Marcel Proust entreprend la* **Recherche.** *Il y travaillera jusqu'aux derniers jours. L'ouvrage, publié de 1913 à 1927, comprend sept parties :*

1. ***Du côté de chez Swann.*** *— 2.* ***A l'ombre des jeunes filles en fleurs.*** *— 3.* ***Le côté de Guermantes.*** *— 4.* ***Sodome et Gomorrhe.*** *— 5.* ***La Prisonnière.*** *— 6.* ***Albertine disparue*** *ou* ***la Fugitive.*** *7.* ***Le Temps retrouvé.*** *La* ***Recherche*** *est un roman platonicien. La vie n'a pas d'importance, parce que le temps ou la mort estompe tout en vaines impressions fugitives. C'est pour cela que le* ***sujet*** *d'un roman n'a pas d'importance. L'écrivain décrit ce qu'il connaît, quel que soit son monde et sa « classe sociale », et s'applique partant de ces occasions à accéder au monde des* ***Idées,*** *au monde des essences qui est hors du temps, qui échappe à la mort. Voilà pourquoi écrire est synonyme de vivre, est la « vraie vie », la véritable demeure de l'homme : le Paradis. Ce Paradis se gagne au prix de sa perte : il est d'abord requis que la vie et les bonheurs soient perdus ou gâchés ; les vrais paradis (écrit Proust) sont ceux que l'on a perdus.*

Dans la tension vers ces essences, dans cette quête longue des « moments » qui rachètent le temps passé, absolvent l'avenir et le glorifient en être stable, Proust, très patiemment et avec humour et une extraordinaire finesse, décrit, en un inextricable mélange de fictions et de témoignages directs, un enclos de la société, des figures momentanées. Ces descriptions provoquent une très certaine jouissance littéraire, si vive qu'elle réussit à masquer le but des narrations : les extases où se contemple la glorification de l'existence.

L'on peut réduire Marcel Proust à un chroniqueur mondain supérieurement habile (un disciple de Saint-Simon), ou à un romancier social, ou à l'un de nos plus fins psychologues, ou à un mémorialiste du scabreux, ou à un impénitent technicien de la « distanciation » dans le roman, procédant par d'incessantes interruptions en réflexions et digressions et variations de tons, ou à un étroit bourgeois fasciné par son existence de coq en pâte patraque et idéaliste forcené, etc. ; mais l'on croit l'auteur immensément dévoué (jusqu'à la mort) à son œuvre, et donc au Verbe, il est par lui possible de comprendre ce qu'est la littérature comme religion, de savoir que l'existence artistique est le séjour propre à l'homme.

Dans ce que l'on est en droit de nommer « le miracle de la madeleine », et qui forme la première entrevision de la révélation faite personnellement à Marcel Proust, s'aperçoit le monde du « temps retrouvé » où vérité et réalité sont éternellement et parfaitement conciliées. La ***Recherche*** *ainsi est tournée en univers, par cette coïncidence du début et de la fin.*

Je trouve très raisonnable la croyance celtique que les âmes de ceux que nous avons perdus sont captives dans quelque être inférieur, dans une bête, un végétal, une chose inanimée, perdues en effet pour nous jusqu'au jour, qui pour beaucoup ne vient jamais, où nous nous trouvons passer près de l'arbre, entrer en possession de l'objet qui est leur prison. Alors elles tressaillent, nous appellent, et sitôt que nous les avons reconnues, l'enchantement est brisé. Délivrées par nous, elles ont vaincu la mort et reviennent vivre avec nous.

Il en est ainsi de notre passé. C'est peine perdue que nous cherchions à l'évoquer, tous les efforts de notre intelligence sont inutiles. Il est caché hors de son domaine et de sa portée, en quelque objet matériel (en la sensation que nous donnerait cet objet matériel) que nous ne soupçonnons pas. Cet objet, il dépend du hasard que nous le rencontrions avant de mourir, ou que nous ne le rencontrions pas.

Il y avait déjà bien des années que, de Combray, tout ce qui n'était pas le théâtre et le drame de mon coucher, n'existait plus pour moi, quand un jour d'hiver, comme je rentrais à la maison, ma mère, voyant que j'avais froid, me proposa de me faire prendre, comme mon habitude, un peu de thé. Je refusai d'abord et, je ne sais pourquoi, me ravisai. Elle envoya chercher un de ces gâteaux courts et dodus appelés Petites madeleines qui semblent avoir été moulés dans la valve rainurée d'une coquille de Saint-Jacques. Et bientôt, machinalement, accablé par la morne journée et la perspective d'un triste lendemain, je portai à mes lèvres une cuillerée du thé où j'avais laissé s'amollir un morceau de madeleine. Mais à l'instant même où la gorgée mêlée des miettes du gâteau toucha mon palais, je tressaillis, attentif à ce qui se passait d'extraordinaire en moi. Un plaisir délicieux m'avait envahi, isolé, sans la notion de sa cause. Il m'avait aussitôt rendu les vicissitudes de la vie indifférentes, ses désastres inoffensifs, sa brièveté illusoire, de la même façon qu'opère l'amour, en me remplissant d'une essence précieuse : ou plutôt cette essence n'était pas en moi, elle était moi. J'avais cessé de me sentir médiocre, contingent, mortel. D'où avait pu me venir cette puissante joie ? Je sentais qu'elle était liée au goût du thé et du gâteau, mais qu'elle le dépassait infiniment, ne devait pas être de même nature. D'où venait-elle ? Que signifiait-elle ? Où l'appréhender ? Je bois une seconde gorgée où je ne trouve rien de plus que dans la première, une troisième qui m'apporte un peu moins que la seconde. Il est temps que je m'arrête, la vertu du breuvage semble diminuer. Il est clair que la vérité que je cherche n'est pas en lui, mais en moi. Il l'y a éveillée, mais ne la connaît pas, et ne peut que répéter indéfiniment, avec de moins en moins de force, ce même témoignage que je ne sais pas interpréter et que je veux au moins pouvoir lui redemander et retrouver intact, à ma disposition, tout à l'heure, pour un éclaircissement décisif. Je pose la tasse et me tourne vers mon esprit. C'est à lui de trouver la vérité. Mais comment ? Grave incertitude, toutes les fois que l'esprit se sent dépassé par lui-même ; quand lui, le chercheur, est tout ensemble le pays obscur où il doit chercher et où tout son bagage ne lui sera de rien. Chercher ? pas seulement : créer. Il est en face de quelque chose qui n'est pas encore et que seul il peut réaliser, puis faire entrer dans sa lumière.

Et je recommence à me demander quel pouvait être cet état inconnu, qui n'apportait aucune preuve logique, mais l'évidence, de sa félicité, de sa réalité devant laquelle les autres s'évanouissaient. Je veux essayer de le faire réapparaître. Je rétrograde par la pensée au moment où je pris la première cuillerée de thé. Je retrouve le même état, sans une clarté nouvelle. Je demande à mon esprit un effort de plus, de ramener encore une fois la sensation qui s'enfuit. Et, pour que rien ne brise l'élan dont il va tâcher de le ressaisir, j'écarte tout obstacle, toute idée étrangère, j'abrite mes oreilles et mon attention contre les bruits de la chambre voisine. Mais sentant mon esprit qui se fatigue sans réussir, je le force au contraire à prendre cette distraction que je lui refusais, à penser à autre chose, à se refaire avant une tentative suprême. Puis une deuxième fois, je fais le vide devant lui, je remets en face de lui la saveur encore récente de cette première gorgée et je sens tressaillir en moi quelque chose qui se déplace, voudrait s'élever, quelque chose qu'on aurait désancré, à une grande profondeur ; je ne sais ce que c'est, mais cela monte lentement ; j'éprouve la résistance et j'entends la rumeur des distances traversées.

Certes, ce qui palpite ainsi au fond de moi, ce doit être l'image, le souvenir visuel, qui, lié à cette saveur, tente de la suivre jusqu'à moi. Mais il se débat trop loin, trop confusément ; à peine si je perçois le reflet neutre où se confond l'insaisissable tourbillon des couleurs remuées ; mais je ne peux distinguer la forme, lui demander, comme au seul interprète possible, de me traduire le témoignage de sa contemporaine, de son inséparable compagne, la saveur, lui demander de m'apprendre de quelle circonstance particulière, de quelle époque du passé il s'agit.

Arrivera-t-il jusqu'à la surface de ma claire conscience, ce souvenir, l'instant ancien que l'attraction d'un instant identique est venue de si loin solliciter, émouvoir, soulever tout au fond de moi ? Je ne sais.

Maintenant je ne sens plus rien, il est arrêté, redescendu peut-être ; qui sait s'il remontera jamais de sa nuit ? Dix fois il me faut recommencer, me pencher vers lui. Et chaque fois la lâcheté qui nous détourne de toute tâche difficile, de toute œuvre importante, m'a conseillé de laisser cela, de boire mon thé en pensant simplement à mes ennuis d'aujourd'hui, à mes désirs de demain qui se laissent remâcher sans peine.

Et tout d'un coup le souvenir m'est apparu. Ce goût, c'était celui du petit morceau de madeleine que le dimanche matin à Combray (parce que ce jour-là je ne sortais pas avant l'heure de la messe), quand j'allais lui dire bonjour dans sa chambre, ma tante Léonie m'offrait après l'avoir trempé dans son infusion de thé ou de tilleul. La vue de la petite madeleine ne m'avait rien rappelé avant que je n'y eusse goûté ; peut-être parce que, en ayant souvent aperçu depuis, sans en manger, sur les tablettes des pâtissiers, leur image avait quitté ces jours de Combray pour se lier à d'autres plus récents ; peut-être parce que, de ces souvenirs abandonnés si longtemps hors de la mémoire, rien ne survivait, tout s'était désagrégé ; les formes — et celle aussi du petit coquillage de pâtisserie, si grassement sensuel sous son plissage sévère et dévot — s'étaient abolies, ou, ensommeillées, avaient perdu la force d'expansion qui leur eût permis de rejoindre la conscience. Mais, quand d'un passé ancien rien ne subsiste, après la mort des êtres, après la destruction des choses, seules, plus frêles mais plus vivaces, plus immatérielles, plus persistantes, plus fidèles, l'odeur et la saveur restent encore longtemps, comme des âmes, à se rappeler, à attendre, à espérer, sur la ruine de tout le reste, à porter sans fléchir, sur leur gouttelette presque impalpable, l'édifice immense du souvenir.

Et dès que j'eus reconnu le goût du morceau de madeleine trempé dans le tilleul que me donnait ma tante (quoique je ne susse pas encore et dusse remettre à bien plus tard de découvrir pourquoi ce souvenir me rendait si heureux), aussitôt la vieille maison grise sur la rue, où était sa chambre, vint comme un décor de théâtre s'appliquer au petit pavillon donnant sur le jardin, qu'on avait construit pour mes parents sur ses derrières (ce pan tronqué que seul j'avais revu jusque-là) ; et avec la maison, la ville, depuis le matin jusqu'au soir et par tous les temps, la Place où on m'envoyait avant déjeuner, les rues où j'allais faire des courses, les chemins qu'on prenait si le temps était beau. Et comme dans ce jeu où les Japonais s'amusent à tremper dans un bol de porcelaine rempli d'eau, de petits morceaux de papier jusque-là indistincts qui, à peine y sont-ils plongés, s'étirent, se contournent, se colorent, se différencient, deviennent des fleurs, des maisons, des personnages consistants et reconnaissables, de même maintenant toutes les fleurs de notre jardin et celles du parc de M. Swann, et les nymphéas de la Vivonne, et les bonnes gens du village et leurs petits logis et l'église et tout Combray et ses environs, tout cela qui prend forme et solidité, est sorti, ville et jardins, de ma tasse de thé.

Le narrateur a passé plusieurs années loin de Paris, dans une maison de santé. Il revient dans la capitale, mais sans avoir retrouvé la santé ; c'est peut-être que « mener une vraie vie spirituelle et être en bonne santé n'est au pouvoir d'aucun homme », comme l'a noté Kierkegaard. Il se rend à une matinée chez le prince et la princesse de Guermantes ; en chemin, il rencontre le baron de Charlus (personnage capital du livre), mais éprouve quelques difficultés à le reconnaître tant il est vieilli : le baron énumère cruellement le grand nombre de leurs amis communs morts. La mort des autres et la sienne nécessairement prochaine affligent le narrateur ; c'est que la mort s'identifie en lui avec l'incapacité d'accomplir sa vocation : écrire. Des extases semblables à l'épisode de la madeleine, mais cette fois complètes et répétées, vont enfin réunir à soi-même le narrateur déchiré.

Ces sensations sont des « résurrections » qui situent hors du temps, échappent au temps et à la mort. Elles font jouir de « l'essence des choses », et l'œuvre d'art — c'est-à-dire l'acte d'écrire — s'offre comme seul moyen à la fois de les saisir et comprendre, et par là même d'advenir à soi.

Mais c'est quelquefois au moment où tout nous semble perdu que l'avertissement arrive qui peut nous sauver ; on a frappé à toutes les portes qui ne donnent sur rien, et la seule par où on peut entrer et qu'on aurait cherchée en vain pendant cent ans, on y heurte sans le savoir, et elle s'ouvre. En roulant les tristes pensées que je disais il y a un instant, j'étais entré dans la cour de l'hôtel de Guermantes, et dans ma distraction je n'avais pas vu une voiture qui s'avançait ; au cri du wattman je n'eus que le temps de me ranger vivement de côté, et je reculai assez pour buter malgré moi contre des pavés assez mal équarris derrière lesquels était une remise. Mais au moment où, me remettant d'aplomb, je posai mon pied sur un pavé qui était un peu moins élevé que le précédent, tout mon découragement s'évanouit devant la même félicité qu'à diverses époques de ma vie m'avaient donnée la vue d'arbres que j'avais cru reconnaître dans une promenade en voiture autour de Balbec, la vue des clochers de Martinville, la saveur d'une madeleine trempée dans une infusion, tant d'autres sensations dont j'ai parlé et que les dernières œuvres de Vinteuil m'avaient paru synthétiser. Comme au moment où je goûtais la madeleine, toute inquiétude sur l'avenir, tout doute étaient dissipés. Ceux qui m'assaillaient tout à l'heure au sujet de la réalité de mes dons littéraires, et même de la réalité de la littérature, se trouvaient levés comme par enchantement. Sans que j'eusse fait aucun raisonnement nouveau, trouvé aucun argument décisif, les difficultés, insolubles tout à l'heure, avaient perdu toute importance. Mais, cette fois, j'étais bien décidé à ne pas me résigner à ignorer pourquoi, comme je l'avais fait le jour où j'avais goûté d'une madeleine trempée dans une infusion. La félicité que je venais d'éprouver était bien en effet la même que celle que j'avais éprouvée en mangeant la madeleine et dont j'avais alors ajourné de rechercher les causes profondes. La différence, purement matérielle, était dans les images évoquées ; un azur profond enivrait mes yeux, des impressions de fraîcheur, d'éblouissante lumière tournoyaient près de moi et, dans mon désir de les saisir, sans oser plus bouger que quand je goûtais la saveur de la madeleine en tâchant de faire parvenir jusqu'à moi ce qu'elle me rappelait, je restais, quitte à faire rire la foule innombrable des wattmen, à tituber comme j'avais fait tout à l'heure, un pied sur le pavé plus élevé, l'autre pied sur le pavé plus bas. Chaque fois que je refaisais rien que matériellement ce même pas, il me restait inutile ; mais si je réussissais, oubliant la matinée Guermantes, à retrouver ce que j'avais senti en posant ainsi mes pieds, de nouveau la vision éblouissante et indistincte me frôlait comme si elle m'avait dit : « Saisis-moi au passage si tu en as la force et tâche à résoudre l'énigme de bonheur que je te propose. » Et presque tout de suite, je le reconnus, c'était Venise dont mes efforts pour la décrire et les prétendus instantanés pris par ma mémoire ne m'avaient jamais rien dit, et que la sensation que j'avais ressentie jadis qur deux dalles inégales du baptistère de Saint-Marc m'avait rendue avec toutes les autres sensations jointes ce jour-là à cette sensation-là et qui étaient restées dans l'attente, à leur rang, d'où un brusque hasard les avait impérieusement fait sortir, dans la série des jours oubliés. De même le goût de la petite madeleine m'avait rappelé Combray. Mais pourquoi les images de Combray et de Venise m'avaient-elles, à l'un et à l'autre moment, donné une joie pareille à une certitude et suffisante sans autres preuves à me rendre la mort indifférente ?

D'autres signes apparaissent : une serviette apportée par le maître d'hôtel, « dont la raideur empesée est celle même du linge de Balbec » ; une cuiller qui tinte contre une assiette de la même façon que le marteau d'un employé heurta la roue du train qui emmenait le narrateur, momentanément stoppé au milieu d'un petit bois.

Je glissais rapidement sur tout cela, plus impérieusement sollicité que j'étais de chercher la cause de cette félicité, du caractère de certitude avec lequel elle s'imposait, recherche ajournée autrefois. Or cette cause, je la devinais en comparant ces diverses impressions bienheureuses et qui avaient entre elles ceci de commun que je les éprouvais à la fois dans le moment actuel et dans un moment éloigné, jusqu'à faire empiéter le passé sur le présent, à me faire hésiter à savoir dans lequel des deux je me trouvais ; au vrai, l'être qui alors goûtait en moi cette impression la goûtait en ce qu'elle avait de commun dans un jour ancien et maintenant, dans ce qu'elle avait d'extra-temporel, un être qui n'apparaissait que quand, par une de ces identités entre le présent et le passé, il pouvait se trouver dans le seul milieu où il pût vivre, jouir de l'essence des choses, c'est-à-dire en dehors du temps. Cela expliquait que mes inquiétudes au sujet de ma mort eussent cessé au moment où j'avais reconnu inconsciemment le goût de la petite madeleine, puisqu'à ce moment-là l'être que j'avais été était un être extra-temporel, par conséquent insoucieux des vicissitudes de l'avenir. Cet être-là n'était jamais venu à moi, ne s'était jamais manifesté, qu'en dehors de l'action, de la jouissance immédiate, chaque fois que le miracle d'une analogie m'avait fait échapper au présent. Seul, il avait le pouvoir de me faire retrouver les jours anciens, le temps perdu, devant quoi les efforts de ma mémoire et de mon intelligence échouaient toujours.

Et peut-être, si tout à l'heure je trouvais que Bergotte avait dit faux en parlant des joies de la vie spirituelle, c'était parce que j'appelais « vie spirituelle », à ce moment-là, des raisonnements logiques qui étaient sans rapport avec elle, avec ce qui existait en moi en ce moment — exactement comme j'avais pu trouver le monde et la vie ennuyeux parce que je les jugeais d'après des souvenirs sans vérité, alors que j'avais un tel appétit de vivre maintenant que venait de renaître en moi, à trois reprises, un véritable moment du passé.

Rien qu'un moment du passé ? Beaucoup plus, peut-être ; quelque chose qui, commun à la fois au passé et au présent, est beaucoup plus essentiel qu'eux deux. Tant de fois, au cours de ma vie, la réalité m'avait déçu parce qu'au moment où je la percevais, mon imagination, qui était mon seul organe pour jouir de la beauté, ne pouvait s'appliquer à elle, en vertu de la loi inévitable qui veut qu'on ne puisse imaginer que ce qui est absent. Et voici que soudain l'effet de cette dure loi s'était trouvé neutralisé, suspendu, par un expédient merveilleux de la nature, qui avait fait miroiter une sensation — bruit de la fourchette et du marteau, même titre de livre, etc. — à la fois dans le passé, ce qui permettait à mon imagination de la goûter, et dans le présent où l'ébranlement effectif de mes sens par le bruit, le contact du linge, etc. avait ajouté aux rêves de l'imagination ce dont ils sont habituellement dépourvus, l'idée d'existence, et, grâce à ce subterfuge, avait permis à mon être d'obtenir, d'isoler, d'immobiliser — la durée d'un éclair — ce qu'il n'appréhende jamais : un peu de temps à l'état pur. L'être qui était rené en moi quand, avec un tel frémissement de bonheur, j'avais entendu le bruit commun à la fois à la cuiller qui touche l'assiette et au marteau qui frappe sur la roue, à l'inégalité pour les pas des pavés de la cour Guermantes et du baptistère de Saint-Marc, etc., cet être-là ne se nourrit que de l'essence des choses, en elle seulement il trouve sa subsistance, ses délices. Il languit dans l'observation du présent où les sens ne peuvent la lui apporter, dans la considération d'un passé que l'intelligence lui dessèche, dans l'attente d'un avenir que la volonté construit avec des fragments du présent et du passé auxquels elle retire encore de leur réalité en ne conservant d'eux que ce qui convient à la fin utilitaire, étroitement humaine, qu'elle leur assigne. Mais qu'un bruit, qu'une odeur, déjà entendu ou respirée jadis, le soient de nouveau, à la fois dans le présent et dans le passé, réels sans être actuels, idéaux sans être abstraits, aussitôt l'essence permanente et habituellement cachée des choses se trouve libérée, et notre vrai mot qui, parfois depuis longtemps, semblait mort, mais ne l'était pas entièrement, s'éveille, s'anime en recevant la céleste nourriture qui lui est apportée. Une minute affranchie de l'ordre du temps a recréé en nous, pour la sentir, l'homme affranchi de l'ordre du temps. Et celui-là, on comprend qu'il soit confiant dans sa joie, même si le simple goût d'une madeleine ne semble pas contenir logiquement les raisons de cette joie, on comprend que le mot de « mort » n'ait pas de sens pour lui ; situé hors du temps, que pourrait-il craindre de l'avenir ?

La littérature, l'art véritable, consiste en une recherche de cette vie hors du temps, en une connaissance du temps retrouvé :

La grandeur de l'art véritable, au contraire, de celui de M. de Norpois eût appelé un jeu de dilettante, c'était de retrouver, de ressaisir, de nous faire connaître cette réalité loin de laquelle nous vivons, de laquelle nous nous écartons de plus en plus au fur et à mesure que prend plus d'épaisseur et d'imperméabilité la connaissance conventionnelle que nous lui substituons, cette réalité que nous risquerions fort de mourir sans avoir connue et qui est tout simplement notre vie. La vraie vie, la vie enfin découverte et éclaircie, la seule vie par conséquent réellement vécue, c'est la littérature ; cette vie qui, en un sens, habite à chaque instant chez tous les hommes aussi bien que chez l'artiste. Mais ils ne la voient pas, parce qu'ils ne cherchent pas à l'éclaircir. Et ainsi leur passé est encombré d'innombrables clichés qui restent inutiles parce que l'intelligence ne les a pas « développés ». Notre vie, et aussi la vie des autres ; car le style pour l'écrivain, aussi bien que la couleur pour le peintre, est une question non de technique mais de vision. Il est la révélation, qui serait impossible par des moyens directs et conscients, de la différence qualitative qu'il y a dans la façon dont nous apparaît le monde, différence qui, s'il n'y avait pas l'art, resterait le secret éternel de chacun. Par l'art seulement nous pouvons sortir de nous, savoir ce que voit un autre de cet univers qui n'est pas le même que le nôtre, et dont les paysages nous seraient restés aussi inconnus que ceux qu'il peut y avoir dans la lune. Grâce à l'art, au lieu de voir un seul monde, le nôtre, nous le voyons se multiplier, et, autant qu'il y a d'artistes originaux, autant nous avons de mondes à notre disposition, plus différents les uns des autres que ceux qui roulent dans l'infini et qui, bien des siècles après qu'est éteint le foyer dont il émanait, qu'il s'appelât Rembrandt ou Ver Meer, nous envoient encore leur rayon spécial.

Ce travail de l'artiste, de chercher à apercevoir sous de la matière, sous de l'expérience, sous des mots, quelque chose de différent, c'est exactement le travail inverse de celui que, à chaque minute, quand nous vivons détourné de nous-même, l'amour-propre, la passion, l'intelligence, et l'habitude aussi accomplissent en nous, quand elles amassent au-dessus de nos impressions vraies, pour nous les cacher entièrement, les nomenclatures, les buts pratiques que nous appelons faussement la vie. En somme, cet art si compliqué est justement le seul art vivant. Seul il exprime pour les autres et nous fait voir à nous-même notre propre vie, cette vie qui ne peut pas s'« observer », dont les apparences qu'on observe ont besoin d'être traduites et souvent lues à rebours et péniblement déchiffrées.

"La vraie vie, la vie enfin découverte et éclaircie, la seule vie par conséquent réellement vécue, c'est la littérature"

TABLE CHRONOLOGIQUE

La colonne de gauche indique la succession des événements historiques ; la colonne de droite, placée en vis-à-vis, les textes qui figurent dans LE LIVRE DES LIVRES. Vous pourrez ainsi situer ces grands textes dans leur contexte historique.

AVANT J.-C.

Date	Événements	Textes
.2800.	Ancien Empire égyptien	
.2700.	Première des Grandes Pyramides	2700-2400 *Textes* dits *des Pyramides*
.2400.	Destruction de Troie	
		2200 *Textes* dits *des Sarcophages*
.2100.	Moyen Empire égyptien	
.2000.	Les premiers palais crétois	
	Dynastie chinoise des Hia	
		1700 *Livre des morts* égyptien
.1600.	Nouvel Empire égyptien	
.1500.	Dynastie chinoise des Chang ou Yin	
.1400.	Aménophis IV (Akhénaton) pharaon « solaire »	entre 2000 et 1400 rédaction des *Véda*
.1350.	Toutankhamon	
	Destruction de la sixième ville de Troie	
.1300.	Ramsès II	
	Moïse conduit les Hébreux d'Égypte en Canaan	
.1030.	Saül roi des Hébreux	
	Dynastie chinoise des Tcheou	
		1000 *Psaumes* de la *Bible*
.970.	Salomon	
.900.	Les prophètes Elie et Elisée	Livre de l'*Exode*
.776.	Début des Olympiades	
.753.	Fondation de Rome	
.740.	Prédication d'Isaïe	740 Homère : *Iliade ; Odyssée*
		722 *Chroniques de la Principauté de Lu* traditionnellement attribuées à Confucius
.717.	Numa Pompilius	
.673.	Tullus Hostilius	
.650.	Prédication de Jérémie	
.620.	Lois de Dracon	
	Tarquin l'Ancien	
.586.	Prise de Jérusalem par Nabuchodonosor	
	Les prophètes Ezéchiel, Jérémie	
		550 Pythagore
.535.	Tarquin le Superbe	540 Lao-Tseu (?)
.521.	Darius Ier	
		550-480 Confucius
		520 1er sermon de Bouddha à Bénarès
.500.	Institution de la République à Rome	
.490.	Bataille de Marathon	
.480.	Bataille de Salamine	
	Xerxès vaincu par les Grecs	
	Début des Royaumes Combattants en Chine	
.479.	Défaite des Perses à Platées	
		472 Eschyle (525-456) : *Les Perses*
.471.	Les tribuns de la plèbe	
.444.	Périclès	
		443 Sophocle (496-406) : *Antigone*
.438.	Guerre du Péloponnèse	
		430 Sophocle (496-406) : *Œdipe Roi*
		428 Euripide (480-406) : *Hippolyte*
		405 Aristophane (450-385) : *Les Grenouilles*
.404.	Fin de la guerre du Péloponnèse	
	Tyrannie des Trente à Athènes	
.403.	Rétablissement de la démocratie à Athènes	
.399.	Procès et mort de Socrate	
		384 Platon (428-347) : *Le Banquet*
.381.	Prise de Rome par les Celtes	
		427-335 Xénophon
.334.	Campagne d'Alexandre le Grand en Perse	
		335 Aristote (384-322) fonde le *Lycée*
.332.	Alexandre en Egypte	

.327-325.	Alexandre en Inde	Tchouang-tseu Lie-tseu Rédaction du *Mahabharata*
.323.	Mort d'Alexandre	
		264 Traduction grecque de l'*Ancien Testament* dite *Les septante*
.220.	Ts'in Che Houang-ti unifie et centralise la Chine	
.219.	Deuxième guerre punique (Hannibal)	
.216.	La Grande Muraille Bataille de Cannes	
		202 Plaute (250-184) : *Le Fanfaron*
.167.	Révolte des Maccabées	
.146.	Destruction de Carthage La Grèce province romaine	
.133-121.	Les Gracques	
.82.	Dictature de Sylla	
.73.	Spartacus	
.63.	Prise de Jérusalem par Pompée Cicéron consul Conjuration de Catilina	63 Cicéron (106-43) : *Catilinaires*
.59.	César consul	59 Lucrèce (98-55) : *De la Nature*
.50.	Guerre des Gaules	50 Jules César (100-44) : *Commentaires sur la guerre des Gaules*
.49.	Incendie de la bibliothèque d'Alexandrie Meurtre de César	49 Virgile (70-19) : *Bucoliques*
.30.	L'Égypte province romaine	
		31 Horace (65-8) : les premières *Satires*
.27.	Octave prend le titre d'Auguste, début de l'Empire romain	
		18 Virgile : *L'Enéide* Ovide (43-18 ap. J.-C.)

APRÈS J.-C.

ÈRE CHRÉTIENNE

.6.	La Judée province romaine	
.14.	Tibère empereur	
.30.	Mort de Jésus	
.37.	Caligula	Phèdre (15-50)
.41.	Claude	
.49.	Sénèque (4-65)	49 Sénèque précepteur de Néron 51 *Évangiles*
.54.	Néron	
.64.	Incendie de Rome, persécution des chrétiens	
.69.	Vespasien	
.70.	Prise de Jérusalem par Titus Diaspora des Juifs Destruction du Temple de Jérusalem	
.79.	Titus	
.98.	Trajan succède à Nerva	
		Apocalypse de saint Jean
.100.	L'Arménie et la Mésopotamie conquises par Trajan	
.105.	Invention du papier en Chine	
.117.	Hadrien	
.132.	Révolte de la Judée	
.134.	Diaspora des Juifs	
		150 *Actes des Apôtres*
.160.	Marc Aurèle succède à Antonin le Pieux	
.193.	Septime Sévère	
.200.	En Chine période dite des Trois Royaumes Déclin du confucianisme en faveur du taoïsme et du bouddhisme	
.265.	Dynastie chinoise des Tsin	
.270.	Aurélien	
.284.	Doclétien	
.285.	Edit de persécution contre les Chrétiens	
.311.	Edit de tolérance Début des « Grandes Invasions »	
.312.	Conversion de Constantin Ier	
.325.	1er Concile de Nicée	
.361.	Julien dit l'Apostat empereur	
.379.	Théodose	
.395.	Honorius empereur d'Occident Arcadius empereur d'Orient	395 Révision de la traduction latine de la *Bible* (dite *Vulgate*) par saint Jérôme (344-420)
.410.	Prise de Rome par Alaric	
.450.	Invasion d'Attila en Gaule et en Italie	
.476.	Fin de l'empire d'Occident	
.479.	Dynastie chinoise des Ts'i	
.496.	Conversion de Clovis	
.502.	Dynastie chinoise des Leang	
.520.	Unification du Japon	
.537.	Justinien conquiert l'Italie	
.540.	Le bouddhisme adopté officiellement au Japon	
.561.	Partage du royaume franc après la mort de Clotaire	
.570.	Naissance de Mahomet	

.589. Dynastie chinoise des Souei
.590. Le pape Grégoire le Grand
.610. L'Islam
.618. Dynastie chinoise des T'ang
.629. Dagobert
.632. Mort de Mahomet
.711. Conquête de l'Espagne par les Arabes
.732. Bataille de Poitiers
.481-751. Règne des Mérovingiens
.773. Apparition des chiffres « arabes »
.786. Haroun al-Rachid
.751-987. Règne des Carolingiens
.800. Charlemagne, roi des Francs, est couronné empereur par le pape Léon III à Rome.
.842. Partage de l'empire carolingien.

610-631 composition du *Coran*

842 *Serments de Strasbourg* entre Louis le Germanique et Charles le Chauve.

Xᵉ SIÈCLE

.987. Sacre de Hugues Capet
.987-1328. Règne des Capétiens

960-1000 (?) Sei Shonagon : *Notes de chevet*

XIᵉ SIÈCLE

.1095. Première Croisade

(début du XIᵉ siècle) Mourasaki Shikibou : *le dit du Gennji*
1080 *La Chanson de Roland*

Apogée de l'art roman
Apparition de la polyphonie en musique

XIIᵉ SIÈCLE

Luttes entre la France et l'Angleterre
.1147-1148. 2ᵉ Croisade
.1190. 3ᵉ Croisade
Début de la construction du Louvre

Marie de France
Béroul-Thomas : *Tristan et Iseut*
Le Roman de Renart

Chrétien de Troyes (1130-1190)
Villehardouin (1150-1213)
Naissance du gothique
Construction de cathédrales

XIIIᵉ SIÈCLE

.1203. 4ᵉ Croisade
.1209. Croisade contre les « Albigeois »
.1217. 5ᵉ Croisade
.1226-1270. Règne de Saint Louis
.1228-1270. 6ᵉ, 7ᵉ et 8ᵉ Croisades
.1250. Fondation de la Sorbonne

Les fabliaux : *Estula*
Aucassin et Nicolette
Guillaume de Lorris (1210-1237)
Jean de Meung (1240-1305) : *Le Roman de la Rose*

Rutebeuf (1230-1285)

Marco Polo (1253-1324)
Dante Alighieri (1265-1321)
Apogée du gothique

XIVᵉ siècle

.1328. Mort du dernier Capétien. Philippe VI prend le pouvoir, c'est l'avènement des Valois
.1328-1498. Règne des Valois
.1328. Apparition du canon en Occident
.1330. Effondrement du système féodal en France-D'origine chinoise, la fabrication du papier se diffuse en France.
.1340. Début de la guerre de Cent ans

Pétrarque (1304-1374)

Boccace (1313-1375)

Charles d'Orléans (1394-1465)

XVᵉ siècle

.1440. Invention de l'imprimerie de Gutenberg
.1453. Fin de la guerre de Cent ansPrise de Constantinople par les Turcs
.1461. Louis XI unifie le royaume de France
.1492. Grandes découvertes géographiques
Voyages de Christophe Colomb

Vers 1400 rédaction des *Mille et une nuits*
Villon (1431-1463)
Machiavel (1469-1527)

Luther (1483-1546)
Rabelais (1484-1553)

Clément Marot (1497-1544)

XVIe siècle

.1504. Traité de Blois : la France abandonne Naples à l'Espagne

.1521. François Ier déclare la guerre à Charles Quint

.1523. Les livres de Luther sont brûlés à Paris

.1529. Paix de Cambrésis
Progrès de la Réforme

.1534. Henri VIII d'Angleterre rompt ses relations avec l'Église catholique

.1539. Les compagnons imprimeurs déclenchent à Lyon la première grande grève de la France

.1547. Mort de François Ier
Henri II lui succède
Ivan IV le Terrible prend le titre de tsar de Russie

.1553. Calvin fait exécuter Michel Servet qui nie le dogme de la Trinité

.1556. Charles Quint abdique. Son fils, Philippe II devient roi des Espagnes

.1559. Mort de Henri II
François II, roi de France

.1560. Mort de François II
Charles IX, roi de France

.1563. Assassinat du duc de Guise

.1572. Massacre de la Saint-Barthélemy : Coligny et 3 000 protestants sont tués en France
En Angleterre, Elisabeth Ire déclenche les persécutions contre les catholiques

.1574. Mort de Charles IX
Henri III, roi de France

.1587. Exécution de Marie Stuart

.1589. Henri III est assassiné
Fin du règne des Valois
Début du règne des Bourbons

.1594. Henri IV abjure le protestantisme et entre à Paris

.1598. L'Édit de Nantes rétablit le catholicisme dans tout le royaume et donne la liberté de culte aux protestants.

Ambroise Paré (1509-1590)
Calvin (1509-1564)
Joachim du Bellay (1522-1560)
1525 Luther publie son *Traité du Serf Arbitre*
Pierre de Ronsard (1524-1585)
1532
Machiavel publie *Le Prince*
Rabelais écrit *Gargantua et Pantagruel*
Montaigne (1533-1592)
Cervantes (1547-1616)
Agrippa d'Aubigné (1552-1630)
1553 Michel Ange dirige les travaux de Saint-Pierre de Rome
Malherbe (1555-1628)
Shakespeare (1564-1616)
Richelieu (1585-1642)
Descartes (1595-1650)

XVIIe siècle

.1600. Henri IV épouse Marie de Médicis

.1610. Henri IV est assassiné par Ravaillac
Régence de Marie de Médicis

.1614. Majorité de Louis XIII

.1616. Richelieu devient secrétaire d'État

.1618-1648. Guerre de Trente ans

.1635. Fondation de l'Académie française

.1638. Naissance de Louis XIV (1638-1715)

.1642. Conjuration et exécution de Cinq-Mars
Mort de Richelieu

.1643. Mort de Louis XIII
Louis XIV, roi de France
Régence d'Anne d'Autriche
Mazarin, premier ministre
Misère, émeutes

.1648. Fin de la guerre de Trente ans
Traité de Westphalie
Fronde parlementaire

.1650. Fronde des Princes
Révolte de Condé contre le roi et Mazarin

.1653. Fin de la Fronde

.1661. Mort de Mazarin
Début du règne personnel de Louis XIV

.1664. Condamnation de Fouquet
Colbert devient surintendant général

.1665. Grande peste de Londres

1600 Shakespeare : *Hamlet*
Corneille (1606-1684)
Cardinal de Retz (1613-1679)
La Rochefoucauld (1613-1680)
La Fontaine (1621-1695)
Molière (1622-1695)
Pascal (1623-1662)
Mme de Sévigné (1626-1696)
Bossuet (1627-1704)
Perrault (1628-1703)
Mme de La Fayette (1634-1693)
1636 Corneille : *Le Cid*
1637 Descartes : *Discours de la Méthode*
Racine (1639-1699)
Matsuo Bashô (1644-1694)
La Bruyère (1645-1696)
Leibniz (1646-1716)
Defoë (1660-1731)
Swift (1667-1745)
1670 Molière : *Le Bourgeois Gentilhomme*
Saint-Simon (1675-1755)

.1682. Installation définitive de la Cour à Versailles
.1684. Louis XIV épouse en secret Mme de Maintenon
.1685. Révocation de l'Édit de Nantes

Marivaux (1688-1763)
Montesquieu (1689-1755)
Voltaire (1694-1778)
Abbé Prévost (1697-1763)

.1699. Condamnation du quiétisme

XVIIIe siècle

.1701. Grande Alliance de La Haye contre la France et l'Espagne

1704 *Les Mille et Une Nuits* (traduction française)
Buffon (1707-1788)
Rousseau (1712-1778)
Diderot (1713-1784)

.1715. Mort de Louis XIV
Régence de Philippe d'Orléans
.1723. Majorité de Louis XV
.1725. Mort de Pierre le Grand

Casanova (1725-1798)
1730 Marivaux : *Le Jeu de l'amour et du hasard*
Laclos (1741-1803)

.1745. Mme de Pompadour favorite

Sade (1740-1814)
1748 Montesquieu : *L'Esprit des Lois*
Gœthe (1749-1832)
Mirabeau (1749-1791)
1751 : *L'Encyclopédie*

.1754. Naissance de Louis XVI

Fabre d'Églantine (1755-1794)

.1756-1763. Guerre de Sept ans

Robespierre (1758-1797)
Danton (1759-1794)
1759 Voltaire : *Candide*
Rouget de Lisle (1760-1836)
Saint-Simon (1760-1825)

.1762. Affaire Calas

1762 Rousseau : *Du Contrat Social*
A.-M. Chenier (1762-1794)
M.-J. Chenier (1764-1811)

.1765. Réhabilitation de Calas

Mme de Staël (1766-1817)
Benjamin Constant (1767-1830)
Chateaubriand (1768-1848)

.1769. Naissance de Napoléon Bonaparte (1769-1821)

Cuvier (1769-1832)
Walter Scott (1771-1832)

.1774. Mort de Louis XV
Louis XVI, roi de France

Stendhal (1783-1842)
Grimm (1785-1863
et 1786-1859)

.1789. Révolution française
.14 juillet 1789. Prise de la Bastille
.1789-1797. Présidence de G. Washington aux U.S.A.
.1793. Louis XVI est exécuté

1789 *Déclaration des Droits de l'Homme et du Citoyen*
1790 *Chansons de la Révolution*
Lamartine (1790-1869)

.1799. Coup d'État du 18 Brumaire

Vigny (1797-1863)
Michelet (1798-1874)
Balzac (1799-1850)
Comtesse de Ségur (1799-1874)

XIXe siècle

.1800. La Constitution de l'An VIII est ratifiée par plébiscite
.1802. Bonaparte, Consul à vie
.1804. Sacre de Napoléon Ier, empereur des Français
.1805. Victoire d'Austerlitz

Victor Hugo (1802-1885)
Alexandre Dumas (1803-1870)
G. Sand (1804-1876)
Andersen (1805-1875)
Tocqueville (1805-1859)
Barbey d'Aurevilly (1808-1889)
Nerval (1808-1855)
Mérimée (1809-1870)
E.A. Poe (1809-1849)
Proudhon (1809-1865)
Darwin (1809-1882)
Musset (1810-1857)
Gautier (1811-1872)
Dickens (1812-1870)

.1812. Campagne de Russie
.1814. Abdication de Napoléon
.1815. Retour triomphal de Napoléon
Waterloo
.1816. Règne de Louis XVIII

Karl Marx (1818-1883)
Leconte de Lisle (1818-1894)
1820 Lamartine : *Méditations poétiques*

.1821. Mort de Napoléon

Dostoïevsky (1821-1881)
Baudelaire (1821-1867)
Flaubert (1821-1880)
1822 Grimm : *Contes*

.1824. Mort de Louis XVIII
.1825. Sacre de Charles X
.1830. Charles X abdique en faveur de son petits-fils. Louis-Philippe Ier prête serment à la Charte révisée

.1845. Une grande famine ravage l'Irlande
Le Texas entre dans l'Union américaine

.1848. Révolution de février. Seconde République

.1851. Coup d'État de Louis-Napoléon

.1859. Campagne de Napoléon III en Italie

.1862. Otto von Bismarck devient Premier ministre de Prusse

.1870. Guerre contre la Prusse
4 septembre : Proclamation de la République
.1871. La Commune de Paris
Armistice. Traité de Francfort

.1882. Enseignement primaire obligatoire et laïque (Jules Ferry)

.1889. Exposition Universelle à Paris. La Tour Eiffel est achevée.
.1890. Chute de Bismarck
.1894. Condamnation de Dreyfus.

Fabre (1823-1915)
Jules Verne (1828-1905)
1830 Stendhal : *Le Rouge et le Noir*

Lewis Carroll (1832-1898)
1833 Balzac : *Le Père Goriot, Eugénie Grandet*
1835 Balzac : *Le Lys dans la Vallée*
Villiers de l'Isle-Adam (1838-1889)
Daudet (1840-1897)
Zola (1840-1902)
Mallarmé (1842-1898)
Hérédia (1842-1905)
Verlaine (1844-1896)
Nietzsche (1844-1900)
Lautréamont (1846-1870)

1850 Chateaubriand : *Mémoires d'outre-tombe*
Maupassant (1850-1893)
1853 Victor Hugo : *Les Châtiments*
Rimbaud (1854-1891)
Verhaeren (1855-1916)
1857 Flaubert : *Mme Bovary*
1859 Darwin : *L'Origine des espèces*
Laforgue (1860-1887)
1862 Victor Hugo : *Les Misérables*

1864 Comtesse de Ségur : *Les Malheurs de Sophie*
Jules Renard
1866 Dostoïevsky : *Crime et châtiment*
1869 Flaubert : *L'Éducation sentimentale*
Baudelaire : *Le Spleen de Paris*
Les chants de Maldoror (Lautréamont)
Rostand (1868-1918)
1870
5 septembre : Victor Hugo rentre à Paris
J.-B. Clément compose "*Le temps des cerises*"
1872 Andersen : *Contes de fées*
Marcel Proust (1871-1922)
Alfred Jarry (1873-1907)
1877 Zola : *L'Assommoir*

1883 Maupassant : *Une vie*

1894 Renard : *Poil de Carotte*
1898 Zola : *J'accuse*

XXe siècle

.1906. Dreyfus réhabilité

.1914. Assassinat de Jaurès
.1914-1918. Guerre entre l'Allemagne et la France
.1917. Révolution de "Février" à Pétrograd
Révolution d'"Octobre" en Russie
.1918. 11 novembre : l'Armistice est signé
L'Empire d'Autriche-Hongrie se disloque
.1922. Ministère Poincaré
En Italie, Mussolini obtient les pleins pouvoirs

.1925. Hitler publie *Mein Kampf*

.1929. "Krach" boursier de Wall Street

1909 Proust : *Contre Sainte-Beuve*
1913 Proust : *A la recherche du Temps perdu ; Du côté de chez Swann*

1918 Proust : *A l'ombre des Jeunes-Filles en fleurs*
1920 Proust : *Le Côté de Guermantes*
1922 : mort de Marcel Proust
Sodome et Gomorrhe (Proust) est publié.
1923 : *La Prisonnière* (Proust) est publiée.

1927 : *Le Temps retrouvé* (Proust) est publié.

DICTIONNAIRE DES CITATIONS

Ce dictionnaire regroupe les principales citations des écrivains du Livre des Livres.

- *Il se présente ainsi :*
  - *Nom de l'auteur ;*
  - *Citation ;*
  - *Texte d'où est extraite la citation ;*
  - *Page du Livre des Livres où elle figure.*

- *Il est complété par un index des concepts contenus dans les citations. Chaque concept est suivi du ou des auteurs auxquels il se rapporte et de la référence à la page où vous pourrez retrouver cette citation.*

ARISTOPHANE (445-386 avant J.-C.)
Car en ce jour il me faut faire le gueux, être sinon tel que je suis, du moins tel que je veux paraître (Les Acharniens) 124

C'est ainsi que j'ai fait l'éducation de mes spectateurs. Je leur ai appris, par mes tragédies, à raisonner, à réfléchir. (Les Grenouilles) 128

Mettez en jeu le vieux comme le neuf et employez hardiment la souplesse, l'art et l'artifice (Les Grenouilles) 129

ARISTOTE (384-322 avant J.-C.)
Les bienfaiteurs paraissent mieux aimer leurs obligés, que les obligés leurs bienfaiteurs (L'Éthique à Nicomaque) 150

Il faut donc mettre au premier rang l'honneur et non la férocité (La Politique) 151

BALZAC (1799-1850)
Le hasard est le plus grand romancier du monde ; pour être fécond, il n'y a qu'à l'étudier (Avant-propos de La Comédie Humaine) 644

J'écris à la lueur de deux Vérités éternelles ; la Religion, la Monarchie (Avant-propos de la Comédie Humaine) 645

Ses yeux s'attachèrent presque avidement entre la colonne de la place Vendôme et le dôme des Invalides, là où vivait ce beau monde dans lequel il avait voulu pénétrer. Il lança sur cette ruche bourdonnante un regard qui semblait par avance en pomper le miel, et dit ces mots grandioses : – A nous deux maintenant ! (Le Père Goriot) 651

BAUDELAIRE (1821-1867)
Enivrez-vous sans cesse ! De vin, de poésie ou de vertu, à votre guise (Le Spleen de Paris) 752

BEAUMARCHAIS (1732-1799)
Aux vertus qu'on exige dans un domestique, Votre Excellence connaît-elle beaucoup de maîtres qui fussent dignes d'être valets ? (Le Barbier de Séville) 512

Je me presse de rire de tout, de peur d'être obligé d'en pleurer (Le Barbier de Séville) 513

LA BIBLE
Au commencement, Dieu créa les cieux et la terre (Genèse) 46

Dieu dit : Que la lumière soit ! Et la lumière fut (Genèse) 46

Voici cette fois celle qui est os de mes os et chair de ma chair (Genèse) 47

Tu enfanteras avec douleur (Genèse) 47

Toutes les nations de la terre seront bénies en ta postérité, parce que tu as obéi à ma voix (Genèse) 48

Vanité des vanités, tout est vanité (L'Ecclésiaste) 53

Mon bien-aimé est semblable à la gazelle ou au faon des biches (Cantique des cantiques) 53

Je te salue, toi à qui une grâce a été faite ; le Seigneur est avec toi (Évangile selon saint Luc) 54

Tu es bénie entre les femmes, et le fruit de ton sein est béni (Évangile selon saint Luc) 54

Je vous annonce une bonne nouvelle (Évangile selon saint Luc) 55

INDEX DES CITATIONS

INDEX

Nous avons adopté pour cet index une typographie qui facilitera vos recherches.

- *Les auteurs et la référence aux pages où se trouvent leurs textes sont en gras.*
- *Les œuvres sont en italique gras, les pages correspondantes en gras.*
- *Les personnages et les concepts sont en caractères maigres.*

Si un auteur est cité dans des textes d'autres auteurs, la référence de la page est alors indiquée en maigre.
Exemple : **PLATON. 135,** 149, 324, 810
signifie que tous les textes de Platon sont en p. 135 mais que vous trouverez aussi des références à Platon aux p. 149, 324 et 810.

.B.

.C.

.D.

.E.

.F.

.G.

.H.

.I.

.J.

.K.

.L.

.Q.

.R.

.S.

.Z.